군자출판사

근골격 초음파학

Musculoskeletal Ultrasound

대한근골격영상의학회
Korean Society of Musculoskeletal Radiology

조길호, 이성문, 이영환 편저

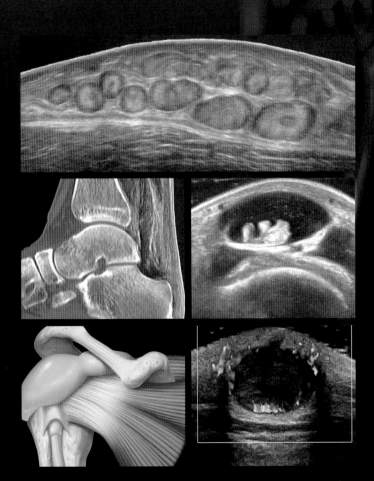

군자출판사

근골격 초음파학
Musculoskeletal Ultrasound

첫째판 1쇄 인쇄 | 2017년 5월 15일
첫째판 1쇄 발행 | 2017년 5월 25일
첫째판 2쇄 발행 | 2018년 10월 19일

지 은 이   대한근골격영상의학회
발 행 인   장주연
출 판 기 획   김도성
편집디자인   주은미
표지디자인   김재욱
일 러 스 트   유학영
발 행 처   군자출판사(주)
          등록 제4-139호(1991. 6. 24)
          본사 (10881) **파주출판단지** 경기도 파주시 회동길 338(서패동 474-1)
          전화 (031) 943-1888   팩스 (031) 955-9545
          홈페이지 | www.koonja.co.kr

ISBN   979-11-5955-206-9
정가   150,000원

근골격 초음파학

Musculoskeletal Ultrasound

집필진

편집위원회(가나다 순)

이상용	전주 수병원(전 전북대학교 의과대학)
이성문	대경영상의학과(전 계명대학교 의과대학)
이영환	대구가톨릭대학교 의과대학
정혜원	울산대학교 의과대학 서울아산병원
조길호	영남대학교 의과대학
하동호	동아대학교 의과대학

병리학 자문위원

최준혁	영남대학교 의과대학 병리학교실

편저자

조길호	영남대학교 의과대학
이성문	대경영상의학과(전 계명대학교 의과대학)
이영환	대구가톨릭대학교 의과대학

저자(가나다 순)

김백현	고려대학교 의과대학 안산병원
김선정	서남대학교 의과대학 명지병원(전 인제대학교 의과대학)
김성준	연세대학교 의과대학 강남세브란스병원
김여주	인하대학교 의과대학
김옥화	성균관대학교 의과대학 삼성창원병원(전 인제대학교 의과대학)
김지혜	성균관대학교 의과대학 삼성서울병원
김태은	대구파티마병원
김현주	순천향대학교 의과대학 부속 서울병원

박소영   경희대학교 의과대학

박지선   경희대학교 의과대학

박희진   성균관대학교 의과대학 강북삼성병원

송유선   부산대학교 의과대학

안경식   고려대학교 의과대학 안암병원

양 익   한림대학교 의과대학 강남성심병원

윤영철   성균관대학교 의과대학 삼성서울병원

이근영   중앙대학교 의과대학(전 분당서울대학교병원)

이상용   전주 수병원(전 전북대학교 의과대학)

이선아   한림대학교 의과대학 동탄병원(전 고려대학교 의과대학 안산병원)

이선주   인제대학교 의과대학 부산백병원

이성문   대경영상의학과(전 계명대학교 의과대학)

이승훈   한양대학교 의과대학

이영환   대구가톨릭대학교 의과대학

이인숙   부산대학교 의과대학

이재혁   든든한병원(전 경북대학교 의과대학)

정혜원   울산대학교 의과대학 서울아산병원

정희선   가톨릭관동대학교 의과대학 월스기념병원

조길호   영남대학교 의과대학

진 욱   경희대학교 의과대학

차장규   순천향대학교 의과대학 부속 부천병원

천경아   가톨릭관동대학교 의과대학 국제성모병원

천정은   서울대학교 의과대학

최수정   울산대학교 의과대학 강릉아산병원

최윤선   을지대학교 의과대학 을지병원

추혜정   인제대학교 의과대학 부산백병원

하동호   동아대학교 의과대학

하두회   차의과학대학교 의학전문대학원

홍석주   고려대학교 의과대학 구로병원

발간사

대한근골격영상의학회가 '근골격영상의학(2013년 발간)'에 이어 자매지로 근골격 초음파 한글교과서를 처음으로 발간하게 되어 기쁘다. CT-MR과는 다르게 근골격 초음파는 실시간 역동적 검사가 가능하며, 연부조직 질환에 대한 중재적시술을 위한 중요한 도구이다. 검사 부위와 목적에 따라 검사자가 선택-조정하는 초음파 장비의 기계적 조건, 적절한 환자의 자세, 초음파를 이용한 이학적 검사와 검사 기법 등이 제대로 갖추어져야 옳은 진단을 할 수 있다. 이를 위해서는 초음파 물리, 검사 수기, 초음파해부학과 영상 소견에 대한 다양한 지식과 경험이 필수적이다.

'근골격 초음파 한글교과서가 필요하다'는 회원들의 뜻을 모아, 2014년 당시 대한근골격영상의학회 이성문 회장이 조길호 교수를 편집위원장으로 추대하고, 국내 최고 수준의 근골격 영상의학과 교수들로 집필진을 구성하였다. 다양한 증례와 모식도를 바탕으로 체계적이고 최신 지식을 집약한 이 교과서는, 총론에 해당하는 Section 1(총론)에서 초음파 물리와 허상, 연조직, 뼈, 관절, 신경-혈관(상지, 하지)을 서술하였고, Section 2(상지)와 Section 3(하지)은 각 관절과 관절주변부에 대한 초음파해부학과 질환을 다루었다. Section 4(기타)는 초음파유도 중재술, 수술 후 초음파, 소아의 고관절과 척추, 판독문 작성법을 포함했다. 특히, '판독문 작성'을 서술한 Chapter 18은 국내·외의 다른 책에서는 거의 언급하지 않은 것으로, 관심 있는 전공의를 비롯한 모든 분들에게 크게 도움이 될 것이다.

이번에 출간하는 근골격 초음파 우리말 교과서가 모든 의사들에게 근골격 초음파검사의 적응증과 한계를 이해하는 옳은 안내서이자 참고서가 될 것으로 확신한다.

수고하신 집필진 여러분들의 열정과 노력에 대한근골격영상의학회 회원을 대표하여 진심으로 감사드린다.

2017년 5월
대한근골격영상의학회 회장 **지원희**

머리말

1980년대 말, 우리나라에 자기공명영상이 도입되면서 뼈나 관절은 물론이고 관절연골과 연부조직 질환의 진단에 엄청난 변화가 시작되었는데, 상대적으로 근골격 초음파는 관심 밖에 있었다. 근골격 초음파 책도 없던 1990년경 내가 근골격 초음파에 깊은 관심을 보이자, 주변의 한 근골격 영상의학의사(나의 30년 친구)가 "쓸데없는 짓 하지 말고, MR이나 공부해라"고 했던 기억이 새롭다.

지난 30년 동안에, 근골격 초음파는 새로운 기능과 기법, 수기가 개발되고, 실시간 초음파 영상의 화질과 이용의 편리함이 놀랍도록 발전하였다. 초음파는 CT나 MR과는 물리적-기계적 성질이 다르므로 뼈 안을 볼 수 없고, 영상 시야(field-of-view)가 작다. 또, 실시간(real time) 영상으로 움직임을 관찰하면서 진단하는 특성 때문에, 검사자의 숙련도, 경험과 지식에 따라 검사 결과가 달라질 수 있다. 한편, 팔-다리의 동작과 관련된 근골격 통증의 원인이 역동적 초음파검사에서만 진단되기도 한다. 근골격 초음파검사를 제대로 하려면, 초음파 물리, 검사 수기, 상세한 초음파해부학과 질환의 영상 소견, 초음파유도하 중재적시술과 치료 등에 관한 지식이 필요한데, 이를 충족하기 위함이 이 책의 목적이다.

대한근골격영상의학회의 성원으로 37명의 집필진이 약 3년간의 노력으로 결실을 맺은 이 책은 4부 18장으로 구성되어 있다. 초음파의 작은 영상시야에 대한 이해를 돕고자 단순촬영-CT-MR-모식도를 많이 포함하도록 노력하였다. '제 18장 영상 판독문의 작성'은 많은 의사들에게 나침반같은 역할을 하기를 기대한다.

이 책을 준비-발간하는 시점에 우리말 표준의학용어는 한글, 한자 둘 다 사용되어 용어 체계가 복잡하므로 괄호 안에 영문 표기를 추가하였다. '한글 맞춤법'에 따르면, 외래어의 한글 표기에서 첫글자에 경음을 쓸 수 없고, 평음이나 격음을 써야 한다. 그래서, '뽀빠이'는 '포파이'로 적어야 한다. 또, 본문에서 마주치는 낯선 한글 용어에 대한 이해를 돕고자, 모든 그림 설명과 표는 영문으로 하였다. 한글과 영문 찾아보기(색인)는 계단식 구조로 정리하여 첨부하였다. 알맞은 우리말 용어가 없을 때, 편집진이 새로운 용어를 제시하고 영문을 병기하였는데, 여러분들의 많은 의견을 바란다. 처음에 의도하였던 동영상을 포함한 CD 제작, 전자책, 영문판 책의 출간을 하지 못한 점이 아쉬우며, 여러분의 이해를 바란다. 영어 및 중국어 번역을 고려하고 있다.

귀중한 원고와 증례를 보내주신 분들과, 근골격영상의학회 회원의 성원에 뜨거운 고마움을 전한다. 군자출판사 장주연 사장님과, 모식도 제작, 편집·교정·인쇄 등을 위해 노력하신 임직원의 도움에도 깊은 감사를 드리며, 모든 분들과 같이 출간의 보람을 나누고 싶다.

2017년 5월

저자 대표 **조길호**

차례

01 SECTION 총론
General Consideration: Physics, Anatomy & Pathology of Soft Tissues, Bone & Joint, Nerve, and Vessel

02 SECTION 상지
Upper Extremity

01 SECTION

총론

General Consideration:
Physics, Anatomy & Pathology of Soft Tissues, Bone & Joint, Nerve, and Vessel

CHAPTER 01

초음파 물리 및 기법

Ultrasonography: Physics and Techniques

01 CHAPTER

■ 이성문, 이인숙, 안경식

초음파 물리 및 기법
Ultrasonography: Physics and Techniques

I. 초음파 물리 Physics of ultrasound

1. 소리의 특성

소리(sound)는 진동(vibration)을 가지는 운동에너지이다. 소리(음파)의 전달은 매질(medium)이 없는 진공상태에서는 불가능하며, 밀도가 낮은 공기보다, 밀도가 높은 액체, 고체일수록 소리의 전달 속도가 빨라진다.

매질의 밀도뿐만 아니라, 점도, 온도, 압력, 고도에 따라 소리의 전달 속도가 달라진다. 소리의 속도는 주파수와 파장의 곱으로 표시한다. 단위 시간 1초 동안의 소리 진동수 또는 주파수(cycle per second, cps)가 1일 때를 1헤르츠(Hertz, 이하 Hz)라고 한다. 사람의 청력은 20 Hz~20 KHz인데, 20 KHz 이상을 초음파(ultrasound)라고 하며, 진단 목적의 의료용 초음파기기의 주파수는 3~25 MHz이다.

1기압, 실온 공기 중에서 소리의 속도는 약 340 m/sec이다. 물에서는 1,480 m/sec, 바닷물(3.5% salinity)에서는 1,522 m/sec, 지방에서는 1,450 m/sec, 근육에서는 1,580 m/sec, 뼈에서는 4,080 m/sec, 금속에서는 4,500 m/sec 이상이다. 인체조직의 70%가 물이므로, 연부조직에서 소리의 평균 속도는 1,540 m/sec이다 (Table 1-1).[1]

소리는 매질을 만나면 투과(transmission), 반사(reflec-

Table 1-1 Speed of the sound wave and acoustic impedance

Tissue media	Velocity(c) (m/sec)	Impedance(Z) (Kg/sec/m^2)x10^6
Air	331~334	0.0004
Water	1480	1.48
Blood	1566~1570	1.62~1.66
Fat	1446~1450	1.33~1.35
Brain	1505~1612	1.55~1.66
Muscle	1542~1626	1.65~1.74
Bone	4080	3.75~7.80
Soft tissue average	1540	1.63

$$Z = \rho C = P/U$$

Z: acoustic impedance
ρ: density
C: speed of sound
P: acoustic pressure
U: wave particle velocity

$$C = f\lambda$$

C: speed of sound
f: frequency
λ: wave length

tion), 굴절(refraction), 산란(scattering), 흡수(absorption) 및 감쇠(attenuation) 등의 상호작용을 일으킨다. 균질한 한

종류의 매질로 구성된 물질 안에서 소리는 투과하며, 반사음 (reflecting sound)이 생기지 않는다. 초음파영상 형성에 가장 중요한 요소인 반사음은 소리경계면(acoustic interface)에서 생긴다. 소리경계면이란 밀도와 전파속도가 서로 다른 두 물질 사이의 경계면을 말한다. 반사음은 두 매질 사이에서 소리저항(acoustic impedance)의 차이가 클수록 많아진다. 소리저항은 물질의 밀도와 소리 전파 속도의 곱으로 표시된다 (Table 1-1). 초음파의 입사각(insonating angle)이 클수록 투과와 반사가 증가하는데, 90°로 입사할 때 가장 많아진다. 초음파는 인체 내에 전파되면서 진동파의 압박(compression) 과 희박성(rarefaction) 사이에서 열로 변환되고, 결국에는 조직에 흡수되어 소멸된다. 소리의 흡수량은 주파수가 높을수록, 조직 점도(viscosity)가 클수록 증가한다.

2. 초음파 탐촉자 및 영상형성

교류전기신호(alternating electric pulse)를 수정(crystal), 티탄산(titanic acid), 바륨(barium) 등의 결정체에 보내면, 결정체가 진동하면서 전기신호는 기계적 수리에너지로 변환된다. 이 소리에너지가 조직의 소리경계면에서 반사되어 결정체로 되돌아오면 다시 전기신호로 변환된다. 이렇게 전기신호가 기계적 소리에너지로, 또는 기계적 소리에너지가 전기신호로 변환되는 것을 '압전효과(piezoelectric effect)'라 한다. 압전결정체(piezoelectric crystal)를 탐촉자(probe)에 배열하여 초음파를 방출(emission)하고 수신(receiving)한다.[2~4] 환자의 피부에 바르는 젤(gel)은 탐촉자와 피부 사이의 접촉을 좋게 하여, 초음파가 조직으로 잘 전달되도록 한다.[4]

좋은 영상을 얻기 위해서는 해상도(resolution)와 투과성(penetration)을 고려하여 최적화 주파수(optimized frequency)의 탐촉자가 필요하다. 주파수가 높을수록 고해상도의 영상을 만들지만 투과성이 낮다. 주파수가 낮을수록 투과성은 상대적으로 높으나 해상력은 떨어진다. 탐촉자에서 조직 내로 방출된 소리가 탐촉자로 되돌아 오는 시간을 근거로 물체 사이의 거리를 계산하여 초음파영상을 구성한다. 시간 또는 깊이 해상도(time or depth resolution)는 깊이가 다른 두 구조물의 위치를 식별하는 능력을 말하며, 화면전환율

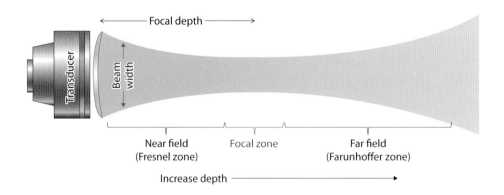

Figure 1-1 **Focal zone of ultrasound beam in focused transducer.** Focal zone is the region where the beam diameter is most concentrated giving the greatest degree of focus (narrowest beam width). Lateral resolution is the best at the focal zone. Near field is the region of a sound beam in which the beam diameter decreases as the distance from the transducer increases. This zone is called the Fresnel zone. Far filed is the region where the beam diameter increases as the distance from the transducer increases. This zone is called the Fraunhoffer zone.

(frame rate)이 빠를수록, 또 주파수가 높을수록 해상력이 높다. 한편, 횡축해상도(lateral resolution)는 나란히 인접한 두 개의 구조물을 구별하는 능력을 말한다. 탐촉자에서 나오는 초음파는 진행과정에서 음속(sound beam)의 폭이 가장 좁은 지역에서 횡축해상도가 가장 높으며, 이곳을 '초점영역(focal zone)'이라 한다 (Fig. 1-1). 주파수가 낮을수록 초점영역이 깊은 곳에 생기고, 주파수가 높을수록 초점영역은 얕은 곳에 형성된다.

소리경계면에서 반사음이 많으면 화면(monitor screen)에서 밝게 보이고, 반사음이 적으면 어둡게 보인다. 예를 들면, 뼈-연부조직 사이에서는 많은 양의 소리에너지가 반사되므로 뼈의 표면이 매우 밝게 보인다.[5,6] 초음파영상에서 밝거나 어둡게 보이는 것은 인접 조직과의 상대적인 특성에 의해 결정된다. 고해상도 영상을 얻기 위해서는 주파수, 음속(sound beam)의 너비, 탐촉자 결정체의 종류, 순도, 개수, 및 배열, 그리고 전기신호 방출과 수신, 신호의 처리 방법 등의 다양한 요소가 관여한다.

II. 기기의 조정

탐촉자는 검사 대상 부위의 깊이에 따라 선택한다. 힘줄(건, tendon), 인대(ligament), 관절, 신경, 근육 등의 검사에는 인체 내 5~6 cm까지 투과 가능한 고주파수(7.5 MHz 이상 10~15 MHz) 선형탐촉자를 주로 사용한다. 작은 크기의 하키채(hockey stick)모양의 선형탐촉자는 손이나 발의 작은 관절, 힘줄, 인대 등 표재성(superficial) 구조물의 검사에 유용하다.[4] 한편, 비교적 낮은 주파수의 곡선형(curved)탐촉자는 상대적으로 해상도가 떨어지지만 영상영역(field-of view, 이하 FOV)이 넓기 때문에, 대퇴부나 엉덩관절 같은 깊은 부위의 구조물과 큰 체격을 가진 환자의 검사에 유용하다.[7]

초음파기기 제조사들은 근골격계 검사에서 좋은 영상을 위해 각 장기나 질환 별로 미리 정한 설정값(preset)을 제공한다. 그렇지만, 병변 및 주변 조직에 따라 정확한 진단과

좋은 영상을 위해 검사자는 초음파기기의 여러 기능 키(key)들을 조정해야 한다. 검사자는 병변의 깊이에 따라 탐촉자를 선택한 다음, 대상 구조물이나 병변의 깊이에 맞추어 초점영역을 이동시킨다. 여러 개의 초점영역을 설정하면 화면전환율(frame rate)이 낮아지기 때문에 실시간 검사(real-time examination) 화면의 연속성이 끊어지는 현상(wind-shield phenomenon)이 생길 수 있다.

검사자는 시간-증폭 보정(time-gain compensation, 이하 TGC) 또는 깊이-증폭 보정(depth-gain compensation)을 조절한다. 탐촉자에서 나온 초음파는 몸 속 깊이 들어갈수록 약해지므로 깊은 곳에서 되돌아오는 반사음은 표층에서의 반사음보다 약하고, 화면에서 상대적으로 어둡게 보인다. 이를 보정하는 것이 TGC이다. 지나치게 많은 증폭은 화면 전체가 너무 밝아지는 현상(whiting out)을 초래하고, 반면에 증폭을 너무 적게 하면 화면이 어두워진다. 마지막으로, 나타내고자 하는 FOV를 적합한 크기로 조절한다.

III. 탐촉자 조정 술기

초음파검사를 시행할 때 대상 구조물뿐만 아니라 주변 구조물과의 관계 등을 검사에 포함해야 하며, 적절한 영상을 얻기 위해서는 탐촉자를 다루는 여러 술기에 익숙해져야 한다. 탐촉자를 미끄러지듯 움직여서 적절한 검사창(sonic window)을 찾고, 대상 구조물이 화면의 중앙에 오도록 한다. 탐촉자를 좌우(tilting) 또는 상하(heel-toeing)로 기울여 구조물에 대해 음파의 입사각을 적절하게 맞춘다. 탐촉자를 돌려서 구조물의 장축(long axis)과 단축(short axis) 영상을 얻는다. 경우에 따라 탐촉자로 병변을 압박하거나, 탐촉자는 고정하고 병변 부위를 움직여 보기도 한다.[8]

역동적 검사(dynamic examination)는 구조물의 퉁김현상(snapping), 충돌(impingement), 마찰(friction) 등을 실시간으로 확인할 수 있으므로, 근골격 초음파검사에서 매우 중요한 술기이다. 예를 들어, 견봉하(subacromial)충돌증후군,

요골신경 탈구(ulnar nerve dislocation), 발음성삼두근증후군 (snapping triceps syndrome) 등의 진단에 역동적 검사가 매 우 유용하며, 이러한 병들은 역동적 검사를 할 수 없는 CT나 MRI만으로 진단이 어렵기 때문에, 초음파검사의 독특한 장 점이다.[9] 인대 파열의 진단에서 역동적 검사는 진단의 정 확도를 높이고, 관절 안정성을 평가하는 데 유용하며, 특히 부분파열과 전체 파열의 감별에 도움이 된다.[10]

IV. 인공물 또는 허상 Artifacts

초음파영상에는 존재하지 않는 구조물이 보일 수 있고, 존재 하는 구조물이 보이지 않을 수도 있다. 또한 존재하는 구조 물의 위치, 크기, 에코 등이 다르게 보일 수도 있다.[4] 초음 파의 물리 및 기계 현상에 의한 허상들을 검사자가 잘 이해 하고 있어야 한다.[11,12]

1. 비등방성허상 Anisotropy artifact

비등방성허상은 근골격 초음파검사에서 흔하며 병변으로 오 인할 수 있다. 초음파가 구조물의 표면과 수직으로 만나면 반사음이 많아지고, 초음파영상에서 밝은 고에코로 보인다. 그러나 구조물에 비스듬하게 초음파가 입사하는 경우, 반사 음이 적거나 반사되지 않아 영상에서 에코가 감소하는 현상 을 비등방성허상이라 한다.[4,8,13] 고에코의 정상 힘줄이 비등방성효과 때문에 에코가 감소하여 힘줄증(tendinosis)이 나 째짐(tear)으로 오인될 수 있다 (Fig. 1-2). 그러므로 탐촉 자의 음속(sound beam)이 구조물에 가능한 한 수직으로 입 사하도록 탐촉자의 각도를 조절하여 비등방성허상을 피해야 한다. 병변으로 의심되는 저에코 부위가 보이면, 비등방성 허상과의 구분을 위해 탐촉자를 좌-우로 기울여 보거나(tilt-ing) (Fig. 1-3), 상-하로 각도를 바꾸어 가며(heel-toeing) 검 사한다 (Fig. 1-4).[6,7] 다른 방법으로는 초음파장비의 기울 임(steering ; 탐촉자 음속 방향의 각도를 조정) 기능을 이용하 여 비등방성효과를 줄일 수 있다.[14]

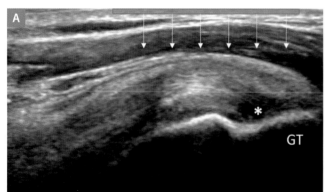
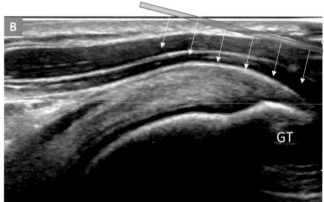

Figure 1-2 Anisotropy artifact: longitudinal view of the supraspinatus tendon. A. A hypoechoic area (*) is seen at deep portion of the tendon insertion to greater tuberosity, which can be confused with a tear. **B.** When the transducer is moved distally and the sound beam (arrows) is perpendicular to the tendon fibers, a clearly defined normal tendon is seen.

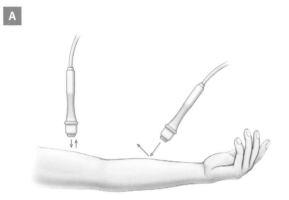

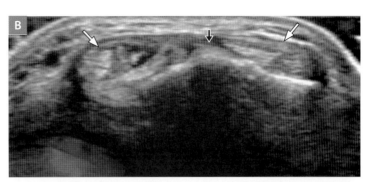

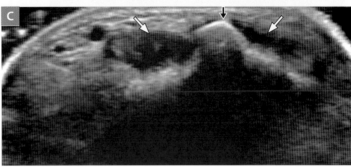

Figure 1-3 **A.** Left transducer is perpendicular to the tendon and right transducer is oblique to the tendon. **B.** Short-axis view of wrist dorsum, with perpendicular angle between sound beam and tendons. Several hyperechoic fibrillar extensor tendons (white arrows) lie around the Lister's tubercle (black short arrow). **C.** Tilting of the transducer results in tendon anisotropy (changed into black tendons, white arrows).

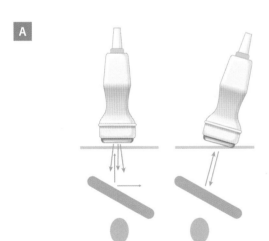

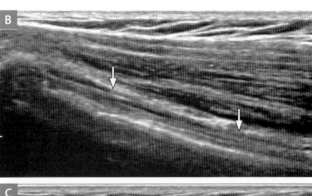

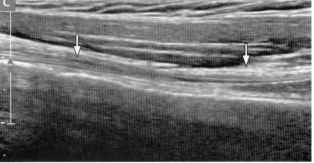

Figure 1-4 **A.** Heel-toe maneuver. **B.** Longitudinal view of long head of the biceps brachii tendon (arrows) shows low echogenicity and blurred margin because the insonating beam is not perpendicular to the tendon fibers. **C.** A heel-toe of the transducer depicts normal echogenic fibrillar pattern of the tendon (arrows).

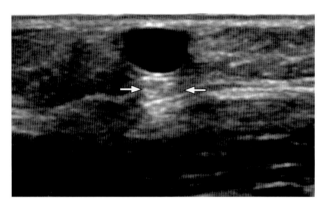

Figure 1-5 Posterior acoustic enhancement (ganglion cyst). Short-axis image of distal forearm shows an anechoic mass with associated increased posterior acoustic enhancement (arrows).

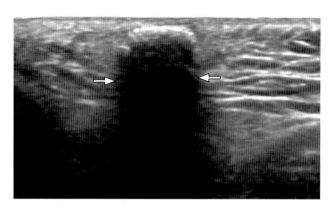

Figure 1-6 Posterior acoustic shadowing. Short-axis image of the pilomatricoma shows clean shadowing (arrows) deep to the calcified lesion.

2. 후방음향증강 Posterior acoustic enhancement 또는 투과증가 Increased through-transmission

후방음향증강이란 낭종(cyst)과 같은 물이 고인 병변보다 깊은 쪽의 연부조직의 에코가 주위 연부조직보다 높게 보이는 현상이다 (Fig. 1-5).[15] 액체로 채워진 병변 이외에도 림프종, 말초신경초종(peripheral nerve sheath tumor), 힘줄활막거대세포종(tenosynovial giant cell tumor, 이전의 giant cell tumor of tendon sheath) 등의 고형 연부조직 종양에서도 보일 수 있다. 고형병변(solid lesion) 내부가 균질할 때, 소리의 반사가 상대적으로 적어서 생기는 현상이다. Doppler검사에서 병변 내의 혈류를 확인하면 고형병변과 낭성 질환을 감별하는 데 도움이 된다.[16]

3. 소리그림자 Acoustic shadowing, 후방 음영

소리그림자는 초음파가 반사, 흡수, 또는 굴절될 때 나타난다. 병변의 표면은 밝게 보이고, 병변보다 깊은 곳은 무에코로 보이며, 뼈, 석회화, 이물질, 공기 등에 의해 생긴다 (Fig. 1-6).[7,15] 작은 반경의 곡선 또는 거친 표면을 가진 구조물

은 명확한 소리그림자를 동반하지만, 큰 반경의 곡선과 부드러운 표면을 가진 구조물은 반향(reverberation)에코와 겹쳐져서 비균질한 저에코의 소리그림자를 만든다.[17]

4. 굴절그림자 Refractive shadowing, 임계각그림자, Critical angle shadowing

굴절그림자 혹은 임계각그림자는 두 매질 사이 경계면의 가장자리(boundary)에 음속(sound beam)이 비스듬히 입사할 때 생기며, 병변의 가장자리와 그 뒤쪽 깊은 곳에 생기는 띠 모양의 그림자를 말한다. 소리의 속도가 높은 물질에서 낮은 물질로 들어갈 때는 음속폭이 좁아지고, 그 반대의 경우에는 음속폭이 넓어진다 (Fig. 1-7A). 입사각이 일정 각도(약 20°) 이하로 낮아지면 초음파는 투과되지 못하고 100% 굴절-반사되는데 이 각도를 임계각(critical angle)이라 한다 (Fig. 1-7B). 소리경계면에서 산란, 굴절, 흡수 등으로 탐촉자로 돌아오는 반사음이 감소되어 생기는 현상이며, 둥근 모양의 병변, 이물질, 힘줄의 끊어진 끝부분 등에서 가장자리가 중심부와 다르게 어둡게 보인다 (Fig. 1-7C~E).[15,18]

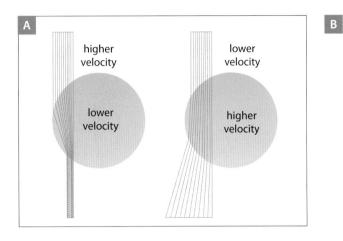

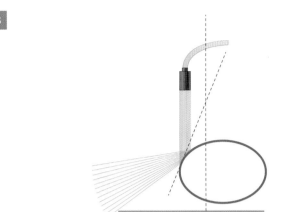

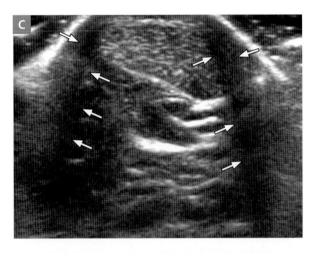

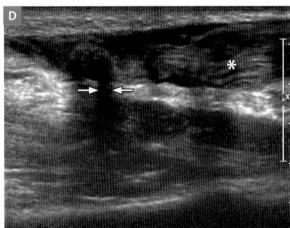

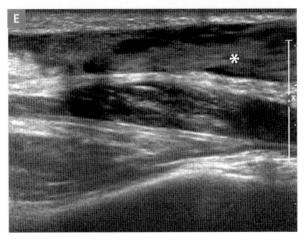

Figure 1-7   A, B. Illustrations for refractive shadowing (**A**) and critical angle shadowing (**B**). **C.** Short-axis image of the normal Achilles tendon shows hypoechoic change of both margin and band-like posterior shadowing (arrows). **D, E.** Complete rupture of Achilles tendon (*). During plantar flexion (**D**), there is posterior shadowing at the margin of torn tendon (arrows) that mimic underlying muscle fascial tear. During dorsiflexion (**E**), the shadowing is not seen. This maybe related to sound-beam refraction at the frayed tendon ends.

5. 곁엽허상 Side lobe artifact

탐촉자에서 나오는 음속은 3차원적으로 중심축의 주음속 (main beam)과 함께, 중심축을 벗어난 저에너지의 '곁엽(side lobe)'과 '격자엽(회절엽, grating lobe)' 음속이 나온다 (Fig. 1-8).[12] 주음속은 초점영역에 도달할 때까지 좁아진다. 곁엽은 주음속 축으로부터 방사상(radial)으로 방출되는 낮은 진폭의 다발성(multiple) 음속이고, 주로 선형탐촉자에서 생긴다. 주음속의 바깥쪽 곁엽 부위에 강한 반사체(reflector)가 있을 때, 곁엽에 의한 에코가 탐촉자에 인지되어 마치 주음속 부위의 구조물처럼 보일 수 있다 (Fig. 1-9).[19] 이 허상은 방광, 담낭, 낭종과 같은 무에코 구조물 안에 흔히 생기며, 여러 개 생길 수 있다.[12] 같은 현상으로 초음파유도하 생검에서 삽입된 바늘이 여러 개의 경로를 보일 수 있다.[15]

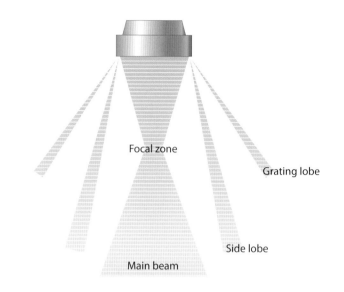

Figure 1-8 **Illustration for side lobe and grating lobe of sound beam.**

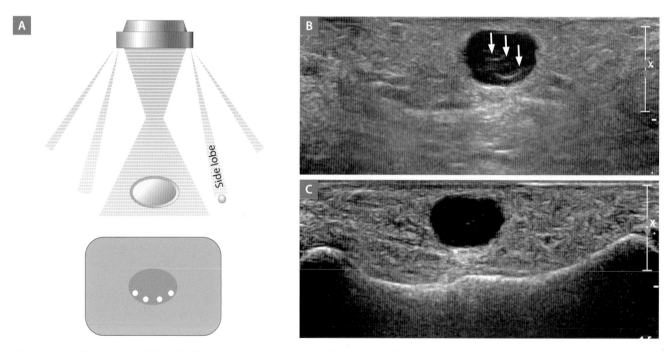

Figure 1-9 **Side lobe artifact. A.** Illustration shows multiple beams of off-axis side lobe ultrasound energy encountering an object (small empty circle). The display assumes that the echoes returning from this off-axis object came from the main beam and misplaces and duplicates the structure. **B.** Multiple low-level echoes (arrows) within the cyst are noted, and complicated cyst can be considered. **C.** Adjusting the focal zone and replacing the transducer improve image quality – no longer visible intracystic echos.

6. 음속폭허상 Beam-width artifact

주음속은 탐촉자에서 나올 때는 탐촉자와 거의 같은 너비를 가지며, 초점영역에 도달할 때까지 좁아지다가, 초점영역을 지나면 다시 넓어지는데 탐촉자의 너비보다 더 넓어질 수 있다. 탐촉자의 너비보다 바깥쪽에 위치한 강한 반사체가 탐촉자 너비보다 넓어진 음속을 만나서, 탐촉자 너비 내에 있는 구조물처럼 보이는 것을 음속폭허상이라 한다 (Fig. 1-10). 이 허상은 표적 구조물에 비해 초음파 음속(sound beam)이 너무 넓을 때에도 일어난다. 예를 들어 초음파 음속폭이 낭종의 지름보다 넓은 경우, 음속의 일부는 액체를 영상화하지만 일부는 주위 고형조직을 영상화하므로, 액체와 고형성분 에코의 평균치가 영상으로 만들어지게 된다. 결과적으로 낭종의 에코가 증가하게 되어 단순낭종이 복합성낭종(complicated cyst)처럼 보일 수 있다 (Fig. 1-11). 일종의 부분용적허상(partial volume artifact)이라 할 수 있다. 음속폭허상 역시 낭종과 같은 무에코의 구조물에서 잘 발생한다. 이러한 허상을 감소시키려면, 병변의 크기에 맞는 너비의 탐촉자를 선택하고, 초점영역을 병변 부위에 맞추고, 병변의 중심에 탐촉자를 위치시킨다. [12,15]

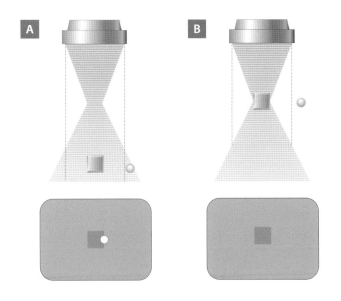

Figure 1-10 **Illustrations for beam-width artifact**. **A.** The ultrasound image localization software assumes an imaging plane as indicated by the dotted lines. Echoes generated by the object located in the peripheral field (gray circle) are displayed as overlapping the object of interest (white circle). **B.** Adjusting the focal zone and placing the object of interest within the center of the focal zone will eliminate the misplaced echoes on the display.

7. 속도 오류와 연관된 허상
Artifacts related to velocity errors

연부조직에서 소리의 속도는 1,540 m/sec 정도이며, 지방은 이보다 밀도와 속도가 낮다. 만약 국소적으로 지방이 있다면, 지방을 투과해서 되돌아오는 음파의 속도는 주위 연부조직을 투과해서 되돌아오는 음파의 속도보다 늦다. 따라서 탐촉자에서는 이 부위를 실제보다 더 깊은 곳에 있는 것으로 인식하여 영상으로 표시한다. 이처럼 지방조직 등에 의해 느려진 속도의 음파에 의해 구조물이 영상화되면 구조물의 위치가 실제보다 좀 더 깊게 있는 것으로 나타나는 것을 속도전위허상(speed displacement artifact)이라 한다 (Fig. 1-12). [12]

밀도와 탄성이 서로 다른 두 물질의 경계면을 통과할 때,

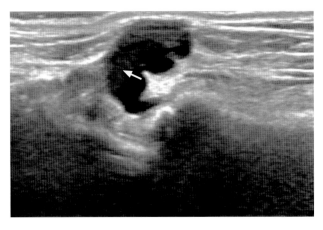

Figure 1-11 **Beam-width artifact in ganglion cyst of wrist**. Long-axis US image shows peripherally increased echoes in a cyst, simulating solid portion (arrow).

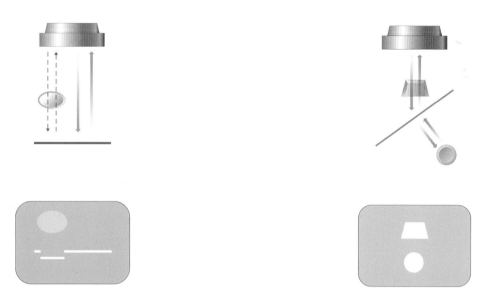

Figure 1-12 Illustration for speed displacement artifact. In this diagram, the gray arrows represent the expected reflected path of the ultrasound beam. The echoes returning from the posterior wall of the depicted structure will be displayed properly. The blue dashed arrows represent the path of an ultrasound beam that encounters an area of focal fat. The dashed lines indicate that the sound beam travels slower in the focal fat than in the surrounding tissue. Because the round trip of this echo is longer than expected, the posterior wall is displaced deeper on the display.

Figure 1-13 Illustration for refraction artifact. Drawing shows the refraction or change in direction of the obliquely angled incident ultrasound beam as it travels between two adjacent tissues with different sound propagation velocities. The incident ultrasound beam with refraction encounters two structures. The object in the path of the refracted portion of the beam is misplaced because the processor assumes a straight path of the beam.

음파의 속도가 변화하면서 입사 음파의 방향이 바뀌는 현상을 굴절(refraction)이라 하며, 이로 인하여 구조물이 더 크게 보이거나, 잘못된 위치에 보이거나, 또는 구조물이 이중으로 보이 것을 굴절허상(refraction artifact)이라 한다 (Fig. 1-13). [12]

8. 반향허상 Reverberation artifact

두 개의 고에코 구조물이 아래위로 평행하게 있을 때, 이 두 구조물 사이에서 에코가 반복적으로 반사된 후 투과하여 구조물보다 깊은 곳에 여러 층의 에코를 만드는데, 이를 '반향허상(reverberation artifact)'이라 한다. 금속 바늘이나 이물질이 좋은 예이며, 원인이 되는 구조물의 다중 반사 에코가 균등한 간격으로 나타난다 (Fig. 1-14). [12,15]

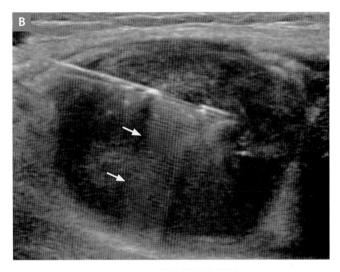

Figure 1-14 **Reverberation artifact. A.** Diagram shows ultrasound echoes being repeatedly reflected between two highly reflective interfaces. The display shows multiple equally spaced signals extending into the deep field. **B.** A series of linear reflective echoes deep to the needle are spaced at equal distances consistent with reverberation artifact (arrows).

9. 혜성꼬리허상 Comet tail artifact

혜성꼬리허상은 반향허상의 일종으로, 아주 가깝게 위치한 두 개의 고에코 구조물에 의해 생기는 매우 조밀한 반향허상이며, 이런 반향 에코들의 간격이 너무 좁아 영상에서는 서로 구분되지 않는다. 반사체의 깊은 곳에 고에코들이 끝이 점차로 가늘어지는 형태로 보이는데, 이는 나중에 생긴 반향에코의 진폭이 감소하기 때문이다. 연부조직에서 혜성꼬리허상은 주로 금속, 플라스틱, 공기 등에 의해 생긴다.[20,21] 연부조직 내의 미량의 공기를 찾는 데 초음파가 단순촬영보다 좀 더 민감하며, 공기를 가지는 농양이나 조직 괴사의 진단에 혜성꼬리허상이 도움이 될 수 있다 (Fig. 1-15).[12,15]

10. 거울허상 Mirror image artifact

횡경막-폐 사이처럼 소리저항(acoustic impedence)의 차이가 큰 음향 경계면에 인접하여 구조물이 있을 때, 이 경계면에서 반사된 에코가 구조물에 부딪히고, 구조물에서 다시 경계면으로 반사된 에코가 탐촉자로 되돌아와서 허상을 만든다. 경계면의 뒤쪽에 같은 거리를 두고 거울에 비친 듯한 구조물의 허상이 생기는데, 이를 거울허상이라 한다 (Fig. 1-16).[12]

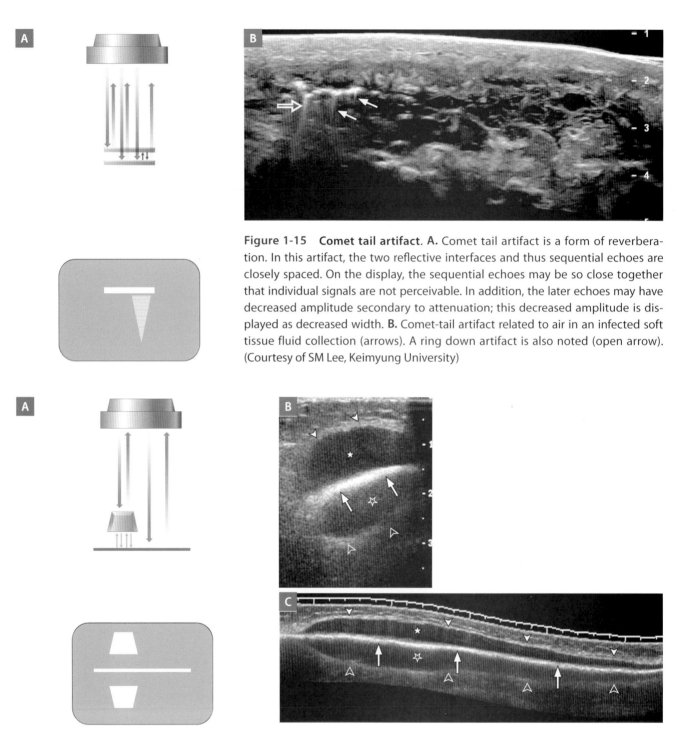

Figure 1-15 **Comet tail artifact**. **A.** Comet tail artifact is a form of reverbera-tion. In this artifact, the two reflective interfaces and thus sequential echoes are closely spaced. On the display, the sequential echoes may be so close together that individual signals are not perceivable. In addition, the later echoes may have decreased amplitude secondary to attenuation; this decreased amplitude is dis-played as decreased width. **B.** Comet-tail artifact related to air in an infected soft tissue fluid collection (arrows). A ring down artifact is also noted (open arrow). (Courtesy of SM Lee, Keimyung University)

Figure 1-16 **Mirror image artifact**. **A.** In this diagram, the larger arrows represent the expected reflective path of the ultra-sound beam. These echoes are displayed properly. The small arrows show an alternative path of the primary ultrasound beam. In this path, the primary ultrasound beam encounters the deeper reflective interface first. The echoes from the deeper reflective interface take longer to return to the transducer and are misplaced on the display. **B, C.** Pretibial subperiosteal hematoma (solid star). Beam reflections between tibial cortex (arrows) and periosteum (solid arrowheads) make mirror images of periosteum (open arrowheads) and hematoma (open star) deep to tibial cortex. (Courtesy of KH Cho, Yeungnam university)

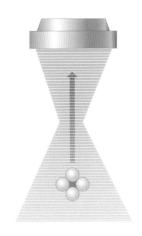
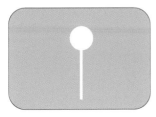

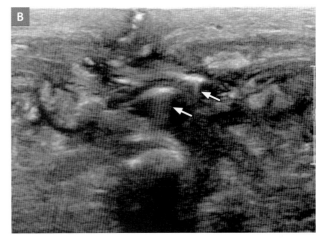

Figure 1-17   Ring-down artifact. A. Diagram shows the main ultrasound beam encountering a ring of bubbles (empty circles) with fluid trapped centrally (gray area). Vibrations from the pocket of fluid cause a continuous source of sound energy that is transmitted back to the transducer for detection. The display shows a bright reflector with an echogenic line extending posteriorly. **B.** Same patient with **Fig. 1-15B**. Ring-down artifact related to air in an subcutaneous abscess (arrows).

11. 여운허상 Ring-down artifact

음파가 물을 싸고 있는 기포의 고리(ring of bubbles)를 통과할 때, 기포에 싸여있는 물이 초음파에너지와 공명(resonance)을 일으켜 지속적으로 진동하게 되고, 이 진동에 의한 음파에너지가 탐촉자로 전달된다. 이로 인해 강한 반사체 뒤쪽에 고에코의 선이 나타나는 현상을 '여운허상'이라 한다. 혜성꼬리허상(comet tail artifact)과 비슷한 영상으로 보이지만, 기전은 서로 다르다 (Fig. 1-15B, 1-17).[7,12]

V. 도플러 Doppler

1. 기본 원리

주파수와 속도를 알고 있는 음파가 고정된 물체에 부딪혀 반사되어 되돌아 오는 시간을 측정하면 물체 사이의 거리를 알 수 있다. 탐촉자에서 방출된 음파가 혈류처럼 움직이는 반사체를 만나면, 음파의 주파수가 변한다. 탐촉자와 반사체 사이의 거리가 점점 가까워질수록 소리의 주파수는 점점 증가하고(파장은 짧아짐), 둘 사이의 거리가 멀어질수록 주파수는 점점 감소하는데(파장은 길어짐), 이런 변화를 'Doppler효과'라고 한다. 방출된 초음파와 수신된 초음파의 주파수 차이(Δf)를 Doppler 주파수변위(frequency shift)라 한다.[11]

Doppler equation

$$\Delta f = fR - fT = 2fT \times v \times cos\theta/c$$

Δf: Doppler frequency shift

fR: reflected frequency

fT: transmitted frequency

v: velocity of reflector (flow velocity)

θ: angle between transducer and blood flow

c: speed of sound in soft tissue (1,540 m/sec)

Doppler효과를 응용하여, 움직이는 혈류의 방향, 속도, 혈류량 등을 알 수 있다. 색Doppler는 보통 탐촉자에 가까워지는 방향으로 흐르는 혈류(양성 Doppler 주파수변위)를 붉은 색으로, 그 반대를 푸른 색으로 하여 회색조(grey-scale) 초음파영상에 덧붙임(superimposition)하여 색Doppler(color Doppler) 영상을 만든다.[22] 파형Doppler(spectral Doppler)는 시간에 따른 혈류의 파형(wave form)을 분석하여 혈류의 방향, 속도, 양 등에 대한 정량적 정보를 제공한다.

강화Doppler(power Doppler)는 측정 영역 안에 있는 모든 Doppler변위의 합을 하나의 색으로 나타내는 기법인데, 혈류의 속도나 방향에 관계없이 음파에 반응하는 모든 혈류의 분포에 대한 정보를 제공한다. 강화Doppler는 색Doppler보다 혈류에 더 민감하여, 작고 속도가 낮은 혈류를 찾는 데 더 좋다. 강화Doppler는 음파의 입사각에 영향을 받지 않고, 둘러겹침허상(aliasing artifact, wrap-around artifact)이 없다는 장점이 있지만, 혈류의 방향과 속도를 측정할 수는 없고 환자나 탐촉자의 움직임에 민감하여 허상을 잘 일으킨다.[4,11,23,24]

Doppler검사는 혈관이나 조직의 비정상적 혈류를 찾는 데 민감하다. 염증성 혹은 감염성 질환에서 Doppler검사는 병변의 활성도를 평가하고 치료효과를 판정하는 데 도움을 줄 수 있다. Doppler신호의 유무는 낭성 병변과 고형 종괴를 감별하는 데 도움이 되며, 고형 종괴 내부 혈관의 특징을 나타낼 수 있다.[22,25,26]

정상 동맥의 파형에는 낮은저항형(low-resistance type)과 높은저항형(high-resistance type)의 두 가지 형태가 있으며,

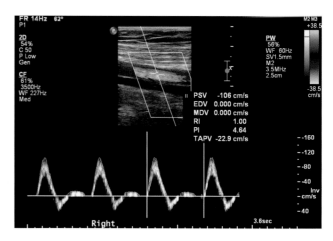

Figure 1-18 **Normal flow spectrum at femoral artery.** Triphasic high-resistance flow spectrum is seen.

근골격계의 동맥은 높은저항형이다 (Fig. 1-18). 운동을 하거나 염증, 동정맥기형(arteriovenous malformation) 등에서 혈류가 증가하면 낮은저항형으로 바뀐다 (Fig. 1-19). 동맥 파형은 심박출량(cardiac output), 동맥질환, 혈관의 변화에 따라 달라진다. 정맥 파형의 이상은 조직에서 심장으로 가는 혈류의 이상, 정맥벽의 이상, 정맥 내강의 이상 등에 의해 생긴다.

악성종양의 동맥은 경계가 불규칙하고 혈관벽에 근육층이 없다. Doppler검사에서 혈관폐색(occlusion)이나 협착(stenosis), 동정맥션트(arteriovenous shunt)나 고리(loop) 형성에 의해 매우 다양한 양상을 보인다.[22,26]

악성종양의 혈류 파형은 다음의 몇 가지 특징이 있다. ① 수축기와 이완기의 혈류속도의 증가, ② 동정맥션트에 의한 저항지수(resistive index)와 박동지수(pulsatile index)의 감소, ③ 비정상적인 혈관 내강에 의한 와류(turbulent flow), ④ 동정맥션트에 의한 박동성 정맥 혈류 등이다.

그러나, 이런 특징이 모든 악성종양에서 보이는 것은 아니며, 괴사나 출혈 등에 의해 혈류역학(hemodynamics)이 변할 수 있다. 또한 염증조직, 양성종양에서도 이런 소견을 보일 수 있으므로 궁극적으로는 조직 검사가 필요하다.

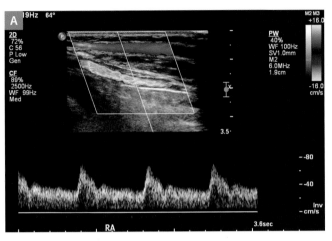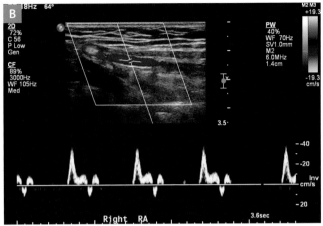

Figure 1-19 **Spectral change of radial artery due to distal AVM (not shown). A.** Radial arterial flow shows loss of triphasic pattern with low-resistance flow and increased flow velocity. **B.** Contralateral radial artery shows normal triphasic high-resistance flow. (Courtesy of SM Lee, Keimyung Unniversity)

2. Dopper 매개변수 Parameters

1) Doppler각 Doppler angle

Doppler각, 즉 음속(sound beam)과 혈류 방향 사이의 각은 Doppler신호에 중요한 영향을 주며, 특히 Doppler변위와 혈류속도의 정량화에 중요하다. Doppler각이 90°이면, 이론상 Doppler효과가 나타나지 않고, 이 각이 0°일 때 Doppler효과가 가장 크다. 한편, 혈류의 속도는 혈관벽에 가까울수록 낮고, 혈류의 가운데 부분에서 가장 높다. 따라서, 탐촉자를 움직여 음속의 입사각을 조정하고, 동시에 측정 커서(cursor)를 혈류의 가운데 부분에 위치시키는 것이 중요하다.

2) 펄스반복주파수 Pulse repetition frequency, PRF

펄스반복주파수는 탐촉자의 Doppler 표본추출 빈도이다. Doppler변위는 방출 초음파의 위상(phase)과 수신 초음파의 위상을 비교하여 간접적으로 결정된다. 방출되는 펄스의 주파수(PRF)는 인지될 수 있는 Doppler변위의 정도를 결정한다.[27] 획득할 수 있는 최대 Doppler변위는 PRF/2인데, 이를 Nyquist한계(Nyquist limit)라고 하며 화면에서는 Hz로 표현된다.[23] 혈류속도가 Nyquist한계를 넘으면, 기계가 속도를 잘못 해석하여 역전된 혈류로 표현된다. PRF를 높이면 높은 속도의 혈류의 검사에는 좋지만, 잡음(noise)을 줄이기 위해 낮은 속도의 혈류를 제거하는 필터가 적용되므로 저속 혈류에 대한 민감도가 감소한다. 근골격 초음파에서는 저속 혈류의 파악도 중요하므로, PRF를 가능한 한 낮게 하는 것이 좋다. 강화Doppler에서는 둘러겹침허상이 일어나지는 않지만, 저속 혈류에 대한 민감도를 높이려면 가능한 한 PRF를 낮게 조절한다.[11]

3) 여과기 Filter

모든 Doppler기기에는 혈관벽과 고형 조직의 움직임에서 기원하는 낮은 Doppler변위를 제거하는 고주파통과여과기(high-pass filter)가 있다.[27] 여과기는 주파수를 기준으로 신호를 여과하기 때문에 저속 혈류의 Doppler신호를 제거하기도 한다.[27,28] PRF와 여과기는 서로 연결되어 있는 조절 장치로서, PRF를 낮추면 여과기의 설정값도 낮아진다.[11]

4) Doppler주파수 Doppler frequency

낮은 주파수의 탐촉자로 Doppler검사를 하면 초음파 투과는 잘 되지만 해상도가 낮아지므로 Doppler의 색 영상의 해상도도 낮아진다. 반대로, 높은 주파수의 탐촉자로 Doppler검사를 하면 혈류의 민감도는 증가하지만 투과는 감소한다.[11]

5) 증폭설정 Gain setting

증폭설정은 색 표시(color display)의 진폭(amplitude)을 조절하는 것이다. 너무 낮게 설정하면 혈류가 존재하지만 색으로 표시되지 않을 수 있고, 너무 높게 설정하면 없는 혈류가 허상으로 인해 혈류로 오인될 수 있다. 적절한 증폭설정을 위하여, 먼저 허상이 생길 정도로 높게 설정하였다가 허상이 사라질 정도까지 점차 설정값을 낮춘다. Doppler검사에서 여러 가지 매개변수들을 조절한 뒤, 마지막 단계에 증폭설정을 조절한다.[27,29]

3. Doppler 허상 Artifact

허상의 중요한 원인은 탐촉자 압박(pressure), 조직의 긴장(tissue strain), 부정확한 초점(incorrect focus), 움직임(motion), 그리고 잡음(noise) 등이다. 이러한 인공음영들에 의해 관혈류(perfusion)의 양이 잘못 해석될 수 있다. 그 외에도 번짐(blooming), 둘러겹침(aliasing, wrap-around), 그리고 거울(mirror) 허상 등이 있다.[11] 이런 인공음영들을 병적 소견으로 오인하면 안 된다.

1) 표본 용적 Sample volume 의 크기

표본 용적을 너무 크게 하면 혈관벽의 움직임에 의한 허상이 나타나고, 너무 작게 하면 혈류량 측정에 오차가 생긴다. 그러므로, 혈관 내강의 75% 정도를 포함하도록 커서를 혈관 중앙에 위치시킨다 (Fig. 1-20).

2) 탐촉자 압박 Transducer compression

Doppler검사에서 탐촉자로 과도한 압박을 가하지 않는 것이 중요하다. 과도하게 압박하면 작은 혈관의 혈류가 차단되고 큰 혈관의 혈류가 감소될 수 있다 (Fig. 1-21). 충분한 양의 젤(gel)을 발라서 조직에 압박을 가하지 않고 검사해야 한다.[11]

3) 조직의 긴장 Tissue strain

조직을 긴장시키면 연부조직의 내부 압력이 증가하고, Doppler신호는 감소하거나 사라질 수 있다.[11] 조직의 긴장은 탐촉자로 조직을 압박하는 것과 비슷하며, 환자 자세의 영향을 받는다. 근골격 Doppler검사에서는 특히 힘줄(건, tendon)이 영향을 많이 받는다. 약간의 긴장에 의해서도 힘줄 내의 압력이 증가되어 Doppler신호가 감소되거나 사라질 수 있다. 그러므로, 힘줄의 Doppler검사에서는 환자의 자세가 중요하다. 예를 들면, 발목을 후굴(dorsiflexion)하면 Achilles힘줄이 긴장되고, 무릎을 굽히면 슬개건(patellar tendon)이 긴장될 수 있다. 슬개건에 대한 Doppler검사에서 무릎을 펴고 긴장을 완화시키는 것이 필수적이며, 굽힌 자세에서 검사하면 혈류가 감소하여 과소평가 될 수 있다. 추적검사에서도 이전 검사와 같은 자세로 검사해야 하는데, 자세의 변화로 인해 가양성 혹은 가음성의 결과가 초래될 수 있기 때문이다.[11,30]

4) 초점 Focus

음속폭(beam width)이 가장 좁고, 에너지가 가장 집중되는 초점영역을 검사 부위에 적절하게 위치시켜야 한다.[11]

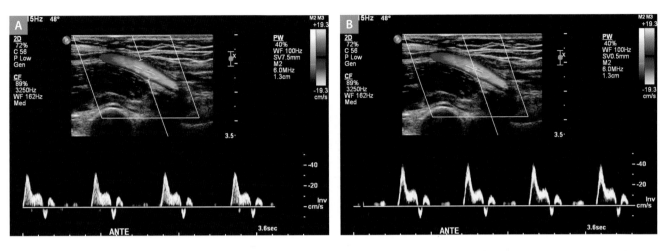

Figure 1-20 **Spectral change according to the sample volume.** **A.** Spectrum with large sample volume (7.5 mm) including vessel wall shows spectral broadening and decreased average velocity. **B.** Too narrow sample volume (0.5 mm) displays clear spectral window (uniform velocity), but increased average velocity.

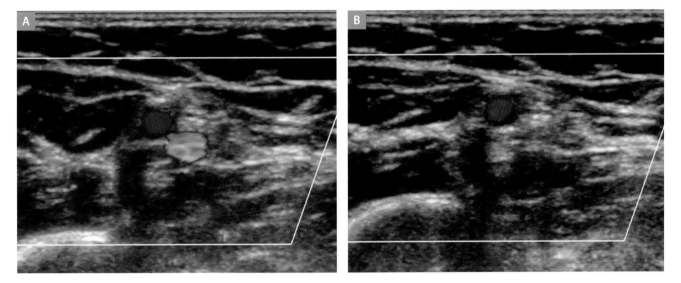

Figure 1-21 **Transducer compression.** **A.** Short-axis color Doppler image of forearm shows two vessels including artery (red) and vein (blue). **B.** The vein is not seen on subsequent image of the same region after the excessive amount of transducer pressure.

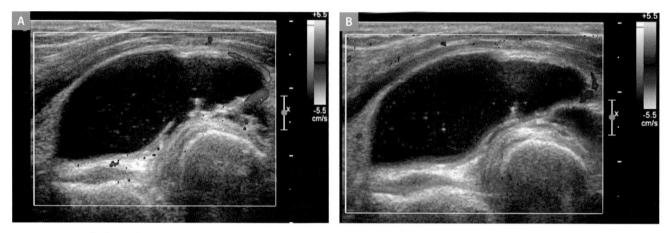

Figure 1-22 **Flash artifact.** **A.** Long-axis color Doppler image of the ganglion cyst locating in elbow joint shows no internal color flow in resting without movement. **B.** By motion of probe, artificial color flow of flash-like appearance and random pattern is seen in the cyst and adjacent soft tissue.

5) 동작허상 Motion artifact, 섬광 Flash 허상, 혹은 혼란 Clutter 허상

환자의 움직임 또는 동맥 박동에 의한 조직과 혈관벽의 움직임은 Doppler전위를 일으키며, 탐촉자의 움직임도 같은 효과를 만든다. 이러한 움직임이 저주파수 Doppler전위를 유발하고, 무작위의 짧은 섬광 같은 허상을 만든다 (Fig. 1-22). 이러한 움직임허상은 고주파통과여과기(high-pass filter)를 이용하여 줄일 수 있다. 고주파통과여과기는 검사자가 지정한 주파수 이상의 신호만 영상에 나타나도록 한다. 만약 여과기의 값을 너무 높게 설정하면, 저속 혈류의 정보가 사라질 수 있고, 저항지수(resistive index)의 측정에도 영향을 주므로 주의한다.[11,28,31]

6) 번짐허상 Blooming artifact

번짐허상은 혈관 바깥 부위까지 혈류가 번져 보이는 현상인데, 혈관의 표재층보다는 혈관 보다 깊은 쪽에 더 많이 생긴다. 일종의 반향허상(reverberation artifact)으로 생각하며, 증폭설정(gain setting)을 너무 높게 하는 경우에도 생긴다. 증폭설정을 낮게 하면 번짐허상은 사라지지만, 작은 혈관의 약한 신호를 놓칠 수 있으므로 상황에 맞게 조절한다 (Fig. 1-23).[11,29,32]

7) 배경잡음 Background noise

증폭을 너무 높게 설정하는 경우, 화면에 나타나는 무수히 많은 작은 점들을 말한다. Doppler 민감도를 최대로 하면서 배경잡음을 없애려면, 잡음 화소(pixel)가 Doppler 창 안에 보이도록 증폭설정을 높였다가, 모든 배경잡음이 사라질 때까지 낮추면 된다 (Fig. 1-24).[11]

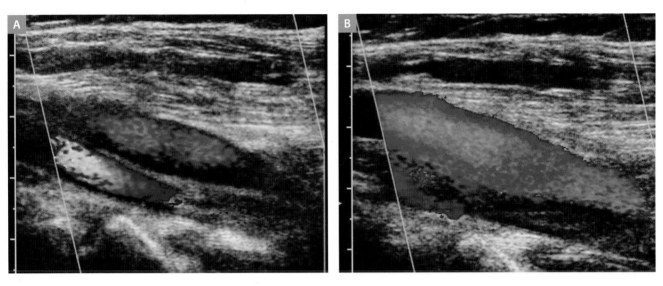

Figure 1-23   Blooming artifact. A. Color Doppler image of popliteal artery (blue) and vein (red) at popliteal fossa shows normal caliber vessels. **B.** Subsequent increased color Doppler gain in the same region resulted in artificial enlargement of the vein with color displayed outside of the popliteal vein.

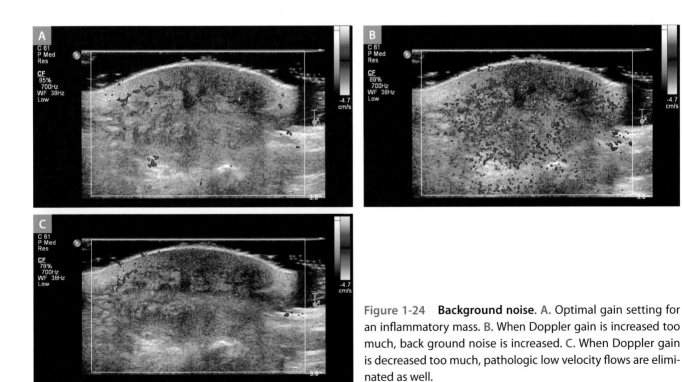

Figure 1-24   Background noise. A. Optimal gain setting for an inflammatory mass. **B.** When Doppler gain is increased too much, back ground noise is increased. **C.** When Doppler gain is decreased too much, pathologic low velocity flows are eliminated as well.

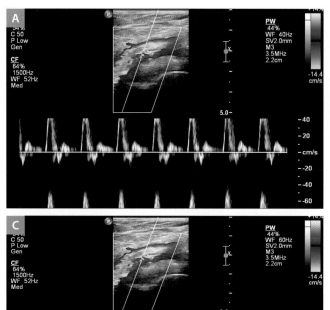

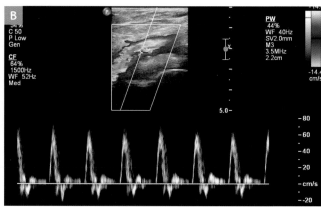

Figure 1-25 **Spectral aliasing artifact. A.** When the peak velocity of flow is beyond the Nyquist limit, the spectral peak is displayed below the base line. **B, C.** For correction of the spectral aliasing, changing the base line setting (B) or increasing PRF (increasing velocity scale) can be used.

8) 둘러겹침 Aliasing, Wrap-around

둘러겹침허상은 혈류속도 설정범위보다 실제 혈류의 속도가 더 빨라서, Doppler변위가 Nyquist한계를 넘는 경우에 생긴다. 파형Doppler에서 동맥 최고 수축기 파형의 위쪽 일부분이 잘리고, 잘린 부위가 기저선보다 아래쪽 화면에 나타난다 (Fig. 1-25). 색Doppler에서는 혈류의 방향과 반대되는 색이 섞여 모자이크 양상으로 나타난다 (Fig. 1-26).

색Doppler영상에서 둘러겹침허상과 병적인 역류(reverse flow)의 감별점은 다음과 같다. 대부분의 초음파기기는 고주파통과여과기(high-pass filter)를 적용하여 속도가 0에 가까운 저속 혈류는 검은 띠로 표시한다. 역류와 순방향 혈류 사이에는 이런 검은 띠가 표시되지만, 둘러겹침허상에서는 이런 검은 띠가 보이지 않는다. 둘러겹침허상을 없애기 위해서는 기저선을 낮추거나, PRF를 증가시키거나, Doppler각을 증가시키거나, 낮은 주파수의 탐촉자로 바꾼다. [11,28,31,32]

9) 거울허상 Mirror-image artifact

혈관이 뼈나 폐의 공기와 같이 편평한 모양의 강한 반사체와 인접해 있을 때, 혈관과 반사체 사이에서 일어나는 반사(reflection)로 인해 뼈나 폐 안에 또 하나의 혈관이 있는 것처럼 보이는 허상이다. [11,31]

10) 반짝임허상 Twinkling artifact

반짝임허상은 혈관 밖에 있는 작고 강한 반사체 – 공기, 석회화, 뼈, 혹은 이물질 등 – 뒤에 색이 보이는 현상이다. 색Doppler에서는 붉은 색과 푸른 색이 빠르게 뒤바뀌면서 나타나고, 파형Doppler에서는 파형 대신 일정 길이의 수직선이 빽빽하게 모인 것처럼 나타난다. 이 허상은 실제 혈류와는 연관이 없으며, 조직의 움직임이 없어도 나타난다. [30,33,34] 반짝임허상은 기기의 설정값에 의존적이며,

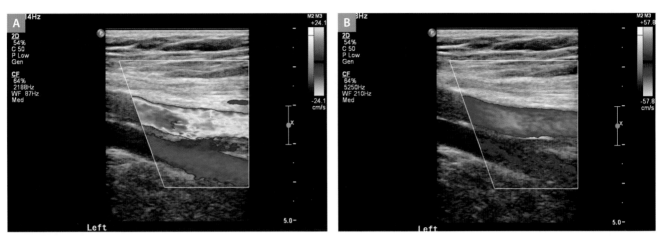

Figure 1-26 **Color aliasing artifact in femoral artery (red). A.** When the velocity setting is too low, reversed flow color (blue) is seen in the center of femoral artery with mosaic pattern. This is color aliasing rather than true reversed flow. **B.** With increasing velocity scale, femoral arterial flow shows normal homogeneous red color. However, low velocity venous flow signal is eliminated as well.

좁은 음역(주파수폭, bandwidth), 위상(혹은 시간)흔들림 (phase, or clock jitter) 이라 하는 초음파기기 고유의 잡음에 의해서도 생길 수 있다.[34] 반짝임허상은 PRF를 올리면 감소되며, 소리방사력(acoustic radiation force, ARF)과는 상관관계가 없다.[35]

4. 검사 과정과 Doppler 해석의 표준화

허상을 피하고 검사자 간, 또 추적검사 간의 오차를 피하기 위해 검사방법과 해석을 표준화 하는 것이 필요하다. 검사 부위에 따라 환자는 표준 검사 자세를 취하고, 단축과 장축 두 개의 영상을 얻는다. 탐촉자에 의한 압박이나 조직의 긴장에 의한 허상을 피하기 위해 긴장을 푼 자세에서 충분한 양의 젤을 사용한다.[11] 기계적 인공음영을 줄이기 위해 장비에 미리 저장된 표준 설정을 사용하도록 권장되지만, 상황에 따라 매개변수(parameter)를 검사자가 적절히 조절할 수 있어야 한다. 가능한 많은 혈류를 보기 위해서는 운동 후 Doppler검사가 더 좋다는 보고도 있지만,[36] 운동에 의한

혈류 변화를 배제하기 위하여 휴식 후에 검사하는 것을 추천하기도 한다.[37] 추적검사에서는 이전 검사와 동일한 검사 방법과 매개변수 설정에서 검사해야 한다.

Doppler신호의 정량화(quantification)는 주관적이고 절대적이지 않으며, 또한 제조사의 기기에 따라 민감도나 표준설정이 다양하므로, 검사자는 사용하는 기기를 잘 이해하고, 그 결과를 객관적으로 해석할 수 있어야 한다.[11] 앞으로 정량화를 위한 소프트웨어의 발전과 3차원 색Doppler 등이 이러한 문제점들을 해결할 수 있을 것으로 기대된다.[38]

VI. 근골격 초음파의 최신 기법
New advances in musculoskeletal US

초음파기기는 새로운 기술이 도입되고 영상의 질이 향상되는 등 빠르게 발전하고 있으며 적용 분야도 넓어지고 있다. 여기에서는 근골격 초음파검사에 적용되고 있는 새로운 영상기법들을 소개한다.

1. 삼차원 초음파 Three dimensional ultrasound

빠른 영상처리와 저장공간의 확장으로 대량 정보처리가 가능해지면서 3D 기법이 도입되었다.

1) 3D 초음파의 원리

3D 영상은 일련의 연속적 2D 영상정보를 기반으로 하나의 입체적 영상으로 나타내는 것이다. 3D 영상에는 기계식(mechanical) 3D 탐촉자 혹은 위치 감지기(sensor)와 연동된 일반 2D 탐촉자가 사용된다. 기계식 3D 탐촉자는 일반 탐촉자보다 크고 다루는 데 어려움이 있으나, 내장된 영상 구성 장치에 의해 정확한 위치 정보를 가진 영상을 얻을 수 있다(Fig. 1-27). 3D 탐촉자는 한번의 스캔으로 해당 범위의 용적 정보(volume data)를 얻을 수 있으며, 이를 통해 구조물 혹은 병변에 대한 보다 정확한 평가가 가능하다. 2D 영상은 하나의 단면만 기록하지만, 용적 정보가 있으면 필요에 따라 용적 묘사(volume rendering) 또는 다평면 재구성(multiplanar reformation) 등의 연산법(algorithm)을 통해 여러 가지 적절한 영상을 재구성할 수 있다(Fig. 1-28, 1-29).[39] 2D 초음파 검사에서는 2D 영상을 보면서 검사자가 입체적인 형태를 추정하므로 숙련 기간이 필요하며 검사자간 차이가 발생할 수 있으나, 3D 초음파의 경우 탐촉자가 고정된 상태에서 검사 부위 용적에 대한 정보가 기계적으로 저장되므로 보다 객관적이다. 그러나 3D 초음파검사는 탐촉자를 다루기 어렵고, 저장 용량을 많이 차지하며, 영상을 재구성하기 위해 검사자가 많은 설정값을 조절해야 하고, 또한 기기의 연산법이나 성능에 따라 영상 재구성에 시간이 걸리는 제한점이 있다. 기계식 3D 탐촉자는 설정된 최대 각도 이상을 영상화 할 수 없는 단점도 있다. 또 용적 묘사에는 상당한 인공물이 포함되어 진단 오류를 유발할 수 있으므로 2D 영상과의 비교가 필요하다. 3D 초음파에 동반되는 허상은 주로 영상정보 획득 과정에서 생긴 2D 영상의 부정확한 위치 정보로 인하여 발생한다. 이는 심장 박동, 호흡 등의 환자 움직임이나 탐촉자의 부적절한 움직임으로 인해 발생한다.

Figure 1-27   Transducer for 3D ultrasound.

2) 3D 초음파의 근골격계 응용

3D 초음파는 태아 및 심장 검사, 전립선의 부피 평가, 유방 결절의 경계 평가 등에 많이 이용된다.[39] 근골격 영역에서는 종괴의 3차원적 모양 및 부피 평가에 주로 사용한다. 하지만 근골격계 구조물의 3D 검사에서는 에코가 비슷한 구조물이 인접한 경우가 많으므로 용적 묘사는 제한적이나, 낭종처럼 주변 구조물과의 에코가 확연히 구분되는 경우에는 도움이 될 수 있다. 근골격계에서는 다평면 재구성 영상이 용적 묘사보다 좀 더 유용할 것으로 생각되며, 이를 이용한 회전근개의 파열과 수근관증후군에서의 정중신경 검사 등에서의 유용성이 보고되었다.[40,41] 하지만, 다평면 재구성 영상에서도 비등방성허상이 생긴다. 초음파유도하 시술에도 3D 초음파가 유용할 수 있다.[39]

4D 영상기법은 3D 영상을 실시간으로 보여주는 것을 말한다. 4D 기법을 이용하면 실시간으로 입체적인 해부학적 변화를 추적할 수 있으며, 초음파유도하 시술에서는 바늘 끝을 세 방향에서 확인할 수 있다. 하지만 탐촉자가 크고 무거워서 조작이 어렵고, 2D 초음파보다 화면진환율(frame rate)이나 해상도가 떨어지므로, 아직 실제 이용에는 제한이 있다.[42,43].

현재 근골격계 분야에서 3D 초음파는 진단영역 보다 연구용 또는 실험용으로 많이 이용되고 있으나, 3D/4D 탐촉자,

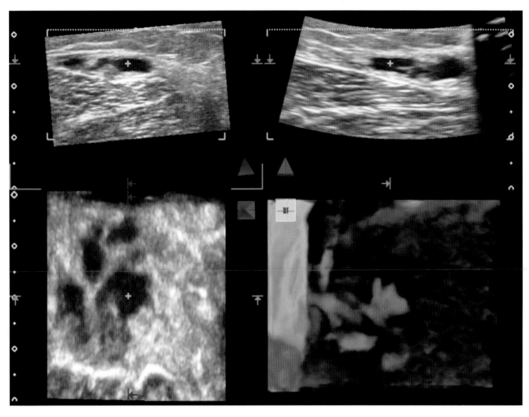

Figure 1-28 Multiplanar reconstruction and volume images of the 3D ultrasound. A ruptured Baker cyst is seen in axial (upper left), sagittal (upper right), and coronal (lower left) planes with volume image (lower right).

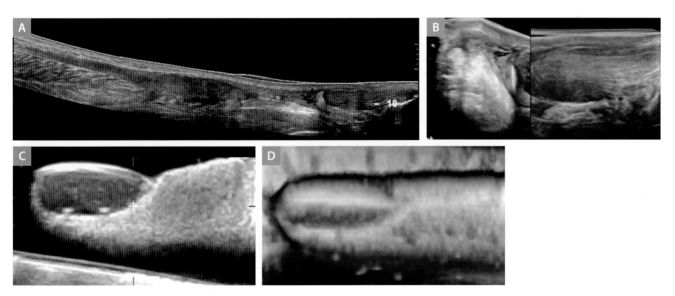

Figure 1-29 Other examples for 3D ultrasound. A, B. Complete rupture of Achilles tendon. **C, D.** 3D images of finger. (Courtesy of SM Lee, Keimyung Unniversity)

영상 재구성 및 영상 재현 기술이 좀더 발전하면 초음파검사에서도 CT처럼 용적 묘사와 다평면 재구성 영상이 많이 이용될 것으로 생각된다.

2. 탄성초음파 Sonoelastography

탄성초음파는 조직의 단단하고 부드러운 정도를 영상으로 표현하는 기법이다. 이학적 검사인 '촉진'의 결과를 보다 객관화한 것이라 할 수 있다. 측정 방식에 따라 기존의 회색조 영상 위에 색지도화(color mapping)로 조직의 탄성도를 표현하거나, 전단파(shear wave)의 속도 혹은 탄성계수(elastic modulus)로 정량화 하여 표시한다.

1) 탄성초음파의 원리

조직에 압박이 가해지면 변형이 일어난다. 이 변형에 의해 압박력과 같은 방향으로 유도되는 파형을 종파(longitudinal or compressive wave)라고 하며, 이와 동시에 압박력과 수직인 방향으로 유도되어 주변으로 퍼져 나가는 파형을 횡파(transverse or shear wave)라고 한다. 종파를 이용하는 경우를 변형탄성영상(strain elastography)이라 부르며, 횡파를 추적하여 영상화하는 방식을 전단파탄성영상(shear wave elastography)이라고 한다.[44,45]

전단파(shear wave)란 일반적인 초음파검사에서 탐촉자에서 발생한 초음파가 조직과 상호작용할 때 발생하며, 주음속(main beam)의 진행방향과 90°, 즉 횡방향으로 전파된다. 일반적인 초음파에 비해 10,000배 정도 빨리 감쇠가 일어난다. 매우 빠른 연산법(algorithm)을 이용하면 전단파의 속도, 탄성계수 등을 측정할 수 있다.[45]

외부에서 가해지는 압력의 종류에 따라서도 구분할 수 있는데 검사자가 탐촉자로 해당 부위를 압박하는 방식(manual compression)은 검사자간 변이가 크고, 압박력이 깊은 부위까지 도달하지 못하는 단점이 있다. 이를 보완하기 위해

나온 방식이 소리방사력충격(Acoustic Radiation Force Impulse, 이하 ARFI) 방식이며, 이는 탐촉자에서 일정한 주파수의 파형을 발사하는 방식이다. 이 방식은 검사자간 변이가 없는 일정한 종파를 발생시키며, 횡파도 유도할 수 있다.

(1) 변형탄성초음파 Strain elastography

종파를 이용하는 변형탄성초음파 방식에서는 검사자가 탐촉자를 이용하여 검사 부위를 가볍게 압박하여 종파를 유도하거나, 탐촉자를 고정한 채 동맥 박동 같은 인체 내부의 움직임에 의해 유도되는 종파를 이용한다. 변형(strain)은 압박을 가했을 때 종축상에서 조직이 밀리는 정도(압박 후 깊이가 변화된 정도/압박 전 깊이)로 표현할 수 있고, 단위가 없는 값이다. 부드러운 조직은 변형이 많이 일어나고, 단단한 조직은 변형이 적다. 연속적으로 얻어지는 이 변형에 대한 정보는 보통 회색조 영상 위에 실시간 색지도화로 표시된다 (Fig. 1-30). 설정에 따라 다르지만, 주로 부드러운 조직은 붉은색으로 단단한 조직은 파란색으로 표시된다. 화면에 현재의 압박과 이완의 적절성이 막대 또는 도표(graph) 형태로 표시된다. 변형탄성영상 해석의 표준화된 기준은 아직 없으며, 색조 등급(scale)을 점수화(scoring)하거나 변형율(strain ratio)의 형태로 수치화 하여 이용한다.[46,47]

(2) 전단파탄성초음파 Shear wave elastography

전단파탄성초음파는 횡파를 이용하는 방식이다. 특수 고안된 탐촉자에서 특정 깊이를 겨냥한 펄스를 발사시켜 전단파(shear wave)를 유도하며, ARFI 혹은 SSI(supersonic shear imaging) 방식이 여기에 해당한다. ARFI 방식은 회색조 영상 내의 특정 관심부위(5×5 mm)의 평균 전단파 속도값을 보여주며, SSI 방식은 관심영역 내 실시간 색지도화와 전단파 속도 측정, 탄성계수 계산을 모두 지원한다 (Fig. 1-31). 변형탄성초음파가 조직 탄성도를 상대치로 나타내는 것에 비해, 전단파탄성초음파는 전단파의 속도 혹은 탄성계수를 정량화(m/s 혹은 kPa) 하여 나타내므로 좀 더 객관적이다.[45]

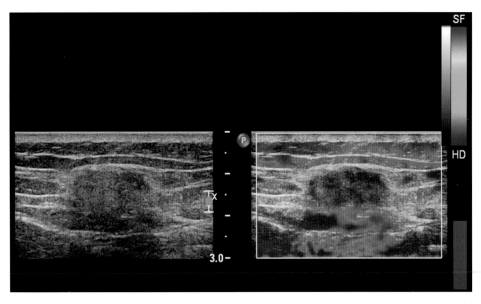

Figure 1-30 **Strain elastography**. Soft area demonstrated as red color, while hard area demonstrated as blue color. Note the color bar on upper right side of the screen. Green bar in the lower right side of the screen is a compression feedback bar, which reveals that compression level is appropriate. A hyperechoic mass in the subcutis is coded as blue, while adjacent subcutis as red.

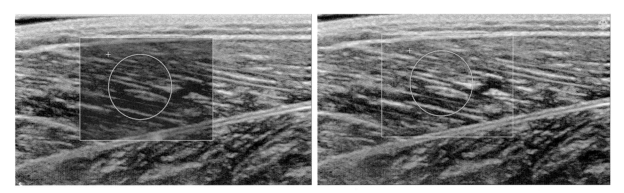

Figure 1-31 **Shear wave elastography**. Shear wave elastogrpahy can directly measure the elastic modulus. The mean elastic modulus of this normal gastrocnemius muscle is measured about 16.1 kPa. (Courtesy of SJ Hong, Korea University)

2) 탄성초음파의 근골격계 응용

(1) 연조직 종괴

탄성초음파검사는 종양의 평가에 많이 이용되었으며, 유방, 전립선, 경부 림프절 등에서 악성 조직이 양성 조직보다 더 단단하게 나타난다고 보고되었다.(45) 근골격계 연부조직에서도 지방종이나 표피낭종의 감별에 도움이 된다는 보고가

있으며, 각종 연부조직 종괴 평가에 유용한 정보를 제공할 것으로 생각된다.(46,47)

(2) 힘줄

힘줄염의 평가에도 탄성초음파가 이용될 수 있다. Achilles 힘줄염이 있으면 정상 힘줄보다 부드럽게 보이며, 탄성초음파소견이 일반 초음파소견, 증상, 조직학적 소견과 유의한

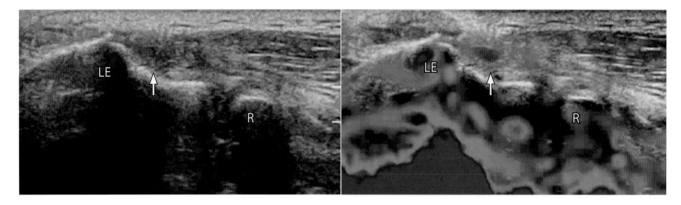

Figure 1-32 Elastography of the common extensor tendon of the patient with lateral epicondylitis. Focal red area (arrow), which represents softening, is noted at the tendon origin (right), and this area corresponds to the hypoechoic area (arrow) on the grey scale ultrasound (left). LE, lateral epicondyle; R, radial head.

상관관계가 있다고 보고되었다.[49,50] 외측상과염(lateral epicondylitis)에서도 힘줄이 부드러워지는 특성을 보인다 (Fig. 1-32).

(3) 근육

탄성초음파를 근육에 적용한 연구는 대부분 근염(myositis)이나 신경근육질환(neuromuscular disease)을 대상으로 시행되었으며 섬유화로 인해 경직도가 증가하거나 지방변성으로 경직도가 감소한다고 보고되었다.[51] 탄성초음파를 이용해 근육 경축(rigidity)이 있는 뇌성마비 환아에서 botulinum독소(botulinum toxin) 주사 후 치료효과를 탄성초음파로 확인한 보고가 있다.[52]

(4) 신경

수근관증후군의 탄성초음파검사에서 정중신경이 정상군보다 더 단단하게 나타나는 것으로 알려져 있으며, 이는 신경 내부에 진행된 섬유화 때문으로 생각된다.[53,54]

3) 결론

기존의 초음파영상이 병변의 모양과 에코를 반영하는 것에 비해, 탄성초음파는 조직의 물리적 특성에 대한 추가적인 정보를 제공하여 진단과 치료 방침의 결정에 도움을 줄 수 있을 것이다. 그러나 검사자간 재현성이 낮은 점은 개선되어야 할 사항이다. 탄성초음파 기술이 다양하게 발전하고 있고, 최근 출시되는 장비들은 거의 탄성초음파 기능이 포함되어 있으므로, 앞으로 탄성초음파가 좀더 광범위하게 이용될 것으로 생각된다.

3. 초음파 조영제 Contrast media

초음파에서 미세기포(microbubble) 조영제의 개발로 조영증강검사가 증가하고 있다. 미세기포 조영제는 3~8 μm 크기의 막으로 둘러 쌓인 기포이며, 기체-액체 인접면에서 강한 반사를 일으켜 산란신호를 증대시킨다. 혈류에 대한 민감도를 증가시키지만, 기포의 불안정성과 허상 때문에 임상 적용에 한계가 있었다. 하지만 최근 이용되는 초음파 조영제는 혈관 내 지속성이 개선되고 비선형 진동기법(nonlinear oscillation technique)이 가능해지면서 연속적인 영상획득도 용이해졌다. 미세기포는 CT, MRI 조영제와는 달리 혈장 내에만 있고 세포외 기질로 거의 빠져나가지 않기 때문에 좀 더 정확히 관류(perfusion)를 파악할 수 있다.[55] 염증성 혹은 퇴행성 근골격질환이 미세혈류의 변화와 연관이 있으므로 초음파 조영제의 이용은 흥미로운 주제가 될 수 있다.[56]

1) 초음파 조영 증강의 원리

(1) Low mechanical index imaging
Continuous non-destructive imaging

조영증강영상은 음향압력(acoustic pressure)에 대한 미세기포의 반응과 관련되며, mechanical index (MI)값에 따라 미세기포의 반응이 달라진다. MI가 0.1 이하일 경우 미세기포는 거의 파괴되지 않는다. MI가 증가하면 미세기포들은 공명주파수에 따라 비선형적 진동을 일으키며, 입사된 초음파 신호와 구분되는 조화신호(harmonic signal)를 방출한다. 미세기포 진동에 의한 신호는 수신하고 조직에서 나오는 신호는 억제하여 조영증강효과를 얻는다.[57]

(2) High mechanical index imaging
Static, destructive imaging

MI가 0.5 이상인 강한 음향압력에 의해 미세기포가 파괴되면 순간적으로 강한 신호를 방출하는데, 이를 이용하는 것이 high MI 기법이다. 신호가 강하기 때문에 일반 Doppler검사에서도 조영증강을 확인할 수 있지만, 일시적이므로 연속적인 검사가 어렵다.

기존의 연구들은 1세대 조영제를 이용한 high MI 기법이 많았지만, 최근에는 2세대 조영제를 이용한 low MI 기법이 많이 이용된다.[56]

2) 초음파 조영증강검사의 근골격계 응용

(1) 근육

초음파 조영증강검사를 통해 근육 내 미세혈류를 확인하고 측정할 수 있다. 염증성근염에서 보조 진단법으로 이용하거나, 근육 내의 혈류 결손 부위를 찾거나, 말초동맥 질환에서 측부혈류(collateral circulation)를 평가하는 데 이용할 수 있

다. 피판(flap) 성형술 후 문합부(anastomosis)의 미세혈류를 확인하여 피판의 생존력(viability)을 평가하는 데에도 초음파 조영제가 이용될 수 있으며, 기존의 Doppler방식보다 미세혈류 검사에 민감하다.[56]

(2) 힘줄

정상 힘줄은 주위조직이나 윤활막으로부터 대부분의 혈류를 공급받는다. 힘줄 내의 미세혈류는 조영제를 이용하더라도 Doppler검사에서는 확인하기 어려우며, 낮은 MI를 이용하는 비선형 진동방식을 이용해야 확인이 가능하다. 극상근 힘줄에서 윤활낭면과 관절면에서의 혈류 차이, 나이에 따른 혈류량 감소 등이 보고 되었다.[58,59]

(3) 관절

류머티스 관절염에서 활동성 및 비활동성의 감별에 관절 및 활액막의 염증 정도를 파악하는 것이 중요하며, 초음파 조영제를 이용하면 Doppler검사보다 민감하게 염증의 정도를 평가할 수 있고, 치료효과를 확인하는 데 유용하다.[56] 유착성 관절낭염에서도 관절낭의 염증을 확인할 수 있다 (Fig. 1-33).

(4) 연조직 종괴

연부조직 종양의 초음파검사에서 Doppler검사를 추가하면 종양 혈관을 더 잘 인지할 수 있고 악성도를 판단하는 데 도움이 된다. 초음파 조영제를 이용하면 Doppler검사에서는 어려운 미세혈류 평가와 보다 정확한 관류를 알 수 있으므로, 종양 특성의 파악과 조직 검사 부위의 결정에 도움을 받을 수 있다.[60]

(5) 약제 전달 Drug delivery

초음파를 이용한 약제 전달은 활발히 연구가 진행되고 있다. 표적 영상(targeting imaging)은 특정 세포나 조직에 대한 특이도가 높은 나노입자(nanoparticle) 등이 표적 부위에 달라붙거나 섭취되도록 하여 이를 영상화하는 기술이다. 미세기포 피막 구조에 적절한 변형을 주면 특정 세포나 조직에 대한 특이도를 높일 수 있다. 또한 기포 내부에 항암제 등의 약제

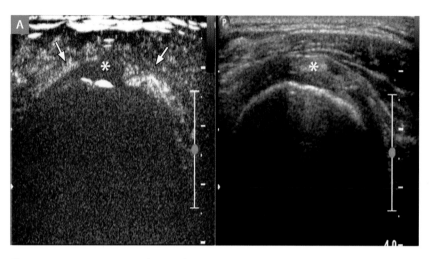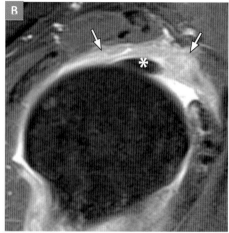

Figure 1-33 **Contrast-enhanced ultrasonography of the rotator interval in patient with adhesive capsulitis.** Diffuse enhancement of the joint capsule (arrows) is demonstrated in contrast-enhanced ultrasonography (**A**), which is comparable to contrast-enhanced MRI (**B**). *, biceps long head tendon.

를 포함하여 원하는 위치에 도달시킨 후, 외부에서 적절한 초음파를 가하여 기포의 피막을 깨뜨려 약제를 방출시킬 수 있다.(61)

3) 결론

초음파 조영제의 도입으로 근골격계 분야에서도 여러 실험적, 임상적 시도들이 이루어지고 있으며, 조영제와 영상기법의 발달로 근골격 구조물의 미세혈류 변화를 평가하고 정량 분석하는 것이 가능해졌다. 따라서 근골격 초음파검사의 적용 범위가 더욱 다양해질 것으로 기대된다.

참고문헌

1. Bushberg J, Seibert J, Leidholdt E, Boone J The Essential Physics of Medical Imaging. Baltimore, MD: Lippincott Williams & Wilkins, 2011.

2. Iagnocco A, Naredo E, Bijlsma JW Becoming a musculoskeletal ultrasonographer. Best Pract Res Clin Rheumatol 2013;27:271-281.

3. Valente CM, Wagner SM History of the American Institute of Ultrasound in Medicine. J Ultrasound Med 2005;24:131-142.

4. Taljanovic MS, Melville DM, Scalcione LR, Gimber LH, Lorenz EJ, Witte RS Artifacts in musculoskeletal ultrasonography. Semin Musculoskelet Radiol 2014;18:3-11.

5. Kremkau F Diagnostic Ultrasound: Principles and Instruments. In: Anonymous Philadelphia: WB Saunders, 2002.

6. Smith J, Finnoff JT. Diagnostic and interventional musculoskeletal ultrasound: Part 1. Fundamentals. PM & R : the journal of injury, function, and rehabilitation 2009;1:64-75.

7. Jacobson J Fundamentals of Musculoskeletal Ultrasound. Philadelphia, PA: Elsevier Saunders, 2012.

8. AIUM technical bulletin. Transducer manipulation. American Institute of Ultrasound in Medicine. J Ultrasound Med 1999;18:169-175.

9. Allen GM, Wilson DJ Ultrasound in sports medicine-a critical evaluation. Eur J Radiol 2007;62:79-85.

10. Christensen RA, Van Sonnenberg E, Casola G, Wittich GR. Interventional ultrasound in the musculoskeletal system. Radiol Clin North Am 1988;26:145-156.

11. Boesen MI, Boesen M, Langberg H, et al. Musculoskeletal colour/power Doppler in sports medicine: image parameters, artefacts, image interpretation and therapy. Clin Exp Rheumatol 2010;28:103-113.

12. Feldman MK, Katyal S, Blackwood MS US artifacts. Radiographics 2009;29:1179-1189.

13. Connolly DJ, Berman L, McNally EG. The use of beam angulation to overcome anisotropy when viewing human tendon with high frequency linear array ultrasound. Br J Radiol 2001;74:183-

185.

14. Klauser AS, Peetrons P. Developments in musculoskeletal ultrasound and clinical applications. Skeletal Radiol 2010;39:1061–71.

15. Scanlan KA. Sonographic artifacts and their origins. AJR Am J Roentgenol 1991;156:1267–1272.

16. Reynolds DL, Jr, Jacobson JA, Inampudi P, Jamadar DA, Ebrahim FS, Hayes CW. Sonographic characteristics of peripheral nerve sheath tumors. AJR Am J Roentgenol 2004;182:741–744.

17. Rubin JM, Adler RS, Bude RO, Fowlkes JB, Carson PL. Clean and dirty shadowing at US: a reappraisal. Radiology 1991;181:231–236.

18. Hartgerink P, Fessell DP, Jacobson JA, van Holsbeeck MT. Full– versus partial–thickness Achilles tendon tears: sonographic accuracy and characterization in 26 cases with surgical correlation. Radiology 2001;220:406–412.

19. Laing FC, Kurtz AB The importance of ultrasonic side–lobe artifacts. Radiology 1982;145:763–768.

20. Ziskin MC, Thickman DI, Goldenberg NJ, Lapayowker MS, Becker JM. The comet tail artifact. J Ultrasound Med 1982;1:1–7.

21. Thickman DI, Ziskin MC, Goldenberg NJ, Linder BE Clinical manifestations of the comet tail artifact. J Ultrasound Med 1983;2:225–230.

22. Teh J. Applications of Doppler imaging in the musculoskeletal system. Curr Probl Diagn Radiol 2006;35:22–34.

23. Rubin JM, Bude RO, Carson PL, Bree RL, Adler RS. Power Doppler US: a potentially useful alternative to mean frequency-based color Doppler US. Radiology 1994;190:853–856.

24. Boote EJ. Doppler US techniques: Concepts of blood flow detection and flow dynamics. Radiographics 203; 23:1315–1327.

25. Hedrick W, Hykes D, Starchman D. Doppler Physics and Instrumentation. in: Ultrasound Physics and Instrumentation. St.Louis, MO: Mosby, 2005.

26. Bodner G, Schocke MFH, Rachbauer F, etc. Differentiation of malignant and benign musculoskeletal tumors: Combined color and power Dopper US and spectral wave analysis.

27. Jansson T, Persson HW, Lindstrom K. Movement artefact suppression in blood perfusion measurements using a multifrequency technique. Ultrasound Med Biol 2002;28:69–79.

28. Rubin JM. Spectral Doppler US. Radiographics 1994;14:139–150.

29. Martinoli C, Derchi LE. Gain setting in power Doppler US. Radiology 1997;202:284–285.

30. Koenig MJ, Torp–Pedersen ST, Christensen R, et al. Effect of knee position on ultrasound Doppler findings in patients with patellar tendon hyperaemia (jumper's knee). Ultraschall Med 2007;28:479–483.

31. Pozniak MA, Zagzebski JA, Scanlan KA. Spectral and color Doppler artifacts. Radiographics 1992;12:35–44.

32. Nilsson A. Artefacts in sonography and Doppler. Eur Radiol 2001;11:1308–1315.

33. Rahmouni A, Bargoin R, Herment A, Bargoin N, Vasile N. Color Doppler twinkling artifact in hyperechoic regions. Radiology 1996;199:269–271.

34. Kamaya A, Tuthill T, Rubin JM. Twinkling artifact on color Doppler sonography: dependence on machine parameters and underlying cause. AJR Am J Roentgenol 2003;180:215–222.

35. Yang JH, Kang GS, Choi MJ. The rle of the acoustic radiation force in color Dopler twinkling artifacts. Ultrasonography 2015;34:109–114.

36. Cook JL, Kiss ZS, Ptasznik R, Malliaras P. Is vascularity more evident after exercise? Implications for tendon imaging. AJR Am J Roentgenol 2005;185:1138–1140.

37. Boesen MI, Koenig MJ, Torp–Pedersen S, Bliddal H, Langberg H. Tendinopathy and Doppler activity: the vascular response of the Achilles tendon to exercise. Scand J Med Sci Sports 2006;16:463–469.

38. Cook JL, Ptazsnik R, Kiss ZS, Malliaras P, Morris ME, De Luca J. High reproducibility of patellar tendon vascularity assessed by colour Doppler ultrasonography: a reliable measurement tool for quantifying tendon pathology. Br J Sports Med 2005;39:700–703.

39. Downey DB, Fenster A, Williams JC. Clinical utility of three-dimensional us. Radiographics;2000;20:559–571.

40. Kang CH, Kim SS, Kim JH, Chung KB, Kim YH, Oh YW, et al. Supraspinatus tendon tears: Comparison of 3d us and mr arthrography with surgical correlation. Skeletal radiology 2009;38:1063–1069.

41. Pyun SB, Kang CH, Yoon JS, Kwon HK, Kim JH, Chung KB, et al. Application of 3–dimensional ultrasonography in assessing carpal tunnel syndrome. J Ultrasound Med 2011;30:3–10.

42. Kang T, Lanni S, Nam J, Enery P, Wakefield RJ. The evolution of ultrasound in rheumatology. Therapeutic Advances in Musculoskeletal Disease 2012;4:399–411.

43. Özçakar L, Tok F, De Muynck M, Vanderstraeten G. Musculoskeletal ultrasonography in physical and rehalilitation medicine. J Rehabil Med 2012;44:310–318.

44. Drakonaki EE, Allen GM, Wilson DJ. Ultrasound elastography for musculoskeletal applications. Br J Radiol 2012;85:1435–1445.

45. Bhatia KS, Lee YY, Yuen EH, Ahuja AT. Ultrasound elastography in the head and neck. Part I. Basic principles and practical aspects. Cancer imaging 2013;13:253–259.

46. Lee YH, Song H-T, Suh J-S. Use of strain ratio in evaluating superficial soft tissue tumors on ultrasonic elastography. J Medical Ultrasonics 2014;41:319-323.

47. Park HJ, Lee SY, Lee SM, Kim WT, Lee S, Ahn KS. Strain elastography features of epidermoid tumours in superficial soft tissue: differences from other benign soft-tissue tumours and malignant tumours. Br J Radiol 2015;88:20140797.

48. Ahn KS, Kang CH, Hong SJ, Jeong WK. Ultrasound elastography of lateral epicondylosis: Clinical feasibility of quantitative elastographic measurements. AJR Am J Roentgenol 2014;202:1094-1099.

49. Ooi CC, Malliaras P, Schneider ME, Connell DA. "Soft, hard, or just right?" Applications and limitations of axial-strain sonoelastography and shear-wave elastography in the assessment of tendon injuries. Skeletal radiology 2014;43:1-12.

50. Klauser AS, Miyamoto H, Tamegger M, Faschingbauer R, Moriggl B, Klima G, et al. Achilles tendon assessed with sonoelastography: Histologic agreement. Radiology 2013;267:837-842.

51. Botar-Jid C, Damian L, Dudea SM, Vasilescu D, Rednic S, Badea R. The contribution of ultrasonography and sonoelastography in assessment of myositis. Medical ultrasonography 2010;12:120-126.

52. Vasilescu D, Vasilescu D, Dudea S, Botar-Jid C, Sfrangeu S, Cosma D. Sonoelastography contribution in cerebral palsy spasticity treatment assessment, preliminary report: A systematic review of the literature apropos of seven patients. Medical ultrasonography 2010;12:306-310.

53. Orman G, Ozben S, Huseyinoglu N, Duymus M, Orman KG. Ultrasound elastographic evaluation in the diagnosis of carpal tunnel syndrome: initial findings. Ultrasound Med Biol 2013;39:1184-1189.

54. Kantarci F, Ustabasioglu FE, Delil S, Olgun DC, Korkmazer B, Dikici AS, et al. Median nerve stiffness measurement by shear wave elastography: A potential sonographic method in the diagnosis of carpal tunnel syndrome. Eur Radiology 2014;24:434-440.

55. Greis C. Technology overview: Sonovue (bracco, milan). Eur Radiology 2004;14 Suppl 8:P11-15.

56. Chang KV, Lew HL, Wang TG, Chen WS. Use of contrast-enhanced ultrasonography in musculoskeletal medicine. American J Physical Med Rehabilitation/Association of Academic Physiatrists 2012;91:449-457.

57. Chung YE, Kim KW. Contrast-enhanced ultrasonography: advanced and current status in abdominal imaging. Ultrasonography 2015;34:3-18.

58. Adler RS, Fealy S, Rudzki JR, Kadrmas W, Verma NN, Pearle A, et al. Rotator cuff in asymptomatic volunteers: Contrast-enhanced US depiction of intratendinous and peritendinous vascularity. Radiology 2008;248:954-961.

59. Funakoshi T, Iwasaki N, Kamishima T, Nishida M, Ito Y, Kondo M, et al. In vivo visualization of vascular patterns of rotator cuff tears using contrast-enhanced ultrasound. American J Sports Med 2010;38:2464-2471.

60. Loizides A, Peer S, Plaikner M, Djurdjevic T, Gruber H. Perfusion pattern of musculoskeletal masses using contrast-enhanced ultrasound: A helpful tool for characterisation? Eur radiology 2012;22:1803-1811.

61. Sirsi SR, Borden MA. State-of-the-art materials for ultrasound-triggered drug delivery. Advanced drug delivery reviews 2014;72:3-14.

연조직
Soft Tissue

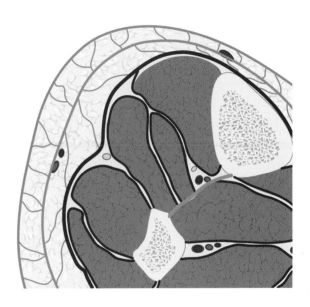

02 CHAPTER

■ 이영환, 김여주, 차장규

연조직
Soft Tissue

I. 피부와 피하조직 Skin and subcutaneous tissue

초음파는 공간해상도(spatial resolution)가 우수하고 Doppler 검사에서 혈류 정보를 알 수 있으므로, 피부 질환에 대한 자세한 해부학적 및 생리학적 정보를 얻는 데 매우 유용하다. 피부 병변의 위치 및 깊이, 크기, 성상에 대한 정확한 정보의 제공하는 것 이외에도 조직생검, 이물 제거, 바늘위치 결정(needle localization) 등의 초음파유도하 시술에 유용하게 이용된다. MRI도 피부 질환에 많이 이용되지만 크기가 작은 병변의 진단에는 제한점이 있기 때문에, 피부 질환의 진단에는 초음파가 우선적으로 이용된다.

1. 검사방법

피부와 피하조직의 초음파검사에는 일반적으로 7 MHz 이상의 선형(linear) 탐촉자를 이용한다. 표재성 병변을 검사할 때는 젤(gel)을 두껍게 바른 후 검사하고, 탐촉자로 병변을 압박하지 않는 것이 중요하다. 발뒤꿈치처럼 각질이 두꺼운 부위에서는 초음파의 투과가 감소하므로, 상대적으로 낮은 주파수의 탐촉자로 검사한다. 필요에 따라 탐촉자로 병변 부위를 압박하거나 역동적 검사를 함께 실시하면 진단에 도움이 된다. 일반적으로 액체성분의 종괴나 부드러운 지방종은 압박이 잘 되며, 고형 또는 섬유성 고형 종괴는 압박이 잘 되지 않는다. 초음파 기기에 따라 harmonic imaging과 compound imaging 기능을 이용하면 신호대 잡음 비율과 병변 대조도를 높일 수 있다. 병변과 주위 조직에 대해 장축(long axis)과 단축(short axis)영상을 얻고, 필요하면 반대쪽과 비교 검사한다.

2. 정상 초음파 해부학

피부는 표피(epidermis)와 진피(dermis)로 이루어진다 (Fig. 2-1). 표피는 지속적으로 새로 형성되는 구조물로, 두께는 눈꺼풀에서 약 0.04 mm, 손바닥에서 약 1.6 mm 등으로 부위별로 차이가 있지만, 대개 0.1 mm 정도의 두께를 가진다. 표피는 중층편평각화상피(stratified squamous cornified epithelium)이고, 주 구성세포인 각질형성세포(keratinocyte) 이외에 멜라닌세포(melanocyte), 랑게르한스세포(Langerhans cell) 및 머켈세포(Merkel cell)로 구성되며, 각질(keratin)이 주 성분이다. 외력을 받지 않는 부위의 표피는 비교적 얇고 털이 있으며, 손바닥과 발바닥처럼 외력을 많이 받는 부위의 표피는 두껍고 털이 없다.[1~3]

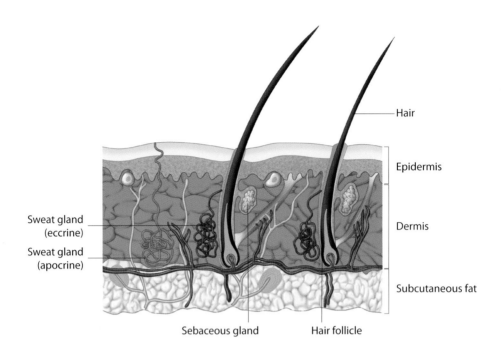

Figure 2-1 **Skin anatomy**

진피는 표피를 지지하는 역할을 하며, 두께는 음낭의 경우 약 0.5 mm, 등에서는 약 5 mm 등으로 차이가 있지만, 표피 두께의 약 15~40배이며, 대개 1~3 mm 두께를 가진다. 진피의 주성분은 아교질 섬유(collagen fiber)이며, 혈관, 림프관, 신경을 포함한다. 진피는 표피 바로 아래의 유두진피(papillary dermis)와 유두진피와 피하지방층 사이의 그물진피(reticular dermis)로 구분한다. 진피 두께의 약 20%는 유두진피, 약 80%는 그물진피로 이루어지며, 그물진피에 아교질 섬유가 더 풍부하다.[4] 진피에는 모낭(hair follicle), 피지샘(sebaceous gland), 땀샘(sweat gland) 등의 표피부속기(epidermal appendage)가 진피 부위에 위치한다. 진피는 중배엽에서 유래하지만, 표피부속기는 발생학적으로 외배엽에서 유래하는 조직이며, 표피가 하향 발육하여 만들어진다.[1,2]

진피 아래의 피하조직(subcutaneous tissue, hypodermis)은 충격과 열손상으로부터 몸을 보호하고 영양소를 저장하는 역할을 담당하며, 피하지방과 지방세포를 지지하는 결합조직 중격(connective tissue septa), 즉 표재근막(superficial fascia)으로 구성된다. 지방세포는 중배엽에서 기원하며, 피하지방층의 두께는 신체 부위와 따라 다양하며 개인차가 있다. 지방세포들은 중격에 의해 소엽으로 분리되며, 중격에는 혈관, 림프관, 신경이 위치한다. 진피와 피하조직은 뚜렷하게 구분되지만, 모낭의 하부나 땀샘의 나선형 분비부가 피하조직 내에서 보일 수 있다.[1,2]

근막은 섬유성 결합조직(fibrous connective tissue)으로 아교질(collagen)이 주성분이며, 표재근막(superficial fascia)과 심부근막(deep fascia, investing fascia)으로 나뉜다 (Fig. 2-2). [5~7] 표재근막은 피하지방 사이에 그물망을 형성하며, 피부를 심부근막에 고정하면서 피하지방조직을 지지하는 역할을 한다. 표재근막은 심부근막에 평행하게 주행하는 막성(membranous) 표재근막과 피하지방 사이에 그물망을 형성하면서 막성표재근막을 진피와 심부근막에 연결하는 피부지지띠(retinacula cutis)로 이루어진다.[5] 피하지방을 지

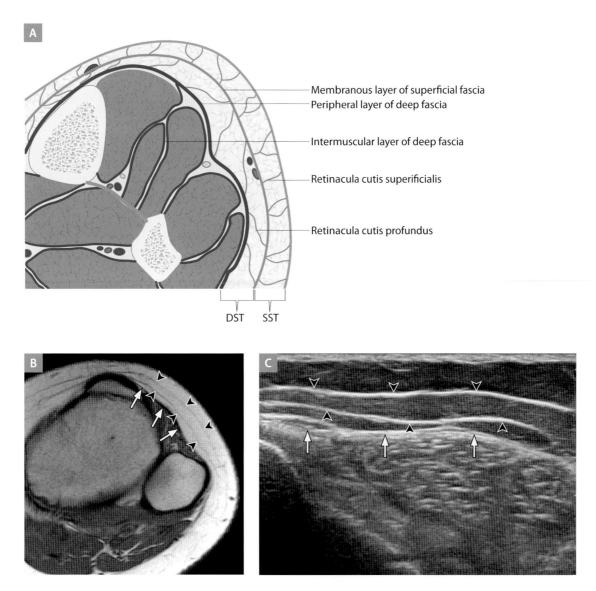

Figure 2-2 **Fascial anatomy. A.** Schematic drawing shows the superficial and deep fascia in the leg. **B, C.** Corresponding axial T1-weighted MR (**B**) and transverse US (**B**) images show the membranous layer of superficial fascia (arrowheads) and peripheral layer of deep fascia (arrows). DST, deep subcutaneous tissue; SST, superficial subcutaneous tissue.

지하면서 소엽으로 나누는 결합조직 중격(connective tissue septa)이 피부지지띠이다. 막성표재근막은 피하지방층이 두꺼운 부위에서는 한 층이 아닌 두 층 내지 세 층으로 보일 수 있으며, 피하지방층은 막성표재근막에 의해 표재 및 심부피하조직(superficial and deep subcutaneous tissue)으로 구분된

다.(5,6) 표재피하조직의 지방을 지지하는 중격인 표재피부지지띠(retinacula cutis superificialis)는 비교적 강하며, 진피에 비교적 수직으로 배열하며 주행하면서 진피를 고정하는 역할을 한다. 심부피하조직의 지방을 지지하는 심부피부지지띠(retinacula cutis profundus)는 비스듬한 배열을 보이며,

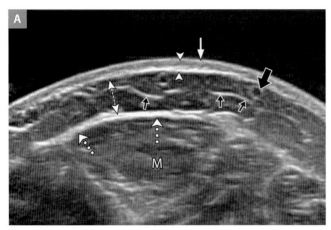

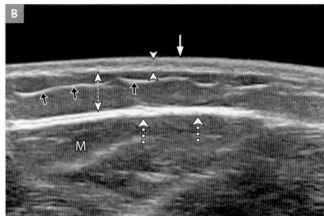

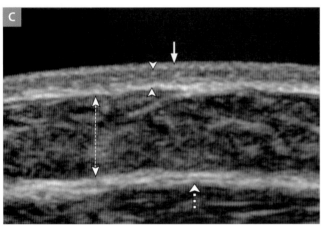

Figure 2-3 **Normal skin and subcutaneous tissue.** Transverse (A), longitudinal (B), and magnified (C) US images obtained at ventral forearm. The epidermis (arrow) appears as a hyperechoic band. The dermis (between arrowheads) shows superficial hypoechoic and deep hyperechoic layers. The subcutaneous tissue (double arrow) includes hypoechoic fat lobules with hyperechoic septa and subcutaneous veins (thick arrow). Note membranous superficial fascia (small arrows) and peripheral layer of deep fascia (dashed arrows). M, muscle.

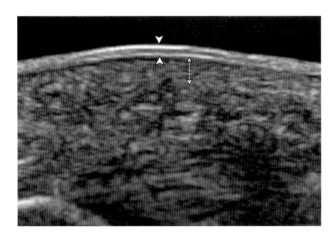

Figure 2-4 **Normal glabrous skin.** US image of the palm of the hand shows a relatively thick, bilaminar hyperechoic epidermis (between arrowheads). Double arrow, dermis.

심부피하조직이 심부근막 위에서 쉽게 미끄러지게 한다.

초음파에서 표피는 각질로 인해 고에코로 보인다. 손바닥과 발바닥의 두꺼운 표피는 두 층의 고에코 띠로 보이며, 다른 부위의 얇은 표피는 한 층의 고에코 띠로 보인다 (Fig. 2-3, 2-4).[8,9] 진피의 에코는 아교질 섬유의 양에 의해 결정되며, 두 층으로 보인다. 표피 바로 아래에 위치한 진피의 표층은 저에코로 보이며, 심층은 아교질 섬유가 풍부하여 표피보다는 약간 낮은 고에코로 보인다 (Fig. 2-3).[4] 그러나 초음파에서 보이는 진피의 두 층이 조직학적 유두진피 및 그물진피와 일치하지는 않는다.

피하조직은 저에코로 보이는 지방 소엽 사이에 그물모양의 섬유성 중격이 고에코로 보인다 (Fig 2-2, 2-3).[9] 섬유성

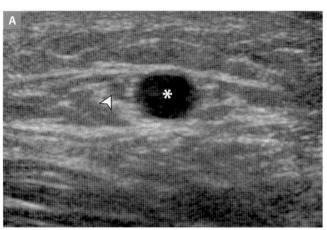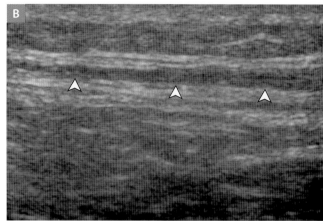

Figure 2-5　**Saphenous vein and sural nerve.** Transverse (**A**) and longitudinal (**B**) US images over the posterior calf show the small saphenous vein (asterisk) and the adjacent sural nerve (arrowheads) in the deep subcutaneous tissue.

중격 사이에 표재 정맥, 감각신경, 림프관 등이 있다. 표재 정맥은 둥글거나 관상의 저에코 구조물로 보이고, Doppler 검사에서 혈류를 볼 수 있으며, 탐촉자로 압박하면 쉽게 허탈된다. 표재 정맥을 따라 함께 주행하는 섬유다발양상의 작은 표재감각신경을 볼 수도 있다. 따라서 표재감각신경을 찾기 위해서는 동반하는 표재 정맥을 먼저 찾는 것이 도움이 된다. 예를 들어 비복신경(sural nerve)을 찾기 위해서는 소복재정맥(small saphenous vein)을 먼저 찾는 것이 도움이 된다 (Fig. 2-5). 정상 림프관은 초음파에서 구분되지 않는다.

손발톱(nail)은 손가락과 발가락의 말단부를 보호하고 지지하는 기능을 가진다. 손발톱판(nail plate)은 단단하고 약간 볼록한 구조물로, 근위 및 양쪽 옆 경계부분은 근위손발톱주름(proximal nail fold) 및 가쪽손발톱주름(lateral nail fold)으로 둘러싸여 있다 (Fig. 2-6). 손발톱판은 단면에서 등쪽(dorsal), 중간(intermediate), 배쪽손발톱판(ventral nail plate)으로 구분하며, 등쪽과 중간손발톱판은 손발톱바탕질(nail matrix)에서 형성되며, 배쪽손발톱판은 손발톱바닥(nail bed)에 의해 형성된다.[10] 손발톱각피(cuticle, eponychium)는 근위손발톱주름(proximal nail fold)에서 각질층이 등쪽손발톱판에 부착되어 있는 구조물이며, 근위손발톱주름과 손발톱판 사이의 공간을 막는 역할을 한다.

손발톱바탕질(nail matrix)은 표피가 근위 손발톱판 아래쪽으로 함입되어 이루어진 중층편평상피(stratified squamous epithelium)이며, 단면에서 쐐기(wedge) 모양을 가진다. 근위 손발톱판에서 아래쪽의 손발톱바탕질이 초승달모양으로 하얗게 비춰 보이는 부분을 손발톱초승달(lunula)이라 하며, 엄지손톱에서 저명하게 관찰된다. 손발톱바닥(nail bed)은 손발톱바탕질에서 원위부로 연결된 표피이며, 손발톱판과 손발톱바닥은 강하게 밀착되어 있어서 강제로 분리하려 하여도 분리되지 않는다. 손발톱판의 원위 끝부분 아래쪽의 피부를 손발톱끝밑소피(hyponychium)라 하며, 손발톱바닥이 손발톱끝밑소피로 이행되는 부위가 손발톱협부(nail isthmus)이다.[10]

손발톱바탕질과 손발톱바닥 아래에는 결합조직으로 이루어진 진피가 있으며, 사구체, 혈관, 신경, 사구소체(glomus body)를 포함하고 있다. 손발톱에는 피하조직이 없으며, 진피 아래에 소량의 진피하(subdermal) 지방층이 있다. 흔히 손발톱밑 공간(subungual space)이라고 부르는 부분은 손발톱판 아래의 손발톱바탕질, 손발톱바닥, 진피, 손끝 뼈의 골막(periosteum)을 포함하며, 약 1~2 mm 두께이다.

초음파에서 손발톱판은 각질(keratin)로 인하여 두 층의 평행한 고에코 띠로 보이며, 두 층의 고에코 띠 사이에 저에

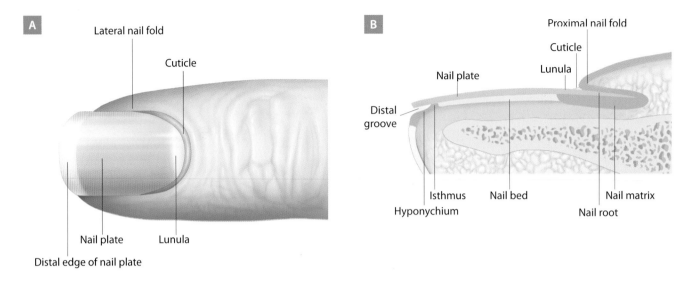

Figure 2-6　**Normal nail apparatus**

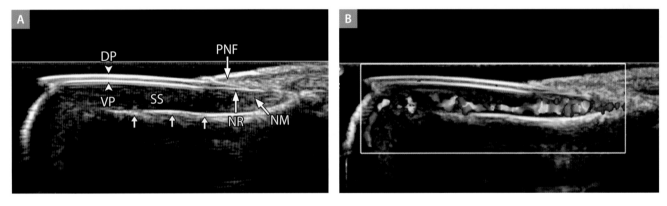

Figure 2-7　**Normal nail**. Longitudinal US (**A**) and Doppler (**B**) images over the nail plate of the third finger. DP, dorsal nail plate; VP, ventral nail plate; NR, nail root; NM, nail matrix; PNF, proximal nail fold; SS, subungual space; small arrows, cortex of distal phalanx.

코의 띠가 보인다 (Fig. 2-7). [3] 손발톱바탕질은 서에코로 보이고, 근위부는 약간 에코가 증가되어 보인다. [3,11] 손발톱판 아래의 피부는 다른 부위의 피부와 비슷하게 보이지만, 피하지방이 거의 보이지 않는다.

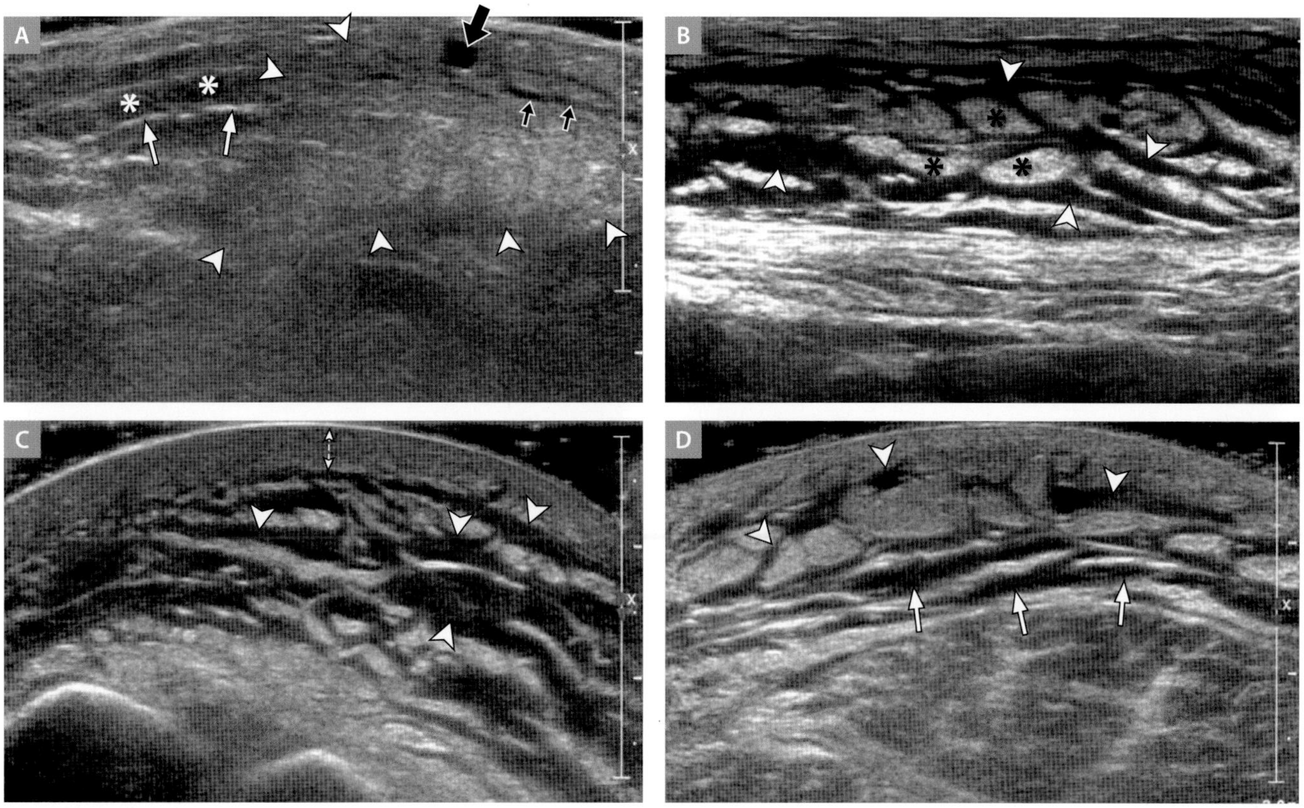

Figure 2-8   Subcutaneous edema: variable US appearances. A. Transverse US image over the medial aspect of ankle shows diffusely increased echogenicity of the subcutaneous fat (arrowheads) with blurring of the definition of connective septa and fatty lobules. Scanty hypoechoic or anechoic fluid (short arrows) also is seen between the fatty lobules. Note relatively normal hypoechoic fatty lobules (asterisks) and hyperechoic septa (long arrows) in adjacent subcutaneous tissue. Thick arrow, subcutaneous vein. **B.** US image over the dorsum of foot shows fluid distension of all septa (arrowheads) between the hyperechoic fatty lobules (asterisks), providing a "cobblestone" appearance. **C.** US image over the dorsum of foot shows fluid distension of all septa (arrowheads) and hypoechoic thickening of the dermis (double arrow). **D.** Transverse US image over the lower calf shows increased echogenicity of subcutaneous fat lobules and hypoechoic or anechoic fluid (arrowheads) in the septa. Note more prominent fluid distension (arrows) of septa in the deep subcutaneous tissue.

3. 피부 및 피하조직 병변

1) 부종 Edema

부종은 모세혈관 내의 체액이 혈관 밖으로 빠져 나와 간질조직에 고여 있는 상태이며, 피하조직에 수분이 축적되어 부어 오르게 된다. 외상이나 염증성 질환 이외의 국소 피하조

직 부종의 흔한 원인으로는 만성정맥부전(chronic venous insufficiency)에 의한 말초부종이나 림프절의 손상으로 림프액 이동에 문제가 생겨 사지에 간질액이 증가되는 림프부종(lymphadenoma)이 있다.

피하조직에 부종이 생기면 두꺼워지고 지방 소엽의 에코가 증가한다 (Fig. 2-8A). 부종이 진행되면 지방 소엽 사이의 중격에 액체가 저류되어 두꺼워진 중격이 저에코 또는 무에

코로 보인다. 부종이 심해지면 중격에 무에코의 액체 저류가 보이고 지방엽이 서로 분리되어 조약돌(cobblestone) 모양을 보인다 (Fig 2-8B, C).[3] 부종의 초기에는 심부피하조직에 부종이 먼저 발생하고 표재피하지방조직은 정상으로 보일 수 있으며, 부종이 진행되면 점차 표재피하조직으로 부종이 진행된다 (Fig. 2-8D).[12] 진피에 부종이 생기면 두꺼워지고 에코가 감소한다.

2) 연조직염 Cellulitis

연조직염(cellulitis)은 진피와 피하조직을 침범하는 세균 감염증을 말한다. 외상, 무좀, 궤양 등과 관련되어 생기며, 당뇨병, 간경변, 알코올 중독 등의 만성질환이 있는 환자에서 생길 가능성이 많다. 연조직염의 주된 초음파소견은 피부와 피하지방에 부종이 생겨 에코가 미만성으로 증가하고 액체가 저류되는 것이다 (Fig. 2-9, 2-10). 그러나 이러한 소견은 비

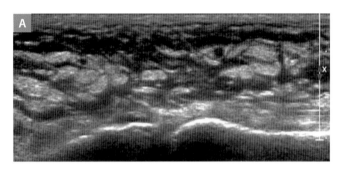
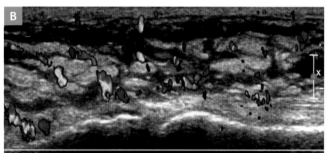

Figure 2-9 **Cellulitis.** **A.** US image over the dorsum of foot shows fluid distension of all septa between the hyperechoic fatty lobules. **B.** Doppler image shows increased vascularity through the lesion. These findings are nonspecific and cannot be distinguished from non-infectious cause of subcutaneous edema.

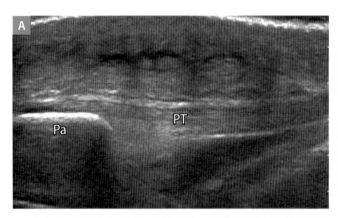
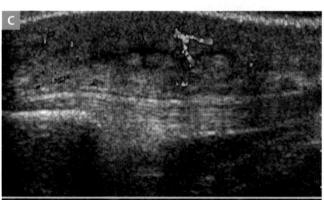
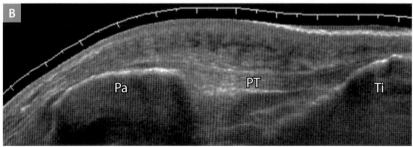

Figure 2-10 **Cellulitis.** **A, B.** Longitudinal (A) and extended-field-of-view US images (B) over the patella show diffusely increase echogenicity of the subcutaneous fat with blurring of the definition fatty lobules, and prominent hypoechoic septa. **C.** Doppler image shows increased vascularity through the lesion. Pa, patella; Ti, tibia; PT, patellar tendon.

특이적이며, 감염 이외의 다른 원인에 의한 부종과 구분하기 어렵다.[13,14] Doppler검사에서 증가된 혈류를 관찰할 수 있으나, 혈전정맥염(thrombophlebitis)이나 표재 정맥이 막힌 경우에도 비슷한 소견이 보일 수 있다. 연조직염의 진단은 임상 소견으로 이루어지며, 초음파의 역할은 연조직염 자

체의 진단보다 농양(abscess) 유무나 부종을 일으킬 수 있는 다른 원인을 찾는 데 있다.[15]

농양은 초음파에서 내부에 불규칙한 모양의 저에코 액체와 다양한 에코를 가지는 부스러기들이 함께 보이며, 후방음향증가를 동반한다 (Fig 2-11, 2-12). 탐촉자로 병변을 압박하

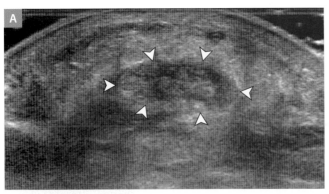

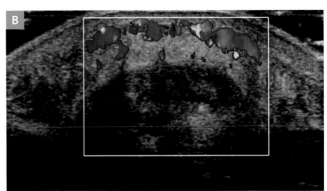

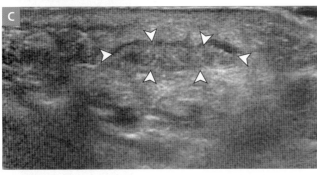

Figure 2-11 Abscess. US image (**A**) over the sole of the midfoot shows an ovoid abscess (arrowheads) located in the subcutaneous tissue. It reveals increased echogenicity of the subcutaneous tissue with increased vasculature (**B**). The abscess cavity is easily compressible with the transducer (**C**).

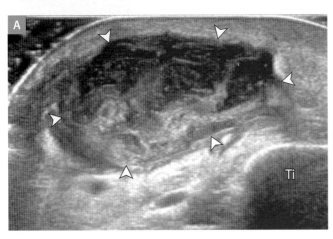

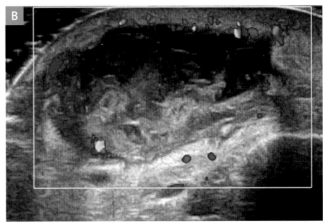

Figure 2-12 Abscess. Transverse US (**A**) Doppler (**B**) images over the anterolateral aspect of lower leg show a large abscess (arrowheads) in the subcutaneous region, which shows complex internal echogenicity and increased vascularity in the periphery of the abscess. Ti, tibia.

면 액체성분은 압박되므로 고형 종괴와의 감별에 도움이 된다.[16] Doppler검사에서 농양벽과 주변 연조직에 혈류 증가 소견을 보이고, 농양 중심부에는 혈류가 관찰되지 않는다. 혈종과의 감별이 어려울 수 있으므로 임상증상이나 병력을 함께 고려하여야 하며, 초음파유도하 흡인을 실시할 수도 있다. 농양이 뼈 주변에 보이면 뼈로의 감염 전파 또는 골수염이 연조직으로 전파되었을 가능성을 고려해야 한다. 진균(fungus)에 의한 감염에서는 비교적 경계가 좋은 다발성의 고에코 고형 종괴를 형성하기도 한다.

3) 혈종 Hematoma, 장액종 Seroma, 림프류 Lymphocele

피하조직에 출혈이 생기면 에코가 증가하여 피부와 섬유성 격막과의 경계가 불분명해진다. 연조직염이나 부종에서 섬유성 격막을 따라 보이는 액체저류가 출혈에서는 보이지 않으므로 부종과는 다른 양상으로 보인다. 급성기 혈종은 비교적 경계가 좋은 불균질한 고에코 종괴로 보이며, 고형종괴로 오인될 수 있다 (Fig. 2-13). 내부에 여러 층의 회오리(whirl) 모양이 보이거나 무에코 낭종으로 보일 수도 있다 (Fig. 2-14). 주위 연조직에 부종과 함께 혈류 증가를 동반 할 수 있으나, 혈종 내부에는 혈류가 보이지 않는다. 아급성 또는 만성기 혈종은 피막이 형성되어 경계가 좀 더 분명해지고, 크기는 점차 감소하며, 액체화가 진행되어 무에코 액체로 보이거나 내부에 섬유소(fibrin) 증식에 의한 격막이 보일 수 있다 (Fig. 2-15). 세포성분과 액체 혈장이 서로 분리되어 액체-액체층(fluid-fluid level)이 보이거나, 혈종 테두리에 석회화가 생길 수도 있다. 시간이 경과하면서 혈종은 크기가 점점 작아져서 없어지는데, 섬유성 반흔이 남거나 피부의 위축이 생기기도 한다.

기질화 혈종(organized hematoma)은 조직학적으로 섬유성 피막으로 싸여 있고, 내부에 신생 혈관을 동반하는 고형화된 상태(solidification)를 말한다. 피막으로 싸여 있기 때문에 초음파에서 경계가 좋은 종괴로 보이며, 내부의 신생 혈관은 매우 미세하기 때문에 Doppler검사에서 구분되지 않

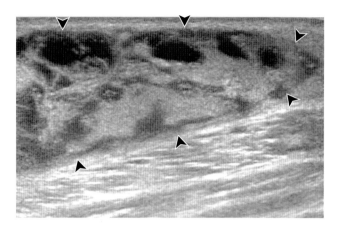

Figure 2-13 **Hematoma.** Longitudinal US image over the upper arm shows a heterogeneous hematoma (arrowheads) with containing both hyper- and hypoechoic area.

을 수 있다. 신생혈관에 의한 반복적인 출혈로 인해 내부 에코가 다양하게 보이며, 혈종의 크기는 오히려 초기보다 커질 수도 있다 (Fig. 2-16, 2-17).[17] 때때로 연조직 종양과의 감별이 어려울 수 있다.

장액종(seroma)은 연조직 내에 장액성 액체가 고인 것으로, 주로 수술부위에 생긴다. 저에코 혹은 무에코의 액체 저류로 보이며, 강한 후방음향증강을 동반하고, 대개 피막은 없다. 림프류(lymphocele)는 림프액이 고인 것으로, 주로 수술 후에 생긴다. 초음파에서 장액종과 비슷하게 보이며 감별이 어렵다 (Fig. 2-18).

Morel-Lavallée병변은 외상, 특히 전단력(shearing force)에 의해 피하조직이 심부근막(deep fascia)과 분리되면서 관통혈관(perforating vessel)의 손상이 생기고, 피하조직과 심부근막 사이에 혈액, 림프액, 괴사된 지방조직 등이 채워져서 생긴다 (Fig. 2-19).[18,19] 자동차 사고와 관련된 외상에 의해 주로 생기며, 지방흡인술(liposuction) 등의 수술과 관련되어 생길 수도 있다. 둔부(buttock), 복벽, 요추부, 장딴지 등에 주로 생기며, 대퇴골의 대전자(greater trochanter) 외측에 가장 호발한다.

초음파에서 피하조직층과 심부근막 사이에 방추형(fusiform), 소엽성(lobular), 납작한 모양의 액체저류로 보이고, 탐촉자로 누르면 쉽게 압박된다.[20] 초기에는 소엽성이 흔

▶ p.50으로 이어집니다.

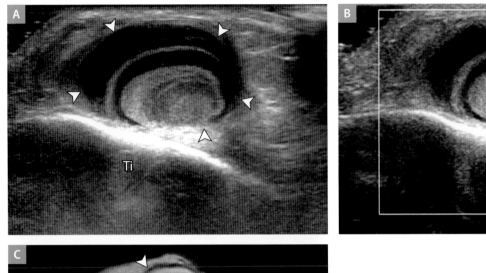
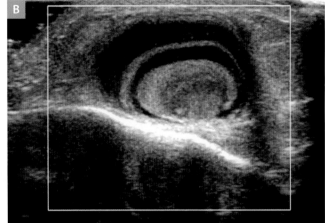
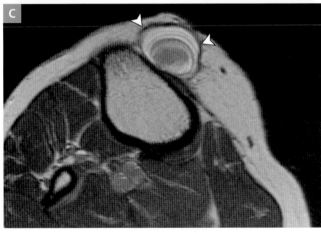

Figure 2-14 **Hematoma. A, B.** Transverse US (**A**) and Doppler (**B**) images over the anteromedial aspect of lower leg show a hematoma (arrowheads) with whirling appearance, suggesting multiphase bleeding. Blood flow is not seen within the lesion. **C.** Corresponding axial T2-weighted MR image. Ti, tibia.

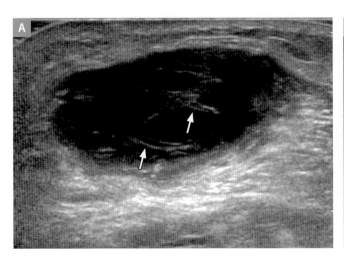
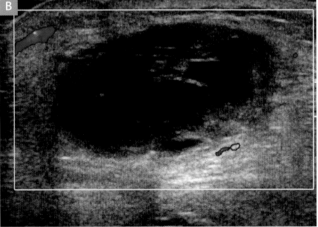

Figure 2-15 **Hematoma.** Transverse US (**A**) and Doppler (**B**) images over the anterior thigh show a hypoechoic or anechoic hematoma with internal septation (arrows) in the subcutaneous region. Blood flow is not seen within the lesion.

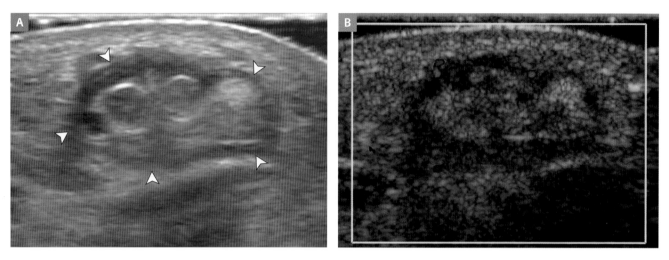

Figure 2-16 **Organizing hematoma**. Longitudinal US (**A**) and Doppler (**B**) images over the prepatellar region show a complex echogenic hematoma with hypoechoic encapsulation (arrowheads). There is no detectable blood flow within the mass.

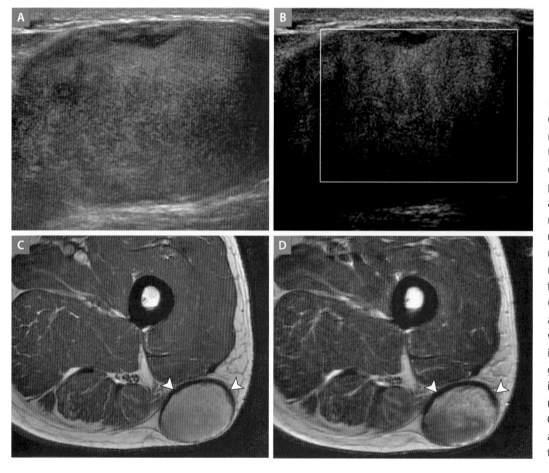

Figure 2-17
Organizing hematoma. A, B. Transverse US (A) and Doppler (B) images over the posterior thigh show a large heterogeneous hypoechoic mass in the subcutaneous region. There is no detectable blood flow within the mass. C, D. Correlative axial T1- (C) and T2-weighted (D) MR images show heterogeneous high signal intensity within the mass (arrowheads). On excisional biopsy, an organizing hematoma was confirmed.

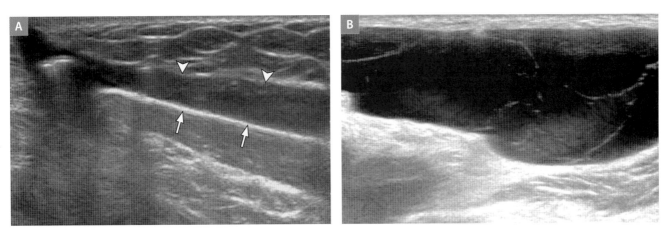

Figure 2-18   **Seroma or lymphocele: two different patients**. **A.** US image over the anterior chest wall shows anechoic fluid (arrowheads) over the cardiac pacemaker (arrows). **B.** US image over the inguinal area shows a large, septated cystic mass in the subcutaneous region in the patient who has undergone recent herniorrhaphy.

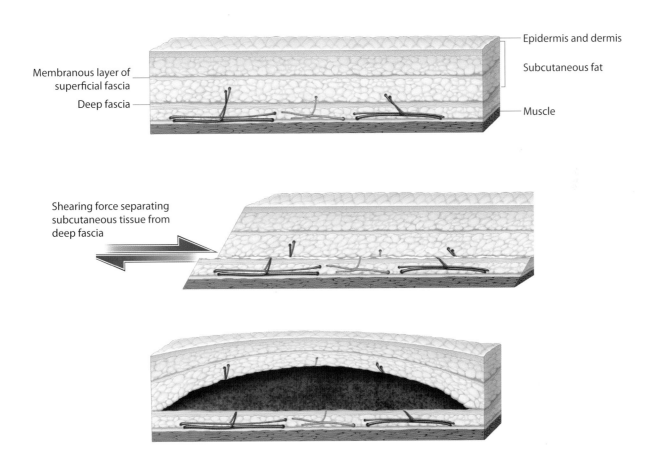

Figure 2-19   **Mechanism of Morel-Lavallée lesion.**

하고 시간이 흐를수록 방추형 혹은 납작한 모양을 가진다. 시간이 지나면서 섬유피막(fibrous capsule)이 형성되어 경계가 분명하게 보이며, Doppler검사에서 내부에 혈류는 보이지 않는다 (Fig. 2-20~2-22). 급성 또는 아급성기에는 내부 출혈에 의해 비균질한 에코와 불규칙한 경계를 보이는 경우가 많고, 점차 출혈이 흡수되고 장액성분이 많아지면서 균질한

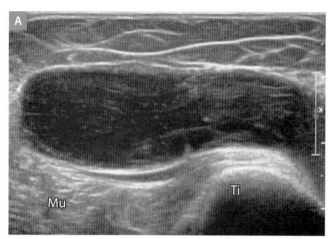

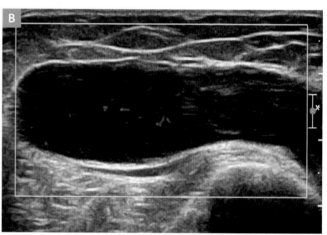

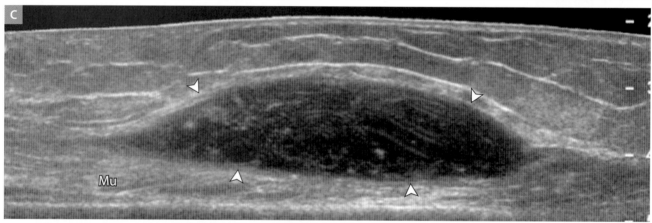

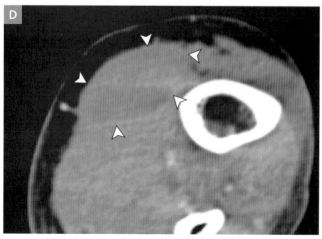

Figure 2-20   **Morel-Lavallée lesion: acute stage**. A-C. Transverse (A), Doppler (B), and longitudinal extended-field-of-view (C) US images over the lower leg show a large hypoechoic hematoma (arrowheads), which dissects the plane between the deep fascia and subcutaneous fatty tissue. There is no detectable blood flow within the hematoma. D. Correlative axial CT image. Ti, tibia; Mu, muscle.

저에코 혹은 무에코의 액체저류로 변한다. 재출혈이나 병변 내에 남아 있는 지방조직 때문에 내부 에코는 다양하게 보일 수 있다. 급성기의 작은 병변은 경피적 흡인 후 압박하면 호전될 수 있으나, 크기가 크고 섬유피막이 형성된 만성 병변

은 수술적 배액 및 절제가 필요하다. 혈종, 농양, 윤활낭염, 림프류와 비슷하게 보일 수 있으며, 외상 과거력과 특징적인 임상증상 및 위치로 감별할 수 있다.

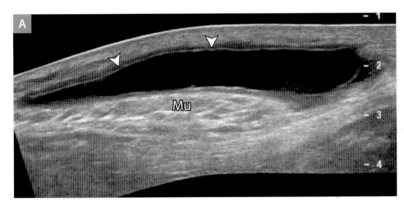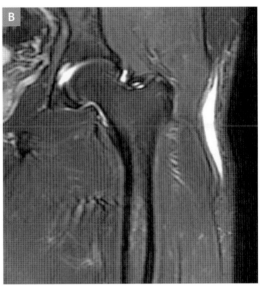

Figure 2-21 **Morel-Lavallée lesion.** **A.** Longtitudinal extended-field-of-view US image over the lateral aspect of thigh shows an elongated fluid collection between deep fascia and subcutaneous fatty tissue. Note echogenic peripheral encapsulation (arrowheads). **B.** Correlative coronal fat-saturated T2-weighted MR image. Mu, muscle.

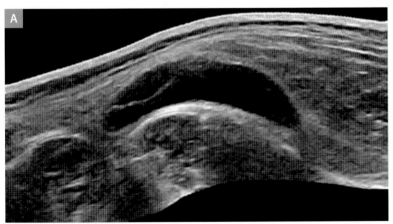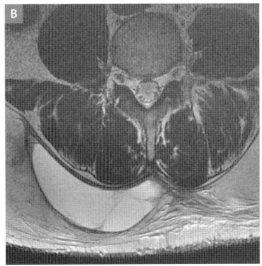

Figure 2-22 **Morel-Lavallée lesion.** **A.** Transverse extended-field-of-view US image over the lower back shows a septated fluid collection between deep fascia and subcutaneous fatty tissue. **B.** Correlative axial T2-weighted MR image.

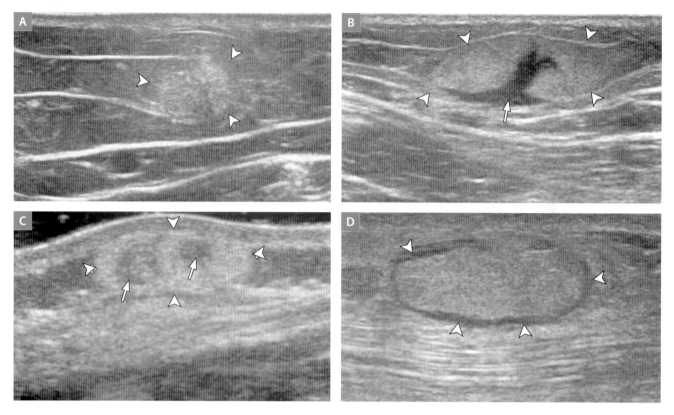

Figure 2-23 **Fat necrosis: variable US appearances. A.** Transverse US image over the thigh shows a poorly defined, focal hyperechoic lesion (arrowheads) in the subcutaneous fat with blurring of the definition of connective septa. **B.** Longitudinal US image over the thigh shows a rather well-defined hyperechoic lesion (arrowheads) with hypoechoic area (arrow) in the subcutaneous tissue. **C.** US image over the back shows a well-defined hyperechoic lesion (arrowheads) with internal hypoechoic area (arrows) in the subcutaneous tissue. **D.** US image over the abdominal wall shows an isoechoic fat necrosis with a surrounding hypoechoic rim (arrowheads).

4) 지방괴사 Fat necrosis

유방 이외에서의 지방괴사는 주로 하복부나 대퇴부에 생기며, 비만 성인에서 흔하고, 경미한 국소 통증과 부종을 동반한다. 외상, 혈관염, 자가면역질환, 동상, 피하지방 주사 등과 관련이 있다. 유출된 혈액에서 나온 지방분해효소나 혈류 감소와 관련된 허혈성 변화에 의해 지방이 국소적으로 괴사되는 것으로 생각된다. 연조직 염증과 관련되어 생길 수

도 있으며, 지방종에도 생길 수 있다. 지방괴사는 비교적 경계가 좋은 고에코 또는 등에코 병변으로 보이거나 경계가 불분명한 고에코 병변으로 보이며, 정상 지방조직 내에 줄무늬로 보이는 섬유격막이 소실된다. 지방 액화(liquefaction)가 생기면 저에코 또는 무에코 부분이 동반되며, 저에코의 섬유성 가성 피막이 변연부에 보일 수도 있다 (Fig. 2-23, 2-24). [21,22] 만성화되면 경계가 분명해 지면서 석회화가 동반되기도 한다.

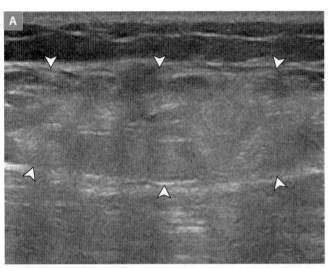
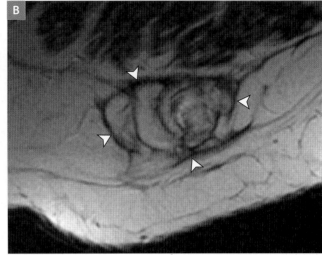

Figure 2-24 Fat necrosis. A. Transverse US image over the posterolateral aspect of buttock shows ill-defined, heterogeneous increased echogenicity (arrowheads) of the subcutaneous fat lobules (arrowheads) with blurring of the definition of connective septa. **B.** Correlative axial T1-weighted MR image.

5) 표재성 혈전정맥염 Superficial thrombophlebitis

표재성 혈전정맥염은 표재정맥(superficial vein) 내의 혈전과 함께 정맥벽 또는 주위 조직에 염증이 동반되는 병변이다. 주로 하지의 정맥류에 생기지만, 다른 표재정맥에서도 생기며, 암이나 자가면역질환 등 다양한 기저질환과 관련 있을 수 있다.[23,24] 병변 부위에 발적, 연조직 종창 및 통증을 호소하며, 표재정맥 경로를 따라 딱딱하게 줄(cord)처럼 만져질 수 있다. 초음파에서 표재정맥 내에 저에코의 혈전이 차 있으며, 탐촉자로 압박하여도 정맥이 허탈되지 않는다. 정맥 주위 피하지방은 부종으로 인해 에코가 증가될 수 있다. Doppler검사에서 정맥 내의 혈류가 보이지 않고, 급성기에는 정맥벽이나 주위 조직에 혈류 증가를 관찰할 수 있다 (Fig. 2-25).[25] 표재성 혈전정맥염이 오랫동안 지속되면

만성 표재성 혈전증 소견을 보이며, 혈관의 직경은 감소하고 혈관벽이 두꺼워진다.

Mondor병(Mondor's disease)은 유방이나 앞쪽 흉벽의 표재정맥에 생기는 급성 또는 경화(sclerosing) 혈전정맥염을 말하며, 앞쪽 복벽, 서혜부(groin), 팔, 음경(penis)에도 생긴다.[26] 급성기에는 발적과 통증을 동반하지만, 점차 통증이 사라지고 표재정맥 경로를 따라 딱딱하게 줄(cord)처럼 만져질 수 있다. 여자에서 흔하며, 자연적으로 치유된다. 혈전으로 채워진 표재정맥은 초음파에서 저에코 염주알 모양 또는 선형으로 보이고, 압박되지 않으며, Doppler검사에서 혈류가 보이지 않는다 (Fig. 2-26, 2-27).[27] 정맥 주위 피하조직의 에코가 증가되어 보일 수 있다. 대개 수 주 후 정맥이 재개통 되면 Doppler검사에서 혈류를 확인할 수 있고, 딱딱하게 줄처럼 만져지던 것도 사라지게 된다.

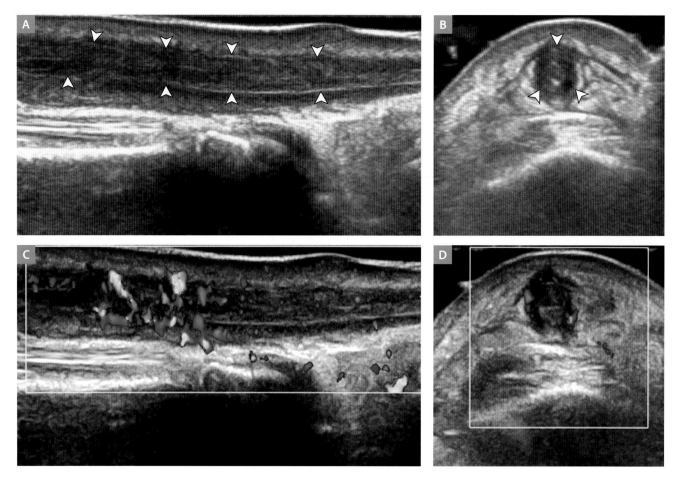

Figure 2-25 **Superficial thrombophlebitis. A, B.** Longitudinal (A) and transverse (B) US images over the forearm show a dilated subcutaneous vein (arrowheads) with hypoechoic thrombotic endoluminal material. There is increased echogenicity of the surrounding subcutaneous tissue because of edema. **C, D.** Longitudinal (C) and transverse (D) Doppler images show increased blood flow in the thrombotic material and wall of the vessel.

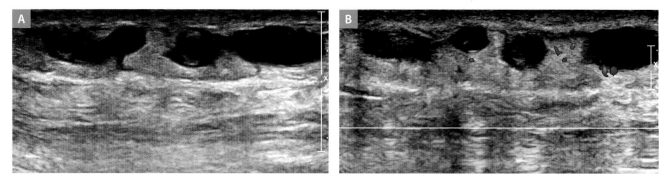

Figure 2-26 **Mondor's disease. A.** US image over the anterior abdominal wall shows a dilated subcutaneous vein filled with hypoechoic trombotic material that presents a beaded appearance. **B.** Doppler image shows lack of vascularity within the vessel.

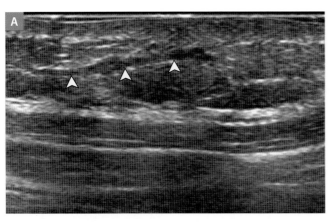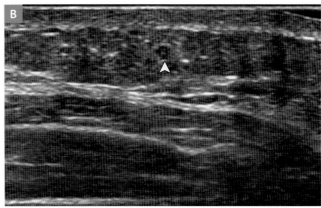

Figure 2-27 **Mondor's disease.** Longitudinal (A) and transverse (B) US images over the anterior abdominal wall show a superficial vein (arrowheads) filled with hypoechoic trombotic material in correlation with the cord-like structure.

6) 이물 Foreign body

나무조각, 유리, 금속 등의 이물이 피하지방조직에 들어가면 농양 및 육아조직(granulation tissue) 등을 형성할 수 있으므로 조기 진단 및 제거가 중요하다. 단순촬영에서는 금속 이물은 잘 보이고, 유리도 어느 정도는 구분할 수 있지만, 나무, 식물 가시, 플라스틱 이물 등은 보이지 않는다. 이에 비해 초음파검사에서는 이물에 의해 생기는 후방 감쇄나 여러 허상을 이용하면 여러 종류의 이물을 모두 찾을 수 있다.[9,28]

초음파검사에서 모든 이물은 대개 고에코로 보이며, 음속(sound beam)이 이물에 수직이 되도록 탐촉자의 각도를 조절하는 것이 중요하다. 유기물이나 식물류는 시간이 지나면서 에코가 감소한다. 나무, 유리, 금속 등 표면이 편평한 이물은 고에코로 보이면서 소리그림자(acoustic shadowing)와 반향허상(reverberation artifact)을 동반한다 (Fig. 2-28). 유리와 금속 이물은 혜성꼬리허상(comet tail artifact)을 동반할 수 있다. 시간이 경과하면서 이물 주변에 섬유소(fibrin), 육아조직, 섬유성 피막 등이 형성되면 이물 주위에 저에코 테두리가 생기고, Doppler검사에서 혈류 증가 소견을 보이기도 한다. 급성 외상에서 개방성 상처나 연조직 기종(emphysema)으로 인해 이물의 구분이 어려울 수 있다. 이물은 연조직 내에서 전위(displacement)될 수 있으므로 이물이 들어간 부위 뿐만 아니라 주변을 넓게 검사해야 한다. 이물을 발견하면 이물의 크기, 수, 방향, 위치, 피부에서의 거리, 주변 조직과의 관계, 합병증(감염, 농양, 육아종 형성) 유무를 확인한다 (Fig. 2-29).

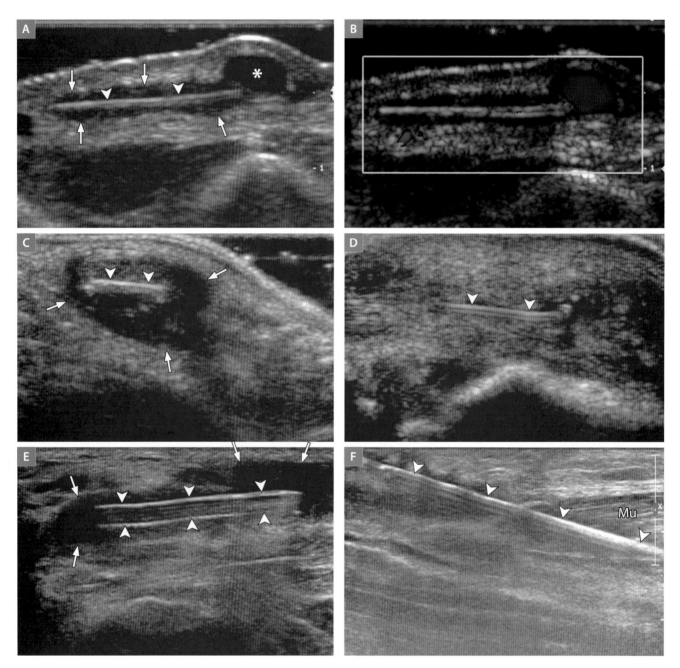

Figure 2-28 Foreign bodies: variable US appearances. A, B. Transverse US (**A**) and Doppler (**B**) images over the dorsum of hand show an elongated hyperechoic foreign body (arrowheads, wood) in the subcutaneous tissue. The foreign body is surrounded by a hypoechoic rim (arrows) representing granulation tissue. Asterisk, subcutaneous vein. **C.** US image over the sole of foot shows a linear hyperechoic foreign material (arrowheads, wood) and surrounding hypoechoic granuloma (arrows). **D.** US image over the dorsum of metacarpal head shows a linear hyperechoic foreign body (arrowheads, suture material) in the subcutaneous region and surrounding edematous change. **E.** US image over the volar aspect of forearm shows an elongated tubular foreign body (arrowheads, plastic tube) in the subcutaneous region and surrounding hypoechoic granulation tissue (arrows). **F.** US image over the volar aspect of forearm shows a long linear hyperechoic foreign material (arrowheads, metallic needle) penetrating from the dermis to the muscle. Mu, muscles.

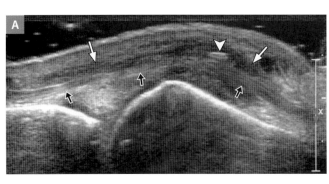
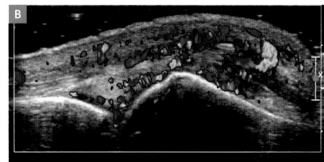

Figure 2-29 **Tenosynovial foreign body and infectious tenosynovitis.** Longitudinal US (**A**) and Doppler (**B**) images over the dorsum of metacarpal head show a small hyperechoic foreign material (arrowhead, wood) within the synovial sheath of the extensor tendon (small arrows). There shows irregular synovial thickening (long arrows) with hyperemia and edematous change in the surrounding tissue.

4. 피부 및 피하조직 종양 및 종양성 병변

피부 및 피하조직의 초음파검사에서 비교적 흔하게 접하는 지방종, 혈관종 및 혈관기형, 표피낭(epidermal cyst), 모기

질종(pilomatricoma)과 피부 및 피하조직의 악성종양에 대하여 기술하고, 연조직 종괴의 전체적인 기술은 이장의 뒷부분에서 다루기로 한다.

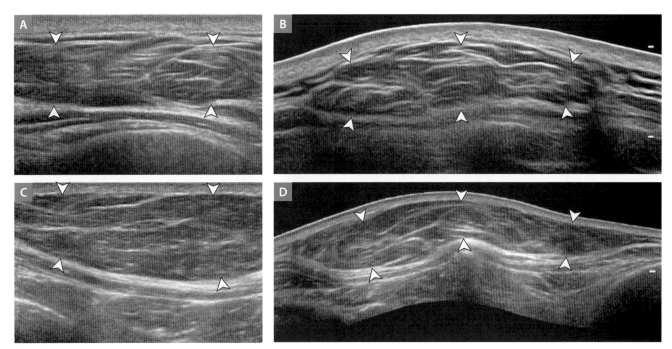

Figure 2-30 **Subcutaneous lipomas; two different patients. A, B.** Longitudinal (**A**) and extended-field-of-view (**B**) US images over the back a well-defined, oval-shaped, isoechoic mass (arrowheads) in the subcutaneous tissue. Hyperechoic septa are seen within the mass. **C, D.** Transverse (**C**) and extended-field-of-view (**D**) US images over the back also show a well-defined isoechoic mass (arrowheads) with hyperechoic septa in the subcutaneous tissue.

Table 2-1 ISSVA classification for vascular anomalies

Vascular tumors	Vascular malformations

Benign
Infantile hemangioma
Congenital hemangioma
  Rapidly involuting (RICH)
  Non-involuting (NICH)
  Partially involuting (PICH)
Tufted angioma
Spindle cell hemangioma
Epithelioid hemangioma
Pyogenic granuloma
 	
Locally aggressive or borderline
Kaposiform hemangioendothelioma
Retiform hemangioendothelioma
Partially intralymphatic angioendothelioma
Composite hemangioendothelioma
Kaposisarcoma
 	
Malignant
Angiosarcoma
Epithelioid hemangioendothelioma
	Simple
	Capillary malformation (CM)
	Venous malformation (VM)
	Lymphatic malformation (LM)
	  Macrocystic
	  Microcystic
	  Mixed
	Arteriovenous malformation (AVM)
	Arteriovenous fistula
	
	Combined
	CVM (CM + VM)
	CLM (CM + LM)
	CAVM (CM + AVM)
	LVM (LM + VM)
	CLVM (CM + LM + VM)
	CLAVM (CM + LM + AVM)
	CVAVM (CM + VM + AVM)
	CLVAVM (CM + LM + VM + AVM)

1) 지방종 Lipoma

지방종은 가장 흔한 연조직 종양으로, 피하지방종은 모든 부위에 다 생기지만 등, 어깨, 팔에 호발하며, 대개 쉽게 만져지고 비교적 쉽게 눌려진다. 40~50대에 좀 더 흔하며, 5~15%에서 다발성으로 생긴다.

지방종은 초음파에서 다양한 소견을 보인다. 가장 일반적인 소견은 경계가 좋고 피부와 평행하게 놓인 타원형 종괴로 보이는 것이며, 내부에 섬유 격막에 의한 고에코 줄무늬를 가진다 (Fig. 2-30). 지방종은 섬유 격막 등 종괴 내의 여러 구성 성분에 따라 주위 근육에 비하여 고에코, 등에코, 저에코, 또는 혼합에코 등의 다양한 내부 에코를 보인다 (Fig. 2-31).[29,30] Doppler검사에서 혈류는 거의 보이지 않으며, 탐촉자로 압박하면 비교적 쉽게 눌려진다. 피하지방종은 대부분 경계가 분명하지만 주위 지방조직과의 경계가 불분명할 수 있고, 또한 주위 지방조직과 비슷한 저에코로 보여 종괴가 만져지지만 초음파에서는 구분하기 힘들 수도 있다. 이러한 경우에는 반대쪽과 비교해 보거나, 탐촉자로 점진적 압박(graded compression)을 가하면서 검사하면 종괴 발견에 도움이 된다. 탐촉자로 점진적 압박을 가하면 지방종이 있는 부위는 주위 정상 지방조직에 비해 조금 덜 눌려지는 것을 볼 수 있다.[12]

2) 혈관이상 Vascular anomaly

혈관 병변은 그 기원과 병리조직학적 특성이 명확하게 정립되지 않아 병의 분류와 용어가 완전히 통일되지 않은 상태이다. 이 장에서는 최근 많은 설득력을 얻고 있는 International Society for the Study of Vascular Anomalies (ISSVA) 분류를 소개하고,[31~35] 이 분류를 이용하여 혈관 병변에 대해 기술한다.

ISSVA 분류에서는 혈관이상(vascular anomaly)을 두 가지, 즉 혈관종양(vascular tumor)과 혈관기형(vascular malformation)으로 구분한다 (Table 2-1). 혈관종양은 내피세포

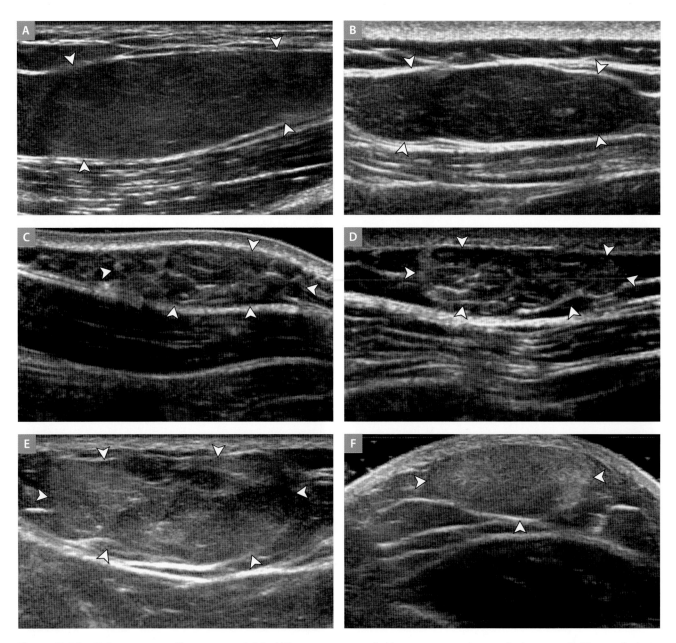

Figure 2-31 **Subcutaneous lipomas: variable US appearances**. **A.** Homogeneous hypoechoic mass. **B.** Hypoechoic to isoechoic mass. **C.** Isoechoic mass. **D.** Slightly hyperechoic mass. **E.** Inhomogeneous hyperechoic mass. **F.** Homogeneous hyperechoic mass.

전환율(endothelial cell turnover)이 항진된 병변, 즉 유사분열(mitosis)을 보이는 병변이다. 이에 반하여, 혈관기형은 모세혈관, 정맥, 동맥, 림프관의 구조적 이상으로 신체 성장에 따라 함께 커지며, 유사분열을 보이지 않는다.[31] 양성 혈관종양인 혈관종은 GLUT-1 (glucose transporter 1 isoform protein)의 유무에 따라 GLUT-1 양성인 영아혈관종(infantile hemangioma)과 GLUT-1 음성인 선천혈관종(congenital hemangioma)로 나뉜다. 혈관기형은 모세혈관기형(capillary malformation), 정맥기형(venous malformation), 림프관기형(lymphatic malformation), 동정맥기형(arteriovenous malformation), 동정맥루(arteriovenous fistula), 그리고 복합기형(combined malformation)으로 분류한다. 또한 혈관기형은 혈류역학적으로 저혈류(low-flow) 및 고혈류(high-flow) 혈관기형으로도 구분한다.[35~37]

(1) 혈관종 Hemangioma

혈관종은 영아혈관종(infantile hemangioma)과 선천혈관종(congenital hemangioma)으로 나뉘며, ISSVA 분류 이전에는 대개 모세혈관종(capillary hemangioma)으로 불리었다. 혈관종의 진단에는 임상소견과 경과가 가장 중요한 역할을 하므로, 초음파소견과 함께 임상소견에 관한 지식이 필요하다.

영아혈관종은 영아의 약 3~10%에서 생기는 가장 흔한 종양으로, 미숙 여아에서 주로 발생한다.[35,38] 호발 부위는 머리, 얼굴, 목, 어깨, 사지이다. 침범되는 부위에 따라, 표재 진피(superficial dermis)에 생겨 선명한 붉은 색을 보이는 표재형과 심부 진피와 피하조직에 생겨 청색 또는 정상 피부색을 보이는 심부형으로 나뉘며, 표재형은 반구형의 딸기 모양으로 보여 딸기혈관종(strawberry hemangioma)으로도 불린다. 또한 영아혈관종은 국소(focal) 병변으로 보이거나 지도 모양의 구역(segmental) 병변으로 보일 수 있으며, 약 30%에서 다발성으로 생긴다.[34,39,40]

영아혈관종은 임상경과에 따라 증식기(proliferative phase), 퇴화기(involuting phase), 퇴화 후기 또는 섬유기(fibrotic phase)로 나뉜다.[34] 출생 시에는 병변이 보이지 않거나, 약 30~50%에서 희미한 모세혈관확장을 보이는 적색 소반으로 발견된다. 대개 생후 2~4주 정도에 혈관종이 자라기 시작하면서 피부의 붉은 반점으로 발견되며, 이후 증식기 동안 병변이 점차 커지고, 대개 생후 9~10개월에 최고 크기에 이른다. 퇴화기에는 점차 병변의 크기가 감소하는데, 생후 수개월 또는 늦어도 12~18개월 내에 시작되며, 7~10세 이후까지 지속될 수도 있다. 대략 5세까지 약 50%, 7세까지 약 70%, 9세까지 약 90%에서 병변이 소실된다. 섬유기가 되면 병변이 완전히 없어지거나 혈류가 거의 보이지 않는 섬유지방조직 또는 반흔(scar)이 남게 된다.

영아혈관종은 임상 시기에 따라 다른 초음파 소견을 보인다. 증식기 영아혈관종은 비교적 경계가 좋은 고에코 종괴

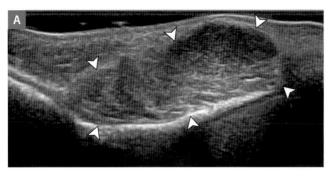
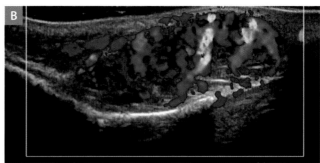

Figure 2-32 **Deep infantile hemangioma (proliferative phase) in an 8-month-old girl. A.** US image over the nose shows a predominantly hypoechoic mass (arrowheads) with well-defined margin in the subcutaneous region. **B.** Doppler image shows the marked increased vascularity within the mass.

로 보이고 Doppler검사에서 혈류증가 소견을 보인다 (Fig. 2-32). 하지만 혈관이 뚜렷하게 구분되어 보이지는 않는다. 퇴화기가 되면 종괴의 크기가 점차 감소하면서, 고에코와 저

에코 부분이 혼재된 불균질한 에코를 보이고, Doppler검사에서 혈류가 점차 감소하여 종괴 내의 혈류가 다양하게 보인다 (Fig. 2-33). 퇴화가 많이 진행된 영아혈관종은 고에코 병

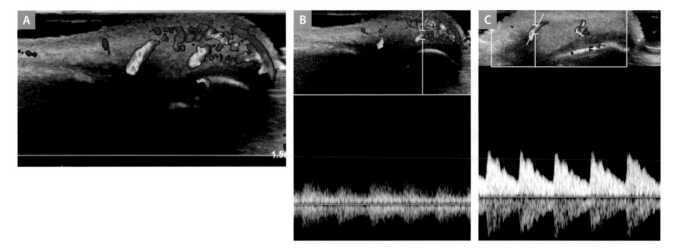

Figure 2-33 **Infantile hemangioma in a 32-month-old girl. A.** Doppler image over the nose tip shows a hypervascular mass with ill-defined margin (proliferative phase). **B.** Duplex Doppler US shows arterial flow within the mass. **C.** One-year follow-up duplex Doppler US shows decreased blood flow within the mass (involuting phase).

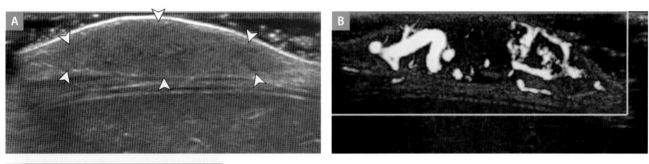

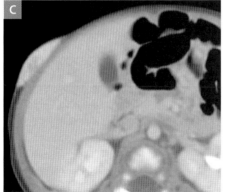

Figure 2-34 **Congenital hemangioma in an 1-day-old infant. A.** Transverse US image over the abdominal wall shows a homogeneous hypoechoic mass (arrow-heads) with in the subcutaneous region. **B.** Power Doppler image shows the increased vascularity within the mass. **C.** Correlative contrast-enhanced CT image.

변으로 보이면서 Doppler검사에서 혈류가 거의 보이지 않거나 미약한 혈류를 보인다.[34,41]

선천혈관종은 영아혈관종과 보다 훨씬 드물며, 영아혈관종과는 다른 임상경과를 보인다. 출생 후 2~4주에 나타나는 영아혈관종과는 달리 선청혈관종은 출생 전 자궁 내에서 증식기를 시작하기 때문에 출생 시에 이미 존재하는 혈관종이며, 때때로 산전 초음파에서 발견되기도 한다.[35,42,43] 즉 영아혈관종과 선청혈관종의 가장 중요한 차이는 병변의 임상적 발현 시기와 GLU-1 유무이다. 또한 선천혈관종은 남녀비가 비슷하며, 대개 단일(solitary) 병변으로 생긴다. 선천혈관종은 임상 경과에 따라 급속퇴화선천혈관종(rapidly involuting congenital hemangioma, RICH), 부분퇴화선천혈관종(partially involuting congenital hemangioma, PICH), 비퇴화선천혈관종(non-involuting congenital hemangioma, NICH)의 3가지로 나뉜다.[42,43] RICH는 출생 직후부터 빠르게 퇴화되어 1~2세가 되면 완전히 사라진다. NICH는 퇴화되지 않고 신체 성장에 비례하여 천천히 자라며, PICH는 천천히 퇴화되지만 완전히 사라지지는 않는다.

선천혈관종의 초음파소견은 영아혈관종과 비슷하며, 임상소견과 경과가 감별진단에 가장 중요한 요소이다. 선천혈관종은 영아혈관종에 비하여 경계가 불명확하게 보일 수 있으며, 종괴 내에 지방 성분과 석회화를 보일 수도 있다 (Fig. 2-34). 또한 비교적 크기가 큰 선천혈관종에는 혈관이 구분되어 보여 동정맥기형처럼 보일 수 있다.[34,39,40]

(2) 혈관기형 Vascular malformation

혈관기형은 모세혈관, 정맥, 동맥, 림프관의 구조적 발달 이상(developmental anomaly)으로, 대개 출생 시에 존재하며 사춘기까지 신체 성장에 따라 함께 커지며, 사라지지 않는다. 일반적으로 청소년기 또는 성인이 되어 발견되는 경우가 많다.[31,34] 혈관기형은 ISSVA 분류에서 모세혈관기형(capillary malformation), 정맥기형(venous malformation), 림프관기형(lymphatic malformation), 동정맥기형(arteriovenous malformation), 동정맥루(arteriovenous fistula), 그리고 복합기형(combined malformation)으로 구분한다.

또한 혈관기형은 혈류역학적으로 저혈류(low-flow) 및 고혈류(high-flow) 혈관기형으로 구분한다.[35~37,40] 저혈류 혈관기형은 정맥 또는 모세혈관과의 연결을 가지는 것으로

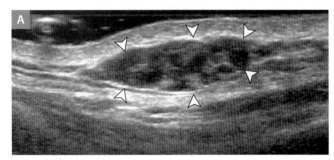
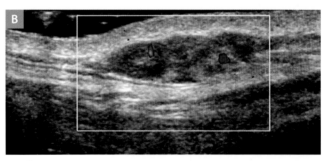
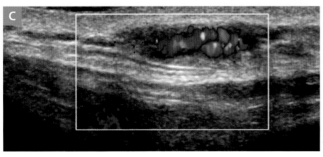

Figure 2-35 **Venous malformation. A.** US image over the upper arm shows a heterogeneous subcutaneous mass (arrowheads) with multiple anechoic tubules. **B.** Doppler image shows scanty blood flow within the mass. **C.** Compression test. The mass is easily compressible with the transducer and shows venous flow inside the lesion.

모세혈관기형, 정맥기형, 림프관기형이 포함되며, 고혈류 혈관기형은 동맥 또는 모세혈관과의 연결을 가지는 것으로 동정맥기형과 동정맥루가 포함된다. 혈관기형에서 가장 흔

한 형태는 정맥기형과 림프관기형이며, 머리, 목, 사지에 흔히 생긴다.

정맥기형은 조직학적으로 혈관들이 조밀하게 응집되어 있

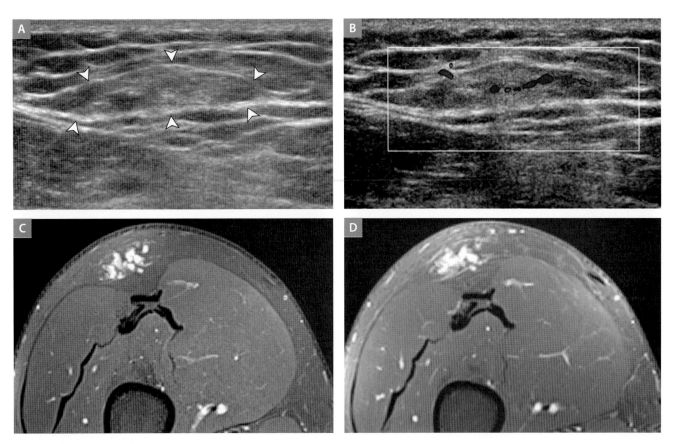

Figure 2-36 Venous malformation. A. Transverse US image over the thigh shows an ill-defined heterogeneous subcutaneous mass (arrowheads) containing hypoechoic foci. **B.** Doppler image shows a few, weak blood flow within the mass. **C, D.** Correlative fat-saturated T2-weighted (**C**) and contrast-enhanced fat-saturated T1-weighted (**D**) MR images.

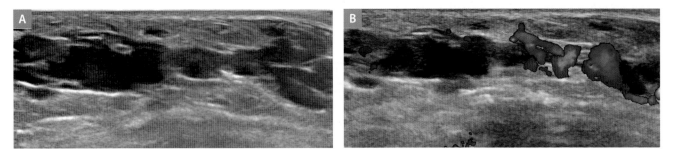

Figure 2-37 Venous malformation. A. US image over the thigh anechoic tubular masses in the subcutaneous tissue. **B.** Doppler image with mild compression shows venous blood flow within the masses.

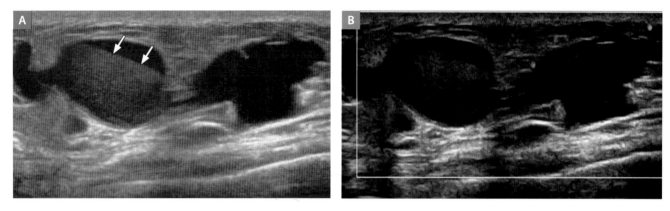

Figure 2-38 Lymphangioma. A. US image of the upper arm shows multiloculated cystic masses in the subcutaneous region. Fluid-fluid level (arrows) is seen within the mass. **B.** Doppler image shows lack of vascularity within the cystic masses.

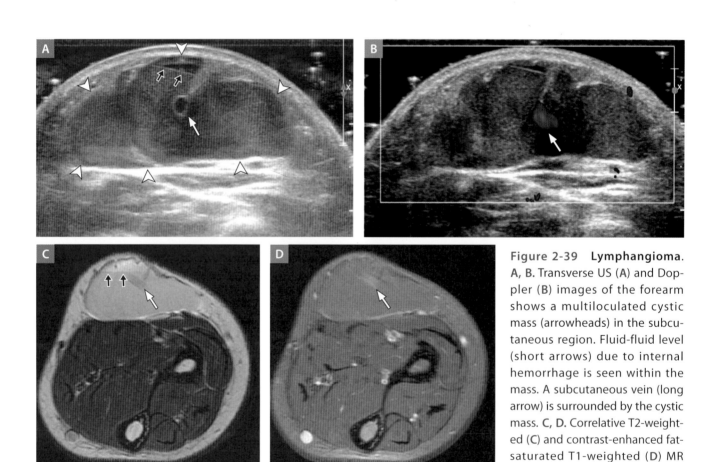

Figure 2-39 Lymphangioma. A, B. Transverse US (A) and Doppler (B) images of the forearm shows a multiloculated cystic mass (arrowheads) in the subcutaneous region. Fluid-fluid level (short arrows) due to internal hemorrhage is seen within the mass. A subcutaneous vein (long arrow) is surrounded by the cystic mass. **C, D.** Correlative T2-weighted (C) and contrast-enhanced fat-saturated T1-weighted (D) MR images.

는 혈관이상으로, 평활근(smooth muscle)이 없는 다양한 두께의 혈관벽을 가지며, 판막(valve)이 없고, 정맥과 연결되지만 동맥과의 연결성은 없다.[34,44] 피부와 피하조직에 가장 흔하며, 내부 장기, 근육, 뼈 등에도 생긴다. 이전에 해면혈관종(cavernous hemangioma)으로 불리었던 병변은 ISSVA 분류에서의 정맥기형 또는 심부형 영아혈관종에 해당된다.

초음파검사는 정맥기형의 진단에 민감도와 효용성이 매우 높지만, 매우 다양한 소견을 보인다 (Fig. 2-35~2-37). 다낭성 병변에서부터 고형 종괴까지, 비교적 경계가 좋은 종괴에서부터 침윤성 병변까지 다양한 초음파 소견을 보이며, 혈관 성분이 보이지 않아 다른 종양으로 오인될 수도 있다. 일반적으로 다양한 정도로 확장된 혈관이 사행성(serpiginous) 낭성 공간으로 보이면서, 고에코로 보이는 주위 지방조직과 혼재되어 불균질한 복합에코 병변으로 보인다.[34,40,45,46]. 혈관 내에 고에코의 혈전(thrombus)이 차거나 후방음영을 동반하는 정맥결석(phlebolith)이 동반될 수 있다. Doppler 검사에서 내부에 증가된 혈류가 보일 수 있지만, 혈류속도가 너무 느리면 혈류가 보이지 않을 수도 있다. 이 경우 탐촉자로 병변을 압박한 후 서서히 압박을 풀면 혈류를 확인하는 데 도움이 될 수 있다 (Fig. 2-35). Doppler검사에서 병변 내부에 동맥혈류가 보이면 복합혈관기형의 가능성과 정맥기형이 주위의 정상적인 동맥을 둘러싸는 경우를 고려해야 한다.[34,47]

림프관기형(lymphatic malformation)은 저혈류 혈관기형으로, 림프관 내강의 크기에 따라 대낭성(macrocystic), 소낭성(microcystic), 혼합(mixed) 림프관기형으로 나뉜다. 대낭성 림프관기형은 이전에 낭림프관종(cystic hygroma)로 불리었으며, 림프관 내강의 크기가 2 cm보다 큰 경우이며, 소낭성 림프관기형은 내강의 크기가 1~2 cm 정도이다.[34,47,48] 각 유형에 따라 치료 방법과 치료 후 예후가 다르다. 림프관기형은 다양한 정도로 확장된 림프관과 그 사이의 섬유 격막으로 구성되며, 정상 림프관과의 연결성은 없으며 고립되어 있다. 병변 내에는 다양한 정도의 정맥 성분이 포함될 수 있다. 출생 시 또는 2세 이내에 주로 발견되며, 두경부, 특히 목에 흔하며, 피부는 대개 정상으로 보인다.

림프관기형은 초음파에서 다방성 낭종으로 보이며, 혈류나 고형성분은 보이지 않는다 (Fig. 2-38, 2-39). 낭종은 대개 무에코로 보이지만, 출혈 또는 감염이 동반되면 저에코로 보이거나 액체-액체층(fluid-fluid level)이 보일 수 있다.[34,48]

모세혈관기형(capillary malformation)은 피부가 적색포도주색으로 보여 포도주색모반(port-wine stain)으로 불리며, 대개 유두진피(papillary dermis)에 국한되어 생긴다. 초음파에서 진피가 두꺼워진 소견으로 보이지만, 대부분 영상의학적 검사를 시행하지 않는다.[34]

동정맥기형은 고혈류 혈관기형으로 분류되며, 조직학적으로 모세혈관, 세동맥(arteriole), 세정맥(venule)과 섬유성 간질(fibrous stroma)로 구성된다. 초음파에서 경계가 불분명한 병변으로 보이고, 주위 지방조직의 위축이 동반될 수 있다. Doppler검사에서 혈류 증가 소견을 보이며, 병변 내에 동맥혈류와 함께 동맥화된 정맥 내에 박동성 혈류를 볼 수 있다.[34,40,45]

3) 표피낭 Epidermal cyst

표피낭(epidermal cyst, epidermal Inclusion cyst)은 진피 또는 피하조직 내에 표피세포(epidermal cell)가 증식되어 생기며, 그 기전으로는 (1) 발생과정에서 진피 내에 남아있는 잔류 외배엽 조직(remnant ectodermal tissue), (2) 외상 또는 수술에 의해 표피가 진피 내에 착상(implantation), (3) 모낭 누두((hair follicular infundibulum)의 막힘 등이 있다.[49] 표피낭은 얇은 중층편평상피(stratified squamous epithelium)로 둘러싸인 격막이 없는 낭성 종괴로, 내부에 케라틴(keratin), 단백질, 콜레스테롤, 세포막, 지방 등의 피부 표층 분비물로 차 있으며, 수 년에 걸쳐 천천히 커진다.

초음파에서 경계가 명확한 비균질한 저에코 또는 등에코의 종괴가 진피 또는 피하조직 내에 보이며, 후방음향증강을 동반한다. 종괴 내부에 저에코 혹은 무에코의 길쭉한 막대(rod) 모양의 조각들과 케라틴 부스러기에 의한 선형 또는 점상의 고에코가 섞여 보이는 것이 특징이다 (Fig. 2-40, 2-41). [50] 때로는 부분적으로 원형의 저에코 부위가 보이거나 종

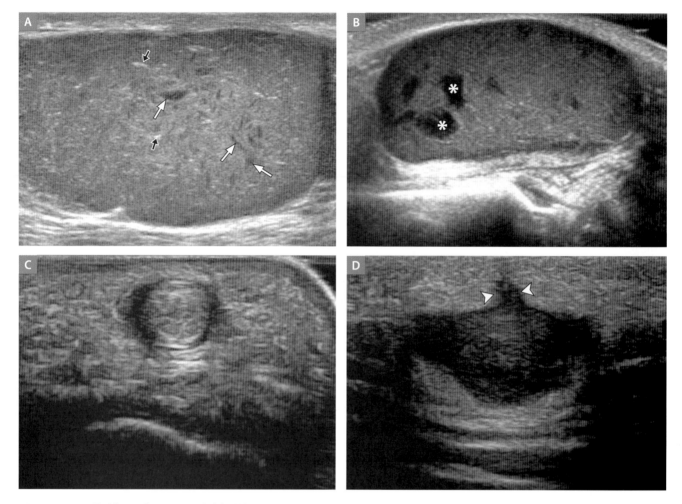

Figure 2-40 **Epidermal cysts: variable US appearances. A.** Heterogeneous mass with multiple hypoechoic round to rod shaped figures (long arrows) and hyperechoic fragments (short arrows). **B.** Hypoechoic mass with hypoechoic to anechoic areas (asterisks). **C.** Heterogeneous isoechoic mass with a peripheral hypoechoic rim. **D.** Heterogeneous hypoechoic mass. Notice the communicating tract (arrowheads), also called punctum, to the epidermis.

괴의 변연부에 줄무늬를 보일 수 있다. 종괴에서 표피로 연결된 저에코의 관(tract, punctum)이 동반되어 보일 수 있다.[51] Doppler검사에서 종괴 내에 혈류는 보이지 않는다. 표피낭이 파열되면 종괴의 경계가 부분적으로 불명확해지고, 종괴 주위에 부종과 혈류 증가 소견을 보일 수 있다 (Fig. 2-42).

4) 모기질종 Pilomatricoma

모기질종(pilomatricoma, pilomatrixoma)은 모발기질세포(hair matrix cell)로 분화되는 원시 세포(primitive cell)에서 기원하는 양성종양으로, 진피 또는 피하조직에 생긴다. 주로 20세 이전에 호발하며, 두경부와 상지에서 흔히 발생한다.[52] 초음파에서 경계가 좋고 비균질한 에코의 종괴로 보

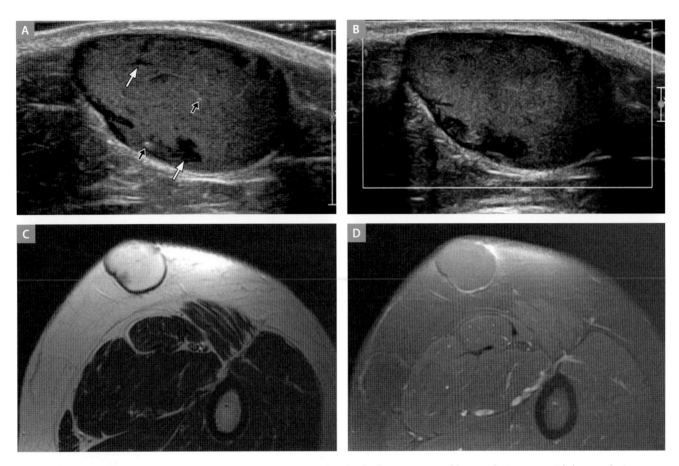

Figure 2-41 **Epidermal cyst.** **A.** Transverse US image over the thigh shows an ovoid hypoechoic mass with hypoechoic to an-echoic areas (long arrows) and hyperechoic fragments (short arrows). **B.** Doppler image shows no vascularity within the mass. **C, D.** Correlative T2-weighted (**C**) and contrast-enhanced fat-saturated T1-weighted (**D**) MR images.

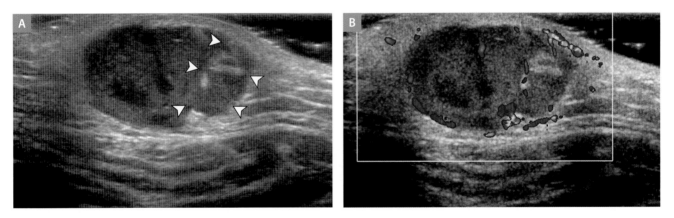

Figure 2-42 **Epidermal cyst with partial rupture.** **A.** US image over the cheek show a heterogeneous hypoechoic mass with irregular borders (arrowheads) that corresponds to the site of rupture. **B.** Doppler image shows increased vascularity in the pe-riphery of the mass.

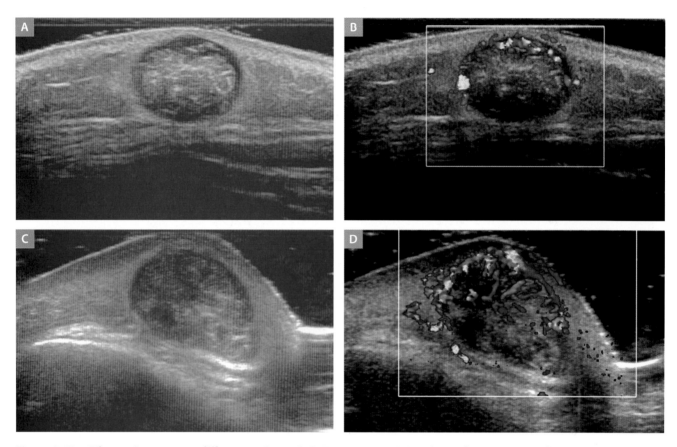

Figure 2-43 **Pilomatricomas; two different patients. A, B.** Transverse US (A) and Doppler (B) images of posterior neck show a well-defined, oval-shaped mass that presents a hypoechoic rim and hyperechoic center. This is the classic "target appearance" of pilomatricoma. Increased vascularity is seen in the peripheral portion of the mass. **C, D.** Transverse US (A) and Doppler (B) images of the eyebrow show a well-defined, heterogeneous hypoechoic and hyperechoic mass in the subcutaneous region. Increased vascularity is seen in the central and peripheral portion of the mass.

이며, 비교적 특징적인 소견은 저에코 테두리와 고에코 중앙 부분에 의해 과녁(target) 모양으로 보이는 것이다. 종괴 내에 후방음영을 동반한 점상의 석회화들이 흩어져 보이는 경우가 많으며, 원호(arc) 또는 덩어리 모양의 석회화가 보일 수도 있다.[52] Doppler검사에서 종괴의 가장자리에 혈류 증가를 흔히 보인다 (Fig. 2-43, 2-44).[52~54]

5) 피부암

피부암은 크게 비흑색종 피부암(non-melanoma skin cancer)

와 흑색종으로 나뉘며, 비흑색종 피부암이 95%를 차지한다. 비흑색종 피부암 중 가장 흔한 것은 기저세포암(basal cell carcinoma)과 편평세포암(squamous cell carcinoma)이고, 비교적 드문 악성종양으로 융기피부섬유육종(dermatofibrosarcoma protuberans), Merkel세포암, Kaposi육종, 피부림프종(cutaneous lymphoma) 등이 있다.[55]

피부암은 주로 저에코의 국소 병변으로 보이며, 대부분 특이적 초음파소견을 보이지는 않는다. 병변의 기저부위는 경계가 비교적 분명한 반면에 종괴 표면의 경계는 불분명한 경우가 많다. 초음파는 피부암의 초기 병기결정에는 제한적

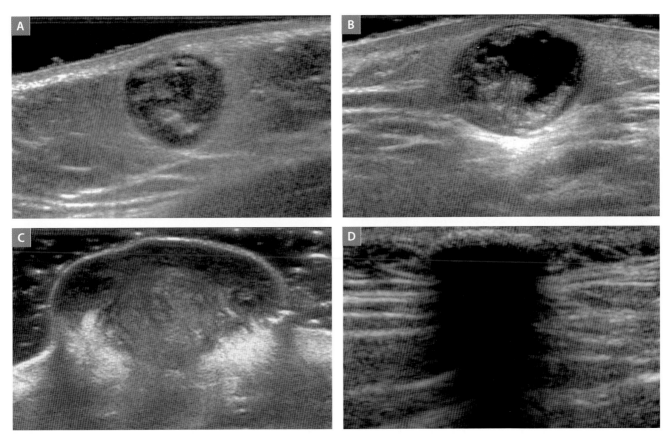

Figure 2-44 Pilomatricomas: variable US appearances. A. Heterogeneous hypoechoic and hyperechoic mass. **B.** Complex echogenic mass with hypoechoic to anechoic areas. **C.** Protruding mass with heterogeneous internal echogenicity. **D.** Arc calcification with posterior acoustic shadowing.

일 수 있는데, 그 이유는 첫째, 병변 주변의 모낭, 땀샘 등 주변 정상 조직이 암과 비슷한 저에코로 보여 구분이 힘들 수 있고, 둘째, 병변 주위의 반응성 염증(reactive inflammation)으로 인해 병변의 크기가 과장되는 경우가 많고, 셋째, 침범된 피하조직이 정상 피하 지방조직과 비슷한 저에코로 보여 정확한 경계를 알기 힘든 경우가 많기 때문이다.[12]

기저세포암과 편평세포암은 대개 저에코 병변으로 보이며, 기저세포암은 비교적 경계가 좋은 반면에 편평세포암은 상대적으로 경계가 불분명하고 혈류가 좀 더 많은 소견을 보인다. 기저세포암 내에 고에코 반점들이 보이는 경우가 많다 (Fig. 2-45~2-47).[56,57]

융기피부섬유육종(dermatofibrosarcoma protuberans)은 진피에 생기는 악성종양으로 대부분 피하조직을 침범하지만, 비교적 악성도가 낮고 천천히 자란다. 20~40세에 호발하며, 남자에서 더 흔하다. 초음파에서 진피와 피하조직을 침범하는 경계가 좋은 타원형의 저에코 종괴 또는 경계가 불분명한 비균질 에코의 병변으로 보이며, Doppler검사에서 다양한 정도의 혈류를 보인다 (Fig. 2-48).[58]

Merkel세포암의 피부의 기계수용체세포(mechanoreceptor cell)인 Merkel세포에서 생기는 드문 신경내분비암(neuroendocrine carcinoma)이다. 초음파에서 진피와 피하조직을 침범하는 종괴로 보이며, Doppler검사에서 혈류 증가 소견을

▶ p.72로 이어집니다.

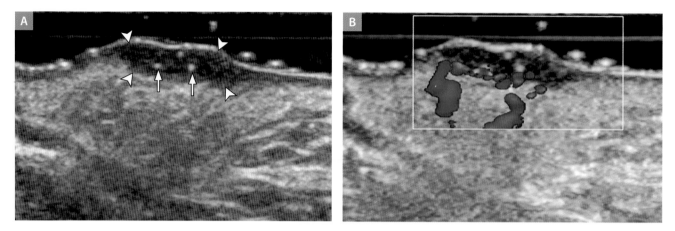

Figure 2-45   **Basal cell carcinoma. A.** US image of the malar area shows a rather well-defined hypoechoic mass (arrowheads) located in the dermis. Note the hyperechoic spots (arrows) within the mass. **B.** Doppler image shows slightly increased blood flow within the mass.

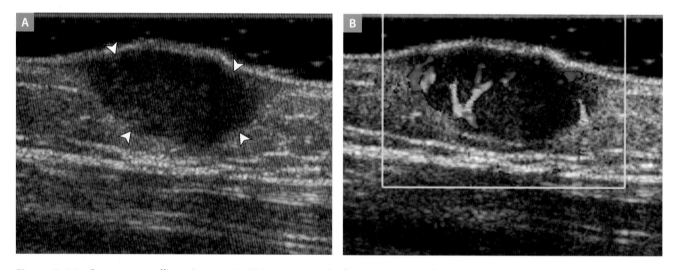

Figure 2-46   **Squamous cell carcinoma. A.** US image over the forearm shows a hypoechoic mass (arrowheads) that involves the dermis and subcutaneous tissue. **B.** Doppler image shows increased blood flow within the mass.

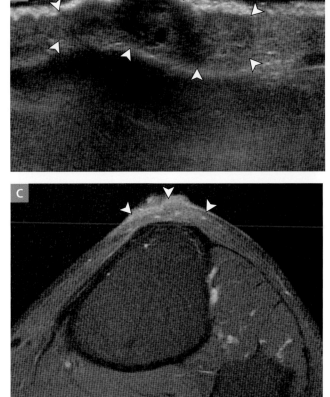

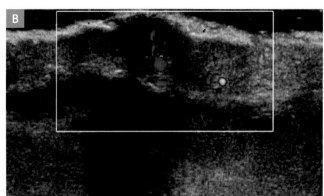

Figure 2-47 **Squamous cell carcinoma. A.** US image over the knee shows an ill-defined hypoechoic mass (arrowheads) that involves the epidermis, dermis, and subcutaneous tissue. **B.** Doppler image shows slightly increased blood flow within the mass. **C.** Correlative contrast-enhanced fat-saturated T1-weighted MR image.

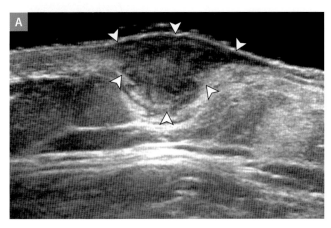

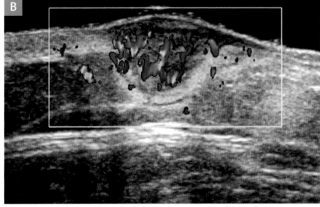

Figure 2-48 **Dermatofibrosarcoma protuberans. A.** US image over the abdominal wall shows a slightly ill-defined mixed echogenic mass (arrowheads) that involves the dermis and subcutaneous tissue. **B.** Doppler image shows increased blood flow within the mass.

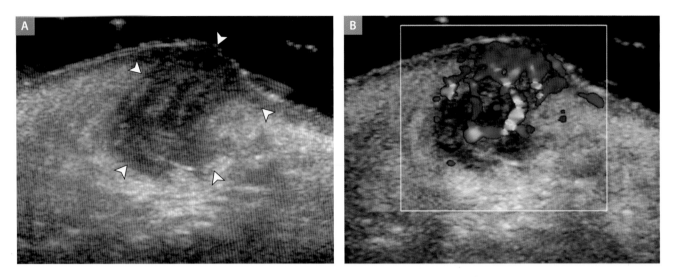

Figure 2-49　**Merkel cell carcinoma. A.** US image of the malar area shows a slight, ill-defined hypoechoic mass (arrowheads) that involves the dermis and subcutaneous tissue. **B.** Doppler image shows increased blood flow within the mass.

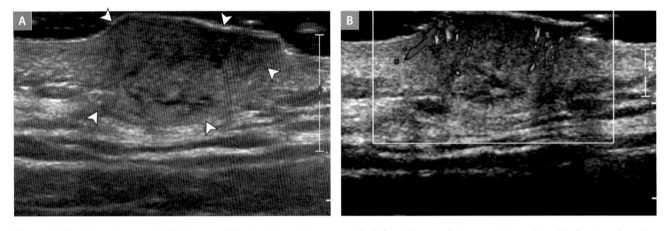

Figure 2-50　**Lymphoma. A.** US image of the back area shows an ill-defined hypoechoic mass (arrowheads) that involves the dermis and subcutaneous tissue. **B.** Doppler image shows slightly increased blood flow within the mass.

보인다 (Fig. 2-49).[59]

　피부림프종은 T세포 및 B세포림프종이 모두 생기며, 가장 흔한 T세포림프종은 균상식육종(mycosis fungoides)이다. 피부림프종은 초음파에서 진피가 부분적으로 비후된 소견으로 보이거나, 진피와 피하조직을 미만성으로 침범하는 비균질한 에코의 병변으로 보일 수 있으며, Doppler검사에서 다

양한 정도의 혈류를 보인다 (Fig. 2-50).[60] 지방층염양 T세포림프종(panniculitis-like T-cell lymphoma)는 지방 소엽의 에코가 증가하고, 지방 소엽 사이의 두꺼워진 중격이 저에코 또는 무에코로 보여, 연조직염(cellulitis)과 비슷하게 보인다 (Fig. 2-51).[61]

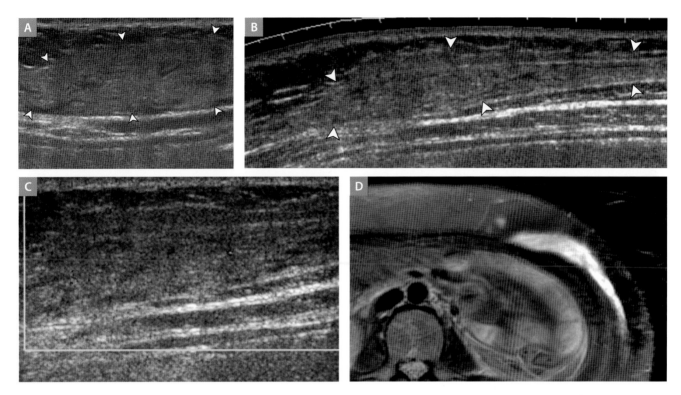

Figure 2-51 **Subcutaneous panniculitis-like T-cell lymphoma. A, B.** Transverse (**A**) and extended-field of view (**B**) US images of the abdominal wall show a slightly hyperechoic infiltrative lesion (arrowheads) in the dermis and subcutaneous tissue. **C.** Doppler image shows little blood flow within the lesion. **D.** Correlative fat-saturated T2-weighted MR image.

II. 근육 Muscle

MRI는 근육 질환의 진단에 아주 우수하지만, 근육 질환의 진단에 중요한 요소인 역동적 검사에 제한이 있다. 초음파는 실시간 역동적 검사의 장점 이외에도, 공간해상도(spatial resolution)가 좋기 때문에 근육의 세밀한 구조를 영상화하는 데 MRI보다 우수하다. 근육 질환은 운동과 관련되어 많이 발생하며, 특히 운동선수에서는 근육 손상의 정확한 진단이 치료와 재활의 계획을 세우는 데 아주 중요하다. 근육 질환의 진단에 있어서 초음파보다 MRI가 우선적으로 이용되는 분야는 근이영양증(muscular dystrophy), 염증성 근질환, 악성 종양에 의한 근육 침범 등이다.[62]

1. 검사방법

근육의 초음파검사를 시작하기 전에 최근 외상이나 운동 경력 등의 환자 정보를 알아본다. 통증이나 연관통(referred pain)이 있는 부위를 먼저 확인하고, 검사할 부위에 상처, 멍, 부종 등이 있는지 알아본다. 환자와 검사자가 모두 편한 자세를 취하고, 필요에 따라 근육을 수축시킬 수 있는 자세를 취한다. 탐촉자는 검사하고자 하는 근육의 크기, 피부와 근육간의 거리, 피하지방과 주위 연조직 등을 고려하여 선택한다.

초음파검사는 근육의 장축과 단축을 따라 검사하고, 병변 부위와 인접한 정상 부위를 함께 영상영역(field-of-view)에 포함하여야 하며, 반대편 정상 근육과 비교하는 것도 도움이 된다. 넓고 긴 근육의 병변은 확장영상영역(extended-field-of-view) 기능을 이용한다. 필요에 따라 특정 동작이나 자세를 취하게 하여 근육을 수축시키면서 근육의 휴지기(resting phase)와 수축기에서 병변의 변화를 검사한다. 수축중인 근육은 근섬유가 짧아지고 두꺼워지면서 저에코로 변하고 근육 사이 격막의 모양도 변하게 된다 (Fig. 2-52). 심부 근육의 병변을 검사할 때는 탐촉자로 압박하여 연조직의 두께를 줄이면 검사에 도움이 될 수 있다.

2. 정상 초음파 해부학

골격근(skeletal muscle)은 체중의 40~50%를 차지하는 우리 몸에서 가장 큰 조직이다. 근육의 가장 작은 단위는 근섬유(myofiber, muscle fiber)이며, 근내막(endomysium)에 의해 싸여 있다. 여러 개의 근섬유가 합쳐져서 근다발(muscle fascicle)을 이루고, 근다발은 근다발막(perimysium)에 의해 싸여 있다. 근다발막은 섬유지방격막(fibroadipose septa)이며,

혈관과 신경이 지나는 통로이다. 여러 개의 근다발이 합쳐져서 근육 힘살(muscle belly)을 형성하고, 근육 힘살을 근외막(epimysium)이 싸고 있다 (Fig. 2-53). 초음파에서 근섬유는 구분되지 않고, 근다발이 저에코로, 근다발막은 고에코로 보인다. 정상 근육은 저에코로 보이고, 근육 내의 근다발막이 횡축영상에서는 고에코 점들로, 종축영상에서는 선상, 깃털, 삼각형모양의 고에코 선들로 보인다 (Fig. 2-53). 근육 내 힘줄(tendon)과 건막(aponeurosis)은 고에코의 띠로 보이며, 장축보다 단축영상에서 더 잘 보인다 (Fig 2-53, 2-54). 근섬유와 섬유지방조직의 비율에 따라 근육의 에코는 달라질 수 있으며, 나이, 근육발달 정도, 비만도에 따라 근육의 에코가 다르다. 근육에도 내부 섬유지방격막에 의한 비등방성이 생길 수 있으므로, 음속(sound beam)이 근육에 수직으로 입사되도록 탐촉자의 각도를 조절한다 (Fig. 2-55). 근육의 바깥을 싸고 있는 근외막은 고에코로 보인다. 근육은 구획 별로 고에코의 근막(fascia)에 의해 싸여 있고, 근막 사이(근육 사이) 공간은 저에코의 결합조직 띠로 보인다. 근육 내로 신경과 혈관이 들어가는 곳에는 근막이 단절되어 보인다.

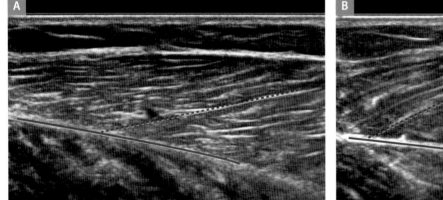
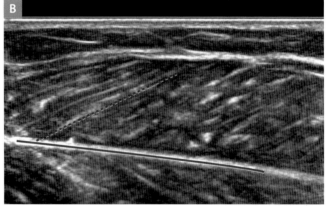

Figure 2-52 **Muscle without and with contraction.** Long axis US images of medial head of gastrocnemius obtained at rest (A) and during isometric contraction (B). The muscle fiber during isometric contraction is shorter and more hypoechoic than that at rest. The incidence of the muscle fibers (dashed line) relative to the aponeurosis (solid line), so called pennation angle, increases during contraction.

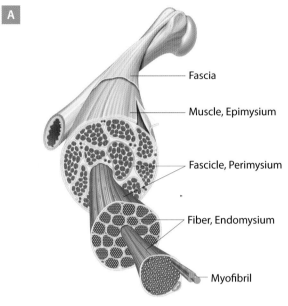

Fascia

Muscle, Epimysium

Fascicle, Perimysium

Fiber, Endomysium

Myofibril

Figure 2-53 **Normal muscle**. **A.** Drawing illustrates the histologic organization of muscle tissue. A muscle fibers is enveloped by loose connective tissue strands (endomysium). The individual muscle fibers are arranged in fascicles which are wrapped by perimysium. The fascicles are arranged in whole muscle which are wrapped by epimysium. **B.** Long axis US image of the medial head of gastrocnemius shows innumerable hyperechoic lines (arrows), representing peri-mysium. The epimysium (arrowheads) demarcates the outer boundary of the muscle. Note the aponeurosis (thick arrows). **C.** On short axis US image of same muscle, the perimysium is shown as innumerable hyperechoic dots (arrows). Note the epimysium (arrowheads).

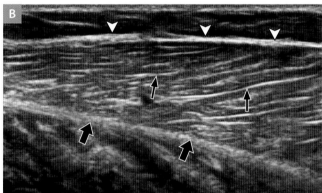

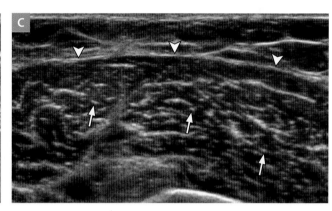

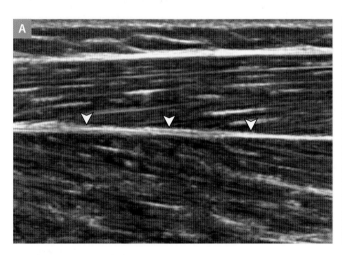

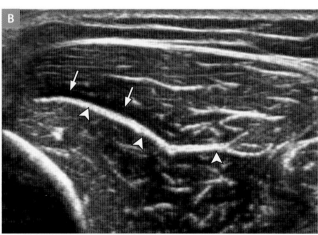

Figure 2-54 **Central tendon**. Long axis (**A**) and short axis (**B**) US images of tibialis anterior muscle show hyperechoic central tendon (aponeurosis, arrowheads). Around the central tendon, area with hypoechoic anisotropic artifact is seen (arrows in **B**).

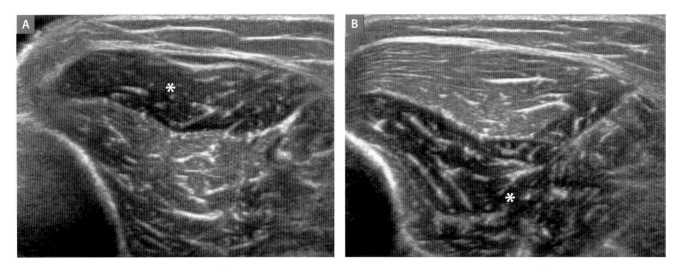

Figure 2-55 **Anisotropic artifact**. Short axis US images of tibialis anterior muscle with different directions of steering (A. craniocaudal direction. B. caudocranial direction) show change of the area with hypoechoic anisotropic artifact (asterisks).

3. 정상 변이

부근육(accessory or anomalous muscle)은 비교적 흔하지만 대부분 증상이 없다. 드물게 표층에 있는 부근육이 연조직 종괴로 오인되거나, 섬유뼈굴(osteofibrous tunnel) 부위에 위치하여 신경포착(nerve entrapment)을 유발할 수 있다. 환자에 따라 새로 생긴 종괴로 오인할 수 있는데, 이는 운동, 외상 등에 의해 부근육이 비대해지거나 체중감소 등으로 피하지방이 얇아지면서 새롭게 인지되기 때문이다. 부근육의 진단은 특징적인 위치와 영상소견으로 가능하다.[63] 초음파에서 부근육은 경계가 좋고 정상 근육과 동일한 에코결(echotexture)을 가진다. 역동적 검사에서 주변 정상 근육과 동일하게 수축하는 것을 확인할 수 있는데, 근육의 크기가 증가하고 에코는 감소된다. 초음파에서 흔하게 보이는 표재성 부근육은 Table 2-2와 같다 (Fig. 2-56~2-58).[63,64] 호발 부위와 관련 증상 등을 알고 있으면 다른 종괴와는 쉽게 구분되며, 반대편과의 비교 검사가 도움이 될 수도 있다. 근육의 과형성(hypertrophy), 무형성(agenesis), 저형성(hypoplasia)은 반대쪽의 정상 근육과 비교하여 신난한다.

4. 근육 손상

근육 손상은 과격한 운동 등과 관련된 근육의 과도한 신전과 수축으로 인해 발생하는 내인성 손상과, 외력에 의한 근육의 타박상(contusion) 및 열상(laceration)과 같은 외인성 손상으로 나뉜다. 성인에서 내인성 손상은 근건이행부(myotendinous junction)에서 주로 발생한다. 반면에 고령일수록 힘줄의 퇴행성 변화로 인해 힘줄 자체의 손상이 많아지고, 소아에서는 힘줄-뼈부착부의 견열골절이 많이 생긴다. 외인성 손상은 직접적인 외상이나 충격을 받은 부위의 근섬유가 파열되는 것이며, 해부학적 구획에 관계 없이 여러 근육에 생긴다. 영상검사 후 손상 근육, 종류, 정도, 범위 등을 판독문에 기술하여야 한다. 타박상은 내인성 긴장손상(strain)보다 빨리 치유되며 좋은 예후를 보이며, 견열골절은 수술적 치료가 필요할 수 있으므로 이러한 내용을 반드시 기술하여야 한다. 넙다리뒤근육(hamstring muscle)의 손상은 치유가 더디기 때문에 휴식기간이 다른 근육보다 1주 더 필요하다.

근육 손상의 진단에 MRI와 초음파 모두 널리 이용되며, 근육 손상의 초음파 및 MR 검사에서 고려해야 할 사항은 나

Table 2-2 Common accessory or anomalous muscles (AM) in extremity (continued on the next page)

	Accessory/anomalous muscle	Anatomical Features	Clinical presentation
Shoulder	Accessory subscapularis muscle	Anterior aspect of lateral part of subscapularis tendon	Importance in surgical planning because it may cover anterior circumflex artery
Elbow	Anconeus epitrochlearis	Cubital tunnel • Origin: posterior aspect of the medial condyle of the humerus • Insertion: medial aspect of the olecranon	Cubital tunnel syndrome
Wrist	Proximal insertion of lumbrical muscle	Carpal tunnel • Unusual proximal origin of the lumbricals inside the carpal tunnel	Carpal tunnel syndrome
	Anomalous muscle belly of flexor digitorum superficialis muscle	Carpal tunnel • Anomalous muscle belly in carpal tunnel	Carpal tunnel syndrome
	Accessory abductor digiti minimi muscle (AADM)	Guyon canal • Origin: palmar carpal ligament and palmaris longus tendon • Insertion: abductor digiti minimi, medial aspect of the base of the proximal phalanx of the 5th finger • Anterior part of Guyon canal or between ulnar artery and nerve	Most common AM of the wrist Guyon canal syndrome
	Extensor digitorum brevis manus	Dorsal side of 2nd or 3rd finger • Origin: distal radius, distal radiocarpal ligament • Insertion: 2nd or 3rd finger	Fusiform mass in dorsal aspect of 2nd or 3rd finger
	Variation of palmaris longus muscle belly	Normally the muscle belly is located proximally and volar aspect of forearm with or without extending carpal tunnel, superficial to the median nerve and the flexor digitorum tendons • Origin: medial epicondyle of the humerus • Insertion: transverse carpal ligament, palmar aponeurosis Variation • Central, distal extension of the muscle belly • Reversed muscle-tendon position (long proximal tendon, distal muscle belly)	Carpal tunnel syndrome Painless forearm mass
knee	Tensor fasciae suralis	Popliteal fossa • Origin: semitendinosus muscle • Insertion: Achilles tendon • Run superficial to the medial head of the gastrocnemius muscle	Popliteal mass
	Anomalous insertion of gastrocnemius muscle	Popliteal fossa • Aberrant origin of medial/lateral gastrocnemius muscle or accessory slip of medial head of gastrocnemius • Aberrant course of popliteal vessel	Popliteal artery occlusion

(continued)

Table 2-2 Common accessory or anomalous muscles (AM) in extremity (continued from the preceding page)

	Accessory/anomalous muscle	Anatomical Features	Clinical presentation
Ankle	Accessory soleus	Between Achilles tendon and soleus muscle • Origin: posterior aspect of the tibia and anterior aspect of the soleus muscle • Insertion: Achilles tendon or upper aspect / or medial face of calcaneus	Posterolateral mass Pain due to ischemia during exercise Compression into tibial nerve
	Accessory flexor hallucis longus	Tarsal tunnel • Origin: Posterior aspect of the tibia or fibula or from other posterior calf structure • Insertion: the quadratus plantae or flexor digitorum longus	Tarsal tunnel syndrome
	Perous tertius	Dorsum of ankle • Origin : distal fibula • Insertion: the base of the 5th metatarsal	A part of extensor digitorum longus
	Peroneus quadratus	Posteromedial to the peroneal tendon • Origin: peroneus brevis muscle • Insertion: variable(most commonly, peroneus brevis and longus tendon)	Most frequent AM in ankle Retromalleolar pain Partial tear or tenosynovitis of peroneus brevis

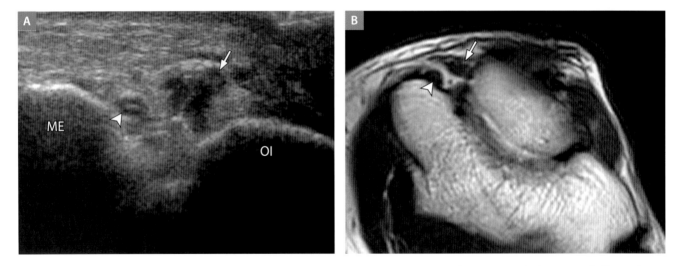

Figure 2-56 Anconeus epitrochlearis muscle of elbow. A. Transverse US image of posteromedial aspect of elbow shows round hypoechoic mass (arrow) over the cubital tunnel. Note the ulnar nerve (arrowhead). **B.** Correlative axial T2 weighted MR image. OI, olecranon; ME, medial epicondyle.

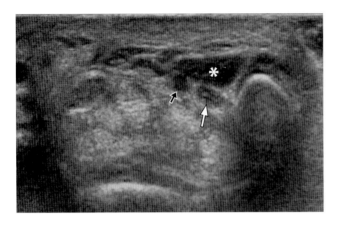

Figure 2-57 **Accessory abductor digiti minimi muscle.** Transverse US image of volar aspect of wrist shows the accessory muscle (asterisk) over the Guyon tunnel. The muscle is superficial to the ulnar nerve (long arrow) and ulnar artery (short arrow).

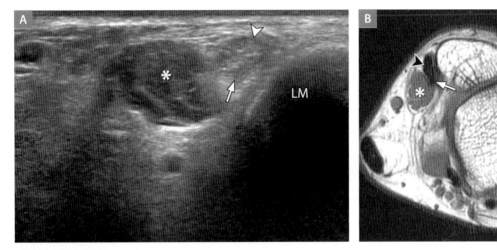

Figure 2-58 **Peroneus quartus muscle. A.** Transverse US image of retromalleolar region of ankle reveals the peroneus quartus muscle (asterisk) posterior to the peroneus longus (arrowhead) and peroneus brevis (arrow) tendons. **B.** Correlative axial T2 weighted MR image. LM, lateral malleolus.

음과 같다.

- 근육 손상의 유무: 근육 손상 직후에는 초음파에서 보이지 않을 수 있으며, 이런한 경우에는 72시간 후에 추가 초음파검사를 실시하는 것이 좋다. 경도의 근육 손상은 초음파에서 정상으로 보일 수도 있으며, MRI는 급성기 및 경도의 근육 손상 진단에 초음파보다 민감하다.
- 근육 손상 정도: 근육의 손상 정도는 MRI에서 과장되어 보이는 경우가 많다. 초음파는 MRI에 비해 근육의 세밀

한 구조를 좀 더 잘 보여주며, 반대편 정상 근육과의 비교 및 역동적 검사가 가능하다. 외상 후 72시간 이후에 검사하면 파열의 크기를 정확하게 평가할 수 있다.

- 합병증: 반흔조직형성, 탈신경화(denervation), 석회화성 근괴사(calcific Myonecrosis), 이소골화(heterotopic ossification) 등이 발생할 수 있으며, 초음파보다는 MRI가 진단 민감도가 높다. 그러나 초음파는 석회화를 조기에 발견하는 데 매우 유용하다.

1) 내인성 근육 손상

근건이행부의 긴장손상은 근섬유가 수축하는 과정에 과도한 장력이 근건이행부에 가해져서 파열되는 것이다. 두 개의 관절을 지나는 근육이나, 대퇴직근(rectus femoris)과 대퇴이두근(biceps femoris)처럼 두 갈래 이상의 힘줄을 가진 근육에서 잘 생긴다. 근건이행부는 일반적으로 근육의 기시 및 부착부의 힘줄이 근육과 만나는 곳을 의미하지만, 대퇴직근처럼 근육의 중앙부에 힘줄이 있는 근육에서는 근육 내의 근건이행부가 손상될 수도 있다. 또한 근육의 변연부에 근외막과 근섬유가 접한 부위도 일종의 근건이행부로 간주하며, 이 부위에 손상이 발생할 수도 있다.

근육 손상의 등급 분류방법은 여러 가지가 있으므로, 손상에 대한 구체적 기술 없이 단순히 등급만 표시하면 혼란이 있을 수 있다. 어떤 분류방법을 이용하든지 치유와 기능의 회복은 등급이 높을수록 오래 걸리고 예후도 좋지 않다. 초음파를 이용한 근육의 긴장손상의 등급 체계 중 한 가지는 다음과 같다.[65]

- 0도 손상: 임상적으로 근육 손상이 의심되나 초음파에서는 정상으로 보이는 경우
- 1도 손상: 힘줄의 부종과 함께 경미하고 경계가 좋지 않은 고에코 혹은 저에코의 병변이 근육 내에 보이는 경우
- 2도 손상: 근육의 부분 단절(파열)
- 3도 손상: 근육의 완전 단절(파열)

1도 손상은 경미한 손상으로 근섬유의 파열은 보이지 않고 미만성 출혈이 있을 때를 말한다 (Fig. 2-59, 2-60). 초음파검사에서 근섬유와 힘줄 사이에 미만성 출혈에 의해 근육의 에코가 약간 증가하거나 감소하고, 경계가 불분명하기 때문에 진단이 어려울 수 있으며 정상으로 보일 수도 있다. 초음파에서 이상 소견이 보이지 않아도 근육 손상이 의심되면 2주 간의 휴식기를 갖는 것이 좋다. 이러한 경미한 근건이행부 긴장손상의 진단에는 초음파보다 MRI가 더 민감하다. 2도 손상에서는 근섬유와 근내막이 파열되고, 근다발막의 손상도 동반될 수 있다 (Fig. 2-61, 2-62). 초음파검사에서 근다발의 파열과 동반된 출혈을 확인할 수 있다. 혈종은 손상 직후에는 보이지 않다가 1~2일이 지난 후에 저에코로 보이는 경우가 많다. MRI에서는 부종으로 인해 1도 손상과 2도

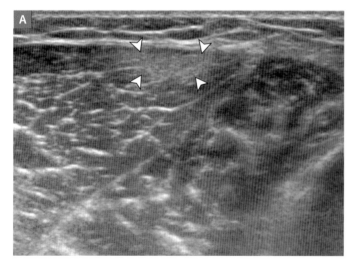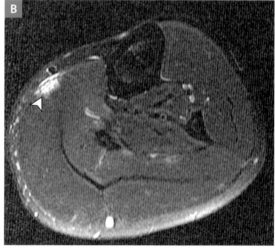

Figure 2-59 Intrinsic muscle injury (grade 1 injury). A. Short axis US image of the medial head of gastrocnemius muscle shows ill-defined hyperechogenicity (arrowheads) at the medial periphery of muscle which abutting on the epimysium. **B.** Axial fat-saturated T2-weighted MR image shows ill-defined increased signal intensity (arrowheads) at the periphery of muscle.

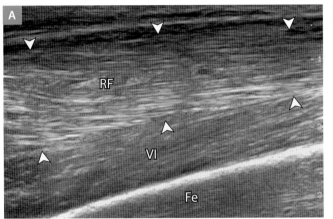 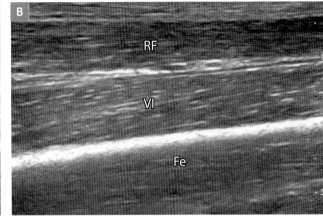

Figure 2-60   Intrinsic muscle injury (grade 1 injury). A. Long axis US image of the rectus femoris muscle (RF) shows diffuse swelling and increased echogenicity (arrowheads) of muscle. There is no appreciable fiber disruption. **B.** Correlative Long axis US image of the contralateral rectus femoris muscle. VI, vastus intermedius; Fe, femur.

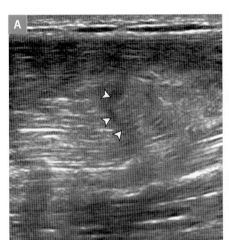 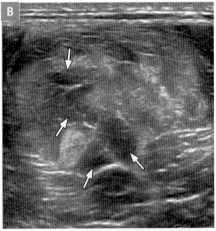

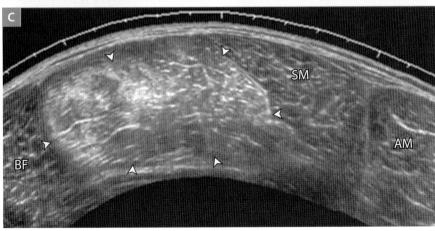

Figure 2-61   Intrinsic muscle injury (grade 2 injury). A. Long axis US image of the semitendinosus muscle shows increased echogenicity of muscle with muscle fiber disruption (arrowheads). **B.** Short axis US image shows diffuse swelling of muscle with heterogeneous areas of hypoechoic hemorrhage (arrows). **C.** Transverse extended-field-of-view US image shows diffuse enlargement with increased echogenicity of semitendinosus muscle (arrowheads). SM, semimembranosus; BF, bicdeps femoris; AM, adductor magnus.

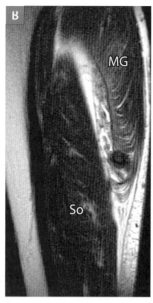

Figure 2-62 **Intrinsic muscle injury (grade 2 injury, tennis leg).** **A.** Longitudinal extended-field-of-view US image over the lower leg shows partial discontinuity of muscle fibers (arrowheads) of the medial head of the gastrocnemius muscle (MG) at the myotendinous junction. Small hypoechoic collection is noted, which extends distally, superficial to the soleus muscle. **B.** Correlative sagittal T2-weighted MR image. So, soleus.

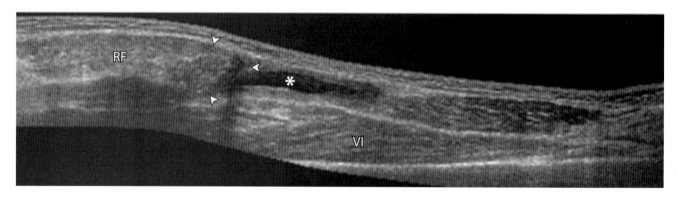

Figure 2-63 **Intrinsic muscle injury (grade 3 injury, tennis leg).** Longitudinal extended-field-of-view US image over the anterior thigh shows complete rupture of the rectus femoris (RF) myotendinous junction. Note the retracted rounded end (arrowheads) of the muscle and the presence of a distal hematoma (asterisk). VI, vastus intermedius.

손상의 구분이 어려울 수 있으므로, 2도 손상의 진단에는 초음파가 더 유용하다. 3도 손상에서는 근육이 완전히 단절되고 근외막의 손상이 동반된다. 근육 기능이 소실되고, 단절된 근육의 뒤당김(retraction)과 함께 출혈이 동반되므로 진단이 용이하다 (Fig. 2-63). 간혹 파열 부위의 출혈을 근육 부종으로 오인할 수 있는데, 역동적 검사가 유용하다.

때때로 내인성 근육손상이 초기에 간과되어 만성 완전파열로 진행되면 이학적 검사에서 종괴성 병변으로 오인될 수 있다. 외상의 과거력이 있는 환자가 수개월 후 연조직 종괴를 호소할 때 근육파열을 의심해 볼 수 있으며, 대퇴직근에서 가장 흔하다. 초음파에서 근육의 결손이 보이며, 근육의 뒤당김에 의해 끝이 둥글게 변하여 마치 종괴처럼 보이고, 근육에 지방침착이 생겨 에코가 증가되어 보일 수 있다 (Fig. 2-64, 2-65). 근육 결손부위나 주변 근막에 액체저류가 있을 수 있고, 주위 근육의 보상성 비대가 동반될 수도 있다. [66]

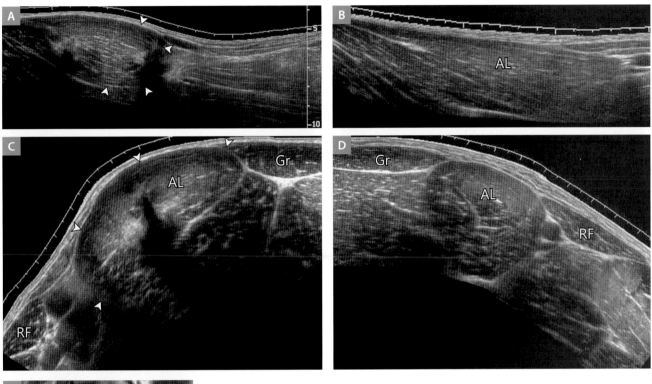

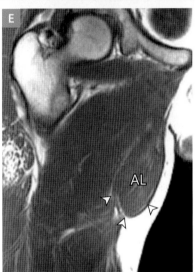

Figure 2-64 Chronic grade 3 muscle injury. A, C. Longitudinal (**A**) and transverse (**C**) extended-field-of-view US images over the anterior thigh show complete rupture of the right adductor longus muscle (AL) with the rounded, retracted muscle stump (arrowheads). The muscle stump is palpable as a mass that moves with muscle contraction. **B, D.** Correlative Longitudinal (**B**) and transverse (**D**) extended-field-of-view US images of the contralateral normal adductor longus muscle. **E.** Correlative coronal T2-weighted MR image. RF, rectus femoris; Gr, gracilis.

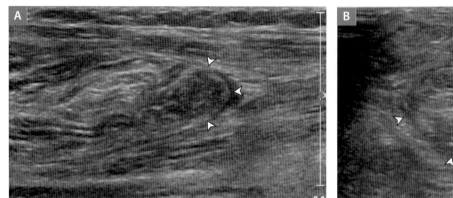

Figure 2-65 **Chronic grade 2 muscle injury**. Longitudinal (**A**) and transverse (**B**) US images over the anterior leg show partial rupture of the extensor digitorum longus muscle with the retracted muscle stump (arrowheads). The retracted muscle stump is palpable as a mass. TA, tibialis anterior; Ti, tibia.

2) 외인성 근육 손상

근육의 외인성 손상은 직접적 외력에 의한 타박상(contusion), 열상(laceration), 전기 감전 등이다. 근육 타박상은 외상이나 축구, 럭비, 하키등과 같이 신체 접촉이 많은 운동에서 흔하게 생긴다. 대퇴부 외측의 중간광근(vastus intermedius)과 외측광근(vastus lateralis)이 호발 부위다. 근육 타박상은 손상부위가 근건이행부가 아니고 외력이 가해진 부위의 피부와 뼈 사이의 근육이라는 것이 내인성 손상과의 중요한 감별점이다 (Fig. 2-66). 급성기에는 근섬유의 단절과 혈종이 주 소견이고, 48시간 이내에 부종과 염증성 변화가 시작된다. 많은 양의 혈종이 있으면 혈종 내에 파열된 근육의 끝이 덜렁거리는 것(bell-clapper sign)을 볼 수 있다. 일주일 정도 지나면 염증성 조직이 섬유조직으로 대체되면서 반흔이 생기기 시작한다. 혈종의 크기가 작은 타박상은 1도 긴장손상과 예후가 비슷하다. 날카로운 물체에 의한 근육 열상에서는 혈종이 피하지방과 근육에 열상방향을 따라 생기며, 근섬유 단절과 주위 부종을 동반한다 (Fig. 2-67). 전기 감전에 의한 근육 손상에서는 횡문근융해증(rhabdomyolysis)이 생기고, 근막 파열로 인한 근육탈출(muscle hernia)이 동반될 수 있다.

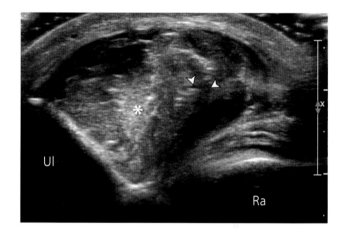

Figure 2-66 **Muscle contusion**. Transverse US image over the forearm shows heterogeneous hyperechoic area (asterisk) in the anconeus muscle because of edema. Note focal disruption of muscle fibers (arrowheads). Ul, ulnar; Ra, radius.

3) 근육 내 혈종

근육 내 혈종은 시간 경과에 따라 다양한 초음파소견을 보인다. 급성 혈종은 근육에 비해 고에코로 보이며, 시간이 지날수록 에코가 감소하게 된다. 24시간에서 48시간 정도가 되면 혈종은 주변 근육과 비슷한 에코로 보이므로 초음파검사에서

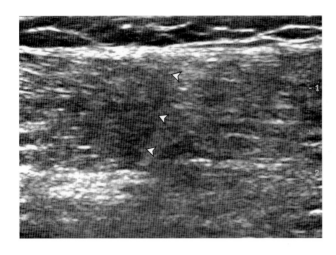

Figure 2-67 **Muscle laceration**. Longitudinal US image over the anterior leg shows linear disruption (arrowheads) of muscle fibers and surrounding hypoechoic hemorrhage and edema.

놓칠 수 있다. 72시간이 지나면 혈종의 액화(liquefaction)가 시작되어 저에코로 보이며, 주변 근육과 혈종이 높은 대조도를 보이므로 근육 손상의 범위를 좀 더 정확하게 알 수 있다 (Fig. 2-68, 2-69). 대개 10일 정도가 되면 혈종은 완전히 액체화 된다.

4) 근육 손상의 치유

손상된 근육은 다음의 세 단계를 거치면서 치유된다.[67]
- 파괴기(destructive phase, 0~3일): 근섬유가 파열된 곳에 혈종이 생기고, 파열 부위와 그 주변 근섬유의 괴사, 염증반응, 탈신경화(denervation)가 생긴다.
- 초기 재생기(early remodeling phase, 3~12일): 파열 부위의 혈종이 천천히 흡수되면서 혈류가 증가하고, 파열 부위를 연결하는 격막과 섬유성 조직이 생긴다.
- 후기 재생기(late remodeling phase, 12일~9개월): 반흔 조직이 형성되거나 근원섬유(myofibril)의 재생이 일어나 손상 부위가 점차 연결된다.

정상적으로 재생된 근육은 원래의 근육처럼 저에코로 보인다. 손상 근육의 치유가 잘 진행되어 반흔조직이 적고 재생된 근육으로 파열 부위가 대부분 채워지면 이전 파열 부위를 찾기 어려울 수 있다. 반흔조직은 경계가 좋지 않은 선상

혹은 별모양(stellate)의 복합에코로 보이고, 증상이 없는 경우가 많으나, 간혹 만성 통증의 원인이 될 수 있다. 근육을 수축시키면 반흔 조직은 수축되지 않고, 반흔조직과 유착된 정상 근육의 비정상적 수축으로 인해 가성종괴로 보일 수 있다 (Fig. 2-70). 반흔조직과 정상근육 사이는 손상에 약하기 때문에, 반흔조직이 클수록 긴장손상이 재발될 가능성이 높아진다.

5) 합병증

(1) 이소골화 Heterotopic ossification
이소골화는 손상된 근육의 괴사와 퇴행성변화로 인해 석회화 또는 골화가 생기는 것이며, 자연치유되는 양성 병변이다. 근육의 긴장손상보다 타박상에서 더 흔하게 생기며, 명백한 외상 과거력이 없이 근육의 만성적인 미세손상과 관련되어 생길 수도 있다. 이 병변은 염증성 병변이 아니기 때문에 이전에 사용하던 골화근염(myositis ossificans)이라는 용어 대신 이소골화를 사용한다. 상하지의 큰 근육에 주로 생기며, 대퇴부나 상지의 근육에 호발한다. 병변이 성숙(maturation)하면서 다양한 영상소견을 보이며, 초기에는 통증을 동반하고 염증 소견을 보이므로 악성종양이나 감염성 병변으로 오인하기 쉽다.[68] 초기 혹은 성숙되지 않은 병변은 경계가 불명확한 저에코 종괴로 보이며, 내부에 초기 석회화에 의한

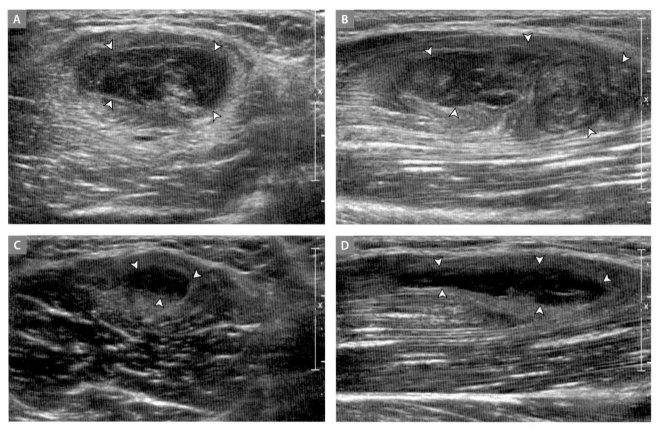

Figure 2-68 Intramuscular hematoma. A, B. Transverse (A) and longitudinal (B) US images over the upper arm show a complex echogenic hematoma (arrowheads) within the triceps brachii muscle. **C, D.** Follow-up transverse (C) and longitudinal (D) US images after 3 weeks show decreased echogenicity and volume of the hematoma.

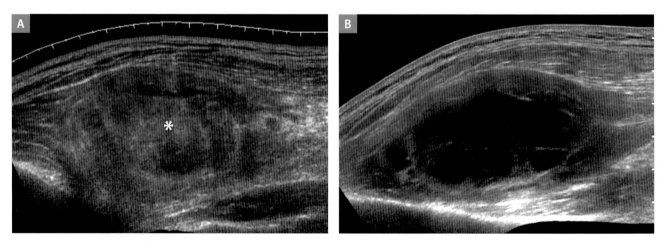

Figure 2-69 Intramuscular hematoma. A. Longitudinal extended-field-of-view US image of the buttock shows a large complex echogenic hematoma (asterisk) within the gluteus medius muscle. **B.** Follow-up US image after 2 weeks shows anechoic fluid within the hematoma.

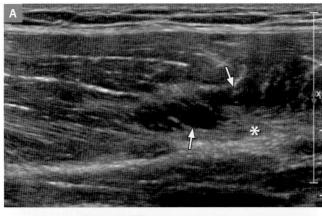

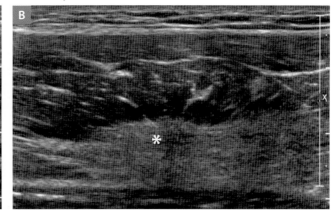

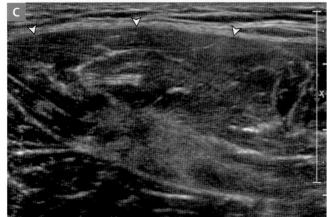

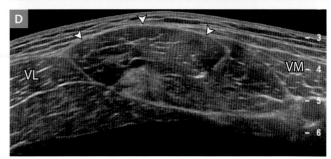

Figure 2-70 **Muscle scar. A, B.** Longitudinal (**A**) and transverse (**B**) US images over the anterior thigh show hyperechoic scar formation (asterisk) in the rectus femoris myotendinous junction. Hypoechoic area (arrows) around the scar may represent anisotropy. **C, D.** Transverse (**C**) and extended-field-of-view (**D**) US images during muscle contraction show anterior bulging contour (arrowheads) of rectus femoris muscle, forming a pseudomass. VM, vastus medialis; VL, vastus lateralis.

점상의 고에코를 동반한다 (Fig. 2-71, 2-72). 병변이 성숙되면 병변의 변연부에 고에코의 골화가 보이고, 점차 서로 연결되어 완전한 피질골의 형태를 만들면서 소리그림자(acoustic shadowing)를 동반하게 된다 (Fig. 2-73). 초음파는 단순촬영보다 2주 정도 빨리 병변 내의 초기 석회화를 진단할 수 있다 (68). 확진을 위해서는 추적 단순촬영이나 CT에서 전형적인 골화를 확인하여야 하며, 근막에 생긴 골화나 다른 연조직 종양과의 감별이 필요하다. 석회화를 동반하는 다양한 종양과의 감별을 위해서 초음파유도하 조직검사가 필요할 수도 있다.

(2) 석회화근괴사 Calcific myonecrosis

근육 손상과 관련되어 근육의 석회화를 보일 수 있는 병변으로는 이소골화가 가장 흔하지만, 드물게 석회화근괴사가 생길 수도 있다. 석회화근괴사는 외상 또는 허혈성 변화 등에 의해 손상된 근육이 괴사조직, 섬유조직, 콜레스테롤, 기질화된 혈전 등으로 채워진 낭종으로 대체되고, 주변부에 석회화를 동반하는 병변이다. 대부분 아래다리의 앞쪽 및 뒤쪽 구획(anterior and posterior compartment)에 생기며, 통증을 동반하지 않는 천천히 자라는 종괴로 발현한다. 종괴 내부는 낭종을 시사하는 저에코성 병변으로 보이고, 방추형 판

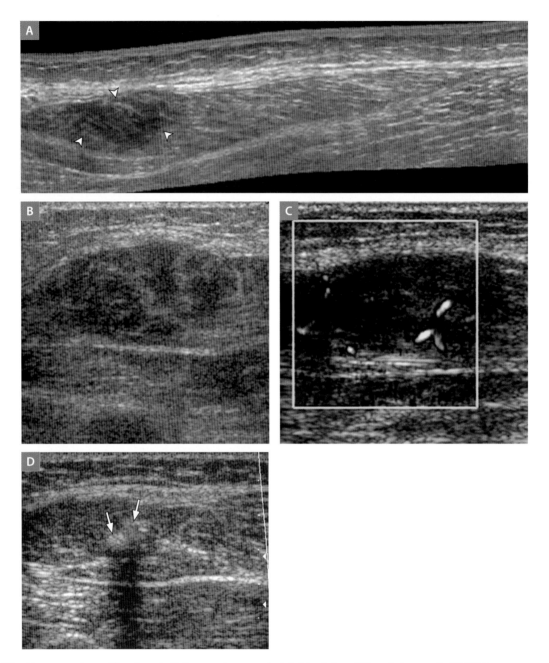

Figure 2-71 **Heterotopic ossification. A, B.** Long axis extended-field-of-view (**A**) and short axis (**B**) US images over the rectus femoris muscle show a hypoechoic lesion (arrowheads) within the muscle. **C.** Doppler image shows slightly increased blood flow. **D.** One week follow-up US image shows hyperechoic mottled calcifications (arrows) with posterior acoustic shadowing.

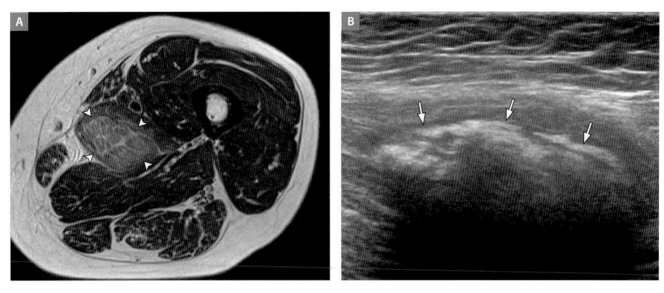

Figure 2-72 **Heterotopic ossification**. A. Axial T2-weighted image shows an ill-defined hyperintense lesion (arrowheads) in the adductor longus muscle. B. Two-week Follow-up US image shows curvilinear calcifications (arrows) with posterior acoustic shadowing.

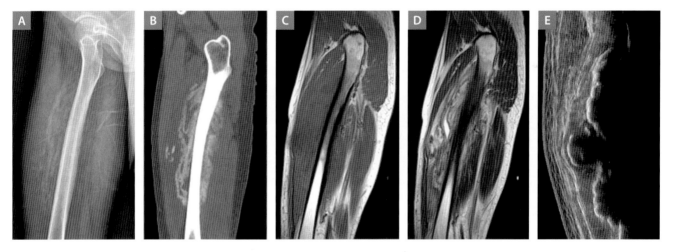

Figure 2-73 **Heterotopic ossification**. A, B. Plain radiography (A) and CT image (B) show curvilinear multi-layered calcifications seen around femur. C, D. Sagittal T1-weighted (C) and T2-weighted (D) MR images show heterogeneous signal intensity in the calcified area. E. Longitudinal extended-field-of-view US image shows curvilinear hyperechoic surface of soft tissue calcification with posterior acoustic shadowing.

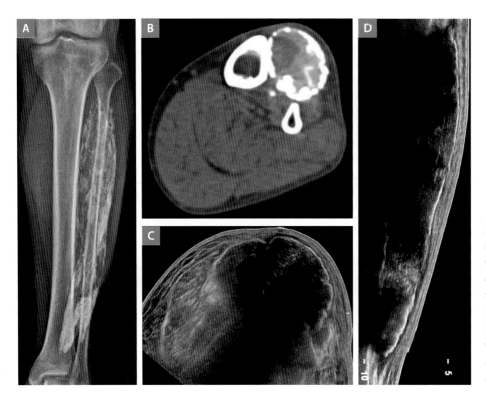

Figure 2-74 **Calcific myonecrosis.** A, B. Plain radiograph (A) and CT image (B) of lower leg reveal extensive fusiform calcifications in the anterior compartment of the lower leg. C, D. Transverse (C) and longitudinal (D) extended-field-of-view US images also show fusiform calcifications in entire anterior compartment.

상(fusiform plate-like)의 석회화가 병변의 변연부에 고에코로 보이고 소리그림자를 동반한다 (Fig. 2-74).[69] 석회화근괴사는 낭종성 병변이기 때문에 이소골화와는 구분되지만, 석회화에 의한 소리그림자 때문에 초음파에서 두 병변 간의 감별이 어려울 수도 있다. 그러나 석회화근괴사는 근육 손상 후 대개 10년 이상의 시간이 경과한 뒤에 생기기 때문에 환자의 병력이 진단에 도움이 된다.

(3) 근육탈출 Muscle hernia

근육탈출은 근막(fascia) 결손부위를 통해 근육이 탈출되어 종괴로 만져지는 것이며, 전경골근(anterior tibialis)에서 가장 호발한다. 타박상, 관통상, 만성 구획증후군(compartment syndrome) 등에 의해 근막이 약해진 부위에 생기며, 외상없이 혈관이 관통하는 근막 결손부를 통해 생길 수도 있다. 종괴가 만져지는 부위에 탐촉자를 놓으면 단순 혹은 버섯모양의 돌출 병변이 근육과 연결되면서 근육과 동일한 에코를 보인다.[70] 탐촉자로 압박하면 탈출된 근육이 정상으로 되돌아 가는 것을 볼 수 있다. 근육이 이완되어 있을 때는 보이지 않을 수 있으나, 근육을 수축시키거나 환자를 일어서게 하면 탈출되는 근육을 확인할 수 있다 (Fig. 2-75). 탈출근육 주위에 근막을 관통하는 혈관이 보일 수도 있다.

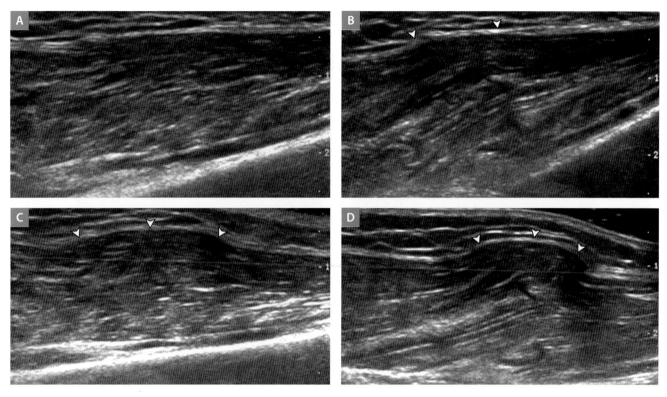

Figure 2-75 **Muscle hernia. A.** Long axis US image of the extensor digitorum longus muscle in resting state shows no definite bulging out of the outer boundary of muscle. **B-D.** During isometric contraction, the muscle show progressive bulging out (arrowheads).

5. 감염성 및 염증성 근육 질환

1) 화농성 근염 Pyomyositis

화농성 근염은 근육의 화농성 세균 감염이다. 이환된 근육은 초음파에서 부종으로 인해 에코가 증가되고, 주변 피하지방에도 염증이 동반되는 경우가 많다. 농양이 형성되면 대개 경계가 좋은 불균질한 저에코 액체저류로 보이나, 주변 근육과 비슷한 에코로 보이거나 고에코로 보일 수도 있으며, 후방음향증강이 동반된다 (Fig. 2-76, 2-77).[71] 농양 내부에 격막이나 부스러기가 보일 수도 있다. 여운허상(ring-down artifact)을 동반한 다수의 고에코 점들이 보이면 농양 내 가스(gas)가 생긴 것을 고려해야 한다. Doppler검사에서 이환된 근육과 농양 주변에 증가된 혈류를 볼 수 있다. 근육 내 농양이 뼈와 접촉하고 있으면 골수염의 가능성을 고려해야 한다.[72]

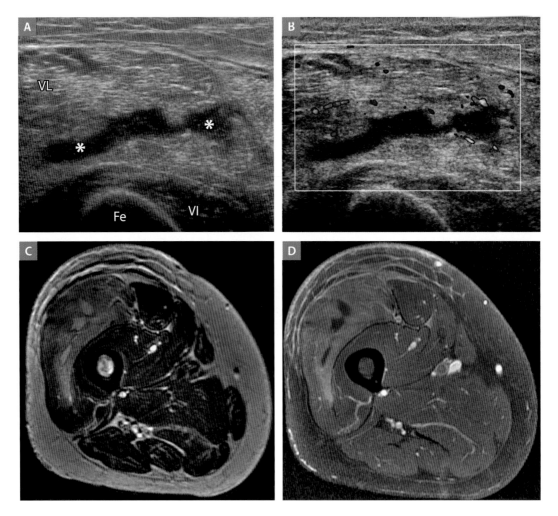

Figure 2-76 Pyomyositis. A. Short axis US image of the vastus lateralis muscle (VL) shows heterogeneous echotexture consisting of increased echogenicity due to muscle edema, as well as geographic hypoechoic area suggesting abscesses (asterisks). **B.** Doppler image shows increased blood flow around abscesses. **C, D.** Correlative axial T2-weighted (**C**) and contrast-enhanced fat-saturated T1-weighted (**D**) MR images. VI, vastus intermedius; Fe, femur.

2) 괴사근막염 Necrotizing fasciitis

괴사근막염은 독소를 생산하는 병원균에 의해 피하지방층과 심부근막(deep fascia)을 따라 광범위한 잠식괴사를 일으키는 화농성 감염으로, 매우 빨리 진행하며 사망률이 높다.(73) 개방성 상처와 관련 있을 수 있으며 당뇨, 만성질환, 면역억제 환자 등에서 잘 생긴다. 피하조직과 심부근막에 기종(emphysema)이 보이는 것이 특징이지만 민감도가 낮다. 초음파에서는 연조직염(cellulitis)과 비슷하게 피하조직의 심한 부종이 관찰되며, 또한 근육 사이의 심부근막에 저에코 액체저류가 동반된다. 근막 내에 가스가 있으면 고에코로 보인다.

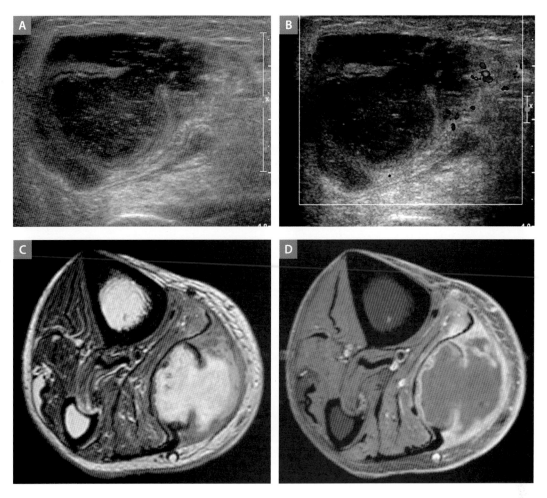

Figure 2-77 **Pyomyositis. A.** Short axis US image of the medial head of gastrocnemius muscle shows a large geographic abscess with interval debris. **B.** Doppler image shows slightly increased blood flow around the abscess. **C, D.** Correlative axial T2-weighted (**C**) and contrast-enhanced fat-saturated T1-weighted (**D**) MR images.

3) 특발성염증성근염 Idiopathic inflammatory myositis

특발성염증성근염은 다발성근염(polymyositis), 피부근염(dermatomyositis), 산발성봉입체근염(sporadic inclusion body myositis) 등으로 나눌 수 있다. 다발성근염과 피부근염은 자가면역 질환으로 림프구가 근육에 침윤하여 근염과 근육약화를 일으키는 질환이다. 주로 사지의 근위부 근육에 대

칭적으로 생기며 통증을 동반한다. 초음파소견은 비특이적이며, 급성기에는 부종으로 인해 근육의 에코가 증가되면서 Doppler검사에서 혈류 증가를 보일 수 있다 (Fig. 2-78). [74] 조영제를 이용한 초음파에서 유의한 고혈관성과 혈류 증가를 보이는 것으로 보고되었다. [75] 만성기에는 근육에 지방침착을 보인다.

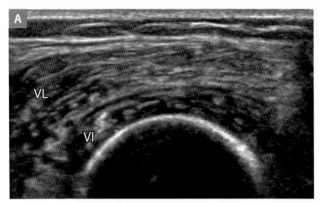

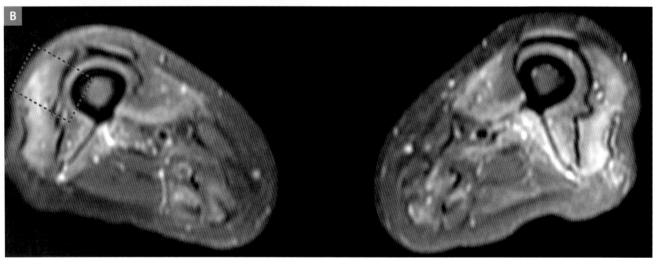

Figure 2-78 Inflammatory myositis. A. Transverse US image of the lateral aspect of right thigh demonstrates increased echogenicity reflecting muscle edema and fatty infiltration in the vastus lateralis muscle (VL). Note lesser edematous change in the vastus intermedius muscle (VI). **B.** Correlative axial contrast-enhanced fat-saturated T1-weighted MR image shows patchy enhancement at anterior compartment muscles in both thighs, most prominently in vastus lateralis muscles. The corresponding site with USG is marked by square box.

4) 증식성근염 Proliferative myositis

증식성근염은 매우 드문 근육의 염증성 질환으로, 근육을 미만성으로 침윤하며, 근육 내 종괴가 빠르게 커지기 때문에 임상적으로 악성질환으로 오인될 수 있다. 주로 50대에 호발하며, 자연 치유된다. 병리학적으로는 근다발막과 근외막에 섬유아세포(fibroblast)가 증식하여 섬유조직이 근육다발에 침착된 소견을 보인다. 장축영상에서 부종에 의한 저에코 병변과 함께 근다발 모양이 유지되어 보이고, 단축영상에서는 저에코의 선상의 구조물이 근다발을 분리시키는 '갈라진 마른 진흙(dry-cracked mud, or scaffolding)' 혹은 '시양장기판

(checkerboard)' 모양으로 보인다 (Fig. 2-79). [76,77] MRI에서도 초음파소견과 같이 근다발의 연결성은 유지되면서 조영증강을 동반하는 근육의 미만성 부종이 보이고, 주위 연조직 및 근막의 조영증강도 동반된다. [77] 연조직 종양과의 감별을 위해 조직검사가 필요하다.

5) 사르코이드증 Sarcoidosis

사르코이드증은 전신적 육아종성 질환으로, 근육 사르코이드증은 결절형(nodular form), 만성 근육 위축형(atrophic myopathic form), 급성 근염(acute myopathic form)의 3가지

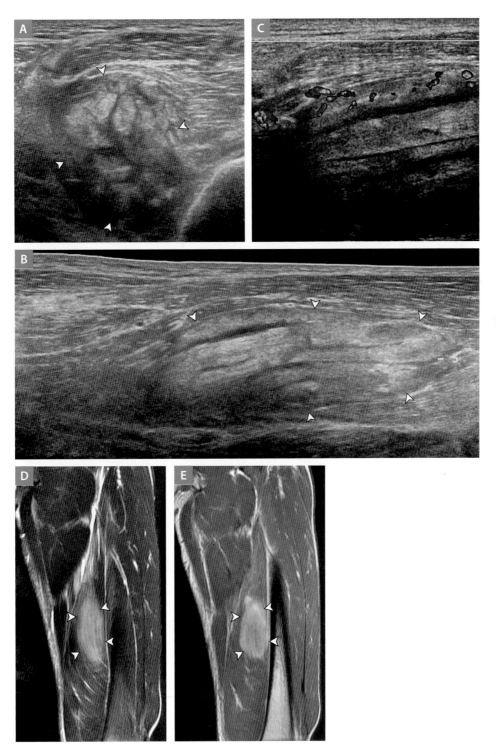

Figure 2-79   Proliferative myositis. A, B. Short axis (**A**) and long axis extended-field-of-view (**B**) US images of the vastus intermedius show an ill-defined lesion (arrowheads) with heterogeneous echotexture, resembling dry-cracked mud. The muscle bundles appear mostly preserved on long axis US image. **C.** Doppler image shows slightly increased vascularity within the lesion. **D, E.** Correlative coronal T2-weighted (**D**) and contrast-enhanced T1-weighted (**E**) MR images.

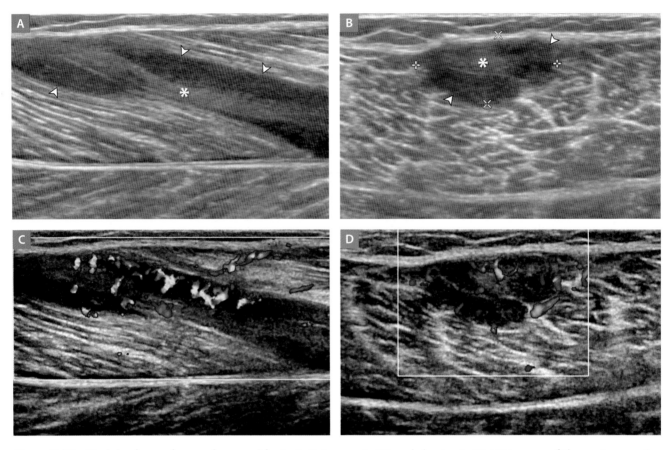

Figure 2-80 Nodular form of muscular sarcoidosis. A, B. Long axis (**A**) and short axis (**B**) US images of the gastrocnemius muscle show a well defined hypoechoic lesion (arrowheads, representing inflammatory granuloma) with central hyperechoic stripes (asterisks, representing fibrosis). **C, D.** Long axis (**C**) and short axis (**D**) Doppler images show increased blood flow within the lesion.

형태로 분류된다. 만성 근육 위축형은 진행성 근육 위축으로 인한 근력약화가 주 증상이고, 급성 근염은 근육통과 압통을 동반하며, 가장 드문 형태이다. 이와 달리, 결절형은 만져지는 종괴가 주 증상이다. 결절형은 조직학적으로 중심부의 섬유화와 주변부의 염증성 육아종으로 이루어지는데, 초음파에서 중심부 섬유화는 고에코로, 주변부의 염증성 육아종은 저에코로 보인다 (Fig. 2-80).[79] 장축영상에서는 종괴가 근섬유를 따라 주행하여 방추형으로 보인다.

6. 기타 근육 질환

1) 횡문근융해증 Rhabdomyolysis

횡문근융해증은 심한 운동, 독극물, 허혈성 변화, 자가면역 질환 등에 의해 근육세포가 융해되는 질환이다. 초음파에서는 근육의 부종으로 인해 부피가 커지고 불균질하게 에코가 증가되며, 근다발막의 경계가 불분명해진다 (Fig. 2-81). 근육 내부에 괴사나 출혈이 생긴 부위는 저에코로 보이며, 근다발의 단절이 보일 수 있다. 근육 부종이 더 심해져서 근

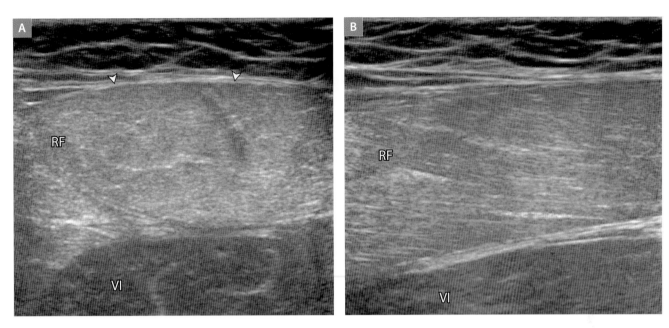

Figure 2-81 **Rhabdomyolysis.** Short axis (**A**) and long axis (**B**) US images of the rectus femoris muscle (RF) show diffuse swollen muscle with increased echogenicity comparing with the relative normal vastus intermedius muscle (VI). Note mild bulging out of the investing fascia (arrowheads in **A**).

막이 불룩하게 튀어나오면 구획증후군(compartment syn-drome)의 가능성을 고려한다.[79] 구획증후군으로 진행된 경우에도 근육 내 혈류는 보일 수 있으므로 주의한다.

2) 지연성근통증 Delayed-onset muscle soreness

지연성근통증은 심한 운동 후에 통증이 생기기 시작하여, 24~72시간 사이에 가장 심해지고, 5~7일 정도에 회복되는 증상이다. 정확한 기전은 알려져 있지 않으나, 근육 세포 단위에서 가역적(reversible) 손상이 생기는 것으로 생각되며, 지속적인 근육 손상이나 기능 약화는 없다. 일부에서는 횡문근융해증이 지연성근통증의 심한 형태라고 생각하고 있다.

초음파검사에서 부종에 의한 지도모양(geographic)으로 증가된 에코가 여러 근육에 나타나며, 근섬유 파열이나 혈종은 동반하지 않는다. 초기 또는 경미한 경우에는 정상으로 보일 수 있다.[80,81] MRI에서도 근육 부종이 주된 소견이

며, 초기에는 근건이행부에 변화를 보이지만, 시간이 경과함에 따라 근막 주위에 미만성 부종이 나타난다. 여러 근육에 변화를 보이는 점이 1도 긴장손상과는 다른 점이다. 또한 지연성근통증은 대개 1주 이내에 증상이 회복되지만, 1도 긴장손상은 증상 회복에 1주 이상의 시간이 걸린다.

3) 구획증후군 Compartment syndrome

구획증후군이란 해부학적으로 제한된 구역 안의 압력이 증가하여 신경과 혈관이 압박되고, 신경과 근육에 비가역적 허혈성 손상이 초래되는 것을 말하며, 아래다리의 전외측 구획에 가장 흔하게 생긴다.

급성 구획증후군은 심한 운동이나 외상에 의해 생긴다. 근육 내 출혈이나 부종이 생기면, 구획 내의 압력이 증가하여 모세혈관 혈류장애가 생겨서, 구획 내의 근육과 신경 등에 허혈성 변화를 초래한다. 외상 초기에 과도한 통증을 호

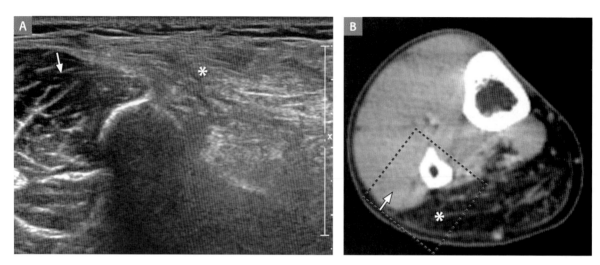

Figure 2-82 **Fatty atrophy of muscle**. **A.** Transverse US image of the lower leg in patient with inclusion myositis shows diffusely increased echogenicity in posterior compartment muscles (asterisk). Note normal peroneal compartment muscles (arrow). **B.** Corresponding axial CT image shows diffuse fatty atrophy of posterior compartment muscles. The corresponding site with USG is marked by square box.

소하면 구획증후군의 가능성을 고려해야 한다. 초음파에서 부종에 의해 근육의 부피가 커지고, 근막이 불룩하게 보이며, 근육의 에코결(echotexture)이 변하여 근다발막의 경계가 불분명해진다. 병의 초기에 초음파소견이 뚜렷하지 않을 때는 반대쪽과의 비교 검사가 도움이 된다. 근육의 허혈성 손상이 경색(infarction) 또는 횡문근융해증으로 진행되면 근육 내에 불규칙한 고에코 부분들이 보이고, 근육의 정상 구조가 소실된다.[12,81] 구획증후군에서 혈류장애는 근육 내의 비교적 큰 혈관에서 생기지 않고 모세혈관에서 생기며, Doppler검사로 모세혈관의 혈류에 대한 정보를 알 수 없기 때문에, Doppler검사에서 근육 내의 비교적 큰 혈관의 혈류가 보인다고 해서 구획증후군을 배제할 수 없으며, 구획증후군의 진단에 Doppler검사의 유용성은 제한적이다.[12]

만성 구획증후군의 원인은 잘 알려져 있지 않으나, 근육을 둘러싸는 근막의 확장성(extensibility)이 감소되어 생기는 것으로 추정하고 있다. 운동양이 많아지면 통증이 증가하고, 휴식을 취하면 회복되는 증상이 반복된다. 운동 후 초음파검사에서 근육의 부피 증가와 에코 감소 소견을 보고 있지만, 그 변화가 매우 경미하여 진단하기 쉽지 않다. MRI에서는 침범된 구획 내의 근육 부종이 보이고, 부피가 증가 될 수 있다. 정상 근육도 운동 후 부피 증가와 T2강조영상에서 신호강도 증가 소견을 보일 수 있지만, 만성 구획증후군에서는 신호강도 증가가 더 뚜렷하고 오래 지속된다.[12]

4) 근육의 지방침착

근육에 지방침착을 보이는 질환으로 만성 근육손상, 다양한 신경근병증(neuromyopathy), 근육의 탈신경화, 만성 염증성 근염(inflammatory myositis) 등이 있다. 초음파에서는 근섬유 사이의 지방침착으로 인해 음향반사가 증가되어 에코가 균일하게 증가하고, 근육다발막의 경계가 모호해지며 후방 감쇄를 일으킨다 (Fig. 2-82, 2-83). 의심되는 근육의 크기와 에코를 반대쪽 같은 부위의 근육과 단축영상에서 비교하여, 양측 근육의 두께 차이가 20% 이상이면 비정상으로 간주한다.[82] 그러나, 근육의 지방침착 진단은 초음파검사보다 MRI가 더 유용하다. MRI에서는 부종과 지방침착이 확연히 구분되는 반면에, 초음파에서는 부종과 지방침착 모두 비슷한 고에코로 보인다. 또한 근육 지방침착 진단에 중요한

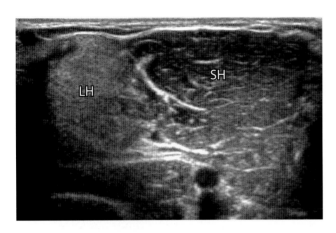

Figure 2-83 **Fatty atrophy of muscle.** Short axis US of the biceps brachii muscle shows marked echotextural difference between two biceps heads with the long head (LH) being much more echogenic, representing fatty atrophy due to chronic rupture of the long head tendon. SH, short head of biceps brachii.

요소인 이환된 근육의 분포와 해부학적 구획을 한눈에 보는데 MRI가 더 유용하다.

Ⅲ. 힘줄 Tendon

힘줄은 MRI에서 저신호강도로 보이기 때문에 힘줄의 내부 구조를 파악하는 데 제한이 있다. 반면에 초음파는 힘줄의 가는 섬유다발을 영상화하는 데 우수하고, 또한 역동적 검사와 반대쪽 힘줄과의 비교검사를 수월하게 할 수 있는 장점이 있다.

1. 검사방법

검사하고자 하는 힘줄의 위치와 연조직 두께 등을 고려하여 탐촉자를 선택하며, 주로 7 MHz의 이상의 선형 탐촉자를 가장 많이 이용한다. 힘줄은 치밀한 섬유다발로 이루어져서 비등방성에 매우 취약하므로, 가능하면 음속(sound beam)이 힘줄에 수직이 되도록 탐촉자의 각도를 조절하는 것이 중요하다. 비스듬하게 주행하는 힘줄을 검사할 때는 탐촉자를 상하(heel-toeing)로 기울이거나 관절을 움직여서 탐촉자가 힘줄에 평행하게 놓이도록 한다 (Fig. 2-84). 둥근 관절 부위나 뼈가 불룩한 곳에서는 충분한 양의 젤(gel)을 바르고 검사한다. 단축영상(short axis image)은 힘줄과 주변 구조물과의 관계를 파악하는 데 도움이 되며, 여러 힘줄이 서로 가까이 주행하는 경우 각각의 힘줄을 구분하는 데 유용하다. 관절이나 근육을 움직이면서 역동적 검사를 실시하면 각각의 힘줄을 구별하고, 힘줄 파열의 정도를 좀더 정확하게 알 수 있고, 수술 후 힘줄 검사 등에 도움이 된다.

2. 정상 초음파 해부학

힘줄은 근육과 뼈 사이에서 힘을 전달하고 관절을 움직이는 구조물이다. 일반적으로 근육의 근위부와 원위부에 각각의 힘줄이 있다. 힘줄에서 근육으로 이행되는 부위를 근건이행부(myotendinous junction), 그리고 힘줄이 뼈에 부착하는 부분을 힘줄-뼈 부착부(enthesis, osteotendinous junction)라고 한다. 힘줄의 기본 단위는 아교섬유(collagen fiber)이며, 서로 다발을 이루어 1차, 2차, 3차 섬유다발(primary, secondary, tertiary fiber bundle)을 구성하고, 이들이 모여 하나의 힘줄을 형성한다. 아교섬유와 섬유다발들은 힘줄내막(endotenon, endotendineum)으로 싸여 있고, 힘줄은 힘줄외막(epitenon, epitendineum)에 의해 싸여 있다 (Fig. 2-85).[83]

장축영상(long axis image)에서 힘줄은 고에코의 선들이 치밀하게 다발을 형성하여 가는섬유다발양상(fibrillar pattern)을 보인다. 탐촉자의 주파수가 높을수록 고에코의 선들이 더 명확하게 보인다. 단축영상(short axis image)에서는 섬유다발과 힘줄내막의 경계면에서의 음향차이로 인해 고에코의 점들로 보인다. 힘줄에 비해 신경은 장축영상에서 저

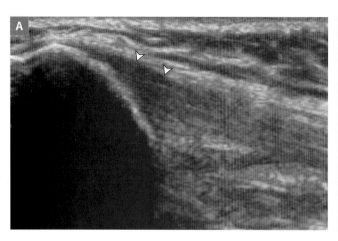 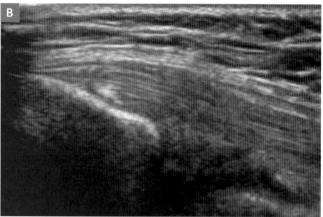

Figure 2-84 Anisotropy of tendon. A. Long axis image of normal patellar tendon in knee extension shows a focal hypoechoic anisotropic artifact (arrowhead) at the patellar attachment of the tendon. **B.** With knee flexion, the anisotropic artifact is disappeared because the US beam changed to be perpendicular to the tendon.

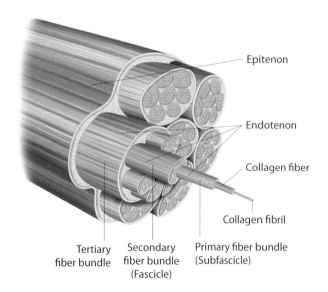

Epitenon

Endotenon

Collagen fiber

Collagen fibril

Tertiary fiber bundle

Secondary fiber bundle (Fascicle)

Primary fiber bundle (Subfascicle)

Figure 2-85 Normal tendon

에코의 신경다발과 고에코의 신경외막이 합쳐져서 굵은섬유다발양상(fascicular appearance)으로 보이고, 단축영상에서는 고에코의 바탕에 저에코의 점들이 있는 벌집모양으로 보인다. 탐촉자로 누르면 힘줄은 압박되지 않으나 신경은 약간

압박된다 (Table 2-3)(Fig. 2-86). 근육을 수축시키면서 힘줄의 움직임을 보는 것이 가장 중요하다.

힘줄의 가장 바깥쪽에서 힘줄을 싸는 고에코의 선이 힘줄외막이다. 하나의 근육에서 나온 힘줄은 균질한 섬유다발로 보이나, 여러 개의 근육에서 기원하여 합쳐진 힘줄은 여러 층으로 보이기도 한다. 예를 들면, 대퇴사두근(quadriceps femoris tendon)은 세 개의 층으로 보이는데, 가장 표층은 대퇴직근(rectus femoris)의 힘줄이며 중간층은 내측 및 외측광근(vastus medialis and lateralis), 심부층은 중간광근(vastus intermedius)의 힘줄이다 (Fig. 2-87).

힘줄을 싸는 주변 결합조직(connective tissue)에 따라 힘줄을 1형과 2형으로 나눌 수 있다. 1형 힘줄은 Achilles건과 슬개건(patellar tendon)처럼 직선으로 주행하면서 느슨한 지방결체조직인 힘줄주위조직(paratenon, paratendon)에 의해 싸여 있다. 힘줄주위조직은 힘줄외막과 연결되어 힘줄을 싸고 있으며 고에코의 선으로 보인다 (Fig. 2-88). 2형 힘줄은 손발목의 굴곡근 또는 신전근(flexor or extendor)의 힘줄처럼 관절을 지나면서 방향이 바뀌고 건초(힘줄집, tendon sheath, 활막초 synovial sheath)에 의해 싸여 있는 힘줄이다 (Fig. 2-89). 건초는 벽측막(parietal layer)과 내측막(visceral

Table 2-3 Differentiation between normal tendon and nerve in ultrasonography

	Tendon	Nerve
Long axis scan	fibrillar pattern of parallel hyperechoic lines due to a series of specular reflections at the boundaries of tendon fiber bundles and endotenon	fascicular pattern made of multiple hypoechoic parallel linear areas (neuronal fascicles) separated by hyperechoic bands (epineurium)
Short axis scan	a hyperechoic round to ovoid structure containing bright stippled clustered dots	a honeycomb-like appearance with hypoechoic rounded areas embedded in a hyperechoic background
Compressibility	-	+

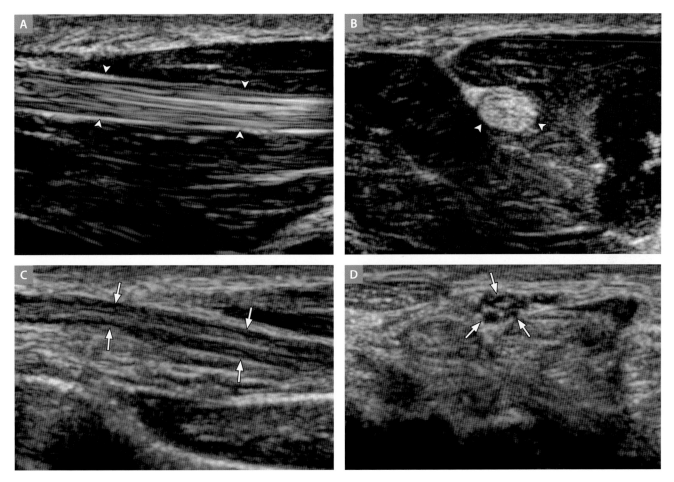

Figure 2-86 Normal tendon (flexor pollicis longus tendon) versus nerve (median nerve). A. Long axis US image of the tendon (arrowheads) demonstrates many fine tightly packed linear echoes showing fibrillar pattern. These linear echoes within tendon depend on the acoustic interface at the boundaries of collagen bundles and endotenon based on their different histologic composition. **B.** Short axis US image of the tendon (arrowheads) shows bright stippled clustered dots. **C.** In contrast to the tendon, long axis US image of the nerve shows fascicular echotexture composed of parallel linear hypoechoic areas. **D.** Short axis US image of the nerve shows honeycombing appearance made of rounded hypoechoic areas in a hyperechoic background.

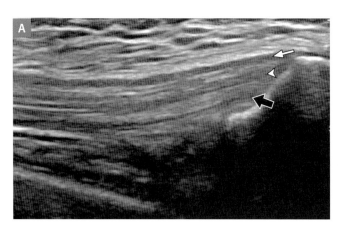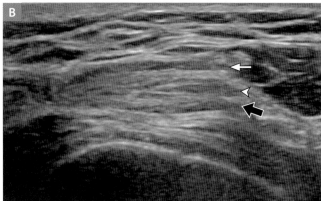

Figure 2-87 **Normal quadriceps femoris tendon**. Long axis (**A**) and short axis (**B**) US images show a characteristic three layered structure consisting of the superficial layer of the rectus femoris (arrow), the middle layer of the vastus medialis and lateralis (arrowhead), and the deep layer of the vastus intermedius (thick arrow).

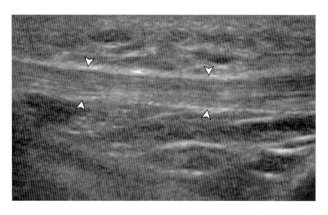

Figure 2-88 **Type 1 tendon**. Long axis image of the Achilles tendon shows the hyperechoic paratenon (arrowheads) investing whole tendon.

layer)으로 구성되고, 벽측막과 내측막 사이의 활액이 윤활유 역할을 하여 힘줄이 움직일 때 1형 힘줄보다 마찰이 감소된다. 주로 손과 발처럼 움직임이 많은 부위나 섬유골터널(fibroosseous tunnel)을 지나는 힘줄은 2형 힘줄이다. 혈관이 힘줄로 들어가는 곳은 이들 벽측막과 내측막이 접혀져 힘줄간막(mesotendon)을 이룬다. 이들 벽측막, 내측막, 힘줄간막은 정상적으로는 구분이 어려우나, 삼출액이 있으면 이 막들은 고에코의 띠로 구분되어 보인다.

힘줄 주변에서 힘줄을 지지하는 구조물로 섬유지지띠(섬유지지대 fibrous sheath or retinaculum)가 있으며, 긴 힘줄이 지나가는 부위나 섬유골터널에서 바닥 또는 지붕을 형성한다. 대표적인 예로 손과 발의 신전근 및 굴곡근의 지지띠이다. 섬유지지띠의 일종인 활차(pulley)는 손가락처럼 움직임이 많으면서 곡선 부분을 주행하는 힘줄이 제자리를 유지하도록 지지한다. 섬유지지띠와 활차는 고에코로 보이지만, 비등방성을 이용하면 저에코로 보이기 때문에 구분이 쉬울 수 있다 (Fig. 2-90). 활차의 양측 면은 음속에 수직이 아니므로 비등방성에 의해 저에코로 보인다. 힘줄 주위 윤활낭(peritendinous bursa)은 힘줄과 뼈 사이의 마찰을 줄여 힘줄을 좀 더 자유롭게 움직이게 한다. 종자골(sesamoid)은 관절 주위의 힘줄 내에 위치한 뼈 혹은 연골이며, 힘줄의 손상과 함께 종자골 손상이 동반될 수 있다.

3. 힘줄의 질환

1) 힘줄의 불안정성

힘줄을 지지하는 지지띠, 활차, 인대 등의 구조물에 손상이

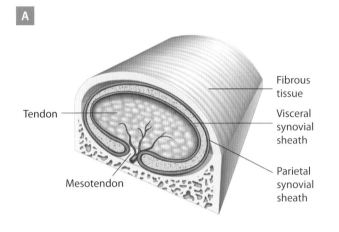

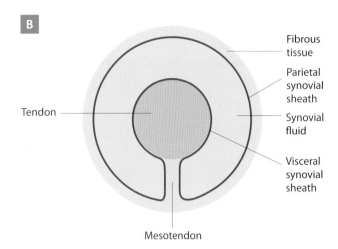

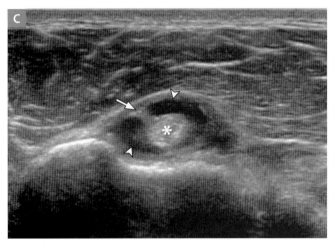

Figure 2-89 **Type 2 tendon. A, B.** Illustration of the type 2 tendon. **C.** Short axis US images of the long head of biceps brachii tendon (asterisk) shows that the tendon is invested by the synovial sheath containing synovial fluid (arrowheads). The mesotendon (arrow) provides a route for the blood supply.

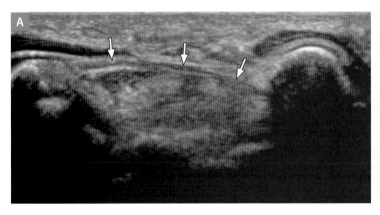

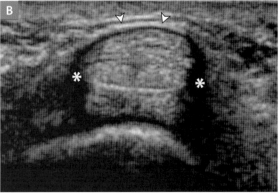

Figure 2-90 **Normal retinaculum and annular pulley. A.** Transverse US image over the volar portion of wrist demonstrates flexor retinaculum which shows hypoechoic band (arrows) due to anisotropy. **B.** Transverse US image over the volar aspect of MCP joint demonstrates normal annular pulley (A1 pulley) which shows typical hyperechoic thin line on its volar portion (arrowheads) and becomes hypoechoic on both sides (asterisks) of the flexor tendons.

있으면 힘줄의 전위가 생길 수 있다. 급성 외상 또는 반복적인 만성 외상이나, 힘줄이 지나는 뼈의 고랑이 얕거나, 섬유지지띠가 불완전하거나 느슨한 경우에 주로 발생한다. 상완이두근장두건(long head of biceps brachii tendon), 비골건(peroneal tendon), 후경골건(posterior tibialis tendon), 손가락의 굴곡근과 신전근의 힘줄, 손목의 척측수근신건(extensor carpi ulnaris tendon) 등에서 호발한다. 초음파에서는 힘

줄의 불안정성의 정도와 주위 연조직의 이상 유무를 함께 검사할 수 있다. 영구적인 전위는 초음파검사나 MRI에서 모두 진단할 수 있으나, 초음파는 특정 동작에서 발생하는 일시적인 전위를 역동적 검사를 통해 진단할 수 있는 장점이 있다 (Fig 2-91, 2-92). 특히 단축영상에서 전위된 힘줄과 함께 주위 조직, 비어있는 뼈고랑 등을 한꺼번에 검사할 수 있으므로 유용하다.

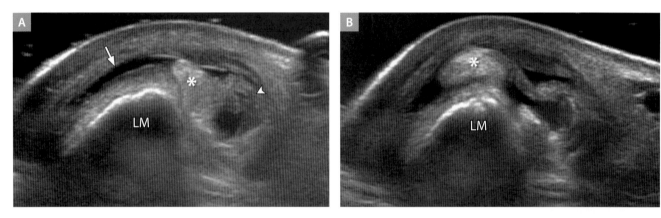

Figure 2-91 **Instability of peroneus longus tendon. A.** Transverse US image over the lateral malleolus of ankle in neutral position shows separation (arrow) of the peroneal retinaculum from the lateral malleolus (LM). Peroneal brevis (asterisk) and longus (arrowhead) tendons are in their normal retomalleolar place. **B.** Anterior subluxation of the peroneal brevis tendon (asterisk) occurred with resisted eversion of the hindfoot.

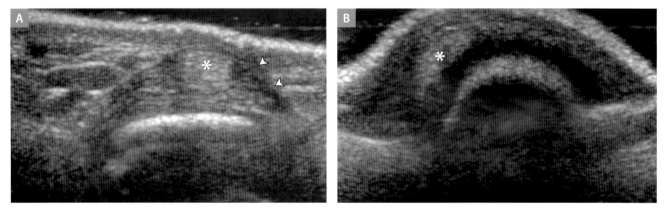

Figure 2-92 **Instability of extensor tendon of finger. A.** Transverse US image over the third metacarpophalangeal joint shows an abnormal radial sagittal band (arrowheads) with irregularity and hypoechogenicity. The extensor tendon (asterisk) is positioned normally. **B.** A dynamic examination obtained during finger flexion shows ulnar dislocation of the extensor tendon (asterisk).

2) 힘줄증 Tendinosis

힘줄증은 힘줄에 만성적이고 반복적인 자극으로 인해 미세손상(파열)이 반복되어 생기는 퇴행성 변화이다. 힘줄증은 힘줄의 저혈류 부분(critical zone), 과사용(overuse)하는 힘줄, 지지띠 아래 좁은 공간이나 튀어나온 뼈의 표면 위를 지나면서 반복적 마찰이 많은 힘줄에 주로 생긴다. 스테로이드 국소주입을 과용하거나 통풍, 루프스(lupus), 류마티스 관절염, 당뇨병, 부갑상선 기능 항진증, 만성신부전 등의 진신적 질환에서도 힘줄증이 발생할 수 있으며, 대퇴사두건, 슬개건, 굴곡건, 신전건, 후경골건 등에 주로 생긴다.

힘줄증은 증상이 없는 경우에서부터 부종과 압통, 악화되는 심한 통증 및 운동 제한까지 다양하다. 힘줄의 부분적 혹은 전반적 비후가 초기 소견이고, 좀 더 진행하면 힘줄의 정상적인 가는섬유다발양상이 소실된 저에코 부위가 보이며, 힘줄이 점차 더 두꺼워진다 (Fig. 2-93~2-95). [84] 정상 힘줄에는 혈류가 보이지 않지만, 힘줄증에서는 퇴행성 변화와 관련되어 신생혈관이 생기고 미세손상의 치유과정에서 혈류가 증가되어 Doppler검사에서 혈류가 보일 수 있다. Doppler 검사에서 혈류가 보이면 대개 증상과 연관이 있지만, 예후와는 관련이 없는 것으로 보고되어 있다. [84,85]

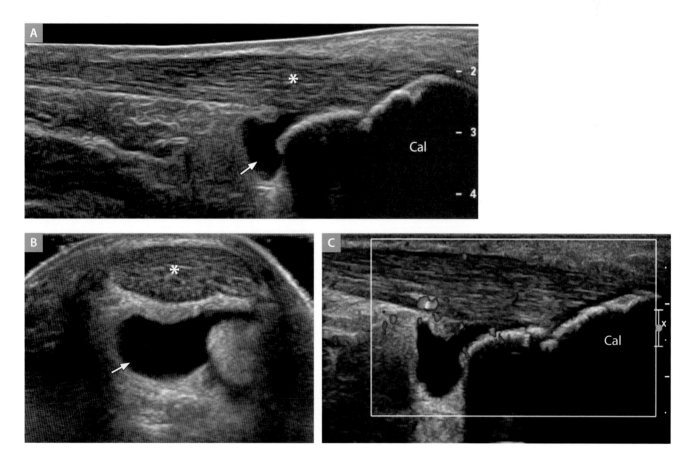

Figure 2-93 Tendinosis of Achilles tendon. A, B. Long axis extended-field-of-view (A) and short axis (B) US images of the Achilles tendon show a hypoechoic and swollen distal Achilles tendon (asterisk). Fluid is noted in the retrocalcaneal bursa (arrow). **C.** Doppler image shows slightly increased blood flow. Cal, Calcaneus.

3) 힘줄파열

정상 힘줄이 파열되는 경우는 매우 드물지만, 퇴행성 변화로 힘줄 섬유조직이 약해지면 파열될 수 있다. 파열된 힘줄에 석회화나 혈류 증가가 보이면 퇴행성 변화가 선행되어 있음을 시사하는 소견이다. 부분파열은 힘줄다발의 일부가 파열되지 않고 연결되어 있는 경우이고 (Fig. 2-96), 완전파열은 힘줄다발 연결성이 완전히 끊어진 것이다 (Fig. 2-97). 파

열 부위에 액체나 혈종이 저류되어 있거나 주위 연조직이 파열 부위로 끼어들기도 한다 (Fig. 2-98). [84] 파열된 힘줄이 뒤당김(retraction)되어 구부러지면 후방소리그림자(posterior acoustic shadowing)를 동반할 수도 있다. [86] 그러나 힘줄의 부분파열과 힘줄증의 구분이 어려울 수 있다. 부분파열에서는 경계가 좀 더 명확한 선상의 저에코로 보이는 경우가 많고, 힘줄증은 경계가 불분명하고 불규칙한 저에코로 보인다. 역동적 검사를 실시하면 힘줄증과 부분파열 및 부분파열과 완전파열의 감별진단에 도움이 될 수 있다 (Fig. 2-99). 종축방향 부분파열은 종축으로 길게 연장된 저에코로 보이며, 넙다리뒤건(hamstring tendon), 후경골건(posterior tibialis tendon), 비골건(peroneal tendon), 상완이두건(biceps brachii tendon)에 흔하다 (Fig. 2-100). 아급성 파열에서 파열 부위에 기질화된 고에코 혈종으로 채워지면 힘줄이 연결되어 있는 것으로 오인될 수 있다. 견열골절(avulsion fracture)이 동반되면 골편이 뒤당김된 힘줄 끝부분에 있을 수 있으므로 이 부분을 자세하게 검사한다. 힘줄의 완전파열의 경우 허탈된 건초(collapsed tendon sheath)를 힘줄로 오인하지 않아야 한다. 힘줄이 보이지 않으면 완전파열 이외에도 힘줄이 전위되었을 가능성도 함께 고려해야 한다.

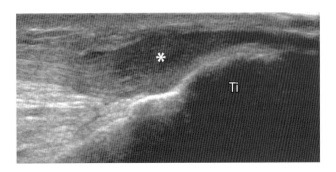

Figure 2-94 Tendinosis of patellar tendon. Long axis US image of the patellar tendon reveals thickening and hypoechogenicity of the tibial attachment of patellar tendon (asterisk) with loss of normal fibrillar pattern. Ti, tibia.

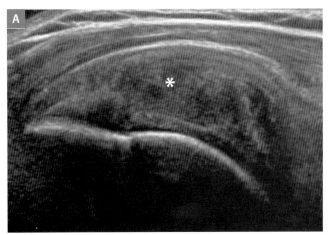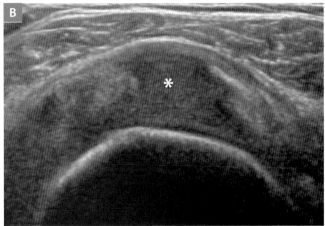

Figure 2-95 Tendinosis of supraspinatus tendon. Long axis (A) and short axis (B) US images of the supraspinatus tendon show hypoechoic and swollen tendon (asterisks).

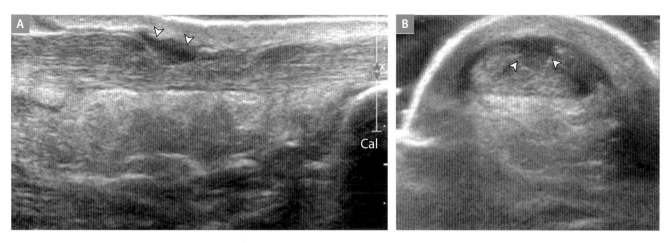

Figure 2-96 **Partial rupture of Achilles tendon.** Long axis (**A**) and short axis (**B**) US images of the Achilles tendon show partial rupture (arrowheads) in the dorsal aspect of the tendon. Cal, Calcaneus.

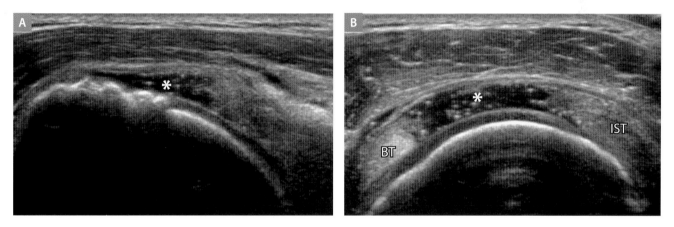

Figure 2-97 **Full-thickness tear of supraspinatus tendon, acute.** Long axis (**A**) and short axis (**B**) US images of the supraspinatus tendon show fluid-filled anechoic disruption (asterisks) of the anterior distal portion of the tendon. BT, long head of biceps tendon. IST, infraspinatus tendon.

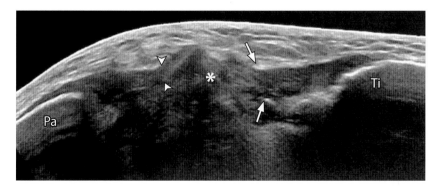

Figure 2-98 **Complete rupture of patellar tendon.** Long axis extended-filed-of-view US image shows complete rupture of the mid-portion of the patellar tendon. Hemorrhagic soft tissue (asterisk) is seen in the tendon defect between the proximal (arrowheads) and distal ends (arrows) of the tendon. Pa, patella; Ti, tibia.

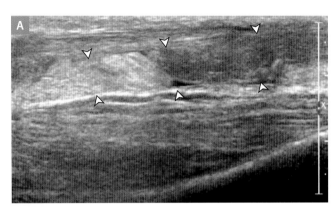
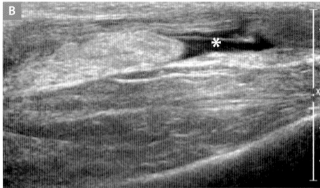

Figure 2-99 Complete rupture of Achilles tendon. A. Long axis US image of Achilles tendon shows an thickened redundant tendon (arrowheads) with heterogeneous echogenicity. **B.** A dynamic US image obtained during dorsiflexion of the ankle shows wide defect of the tendon (asterisk).

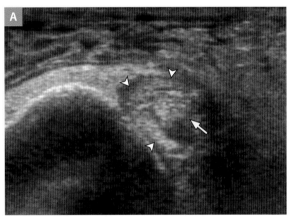
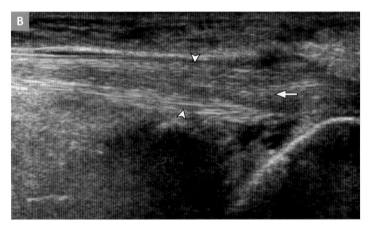
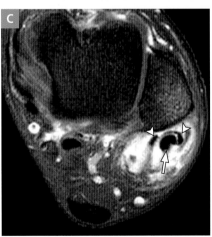

Figure 2-100 Longitudinal partial tear of peroneus brevis tendon. A, B. Short-axis (**A**) and long axis (**B**) US images of the peritoneal tendons reveal that the peroneus brevis tendon (arrowheads) is divided into two separate bundles of fiber. The peroneus longus tendon (arrow) that insinuates within a longitudinal split of peroneus brevis tendon. **C.** Correlative axial fat-saturated T2-weighted MR image. (Courtesy of Prof. Doo Hoe Ha M.D. CHA Bungdang Medical Center, CHA University)

4) 힘줄과 인대의 수술 후 변화

초음파는 수술 후 금속허상(metal artifact)에 영향을 받지 않고 근육, 힘줄, 인대의 수술 부위를 검사할 수 있고, 역동적 검사가 가능하다는 장점이 있으므로, 수술 후 치유과정과 재파열 유무를 검사하는 데 유용하다.[87~89]

수술 후 힘줄의 초음파소견은 매우 다양하다.[87,89~92]

대부분 힘줄이 두꺼워지지만 얇아질 수 있고, 에코는 낮거나 높을 수 있으며, 가는섬유다발양상(fibrillar pattern)도 보이지 않을 수 있다. 하지만 이러한 변화들은 임상적 결과와는 상관이 없다. 봉합물질(suture material)은 일반적으로 고에코의 선으로 보이며, 소리그림자(acoustic shadowing)를 동반하거나 반향허상(reverberation artifact)을 동반할 수 있다 (Fig. 2-101~2-103).

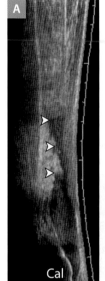 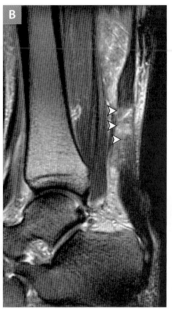 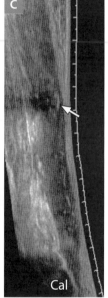

Figure 2-101   Post-operative tendon. A. Long axis extended-field-of-view US image of the Achilles tendon shows complete rupture (arrowheads) of the Achilles myotendinous junction. **B.** Correlative sagittal T2-weighted MR image. **C.** Two-month follow-up US image after operation shows a diffsely thickened tendon with hypoechogenicity. Note a hyperechoic suture material (arrow). Cal, calcaneus.

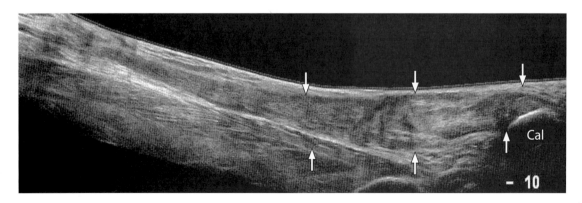

Figure 2-102   Post-operative Achilles tendon. Long axis extended-field-of-view US image shows a diffusely thickened tendon (arrows) with irregular margin and heterogeneous echotexture – mixed hypoechoic and hyperechoic areas. However, no definite discontinuation nor fluid collection is noted. In dynamic study (not shown), no definite retear was noted. Cal, calcaneus.

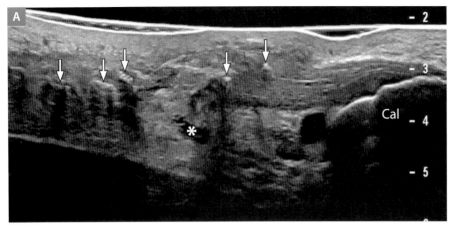

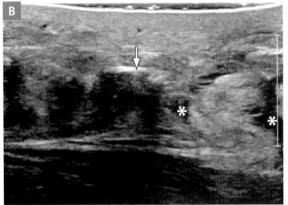

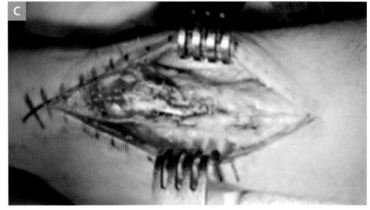

Figure 2-103 Postoperative Achilles tendon with retear. A, B. Long-axis extended-field-of-view (A) and magnified view (B) US images show disrupted echogenic suture materials (arrows) with posterior shadowing. Tear with fluid collection (asterisk) is also noted. **C.** In operation field, disrupted suture materials and retear are confirmed. Cal, calcaneus.

힘줄 손상 후의 치유과정은 염증기(inflammatory phase, 수상 후 1~7일), 증식기(proliferative phase, 수상 후 7~21일), 재형성기(remodeling phase, 수상 후 3주~1년)를 거친다.[93] 술후 무릎관절의 초음파와 MRI에 대한 보고에 의하면, 외상이나 수술 후의 아교질(collagen) 흉터조직은 병변이 아닌 정상적인 치유 과정이며, 흉터의 모양은 힘줄과 인대의 내구성과는 관계가 없고, 대부분의 흉터조직은 원래의 구조물보다 두꺼워진다고 하였다. 술후 3주 정도가 지나면 흉터는 술전에 비해 두꺼워지며 오래도록 지속되고 변하지 않는다. 흉터는 무질서한 배열을 보이고 불균질하며 석회화를 보일 수 있다. 띠 모양의 무에코(anechoic) 부위들이 흉터 안에 흔히 보이는데 이는 재건된(reconstructed) 다발들 사이의 경계부 이거나 재건된 힘줄이 정상 힘줄 방향과는 다르므로 생기는 비등방성 효과(anisotropic effect) 때문이

다. 3주까지는 흉터 안에 작고 가는 틈새 모양의 액체가 정상 치유과정에서도 보일 수 있으며 흉터와 주위 조직에 다양한 정도의 증가된 혈류를 보일 수 있으므로 비정상적인 염증으로 오인하지 말아야 한다. 혈류의 정도와 예후는 상관이 없는 것으로 보고되어 있다. 수술 부위와 인접한 활액막강(synovial space) 내에 액체가 고이거나 활액막 비후(synovial thickening)가 동반될 수도 있으므로 심하지 않으면 정상적인 반응으로 생각할 수 있다. 봉합물질을 따라 액체가 고여 있다면 봉합물질에 대한 알레르기 반응(allergic reaction)을 시사할 수 있으므로 주의 깊게 관찰해야 한다. 술후 6주 정도가 되면 콜라겐 형성과 성숙이 진행함에 따라 흉터의 에코가 증가하지만 정상 힘줄의 에코보다는 낮다. 정상적으로 치유되고 있는 흉터조직은 가늘고 짧은 고에코의 선상 반사영상(linear reflections)을 보이는데 대부분 정상 힘줄이나 인대의

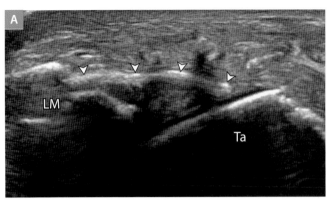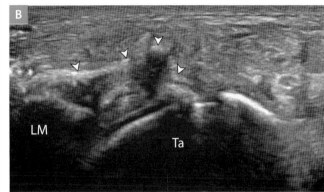

Figure 2-104 Retear of anterior talofibular ligament. This patient had modified Brostrom operation for anterior talofibular ligament rupture. **A.** In neutral position without stress, the linear echogenic suture material (arrowheads) seems to be continuous. **B.** During foot flexion and inversion, disruption and outward bulging of suture material (arrowheads) is seen. LM, lateral malleolus; Ta, talus.

방향과 같은 방향으로 배열된다. 흉터 안에 석회화가 생길 수 있으며 이들은 힘줄이나 건이 뼈에 붙는 부위 가까이에 흔히 생긴다. 흉터 주위 조직의 부종, 활액막강 내의 액체나 활액막 비후 등은 시간 경과에 따라 호전되며 다양한 혈류를 보일 수 있다. 이 시기에 흉터 안에 액체의 저류가 있으면 관심을 가지고 추적검사를 해 보아야 한다. 술후 12주 정도가 되면 흉터조직은 에코가 더욱 증가하고 두께는 조금 감소할 수 있으며 주위 조직의 부종도 감소를 보인다. 증가되었던 혈류는 점진적으로 감소를 보이는데, 이전 검사와 비교해서 혈류의 정도에 변화가 없는 경우 흉터가 고에코를 보이면 큰 의미가 없지만 낮은 에코를 보이면 염증성 반응(inflammatory reaction)을 의심하여야 한다. 주위 활액막강 내에 염증성 반응이 없어야 하며 이 시기에 흉터조직에 액체가 보이면 비정상이다. [94]

만성 Achilles힘줄통증(achillodynia) 환자에서 초음파검사 상 힘줄이 두꺼워지고 힘줄 내에 저에코를 보이는 경우에서 수술을 시행하여 얻은 조직에서 힘줄섬유의 비정상적인 구조(structure)와 배열(arrangement), 세포충실성(cellularity)의 국소적 변화, 둥근 세포핵(nucleus), 콜라겐(아교질, collagen)의 감소, 비콜라겐(non-collagen)세포외 기질(extracellular matrix)의 증가 등의 병리학적 소견이 관찰되었다. [95]

수술 후 힘줄의 소견이 힘줄증과 유사한 소견을 보이므로, 아마도 술후 힘줄의 변화도 유사한 병리 소견을 보일 수 있을 것으로 추정된다.

수술 후 힘줄의 변화는 매우 다양하므로 일반적인 수술 전 힘줄의 파열 기준을 적용하기에는 무리가 있다. 뚜렷한 간격(gap)이나 결손(defect), 파열(disruption)을 보이는 경우에 힘줄의 재파열을 진단할 수 있으며, 역동적 검사가 매우 유용하다 (Fig. 2-104). [89,91] 술후 인대의 경우에는, 수술 방법이 매우 다양하므로 수술 방법을 확인하여 정상적인 술후 소견을 병변으로 오해하지 않은 것도 중요하다. [96]

앞으로 탄성초음파(sonoelastography)나 조영증강 초음파가 술후 힘줄과 인대의 변화를 검사하는 데 중요한 역할을 할 것으로 기대된다. [97]

5) 염증성 및 감염성 병변

퇴행성 변화보다는 드물지만 힘줄에 염증성 변화도 발생할 수 있으며, 치료와 예후가 다를 수 있으므로 퇴행성 변화와의 감별이 중요하다. 부힘줄염(paratendinitis)은 힘줄옆조직에 생긴 염증성 병변이고, 건초염(tenosynovitis)은 건초에 생긴 염증성 변변이다.

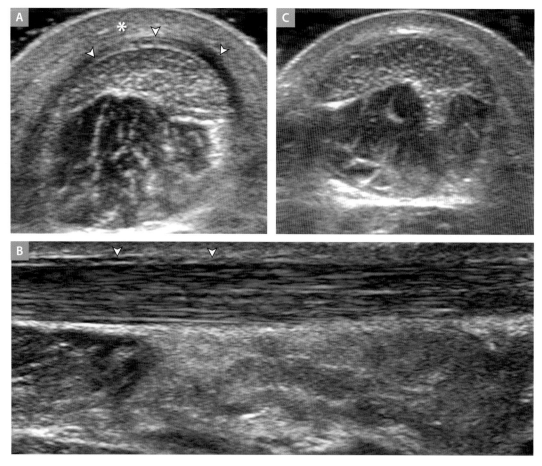

Figure 2-105 Paratenonitis of Achilles tendon. A, B. Short axis (**A**) and long axis (**B**) US images of the Achilles tendon show a hypoechoic and thickened paratenon (arrowheads). Overlying subcutaneous edema (asterisk) is also seen. **C.** Contralateral normal Achilles tendon.

(1) 힘줄주위염 Paratenonitis, Paratendinitis

힘줄주위염은 Achilles힘줄에 가장 흔하다. 장거리 육상선수에게 호발하며, 힘줄 부위에 전반적인 불편감이 있고 힘줄 주위에 부종과 압통을 보인다. 힘줄 주위와 힘줄 내에 액체 저류가 보이며, 힘줄주위조직(paratenon)이 두꺼워지고, 힘줄의 경계가 불규칙해지며 유착이 생길 수 있다 (Fig. 2-105). 드물게 힘줄 자체에는 이상소견 없이 힘줄 주위 조직에만 비후를 보일 수도 있다.

(2) 골부착부병증 Enthesopathy

힘줄-뼈 부착부(enthesis)는 힘줄, 인대, 관절막이 뼈에 부착하는 곳을 말한다. 힘줄-뼈 부착부 염증은 척추관절병증(spondyloarthropathy), 류마티스 관절염, 통풍 등에서 생길 수 있다. 연조직의 비후, 골미란(bone erosion), 피질골의 균열, 부착부골극(enthesophyte) 등을 일으킨다. 척추관절병증에서 부착부병증이 가장 흔하게 생기는 부위는 슬개골의 위나 아래, 발뒤꿈치, 좌골결절(ischial tuberosity) 등이다. 초음파는 골미란을 찾는 데 단순촬영보다 좀 더 민감하며, 부착부골극을 볼 수 있다. 힘줄의 비후, 힘줄의 비정상적인

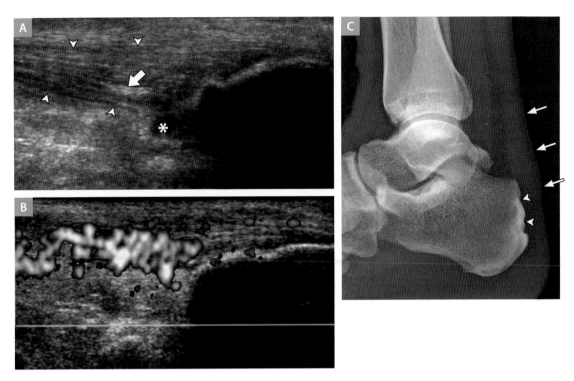

Figure 2-106　**Enthesopathy of Achilles tendon. A.** Long axis US image of the Achilles tendon shows hypoechoic inflammation of the tendon. Note the diffusely thickened tendon (arrowheads) and intatendinous calcification (thick arrow). Note the retro-calcaneal bursitis (asterisk). **B.** Doppler image demonstrates increased vascularity in the Achilles tendon. **C.** Lateral radiograph of ankle reveals sclerosis and erosive change (arrowheads) at calcaneal tuberosity with thickening of Achilles tendon (arrows). (Courtesy of Prof. Doo Hoe Ha M.D. CHA Bungdang Medical Center, CHA University)

에코, 동반된 석회화, 윤활낭염 등의 소견이 보인다 (Fig. 2-106) (Chapter 03 뼈질환의 초음파검사 참조 바람).

(3) 건초염 Tenosynovitis
건초염은 힘줄의 반복적인 과사용, 인접 뼈에 의한 자극, 감염 등에 의해 생기며, 건초 내에 삼출액이 증가한다. 그러나 어깨의 상완이두근장두건처럼 관절강과 건초가 연결되어 있으면 관절의 삼출액이 건초 내로 들어올 수 있다. 따라서 관절 삼출액의 증가 없이 건초에만 삼출액이 보이거나 건초의 염증성 변화가 명확할 때에만 건초염으로 진단한다. 건초 내에 정상적으로 소량의 액체가 보일 수 있으나, 힘줄을 완전히 둘러싸지는 않는다.

급성 건초염에서 건초 내의 삼출액이 힘줄을 둘러싸서 테두리를 형성하고, 삼출액은 무에코로 보이거나 부스러기를 가진 저에코로 보인다 (Fig. 2-107, 2-108). [98] 아급성 또는 만성 건초염에서는 삼출액과 함께 건초의 비후를 동반한다. [99] 탐촉자로 과도하게 압박하면 건초 내의 삼출액이 밀려나가 보이지 않을 수 있으므로 주의해야 한다. 삼출액이 힘줄을 동심원상으로 둘러싼 건초염과는 달리 윤활낭이나 결절종(ganglion)은 건초의 한쪽에 치우쳐 보인다.

지지띠나 활차 아래에 있는 힘줄이 만성적으로 압박 또는 포착되면 협착성 건초염(stenosing tenosynovitis)이 생길 수 있다. 이때 힘줄은 두꺼워지고, 건초는 국소적 혹은 전반적으로 비후되고, Doppler검사에서 건초와 힘줄에 혈류 증가 소견이 동반된다 (Fig. 2-109). 힘줄을 수동적으로 움직이면서 검사하면, 좁아진 터널 내에서 힘줄의 움직임이 제한되는

▶ p.116으로 이어집니다.

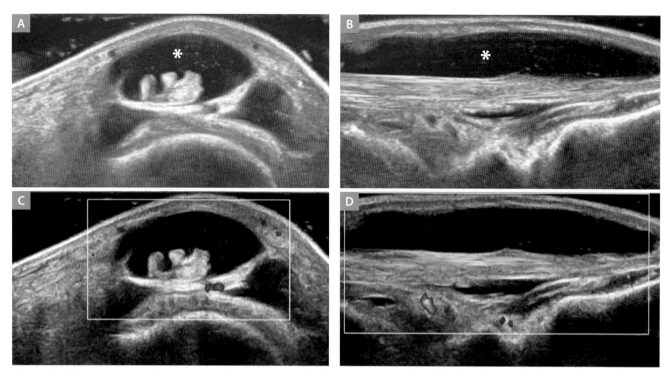

Figure 2-107 **Acute aseptic tenosynovitis of extensor digitorum tendons of ankle**. **A, B.** Transverse (**A**) and longitudinal (**B**) US images of the anterior ankle show anechoic synovial effusion (asterisk) around extensor digitorum tendons. **C, D.** On the transverse (**C**) and longitudinal (**D**) Doppler images, significant blood flow increase is not seen.

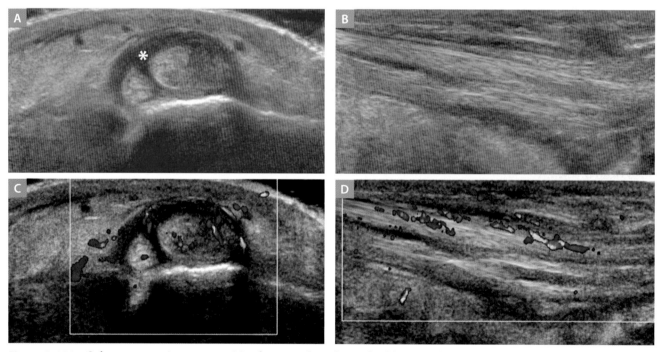

Figure 2-108 **Subacute aseptic tenosynovitis of peroneal tendons of ankle**. **A, B.** Short axis (**A**) and long axis (**B**) US images of the peroneal tendons show hypoechoic thickening of the tendon sheath (asterisk) of the tendons. **C, D.** Short axis (**C**) and long axis (**D**) Doppler images show increased blood flow in the thickened tendon sheath.

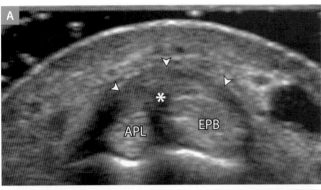

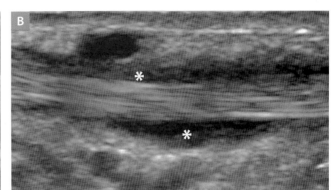

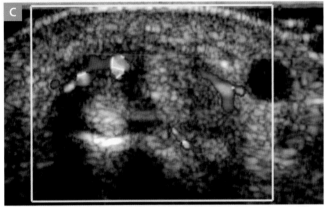

Figure 2-109 **Stenosing tenosynovitis of the first compartment tendons of the wrist (De Quervain disease).** A, B. Transverse and (A) and longitudinal (B) US images over the radial styloid reveals a thickened and hypoechoic retinaculum (arrowheads) of the first compartment of the wrist. Note associated irregular thickening of tendon sheath (asterisks). C. Doppler image shows increased blood flow. APL, abductor pollicis longus; EPB, extensor pollicis brevis.

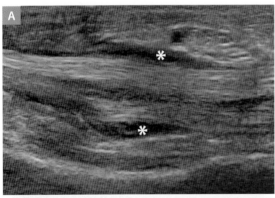

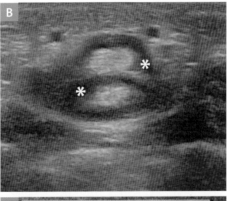

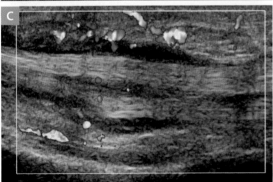

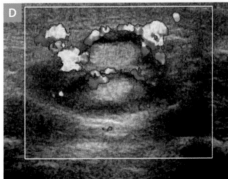

Figure 2-110 **Infectious tenosynovitis.** A, B. Longitudinal (A) and transverse (B) US images over the palmar aspect of the third metacarpal bone show a distended tendon sheath (asterisks) of the flexor tendons by synovial thickening and effusion with echogenic debris. C, D. Longitudinal (C) and transverse (D) Doppler images show hyperemia in the tendon sheath and surrounding soft tissue.

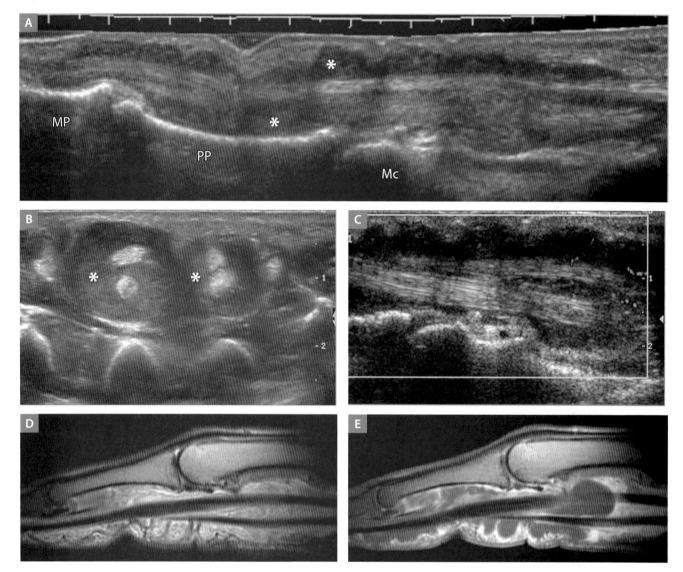

Figure 2-111 Tuberculous tenosynovitis of flexor tendons of hand. A, B. Longitudinal extended-field-of-view (**A**) and transverse (**B**) US images over the palmar aspect of the third finger demonstrate heterogeneous hypoechoic distension of tendon sheath (asterisks) of the flexor tendons, suggesting synovial thickening and abscess. **C.** Doppler image shows slightly increased blood flow. **D, E.** Correlative sagittal T2-weighted (**D**) and contrast-enhanced fat-saturated T1-weighted (**E**) MR images. MP, middle phalanx; PP, proximal phalanx; Mc, metacarpal.

것을 볼 수 있다.

감염성 건초염에서는 삼출액의 에코가 좀 더 높게 보이고, 주위 피하지방층의 부종이 동반된다.(100) 그러나 다른 영상검사와 마찬가지로 초음파소견으로 비감염성과 감염성 건초염을 구분하기는 어렵다. Doppler검사에서 혈류 증가

소견을 보이지만 비특이적이다 (Fig. 2-110). 결핵성 건초염에서는 힘줄의 육아종성 변화로 인해 힘줄이 매우 두꺼워지고, Doppler검사에서 혈류가 증가될 수 있으나, 특이적 소견은 아니다 (Fig. 2-111).(101)

류마티스 관절염에서는 저에코의 활액막 증식(synovial

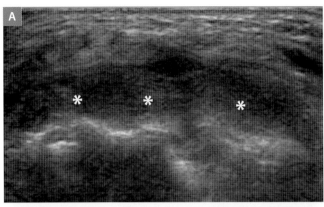

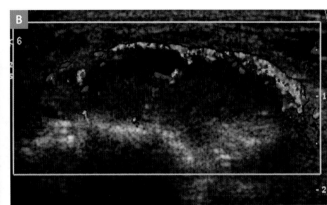

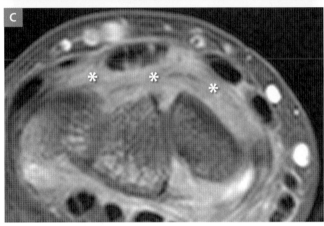

Figure 2-112 **Rheumatoid arthritis of extensor tendons of wrist. A, B.** Transverse US (A) and Doppler (B) images over dorsum of the wrist show thick heterogeneous hypoechogenicity (asterisks) beneath the extensor tendons with increased vascularity. **C.** Axial contrast-enhanced fat-saturated T1-weighted MR image reveals intense thick enhancement (asterisks) beneath and around the extensor tendons, suggesting extensive pannus formation. (Courtesy of Prof. Ik Yang M.D. Kangnam Sacred Heart Hospital, Hallym University)

proliferation)과 삼출액이 보인다. 여러 힘줄들을 침범하며, 특히 손목의 척측수근신건(extensor carpi ulnaris tendon), 굴곡건, 신전건, 다리의 후경골건(posterior tibialis tendon)의 건초에 주로 생긴다. 병이 진행하면 파누스(pannus)로 인하여 힘줄과 건초가 파열되고 전위될 수 있다. 파누스는 삼출액과는 달리 탐촉자로 압박해도 사라지지 않고 Doppler검사에서 혈류가 보인다 (Fig. 2-112). Doppler검사로 파누스의 혈류 변화를 참조하여 병의 진행 및 치료반응 평가에 이용하기도 한다.[102]

(4) 석회화힘줄염 Calcific tendinitis
석회화힘줄염은 힘줄 내에 칼슘이 침착되는 질환의 총칭이며, 대부분 칼슘수산화인회석(calcium hydroxyapatite)이 침착되고, 칼슘수산화인회석결정침착병(calcium hydroxyapa-

tite crystal deposition disease, HADD)이라고도 한다. 석회화힘줄염은 어깨, 특히 회전근개(rotator cuff)에 가장 흔하게 생기며, 이외에도 팔꿈치, 손목, 손, 발, 고관절, 무릎 등 힘줄이 있는 거의 모든 부위에 생길 수 있다. 석회화힘줄염의 원인은 명확하게 알려져 있지 않으며, 반복적 외상과 관련된 퇴행성 변화, 힘줄의 저산소증(hypoxia)과 관련된 섬유연골화생(fibrocartilaginous metaplasia), 대사성 및 신경학적 인자, 유전적 소인 등의 다양한 요소가 관여하는 것으로 알려져 있다.[103~106] 석회화힘줄염은 잠복기 혹은 형성기(latent or formative phase), 흡수기 또는 기계적 자극기(resorptive or mechanical phase), 유착성 관절주위염기(adhesive periarthritis phase)의 세 단계로 구분하거나, 석회화 전 단계(precalcific stage), 석회화 단계(calcific or formative), 흡수 단계(resorptive), 석회화 후 단계(postcalcific)로 구분하기도

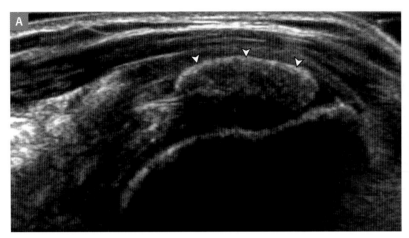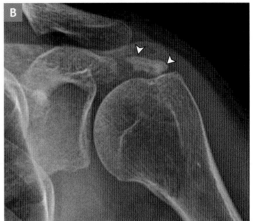

Figure 2-113 **Calcific tendinitis, supraspinatus tendon. A.** Long axis US image of the supraspinatus tendon shows a well-defined ovoid hyperechoic calcific deposit (arrowheads) within the tendon. **B.** Correlative plain radiograph.

한다.[107] 흡수기에 석회화가 포식세포(phagocyte)에 의해 탐식되면서 심한 통증을 유발한다. 형성기에는 대개 증상이 없거나 경미한 만성 통증이 있을 수 있다.

초음파검사는 단순촬영과 MRI에 비해 힘줄 내 석회화 진단의 민감도가 높고, 석회화 위치를 정확하게 알 수 있으며, 또한 석회화의 형태와 에코를 증상과 연관하여 진단할 수 있다.[108~110] 초음파에서 힘줄의 석회화를 세 가지로 구분할 수 있다.[4] 제1형은 고에코의 석회화와 함께 소리그림자(acoustic shadowing)가 분명하게 보이는 경우이며, 형성기 석회화에 해당한다. 제2형은 현탄액(slurry)과 비슷한 형태의 고에코 석회화와 함께 약한 소리그림자를 동반하는 경우이고, 제3형은 소리그림자가 보이지 않는 경우이다 (Fig. 2-113). 2형과 3형은 흡수기 석회화에 해당하며, 석회화가 치약 같은 물질로 변한 상태(milky state)이다. 소리그림자가 보이지 않는 3형의 석회화는 단순촬영에서는 보이지 않을 수 있다.[111] 급성 통증을 가지는 2형 또는 3형 석회화는 Doppler검사에서 혈류 증가 소견을 보일 수 있다 (Fig. 2-114, 115). 또한 흡수기 석회화는 주위 힘줄과 비슷한 등에코(iso-echo)로 보여 인지하기 어려울 수 있는데, 등에코 석회화의 진단에 비등방성을 이용하면 진단에 도움이 된다. 탐촉자를

약간 기울이면 석회화 주위 정상 힘줄은 비등방성에 의해 에코가 감소되는 반면에, 석회화의 에코는 거의 변하지 않으므로, 석회화가 주위 힘줄에 비해 상대적으로 고에코로 보이게 된다(Fig. 2-116).[112] 때로는 탐촉자로 압박하면 현탄액 형태의 석회화가 움직이는 것을 볼 수도 있다. 석회화는 비교적 큰 타원형, 분절형(fragmented) 또는 결절형(nodular), 무정형(amorphous), 작고 가는 선 형태 등의 다양한 모양과 크기를 보인다.

IV. 인대 Ligament

인대 손상의 진단은 기본적으로 이학적 검사에 의하지만 완전파열 이외의 진단은 어려울 수 있으며, 또한 급성기에는 이학적 검사를 적절하게 실시하기 어려울 수 있다. 인대 손상의 영상 진단에는 초음파와 MRI가 가장 유용하다. 인대의 초음파검사는 역동적 검사가 가능한 것이 큰 장점이고, 이학적 검사에서 증상의 원인이 분명하지 않은 경우나 관절 내 인대 손상이 의심되는 경우에는 MRI가 유용하다.

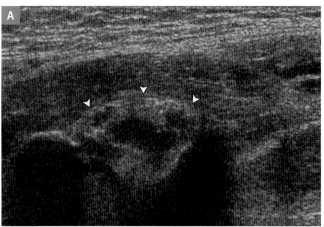

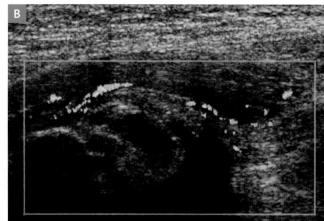

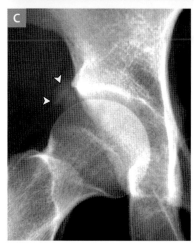

Figure 2-114 Calcific tendinitis, reflected head of rectus femoris tendon. A. US image of the rectus femoris tendon shows a thickened tendon as well as an inhomogeneous calcific deposit (arrowheads) with posterior acoustic shadowing. **B.** Doppler image shows increased vascularity around the calcific deposit. **C.** Plain radiograph shows a calcification (arrowheads) with a fluffy margin adjacent to the acetabular rim.

1. 검사방법

대부분의 인대는 표재성 구조물이기 때문에 7 MHz 이상의 선형(linear) 탐촉자를 이용한다. 슬관절의 후방십자인대처럼 깊은 곳에 위치한 인대를 검사할 때는 저주파수 볼록(convex) 탐촉자를 이용하기도 한다.

인대는 뼈와 뼈를 연결하는 구조물이므로 각 관절의 뼈표식자(bony landmark)를 이용하여 검사하고자 하는 인대를 찾고, 인대의 주행방향을 따라 장축(long axis)으로 탐촉자를 놓고 검사한 후, 인대 및 주위 연조직의 변화를 알기 위하여 단축(short axis) 검사를 실시한다. 인대를 찾기 힘든 경우에는 두 뼈표식자 사이 공간에 탐촉자를 놓고 고에코 가는섬유

다발양상(fibrillar pattern)의 구조물을 찾는 것이 도움이 될 수 있다. 인대를 찾은 후 병변 유무가 불확실하면 반대쪽 인대와의 비교 검사가 도움이 된다. 인대에도 비등방성(anisotropy)에 의해 에코 감소가 생기므로, 관절이나 탐촉자를 적절하게 움직여 가능한 한 인대의 주행방향에 평행하게 탐촉자를 놓는 것이 중요하다.[113]

인대의 초음파검사에서 역동적 검사가 중요하다. 관절을 움직여 인대에 적절한 스트레스를 가하면 인대 병변을 찾는 데 도움이 되고 진단의 정확성을 높일 수 있다.[114] 발목관절의 전거비인대(anterior talofibular ligament)의 검사에서 발을 발바닥굽힘(plantar flexion) 및 내번(inversion) 시켜 검사하는 것이나 종비인대(calcaneofibular ligament)의 검사에서

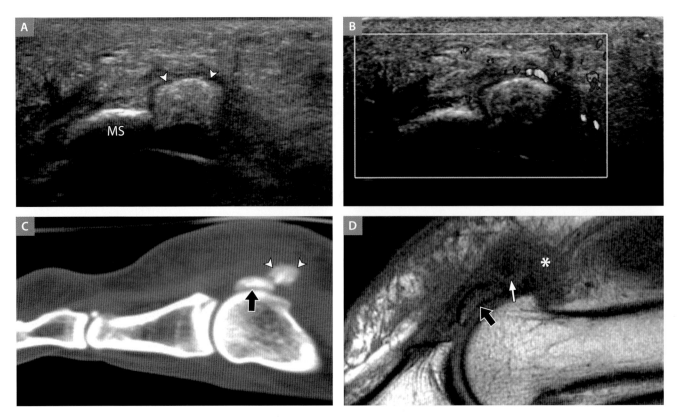

Figure 2-115   Calcific tendinitis, flexor hallucis brevis tendon. A. Long axis US image of the medial head of flexor hallucis brevis tendon shows an ovoid hyperechoic calcific deposit (arrowheads) within the tendon. **B.** Doppler image shows increased vascularity around the calcific deposit. **C.** CT with sagittal reconstruction of the right first metatarsophalangeal joint shows an amorphous calcification (arrowheads) adjacent to the medial sesamoid bone (thick arrow). **D.** On sagittal T1-weighted MR image, calcification (arrow) is seen as a faint low signal intensity nodule. Soft tissue edema (asterisk) is seen around the calcification and bone marrow edema is also seen in the medial sesamoid bone (arrow). MS, medial sesamoid.

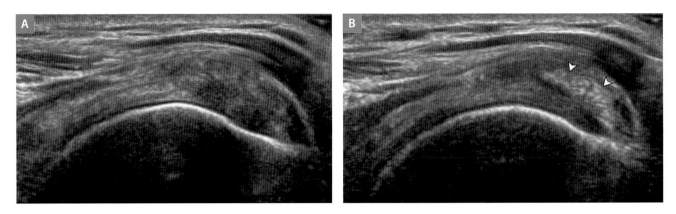

Figure 2-116   Calcific tendinitis: anisotropy. A. Long axis US image of the supraspinatus tendon shows mottled hyperechoic deposits within the distal portion of tendon. **B.** With toggling the transducer, the hyperechoic calcific deposit (arrowheads) is more conspicuous as the surrounding tendon is hypoechoic as a result of anisotropy.

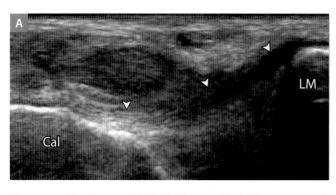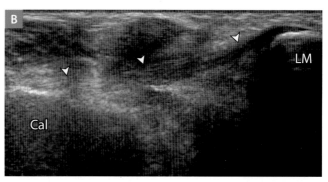

Figure 2-117 **Dynamic US of calcaneofibular ligament. A.** Long axis US image of the calcaneofibular ligament (arrowheads) in the neutral position shows a curved course with hypoechogenicity of its proximal portion due to anisotropy. **B.** With the dorsiflexion of the foot, calcaneofibular ligament (arrowheads) becomes straight and its proximal portion becomes more echogenic. LM, lateral malleolus; Cal, calcaneus.

발등굽힘(dorsiflexion) 시켜 검사하는 것이 그 예이다 (Fig. 2-117). 인대에 스트레스를 가하면 파열 부위가 벌어지기 때문에 부분파열과 완전파열을 구분하는 데 도움이 되고, 또한 관절간격이 넓어지는 것을 확인하여 관절의 불안정성(joint instability)에 관한 정보를 얻을 수 있다. 특히 아급성(subacute) 또는 만성 인대 손상에서 역동적 검사가 유용하다.

인대의 초음파검사를 위해서는 각 관절 별로 정확한 해부학적 지식과 함께 적절한 검사 자세 등의 올바른 초음파검사 방법을 아는 것이 중요하고, 또한 역동적 검사를 적절하게 실시할 수 있어야 한다 (관절별 인대검사 부분 참조 바람).[113]

2. 정상 초음파 해부학

인대는 힘줄과 마찬가지로 치밀한 결합조직(connective tissue)으로 이루어지며, 기계적인 특성뿐만 아니라 구조적으로도 서로 비슷하다. 그러나 인대는 힘줄에 비하여 proteoglycan과 물 성분이 좀 더 많고 아교질(collagen) 성분이 적으며, 힘줄보다 아교섬유(collagen fiber)가 약간 불규칙하게 배열한다.[113,115] 초음파에서 인대는 힘줄과 마찬가지로 고에코의 가는섬유다발양상(fibrillar pattern)으로 보이지만, 약간 다른 양상으로 보인다. 인대의 아교섬유의 배열이 힘줄

보다 약간 불규칙하므로 다른 방향으로 배열하는 인대 섬유로 인해 힘줄보다 에코는 약간 낮고, 그리고 조금 더 치밀하게 보인다 (Fig. 2-118).[116] 때때로 인대 주위의 고에코 지방조직 때문에 인대가 상대적으로 저에코로 보일 수도 있다. 인대의 비등방성을 이용하여 주위 연조직으로부터 인대를 구별하는 데 이용할 수도 있다.[113]

인대는 대개 수 mm 두께의 고에코 띠로 보이는데, 관절마다 차이가 있다. 예를 들면, 무릎의 내측측부인대(medial collateral ligament, 이하 MCL)는 표층 및 심층(superficial and deep layers)으로 구성되고, 그사이에 결합조직이 있다. 표층 MCL은 대퇴골과 경골을 연결하고, 심층 MCL은 반월-대퇴인대(meniscofemoral ligament)와 반월-경골인대(meniscotibial ligament)로 구성된다. 초음파에서 표층과 심층 MCL은 고에코 띠로 보이고, 그 사이의 결합조직은 저에코 띠로 보여, 전체 MCL은 삼층(trilaminar) 띠로 보인다 (Fig. 2-119).[117] 표층과 심층 MCL 사이에 윤활낭(bursa)이 있을 수 있다.

일반적으로 관절 내 인대에 대한 초음파검사는 제한적이기 때문에 MRI가 선호되지만, 손목의 주상-월상인대(scapho-lunate ligament), 월상-삼각인대(luno-triquetral ligament), 삼각섬유연골(triangular fibrocartilage), 무릎의 전방 및 후방십자인대(anterior and posterior cruciate liga-

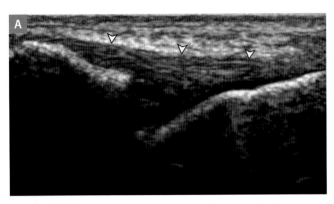 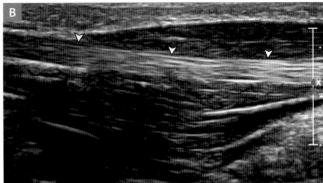

Figure 2-118 **Comparison of normal ligament and tendon.** Long axis US images of the anterior talofibular ligament (A) and flexor pollicis longus tendon (B) show multiple, parallel echogenic lines reflecting the internal fibrillar structure (arrowheads). But ligaments tend to be less echogenic than tendons.

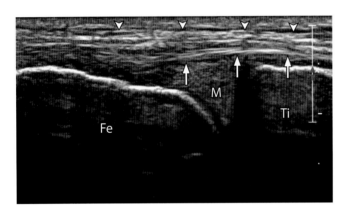

Figure 2-119 **Normal medial collateral ligament (MCL) of knee.** Longitudinal magnified US image over the medial aspect of the knee shows the superficial (arrowheads) and deep (arrows) layers of the MCL. M, medial meniscus; Fe, femur; Ti, tibia.

ments)의 초음파검사에 대한 보고가 있다. 손목의 주상-월상인대는 'U'자 모양을 가지며, 손바닥부분, 얇은 중앙부분, 두꺼운 손등부분으로 나뉘어지며, 손바닥부분과 중간부분은 초음파검사에 제한이 있지만, 손등부분은 초음파로 명확하게 볼 수 있다. 주상-월상인대의 손등부분을 검사할 때는 손목을 약간 굽힌 상태에서 주상골과 월상골의 손등쪽에 탐촉자를 횡축으로 놓는다. 주먹을 꽉 쥔 상태에서 검사하여 인대의 연속성과 관절 간격의 변화를 보고, 반대쪽과 비교 검사한다 (Fig. 2-120). [118] 주상-월상인대에 비하여 월상-삼각인대와 삼각섬유연골의 초음파검사는 아직까지 제한점이

있다.

무릎의 전방십자인대(anterior cruciate ligament)는 무릎을 최대한 굴곡한 자세에서, 슬개건(patellar tendon) 부위에 탐촉자를 종축으로 놓고 위쪽 끝을 외측으로 약 30° 정도 기울여서 검사한다. 초음파에서 전방십자인대의 원위부를 확인할 수 있으며, 인대는 경골 경계로부터 약 1 cm 깊은 쪽에 부착하고, 1 cm 이하의 두께를 가지는 저에코 띠로 보인다 (Fig. 2-121A). [119] 그러나 외상 환자의 급성기에는 적절한 굴곡자세를 취하기 어려우므로 검사가 어렵다. 초음파에서 후방십자인대(posterior cruciate ligament)는 전방십자인대에

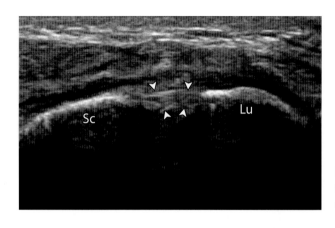

Figure 2-120 **Scapholunate ligament.** Transverse US image over the proximal carpal row shows dorsal aspect of the scapholunate ligament (arrowheads). Lu, lunate; Sc, scaphoid.

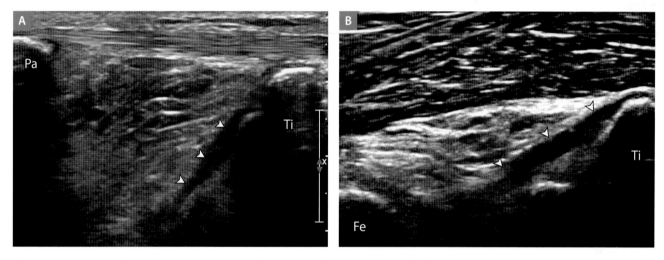

Figure 2-121 **Anterior and posterior cruciate ligaments of knee. A.** Longitudinal US image over the anterior knee shows the distal portion of the anterior cruciate ligament (arrowheads) as a straight hypoechoic band-like structure. **B.** Longitudinal US image over the posterior knee shows the distal portion of the posterior cruciate ligament (arrowheads) as a straight hypoechoic cord-like structure. Ti, tibia; Fe, femur; Pa, patella.

비해 좀 더 분명하게 보인다. 탐촉자를 무릎 뒤쪽의 융기사이(intercondylar) 부위에 종축으로 놓으면 경골 후면에 부착하는 후방십자인대를 확인할 수 있다. 정상 인대는 1 cm 이하의 두께를 가지고, 비등방성으로 인해 균질한 저에코의 띠로 보인다 (Fig. 2-121B).(120~122) 일반적으로 후방십자인대의 원위부 1/3~1/2 정도가 보이며, 인대 근위부는 검사하기 힘들다.

3. 인대 손상

인대 염좌(sprain)는 신연 손상(stretching injury) 및 파열을 말하며, 급성 외상 또는 만성적 반복되는 경한 외상으로 생긴다. 인대 손상은 아교질 섬유(collagen fiber)의 간질파열(interstitial tear), 인대의 부분파열(partial tear), 그리고 완전파열(complete tear)로 나눌 수 있다.(116) 또한 인대의 손상 정도와 관절의 불안정성을 함께 고려하여 등급을 정한다.

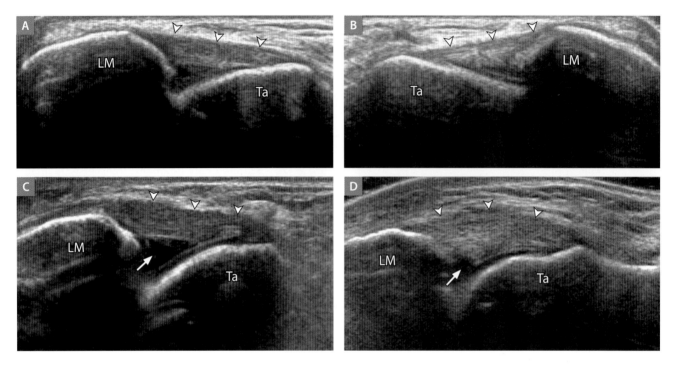

Figure 2-122 **Grade 1 sprain of anterior talofibular ligament, three different patients. A, B.** Long axis US image (**A**) of the anterior talofibular ligament (arrowheads) shows hypoechoic thickening of the ligament compared with the contralateral normal ligament (arrowheads in **B**). **C, D.** Long axis US images in the second (**C**) and third (**D**) patient also show hypoechoic thickening of the ligament (arrowheads) without discontinuity. Scanty fluid (arrow) is seen beneath the ligament. LM, lateral malleolus; Ta, talus.

1도 염좌는 인대 섬유의 경미한 손상으로, 간질파열(interstitial tear)은 있지만 관절의 안정성은 유지되는 경우이다. 2도 염좌, 즉 부분파열은 인대 섬유가 파열되지만 일부 섬유의 연결성은 유지되며, 중등도의 관절 불안정성이 있는 경우이다. 3도 염좌, 즉 완전파열은 인대가 완전히 파열되고 저명한 관절 불안정성이 동반되는 경우이다.[116] 인대 손상은 대부분 이학적 검사로 진단하며, 특히 완전파열의 경우 부하검사(stress test)를 이용하면 비교적 쉽게 진단할 수 있다. 그러나 급성기에는 통증과 주위 연조직의 부종으로 인하여 이학적 검사만으로는 진단이 어려울 수 있다. 인대 손상의 임상적 진단이 불확실하거나 동통이 지속되는 만성 인대 손상이 의심될 때 초음파검사가 도움이 된다.

초음파는 인대 손상을 진단하는 데 아주 민감하며 가장 널리 이용하는 검사이다.[123] 정상 인대는 수 mm 두께의 고에코의 가는섬유다발양상(fibrillar pattern)으로 보인다. 비정상 인대의 초음파소견으로는 인대의 비후, 에코 감소, 가는섬유다발양상의 소실, 인대의 단절 또는 인대가 보이지 않거나, 인대 내의 석회화 등이다.[113] 1도 염좌는 초음파에서 인대가 저에코로 비후되어 보이거나, 인대 손상은 보이지 않고 주위 연조직에 부종 또는 저에코 액체만 보인다 (Fig. 2-122). 2도 염좌, 즉 부분파열은 인대의 에코가 감소하고, 두꺼워지거나 얇아지며, 가는섬유다발양상이 소실된다. 또한 부분파열된 부위에 액체가 고이면서 불균질한 저에코로 보이지만, 인대섬유의 일부는 연결되어 있다 (Fig. 2-123).[114] 역동적 검사를 실시하여 인대에 부하를 가하면 진단에 도움이 된다. 1도 염좌와 2도 염좌를 인대의 초음파소견 만으로는 구분하기 어려우므로, 관절의 불안정성 유무를 함께 고려하여 평가한다. 인대의 주행방향이 탐촉자에 비스듬하

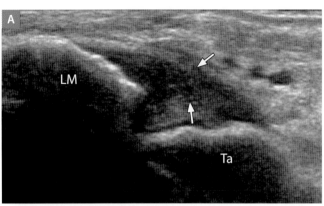

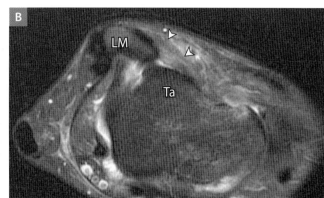

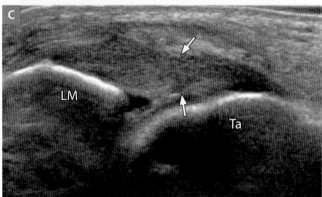

Figure 2-123 Grade 2 sprain of anterior talofibular ligament, two different patients. A, B. Long axis US image (**A**) of the anterior talofibular ligament shows hypoechoic thickening of the ligament with focal disruption (arrows) and loss of fibrillar pattern. Correlative axial fat-saturated T2-weighted MR image (**B**) shows thickening with increased signal intensity of the ligament. **C.** Long axis US image in the second patient also shows hypoechoic thickening of the ligament with focal disruption (arrows) and loss of fibrillar pattern. LM, lateral malleolus; Ta, talus.

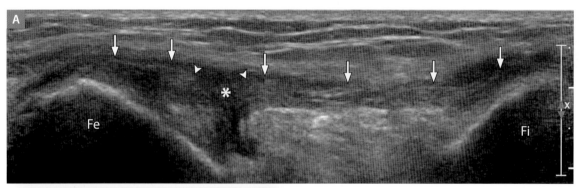

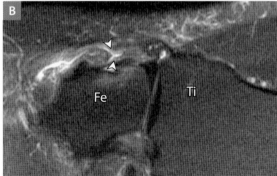

Figure 2-124 Grade 3 sprain of lateral collateral ligament of knee. A. Combined long axis US image of the lateral collateral ligament (arrows) shows complete rupture in the proximal ligament. There is a hypoechoic defect (asterisk) between the proximal and distal ends (arrowheads) of the tendon. **B.** Correlative coronal fat-saturated T2-weighted MR image also shows complete rupture (arrowheads) of the ligament. Fe, femur; Fi, fibula; Ti, tibia.

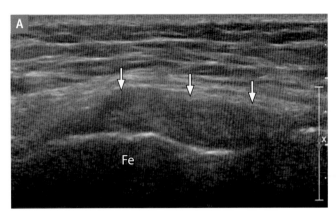

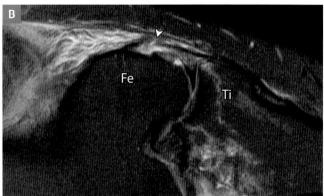

Figure 2-125 Grade 3 sprain of medial collateral ligament of knee. A. Long axis US image of the superficial layer of the medial collateral ligament (arrows) shows hypoechoic thickening of the proximal ligament with loss of fibrillar pattern. Defect of the ligament is inadequately delineated due to hemorrhagic material. **B.** Correlative coronal fat-saturated T2-weighted MR image shows a defect (arrowhead) in the proximal portion of the ligament. Fe, femur; Ti, tibia.

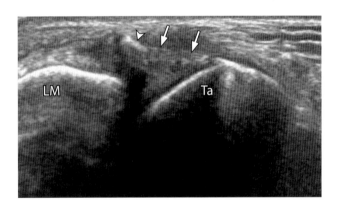

Figure 2-126 Grade 3 sprain of anterior talofibular ligament with avulsion fracture. Long axis US image of the anterior talofibular ligament shows an avulsion fracture from the lateral malleolus. A small hyperechoic bony fragment (arrowhead) is seen in the retracted end of the ligament (arrows). LM, lateral malleolus; Ta, talus.

게 놓이면 비등방성(anisotropy)에 의해 인대의 에코가 감소하므로 이를 인대 손상으로 오인하지 않아야 한다.[123] 3도 염좌, 즉 완전파열의 경우, 인대가 보이지 않거나 단절되어 보이며, 파열 부위 내에는 출혈, 부종 등에 의한 다양한 에

코의 불균질한 조직으로 채워진다 (Fig. 2-124, 2-125). 인대 부착부의 견열골절이 동반되면 소리그림자를 동반하는 고에코의 뼈조각이 끊어진 인대 끝부분에 연결되어 보인다 (Fig. 2-126).

손상된 인대의 초음파소견은 시간 경과에 따라 다양하게 변할 수 있다. 급성 인대 손상에서는 인대 주위에 액체가 보이거나, 인대 주위에 골절이나 관절 삼출액이 동반되며, 시간이 경과함에 따라 인대 주위 액체는 점차 사라지지만 인대 비후와 불안정성은 남아 있을 수 있다.[116] 만성파열의 경우 인대 손상의 정도에 따라 인대가 보이지 않거나 두꺼워지고 불규칙하게 보인다 (Fig. 2-127~2-129). 인대 내에 석회화가 보이거나 탐촉자로 압력을 가했을 때 통증이 없다면 만성 인대 손상을 시사하는 소견이다.[113]

손상된 인대는 매우 천천히 치유되며, 초음파검사는 인대의 치유과정을 확인하는 데 유용하다. 인대 손상 후 약 5주가 되면 파열 부위에 에코가 증가되는 소견을 볼 수 있으며, 수 개월이 지나면 비교적 균질한 고에코의 인대로 되돌아 온다.[124] 수 개월 이후에도 두꺼워진 인대가 비정상 에코를 보이면 재파열의 가능성이 높다.[116]

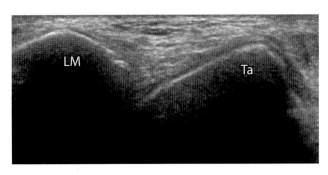

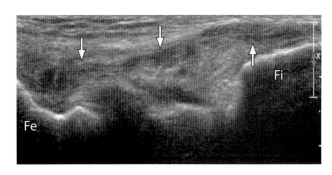

Figure 2-127 **Chronic rupture of anterior talofibular ligament.** Long axis US image for the anterior talofibular ligament shows no visible ligamentous structure between the lateral malleolus and talus, suggesting chronic complete rupture of the ligament. LM, lateral malleolus; Ta, talus.

Figure 2-128 **Chronic sprain of lateral collateral ligament of knee.** Long axis US image of the lateral collateral ligament (arrows) shows redundant, hypoechoic thickening of the ligament without discontinuity. Fe, femur; Fi, fibula.

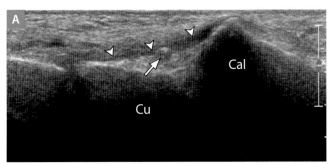

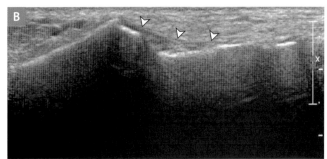

Figure 2-129 **Chronic sprain of bifurcate ligament of foot. A.** Long axis US image for the bifurcate ligament (calcaneocuboidal ligament) of the foot shows hypoechoic thickening without discontinuity. Note focal calcification within the thickened ligament (arrow). **B.** Contralateral normal ligament (arrowheads). Cal, calcaneus; Cu, cuboid.

V. 윤활낭 Bursa

윤활낭은 내부가 활액막으로 덮인 주머니(synovial-lined sac)로, 윤활유 역할을 하는 소량의 활액이 있으며, 정상에서 약 1 mm 두께를 가진다. 윤활낭은 뼈와 피부 사이, 또는 뼈와 근육, 힘줄, 인대 사이처럼 근골격계 구조물 사이에 있으면서, 구조물간의 마찰을 감소시켜 쉽게 미끄러지게 하며, 또한 완충(cushion) 역할도 담당한다. [125,126]

인체에는 약 160개 정도의 윤활낭이 있으며, 주요 윤활낭

은 어깨, 팔꿈치, 엉덩이, 무릎, 발목관절 등의 큰 관절 주위의 힘줄과 주로 관련되어 있다 (Table 2-4). 윤활낭은 관절 또는 건초(tendon sheath)와의 연결 유무에 따라 교통(communicating) 및 무교통(non-communicating) 윤활낭으로 나뉘며, 무교통 윤활낭이 더 흔하다. 또한 윤활낭의 위치에 따라 피하(subcutaneous) 및 심부(deep) 윤활낭으로 나눌 수도 있다. 피하 윤활낭은 전슬개(prepatellar) 또는 주두돌기(olecranon) 윤활낭처럼 뼈와 피부 사이에 위치한다. 심부 윤활낭은 피복 심부근막(peripheral layer of deep fascia) 내에 있으

Table 2-4 **Bursae around major joints**

	Subcutaneous bursa	Deep bursa
Shoulder		• Subacromial-sub-deltoid bursa • Subcoracoid bursa • Subscapular bursa*
Elbow	• Olecranon bursa	• Bicipitoradial bursa
Hip	• Subcutaneous trochanteric bursa	• Obturator internus bursa • Iliopsoas bursa* • Gluteus medius bursa • Gluteus minimus bursa • Ischiogluteal bursa
Knee	• Prepatellar bursa • Subcutaneous infrapatellar bursa • Subcutaneous tibial tuberosity bursa	• Iliotibial tract bursa • Fibular collateral ligament bursa • Tibial collateral ligament bursa • Popliteus bursa* • Deep infrapatellar bursa • Gastrocnemius-semimembranosus bursa* • Suprapatellar bursa*
Ankle	• Subcutaneous Achilles tendon bursa • Medial malleolar bursa • Lateral malleolar bursa	• Retrocalcaneal bursa

*Communicating bursa

며, 관절낭(joint capsule), 근육, 힘줄, 인대 사이에 위치하고, 장경대(iliotibial tract) 처럼 근막 사이에 있을 수도 있다.

외막윤활낭(adventitious bursa)은 외상, 지속적인 마찰 또는 압박으로 인해 새롭게 형성된 윤활낭이며, 골연골종(osteochondroma) 또는 중족골두(metatarsal head) 주위에 생기는 윤활낭이 그 예이다. 외막윤활낭은 직업이나 스포츠 활동과 관련하여 다양한 부위에 생길 수 있으며, 두 구조물 사이의 지속적인 마찰에 의해 두 구조물 사이에 물이 고이게 된다. 외막윤활낭은 활액막 대신 섬유조직에 의해 둘러 싸여 있으며, 내부에 활액 대신 삼출액으로 차게 된다.

1. 검사방법

피하 윤활낭을 검사할 때는 일반적으로 7 MHz 이상의 선형(linear) 탐촉자를 이용하고, 젤(gel)을 두껍게 바르고 검사한다. 심부 윤활낭을 검사할 때는 5 MHz 정도의 선형탐촉자를 이용하며, 볼록(convex) 탐촉자를 이용하기도 한다.

윤활낭은 주위 구조물의 운동과 밀접한 관계가 있으므로, 윤활낭과 함께 주위 구조물의 장축 및 단축방향 검사를 포함해야 한다. 탐촉자나 손으로 윤활낭을 압박하거나 주위 구조물을 누르거나 움직이면서 검사하는 것이 도움이 되며, 필요에 따라 반대쪽과 비교검사 한다. 피하 윤활낭을 검사할 때는 탐촉자를 가볍게 놓고 검사해야 하며, 심하게 압박하면 윤활낭 내의 활액이 밀려나가 병변을 놓칠 수 있다.

2. 정상 초음파 해부학

초음파에서 정상 윤활낭은 연조직 사이에 저에코의 얇은 틈새(cleft)로 보이며, 주위에 고에코의 선으로 싸여 있다. 윤활낭을 둘러 싸는 활액막은 아주 얇기 때문에 초음파에서 구분되지 않으며, 윤활낭 주위의 고에코 선은 조직-활액 경계면(interface)에 의한 것이다 (Fig. 2-130).[127] 정상 윤활낭 내에는 약 1 mm 정도의 두께의 활액이 저에코로 보이지만, 활액의 양은 사람과 부위에 따라 차이가 있을 수 있다. 반대쪽과 비교 검사하는 것이 도움이 되며, 일반적으로 2 mm 두께 까지를 정상으로 볼 수 있다.[126] 윤활낭 병변이 있으면 Doppler검사로 활액막의 혈류 증가 유무를 확인한다. 관절액이 증가되면 인접한 교통 윤활낭에 활액이 증가될 수 있다.

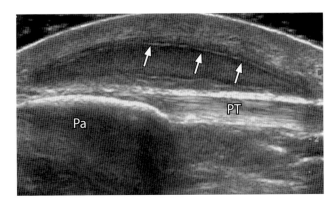

Figure 2-130 **Prepatellar bursitis.** Longitudinal US image shows distension of the prepatellar bursa with hypoechoic fluid and fine internal echoes. The distended bursa is bounded by a hyperechoic line (arrows), representing the tissue-fluid interface. Pa, patella; PT, patellar tendon.

3. 윤활낭염 Bursitis

1) 마찰 윤활낭염 Frictional bursitis

외상성 또는 마찰 윤활낭염(frictional bursitis)은 주위 구조물의 만성적인 과도한 압박 또는 반복적인 마찰에 의해 윤활낭에 염증이 생기는 것을 말하며, 견봉하-삼각근하(subacromi-

al-subdeltoid), 주두돌기(olecranon) 윤활낭염이 대표적인 예이며, 이외에도 전자(trochanteric), 전슬개(prepatellar), 심부 슬개하(deep infrapatellar), 종골후(retrocalcaneal), 표재 Achilles힘줄(superficial Achilles tendon) 윤활낭염 등이 있다 (Fig. 2-93, 2-131~2-133).[128,129] 운동선수에서 흔하게 발생하며, 주로 불규칙한 피질골 또는 힘줄-뼈 부착부에 인접한 윤활낭에 주로 생긴다

마찰 윤활낭염의 급성기에는 활액막의 염증반응 및 혈류 증가가 생기고, 윤활낭 내에는 정상적인 점성(viscous)의 활액과는 다른 성상의 누출액(transudate) 또는 삼출액(exudate)이 차게 된다. 급성 윤활낭염은 초음파에서 팽창된 윤활낭 내에 무에코의 액체가 보이고, 탐촉자로 누르면 액체가 움직이면서 쉽게 압박된다. 급성기에는 대개 활액막의 변화는 보이지 않는다.

만성 윤활낭염에서는 활액막이 두꺼워지고, 윤활낭 내에 섬유소 삼출액(fibrinous exudate)으로 차게 되며, 석회화가 동반될 수 있다. 초음파에서 활액막 비후와 함께 윤활낭 내에 부스러기에 의한 내부 에코를 가지는 액체가 보인다 (Fig. 2-134). 또한 비후된 윤활막과 주위 연조직에 혈류 증가 소견을 동반할 수 있으며, 류마티스 등의 염증성 윤활낭염과의 구분이 힘들 수 있다.

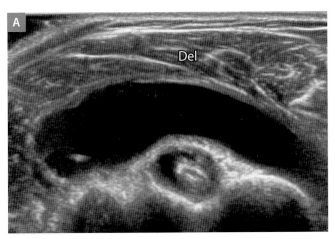

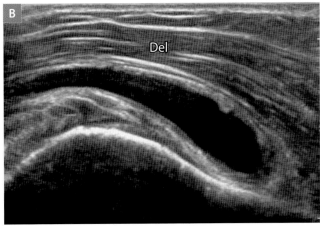

Figure 2-131 **Subacromial-subdeltoid bursitis.** Transverse (A) and longitudinal (B) US images show distension of the subacromial-subdeltoid bursa with anechoic fluid. Del, Deltoid.

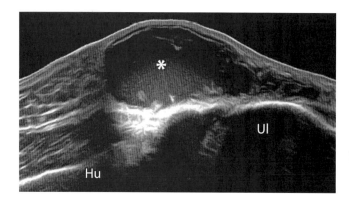

Figure 2-132 **Olecranon bursitis.** Longitudinal extended-field-of-view US image shows marked distension of the olecranon bursa (asterisk) with anechoic fluid. Hu, humerus; Ul. ulna.

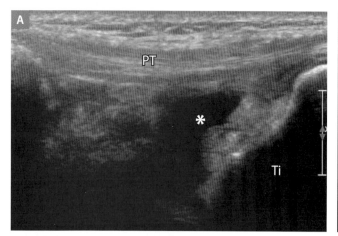

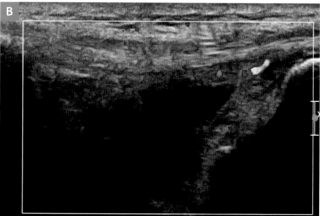

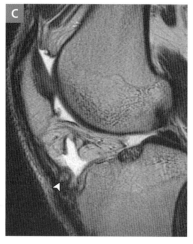

Figure 2-133 **Deep infrapatellar bursitis with Osgood-Schlatter's disease. A.** Longitudinal US image over the patellar tendon (PT) shows anechoic fluid collection in the deep infrapatellar bursa. **B.** Doppler image shows slightly increased blood flow around the tibial insertion of the patellar tendon. **C.** Correlative sagittal T2-weighted MR image shows an irregular apophysis (arrowhead) with the separation of the ossification center, as is seen in Osgood-Schlatter's disease. Ti, tibia.

CHAPTER

02

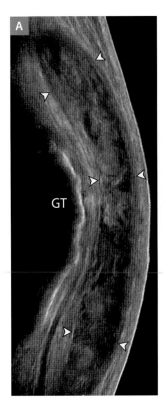

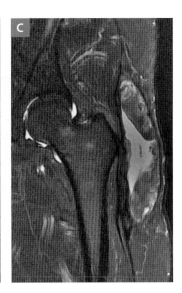

Figure 2-134 Chronic trochanteric (subgluteus maximus) bursitis. A. Longitudinal extended-field-of-view US image over the greater trochanter shows marked heterogeneous distension of the trochanteric bursa (arrowheads). **B.** On the Doppler image, significant blood flow increase is not seen. **C.** Correlative coronal fat-saturated T2-weighted MR image. GT, greater trochanter.

특정 직업과 관련 있는 만성 마찰 윤활낭염들이 있다. 좌골둔근윤활낭염(ischiogluteal bursitis)은 만성적으로 딱딱한 곳에 앉아 일하는 사람에서 주로 생기며, 좌골결절(ischial tuberosity)의 뒤쪽-아래쪽에 생기는 만성 마찰 윤활낭염이다 (Fig. 2-135). 전슬개윤활낭염(prepatellar bursitis)과 피하슬개하윤활낭염(subcutaneous infrapatellar bursitis)은 반복적으로 무릎을 꿇고 일하는 사람에서 주로 생긴다 (Fig. 2-136, 2-137). 외과윤활낭염(lateral malleolar bursitis)은 반복적으로 책상다리 자세로 일하는 사람에서 흔히 생기며, 스케이트 신발처럼 꽉 끼이는 장화 등에 의한 만성 마찰에 의해서도 생긴다 (Fig. 2-138).[130]

만성 마찰 윤활낭염의 특수한 형태로 외막윤활낭염(adventitious bursitis)이 있다. 피하조직 등이 지속적인 마찰 또는 압박에 노출되면 결합조직(connective tissue)의 염증과 함께 섬유소 괴사(fibrinoid necrosis)에 의해 낭성 공간(cystic space)이 생기는 것을 외막윤활낭염이라 하며, 내부에 부스러기와 삼출액 등으로 채워진다. 골연골종(osteochondroma) 주위 또는 중족골두(metatarsal head)의 발바닥쪽에 생기며, 특히 앞쪽 폭이 좁은 신발을 신는 사람에서 첫 번째 중족골두 주위에 많이 생긴다 (Fig. 2-139).[131] 무릎 절단 환자에서 비정상적인 기계적 마찰이 있으면 절단 부위 주위에 외막윤활염이 생길 수 있다 (Fig. 2-140).[132] 또한 꼬리뼈(coccyx)의 만곡(curvature)이 비정상이면 앉은 자세에서 과도한 자극이 가해져서 꼬리뼈 주위에 외막윤활염이 생길 수 있다 (Fig. 2-141).[133]

▶ p.135로 이어집니다.

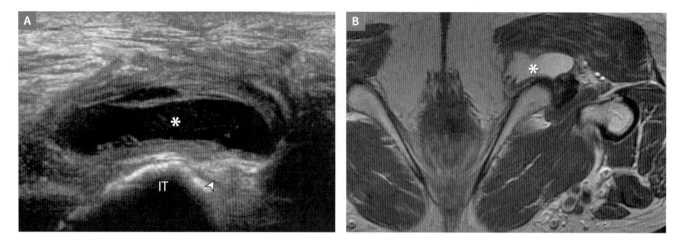

Figure 2-135 Ischiogluteal bursitis. A. Transverse US image over the ischial tuberosity (IT) shows anechoic distension of the ischigluteal bursa (asterisk). Arrowhead, conjoint tendon of hamstring. **B.** Correlative axial T2-weighted MR image.

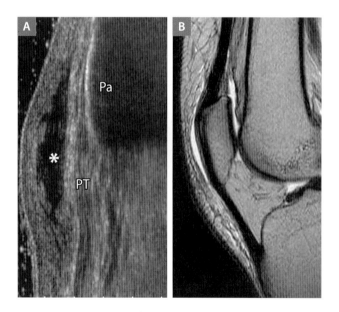

Figure 2-136 Prepatellar bursitis. A. Long axis US image over the patellar tendon (PT) shows prepatellar bursal distension (asterisk) with hypoechoic fluid. **B.** Correlative sagittal T2-weighted MR image. Pa, patella.

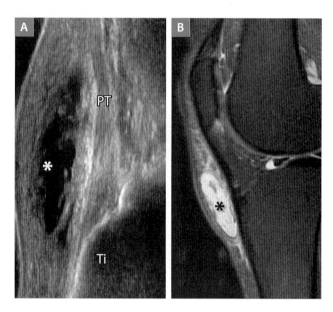

Figure 2-137 Superficial infrapatellar bursitis. A. Long axis US image over the distal patellar tendon (PT) shows anechoic distension of the superficial infrapatellar bursa (asterisk) with internal echoes. **B.** Correlative sagittal fat-saturated T2-weighted MR image. Ti, tibia.

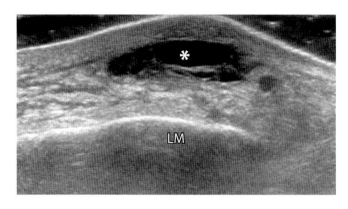

Figure 2-138 **Lateral malleolar bursitis.** Longitudinal US image over the lateral malleolus (LM) shows anechoic distension of the lateral malleolar bursa (asterisk) with internal linear echoes. Soft tissue edema is seen around the distended bursa.

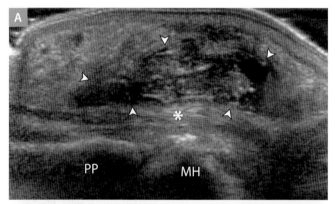

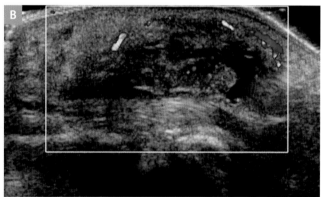

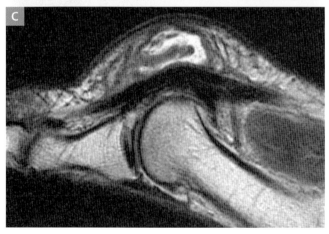

Figure 2-139 **Adventitious bursitis. A.** Longitudinal US image over the plantar aspect of the first metatarsal head (MH) shows heterogeneous but predominantly hypoechoic adventitious bursa formation (arrowheads). **B.** Doppler image shows slightly increased blood flow. **C.** Correlative sagittal T2-weighted image. PP, proximal phalanx; (asterisk, flexor tendon).

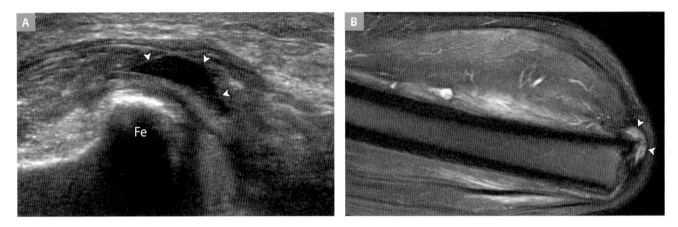

Figure 2-140　**Adventitious bursitis**. **A.** US image over the over the distal femur (Fe) amputation site shows anechoic distension of adventitious bursa (arrowheads). **B.** Correlative coronal fat-saturated T2-weighted MR image.

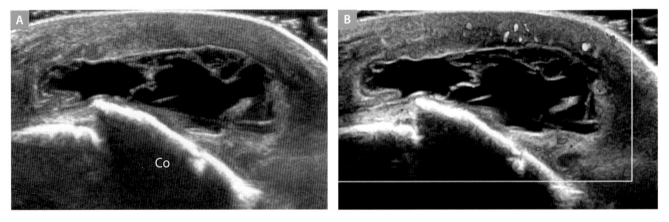

Figure 2-141　**Adventitious bursitis**. **A.** Longitudinal US image over the coccyx shows anechoic adventitious bursa formation (arrows) with internal linear echoes. Soft tissue edema is seen around bursa formation. **B.** Doppler image shows increased blood flow around bursa formation. Co, coccyx.

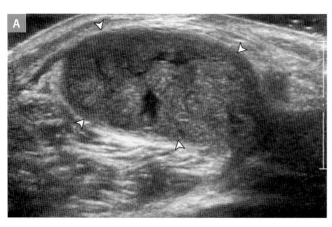

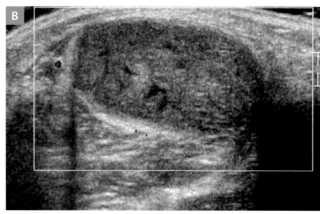

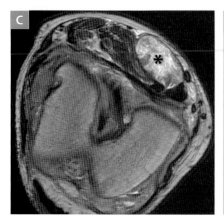

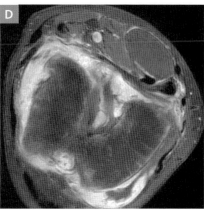

Figure 2-142 **Gastrocnemius-semimembranosus bursitis, rheumatoid arthritis. A.** Transverse US image over the posterior knee shows the distended gastrocnemius-semimembranosus bursa (arrowheads) which is filled inhomogeneously. **B.** On the Doppler image, significant blood flow increase is not seen. **C.** Axial T2-weighted MR image shows the distended bursa (asterisk) that contains synovial debris. **D.** Axial contrast-enhanced fat-saturated T1-weighted MR image shows diffuse synovial proliferation with marked enhancement of knee joint.

2) 염증성 및 감염성 윤활낭염
Inflammatory and septic bursitis

류마티스 등의 염증성 윤활낭염이나 감염성 윤활낭염은 초음파에서 활액막의 비후 및 혈류 증가 소견과 함께 내부 에코를 동반하는 삼출액에 의해 윤활낭이 팽창되는 소견을 보인다. 이러한 소견은 만성 마찰 윤활낭염과 거의 유사하여, 초음파소견만으로는 구분이 힘들다.[134] 류마티스 윤활낭염에서는 활액막 증식과 경색된 활액막(infarcted synovium)에 의한 쌀소체(rice body)들이 보이며, 마찰 윤활낭염 보다 윤활낭의 팽창이 좀 더 저명한 경우가 많다 (Fig. 2-142). 가스형성(gas-forming) 감염성 윤활낭염에서는 공기가 불균질한 소리음영을 동반한 고에코로 보여 진단에 도움이 될 수도 있

지만, 감염성 윤활낭염의 확진을 위해서는 초음파유도하 흡인을 통한 검사실 소견이 필요하다 (Fig. 2-143).

통풍 윤활낭염은 팔꿈치의 주두돌기 윤활낭, 무릎의 전슬개 윤활낭, 발목의 외과윤활낭을 주로 침범한다. 종종 요산 결정체(uric acid crystal)가 삼출액 내에 고에코로 보일 수 있으며, 요산 결정체가 뭉쳐진 저에코의 덩어리와 함께 내부에 소리그림자를 동반하지 않는 점상의 고에코들이 보일 수도 있다 (Fig. 2-144). 초음파유도하 흡인을 통한 확인이 필요하다.[135,136] 주위 관절에 통풍관절염이 동반되어, 관절 연골표면에 요산 결정체가 침착되어 연골표면을 따라 불규칙한 고에코 띠로 보이는 '이중윤곽징후(double contour sign)'가 보이면 진단에 도움이 될 수 있다.[137]

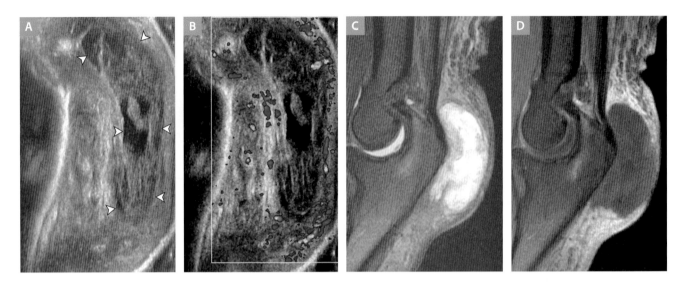

Figure 2-143 **Olecranon septic bursitis**. **A.** Longitudinal US image over the olecranon process shows the distended olecranon bursa (arrowheads) which is filled inhomogeneously. **B.** Doppler image shows hyperemia around the distended bursa. US-guided aspiration was performed and gross pus was aspirated. **C, D.** Correlative sagittal fat-saturated T2-weighted (**C**) and contrast-enhanced fat-saturated T1-weighted (**D**) MR images.

3) 교통 윤활낭 내의 활액

교통 윤활낭(communicating bursa)은 출생 시에는 관절과 연결되어 있지 않다가 성장하면서 관절과 연결된다. 반막형-비복윤활낭(semimembranosus-gastrocnemius bursa)은 10세 이전에는 슬관절과 연결되지 않으며, 40대가 되면 약 50%에서 관절과 연결된다. 장요윤활낭(iliopsoas bursa)은 10세 이하의 어린이에서는 2% 미만에서 고관절과 연결되며, 성인이 되면 약 20%에서 관절과 연결된다.[138] 교통 윤활낭 내의 삼출액은 대개 관절 삼출액이 윤활낭으로 이동하여 생기며, 관절 삼출액이 관절에 미치는 영향을 감소시키는 역할을 한다. 관절과 윤활낭 사이에는 단방향밸브(one-way valve) 역할을 하는 좁은 통로가 있고, 두 곳의 압력 차이에 의해 관절에서 윤활낭 쪽으로 삼출액이 이동한다. 무릎을 굽히면 슬관절에서 반막형-비복윤활낭으로 삼출액이 이동하고, 무릎을 펴면 통로가 막히게 된다.[139]

Baker낭종은 반막형-비복윤활낭이 팽창된 것을 말한다. 슬관절의 퇴행성 관절염, 반월판 손상 등의 관절액이 증가되는 질환이나 류마티스 관절염 등의 염증성 활액막 질환과 관련되어 생기고, 관절과 무관하게 윤활낭에만 독립적으로 활액막 질환이 발생할 수도 있다. Baker낭종의 경부(neck)는 반막형근힘줄과 내측비복근힘줄 사이에 있으며, 낭종이 팽창되면 내측 비복근을 따라 확장된다 (Fig. 2-145). 비복근 뒤쪽으로 확장되면 피하조직 부위로 낭종이 커지고, 비복근 앞쪽으로 확장되면 비복근과 가자미근(soleus) 사이의 근막을 박리하면서 커지게 된다.[140] 드물게 비복근 내로 낭종이 확장될 수도 있다. 낭종이 파열되면 심부 정맥 혈전정맥염(deep vein thrombophlebitis)과 유사한 증상이 생길 수 있다.[139]

장요윤활낭은 장요근힘줄과 고관절 사이에서 장요근힘줄의 내측에 위치한다. 장요윤활낭 팽창의 가장 많은 원인은 고관절의 퇴행성 관절염이다. 윤활낭이 팽창되면 서혜인대(inguinal ligament)에 의해 이엽(bilobed) 모양을 보이며, 위쪽으로는 골반강 내로, 아래쪽으로는 소전자(lesser trochanter) 아래까지 확장될 수 있다 (Fig. 2-146).[141~143]

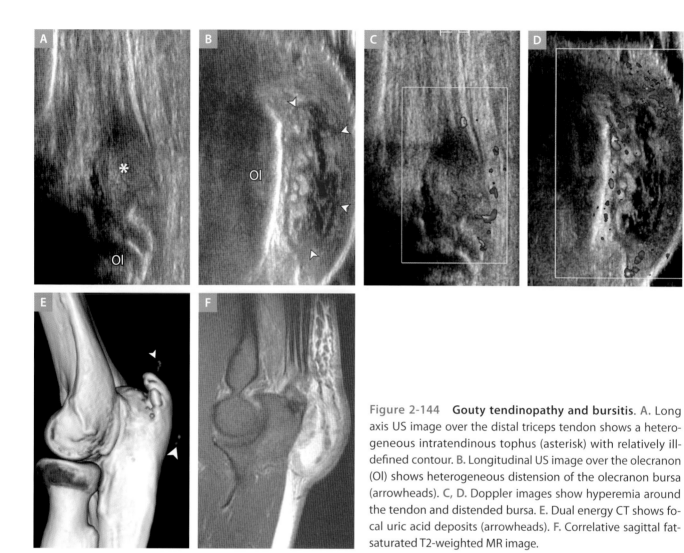

Figure 2-144 **Gouty tendinopathy and bursitis.** A. Long axis US image over the distal triceps tendon shows a heterogeneous intratendinous tophus (asterisk) with relatively ill-defined contour. B. Longitudinal US image over the olecranon (OI) shows heterogeneous distension of the olecranon bursa (arrowheads). C, D. Doppler images show hyperemia around the tendon and distended bursa. E. Dual energy CT shows focal uric acid deposits (arrowheads). F. Correlative sagittal fat-saturated T2-weighted MR image.

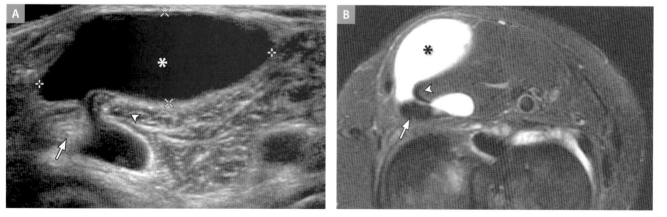

Figure 2-145 **Baker's cyst.** A. Transverse US image over the posteromedial knee shows a fluid collection (asterisk) typically located between the medial gastrocnemius tendon (arrowhead) and the semimembranosus tendon (arrow). B. Correlative axial fat-saturated T2-weighted MR image.

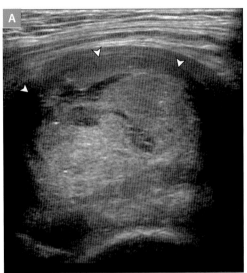 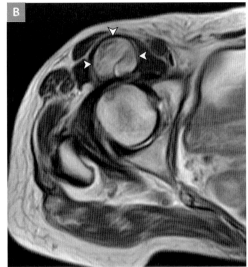

Figure 2-146 **Iliopsoas bursitis. A.** Transverse US image over the femoral head shows the distended iliopsoas bursa (arrowheads) which is filled inhomogeneously. **B.** Correlative axial T2-weighted MR image.

VI. 연조직 종괴 Soft tissue masses

연조직 종괴의 진단에 초음파와 MRI는 상호보완적 관계이며, 하나의 종괴 진단에 두 검사를 모두 이용하는 경우도 많다. 동반된 석회화나 뼈의 변화를 알기 위해 단순촬영과 CT를 추가적으로 이용할 수도 있다. 일반적으로 피하지방이나 사지 말단부에 위치한 10 cm 이하의 종괴는 초음파를 이용하여 종괴의 크기, 위치, 주위 구조물과의 관계 등을 정확히 평가할 수 있지만, 크기가 큰 악성종양이나 심부에 위치한 종괴는 초음파에서 얻을 수 있는 정보가 제한적일 수 있으므로, MRI를 우선적으로 실시하는 것이 좋다.

초음파는 종괴 유무의 확인과 고형 및 낭성 종괴의 구분에 민감도가 아주 높다. 대부분의 종양이 초음파에서 저에코로 보여 진단적 특이도가 떨어지지만, 종괴의 형태, 석회화 유무, 압박 정도, 에코 양상, 혈류 등을 종합하면 감별진단의 범위를 줄일 수 있다. 또한 조직학적 확진을 위해 영상유도하 생검이 필요할 때 초음파가 아주 유용하다. MRI는 종양 내의 지방 또는 섬유조직 성분, 혈철소(hemosiderin) 등

의 혈액 성분 등을 구분할 수 있기 때문에 초음파보다는 좀 더 특이적으로 진단에 접근할 수 있다.

대부분의 양성종양은 양성을 시사하는 초음파소견과 함께 환자의 과거력과 이학적 검사를 종합하면 악성종양과의 구분이 가능하기 때문에, 추가적인 검사를 생략할 수 있고 치료방침을 결정하는 데 도움이 된다.[144] 일반적으로 양성종양은 악성종양에 비해 크기가 작고, 균질한 에코를 보이고, 주위 구조물과 경계가 뚜렷이 구분되며, 종괴로 인해 주위 구조물의 경계가 침범되기 보다는 경계가 밀리는 양상으로 보인다. 이에 반해, 5 cm 이상으로 크기가 크고, 비교적 불균질한 에코를 보이며, 동통을 동반하며, 종양세포의 침윤으로 인해 주위 구조물의 변형이 동반되고, 피복 심부근막 (peripheral layer of deep fascia)보다 더 깊은 곳에 위치한 경우에는 악성 종양의 가능성이 높아진다 (Fig. 2-147, 2-148).[144,146]

그러나 양성과 악성 연부조직 종양을 영상검사로 감별하기 어려운 경우가 많은데, 같은 양성종양이라도 구성성분, 위치, 크기, 주변조직과의 관계에 따라 다양한 양상을 보이

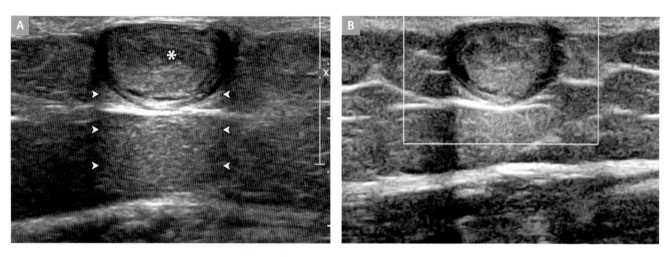

Figure 2-147 **US findings of benign soft tissue tumor (epidermal cyst). A.** US image demonstrates a homogenous isoechoic mass (asterisk) with acoustic enhancement (arrows). **B.** Doppler image shows no blood flow in the mass.

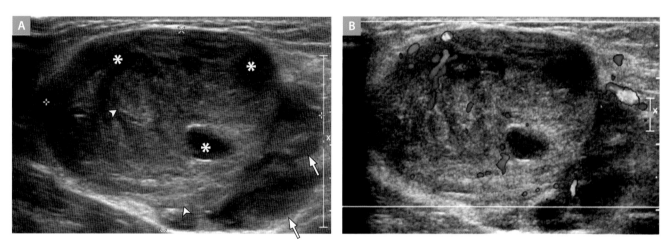

Figure 2-148 **US findings of malignant soft tissue tumor (metastatic melanoma). A.** US image shows a relatively large soft tissue mass with heterogeneous hypoechoic (asterisks) and hyperechoic portions (arrowheads). Architectural distortion is also noted (arrows). **B.** Doppler image shows slightly increased blood flow.

며, 양성종양 중에서도 악성처럼 보이거나 악성 종양이지만 양성종양처럼 보일 수 있기 때문이다. (147) 악성육종에 가성외막(pseudocapsule)이 형성되어 경계가 명확하게 보이거나, 크기가 작은 악성종양에 내부 괴사가 없어서 균질하게 보이면 양성 종양으로 오인될 수 있다. 반대로 혈관종이나 신경종(neuroma)은 경계가 불분명하고 비균질한 에코를 보

이기 때문에 악성종양으로 오인할 수 있다. 사구종양(glomus tumor)이나 탄력섬유종(elastofibroma)처럼 특징적인 위치에 호발하는 종양을 숙지해두면 진단에 도움이 된다.

연조직 종괴에 대한 초음파검사를 시행할 때 평가해야 할 항목으로, 병변의 크기, 병변의 경계(magin), 내부 에코(echo pattern), 혈관 분포(vascularity), 석회화, 압박성

(compressibility), 위치 등이 있다.[148] 종괴의 크기가 양성과 악성 병변을 감별하는 절대적 기준은 아니지만 5 cm 이상의 큰 종괴는 악성의 가능성이 증가하며, 아주 큰 종괴의 경우에는 MRI 등의 추가적인 검사나 조직검사가 필요한 경우가 많다. 양성 및 악성 연조직 종양 모두 경계가 좋은 경우가 많으며, 불규칙한 경계를 보이는 경우에는 오히려 침윤성 섬유종증(aggressive fibromatosis)이나 염증성 병변(inflammatory mass) 등의 비종양성 양성질환들을 먼저 고려해야 한다. 종괴의 내부 에코는 비특이적이지만, 양성 종양은 균질한 에코를 보이는 경우가 많고, 특히 초음파는 무에코와 후방음영증강(posterior acoustic enhancement)을 보이는 낭종(cyst)의 진단에 특이적이다. 종괴 내의 혈류 분석은 혈관성 병변의 진단뿐만 아니라 양성과 악성종양의 감별에 도움을 줄 수 있다. 초음파에서 석회화가 보이면 연조직 종양 감별진단에 중요한 소견이 되며, 정맥결석(phlebolith), 유리체(loose body), 연골종증(chondromatosis) 등을 확인하는 데 특히 도움이 된다. 초음파 탐촉자를 이용하여 병변을 압박함으로써 고형 및 낭성 종괴의 감별 등에 유용한 정보를 얻을 수 있다. 병변의 위치는 감별진단에 중요한 정보를 제공하며, 피하(subcutaneous), 근육 내(intramuscular), 근육 간(intermuscular), 신경 또는 혈관 기원성, 관절 근접부(juxta-articular) 등으로 기술할 수 있다.

Doppler검사는 연조직 종괴의 초음파검사에서 유용한 정보를 제공한다. 악성종양에서는 대개 혈류가 증가하고 비정상적인 Doppler신호를 보인다. 악성종양을 시사하는 Doppler 소견은 비정형적 혈관 줄기, 구불구불하면서 불규칙한 혈관, 혈관의 협착, 갑작스러운 혈관 폐쇄, 고리형 혈관, 동정맥루(arteriovenous shunt) 등이다 (Fig. 2-149).[149] 하지만 이러한 소견들은 양성과 악성종양과의 감별에 결정적 역할을 하지는 않는다.[149,150] Doppler검사는 종양 내 혈류 정도와 혈류를 담당하는 동맥을 찾는 데 유용하다.[151] Doppler검사에서 종괴 내부에 혈류가 보이지 않으면, 실제로 혈류가 없거나 Doppler검사에서 감지할 수 있는 허용한계에 미치지 못하는 정도의 낮은 혈류로 해석할 수 있다.[152,153] 연조직 종괴에 대해 초음파유도하 생검을 실시

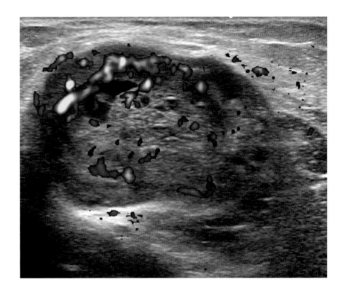

Figure 2-149 **US findings of malignant soft tissue tumor (rhadomyosarcoma).** Doppler image reveals that irregular and tortuous shaped vascular signal runs in twists around the mass with heterogeneous echogenity.

할 때 혈류가 있는 고형 부위에서 조직을 채취하면 위음성률을 감소시킬 수 있다.

1. 지방성 종양 Lipomatous tumor

양성 지방성 종양은 모든 연조직 종양의 50%를 차지하는 가장 흔한 종양이며, 약 71%에서 영상의학적 진단율을 보이는 것으로 알려져 있다.[154] 양성 지방성 종양은 WHO 연조직 종양 2013 분류에서 지방종(lipoma) 지방종증(lipomatosis), 신경지방종증(lipomatosis of nerve), 지반모세포종/지방모세포종증(lipoblastoma/lipoblastomatosis), 혈관지방종(angiolipoma), 근육지방종(myolipoma), 연골모양지방종(chondroid lipoma), 신장외혈관근육지방종(extrarenal angiomyolipoma), 부신외골수지방종(extraadrenal myelolipoma), 방추세포지방종/다형성지방종(spindle cell/pleomorphic lipoma) 갈색지방종(hibernoma)의 11가지 아형으로 구분한다.

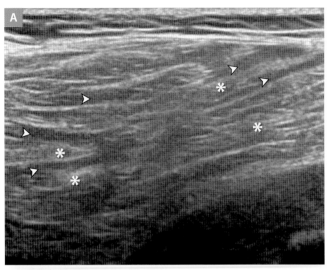

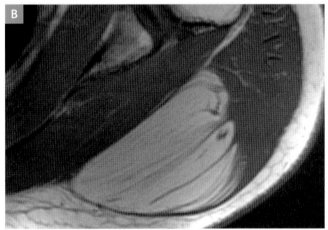

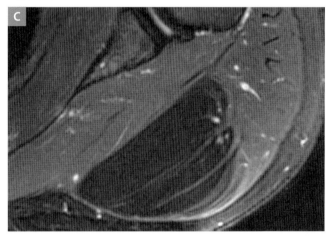

Figure 2-150 **Intramuscular lipoma, infiltrative type.**
A. Transverse US image over the posterior shoulder reveals a large mass within the deltoid muscle characterized by a hyperechoic background and a striated pattern (arrowheads) due to intermingled muscle fibers with fat. **B, C.** Correlative axial T1-weighted (**B**) and fat-saturated T2-weighted (**C**) MR images.

지방종은 피하 및 심부 지방종으로 나눌 수 있으며, 대부분 피하 지방종이다. 피하 지방종은 앞쪽의 '피부 및 피하조직 종양 및 종양성 병변' 부분에서 기술하였다.

심부 지방종은 근육내(intramuscular) 또는 근육사이(intermuscular) 지방종으로 구분한다. 근육내지방종은 국한성(circumscribed) 또는 침윤성(infiltrative) 종괴로 보인다. 국한성 근육내지방종은 근육에 둘러싸인 경계가 좋은 종괴로 보이며, 초음파소견은 피하 지방종과 유사하다. 내부 에코는 지방종 내의 중격(septa)의 양에 따라 다양하게 보이며, 주위 근육과 비슷한 에코로 보여 구분이 어려울 수 있다. 침윤성 근육내지방종은 근섬유 사이에 지방조직이 침윤된 형태를 보이며, 초음파에서 줄무늬 형태의 고에코 병변으로 보여 지방종으로 진단하기 어려울 수 있다 (Fig. 2-150, 2-151).[155] 침윤성 근육내지방종의 진단에는 MRI 또는 CT가 초음파보다 장점이 많다. 지방종은 다양한 초음파소견을 보일 수 있으므로 진단이 쉽지 않은 경우가 많으며, 초음파에서 지방종으로 진단한 예의 상당수에서 다른 양성 또는 악성종양으로 밝혀진 보고도 있으므로 진단에 주의가 필요하다.[29]

혈관지방종(angiolipoma)은 대개 젊은 연령에서 발생하고, 소아나 50세 이후에는 드물다. 혈관지방종은 침윤형과 비침윤형(infiltrative and non-infiltrative type)으로 나뉘며,

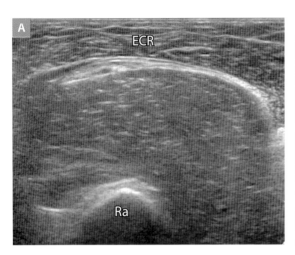

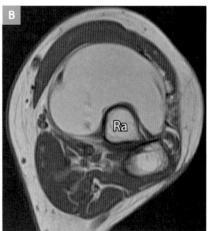

Figure 2-151 **Intermuscular lipoma**. **A.** Transverse US image over the forearm shows a large, well-defined mass between the radius (Ra) and extensor carpi radialis muscle (ECR). The mass appears slightly hyperechoic to adjacent muscle. **B.** Correlative axial T1-weighted MR image.

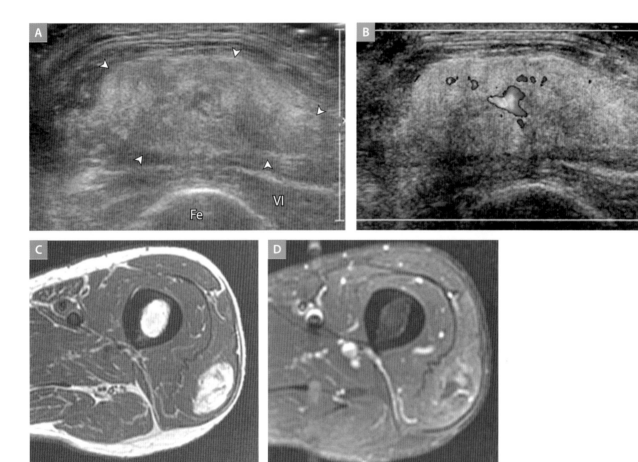

Figure 2-152 **Angiomyolipoma**. **A.** Transverse US image over the thigh shows a heterogeneous but predominantly hyperechoic mass (arrowheads) within the vastus lateralis muscle. **B.** Doppler image shows increased blood flow in the center of the mass. **C, D.** Correlative axial T1-weighted (**C**) and contrast-enhanced fat-saturated T1-weightd (**D**) MR images. Fe, femur; VI, vastus intermedius.

비침윤형이 더 흔하다. 비침윤형은 대개 2 cm 정도의 크기로 발견되고, 막으로 둘러 싸여있으며, 몸통과 상지에 주로 발생하고 특히 아래팔에 가장 흔하게 생긴다. 대부분 일반적인 지방종과 같이 고에코로 보이면서 경계가 명확하게 보인다. 일반적인 지방종과는 달리, 혈관지방종은 지방조직과 함께 혈관 조직을 가지고 있다. 혈관조직의 비율이 증가하면 Doppler검사에서 혈류 증가소견이 뚜렷하지만, 혈관지방종의 약 20%에서만 혈류 증가를 보인다 (Fig. 2-152, 2-153).[156]

섬유지방종(fibrolipoma)은 WHO 분류에는 포함되지 않으며, 섬유조직을 많이 포함하는 지방종의 아형이으로 머리와 목 부위에 주로 생긴다 (Fig. 2-154).

지방모세포종(Lipoblastoma)은 격막에 둘러싸인 종양으로, 격막으로 나뉘어진 지방조직, 지방모세포, 분화가 덜 된 중배엽세포로 이루어져 있다.[150,157] 피하조직에 생기며, 80%가 3세 이전에 발생하고, 주로 사지에서 발견된다. 초음파에서 고에코의 종괴 내에 저에코 병변이 섞여 있는 불균질한 양상으로 보인다 (Fig. 2-155, 2-156).[158] 초음파소견은 점액성 지방육종(myxoid liposaroma)과 유사하지만, 점액성 지방육종은 주로 성인에서 발생하고 영아에서는 거의 발생하지 않기 때문에 감별이 가능하다.

갈색지방종(hibernoma)은 갈색지방(brown fat)으로 이루어진 드문 종양으로 20~30세에 호발한다. 초음파와 MRI에서 지방종과 비슷하게 보일 수 있지만, 다양한 조직학적 성분에 의해 지방종과는 다른 양상을 보인다.[154] 종양의 갈색은 과혈관성과 관련이 있으며, Doppler검사에서 혈류 증가 소견을 보일 수 있다 (Fig. 2-157).

신경지방종증(Lipomatosis of nerve)은 지방과 섬유조직이 신경외막(epineurium)을 침윤하는 질환으로, 손목 부위의 정중신경(median nerve)에 흔하며 대지증(macrodactyly)을 동반하는 경우도 있다. 신경다발(nerve fascicle) 사이와 주변에 지방과 섬유조직이 침윤하여 신경이 커진다. 초음파에서 침범된 신경이 방추형으로 커지고, 정상 또는 약간 두꺼워진 저에코의 신경다발 사이에 고에코의 지방조직이 증식되어 신경다발들이 서로 벌어져서 단축영상에서 다발형태(fascicular pattern)을 보인다 (Fig. 2-158).[159]

지방육종(Liposarcoma)은 주로 50~60대에 발생하며, 넓적다리, 둔부, 다리에 흔하고, 대부분 피복 심부근막(peripheral layer of deep fascia)보다 깊은 쪽에 생긴다. 병리학적으로 비정형지방종/고분화지방육종(atypical lipomatous tumor/well-differentiated liposarcoma), 점액모양(myxoid), 다형성(pleomorphic), 탈분화(dedifferentiated) 지방육종으로 분류된다.

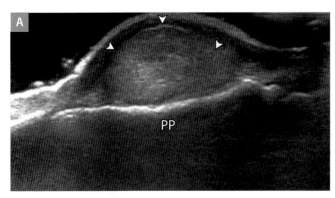
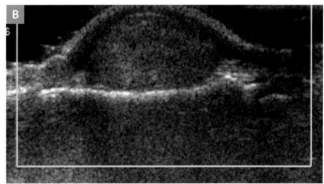

Figure 2-153　**Angiolipoma. A.** Longitudinal US image over the volar aspect of the proximal phalanx of the first finger shows a well-defined, slightly hyperechoic mass (arrowheads). **B.** On the Doppler image, significant blood flow is not seen. PP, proximal phalanx.

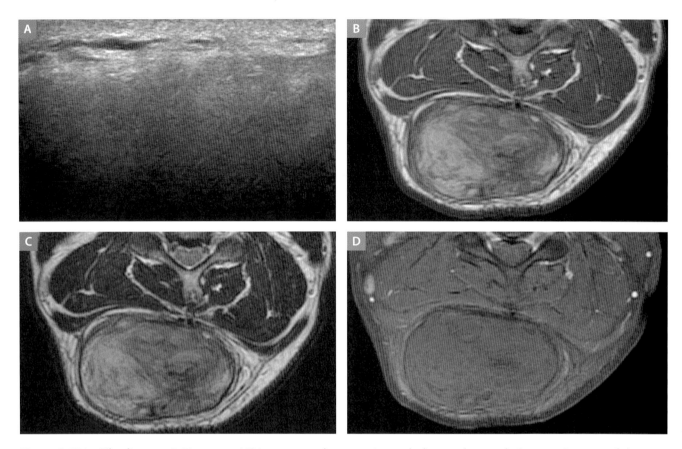

Figure 2-154 **Fibrolipoma. A.** Transverse US image over the posterior neck shows a hyperechoic mass. Because of the poor ultrasound transmission, deep portion of the mass is not defined. **B-D.** Correlative axial T1-weighted (**B**), T2-weighted (**C**), and contrast-enhanced fat-saturated T1-weighted (**D**) MR images.

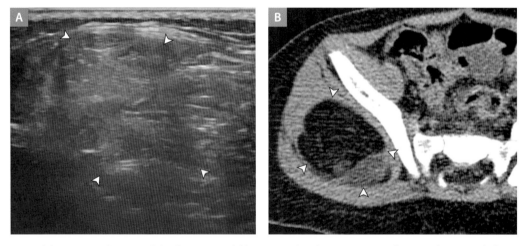

Figure 2-155 **Lipoblastoma.** US image (**A**) of a 1-year-old boy reveals a heterogenous, but predominantly hyperechoic mass (arrowheads) in the right buttock area, which is seen as a low density lesion (arrowheads) identical to the subcutaneous fat tissue on CT image (**B**).

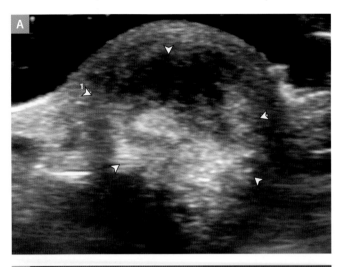

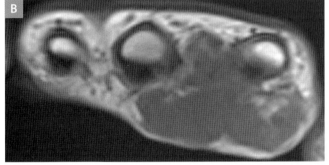

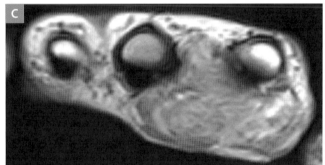

Figure 2-156 **Lipoblastoma. A.** US image of a 5-month-old boy reveals a complex echogenic mass (arrowheads) in the hand. **B, C.** Correlation T1-weighted (**B**) and T2-weighted (**C**) MR images.

초음파에서 지방육종은 다른 연조직 육종과의 구분은 힘들다. 고분화지방육종은 최근에는 비정형지방종으로 불리우며, 주위 근육에 비해 고에코 종괴로 보인다 (Fig. 2-159). [160] 점액모양 지방육종은 점액 성분, 지방 조직, 그리고 다른 조직성분의 양에 따라 다양한 소견을 보이며, 후방음향 증강을 동반하는 저에코 고형 병변으로 보인다 (Fig. 2-160).

CT와 MRI에서 낭성 종괴로 보이지만 초음파에서는 고형 병변으로 보이는 경우가 있으며, 이 부위에 대해 초음파유도하 생검을 실시하면 조직학적 진단의 민감도를 높일 수 있다. 다형성 및 탈분화 지방육종은 다른 연조직 육종과 구분되는 특이적 초음파소견이 없다.

▶ p.148로 이어집니다.

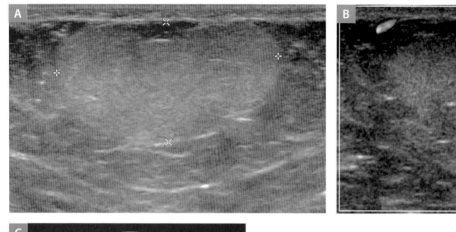
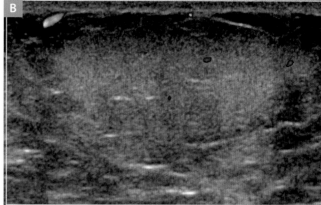
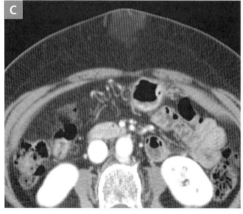

Figure 2-157 **Hibernoma.** A. US image over the anterior abdominal wall shows a homogeneous hyperechoic mass in the subcutaneous region. B. On the Dopple image, significant blood flow increase is not seen. C. Correlative CT image.

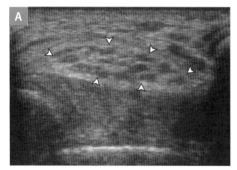
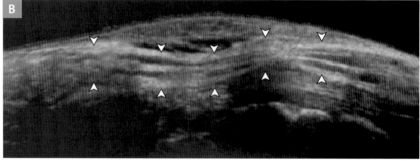

Figure 2-158 **Lipomatosis of median nerve.** Short axis (A) and long axis (B) US images of the median nerve (arrowheads) show hyperechoic fatty tissue interspersed between the hypoechoic nerve fascicles.

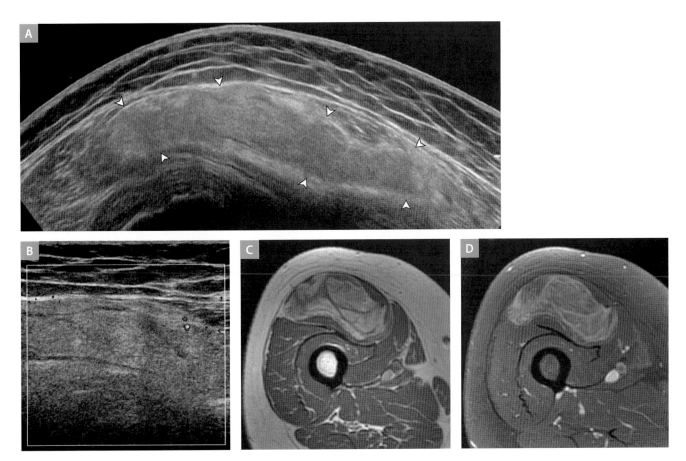

Figure 2-159 **Atypical lipoma.** **A.** Transverse extended-field-of-view US image over the thigh shows a large, heterogeneous, but predominantly hyperechoic mass between the muscles. **B.** On the Doppler image, significant blood flow increase is not seen. **C, D.** Correlative axial T1-weighted (**C**) and contrast-enhanced fat-saturated T1-weighted (**D**) MR images.

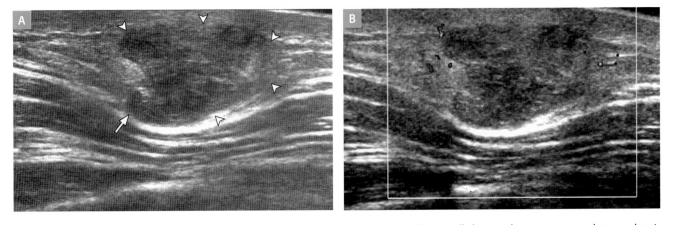

Figure 2-160 **Myxoid liposarcoma.** **A.** Transverse US image over the anterior chest wall shows a heterogeneous, but predominantly hypoechoic mass (arrowheads) in the subcutaneous region. Focal architectural distortion (arrow) is noted. **B.** On the Doppler image, significant blood flow increase is not seen.

2. 신경 및 신경관련 종양

1) 양성 말초신경초종양
Benign peripheral nerve sheath tumor

양성 말초신경초종양은 신경초종(schwannoma, neurilem-moma)과 신경섬유종(neurofibroma)이 포함되며, 신경섬유종은 국소형(localized), 미만형(diffuse)과 얼기형(plexiform)의 세 가지 형태로 나뉜다.

초음파에서 타원형의 균질한 저에코 종괴가 고에코의 경계를 가지며, 주위 구조물과 명확히 구별된다.[161] 특징적으로 종괴의 근위부와 원위부 끝은 신경다발과 연결되어 있으므로, 이 연결성을 확인하는 것이 진단에 중요하다. 신경

초종은 조직이 비교적 균일하기 때문에 후방음향증강을 동반하는 저에코 종괴로 보이는 경우가 많아 복합낭종(complex cyst)로 오인하지 않아야 하며, Doppler검사에서의 혈류 증가 소견이 구분에 도움이 될 수 있다.[161,162] 또한 탐촉자로 종괴를 압박하여 신경 증상이 유발되면 진단에 도움이 될 수 있다. 양성말초신경초종양은 섬유질 성분과 점액성분이 동심원 형태의 배열을 보여 과녁(target)처럼 보일 수 있다. 신경초종과 신경섬유종 모두 신경다발에 연결되어 보이지만, 신경이 종괴에 중앙부에 연결되면 신경섬유종을, 신경이 종괴의 가쪽으로 연결되면 신경초종을 시사하는 소견이 될 수 있지만, 두 종양을 감별이 쉽지 않은 경우가 더 많다 (Fig. 2-161, 2-162).[163] 신경초종은 신경섬유종에 비하여 낭성 변화, 석회화, 출혈, 유리질화(hyalization) 등의 소

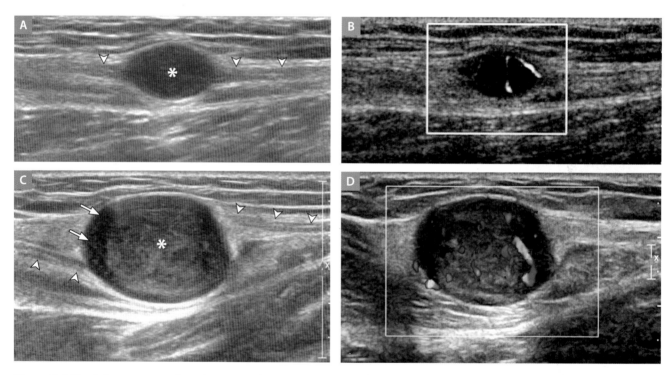

Figure 2-161 Schwannoma of sural nerve. A. Long axis US image shows an ovoid homogeneous hypoechoic mass (asterisk) which appears to have central continuity with the long axis of the nerve (arrowheads), **B.** Doppler image shows slightly increased blood flow. **C.** Follow-up long axis US image after 13 years shows an enlarged mass which develops eccentrically at the periphery of the nerve (arrowheads). The mass is characterized by peripheral hypoechoic (arrows) and central hyperechoic (asterisk) pattern consistent with the sonographic target sign. **D.** Doppler image shows hyperemia within the mass.

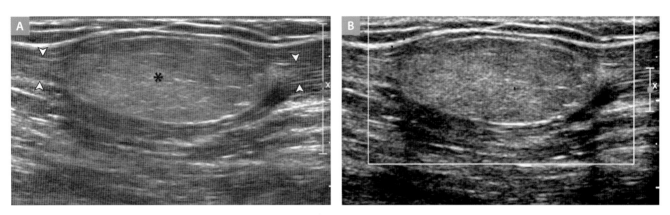

Figure 2-162 **Neurofibroma of musculocutaneous nerve of brachial plexus**. **A.** Long axis US image over the biceps brachii muscle shows an ovoid homogeneous isoechoic mass (asterisk) which has central continuity with the long axis of the nerve (arrowheads), **B.** On the Doppler image, significant blood flow is not seen.

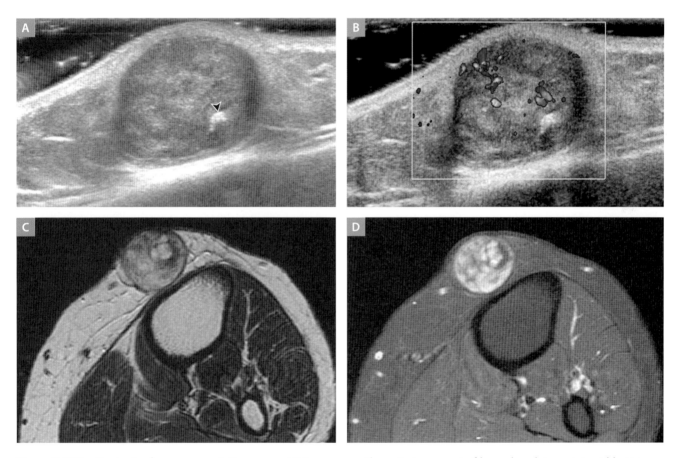

Figure 2-163 **Ancient schwannoma**. **A.** Transverse US image over the anterior aspect of lower leg shows an ovoid heterogeneously hypoechoic mass in the subcutaneous region. Nerve continuity with the mass is not defined. Note hyperechoic calcification (arrowhead). **B.** Doppler image shows increased blood flow. **C, D.** Correlative axial T2-weighted (**C**) and contrast-enhanced fat-saturated T1-weighted (**D**) MR images.

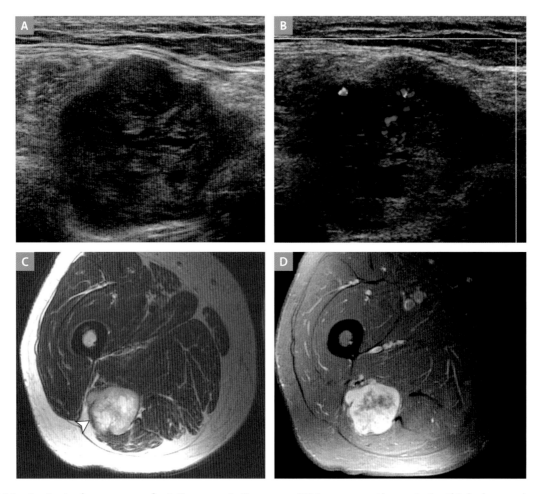

Figure 2-164 **Ancient schwannoma of sciatic nerve. A.** Transverse US image over the posterior thigh shows a large heterge-neous, but predominantly hypoechoic mass adjacent to the sciatic nerve (not shown). **B.** Doppler image shows slightly increased blood flow. **C, D.** Correlative axial T2-weighted **(C)** and contrast-enhanced fat-saturated T1-weighted **(D)** MR images. Note sciatic nerve (arrowhead).

견이 더 흔하게 동반되며, 오래된 신경초종(ancient schwan-noma)에서 자주 보이는 소견이다 (Fig. 2-163, 2-164).

얼기형 신경섬유종은 1형 신경섬유종증(neurofibromato-sis) 환자에서 주로 발생한다. 얼기형 신경섬유종에서는 다발성 종괴를 형성하고, 신경이 광범위하게 두꺼워지며 구불구불한 모양을 보여 '벌레 담은 자루(bag of worms)' 모양으로 보인다 (Fig. 2-165, 2-166).(164) 미만형 신경섬유종은 약 10%에서 1형 신경섬유종증과 관련이 있다.(165) 피하지방

층에서 발생하여 주위 조직을 에워싸는 침윤성 병변을 만든다.(166) 초음파에서 경계가 불분명한 고에코 병변이 피하조직에 보이고, 내부에 저에코의 결절성 또는 관모양의 병변이 보이지만 정상조직을 파괴하지 않고 감싸는 양상을 보인다 (Fig. 2-167).(165) Doppler검사에서 혈류 증가소견을 보이기 때문에 혈관종 또는 혈관종증(angiomatosis)과의 감별이 필요하다.

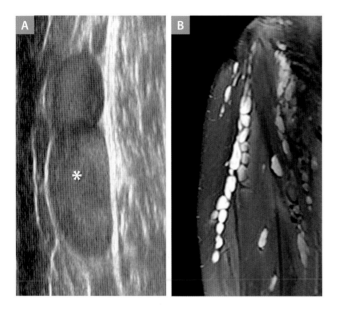

Figure 2-165 Plexiform neurofibroma of femoral nerve.
A. Longitudinal US image shows a lobulated mass (asterisk) with homogenous echogenicity in the thigh. **B.** Coronal fat-saturated T2-weighted MR image reveals that bright nodular lesions (arrows) hang in cluster from the femoral nerve.

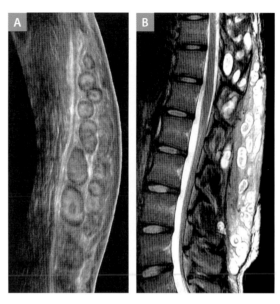

Figure 2-166 Plexiform neurofibroma. A. Longitudinal extended-field-of-view US image over the back shows multiple lobulated masses in the subcutaneous region. Each mass is characterized by peripheral hypoechoic and central hyperechoic pattern consistent with the sonographic target sign. **B.** Correlative sagittal T2-weighted MR image.

2) 악성 말초신경초종양
Malignant peripheral nerve sheath tumor

악성 말초신경초종양은 정상 신경의 신경초에서 생기거나(de novo) 양성 말초신경초종양의 악성변화(malignant transformation)에 의해 생기며, 약 50%는 1형 신경섬유종증과 관련되어 발생한다. 악성 말초신경초종양은 양성종양보다 크기가 크고, 불균질한 에코를 보이며, 혈류 증가소견을 보일 수 있지만, 특이적 소견은 보이지 않는다. 양성종양과 마찬가지로 초음파에서 신경과의 연결성이 확인될 수도 있다 (Fig. 2-168, 2-169).

3) 신경종 Neuroma

외상신경종(traumatic neuroma)은 손상되거나 절단된 신경의 근위 말단부에 신경의 재생(regeneration) 과정에 의한 비종양성 증식이며, 신경섬유와 흉터조직이 섞여 있다.[167] 초음파에서 불균질한 저에코 종괴로 보이며 신경과의 연결성을 확인할 수 있다 (Fig. 2-170). 신경종과 연결되는 신경은 대개 에코가 감소되어 보이므로 신경 구분에 도움이 된다. 종괴는 Doppler검사에서 나양한 정노의 혈류를 보인다. 탐촉자로 종괴를 압박하여 증상이 있는 신경종과 증상이 없는 신경종을 구분하는 것이 중요하다.[168]

Morton신경종은 족골간인대(intermetatarsal ligament) 발바닥 쪽에서 족지간신경(plantar interdigital nerve)이 만성

▶ p.154로 이어집니다.

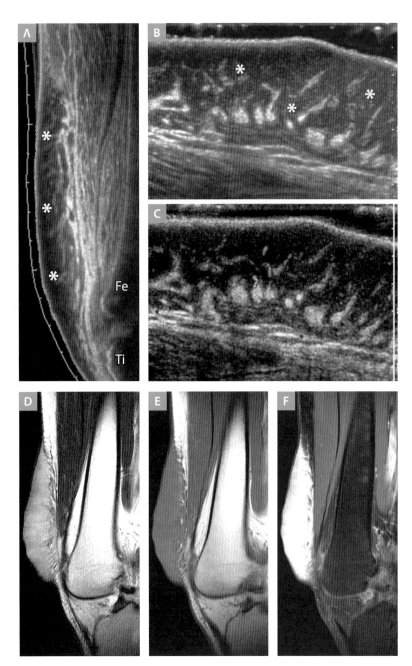

Figure 2-167 **Diffuse neurofibroma**. A, B. Longitudinal extended-field-of-view (A) and longitudinal (B) US images show diffuse infiltrative hypoechoic mass (asterisks) in the subcutaneous region. C. Doppler image shows increased blood flow. D-E. Correlative sagittal T2-weighted (D), T1-weighted (E), and contrast-enhanced fat-saturated T1-weighted (F) MR images. Fe, femur; Ti, tibia.

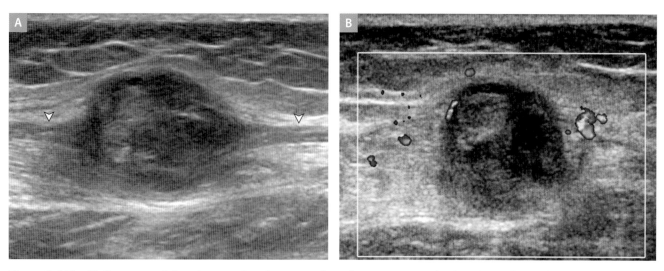

Figure 2-168 **Malignant peripheral nerve sheath tumor of sural nerve**. Longitudinal US (**A**) and Doppler (**B**) images show a heterogeneous, bur predominantly hypoechoic mass in continuity with the nerve (arrowheads).

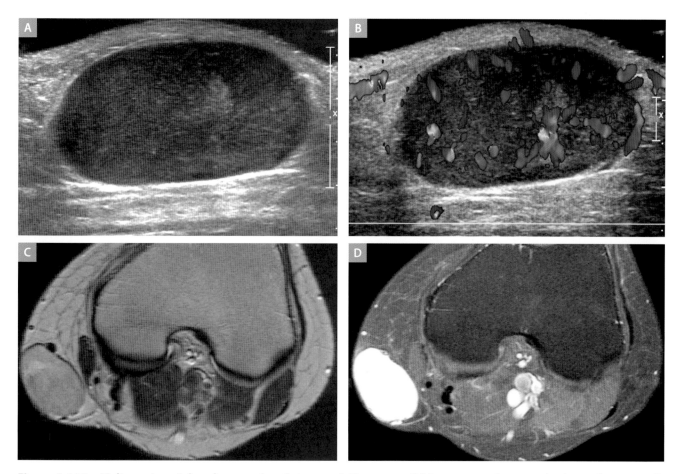

Figure 2-169 **Malignant peripheral nerve sheath tumor**. **A.** Transverse US image over the posterior knee shows a well-defined ovoid hypoechoic mass in the subcutaneous region. **B.** Doppler image shows marked hypervascularity within the mass. **C, D.** Correlative axial T2-weighted (**C**) and contrast-enhanced fat-saturated T1-weighted (**D**) MR images.

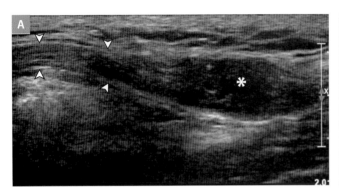
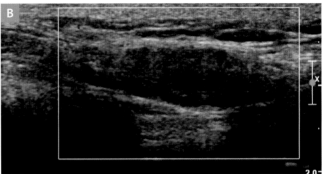

Figure 2-170 **Amputation neuroma of peroneal nerve. A.** Longitudinal US image shows an elongated heterogeneous, but predominantly hypoechoic mass (asterisk) in continuity with the transected peroneal nerve (arrowheads) after forequarter amputation. **B.** On the Doppler image, significant blood flow is not seen.

적으로 포착되어 신경주변의 섬유화와 신경의 변성에 의해 생기는 가성종양(pseudotumor)이다. 조직학적으로는 국소 혈관증식, 신경섬유내막(endoneurium)의 부종, 축삭변성 (axonal degeneration), 그리고 신경 주위의 섬유화로 이루어져 있다.[169,170] 주로 중년 여성에서 통증을 동반하는 발가락 사이 종괴로 나타난다. 주로 3번째, 4번째 지간(inter-metatarsal space)에서 호발하며, 발가락뼈를 연결하는 지간인대(intermetatarsal ligament)보다 발바닥쪽에 위치한다. 따라서 Morton신경종을 찾기 위해서는 주로 발바닥쪽에서 초

음파검사를 실시한다.

Morton 신경종은 초음파에서 방추형 또는 원형의 저에코 종괴로 보인다 (Fig. 2-171, 2-172). 횡축영상에서 중족골두 사이의 종괴를 찾고, 종축영상에서 종괴와 족지간신경과의 연결성을 확인한다. 발가락 사이 공간이 좁기 때문에 초음파 탐촉자와 손가락을 이용하여 지간(webspace)의 발바닥, 발등 양쪽에서 압박하여 최대한 발가락 사이 공간을 넓혀서 검사를 실시하며, 이때 신경종이 압박되어 증상이 유발되면 진단의 확신도를 높일 수도 있다. 또한 이러한 방법은 신경종

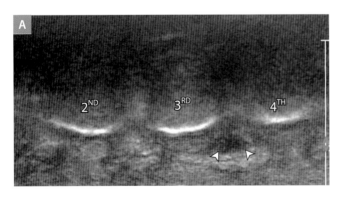
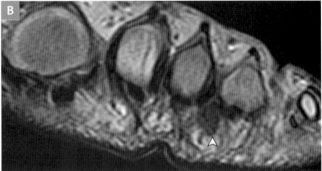

Figure 2-171 **Morton neuroma. A.** Transverse US image reveals a hypoechoic mass (arrowheads) between the 3rd and 4th metatarsal heads. When examiner grasp the patient's foot with his hand, he can clearly observe the mass between metatarsal heads (Mulder sign). **B.** Correlative axial T2-weighted MR image.

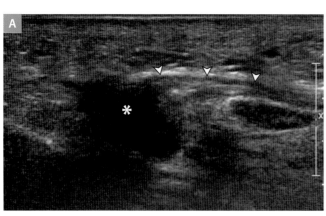 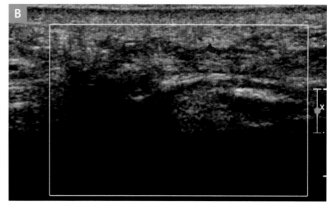

Figure 2-172 **Morton neuroma. A.** Longitudinal US image in the sagittal planes shows an irregular hypoechoic mass (asterisk). Note hypoechoic common plantar digital nerve (arrowheads) continuous with the mass. **B.** On the Doppler image, significant blood flow is not seen.

과 함께 발가락 사이에 잘 생기는 윤활낭염(intermetatarsal bursitis)을 감별에도 유용하다. 압박을 가할 때 모양이 변하거나 압축되면 신경종이 아닌 발가락 사이의 윤활낭염으로 진단할 수 있다. 발바닥을 양쪽에서 쥐고 압박할 때(lateral squeezing) 지간인대의 발바닥 쪽으로 Morton 신경종이 튕겨 나오는 소견을 초음파로 볼 수 있는데, 이를 Mulder sign 이라고 한다.

3. 섬유모세포/근육섬유모세포종양
Fibroblastic/Myofibroblastic tumor

1) 섬유종증 Fibromatosis

섬유종증은 섬유모세포의 증식을 보이는 질환으로 발바닥섬유종증(plantar fibromatosis), 손바닥섬유종증(palmar fibromatosis), 데스모이드형섬유종증(desmoid-type fibromatosis)으로 구분한다.

발바닥섬유종증은 발바닥근막(plantar fascia)에 섬유조직이 국소적으로 증식하여 결절을 형성하는 질환으로, 중간 발바닥의 내측 부위에 주로 생긴다. 발가락을 수동적으로 발등

굽힘(dorsiflexion)시키면 근막이 팽팽해지면서 통증이 유발된다. 초음파에서 발바닥근막의 방추형(fusiform) 비후 또는 결절이 저에코 또는 등에코로 보이고, 혈류 증가 소견이 동반될 수 있으며, 석회화는 생기지 않는다. 병변과 발바닥근막과의 연결성을 확인하는 것이 다른 질환과의 감별진단에 중요한 요소이다 (Fig. 2-173).[171]

손바닥섬유종증은 Dupuytren구축(contracture)이라고도 하며, 손바닥건막(palmar aponeurosis)에 섬유조직이 국소 증식하는 질환으로, 건막에 결절이 형성되고 건막의 수축이 동반되며, 요측(ulnar side) 건막에 더 흔하게 생긴다. 심한 경우에는 손바닥 피부 아래 띠가 형성되고 손가락의 굴곡구축(flexion contracture)이 생긴다. 당뇨병 환자에서 흔하고, 약 60%에서 양측성으로 생기며, 발바닥섬유종증 등 다른 부위의 섬유종증이 동반될 수 있다. 초음파에서 손바닥 피부와 굴곡건(flexor tendon) 사이의 손바닥건막의 결절성 비후를 보이고, 혈류 증가는 보이지 않는다 (Fig. 2-174).[172] 손가락을 움직이면서 역동적 검사를 실시하면 병변과 굴곡건 사이의 유착 여부를 확인할 수 있다.

데스모이드형섬유종증은 국소침윤성 질환으로, 수술 후 국소 재발이 많지만 전이는 하지 않는다. 25~40세에 주로 생기며, 30세 이전에 발생한 병변일수록 침윤성이 강하다.

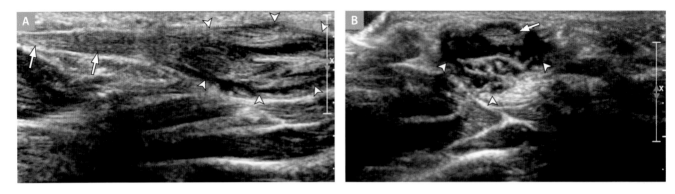

Figure 2-173 Plantar fibromatosis. Longitudinal (**A**) and transverse (**B**) US images over the mid-sole show a fusiform mass (arrowhead) in continuity with the plantar fascia (arrow).

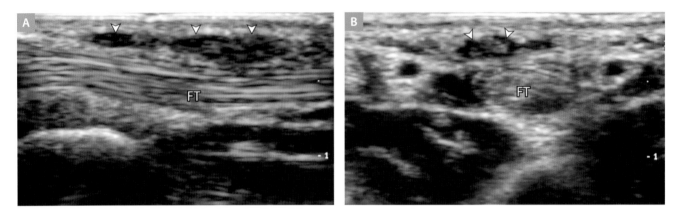

Figure 2-174 Palmar fibromatosis. Longitudinal (**A**) and transverse (**B**) US images over the palm show a hypoechoic nodular lesion (arrowheads) along the palmar aponeurosis. This lesion is separated from the flexor tendons (FT).

원인은 밝혀져 있지 않지만 피임약, 임신, 수술 및 외상과 관련성이 있는 것으로 알려져 있고, 10~15%에서 다발성으로 생긴다. 복부의 복직근(rectus abdominis)에 가장 흔하게 생기며, 삼각근, 하지 등이 호발 부위이다. 데스모이드형섬유종증 내에는 이교섬유(collagen fiber)가 풍부하며, 초기에 병변이 커지다가 치밀한 아교섬유가 형성되면서 점차 병변의 크기가 감소하게 된다.[173] 초음파에서 병변 내의 세포 성분과 아교섬유의 함량에 따라 다양한 에코를 보이며, 불명확한 경계를 보이는 병변부터 경계가 분명한 병변까지 다양한 소견은 보인다 (Fig. 2-175).[174] Doppler검사에서 초기에는 혈류 증가 소견을 보일 수 있지만, 점차 아교섬유의 양이 많아지고 치밀해지면 저혈류 병변으로 변하게 된다 (Fig. 2-176).

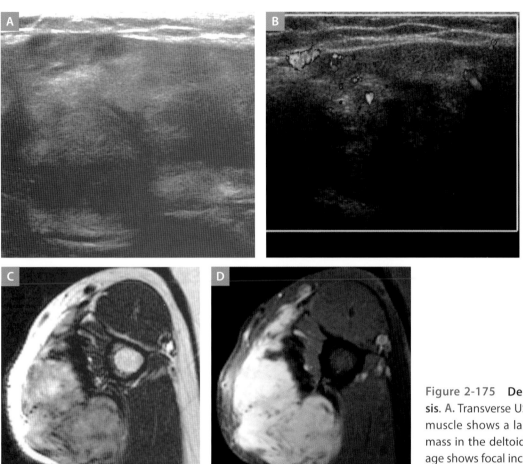

Figure 2-175 Desmoid-type fibromatosis. **A.** Transverse US image over the deltoid muscle shows a large complex echogenic mass in the deltoid muscle. **B.** Doppler image shows focal increased blood flow within the mass. **C, D.** Correlative axial T2-weighted (**C**) and contrast-enhanced fat-saturated T1-weighted (**D**) MR images.

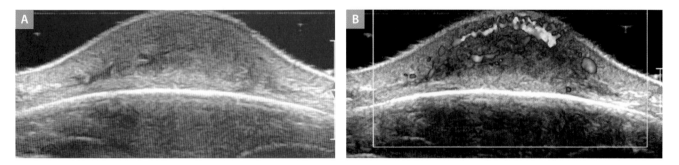

Figure 2-176 Desmoid-type fibromatosis. **A.** Transverse US image over the forehead shows an ill-defined, slightly hypoechoic mass. **B.** Doppler image shows hyperemia within the mass, suggesting immature state.

2) 경부섬유종증 Fibromatosis colli

경부섬유종증은 신생아 또는 영아에서 흉쇄유돌근(sterno-cleidomastoid muscle)의 비후에 의한 근성사경(muscular torticollis)을 초래하는 질환이다. 원인은 불분명하나 출산 과정의 외상이나 잘못된 태아의 위치로 인해 흉쇄유돌근의 압박 또는 긴장 손상과 관련되어 근육의 변성과 섬유화가 진행되어 생기는 질환으로 추정되고 있다. 생후 2주 경에 편측성으로 종괴가 생기며, 2~4주 후에 호전되기 시작하고, 대개 4~8개월 정도에 자연치유 된다. 초음파검사가 진단에 가장 중요한 역할을 하며, 흉쇄유돌근의 하부 3/2 부위에 방추형(fusiform) 또는 국소 비후 소견을 보이며, 건측 근육에 비하여 에코가 감소되어 보인다 (Fig. 2-177).[172]

3) 후방탄력섬유종 Elastofibroma dorsi

후방탄력섬유종은 견갑골하 부위(subscapular region)에 생기는 가성종양(pseudotumor)으로 견갑골의 끝부분과 흉벽 사이의 기계적 마찰이 원인이며, 중년 여자에서 주로 생긴다. 병변은 전방거근(serratus anterior), 광배근(latissimus dorsi), 대능형근(rhomboid major) 보다 깊은 곳에 위치한다.[175] 후방탄력섬유종은 섬유성 기질(fibrous matrix)과 지방이 교차하면서 썩여 있어서 특징적인 선모양의 배열을 보인다. 약 50%에서 양측성으로 생기며, 무증상으로 지내는 경우도 약 50%인 것으로 알려져 있다. 초음파검사를 실시할 때에는 양쪽 팔을 내전(adduction) 및 내회전(internal rotation) 하여 병변이 견갑골에서 드러나게 한 후 검사한다.[176] 후방탄력섬유종은 초음파에서 불균질한 에코를 보이며, 내부에 선형

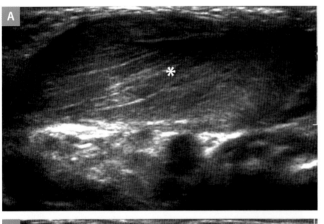
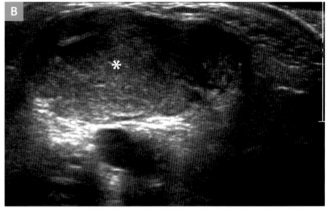
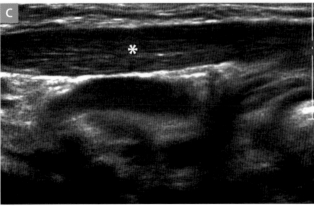

Figure 2-177 **Fibromatosis colli.** Long axis (A) and short axis (B) US images over the sternocleidomastoid muscle show marked thickening of muscle (asterisk) compared with the contralateral normal muscle. C. Long axis US image of the contralateral normal sternocleidomastoid muscle (asterisk).

의 저에코가 특징적으로 보인다 (Fig. 2-178). 병변은 근육과 비슷한 에코결(echotecture)을 가지기 때문에 근육과의 경계가 불분명하게 보인다. Doppler검사에서 혈류 증가 소견은 보이지 않는다.

4. 기타 종괴 Miscellaneous mass

1) 힘줄활막거대세포종 Tenosynovial giant cell tumor

힘줄활막거대세포종은 국소형(localized form)과 미만형(diffuse form)으로 나눌 수 있다. 국소형은 30~40대에 흔하며, 남자보다 여자에서 발생율이 높다. 이 종양은 대개 손에 호발하는데, 특히 첫 번째에서 세 번째 손가락의 굴곡건(굽힘힘줄)에 흔하다. 손 다음으로는 손목, 발, 발목 관절 등에서도 발생할 수 있다. 미만형은 20~40대에 발생하고 무릎 관절과 같은 큰 관절을 주로 침범한다.[150]

국소형 힘줄활막거대세포종은 저에코의 경계가 분명하고 단단한 종괴로 보이며, 주로 힘줄 주위에 생기지만 종괴와 인접한 힘줄의 모양과 에코는 정상으로 보인다 (Fig. 2-179, 2-180). 약 20%에서 비교적 경계가 좋은 골미란성 병변이 종괴 주위에 보이지만, 골반반응(periosteal reaction), 석회화, 낭성 변화는 매우 드물다. 손가락의 힘줄활막거대세포종은 결절종과의 감별이 필요한데, 힘줄활막거대세포종은 후방음향증강이 보이지 않고, 내부 에코가 보이며, Doppler검사에서 혈류 증가 소견을 보일 수 있다.

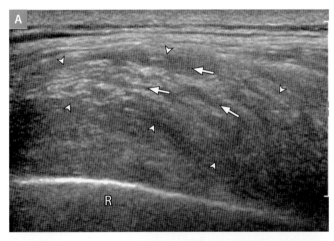

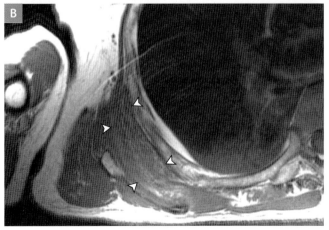

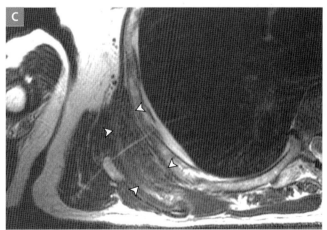

Figure 2-178 **Elastofibroma dorsi. A.** US image over the scapular area shows an ill-defined crescent-like mass (arrowheads) with the typical striate appearance made of alternating hypoechoic planes of fat (arrows) and fibroelastic tissue. **B, C.** Correlative axial T1-weighted (**B**) and contrast-enhanced fat-saturated T1-weighted (**C**) MR images. R, rib.

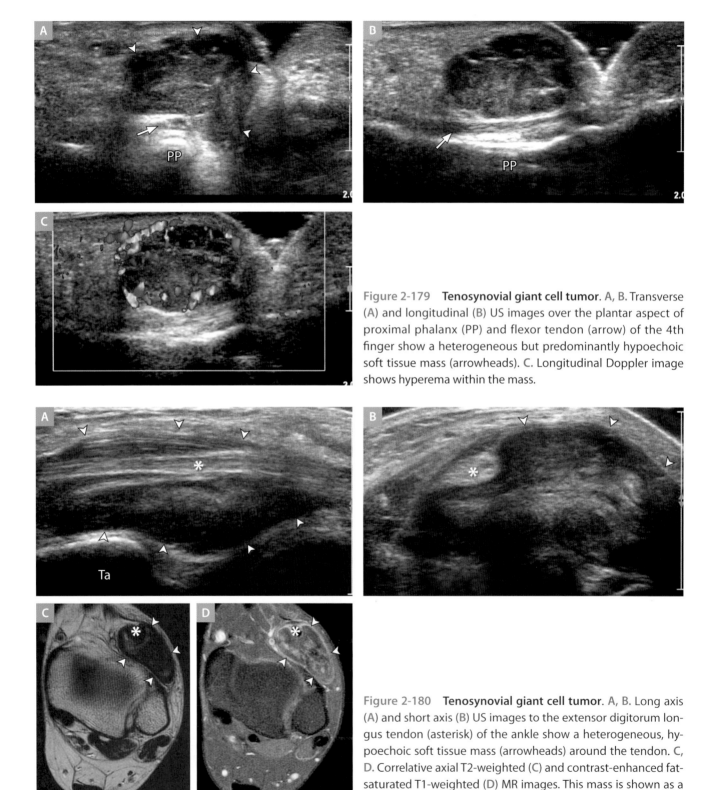

Figure 2-179 **Tenosynovial giant cell tumor. A, B.** Transverse (A) and longitudinal (B) US images over the plantar aspect of proximal phalanx (PP) and flexor tendon (arrow) of the 4th finger show a heterogeneous but predominantly hypoechoic soft tissue mass (arrowheads). **C.** Longitudinal Doppler image shows hyperema within the mass.

Figure 2-180 **Tenosynovial giant cell tumor. A, B.** Long axis (A) and short axis (B) US images to the extensor digitorum longus tendon (asterisk) of the ankle show a heterogeneous, hypoechoic soft tissue mass (arrowheads) around the tendon. **C, D.** Correlative axial T2-weighted (C) and contrast-enhanced fat-saturated T1-weighted (D) MR images. This mass is shown as a dark signal intensity lesion on T2 weighted image. Ta, talus.

2) 사구종양 Glomus tumor

사구종양은 신경근동맥 사구(neuromyoaterial glomus)에서 기원하는 종양으로, 대부분 손톱 아래(subungual)에서 발생하고, 다음으로 하지에 호발한다. 대개 크기가 1 cm 이하지만, 크기가 2 cm 이상이거나 깊은 연조직에서 생기면 악성 사구종양을 의심해야 한다.[177] 국소 압박이 가해지거나 차가운 물건이 닿았을 때 통증이 극심하게 악화되는 것이 특징적 임상증상이며, 손톱아래 사구종양 환자의 63~100% 특징적인 증상을 보인다.

손톱아래 사구종양은 초음파에서 균일한 저에코 종괴로 보이지만, 종괴가 명확하게 구분되지 않고 손톱아래의 저에코 공간이 2 mm 이상 두꺼워진 소견만 보일 수도 있다.[178] 종괴에 의해 인접한 손가락 뼈에 압박에 의한 골미란이 동반될 수 있다 (Fig. 2-181). 사구종양은 혈관이 풍부하여 Doppler검사가 진단에 특히 도움이 되지만, 하지의 깊은 연조직에서 생긴 사구종양에서는 혈류 증가소견이 보이지 않을 수도 있다 (Fig. 2-182).[179,180] 압통과 혈류 증가를 보이는 종괴가 손이나 상지에 보일 때에는 혈관종과 신경종의 가능성도 고려해야 한다.[178,179]

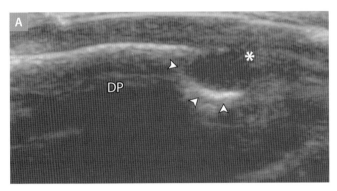
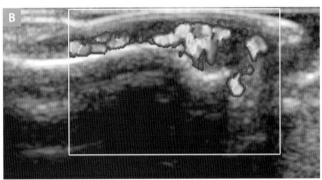

Figure 2-181 **Glomus tumor.** **A.** Longitudinal US image over the dorsal aspect of the finger shows an ill-defined hypoechoic mass (asterisk) beneath the nail causing a concave bony erosion (arrowheads). **B.** Doppler image shows prominent vascular flow in the subungal mass. DP, distal phalanx.

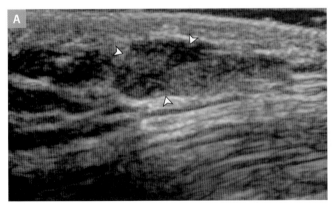
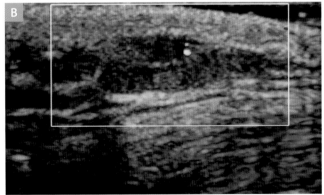

Figure 2-182 **Glomus tumor.** **A.** US image over the suprapatellar area shows a hypoechoic mass (asterisk) in the subcutaneous region. **B.** On the Doppler image, significantly increased blood flow is not seen.

3) 점액종 Myxoma

점액종(myxoma)은 비교적 드문 양성종양으로, 조직학적으로 다량의 점액성 간질(myxoid stroma)을 보이는 것이 특징이고, 점액성 간질 내에 위성 또는 방추형 세포와 망상의 섬유질을 가질 수 있다. 근육내(intramuscular) 및 관절곁(juxta-articular) 점액종 등으로 분류하며, 근육내 점액종이 80% 이상을 차지한다.[181] 근육내 점액종은 40~60대에 가장 흔하며, 허벅지, 어깨, 엉덩이, 위팔 등에서 주로 생긴다. 초음파에서 경계가 명확한 저에코 종괴로 보이고, 후방음향증강을 동반한다 (Fig. 2-183). 점액종 주위에 고에코 테두리(bright rim sign)가 보이는데, 이는 점액이 주위 근육으로 흘러나와 근육이 위축되고 지방이 침착되어 나타나는 소견으로 알려져 있다. 또한 종괴의 종축 양 끝 부분에 삼각형의 고에코 부분이 보이며, 'bright cap 징후'라고 한다.[182]

4) 결절종 Ganglion

결절종의 원인은 불확실하지만, 결합조직(connective tissue)의 점액변성(mucoid degeneration)이나 활액막 낭종(synovial cyst)의 변성과 관련 있는 것으로 알려져 있다.[159] 병리학적으로 결절종은 활액막 낭종과는 달리 상피벽이 없으며 아교섬유(collagen fiber)와 납작한 세포로 구성된 점액벽을 가진다. 결절종은 발생 부위에 따라 관절곁(juxta-articular), 관절내(intraarticular), 골막(periostenal), 힘줄 또는 건초내, 신경내(intraneural) 결절종 등이 있다. 관절곁 결절종이 가장 흔하며, 손목, 손가락, 발목 등에 호발한다. 관절내 결절종은 대부분 슬관절의 십자인대(cruciate ligament)와 관련되어 생긴다. 골막 결절종은 드물며, 거위발건(pes anserine tendon) 부위나 종골(long tubular bone) 끝 부위에 생긴다.

결절종은 경계가 좋은 무에코의 단순 낭종(simple cyst)으로 보이고, 벽이 거의 보이지 않으며, 후방음향증강을 동반한다.[159,183] 분엽성(lobulated) 낭종으로 보이거나 낭종

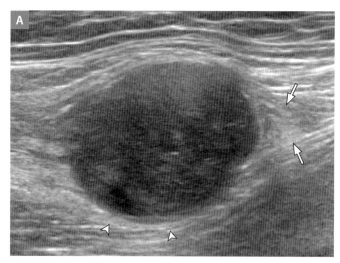
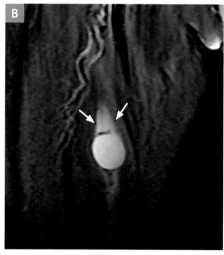

Figure 2-183   Intramuscular myxoma. A. Lonitudinal US image shows a well defined mass with echogenic rim (arrowheads) in the thigh muscle. Hyperechoic triangular lesion (arrows) is seen between the muscle and the mass (bright cap sign). **B.** Coronal fat-saturated T2-weighted MR image demonstrates a bright round mass lesion in the thigh muscle. The triangular lesion (arrows) is located at the top of the mass.

내에 격막을 가질 수 있으며, 크기가 아주 작은 결절종은 고형종괴와의 구분이 어려울 수도 있다 (Fig. 2-184A).[184] 오래된 결절종은 내부에 저에코 또는 혼합 에코를 보일 수 있고, 벽이 불규칙하게 두꺼워질 수 있다. 낭종 내에 출혈이 생기거나 관절과 연결되어 진공 가스(vacuum phenomenon)가 들어오면 높은 에코를 보이기도 한다.[159] 결절종은 약 30%에서 가는 줄기(stalk)를 통해 인접한 관절이나 건초와 연결되는 것으로 알려져 있지만, 초음파에서 연결성이 보이지 않을 수도 있다(Fig. 2-184B).[185,186]. 수술 시 관절 또는 건초와 연결된 부분을 적절하게 절제하지 않으면 재발의 원인이 될 수 있으므로, 연결성을 확인하는 것이 중요하다. 결절종은 윤활낭염이나 활액막 낭종에 비해 딱딱하며, 신경 등의 주위 구조물들을 압박하여 증상을 유발할 수 있으므로, 초음파검사에서 주위 구조물들과의 관계를 확인하는 것이 중요하다. 증상이 있는 결절종에 대한 치료목적의 초음파유도하 흡인과 스테로이드 주사는 효과적인 것으로 알려져 있다.[159]

힘줄내 결절종(intratendinous ganglion)은 드물며, 반복적

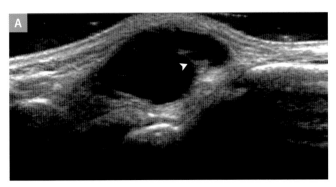
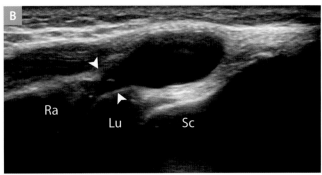

Figure 2-184 **Ganglion. A.** Longitudinal US image over the dorsal wrist shows an anechoic septated (arrowed) ganglion. **B.** US image shows that an elongated cystic mass is connected to the radio-lunate joint (arrowheads).

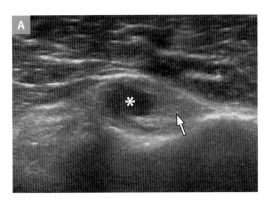
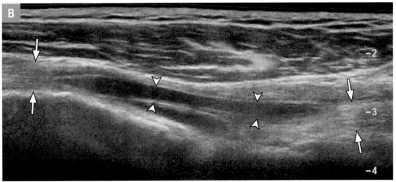

Figure 2-185 **Intratendinous ganglion of long head of biceps tendon. A.** Transverse US image the over upper arm shows an eccentric anechoic mass (asterisk) in the tendon sheath with compression into the tendon (arrow). **B.** Longitudinal US image reveals a fusiform-shaped anechoic cystic lesion (arrowheads) within the biceps tendon. Arrows indicate the long head of biceps tendon.

인 손상에 의한 힘줄의 낭성 변화와 관련되는 것으로 추측된다. 초음파에서 방추형 또는 분엽성의 낭종이 힘줄 내에 보이면서, 후방음향증강을 동반하며, 힘줄의 단축 직경을 확장시킨다 (Fig. 2-185). 힘줄의 부분파열과의 감별이 필요하다. 건초내 결절종(tendon sheath ganglion)은 힘줄내 결절종보다 상대적으로 흔하며, 건초의 내측막(visceral layer)에서 기원한다. 건초내 결절종은 건초를 확장시키지만, 힘줄의 직경을 확장시키지는 않는다.

신경내 결절종(intraneural ganglion)은 특징적으로 비골신경(peroneal nerve)에 잘 생기며, 근위경비관절(proximal tibiofibular joint)의 관절액이 신경의 관절분지를 타고 비골신경으로 빠져 나와서 생기는 것으로 알려져 있다.[187] 초음파에서는 비골신경을 따라 길쭉한 다방성 낭종(multilocular cyst)으로 보인다 (Chapter 05 하지 신경의 해부와 병리 참조 바람).

참고문헌

1. Chu DH. Development and structure of skin. In Goldsmith LA, Kats SI, Gilchrest BA, Paller AS, Leffel DJ, Wolff K. Dermatology in general medicine, 8th ed. New York: McGraw-Hill, 2012;1009-1030.

2. 이증훈, 조광현, 김명남. 피부의 구조화 기능. In 대한피부과학회 교과서 편찬위원회. 피부과학, 6th ed. Seoul: 대한의학, 2014;1-30.

3. Wortsman X, Wortsman J, Carreño L, Morales C, Sazunic I, Jemec GBE. Sonographic Anatomy of the Skin, Appendages, and Adjacent Structures. In Wortsman X, Jemec GBE. Dermatologic Ultrasound with Clinical and Histologic Correlations. New York: Springer, 2013;15-35.

4. Mlosek RK, Malinowska S. Ultrasound image of the skin, apparatus and imaging basics. Journal of Ultrasonography 2013;13:212-221.

5. Carla S, Veronica M, Andrea P, Fabrice D, Raffaele DC. The fascia: the forgotten structure. Itallan Journal of anatomy and Embryology 2011;116:127-138.

6. Abu-Hijleh MF, Roshier AL, Al-Shboul Q, Dharap AS, Harris PF. The membranous layer of superWcial fascia: evidence for its widespread distribution in the body. Surg Radiol Anat 2006;28:606-619.

7. Ali SZ, Srinvasan S, Peh WCG. MRI in necrotizing fasciitis of the extremities BJR 2014.

8. Wortsman X, Wortsman J. Clinical usefulness of variable fre-quency ultrasound in localized lesions of the skin. J Am Acad Dermatol 2010;62:247-256.

9. Wortsman X. Common applications of dermatologic sonography. J Ultrasound Med 2012;31:97-111.

10. Tosti A, Piraccini BM. Biology of nails and nail disorders. In Goldsmith LA, Kats SI, Gilchrest BA, Paller AS, Leffel DJ, Wolff K. Dermatology in general medicine, 8th ed. New York: McGraw-Hill, 2012;1009-1030.

11. Baek HJ, Lee SJ, Cho KH, et al. Subungual tumors: clinico-pathologic correlation with US and MR imaging findings. Radiographics 2010;30:1621-1636.

12. Valle M, Zamorani MP. Skin and subcutaneous tissue. In Bianchi S, Martinoli C. Ultrasound of the Musculoskeletal System. Berlin: Springer, 2007:19-43.

13. Struk DW … Imaging of soft tissue infections. Radiol Clin North Am 2001;39:277-303.

14. Robben SGF. Ultrasonography of musculoskeletal infections in children. Eur Radiol 2004;14:L65-L67.

15. Chau CL … Musculoskeletal infections: ultrasound appearances. Clin Radiol 2005;60:149-159.

16. Loyer EM … Imaging of superficial soft tissue infections: sonographic findings in case of cellulitis and abscess. AJR Am J Roentgenol 1996;166:149-152.

17. Ryu JK, Jin W, Kim GY. Sonographic appearances of small organizing hematomas and thrombi mimicking superficial soft tissue tumors. J Ultrasound Med 2011;30:1431-1436.

18. Mellado JM, Bencardino JT. Morel-Lavallee lesion: review with Emphasis on MR imaging. Magn Reson Imaging Clin N Am 2005;13:775-782.

19. Hak DJ, Olson SA, Matta JM. Diagnosis and management of closed internal degloving injuries associated with pelvic and acetabular fractures: the Morel-Lavallee lesion. J Trauma 1997;42:1046-1051.

20. Neal C, Jacobson JA, Brandon C, Kalume-Brigido M, Morag Y, Girish G. Sonography of Morel-Lavallee lesions. J Ultrasound Med 2008;27:1077-1081.

21. Walsh M, Jacobson JA, Kim SM, Lucas DR, Morag Y, Fessell DP. Sonography of fat necrosis involving the extremity and torso with magnetic resonance imaging and histologic correlation. J Ultrasound Med 2008;27:1751-1757.

22. Wortsman X, Carreño L, Morales C. Inflammatory disease of the skin. In Wortsman X, Jemec GBE. Dermatologic Ultrasound with Clinical and Histologic Correlations. New York: Springer, 2013;73-117.

23. Leon L, Giannoukas AD, Dodd D, Chan P, Labropoulos N. Clinical significance of superficial vein thrombosis. Eur J Vasc Endovasc Surg 2005;29:10-17.

24. Decousus H, Bertoletti L, Frappe P, Becker F, Jaouhari AE, Mismetti P, et al. Recent findings in the epidemiology, diagnosis and treatment of superficial-vein thrombosis. Thromb Res. 2011;127 Suppl 3:S81-8.

25. Quere I, Leizorovicz A, Galanaud JP, Presles E, Barrellier MT, Becker F, et al. Superficial venous thrombosis and compression ultrasound imaging. J Vasc Surg 2012;56:1032-1038.

26. Shetty MK, Watson AB. Mondor's Disease of the Breast: Sonographic and Mammographic Findings. AJR Am J Roentgenol 2001;177:893-896.

27. Yanik B, Conkbayir I, Oner O, Hekimo lu B. Imaging findings in Mondor's disease. J Clin Ultrasound 2003;31:103-137.

28. Horton LK, Jacobson JA, Powell A, Fessell DP, Hayes CW. Sonography and radiography of soft-tissue foreign bodies. AJR Am J Roentgenol 2001;176:1155-1159.

29. Inampudi P, Jacobson JA, Fessell DP, et al. Soft-tissue lipomas: accuracy of sonography in diagnosis with pathologic correlation. Radiology 2004;233:763-767.

30. Fornage BD, Tassin GB. Sonographic appearances of superficial soft tissue lipomas. J Clin Ultrasound 1991;19:215-220.

31. Mulliken JB, Glowacki J. Hemangiomas and vascular malformations in infants and children: a classification based on endothelial characteristics. Plast Reconstr Surg 1982;69:412-422.

32. Hassanein AH, Mulliken JB, Fishman SJ, et al. Evaluation of terminology for vascular anomalies in current literature. Plast Reconstr Surg 2011;127:347-351.

33. Enjolras O, Mulliken JB. Vascular tumors and vascular malformations (new issues). Adv Dermatol 1997;13:375-423.

34. Restrepo R. Multimodality imaging of vascular anomalies. Pediatr Radiol 2013;43(Suppl 1):S141-S154.

35. Kollipara P. Dinneen L, Rentas KE, Saettele MR, Patel SA, Rivard DC et al. Current classification and terminology of pediatric Vascular Anomalies. AJR Am J Roentgenol 2013;201:1124-1135.

36. Mulliken JB, Glowacki J. Classification of pediatric vascular lesions. Plast Reconstr Surg 1982;70:120-121.

37. Legiehn GM, Heran MK. Classification, diagnosis, and interventional radiologic management of vascular malformations. Orthop Clin North Am 2006;37:435-447.

38. Bruckner AL, Frieden IJ. Hemangiomas of infancy. J Am Acad Dermatol 2003;48:477-493.

39. Restrepo R, Palani R, Cervantes LF, et al. Hemangiomas revisited: the useful, the unusual and the new. Part 1: overview and clinical and imaging characteristics. Pediatr Radiol 2011;41:895-904.

40. Lowe LH, Marchant TC, Rivard D, et al. Vascular malformations: classification and terminology the radiologist needs to know. Semin Roentgenol 2012;47:106-117.

41. Peer S, Wortsman X. Hemangiomas and Vascular Malformations. In Wortsman X, Jemec GBE. Dermatologic Ultrasound with Clinical and Histologic Correlations. New York: Springer, 2013;183-234.

42. Krol A, MacArthur CJ. Congenital hemangiomas: rapidly involuting and noninvoluting congenital hemangiomas. Arch Facial Plast Surg 2005;7:307-311.

43. Gorincour G, Kokta V, Rypens F, Garel L, Powell J, Dubois J. Imaging characteristics of two subtypes of congenital hemangiomas: rapidly involuting congenital hemangiomas and non-involuting congenital hemangiomas. Pediatr Radiol 2005;35:1178-1185

44. Bruder E, Alaggio R, Kozakewich HP, et al. Vascular and perivascular lesions of skin and soft tissues in children and adolescents. Pediatr Devel Pathol 2012;15:26-61.

45. Puig S, Casati B, Staudenherz A, et al. Vascular low-flow malformations in children: current concepts for classification, diagnosis and therapy. Eur J Radiol 2005;53:35-45.

46. Legiehn GM, Heran MKS. Classification, diagnosis, and interventional radiologic management of vascular malformations. Orthop Clin North Am 2006;37:435-474.

47. Dubois J, Alison M. Vascular anomalies: what a radiologist needs to know. Pediatr Radiol 2010;40:895-905.

48. Cahill AM, Nijs E, Ballah D, et al. Percutaneous sclerotherapy in neonatal and infant head and neck lymphatic malformations: a single center experience. J Pediatr Surg 2011;46:2083-2209.

49. MRI findings of subcutaneous epidermal cysts. Emphasis on the presence of rupture. AJR Am J Roentgenol 2005;186:961.

50. Sonographic Diagnosis of Epidermal Inclusion Cysts in the Trunk and Extremities. J Korean Soc Ultrasound Med 2008;27:221-228.

51. Wortsman X, Bouer M. Common benign non-vascular Skin Tumors. In Wortsman X, Jemec GBE. Dermatologic Ultrasound with Clinical and Histologic Correlations. New York: Springer, 2013;119-175.

52. Hwang JY, Lee SW, Lee SM. The Common Ultrasonographic Features of Pilomatricoma. Journal of Ultrasound in Medicine 2005;24:1397-402.

53. Jin W, Kim GY, Park SY, et al. The spectrum of vascularized superficial soft-tissue tumors on sonography with a histopathologic correlation: Part 1, benign tumors. AJR Am J Roentgenol 2010;195:439-445.

54. Choo HJ, Lee SJ, Lee YH, et al. Pilomatricomas: the diagnostic value of ultrasound. Skeletal Radiol 2010;39:243-250.

55. Hong H, Sun J, Cai W. Anatomical and molecular imaging of skin cancer. Clin Cosmet Investig Dermatol 2008;1:1-17.

56. Bobadilla F, Wortsman X, Muñoz C, Segovia L, Espinoza M, Jemec GB. Pre-surgical high resolution ultrasound of facial basal cell carcinoma: correlation with histology. Cancer Imaging 2008;8:163–172.

57. Uhara H, Hayashi K, Koga H, Saida T. Multiple hypersonographic spots in basal cell carcinoma. Dermatol Surg 2007;33:1215–1219.

58. Shin YR, Kim JY, Sung MS, Jung JH. Sonographic findings of dermato fibrosarcoma protuberans with pathologic correlation. J Ultrasound Med 2008;27:269–274.

59. Wortsman X, Carreño L, Morales C. Skin cancer: the primary. In Wortsman X, Jemec GBE. Dermatologic Ultrasound with Clinical and Histologic Correlations. New York: Springer, 2013;249–282.

60. Oztürk E, Sipahioglu S, Han U, Yücesoy C, Dilli A, Hekimoğlu B. Ultrasonography and MRI findings of cutaneous B-cell lymphoma, leg type. JBR-BTR 2011;94:81–82.

61. Ushiki T, Nikkuni K, Higuchi T, Takai K. Multimodality imaging of subcutaneous panniculitis-like T-cell lymphoma. Intern Med 2011;50:1265.

62. Schedel ... Muscle edema in MR imaging of neuromuscular diseases. Acta Radiol 1995;36:228–232.

63. Martinoli C, Perez MM, Padua L, et al. Muscle variants of the upper and lower limb (with anatomical correlation). Semin Musculoskelet Radiol 2010;14:106–121.

64. Sookur PA, Naraghi AM, Bleakney RR, Jalan R, Chan O, White LM. Accessory muscles: anatomy, symptoms, and radiologic evaluation. Radiographics 2008;28:481–499.

65. Mueller-Wohlfahrt HW, Haensel L, Mithoefer K, et al. Terminology and classification of muscle injuries in sport: the Munich consensus statement. Br J Sports Med 2013;47:342–350.

66. Koh ES, McNally EG. Ultrasound of skeletal muscle injury. Semin Musculoskelet Radiol 2007;11:162–173.

67. Jarvinen TA, Jarvinen M, Kalimo H. Regeneration of injured skeletal muscle after the injury. Muscles Ligaments Tendons J 2013;3:337–345.

68. Lacout A, Jarraya M, Marcy PY, Thariat J, Carlier RY. Myositis ossificans imaging: keys to successful diagnosis. Indian J Radiol Imaging 2012;22:35–9.

69. Finlay K, Friedman L, Ainsworth K. Calcific myonecrosis and tenosynovitis: sonographic findings with correlative imaging. J Clin Ultrasound 2007;35:48–51.

70. Beggs I. Sonography of muscle hernias. AJR Am J Roentgenol 2003;180:395–399.

71. Chau CL, Griffith JF. Musculoskeletal infections: ultrasound appearances. Clin Radiol 2005;60:149–159.

72. Gottlieb RH, Meyers SP, Hall C, Amesur N, Domke R, Rubens DJ. Pyomyositis: diagnostic value of color Doppler sonography. Pediatr Radiol 1995;25 Suppl 1:S109–111.

73. Chaudhry AA, Baker KS, Gould ES, Gupta R. Necrotizing Fasciitis and Its Mimics: What Radiologists Need to Know. AJR Am J Roentgenol 2015;204:128–139.

74. Reimers CD, Finkenstaedt M. Muscle imaging in inflammatory myopathies. Curr Opin Rheumatol 1997;9:475–485.

75. Weber MA, Krix M, Jappe U, et al. Pathologic skeletal muscle perfusion in patients with myositis: detection with quantitative contrast-enhanced US--initial results. Radiology 2006;238:640–649.

76. Sarteschi M, Ciatti S, Sabo C, Massei P, Paoli R. Proliferative myositis: rare pseudotumorous lesion. J Ultrasound Med 1997;16:771–773.

77. Yigit H, Turgut AT, Kosar P, Astarci HM, Kosar U. Proliferative myositis presenting with a checkerboard-like pattern on CT. Diagn Interv Radiol 2009;15:139–142.

78. Tohme-Noun C, Le Breton C, Sobotka A, et al. Imaging findings in three cases of the nodular type of muscular sarcoidosis. AJR Am J Roentgenol 2004;183:995–999.

79. Lamminen AE, Hekali PE, Tiula E, Suramo I, Korhola OA. Acute rhabdomyolysis: evaluation with magnetic resonance imaging compared with computed tomography and ultrasonography. Br J Radiol 1989;62:326–330.

80. Counsel .. Muscle injuries of the lower leg. Semin Musculoskeletal Radiol 2010;14:162–175.

81. Lee JC .. Sonography of lower limb muscle injury. AJR Am J Roentgenol 2004;182:341–351.

82. Bargfrede M, Schwennicke A, Tumani H, Reimers CD. Quantitative ultrasonography in focal neuropathies as compared to clinical and EMG findings. Eur J Ultrasound 1999;10:21–29.

83. Kannus P. Structure of the tendon connective tissue. Scand J Med Sci Sports 2000;10:312–320.

84. Robinson P. Sonography of common tendon injuries. AJR Am J Roentgenol 2009;193:607–618.

85. Zanetti M, Metzdorf A, Kundert HP, et al. Achilles tendons: clinical relevance of neovascularization diagnosed with power Doppler US. Radiology 2003;227:556–560.

86. Kainberger F, Mittermaier F, Seidl G, Parth E, Weinstabl R. Imaging of tendons--adaptation, degeneration, rupture. Eur J Radiol 1997;25:209–222.

87. Chun KA, Cho KH. Post-operative ultrasonography of the musculoskeletal system. Ultrasonography 2015;34:195–205.

88. Sofka CM. Optinizing techniques for musculoskeletal imaging of the postoperative patient. Radiol Clin North Am 2006;44:323–329.

89. Jacobson JA, Lax MJ. Musculoskeletal sonography of the

postoperative orthopedic patient. Semin Musculoskeletal Radiol 2002;6:67–77.

90. Mack LA, Nyberg DA, Matsen III FR, Kilcoyne RF, Jarvey D. Sonography of the post–operative shouler. AJR Am J Roentgenol 1988;150:1089–1093.

91. Crass JR, Craig EV, Feinberg SB. Sonography of the postoperative rotator cuff. AJR Am J Roentgenol 1986;146:561–564.

92. Rupp S, Tempelhof S, Fritsch E. Ultrasound of the Achilles tendon after surgical repair: Morphology and function. Br J Radiol 1995;68:454–458.

93. Kader D, Saxena A, Movin T, Maffulli N. Achilles tendinopathy: Some aspects of basic science and clinical management. Br J Sports Med 2002;36:239–249.

94. Czyrny Z. US and MR imaging of the postoperative knee. Eur J Radiol 2007;62:44–67.

95. Movin T, Gad A, Reinhoft F, Rolf C. Tendon pathology in longstanding achillodynia: Biopsy findings in 40 patients. Acta Orthop Scand 1997;68:170–175.

96. Adler RS. Postoperative rotator cuff. Semin Musculoskeletal Radiol 2013;17:12–19.

97. Bergin D, Morrison WB. Postoperative imaging of the ankle and foot. Radiol Clin N Am 2006;44:391–406.

98. Gooding GA. Tenosynovitis of the wrist. A sonographic demonstration. J Ultrasound Med 1988;7:225–226.

99. Martinoli C, Bianchi S, Derchi LE. Tendon and nerve sonography. Radiol Clin North Am 1999;37:691–711, viii.

100. Jeffrey RB, Jr., Laing FC, Schechter WP, Markison RE, Barton RM. Acute suppurative tenosynovitis of the hand: diagnosis with US. Radiology 1987;162:741–742.

101. Riehl J, Schmitt H, Bergmann D, Sieberth HG. Tuberculous tenosynovitis of the hand: evaluation with B–mode ultrasonography. J Ultrasound Med 1997;16:369–372.

102. Newman JS, Laing TJ, McCarthy CJ, Adler RS. Power Doppler sonography of synovitis: assessment of therapeutic response––preliminary observations. Radiology 1996;198:582–584.

103. Hottat N, Fumière E, Delcour C. Calcific tendinitis of the gluteus maximus tendon: CT findings. Eur Radiol 1999;9:1104–1106.

104. Kandemir U, Bharam S, Philippon MJ, Fu FH. Endoscopic treatment of calcific tendinitis of gluteus medius and minimus. Arthroscopy 2003;19:E4.

105. Dürr HR, Lienemann A, Silbernagl H, Nerlich A, Refior HJ. Acute calcific tendinitis of the pectoralis major insertion associated with cortical bone erosion. Eur Radiol 1997;7:1215–1217.

106. Lee HS, Lee YH, Sung NK, Jung KJ, Park YC, Kim HG, et al. Sonographic Findings of Calcific Tendinitis around the Hip. J Korean Soc Ultrasound Med 2005;24:139–144.

107. Uhthoff HK, Sarkar K. Calcifying tendinitis. Baillieres Clin Rheumatol 1989;3:567–581

108. Zubler C, Mengiardi B, Schmid MR, Hodler J, Jost B, Pfirrmann CW. MR arthrography in calcific tendinitis of the shoulder: diagnostic performance and pitfalls. Eur Radiol 2007;17:1603–1610.

109. Chiou HJ, Chou YH, Wu JJ, Hsu CC, Huang DY, Chang CY. Evaluation of calcific tendonitis of the rotator cuff: role of color Doppler ultrasonography. J Ultrasound Med 2002;21:289–295.

110. Le Goff B, Berthelot JM, Guillot P, Glémarec J, Maugars Y. Assessment of calcific tendonitis of rotator cuff by ultrasonography: comparison between symptomatic and asymptomatic shoulders. Joint Bone Spine 2010;77:258–263.

111. Farin PU. Consistency of rotator–cuff calcifications. Observations on plain radiography, sonography, computed tomography, and at needle treatment. Invest Radiol 1996;31:300–304.

112. Jacobson JA. Shoulder ultrasound. In Jacobson JA. Fundamentals of Musculoskeletal Ultrasound, 2nd ed. Philadelphia: Elsevier Saunders, 2013;3–71.

113. Sconfienza LM, Orlandi D, Lacelli F, Serafini G, Silvestri E. Dynamic high–resolution US of ankle and midfoot ligaments: normal anatomic structure and imaging technique. Radiographics 2015;35:164–178.

114. Peetrons P, Creteur V, Bacq C. Sonography of ankle ligaments. J Clin Ultrasound 2004;32:491–499.

115. Van Holsbeeck MT, Introcaso JH. Sonography of ligaments. In van Holsbeeck MT, Introcaso JH. Musculoskeletal Ultrasound, 3rd ed. Panama: Jaypee, 2016;248–285.

116. Hodgson RJ, O' Connor PJ, Grainger AJ. Tendon and ligament imaging. Br J Radiol 2012;85:1157–1172.

117. De Maeseneer M, Lenchik L, Starok M, Pedowitz R, Trudell D, Resnick D. Normal and abnormal medial meniscocapsular structures: MR imaging and sonography in cadavers. AJR Am J Roentgenol 1998;171:969–976.

118. Bihan M, Pesquer L, Meyer P, Paris G, Rousvoal A, Bouche G, et al. High resolution sonography of the dorsal radiocarpal and intercarpal ligaments: findings in healthy subjects with anatomic correlation to cadaveric wrists. J Radiol 2009;90:813–817.

119. Ptasznik R, Feller J, Bartlett J, Fitt G, Mitchell A, Hennessy O. The value of sonography in the diagnosis of traumatic rupture of the anterior cruciate ligament of the knee. AJR Am J Roentgenol 1995;164:1461–1463.

120. Cho KH, Lee DC, Chhem RK, Kim SD, Bouffard JA, Cardinal E, et al. Normal and acutely torn posterior cruciate ligament of the knee at US evaluation: preliminary experience. Radiology 2001;219:375–380.

121. Miller TT. Sonography of injury of the posterior cruciate ligament of the knee. Skeletal Radiol 2002;31:149–154.

122. Hsu CC, Tsai WC, Chen CP, Yeh WL, Tang SF, Kuo JK. Ultrasonographic examination of the normal and injured posterior cruciate ligament. J Clin Ultrasound 2005;33:277–282.

123. Zbojniewicz AM. US for diagnosis of musculoskeletal conditions in the young athlete: emphasis on dynamic assessment. Radiographics 2014;34:1145–1162.

124. Fullerton BD. High-resolution ultrasound and magnetic resonance imaging to document tissue repair after prolotherapy: a report of 3 cases. Arch Phys Med Rehabil 2008;89:377–385.

125. Hirji Z1, Hunjun JS, Choudur HN. Imaging of the bursae. J Clin Imaging Sci 2011;1:22.

126. Van Holsbeeck MT, Introcaso JH. Sonography of bursae. In van Holsbeeck MT, Introcaso JH. Musculoskeletal Ultrasound, 3rd ed. Panama: Jaypee, 2016;188–247.

127. Van Holsbeeck M, Introcaso J. Sonography of the postoperative shoulder. AJR Am J Roentgenol 1989;152:202.

128. Blankstein A, Ganel A, Givon U, Mirovski Y, Chechick A. Ultrasonographic findings in patients with olecranon bursitis. Ultraschall Med 2006;27:568–571.

129. Farin PU, Jaroma H, Harju A, Soimakallio S. Shoulder impingement syndrome: sonographic evaluation. Radiology 1990;176:845–849.

130. Brown TD, Varney TE, Micheli LJ. Malleolar bursitis in figure skaters. Indications for operative and nonoperative treatment. Am J Sports Med 2000;28:109–111.

131. Studler U, Mengiardi B, Bode B, Schöttle PB, Pfirrmann CW, Hodler J, et al. Fibrosis and adventitious bursae in plantar fat pad of forefoot: MR imaging findings in asymptomatic volunteers and MR imaging–histologic comparison. Radiology 2008;246:863–870.

132. Ahmed A, Bayol MG, Ha SB: Adventitious bursae in below knee amputees: case reports and a review of the literature. Am J Phys Med Rehabil 1994;73:124–129.

133. Das HK, Patidar R. Retro-inferior coccygeal adventitious bursa (Hadoti bursa): a study of three cases. Indian J Surg 2013;75:S345–S346.

134. Mutlu H, Sildiroglu H, Pekkafali Z, Kizilkaya E, Cermik H. MRI appearance of retrocalcaneal bursitis and rheumatoid nodule in a patient with rheumatoid arthritis. Clin Rheumatol 2006;25:734–736.

135. Gerster JC, Landry M, Dufresne L, Meuwly JY. Imaging of tophaceous gout: computed tomography provides specific images compared with magnetic resonance imaging and ultrasonography. Ann Rheum Dis 2002;61:52–54.

136. Filippucci E, Riveros MG, Georgescu D, Salaffi F, Grassi W. Hyaline cartilage involvement in patients with gout and calcium pyrophosphate deposition disease. An ultrasound study. Osteoarthritis Cartilage 2009;17:178–181.

137. Thiele RG, Schlesinger N. Diagnosis of gout by ultrasound. Rheumatology (Oxford) 2007;46:1116–1121.

138. Armstrong P, Saxton H. Ilio-psoas bursa. Br J Radiol 1972;45:493–495.

139. Genovese GR, Jayson MI, Dixon AS. Protective value of synovial cysts in rheumatoid knees. Ann Rheum Dis 1972;31:179–182.

140. van Holsbeeck M, van Holsbeeck K, Gevers G, Marchal G, van Steen A, Favril A, et al. Staging and follow-up of rheumatoid arthritis of the knee. Comparison of sonography, thermography, and clinical assessment. J Ultrasound Med 1988;7:561–566.

141. Cho KH, Park BH, Yeon KM. Ultrasound of the adult hip. Semin Ultrasound CT MR 2000;21:214–230.

142. Pellman E, Kumari S, Greenwald R. Rheumatoid iliopsoas bursitis presenting as unilateral leg edema. J Rheumatol 1986;13:197–200.

143. Yoon TR, Song EK, Chung JY, Park CH. Femoral neuropathy caused by enlarged iliopsoas bursa associated with osteonecrosis of femoral head--a case report. Acta Orthop Scand 2000;71:322–324.

144. Jacobson JA. Musculoskeletal sonography and MR imaging. A role for both imaging methods. Radiol Clin North Am 1999;37:713–735.

145. Harcke HT, Grissom LE, Finkelstein MS. Evaluation of the musculoskeletal system with sonography. AJR Am J Roentgenol 1988;150:1253–1261.

146. Vincent LM. Ultrasound of soft tissue abnormalities of the extremities. Radiol Clin North Am 1988;26:131–144.

147. Chung HY, Cho KH. Ultrasonography of soft tissue "oops lesions". Ultrasonography 2015;34:217–225.

148. Yoo HJ. Sonographic features of common soft tissue masses in the extremities. J Korean Orthop Assoc 2014;49:422–443.

149. Griffith JF, Chan DP, Kumta SM, Chow LT, Ahuja AT. Does Doppler analysis of musculoskeletal soft-tissue tumours help predict tumour malignancy? Clin Radiol 2004;59:369–375.

150. J. Gielen RC, M. van Holsbeeck. Ultrasound of Soft Tissue Tumors. In: de Schepper AM, Vanhoenacker, F.M., Parizel, P.M., Gielen, J.L, ed. Imaging of Soft Tissue Tumors. 3rd ed: Springer-Verlag Berlin Heidelberg, 2006; 3–16.

151. Paltiel HJ, Burrows PE, Kozakewich HP, Zurakowski D, Mulliken JB. Soft-tissue vascular anomalies: utility of US for diagnosis. Radiology 2000;214:747–754.

152. Shimamoto K, Sakuma S, Ishigaki T, Makino N. Intratumoral blood flow: evaluation with color Doppler echography. Radiology 1987;165:683–685.

153. van der Woude HJ, Bloem JL, Schipper J, Hermans J, van Eck-

Smit BL, van Oostayen J, et al. Changes in tumor perfusion induced by chemotherapy in bone sarcomas: color Doppler flow imaging compared with contrast-enhanced MR imaging and three-phase bone scintigraphy. Radiology 1994;191:421-431.

154. Murphey MD, Carroll JF, Flemming DJ, Pope TL, Gannon FH, Kransdorf MJ. Benign musculoskeletal lipomatous lesions. Radiographics 2004;24:1433-1466.

155. Matsumoto K, hukuda S, Ishizawa M, Chano T, Okabe H. MR findings in intramuscular lipomas. Skeletal Radiol 1999;28:145-152.

156. Bang M, Kang BS, Hwang JC, Weon YC, Choi SH, Shin SH, et al. Ultrasonographic analysis of subcutaneous angiolipoma. Skeletal Radiol 2012;41:1055-1059.

157. Chung EB, Enzinger FM. Benign lipoblastomatosis. An analysis of 35 cases. Cancer 1973;32:482-492.

158. Schultz E, Rosenblatt R, Mitsudo S, Weinberg G. Detection of a deep lipoblastoma by MRI and ultrasound. Pediatric radiology 1993;23:409-410.

159. Bianchi S, Della Santa D, Glauser T, Beaulieu JY, van Aaken J. Sonography of masses of the wrist and hand. AJR Am J Roentgenol 2008;191:1767-1775.

160. Murphey MD, Arcara LK, Fanburg-Smith J. Imaging of musculoskeletal liposarcoma with radiologic-pathologic correlation. Radiographics 2005;25:1371-1395.

161. Reynolds DL, Jacobson JA, Inampudi P, Jamadar DA, Ebrahim FS, Hayes CW. Sonographic Characteristics of Peripheral Nerve Sheath Tumors. American Journal of Roentgenology 2004;182:741-744.

162. Fornage BD. Peripheral nerves of the extremities: imaging with US. Radiology 1988;167:179-182.

163. Tsai WC, Chiou HJ, Chou YH, Wang HK, Chiou SY, Chang CY. Differentiation between schwannomas and neurofibromas in the extremities and superficial body: the role of high-resolution and color Doppler ultrasonography. J Ultrasound Med 2008;27:161-166.

164. Suh JS, Abenoza P, Galloway HR, Everson LI, Griffiths HJ. Peripheral (extracranial) nerve tumors: correlation of MR imaging and histologic findings. Radiology 1992;183:341-346.

165. Chen W, Jia JW, Wang JR. Soft tissue diffuse neurofibromas: sonographic findings. J Ultrasound Med 2007;26:513-518.

166. Hassell DS, Bancroft LW, Kransdorf MJ, Peterson JJ, Berquist TH, Murphey MD, et al. Imaging appearance of diffuse neurofibroma. AJR Am J Roentgenol 2008;190:582-588.

167. Hobson-Webb LD, Walker FO. Traumatic neuroma diagnosed by ultrasonography. Arch Neurol 2004;61:1322-1323.

168. Tagliafico A, Altafini L, Garello I, Marchetti A, Gennaro S, Martinoli C. Traumatic neuropathies: spectrum of imaging findings

and postoperative assessment. Semin Musculoskelet Radiol 2010;14:512-522.

169. Stuart RM, Koh ES, Breidahl WH. Sonography of peripheral nerve pathology. AJR Am J Roentgenol 2004;182:123-129.

170. Quinn TJ, Jacobson JA, Craig JG, van Holsbeeck MT. Sonography of Morton's neuromas. AJR Am J Roentgenol 2000;174:1723-1728

171. Bedi DG, Davidson DM. Plantar fibromatosis: most common sonographic appearance and variations. J Clin Ultrasound 2001;29:499-505.

172. Robbin MR, Murphey MD, Temple HT, Kansdorf MJ, Choi JJ. Imaging of musculoskeletal fibrosis. Radiographics 2001;21:585-600.

173. VandervenneJE, De Schepper AM, De Beuckeleer L, et al. New consepts in understanding evolution of desmoid tumors: MR image of 30 lesions. Eur Radiol 1997;7:1013-1019.

174. Casillas J, Sais GJ, Greve JL. Imaging of intra- and extra-abdominal desmoid tumors. Radiographics 1991;11:959-968.

175. Kransdorf MJ, Meis JM, Montgomery E. Elastofibroma: MR and CT appearance with radiologic-pathologic correlation. AJR Am J Roentgenol 1992;159:575-579.

176. Dala A, Miller TT, Kenan S. Sonographic detection of elastofibroma dorsi. J Clin Ultrasound 2003;31:375-378.

177. Folpe AL, Fanburg-Smith JC, Miettinen M, Weiss SW. Atypical and malignant glomus tumors: analysis of 52 cases, with a proposal for the reclassification of glomus tumors. Am J Surg Pathol 2001;25:1-12.

178. Glazebrook KN, Laundre BJ, Schiefer TK, Inwards CY. Imaging features of glomus tumors. Skeletal Radiol 2011;40:855-862.

179. Höglund M. Ultrasound diagnosis of soft-tissue tumours in the hand and forearm. A prospective study. Acta Radiol 1997;38:508-513.

180. Perks FJ, Beggs I, Lawson GM, Davie R. Juxtacortical glomus tumor of the distal femur adjacent to the popliteal fossa. AJR Am J Roentgenol 2003;181:1590-1592.

181. Murphey MD, McRae GA, Fanburg-Smith JC, Temple HT, Levine AM, Aboulafia AJ. Imaging of soft-tissue myxoma with emphasis on CT and MR and comparison of radiologic and pathologic findings. Radiology 2002;225:215-224.

182. Girish G, Jamadar DA, Landry D, Finlay K, Jacobson JA, Friedman L. Sonography of intramuscular myxomas: the bright rim and bright cap signs. J Ultrasound Med 2006;25:865-869.

183. Bianchi S, Abdelwahab IF, Zwass A, Giacomello P. Ultrasonographic evaluation of wrist ganglia. Skeletal Radiol 1994;23:201-203.

184. De Flaviis L, Nessi R, Del Bo P, Calori G, Balconi G. High-resolution ultrasonography of wrist ganglia. J Clin Ultrasound

1987;15:17-22.

185. Cardinal E, Buckwalter KA, Braunstein EM, Mih AD. Occult dorsal carpal ganglion: comparison of US and MR imaging. Radiology 1994;193:259-262.

186. Bianchi S, Abdelwahab IF, Zwass A, Calogera R, Banderali A, Brovero P, et al. Sonographic findings in examination of digital ganglia: retrospective study. Clin Radiol 1993;48:45-47.

187. Fransen P, Thauvoy C, Sindic CJ, Stroobandt G. Intraneural ganglionic cyst of the common peroneal nerve: case report and review of the literature. Acta Neurol Belg 1991;91:231-235.

뼈 질환의 초음파검사

Ultrasound of Bone Diseases

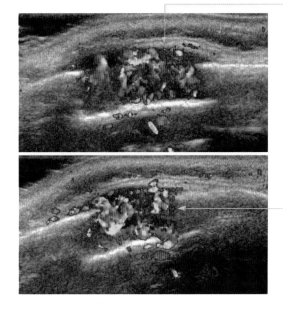

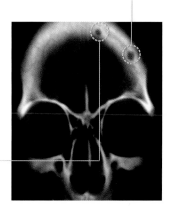

03
CHAPTER

■ 조길호, 양 익

뼈 질환의 초음파검사
Ultrasound of Bone Diseases

I. 서론

뼈 질환의 영상검사에서 단순촬영(radiography)은 가장 기본적인 필수 검사이다. 자기공명영상(MR)은 우수한 연부조직 대조도, 다양한 각도의 단면영상, 넓은 영상시야 등의 장점을 가진 매우 좋은 검사이며, 병변 뿐만 아니라, 주변의 연부조직, 뼈 안의 골수병변까지 한꺼번에 보여준다. 그러나, 작은 석회화, 뼈조각, 이물질, 공기 등(수분 함유량이 낮은 물질 간)의 감별이 어렵고, 피질골의 변화를 보는 데 제한이 있다. 골절 등으로 금속 삽입물을 가진 환자에서는 자기공명검사 시행이 불가능 하거나, 금속물에 의한 인공영상 때문에 영상 해석이 불가능한 경우가 있고, 영상을 얻는 과정에 환자가 움직이면 허상이 생겨서 좋은 영상을 얻지 못한다. 다른 영상검사기법에 비해 초음파검사는 영상영역(field-of-view)이 상대적으로 작고, 진단용 초음파(diagnostic ultrasound)는 뼈를 투과하지 못하기 때문에 뼈 질환의 진단에는 제한이 있다. 그럼에도 불구하고, 최근에 뼈 질환에 대한 초음파검사가 꾸준히 증가하고 있다.[1,2]

II. 적응증

단순촬영은 모든 근골격계 영상 진단의 기본검사이지만 연부조직의 변화를 나타내는 데는 한계가 있음에 반하여, 초음파검사는 뼈 질환에 동반되는 연부조직의 검사에 매우 유용하다. 따라서, 단순촬영과 초음파검사를 같이 시행하면 뼈와 인접 연부조직 경계면에서 일어나는 변화를 찾을 수 있으므로, 선별검사(screening test)로 활용 가능하다. 연부조직 병변을 의심하여 시행한 초음파검사에서 뼈의 이상 소견을 발견하여, 증상의 원인이 연부조직이 아닌 뼈 질환 때문임을 알게 되기도 한다. 환자의 상태나 질환에 따라서는 CT나 MR보다 초음파검사가 더 도움이 되거나 필수적일 수도 있다. 예를 들면, 금속 삽입물을 가진 환자에서 금속 인공물에 의한 허상(artifacts) 때문에 CT나 MR을 시행할 수 없을 때, 시행한 CT나 MR에서 영상의 왜곡이 심하여 판독 제한이 있을 때, 초음파검사를 추가로 시행하여 필요한 정보를 얻기도 한다. 또한, 협소공포증, 의식이 없는 상태에서 협조가 되지 않는 환자, 소아 등에서 움직임 허상(motion artifact) 때문에 검사가 불가능할 때, 경제적 이유 등으로 CT나 MR을 시행할 수 없는 상황에서 이용할 수도 있다.[1,3] 영상 유도하 흡인, 주사, 조직 검사 등의 다양한 중재적 시술에 초음파검사를 많이 이용한다.[4,5] 관절 질환에서 동반되는 뼈의 변화는

Chapter 04 관절, 관절연골 및 활막 질환에서 기술한다. 초음파를 이용한 골 연령, torsion, anteversion 등에 대한 검사는 아직 정립되지 않은 분야이므로 생략한다.

III. 정상

골막(뼈막, periosteum)은 치밀한 섬유결체조직으로서 골피질(뼈겉질, bone cortex)에 강하게 밀착되어 하나의 구조물로 보인다.[6] 골막을 포함한 골피질의 겉을 초음파검사에서는 '뼈 표면(bone surface)'이라고 하고, 뼈 표면과 연부조직의 경계면은 소리저항(acoustic impedance)의 차이가 크므로 입사한 초음파의 거의 대부분이 뼈 표면에서 강하게 반사한다. 따라서, 뼈 표면은 부드럽고 곧은 고에코의 선으로 보인다(Fig. 3-1). 성인에 비해 소아에서는 골막이 골피질에 상대적으로 느슨하게 붙어 있다. 뼈 표면보다 깊은 부위에는 소리그림자(posterior acoustic shadow)가 생기며, 이 소리그림자 안에 반향허상(reverbration artifact)에 의한 평행선이 나타날 수 있다. 한편, 뼈의 횡축영상에서 뼈의 둥근 표면이 입사 초음파와 만나는 각도가 좁아지는 부위(critical angled area)는 뼈 표면이 불분명해지고, 끊어져 보이는 허상이 나타나지만, 인접 연부조직의 이상을 동반하지 않는다(Fig. 3-1B).

혈관 고랑(vascular groove)이나 관통혈관이 지나는 곳에

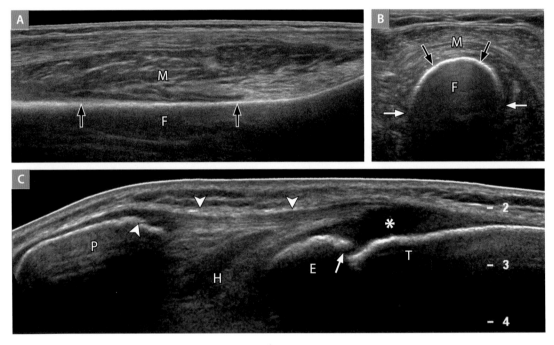

Figure 3-1 **Normal femur in an adult.** Longitudinal (**A**) and transverse (**B**) scans in the anterior distal thigh show hyperechoic bone surface (black arrows) of the femur (F) deep to the quadriceps femoris muscle (M). **B.** The bone surface in the medial and lateral aspects (white arrows) of the femur (F) is not clearly depicted because of critical angle phenomenon and phase aberration. **C.** Normal growing bone in a ten-year-old girl's knee (anterior longitudinal scan). The patellar tendon (arrowheads) inserts onto the unmineralized cartilagenous tibial tuberosity (*). The normal growth plate (arrow) between the epiphysis (E) and metaphysis of the proximal tibia (T) is defined as a focal discontinuity of bone surface. Similarly, the patellar apex (=inferior pole, P) shows a focal interruption (arrowhead) by cartilage sleeve at the immature tendon-cartilage junction. Compare to Sinding-Larson·Johansson syndrome (Jumper's knee) of **Fig 3-4**. Hoffa fat pad (H) is deep to the patellar tendon.

서도 뼈의 연속성이 끊어져 보이는데, Doppler검사를 하면 혈관임을 알 수 있다 (Fig. 3-2). 또한, 관절막, 인대, 힘줄이 붙는 부위의 뼈 표면은 정상적으로 불규칙하므로 초음파에서는 끊어져 보일 수 있다. 소아에서 골성장판(growth plate), 골화하지 않은 골단(epiphysis), 종자골(sesamoid), 부골(accessory bone) 등에서도 이런 소견이 나타나는데 병변으로 오인하지 않아야 한다. 특히 성장 중인 뼈에서는 2차골화중심 (secondary ossification center)이 나타나는 시기와 크기의 개인차(individual difference)가 있고, 또 양측이 약간씩 서로

다를 수 있으므로 주의한다 (Fig. 3-1C, 3-3). 그러므로, 병변으로 의심되는 초음파소견이 보일 때, 초음파 입사각을 달리하거나, 증상이 없는 반대편과 비교하는 것이 필요하다. 또한, 이미 시행한 단순촬영 등의 다른 영상검사 및 검사실 소견을 참조한 뒤에 초음파검사를 하면, 보다 정확한 진단이 가능하다 (Fig. 3-4). 어른에서 골극(osteophyte)이 있는 부분도 뼈 표면이 끊어져 보이거나 허상이 있을 수 있으므로 주의해야 한다 (Table 3-1).

뼈 바깥의 연부조직에 무기질 성분(mineral components)

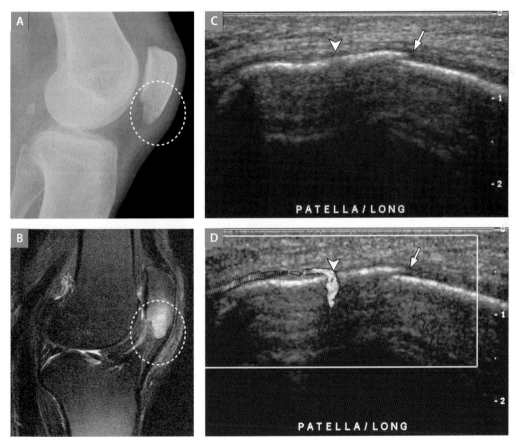

Figure 3-2 Fracture at the patellar apex in a 38-year-old man. A. Lateral radiograph shows suspicious radiolucent line at the patellar apex with soft tissue swelling (dotted circle). **B.** Fat suppressed T2-weighted (sagittal) MRI shows bone marrow edema at the area. **C & D.** There are a focal poor margin (arrowhead) of the anterior patellar surface, and a minimal step-off deformity at the fractured patella (arrow). The focal poor margin of the bone surface (arrowhead on **C**) is clarified as a nutrient artery on color Doppler examination (**D**).

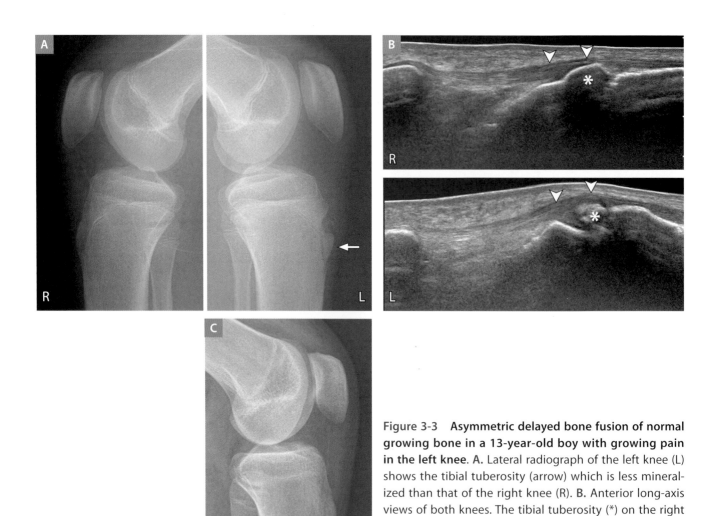

Figure 3-3   Asymmetric delayed bone fusion of normal growing bone in a 13-year-old boy with growing pain in the left knee. A. Lateral radiograph of the left knee (L) shows the tibial tuberosity (arrow) which is less mineralized than that of the right knee (R). **B.** Anterior long-axis views of both knees. The tibial tuberosity (*) on the right (R) is more mineralized than that of the left (L). The patellar tendon (arrowheads) is normal on both knees. **C.** One year later, the radiograph of the left knee shows the tuberosity united to the tibia (arrow).

Table 3-1   Common pitfalls in Bone Ultrasound

Pitfalls	Causes
Technical factor	Incorrect position of transducer
Mechanical factor	Anisotropy Critical angle phenomenon Posterior acoustic shadow
Anatomical factor	Nutrient groove, Vascular perforator Fascial thickening at the enthesis Normal cortical interruption at the growth plate Sesamoid
Patient factor	Obesity, large physique, Deep seated lesion A lesion deep to strongly mineralized soft tissues Improper posture, limited mobility

Modified from reference 1.

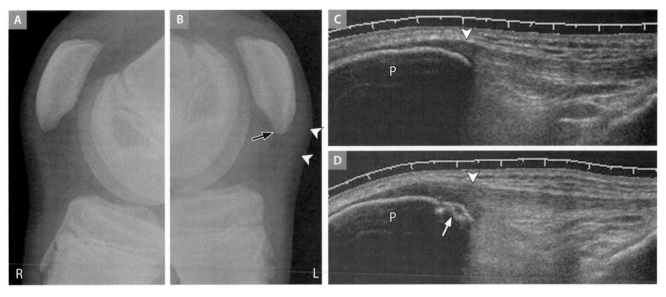

Figure 3-4 **Sinding-Larson·Johansson syndrome (Jumper's knee) in a 12-year-old boy.** Lateral radiograph of the right knee (**A**) is normal. The painful left knee (**B**) shows a cortical irregularity (arrow) at the patellar apex with soft tissue swelling (arrowheads). **C.** Extended field-of-view of the right anterior knee shows normal patella (P) and patella-patellar tendon junction (arrow head). **D.** Panoramic views of the symptomatic left knee demonstrates irregular cortical break-down representing of cartilage sleeve fracture (arrow) at the apex (=inferior pole) of the patella (P), with edematous hypoechoic patellar tendon (arrowhead) at the area.

이 많거나, 골화성 병변이 있으면, 소리그림자 허상때문에 심부의 뼈를 검사할 수 없는 단점이 있다. 또, 뼈의 병변이 있지만, 골막을 포함한 골피질과 연부조직의 변화를 보이지 않으면 초음파검사에서는 정상으로 보인다. 따라서, 병변이 의심되면 CT나 MR 등의 다른 영상검사를 시행해야 한다.

IV. 뼈 병변의 초음파검사

1. 골절

골절이 의심되지만 단순촬영에서 보이지 않을 때, 특히 소아에서 잠재골절(숨은골절, occult fracture)을 찾는 데 초음파검사가 유용하다.[7] 실험 연구에 의하면, 깊이와 너비 1~2 mm의 작은 골미란(bone erosion)을 초음파검사에서 찾을

수 있다.[8] 골절의 초음파소견은 다양한데, 가장 중요한 소견은 뼈 표면이 계단처럼 어긋나거나 각 변형(step-off deformity or angular deformity)을 보이면서 뼈 표면의 연결성이 끊어지는 것이다. 그렇지만, 골절의 형태, 시간 경과에 따라 다양한 소견을 보인다 (Fig. 3-5, 3-6). 또, 성장판, 영양혈관 등에 의한 뼈 표면의 불연속, 종자뼈, 부골 등의 정상변이 (normal variation) 및 다양한 질환들(감염, 악성골전이, 대사성 골 변화)도 감별해야 한다. 골절에 의한 골막하출혈(subperiosteal hemorrhage)을 포함한 액체 저류(fluid collection), 인접 연부조직의 종창과 손상 등이 동반될 수 있다. 골막하 액체저류는 주로 저에코 또는 무에코로 보이나, 때로는 고에코로 보일 수도 있고, 그 내부에 떠다니는 부스러기(floating debris)가 있을 수 있다 (Fig. 3-5C). 골막하 액체 저류의 초음파소견은 혈종, 농양, 장액종(seroma)간에 서로 비슷하며, 때로는 결절종(ganglion) 등의 다른 낭성 종괴가 파열되면 비슷하게 보일 수 있으므로 주의한다.

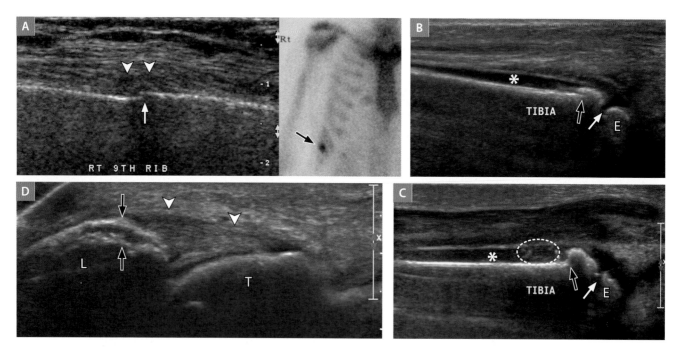

Figure 3-5 Various ultrasound findings of fractures. A. A 70-year-old woman. The right 9th rib shows a focal step-off deformity (arrow) with a localized periosseous swelling (arrowheads). Bone scan in the same patient shows the hot uptake (arrow) in the right 9th rib. **B & C.** Fracture in the distal tibial metaphysis in a five-year-old boy shows a step-off deformity of bone surface. The fracture (black arrow) with peri-osseous hypoechoic fluid collection (asterisk). The distal epiphysis (E) and growth plate (thin white arrow) are also depicted. In a different angled view (**C**), the fracture shows an impacted deformity and hyperechoic debris (dotted circle) in the peri-osseous fluid collection (*). **D.** A 53-year-old man. The lateral malleolus (L) cortex is double-lined (arrows) at the fracture site. The anterior talo-fibular ligament (arrowheads) between the lateral maleollus (L) and talus (T) is swollen in the malleolar aspect.

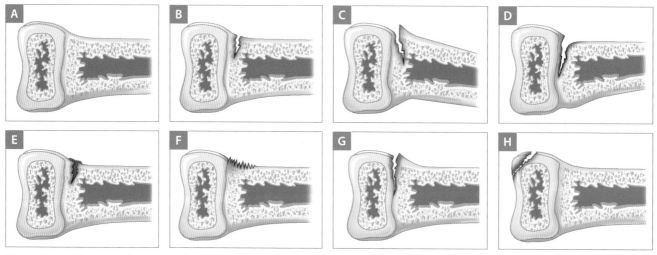

Figure 3-6 Diagram of various ultrasound findings of fractures. A. Normal. **B.** Non-displaced (hairline) fracture. **C.** Minimally displaced fracture with step-off deformity. **D.** Impact fracture with step-off deformity. **E.** Fracture with double-line cortex. **F.** Fracture with diffuse irregularity of bone surface. **G.** Growth plate fracture, and **H.** Avulsion fracture.

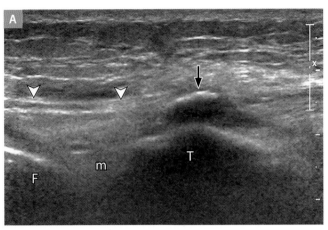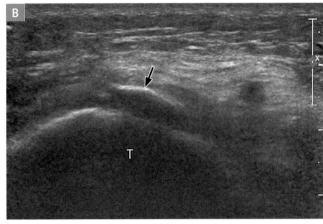

Figure 3-7 Avulsion fracture fragment (black arrow) at the distal end of the iliotibial band (arrowheads), which is detached from the Gerdy tubercle of the tibia (T) on both long-axis (**A**) and short-axis (**B**) views. F, femur; m, meniscus.

견열골절(avulsion fracture)의 골편(뼈조각)은 역동적 스트레스 검사에서 뚜렷해진다. 오래된 골절은 뼈 표면이나 인접 연부조직에 석회화를 보이기도 한다. 동반된 끊어진 힘줄이 전위(displacement)될 수 있으므로, 힘줄의 손상도 같이 검사하고, 뼈조각이 끊어진 전위 힘줄(displaced tendon)의 끝에 붙어있는지를 확인한다 (Fig. 3-7).

골절에 의한 뼈 결손 부위(fracture defect)에 연부조직이 끼이면 골절치유를 방해하므로 초음파검사에서 확인하는 것이 중요하며, 급성출혈, 지방, 근육, 다른 뼈조각인지를 역동적 검사에서 확인한다 (Fig. 3-8). 골절로 인한 인접 혈관이나 신경 손상을 확인할 때도 초음파검사를 이용한다.[9,10]

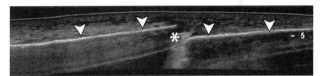
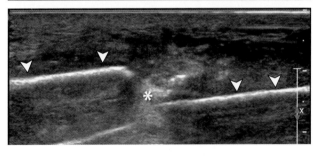

Figure 3-8 Soft tissue interposition (asterisk) at the fracture gap of the tibial shaft (arrowheads) which shows a typical step-off deformity on both panoramic and zoom-in views.

1) 골절 치유과정

골절 치유는 크게 3단계 – 염증기(inflammatory stage), 복원기(reparative stage), 재형성기(remodeling stage) – 로 나눌 수 있다. 각 단계는 서로 중복되는데, 전체 치유기간 중에서 염증기가 10%, 복원기가 40%, 재형성기가 50% 정도를 차지한다.[11]

골절 치유의 염증기는 혈종이 형성되어, 섬유모세포(fibroblast)를 제외한 세포들이 자가분해(autolysis)로 사라지

고, 급성 염증반응에 의한 연부조직 부종의 시기를 말하며, 2~3일 지나면 섬유모세포에서 과혈관성 육아조직(hypervascular granulation tissue)이 만들어진다. 약 1~2주 정도의 염증기가 끝날 즈음에 혈종의 기질화(organization)가 시작되면서 통증과 부종이 줄어든다. 골절의 복원기는 손상의 정도에 따라 다르지만, 일반적으로 상지에서는 2~3주, 하지에서

4주 이상이 걸린다. 혈종의 기질화가 진행되면서 육아조직 증식이 더 활발해지고, 교원섬유(collagen fiber)를 포함하는 유기질(organic materials)의 증식이 일어나며, 이후에 칼슘(calcium) 등의 무기질(inorganic materials)이 침착한다. 골절 복원기는 연성 및 경성가골(soft and hard calluses) 형성기로 나눌 수 있다. 연성가골은 섬유성 및 연골성 가골(fibrous and cartilaginous callus)을 말한다. 연골성 가골에 무기질 침착(mineralization)이 활발해지면서 직성뼈(woven bone)를 거쳐 골성(osseous) 가골로 진행하면 경성가골이 된다. 일상적 생활의 체중부하(weight-bearing)가 가능한 상태를 골절의 임상적 유합(clinical union)이라 한다. 골절 치유의 재형성기는 뼈가 가진 원래의 강도, 기능 및 형태를 갖추는 데 걸리는 긴 기간을 말한다.[11]

사람에서 골절의 초기 치유에 관한 연구 목적으로 골절부위 조직을 채취하는 것은 윤리-도덕적 관점에서 불가능하다. 따라서, 골절의 초기 변화는 동물실험을 통한 연구 자료를 참고하여 유추한다.[12,13] 초음파검사는 단순촬영보다 2주 정도 빨리 골절 치유 소견을 나타낸다. 골절 후 첫 1~2주(골절 치유의 염증기에 해당)는 혈종형성 시기이며, 초음파검사에서 골절 부위가 인접한 근육과 비교해서 낮은 에코를 보인다 (Fig. 3-5A, 3-8). 골절 후 2~3주에 Doppler를 시행하면, 골절 부위의 육아조직 증식은 여러 개의 신생 혈관(capillary neoangiogenesis)을 가진다. 이 때의 신생 혈관들은 골절 후 3~6주에는 낮은 동맥저항지수(arterial resistance index)를 보이다가, 7~12주에는 골절부에 더 이상의 혈관증식은 없고, 혈관의 동맥저항지수는 증가한다.[14,15]

2~4주 즈음에 혼합에코의 섬유성 가골이 골절선(fracture line)을 덮으면서 뼈 표면을 연결하는데, 골절선이 불분명해지고, 골절 조각은 약간 커져 보인다 (Fig. 3-9). 약 5주 정도(17~65일)에 섬유성 가골 내에 연골성 가골이 형성되면서 고에코의 반점들로 보이는데, 이는 조직학적으로 신생골 형성(neo-osteogenesis)을 의미한다. 시간이 지나면서 무기질 침착에 의해 고에코의 연결 가골(bridging callus)로 바뀌고, 소리그림자 때문에 뼈 뒤는 검게 보인다 (Fig. 3-10).

골절 후 5~6주에 골절의 피질골 결손 부위를 네 방향으로 나누고, 네 방향의 피질골 결손 중 세 방향(예를 들어 앞과 양

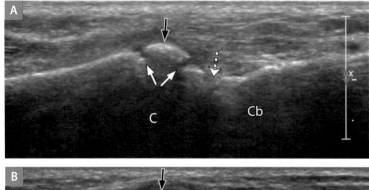

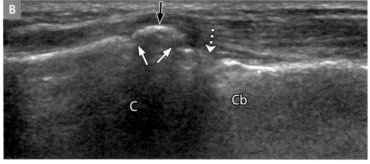

Figure 3-9 **A.** Interruption of cortical continuity (white arrows) at the small fractured bone fragment (black arrow) at the lateral dorsal corner at the distal calcaneus (C) just proximal to the joint line (dashed arrow) between the calcaneus (C) and cuboid (Cb). **B.** One month later, the cortical discontinuity (white arrows) is obscured.

옆)에 연골성 연결 가골(bridging callus)이 형성되면 골절 치유가 잘되는 소견이다 (Fig. 3-10). 연결 가골 형성이 불충분하면 2~3주 뒤에 다시 검사하여 세 방향 이상에서 가골 형성이 보이면 골절이 치유되는 것으로 볼 수 있다. 시간 경과에 따른 골절 치유의 초음파소견이 보이지 않으면, 적어도 지연유합(delayed union) 또는 불유합(non-union)의 가능성을 생각한다. 즉, 2~4주 이상 지났는데 골절 부위의 뼈 결손(bone

defect)이 저에코로 보이면서, 섬유증식에 동반하는 혈관이 보이지 않거나, 5주가 지났는데도 뼈 표면에 연결가골이 형성되지 않고 주위 연부조직에 액체저류가 지속적으로 보이면 골절 치유기 제대로 되지 않을 가능성을 고려한다.[2,12] 골절 후 7주 이상 경과했는데도, 골절부위에 고에코의 연결 가골(bridging callus)이 없고, 무기질 침착이 되지 않아 소리그림자 형성이 없고, Doppler검사에서 동맥혈 저항지수가 계

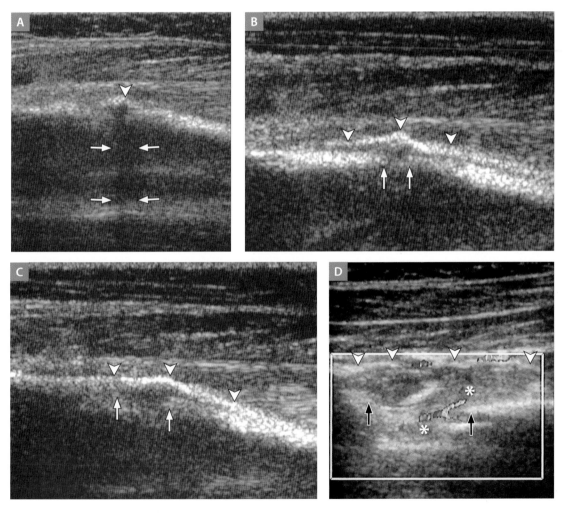

Figure 3-10 Good healing of a tibial shaft fracture in seven weeks after trauma. **A.** US image obtained at anterolateral aspect shows a focal hyperechoic callus (arrowhead) with a narrow posterior shadowing (thin arrows). **B & C.** US image obtained at medial and lateral aspect demonstrate a hyperechoic callus (arrowheads) covering the fracture gap (between arrows). **D.** US image obtained at posterior aspect depicts a thick fibrous callus (asterisks and arrowheads) with hyperechoic spots and vasculariy in and around the fracture gap (between arrows).

속적으로 높게 나타나면, 적어도 지연유합(delayed union) 또는 불유합(non-union)의 가능성이 높다.[2,12~16] 골절 치유 및 소요기간은 골절의 손상 정도, 형태, 부위(상지 또는 하지), 동반된 연부조직 손상의 정도, 환자의 영양상태를 비롯한 전신 상태 등 다양한 요소가 관여하고, 개인차가 심하므로 증상, 검사실 소견, 영상 소견 등을 포함하는 다양한 요소를 고려하여 판단해야 한다.

2) 골연장술 Bone lengthening or Ilizarov procedure 과 금속 고정장치

골연장술을 시행한 환자에서 뼈의 늘임 정도(신연 속도, distraction rate)를 조절하기 위하여 절골(osteotomy) 부위의 신생골 형성, 낭종 또는 혈종, 감염여부 등의 변화를 아는 것이 매우 중요하다. 골연장술 초기에 단순촬영으로는 알 수 없는 절골 부위의 변화를 확인하는데 초음파검사가 유용하

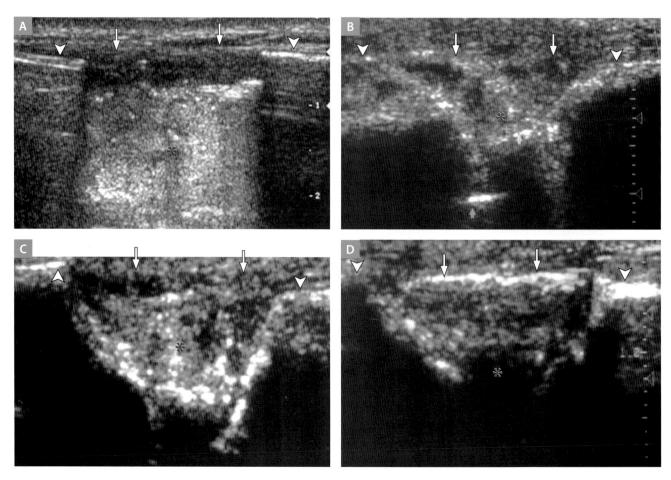

Figure 3-11 **A.** At the first week of bone-lengthening site of the tibial shaft. The osteotomy defect (arrows) shows hyperechoic hemorrhage (*) with sonic enhancement compared to the intact cortical portion (arrowheads). **B & C.** At the 3-4 week, The osteotomy defect (arrows) shows decreased echogenicity compared to the earlier image (**A**), and multiple hyperechoic foci (small arrows) representing of cartilage transformation in the osteotomy site (*). **D.** At 6-7 weeks, a thin hyperechoic line (arrows) is formed along the future cortical surface connecting the intact cortex (arrowheads). The osteotomy defect shows more decreased echogenicity with some sonic shadow (*).

다.[17~19] 너무 빠르게 늘리면 뼈 형성을 방해하고, 너무 늦으면 뼈가 조기에 굳는 현상이 생기는데, 일반적으로는 하루에 1 mm 늘임을 기준한다. 절골 부위에 혈종이나 낭종이 형성되면, 초음파유도하 세침흡인을 시행하고 늘임 속도를 늦추어서 신생골 형성을 유도한다.

절골술 후 초기 4~14일에, 절골 부위에는 약간 저에코로 보이면서 신생골에 의한 점상의 고에코(speckled hyperechoic foci)들이 흩어져 보인다. 2~4주 이상 지나면, 신생골에 의한 점상의 고에코들이 종축영상에서 선 또는 띠처럼 보인다. 약 6~7주에 새로운 피질골이 형성될 절골 부위에 고에코의 뼈 표면이 형성된다 (Fig. 3-11). 이 시기가 지나면, 단순촬영에서 피질골이 희미하게 보일 수 있다. 뼈의 정렬(alignment)과 각변형(angulation)을 파악하는 데 초음파검사는 한계가

있으므로 단순촬영을 이용한다.[18]

2. 골수염 Osteomyelitis

열(fever)이 있는 환자에서 초기에는 연부조직 감염, 골수염, 봉와직염(cellulitis)의 증상이 중복되며, 특히 소아에서는 더욱 그렇다. 골수염에서 단순촬영의 이상 소견은 뼈 구성성분의 35~40% 이상이 소실되는 10~14일 즈음에 보인다. 초음파에서는 동물실험에 의하면, 골막하 저에코가 1~4일(평균 2일)에 보이고, 골막반응과 골막분리가 2~5일(평균 3일) 나타난다 (Fig. 3-12).[20] 골수염을 어느 시기에 검사하는지에 따라 초음파소견이 달라질 수 있다. 단순촬영에 이상소견을

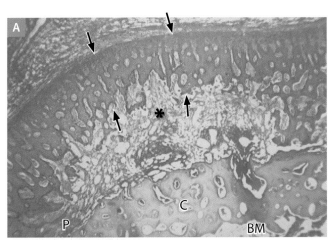

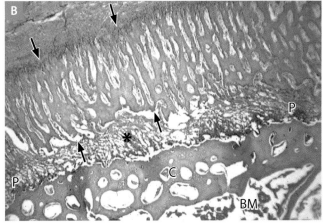

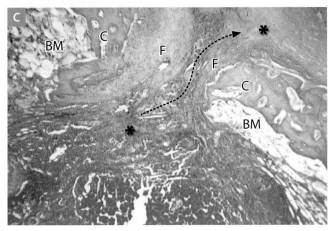

Figure 3-12 **Photomicrographs (H-E stain, x40) of acute osteomyelitis in an experimental rabbit femur. A.** In two days, the femur shows thin periosteal reaction (arrows) with subperiosteal necrosis and inflammatory cell infiltration (*). **B.** In eight days, there is more prominent periosteal reaction (arrows). **C.** In 12 days, abscess (*) extends from the medullary cavity to the soft tissues (dashed long arrow) through the cortical fistula which is covered with fibrotic component (F). C, cortex; BM, bone marrow; P, periosteum. (Courtesy of Jung-Eun Cheon, MD, Department of Radiology, Children Hospital, Seoul National University)

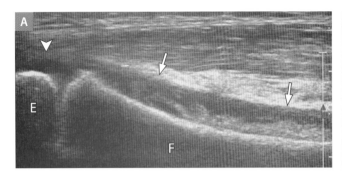

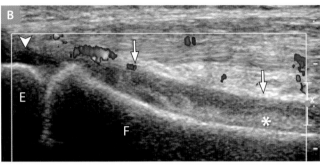

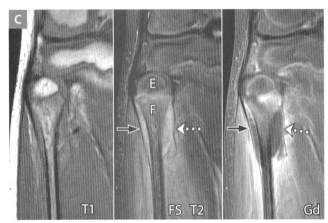

Figure 3-13 **Fibular osteomyelitis in a nine-year-old boy who has knee pain for four days after slip-down**. Radiographs are normal (not shown). **A, B**. Ultrasound scans with color Doppler along the posterolateral aspect of the proximal fibula (F) show peri-osseous fluid collection with periosteal elevation (arrows), in which irregular hyper-echoic materials (*) representing thick pus is seen. The proximal epiphysis (E) of the fibula and perichondrium (arrowhead) are unremarkable. On color Doppler, hyperemia is seen. **C**. MR images are well compatible to that of ultrasound findings. The MR provides a global overview around the proximal fibula, with bone marrow change and deep periosseous fluid collection (black and dashed arrows) which are not depicted on ultrasound by mechanical and anatomical difficulties.

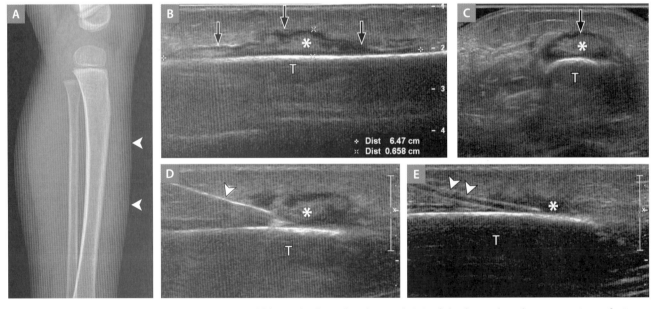

Figure 3-14 **Acute osteomyelitis in a 4-year-old boy**. The lateral radiograph (A) of the lower leg shows anterior soft tissue swelling (arrowheads). Long-axis (B) and short-axis (C) images of ultrasound in the anterior tibia (T) show periosseous hyper-echoic fluid collection (cursors and *) with elevated periosteum (arrows). Thick pustular fluid was obtained by percutaneous needle insertion (arrowhead in D), and a drain catheter (arrowheads in E) was placed in the fluid collection after aspiration. Laboratory report of the fluid analysis said, "impossible to count cells because of very thick fluid with autolyzed cells". However, the aspirated fluid cultured positive for *Staphyloccus aureus*.

보이지 않는 초기 골수염이 의심될 때, 초음파검사를 하면 연부조직 부종과 함께 골막하 액체 저류(subperiosteal fluid collection)가 보이는데, 액체 두께가 2~3 mm 이상이면 의미있는 소견이다. 특히 소아에서는 골막이 피질골에 느슨하게 부착하므로, 골막하에 농(고름, pus)이 고이면서 골막이 뼈 표면에서 분리(periosteal elevation)된다 (Fig. 3-13~3-16). 골수염에서 골막하 액체 저류의 에코는 다양하며, 골막하 액체 저류 소견만으로는 농(pus), 장액(seroma), 출혈의 감별

이 힘들지만, 증상과 검사실 소견을 종합하면 대부분 진단이 가능하며, MR 등의 추가검사를 통하여 뼈 안의 농양, 연부조직 염증 파급 등의 전반적 상황을 확인한다.[1,2,19~22] 좀더 진행된 골수염에서는 부분적으로 뼈 표면의 고에코가 소실되고, 피질골 파괴가 생긴다. 만성 골수염은 MR검사에서도 진단이 어려울 때가 많다. 골수염이 의심되면, 초음파 유도하 세침흡인 또는 생검을 실시하고 균 동정 및 약제 민감도 검사도 같이 시행하여 확진할 수 있고, 배농관(abscess

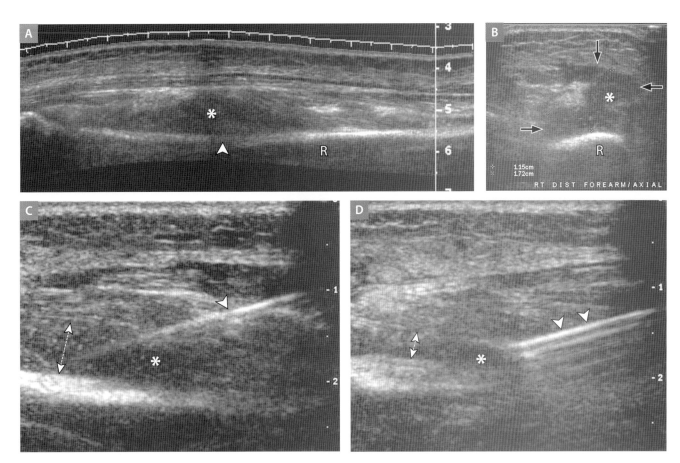

Figure 3-15 **Acute osteomyelitis of the radius in a seven-year-old girl (clinically juvenile rheumatoid arthritis with poly arthralgia).** Pain in the forearm for 2 days. Radiographs are normal (not shown). **A.** Longitudinal scan in the dorsal aspect of the distal radius (R) shows periosseous hypoechoic fluid collection (*), and poor bone surface (arrowhead) of the radius. **B.** On the short-axis view at the area, fluid collection (arrows and cursors) is about 1×2 cm. **C & D.** Percutaneous ultrasound-guided aspiration was performed with a needle (arrowhead in **C**) and a drainage catheter (arrowheads in **D**) was placed. The fluid collection is decreased in thickness (double-headed dashed arrow) after aspiration. Fluid analysis (WBC, 504000/μL; RBC, 12000/μL; PMNL, 87%). *Streptococcus dysgalactiae* cultured from the aspirates.

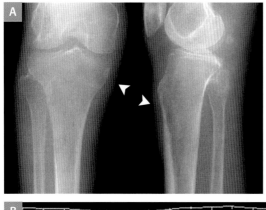
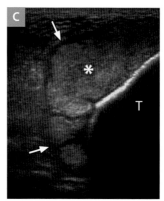
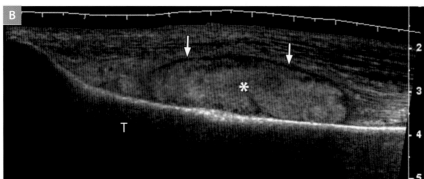

Figure 3-16 **A 71-year-old male with chronic renal failure in long-term dialysis**. Radiographs (A) show soft tissue swelling around the knee and localized osteoporosis in the proximal tibia (arrowheads). Both long-axis (B) and short-axis (C) ultrasound scans show periosseous hyperechoic fluid collection (*) with thin hypoechoic wall (arrows) in the proximal tibial diaphysis (T). The lesion was confirmed as tuberculous osteomyelitis.

drainage catheter)을 삽입하여 생리식염수(normal saline)로 관주세정(irrigation)할 수도 있다 (Fig. 3-14, 3-15).

3. 뼈 종괴 병변

뼈 종양의 초음파검사는 초음파의 물리적 특성 상 매우 제한적일 수 밖에 없다. 그렇지만, 뼈 종양에 동반된 뼈의 형태 변화, 골막반응(periosteal reaction), 피질골(bone cortex) 파괴, 인접 연부조직의 이상 소견 등의 초음파소견을 단순촬영 소견과 종합하면 이용가치가 있다.[1~5,23] 특히, 피질골 파괴가 있는 부분에서는 소리그림자 대신에 초음파 투과 증가 소견을 보이므로, 뼈 안의 괴사, 액체-액체층(fluid-fluid level), 혈류 등을 추가적으로 알 수 있다 (Fig. 3-17). 연부조직의 통증, 만져지는 종괴, 막연한 불편함을 가진 환자에서,

연부조직 초음파검사 중에 발견되는 종괴나 병변이 뼈의 변화를 초래할 수도 있고, 반대로 연부조직이 아닌 뼈에서 자라난 것일 수도 있다. 또, 뼈 종양과 인접한 혈관-신경계의 관계가 이미 시행한 CT나 MR에서 불명확할 때, Doppler 및 역동적 초음파검사를 시행하면 이에 관한 유용한 정보를 얻을 수 있다.

뼈 표면의 형태 변화를 가지는 종양에서 초음파검사가 유용할 수 있는데, 대표적인 예가 골연골종(osteochondroma)이다. 골연골종은 뼈 표면이 둥글게, 또는 뾰족하게 돌출(out-growth protrusion)된 소견을 보이며, 연골모자(cartilage cap)는 돌출된 뼈에 저에코로 얹혀 있는 모양을 보이는데, 그 두께가 악성도와 관련 있다. 두께가 1 cm 이하이면 양성의 가능성이 높고, 2 cm 이상이면 악성의 가능성이 높다 (Fig. 3-18). 이때, 연골모자와 연부조직 사이에 외막윤활낭(adventitious bursa)이 있을 수 있는데, 연골모자와 감별

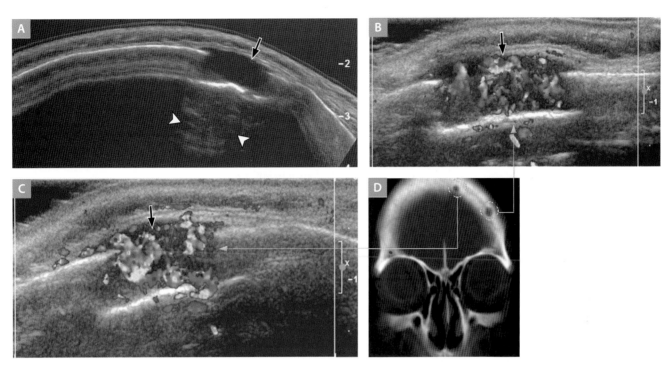

Figure 3-17 Panoramic view (**A**) of the forehead superior to the squama of the frontal bone shows osteolysis (arrow) with posterior sonic enhancement (arrowheads), which is highly vascular on color Doppler (**B**). At the US exam, the other smaller osteolysis with vascularity (**C**) was found. Brain CT (**D**) shows the two lesions which were confirmed as multiple myeloma.

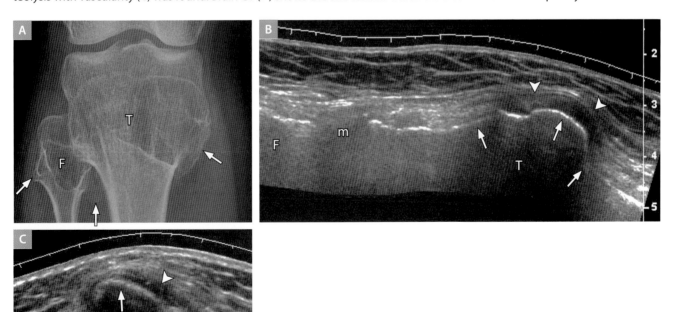

Figure 3-18 A 21-year-old female with known multiple exostosis shows outgrowing bone protrusions (arrows) of the proximal tibia (T) and fibula (F) on the AP radiograph (**A**). Ultrasound shows a protruded bone (arrows) with thin cartilage cap (arrowheads) in the proximal tibia (T) on both long-axis (**B**) and short axis (**C**). F, femur; m, meniscus.

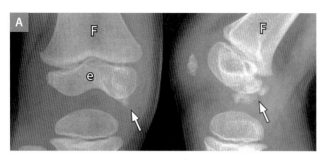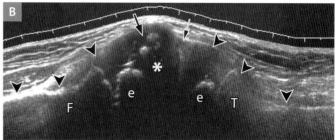

Figure 3-19 **A.** AP and lateral radiographs in a four-year-old boy show mineralized nodules (arrows) in the epiphysis (e) of the distal femur (F) in a four-year-old boy. **B.** Posterior longitudinal scan of the knee shows calcific nodules (black arrow) located within the cartilagenous overgrowth (*) in the distal epiphysis (e) of the femur (F). The tibia (T) and proximal epiphysis (e) are normal.

해야 한다. 탐촉자로 압박하면, 윤활낭은 그 두께가 얇아지고 모양이 변하나, 연골은 형태 변화가 없다.[24,25] 그 밖에, 편측성 골단이형성증(dysplasia epiphysealis hemimelica, Trevor disease) 등의 연골질환, 유골골종(osteoid osteoma), 단순골낭종, 동맥류뼈낭종(aneurysmal bone cyst), 거대세포종(giant cell tumor) 등의 골종양 및 동반된 병적 골절의 진단에 초음파를 이용하기도 한다 (Fig. 3-19).[1,2,23,26,27] 앞에서 서술했듯이, 뼈 표면과 인접 연부조직의 변화가 없거나, 피질골의 미란(cortical erosion)이나 파괴가 없는 뼈종양은 근본적으로 초음파로 검사할 수 없다. 그렇지만, 뼈종양과 인접한 혈관-신경계의 관계 및 기능을 알기 위하여, Doppler 및 역동적 초음파검사를 시행하면 유용한 정보를 얻을 수 있다. 또, 치료 후 경과 관찰, 금속 삽입술 후의 합병증, 병변의 추적, 재발 등에 초음파검사를 이용하기도 한다.[28,29]

초음파유도하 골종양을 비롯한 뼈 병변에 대한 중재적 및 침습적 시술(interventional and invasive procedures)에는 근골격 영상의학 전문의, 골종양 전문의, 근골격 병리 전문의 간의 협진이 매우 중요하다. 초음파유도하 조직 검사를 위한 위치를 정확하게 선정하여 시행할 수도 있다 (Fig. 3-20).[30~32] 근골격 질환 중에서, 연부조직보다 뼈의 병변에서, 또 악성보다 양성 병변에서 시행한 중심부바늘생검(core needle biopsy)의 결과가 비진단적(non-diagnostic)일 가능성이 높다. '비진단적'인 예의 60%에서 증상, 영상 소견, 검사실 소견 등을 종합하여 치료 방침 등의 결정에 도움을 주기 때문에 조직 생검의 결과가 비진단적이라고 하더라도 실패(diagnostic failure)라고 볼 수 없다.[32]

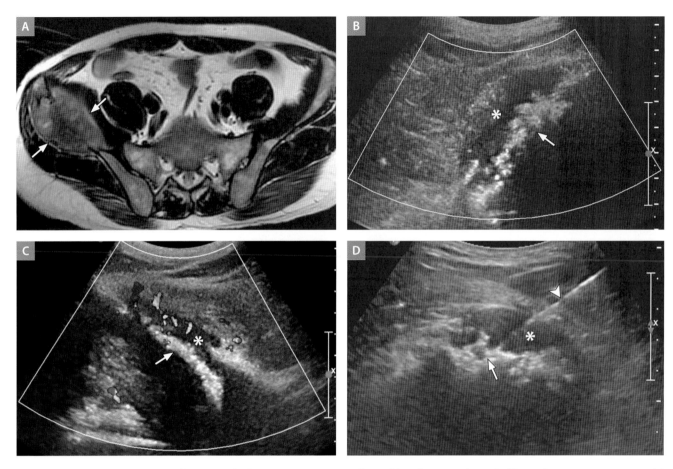

Figure 3-20 **Iliac metastasis of hepatic cholangiocarcinoma confirmed by ultrasound-guided bone biopsy in a 52-year-old man. A.** T2-weighted axial MR shows osteolysis with mass formation in the right iliac wing. **B & C.** At ultrasound, the mass shows irregular osteolysis (arrows) with hypervascular soft tissue mass (*) formation. **D.** Ultrasound-guided percutaneous bone biopsy was performed. Note the needle (arrowhead) and its tip (arrow) in the lesion.

4. 기타 골 질환

성장 중인 대퇴골간단의 뒤쪽에 주로 생기는 견인성피질골변화(avulsive cortical irregularity, 이전에 cortical desmoid라고 불리움)는 초음파에서 뼈 표면이 이중 선(double line)으로 보이고 골막반응을 동반할 수도 있지만 주위 연부조직을 비롯한 다른 부위는 정상이다 (Fig. 3-21). 이 부위의 골절을 감별

해야 한다.

골연골증(osteochondrosis) 중에서 Osgood-Schlatter 병은 무릎힘줄(patellar tendon)이 붙는 경골결절(tibial tuberosity)에서 힘줄의 이상소견과 함께 뼈의 분절화(fragmentation)가 보이며, 심층 슬개하윤활낭염이 동반될 수 있다 (Fig. 3-22). 성장 중인 뼈에서 보이는 정상 변이, 골절 등을 감별해야 한다 (Fig. 3-1C, 3-3). [33,34]

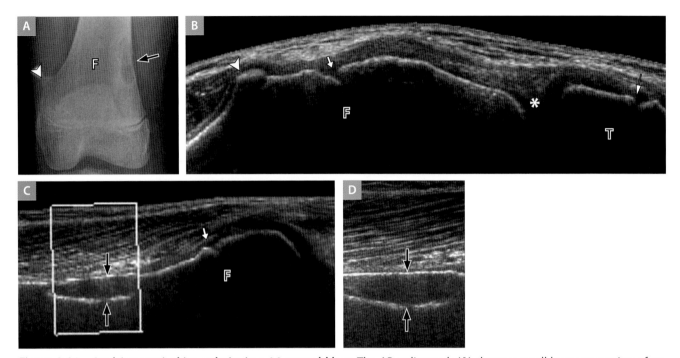

Figure 3-21 Avulsion cortical irregularity in a 14-year-old boy. The AP radiograph (A) shows a small bone protrusion of osteochondroma (arrowhead) in the medial epicondyle, and elliptical radiolucency (black arrow) in the postero-lateral aspect of the diametaphysis of the femur (F). Longitudinal ultrasound (B) along the medial knee shows a bone outgrowth (arrowhead) of osteochondroma at the medial epicondyle. A long-axis scan of the distal femur in posterolateral aspect (C) shows localized double-line contour of the cortex due to cortical avulsion (rectangle), and also in the zoom-in view (D) of the rectangle. There are cortical discontinuity at the physes of both femur (F) and tibia (T), and meniscus (*) at the joint line (short arrows in B and C).

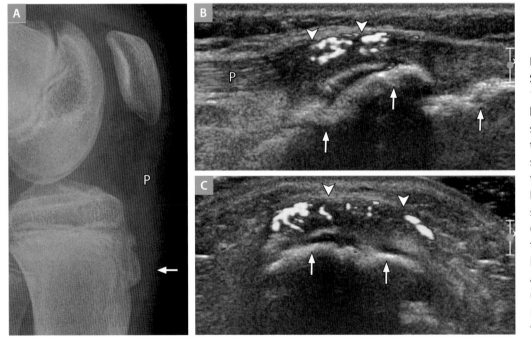

Figure 3-22 **Osgood-Schlatter disease in a 11-year-old boy.** The lateral radiograph (A) shows irregular tibial tuberosity (arrow) and swollen distal portion of the patellar tendon (p). Power Doppler ultrasound scans in long-axis (B) and short-axis (C) at the area show irregular bone surface (arrows) and localized tendinosis (arrowheads) with hyperemia of the patellar tendon (p).

V. 골부착부 병증 Enthesis and enthesopathy

최근 근골격계 통증과 류마티스 분야에서 많이 제기되는 주제(issue)로 결합조직(connective tissue)질환과 관련 있는 구조물이 있다. 그 중 하나가 섬유근막통(fibromyalgia, chronic muscle pain syndrome, chronic fibromyalgia syndrome 등 여러 이름으로 불리움)과 관련있는 근막(fascia)이고, 다른 하나는 척추관절병증(spondyloarthropathy, SpA)의 초기병리와 연관된 뼈부착부(골부착부, enthesis)이다. 척추관절병증에서 통증이나 관절염 등의 증상이 나타나기 이전에 여러 곳의 골부착부에 염증 변화로 시작한다고 알려져 있고, 분자생물학(molecular biology)을 포함한 많은 연구가 이루어지고 있으므로 여기에서 간략하게 소개한다.

골부착부(enthesis = attachment or insertion site)는 힘줄, 근막, 널힘줄(aponeurosis), 인대, 관절막 등이 뼈와 만나는 곳을 일컫는 해부학 용어이며, 수 μm ~ 수 mm 이내의 매우 짧은 구간이다. 관절 부위에서, 성질이 서로 다른 두 구조물(예를 들어, 힘줄과 뼈) 간에 힘의 적절한 전달, 분산, 흡수를 통하여 구조물의 손상이 생기지 않도록 함과 동시에, 연결을 튼튼하게 유지하도록 독특한 구조로 되어 있다. 이에 더하여, 골부착부에 인접한 활액낭(bursa), 지방 등에는 주변의 조직을 거쳐서 들어오는 미세혈관-신경 얼개(neurovascular network)가 분포하여 '조직손상이나 통증 등의 해로운 자극에 반응하는 유해수용체(nociceptive)'와 '운동, 자세 등에 반응하는 고유감각수용체(proprioceptive)'의 기능이 있고, 힘줄의 자유로운 운동성을 보조하며, 구조물간의 마찰을 줄이고, 열을 흡수한다. 이 밖에 관절 부위의 종자뼈(sesamoid), 골막 섬유연골(periosteal fibrocartilage)을 통틀

어 "골부착부 장기복합체(enthesis organ complex)"로 보는 주장도 있다.[35,36]

힘줄-뼈 부착부는 조직병리학적으로 크게 두 가지 – 섬유성 부착부(fibrous enthesis)와 섬유연골성 부착부(fibroartilaginous enthesis) – 로 나눈다 (Table 3-2). 섬유성 부착부는 힘줄의 아교-교원섬유(collagen fiber)가 연골성분 없이 바로 뼈에 연결되는 형태이며, 부착부 뼈의 골막 존재유무와는 관계 없다. 섬유연골성 부착부는 4개의 구역(zone)으로 되어있다: (1) 치밀한 섬유결합조직(pure dense fibrous connective tissue); (2) 미골화섬유연골(unossified fibrocartilage); (3) 골화 섬유연골; (4) 뼈 등이다. 미골화 섬유연골과 골화 섬유연골 사이에 물결 같은 경계(tidemark)가 있다. 종골건(Achilles tendon)에는 섬유성 및 섬유연골성 부착부의 특징이 섞여서 나타난다 (Fig. 3-23).[37]

원인은 이미 알려진 원인 외에 노화(ageing process), 생물학적 요소(biologic factor) 등이 복합적으로 관여한다고 보여진다 (Fig. 3-24). 골부착부 병증의 초기 단순촬영 소견은 정상이다. 시간이 경과하면서, 연부조직 부종, 미세석회화, 뼈의 부분적 미네랄 결핍, 골피질의 불규칙, 골막염, 부착부 골극(enthesophyte) 등이 나타날 수 있다. 그렇지만, 고강도의 힘을 쓰는 운동선수나 무거운 것을 취급하는 사람의 단순촬영에서 증상이 없으면서 부착부 골극같은 당김 뼈돌출(traction spur)이 보일 수 있으므로 감별해야 한다.[38~41] 강직성 척추염(ankylosing spondylitis)이나 척추관절병증(spondyloarthropathy, SpA)에서 통증이나 관절염 등의 증상이 나타나기 이전에 여러 곳의 골부착부에 염증 변화가 먼저 생기고, 방치하면 나중에 심각한 장애를 초래한다.[42~45] 따라서, 증상이 없는 초기 진단과 치료 후 변화를 알기 위

Table 3-2 **Types and characteristics of Entheses**

Type	Characteristics	Anatomic sites
Fibrous enthesis	Periosteal-diaphyseal enthesis	Deltoid insertion to humeral shaft, Adductor magnus muscle attachment to the femur
Fibro-cartilaginous enthesis	Chondral-apophyseal enthesis	Shoulder, elbow, knee, ankle, and fingers

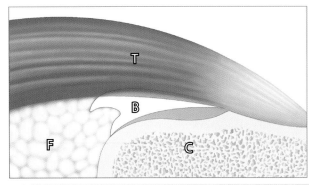

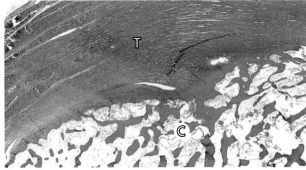

Figure 3-23   Fat (F) and the retrocalcaneal bursa (B) are between the calcaneus (C) and the Achilles tendon (T). The blue color is cartilagenous material. (Courtesy of Sang-Yong Lee, MD, Jeonju Soo Hospital, Jeonju, Korea)

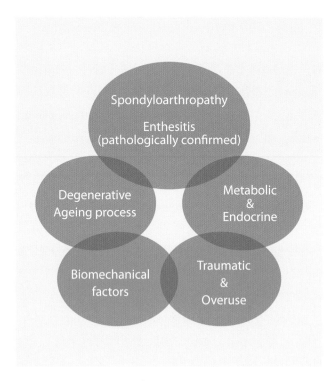

Figure 3-24   Etiology of enthesopathy.

한 영상검사로 초음파검사를 이용한다 (Fig. 3-25, 3-26). 골 부착부 병증의 초음파소견 – 힘줄의 에코와 두께 변화, 석회화, 부착부 골극(enthesophyte), 골미란(bone erosion) 등 – 의 표준화를 위한 노력이 있는데, 초음파소견 중에서 힘줄의 저에코와 두께 증가는 의미가 있고, 도플러(Doppler) 소견의 진단적 가치에 대해서는 아직 논란이 있다 (Fig. 3-27, 3-28). [36~40] 초음파검사에서 부착부 골극에 나타나는 혈류증가는 정상인이 운동을 한 직후에도 관찰되므로 주의해야 한다.

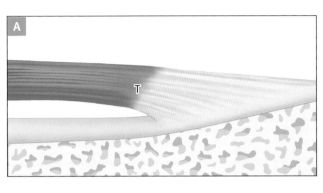
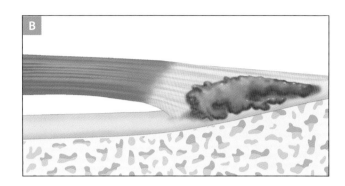

Figure 3-25 **Enthesis and enthesitis. A** shows normal attachment relationship of the tendon (T) to the bone cortex (C) at the enthesis. **B** shows enthesitis with inflammatory tissue infiltration.

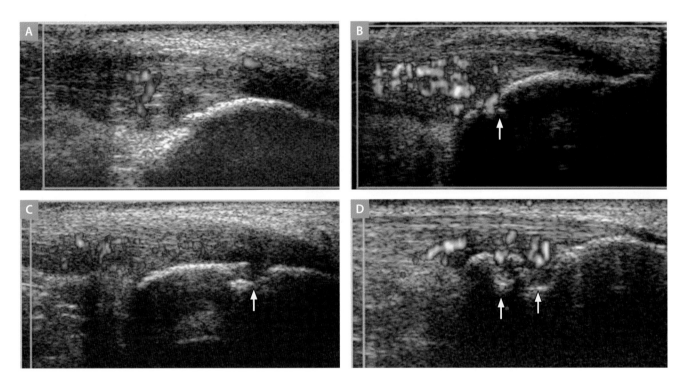

Figure 3-26 **Spondyloarthropathies. A** (a 34-year-old man) shows swollen hypoechoic Achilles tendon with mild hyperemia. **B** (a 24-year-old man) shows edematous Achilles tendon with profoundly increased vascularity and a focal cortical erosion (arrow) at the calcaneal insertion. **C** (a 31-year-old woman) shows hyperemic tendon and a focal cortical erosion (arrow) at the calcaneal tuberosity. **D** (a 35-year-old man) shows mild hyperemia but prominent cortical erosion (arrows).

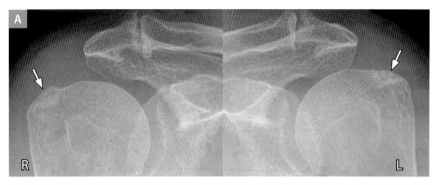

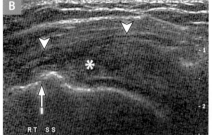

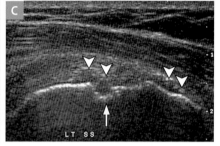

Figure 3-27 A. A 78-year-old woman with both shoulder pain. The AP radiographs of the right (R) and left (L) shoulders show hyperostotic greater tubercle (arrow) on the right, and focal sclerosis in the left. B. Ultrasound of the right shoulder shows the osteophyte (arrow) of the greater tubercle and supraspinatous tendinopathy with minor tear (*), and fluid along the subdeltoid bursa (arrowheads). C. The left shoulder ultrasound depicts a focal erosion at the anatomical neck (arrow) of the humerus, and hyperechoic spots (arrowheads) in the supraspinatous tendon without tear.

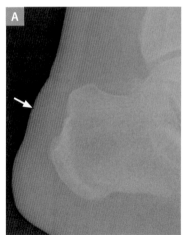

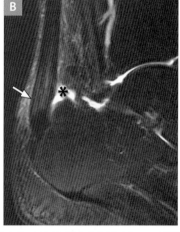

Figure 3-28 The lateral ankle radiograph (A) and MR T2 WI (B) in 58-year-old woman show soft tissue swelling, fibrillar patterned thickening of the distal Achilles tendon (arrow), and fluid in the retrocalcaneal bursa (*). The long-axis (C) and short-axis (D) ultrasound show hypervascularity of the retrocalcaneal bursa and focally in the Achilles tendon.

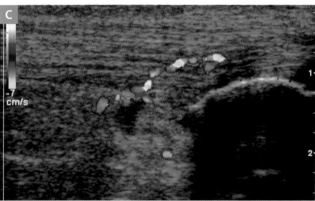

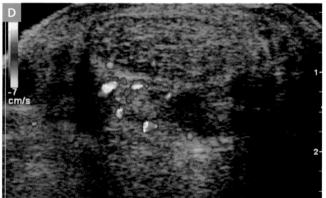

VI. 맺는말

초음파는 다른 영상진단 장치에 비해 시술자 의존도(operator dependency)가 높고, 뼈 질환에서 진단 목적의 초음파검사는 물리적-기계적 제한이 있기 때문에, 해당 부위의 지식이 충분하지 않으면 어려울 수 있다. 검사의 적응증을 잘 이해하고, 단순촬영과 초음파검사를 같이 시행하면 선별검사(screening test)로 활용 가능하다. CT나 MR을 시행한 후 추가 정보를 얻을 목적으로 초음파검사를 이용할 수도 있다.

참고문헌

1. Cho K-H, Lee Y-H, Lee S-M, Shahid MU, Suh KJ, Choi JH. Sonography of bone and bone-related diseases of the extremities. J Clin Ultrasound 2004;32:511-521.

2. Periosteum and bone. In: van Holsbeeck MT, Introcaso JH. Ed. Musculoskletal ultrasound, 3rd ed, 2016, pp 514-544, Jaypee, Philadelphia, USA.

3. Cho KH, Bouffard JA, Chhem, RK, Lee D. Current applications of ultrasound to bone lesions in the extremities. J Korean Soc Med Ultrasound 1997;16:95-104 (English).

4. Hodler J, Yu JS, Steinert HC, Resnick D. MR imaging versus alternative imaging techniques. MRI Clin North Am 1995;3:591-608.

5. Chhem RK, Cardinal E, Cho KH. Skeletal and superficial Soft tissue. In: McGahan JP, Goldberg BG, ed. Diagnostic Ultrasound - A logical approach. 1st ed. Philadelphia: Lippincott-Raven 1998:Chapter 36, pp1115-1134.

6. Bisseret D, Kaci R, Lafage-Proust M, Alison M, Parlier-Cuau C, Laredo JD, Bousson V. Periosteum: Characteristic imaging findings with emphasis on radiologic-pathologic comparisons. Skeletal Radiol 2015;44:321-338.

7. Cho K-H, Lee S-M, Lee Y-H, Suh K-J. Ultrasound diagnosis of either an occult or missed fracture of an extremity in pediatric-aged children. Korean J Radiol 2010;11:84-94.

8. Koski JM, Alasaarela E, Soini I, Kemppainen K, Hakulinen U, Heikkinen JO, Laasanen MS, Saarakkala S. Ability of ultrasound imaging to detect erosions in a bone phantom model. Ann Rheum Dis 2010;69:1618-1622.

9. Tukenmez M, Percin S, Arslan M, et al. Use of ultrasound for diagnosis of interposition of soft tissue in bone fracture line. Ultrasound Med Biol 2006;32:197-200.

10. Bodner G, Buchberger W, Schocke M, Bale R, Huber B, Harpf C, Gassner E, Jaschke W. Radial nerve palsy associated with humeral shaft fracture: evaluation with US. Radiology 2001;219:811-816.

11. 이성문, 이영환. 제12장 외상. In: 강흥식, 홍성환, 강창호 편저, 근골격영상의학, 1st ed. 서울: 범문에듀케이션, 2013;272-275.

12. Moed BR, Kim EC, van Holsbeeck M, et al. Ultrasound for the early diagnosis of tibial fracture healing after static interlocking nailing without reaming: histologic correlation using canine model. J Orthop Trauma 1998;12:200-205.

13. Luk HK, Lai YM, Qin L, et al. Computed radiography and ultrasonic evaluation of bone regeneration during tibial distraction osteogenesis osteogenesis in rabbits. Ultrasound Med 2012;38:1744-1758.

14. Moed BR, Subramanian S, van Holsbeeck M, et al. Ultrasound for the early diagnosis of tibial fracture healing after static interlocking nailing without reaming: clinical results. J Orthop Trauma 1998;12:206-213.

15. Bottinelli O, Calliada F, Campani R. Bone callus: possible assessment with Color Doppler ultrasonography. Radiol Med 1996;91:537-541.

16. Caruso G, Lagalla R, Derchi L, Iovane A, Sanfilippo A. Monitoring of fracture calluses with color Doppler sonography. J Clin Ultrasound 2000;28:20-27.

17. Aronson J, Shin HD. Imaging techniques for bone regeneration analysis during distraction osteogenesis. J Pediatr Orthop 2003;23:550-560.

18. Maffulli N, Hughes T, Fixsen JA. Ultrasonographic monitoring of limb lengthening J Bone Joint Surg (Br) 1992;7:130-132.

19. 이종훈, 지성우, 이호원, 이성문, 등. Ilizarov 시술 후 추적검사에서 초음파검사의 유용성. 대한방사선의학회지 1998;38:1091-1096.

20. 조길호, 황지영. 제10장 감염. In: 강흥식, 홍성환, 강창호 편저, 근골격영상의학, 1st ed. 서울: 범문에듀케이션, 2013;197-228.

21. Cheon JE, Chung HW, Hong SH, Lee W, Lee KH, Kim CJ, et al. Sonography of acute osteomyelitis in rabbits with pathologic correlation. Acad Radiol 2001;8:243-249.

22. Pineda C, Vargas A, Rodrigeuz AV. Imaging of osteomyelitis: current concepts. Infect Dis Clin North Am 2006;20:789-825.

23. Saifuddin A, Burnett SJ, Mitchell R. Y Ultrasonography of primary bone tumors. Clin Radiol 1998;53:239-246.

24. Malghem J, Berg BV, Noel H, Maldague B. Benign Osteochondromas and exostotic chondrosarcomas: evaluation of cartilage cap thickness by ultrasound. Skeletal Radiol 1992;21:33-37.

25. Griffiths-HJ, Thompson-RC Jr, Galloway-HR, Everson-LI, Suh-JS. Bursitis in association with solitary osteochondromas presenting as mass lesions. Skeletal Radiol 1991;20:513-516.

26. Park SY, Lee MH, Lee JS, Song JS, Chung HW. Ossified soft tissue recurrence of giant cell tumor of the bone: four case

reports with follow-up radiographs, CT, ultrasound, and MR images. Skeletal Radiol 2014;43:1457-1463.

27. Garant M, Sarazin L, Cho KH, Chhem RK. Soft -tissue recurrence of osteosarcoma: ultrasound findings. Canadian Association of Radiologists J 1995;46:305-307.

28. Suh JA, Cho KH. Case report of imaging analysis of dysplasia epiphysealis hemimelica (Trevor's disease). J Korean Soc Radiol 2013;69:149-152.

29. Suh JS, Han D. Dual fluid levels in an aneurysmal bone cyst: sonographic features. Yonsei Medical Journal 1988;29:384-387.

30. Shiels WE, Mayerson JL. Percutaneous doxycycline treatment of aneurysmal bone cysts with low recurrence rate: a preliminary report. Clin Orthop Relat Res 2013;471:2675-2683.

31. Civardi-G; Livraghi-T; Colombo-P; Fornari-F; Cavanna-L; Buscarini-L. Lytic bone lesions suspected for metastasis: ultrasonically guided fine-needle aspiration biopsy. J Clin Ultrasound 1994;22:307-311.

32. Didolkar MM, Anderson ME, Hochman MG, Rissmiller JG, Goldsmith JD, Gebhardt MG, Wu JS. Imaging guided core needle biopsy of musculoskeletal lesions: Are non-diagnostic results clinically useful? Clin Orthop Relat Res 2013;471:3601-3609.

33. De Flaviis L, Nessi R, Scaglione P, Balconi G, Albisetti W, Derchi LE. Ultrasonic diagnosis of Osgood-Schlatter and Sinding-Larsen · Johansson diseases of the knee. Skeletal Radiol 1989;18:193-197.

34. Czyrny Z. Osgood-Schlatter disease in ultrasound diagnostics-a pictorial essay. Med Ultrasound 2010;12:323-335.

35. Benjamin M, McGonagle D. The enthesis organ concept and its relevance to spondyloarthropathies. Adv Exp Med Biol 2009;649:57-70.

36. Lu HH, Thomopoulos S. Functional Attachment of Soft Tissues to Bone: Development, Healing, and Tissue Engineering. Ann Rev Biomed Eng 2013;15:201-226.

37. Apostolakos J, Durant TJS, Dwyer CR, Russell RP, Weinreb JH, Alaee F, et al. The enthesis: a review of the tendon-to-bone insertion. Muscles, Ligaments and Tendons Journal 2014;4:333-342.

38. Mandl P, Niedermayer DS, Balint PV. Ultrasound for enthesitis: handle with care. Ann Rheum Dis 2012;71:477-479.

39. Resnick D, Niwayama G. Enthesis and enthesopathy: anatomical, pathological and radiological correlation. Radiology 1983;146:1-9.

40. Rogers J, Shepstone L, Dieppe P. Bone formers: osteophyte and enthesophyte formation are positively associated. Annals Rheumatic Diseases 1997;56:85-90.

41. Shaw HM, Benjamin M. Structure-function relationships of entheses in relation to mechanical load and exercise. Scand J Med Sci Sports 2007:17:303-315.

42. Ruta S, Gutierrez M, Pena C, Garcia M, Arturi A, Filippucci E, et al. Prevalence of subclinical enthesopathy in patients with spondyloarthropathy: an ultrasound study. J Clin Rheumatol 2011;17:18-22.

43. Ozkan F, Cetin GY, Bakan B, Kalender AM, Yuksel M, Ekerbicer HC, Sayarlioglu M. Sonographic evaluation of subclinical entheseal involvement in patients with Behçet disease. Am J Roentgenol 2012;199:W723-W729.

44. Arnaiz MCL, Mendieta EM. Usefulness of Ultrasonography in the Assessment of Peripheral Enthesis in Spondyloarthritis. Rheumatol Clin 2014;10:113-119.

45. Eder L, Barzilai M, Peled N, Gladman DD, Zisman D. The use of ultrasound for the assessment of enthesitis in patients with spondyloarthritis. Clinical Radiology 2013;68:219-223.

관절, 관절연골 및 활막 질환

Joint, Articular Cartilage, and Synovial Membrane Disorders

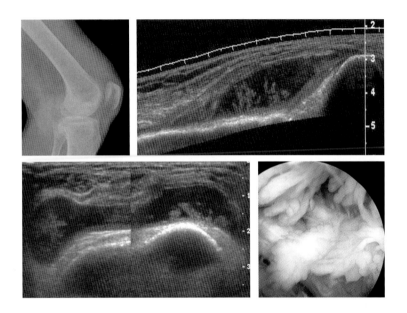

04 CHAPTER

■ 하두회, 조길호

관절, 관절연골 및 활막 질환

Joint, Articular Cartilage, and Synovial Membrane Disorders

I. 서론

관절 질환의 영상 진단에서 단순촬영은 가장 기본적인 검사이지만, 관절 질환이 어느 정도 진행되어야 변화를 알 수 있다는 단점이 있다. 자기공명영상(MRI)은 관절연골, 골수, 연부조직의 변화 등 관절 전체를 나타내므로, 초기 관절 질환의 진단에 매우 우수하다. 그렇지만, 자기공명영상은 검사시간이 길고, 여러 부위를 한꺼번에 검사할 수 없고, 협소공포증이 있거나 심박동기(cardiac pacemaker)를 삽입한 환자, 금속 삽입물을 가진 환자에서는 검사 시행이 불가능하거나 금속 허상(metallic artifacts) 때문에 영상 판독이 곤란할 수 있다.

초음파검사는 검사자 의존도(operator-dependency)가 높고, 관절연골, 초승달(meniscus), 십자인대(cruciate ligament) 등의 관절안 심부구조물(intra-articular deep structures)의 검사에는 제한적이지만, 관절액 증가나 활액막 증식의 진단에는 아주 예민하므로 유용하다. 다양한 원인과 다양한 관절 및 관절 부위에 증상이 있는 환자, 특히 근골격계의 동작(motion)과 관련된 증상이 있는 환자에서 초음파검사는 관절 내 검사와 더불어 관절 주위 연부조직에 대한 역동적 검사를 시행할 수 있고, Doppler검사로 병변이나 병변 주위의 혈류를 파악할 수 있는 독특한 장점이 있다.[1~3] 여러

관절에 증상이 있는 환자에서 초음파검사로 각각의 관절을 검사할 수도 있으며, 엉덩이나 척추질환 때문에 무릎에 관련통(referred pain)이 나타날 때, 무릎의 이상이 없음을 확인할 목적으로 초음파검사를 이용하기도 한다.[3] 또, 치료 후 치료효과 판정, 초음파유도하 흡인이나 조직 검사를 위한 목적으로 이용한다.

II. 초음파 해부학 및 진단방법

1. 탐촉자 선택

상황에 맞게 적절한 주파수의 탐촉자를 선택하는데, 손이나 발, 팔꿈 등의 얕게 위치한 관절에는 7 MHz 이상의 고주파수 탐촉자를 사용하지만, 몸집이 크거나, 살이 두터운 환자, 엉덩관절처럼 깊게 놓인 관절에는 7 MHz 이하의 탐촉자를 쓰기도 한다.[3~6] 저주파수를 쓰면, 투과력은 좋아지지만 해상력이 낮아지는 단점이 있다. 따라서, 저주파수의 탐촉자로 먼저 관절 및 관절주위를 훑어본 다음에, 중요 병변에 대하여 고주파수의 탐촉자로 추가 검사하는 것이 필요하다.

2. 관절의 종류와 구성요소

관절은 조직학적 구성에 따라 섬유성(fibrous), 연골성(cartilaginous), 및 활막(synovial) 관절로 나눌 수 있다. 관절이 섬유성 결체조직으로 연결된 섬유성 관절의 예는 두개봉합(cranial suture)이다. 연골관절은 섬유성연골에 의해 뼈사이가 연결된 치골결합(pubic symphysis)이 대표적이다. 활막관절(synovial joint)은 뼈, 유리연골(hyaline cartilage), 섬유연골(fibrocartilage), 관절막, 인대 및 지방 조직 등으로 이루어져 있다.[7] 관절막 바깥에는 관절의 외부 인대, 힘줄, 근육 등이 관절의 안정성에 기여하고, 관절 내부에서는 관절막이 부분적으로 두꺼워져 형성된 관절 및 관절안 인대가 관절의

안정성 유지에 중요하다.

활막관절의 초음파검사에서, 관절면에는 1~2 mm 두께의 균질한 저에코 띠로 보이는 유리연골이 있는데, 관절마다 차이가 있고, 같은 관절에서도 체중 부하 등에 따라 부위별로 약간의 차이가 있다. 정상 유리연골의 표면에 보이는 고에코의 선은 관절액-유리연골의 경계면에서 나타나는 경계면징후(interface sign)이며, 유리연골과 연골하골(subchondral bone)의 경계도 고에코의 선으로 보인다 (Fig. 4-1).[2,4,6] 이런 고에코의 선에도 비등방성허상이 생길 수 있다. 관절 심부의 연골은 뼈에 의해 가려지므로, 관절을 굴곡 및 신전, 내-외회전하고, 탐촉자를 움직여 초음파 입사각(insonation sound beam)을 조정하면 보다 넓은 부위에서 관

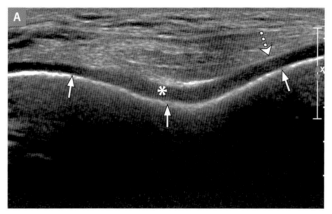

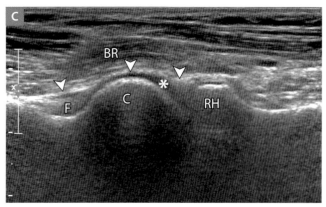

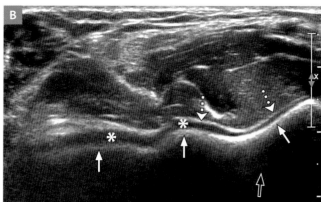

Figure 4-1 Ultrasound of normal hyaline cartilage of the knee and elbow joints. A. Transverse scan of the femoral trochlear surface of the knee reveals the articular cartilage (*) as a hypoechoic band over hyperechoic subchondral bone surface (solid arrows). Localized thin hyperechoic line (dashed arrow) is the superficial margin of the cartilage due to reflectivity. **B.** In the elbow joint, anterior transverse scan of the humeral condyle shows thinner articular cartilage (*) than that of the knee. Thin hyperechoic superficial margin (dashed arrow) of the cartilage is seen. **C.** The elbow in anterior longitudinal scan along the capitellum (C) and radial head (RH) shows the fat pad (F) at the radial fossa proximal to the capitellum. Anterior joint capsule (arrowheads) is deep to the brachioradialis muscle (BR) and superficial to the hypoechoic articular cartilage (*).

절연골을 검사할 수 있다.

초음파에서 관절막과 인대는 고에코의 가는섬유다발양상(fibrillar pattern)의 선이나 띠구조로 보인다. 보통은 관절을 싸고있는 연부조직의 심부경계와 관절액 사이에 고에코로 보인다.

관절막의 내면을 덮고 있는 활막(synovium)은 혈관분포가 많은 독특한 조직으로 활액을 분비하는 기능이 있고, 관절 움직임의 윤활(lubrication) 및 관절 구조물에 영양공급을 하는 중요한 역할을 한다.[7,8] 관절연골의 표면에는 활막이 없고, 관절안 뼈 부분은 활막이 덮고 있다. 관절연골의 가장자리에서 활막과 만나는 경계부를 뼈노출부(bare area)라고 한다. 활막질환의 초기 소견이 흔히 이곳에서 시작하므로 중요하다 (Fig. 4-2) (뒤의 병리 부분 참조 바람).

팔꿈, 무릎, 발목 관절 등의 활막관절에는 관절막안-활막밖(intracapsular-extrasynovial)지방체가 뚜렷하고, 관절액이 증가하면 이 지방체가 뼈에서 멀어진다. 지방체가 없는 부분에서 활막은 관절막과 합쳐진 하나의 구조물로 보인다 (Fig. 4-1C).

논란이 있지만, 활막을 포함한 관절강(joint space)의 병변은 관절안(intra-articular) 병변으로 간주하고, 관절막과 그 바깥은 관절밖 및 관절 주위 병변으로 본다. 관절에는 적은 양의 관절액이 정상적으로 보일 수 있는데, 관절마다 다르고, 개인차(individual difference)가 있다. 슬관절 등에서는 정상에서도 소량의 관절액이 있다. 엉덩 및 무릎 관절에서는 관절액 두께가 5 mm 이하, 발목관절에서는 2 mm 이하이면 정상일 가능성이 높지만 절대적 기준은 아니다. 증상이 없는 반대측과 비교하여 관절액 두께가 2 mm 이상 차이가 나면 의미있는 소견이다 (Fig. 4-3).

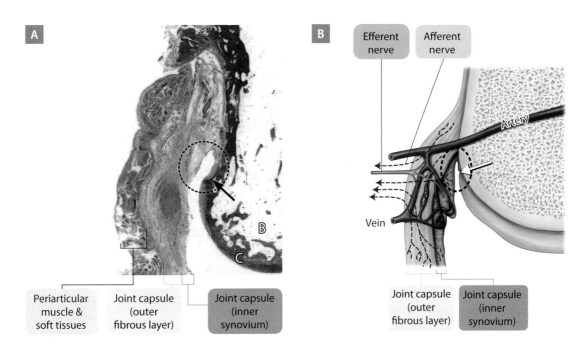

Figure 4-2 **A** and **B** show the relationship of bone, articular cartilage, and joint capsule (both outer fibrous and inner synovial layer) supplied by capillary vascular and neuronal networks in "bare area" (dotted circle) of a synovial joint. The junction between cartilage margin and synovium is pointed with an arrow. (**Fig A** by courtesy of Joon-Hyuk Choi, MD, Department of Pathology, Yeungnam University Hospital).

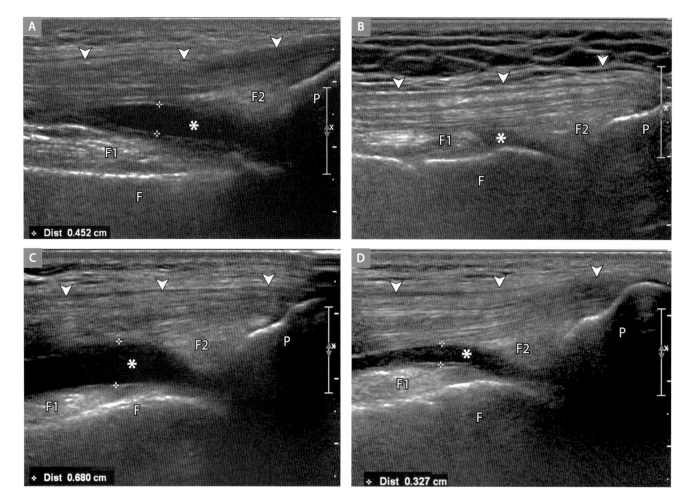

Figure 4-3 **Anterior long-axis views of the knee joint**. A. The suprapatellar recess of the joint (in 66-year-old man with osteo-arthrosis) is filled with anechoic joint fluid (*) which is less than 5 mm thick (cursors) deep to the quadriceps tendon (arrowheads). B. In the same patient, the fluid (*) disappears on compression with transducer. C. The suprapatellar recess (in 24-year-old man with ankylosing spondylitis) shows increased fluid (*) with about 7 mm thick (cursors) in the suprapatellar recess. D. In the same patient of Fig C, the fluid (*) is more than 3 mm (cursors) thick on compression with transducer, which means increased joint effusion. F, femur; F1, prefemoral fat; F2, retrotendinous fat; P, patella.

무릎에는 관절안 활막주름(추벽 또는 섬유띠, plica)이 있을 수 있는데, 태생기 발생 과정에서 정상적으로 생겼다가 성장하면서 흡수되지 않고 남은 것으로, 인구의 20~50%에서 발견되며, 보통은 증상이 없지만 일부에서는 관절의 통증, 운동장애, 관절액 증가 등을 일으킨다 (Fig. 4-4). [3]

어떤 관절에는 관절면 유리연골 외에 섬유연골 구조물이 있는데, 무릎의 반월연골(meniscus), 어깨나 엉덩관절의 관절순(labrum)이 이에 해당한다. 이런 섬유연골은 초음파에서 균질한 고에코의 세모꼴로 보이지만, 비등방성허상 때문에 저에코로 보일 수도 있다 (Fig. 4-5). 팔꿉관절에서는 관절의 후외측에 활막주름(synovial fold)이 있을 수 있다.

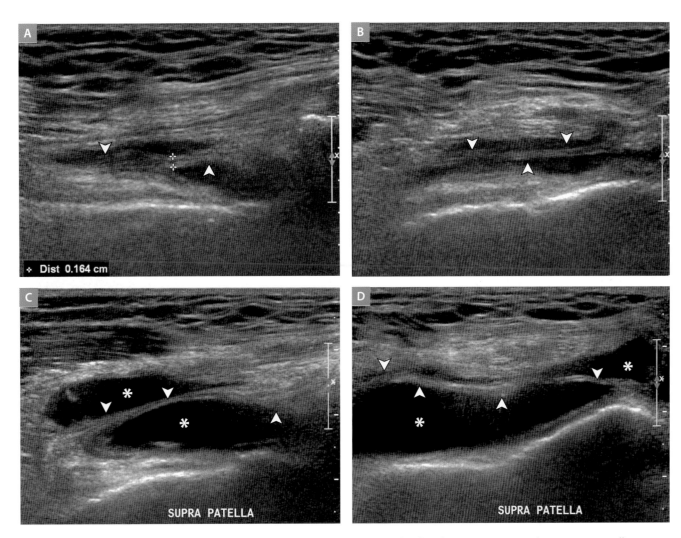

Figure 4-4   A & B. Asymptomatic plica in the knee joint. Anterior longitudinal and transverse scans depict suprapatellar recess in which the plica is seen as a thin fibrous band (arrowheads; 1.6 mm by cursors) divides the recess into two compartments. C & D. Symptomatic plica. Both long-, and short-axes scans of the knee show distended suprapatellar recess (*) which is divided into two spaces by the plica (arrowheads).

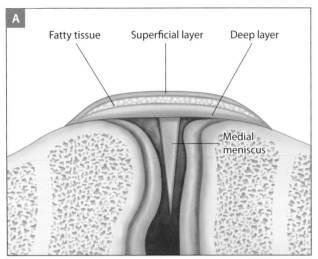

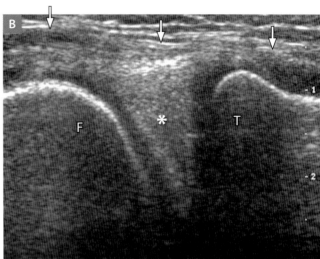

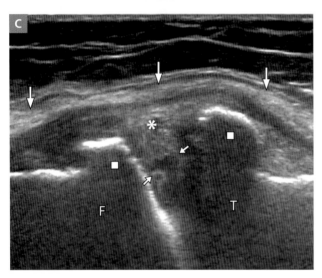

Figure 4-5 The medial meniscus of the knee. Diagram (A) and ultrasound scan (B) on the medial knee show the normal medial meniscus (*) as a homogeneous hyperechoic triangular shape between the femur (F) and tibia (T), deep to the medial collateral ligament (arrows). The hypoechoic band along the bones is articular cartilage. **Fig C** demonstrates medial meniscal tear (short arrows) and osteophytes (rectangles) deep to the medial collateral ligament (thick arrows) in osteoarthritis.

Ⅲ. 관절 질환

활막관절(synovial joint)의 질환은 활막의 병리를 근거로 (1) 염증성(inflammatory), (2) 감염성(infectious), (3) 퇴행성 (degenerative), (4) 외상성(traumatic), (5) 종괴성(neoplastic and tumor-like), (6) 기타 질환으로 나눌 수 있다.

1. 관절 질환 초음파소견의 용어

관절 질환의 초음파검사에서 뼈와 활막의 변화, 관절액 등에 대한 객관적 기준 Outcome Measures in Rheumatoid Arthritis Clinical Trials (OMERACT)을 제안하였는데, 이 중에서 관절에 관한 내용을 소개한다.[9]

골미란(bone erosion)은 관절내 뼈 표면의 고에코가 끊어져 보이는 것으로, 90° 각도의 두 평면에서 보일 때를 말한다. 관절액(joint fluid)은 탐촉자로 누를 때 압박되며, 피하

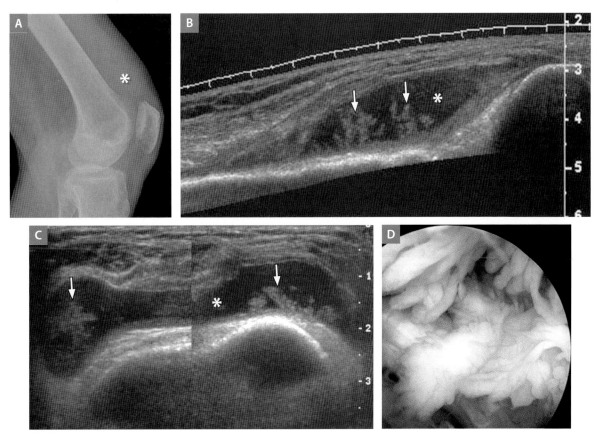

Figure 4-6 **Rheumatoid arthritis of the knee (68-year-old woman; RA factor, 339 IU/mL; Anti-CCP Ab, 277 U/mL). A.** Lateral radiograph of the knee shows distended supra-patellar recess (*). **B & C** anterior long-axis and transverse views of the supra-patellar recess show effusion (*) and floating villous synovial proliferation (arrows) which are well compatible to that on arthroscopic finding (**D**).

지방에 비하여 무에코(anechoic) 또는 저에코로 보이지만, 때로는 등에코(isoechoic)나 고에코로 보일 수도 있다. 강화도플러(power Doppler)에서 신호는 없다. 활막 비후(synovial hypertrophy)는 탐촉자로 누를 때 거의 압박되지 않으며, 저에코(때로는 고에코나 등에코)로 보인다. Doppler 신호가 있다면 활성(active)상태로, 없다면 비활성(inactive)상태로 볼 수 있다. OMERACT가 제안한 내용 중에서 강화도플러(power Doppler) 신호에 대한 내용은 아직 정립되지 않은 것이다.[2] 각각의 초음파소견은 다음 각 질환의 영상을 참고 바란다.

2. 류마티스 관절염 Rheumatoid arthritis

류마티스 관절염은 인구의 1%에서 발병하며, 원인은 아직까지 밝혀지지 않았지만 자가면역기전(auto-immune mechanism)에 의해 관절의 만성 활막염증(synovitis)을 일으키는 전신질환(systemic disease)으로 본다. 중년 여성에서 흔하며, 주로 손과 손목, 발의 작은 관절을 침범하는데, 큰 관절에서도 같이 또는 따로 침범한다 (Fig. 4-6). 초기에는 병리학적으로 활막에 신생혈관이 증가하고, 면역반응에 의한 염증세포 침윤으로 활막 비후, 관절액 증가를 보이는 관절 활막의 염증으로 시작한다.[10] 초기 활막염 시기에 Disease-Modifying Anti-Rheumatic Drugs (D-MARDs) 등으로 치료를 시작하면 치유 가능성이 높으므로 초기에 진단하는 것이 중요하다.[11] 이 시기까지를 가역적(reversible) 변화로 본다. 보다 병이 진행되면 염증세포 침윤의 증가와 함께 육아조직 증식에 의한 파누스(pannus)가 형성된다. 파누스의 정의(definition)는 뼈노출부(bare area, 관절연골이 덮혀있지 않은 부분)에서 시작한 활막증식이 인접한 유리연골의 표면을 덮는 것을 말한다.[12] 시간이 지나면, 뼈노출부 골미란

(marginal bone erosion at bare area), 인접한 유리연골의 파괴 등의 비가역적 변화를 일으킨다. 치료없이 방치하면, 점차 관절 중심부의 유리연골과 골 파괴, 관절막이나 인대의 손상과 함께 마지막에는 관절 변형 및 강직(ankylosis)이 생긴다.

2010년에 개정된 류마티스 관절염의 진단기준에 따르면, 이전에 포함되어 있던 '단순촬영에서 보이는 골미란'이 삭제되고, '1개 이상의 관절의 활막염 소견'이 포함되었다.[13] 류마치스 관절염의 초기 활막염 영상 소견을 확인하는 데는

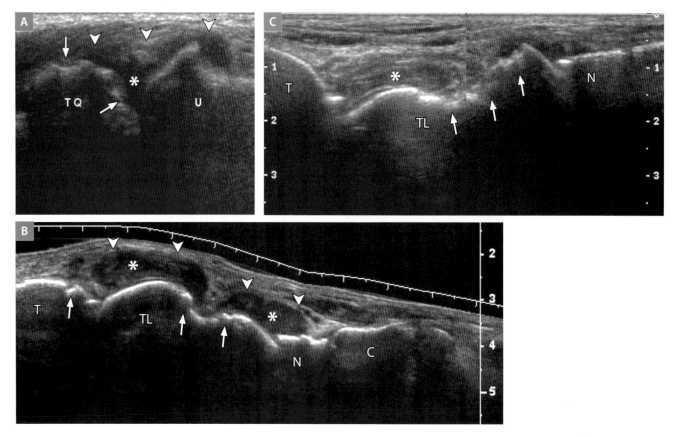

Figure 4-7   Rheumatoid arthritis of multiple joint involvement in a 62-year-old woman. A. Ultrasound at the volar aspect of the wrist shows irregular bone erosion (arrows) of the triquetrum (TQ) and distended joint capsule (arrowheads) over the ulnar styloid process (U). B. Panoramic scan of the anterior ankle and foot dorsum along the distal tibia (T), talus (TL), navicular (N) and cuneiform (C) shows bone erosions (arrows) and distended joint (arrowheads) filled with heterogeneous synovitis (*). C. Zoom-in long-axis view of the anterior ankle in a different angle shows bone erosion (arrows) at the distal dorsal aspect of the talus (T) more clearly and echogenic synovial proliferation (*) in the ankle joint space.

MRI와 초음파검사 둘다 민감하다. 초음파검사에서 활막염은 활막의 비후, 파누스 형성, 관절강의 일부나 전체를 채우는 저에코의 융모형(villi) 증식까지 다양한 소견을 보인다 (Fig. 4-7).[8] 이후, 골미란 등의 비가역적 변화로 진행될 가능성이 높다.[2,11] 초음파 조영제를 사용하면, 초음파의 후산란(back scattering)을 증가시켜 보다 많은 도플러(Doppler) 신호를 얻을 수 있어서 초기 활막염 진단에 도움이 된다는 보고가 있다.[14,15]

도플러 또는 강화도플러(power Doppler)검사에서 활막염의 혈류 증가는 질환의 활성도(activity)와 관련있을 수 있고, 초음파검사에서의 활막염 및 혈류 증가 정도는 MRI에서의 골염(osteitis)과 상관관계가 있을 수 있다 (Fig. 4-8).[16] 활막염에 동반된 골염 소견을 MRI에서는 골수의 신호강도 변화 등을 통해 알 수 있는 데 반해서, 초음파검사에서는 골수

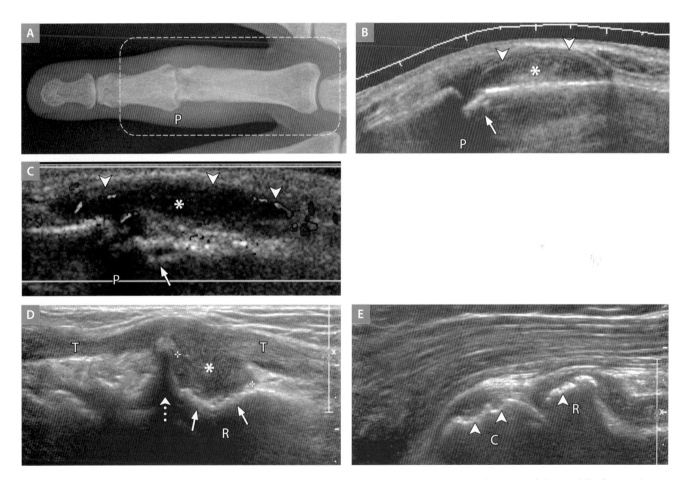

Figure 4-8 **Rheumatoid arthritis of multiple joints in a 55-year-old woman. A.** AP radiogram of the middle finger shows soft tissue swelling, bone erosion and narrowed joint space in the proximal interphalageal joint (P). **B.** Panoramic scan on the dorsum of the middle finger in the dotted rectangle on the **A** shows bone erosion (arrow) and distended joint (arrowheads) filled with heterogeneous echoes (*) in the PIP joint. **C.** Color Doppler shows hyperemia and bone erosion. **D.** Longitudinal scan in the dorsum of the wrist reveals about 13 mm sized (cursors) soft tissue nodule (*) with pressure erosion (arrows) onto the radius (R), and with involvement (arrowheads) of the extensor tendon (T). The wrist joint line is pointed with dashed arrow. **E.** Anterior long-axis scan of the elbow shows bone erosion (arrows) of both capitellum (C) and radial head (R).

의 변화를 직접적으로 알기 어렵다. 활막 비후와 혈류의 변화는 치료효과 판정과 재발 가능성을 예측하는 데 도움이 된다.[14~16] 치료 후 임상적 완전 완화(complete remission) 상태의 환자에서, 활성 활막염이 초음파에서 보이면 재발 가능성과 비가역적 관절 파괴로 진행될 가능성이 높다.[17,18]

어떤 하나의 관절을 검사하는 도중에, 환자가 불편함이나 통증이 있는 다른 관절이나 부위의 검사를 원할 때가 흔히 있다. 주로 이런 부위나 관절이 단순촬영에서 정상이어서 초음파검사를 의뢰하지 않은 경우가 많다. 초음파는 소량의 관절액 증가를 진단할 목적으로 유용한데, 활막증식과의 감별이 어려울 수 있다. 이럴 때, 탐촉자로 의심되는 부위를 압박하거나 관절을 움직이면서 역동적 검사를 하면, 활액은 출렁거리면서 관절내에서 압력을 덜 받는 곳으로 쉽게 재분포(redistribution)하고 Doppler에서 혈류증가가 없다. 이에 반하여, 활막염은 그 기저부가 활막에 연결되어 있으므로 활액처럼 쉽게 재분포 되거나 압박되지 않고, Doppler에서 혈류증가를 가질 수 있으므로 활액 증가와 감별할 수 있다.

초음파에서 골미란은 뼈 표면의 연속성 소실로 보이며, 초음파의 투과(through transmission)가 증가한다 (Fig. 4-7, 4-8). 골미란을 진단할 때 정상 뼈의 불규칙, 오목(depression), 혈관 통로와의 구분이 필요하다. 뼈 오목은 특히 중수골두(metacarpal head)의 등쪽(dorsum)에 보이며, 골미란과는 달리 균질한 뼈 표면을 보이고 초음파 투과 증가가 없다.[6] 손에서, 골미란은 주로 중수골-지골 관절(metacarpophalangeal joint)과 근위지골관절(proximal interphalangeal joint)에 호발하며, 만성 질환에서는 골미란과 동반된 파누스가 고에코의 종괴처럼 보일 수 있다 (Fig. 4-7A, 4-8). 골미란을 찾는 데 초음파검사는 매우 예민하여, 초음파검사로 골

미란을 실험 연구한 보고에 의하면, 깊이 1 mm, 넓이 1.5 mm 크기이면 검출가능하며, 매우 높은 민감도와 신뢰도를 보인다.[19] 골미란 검출은 단순촬영보다 초음파검사에서 더 많은 병변을 찾을 수 있다.[2,6,12]

3. 퇴행성 골관절염 Osteoarthritis

퇴행성 골관절염은 고관절이나 슬관절 등의 체중 부하 관절이나, 손의 원위지골관절(distal interphalangeal joint)이나 첫 번째 수근골-중수지관절(carpo-metacarpal joint)에 호발하며, 손가락을 많이 쓰는 작업, 운동 등에 의한 과사용이나 외상과 관련이 있다. 활막염과 유리연골 손상으로 시작하여, 관절 간격의 감소, 연골하골 경화나 낭종 형성, 골극 형성과 관절내 유리체(loose body) 등을 특징으로 한다 (Fig. 4-9).[20]

초음파검사로 손상된 연골의 두께 감소를 부분적으로 알 수는 있지만, 관절면을 덮고 있는 연골 전체를 보는 데는 제한이 있으며, MR에서는 잘 보이는 연골하 뼈의 변화를 초음파에서는 볼 수 없다. 그렇지만, 골극(osteophyte)은 단순촬영보다 초음파검사에서 더 많이 찾아진다.[21,22] 골극은 부리 형태의 고에코 뼈의 돌출로 보인다. 관절통을 동반하는 골관절염에서는 골극이 더 많이 발견되고 활막염도 더 심하다 (Fig. 4-10).[22] 퇴행성 골관절염에서 골극, 반월판, 활막조직 등이 관절내로 분리되어져서 관절내 유리체로 존재할 수 있고, 뼈조각처럼 소리그림자를 가지는 고에코로 보인다 (Fig. 4-11).

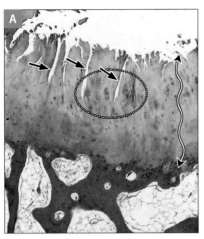

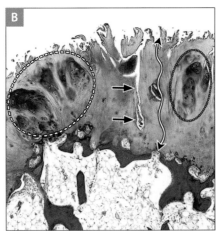

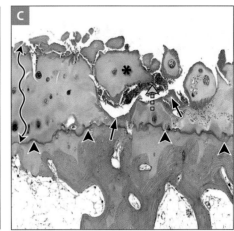

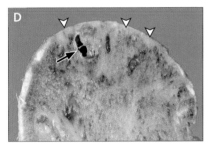

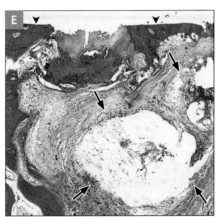

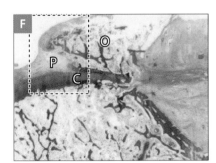

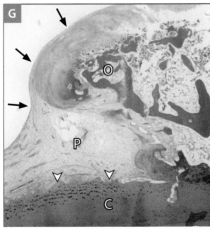

Figure 4-9 **Pathologic photomicrographs of osteoarthritis in synovial joints. A** and **B** show fibrillation (arrows) and chondrocyte aggregates (dotted circle) in the hyaline articular cartilage layer (up-down wavy arrow) of early osteoarthritis. **C** shows a crack (arrow) extending deep into the cartilage with detached fragments(*) and interposed synovial inflammation (short arrow). The tidemark (arrowheads) between the cartilage and subchondral bone is seen. **D** and **E** demonstrate a subchondral cyst (arrow) of the femoral head (arrow in **D**) which is visualized on the photomicrograph (**E**) in the absence of overlying articular cartilage (arrowheads). **F.** Photomicrograph of pathologic specimen shows pannus (P) between the protruded osteophyte (O) and the hyaline articular cartilage (C). **G.** Zoom-in view of the dotted rectangle of the **Fig F** shows the pannus (P) extends over the articular cartilage (C) of which surface (arrow) is infiltrated by the pannus. (Courtesy of Joon-Hyuk Choi, MD, Department of Pathology, Yeungnam University Hospital)

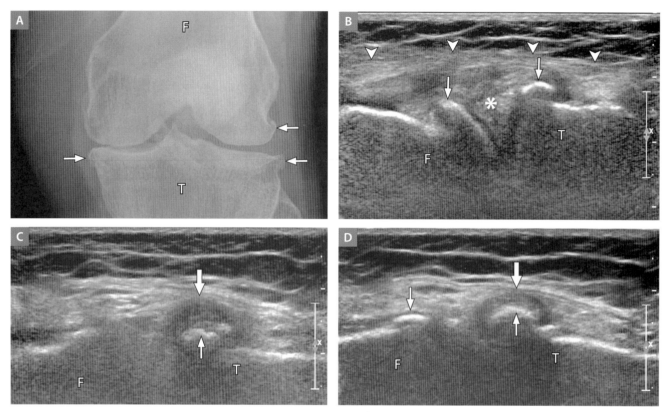

Figure 4-10 Osteoarthritis of the knee. A. AP radiograph of the knee shows multiple osteophytes (arrows) of both femur (F) and tibia (T). **B.** Ultrasound scan on the lateral knee demonstrates osteophytes (arrows) and degenerative meniscus (*) between the femur (F) and tibia (T), deep to the medial collateral ligament (arrowheads). **C.** On the lateral aspect of the knee, a cap-like hypoechoic structure (thick arrow) over the osteophyte (arrows) of the proximal tibia. **D.** On compression with transducer at the area of the osteophyte of the **Fig C**, the cap-like structure is thinned out.

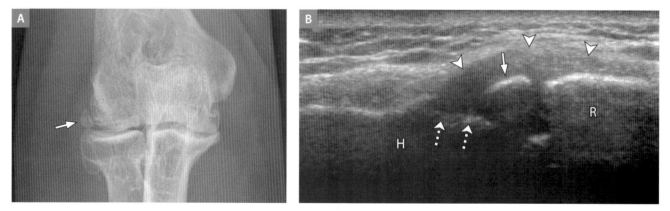

Figure 4-11 Osteoarthritis with loose body in an elbow joint. A. Anteroposterior radiograph of the elbow shows a loose body (arrow) in the lateral aspect with osteophyte (radial head) and narrowed joint space. **B.** Lateral longitudinal scan reveals a loose body (arrow) as a hyperechoic crescent between the humerus (H) and radius (R), and distended joint capsule (arrowheads). The loose body looks like detached from the poorly defined bone surface (dashed arrows) of the humeral condyle.

4. 통풍 관절염 Gouty arthritis

통풍은 퓨린(purine) 대사 장애로 요산(uric acid)의 혈중 농도가 증가하고, 요산의 신장 배설이 감소되어, 요산일나트륨(monosodium urate, MSU) 결정이 관절이나 연부조직에 침착하는 질환으로, 20~40대 남자에서 호발한다. 한국인 여자 통풍에 관한 보고에 의하면, 남자에서의 호발 연령보다 5~10년 늦고, 주로 폐경기 후 5~8년 지나 발생하며, 여자 통풍의 25%는 폐경기 전 40대에서 발병한다.[23]

통풍은 세 가지 시기, (1) 증상이 없는 요산혈증(uricemia), (2) 급성 간헐성 통풍(acute intermittent gout), (3) 만성 결절성 통풍(chronic tophaceous gout)으로 나눌 수 있다. 급성 통풍은 전형적으로 단일관절(mono-articular)을 침범한다. 첫 번째 중족골-지골 관절(metatarso-phalangeal joint)의 내측에서 가장 많이 발생하며, 이를 발통풍(podagra)이라고 한다. 발적(flare-up)과 통증 악화가 간헐적으로 반복되면서, 차츰 여러 관절을 침범한다. 통풍의 확진은 관절 삼출액

이나, 통풍결절(tophus)에서 세포내 MSU 결정을 발견하는 것이다. MSU는 편광현미경에서 바늘처럼 길고 뾰족한 음성 이중굴절(negative birefringence)의 결정체로 보이며, 이는 뒤에 기술되는 칼슘피로인산이수산화기(calcium pyrophosphate dihydrate, CPPD) 결정과 구별된다. 통풍의 특징적 단순촬영 소견은 급성 증상 후 6~12년 이상의 긴 기간에 걸친 만성 통풍 관절염에서 볼 수 있고, 관절 골밀도 감소를 동반하지 않는다.

급성 통풍 관절염의 초음파소견은 관절 삼출액의 증가와 활막비후, 연부조직의 부종, 혈류 증가 등을 보이는 다른 관절염과 같아서 비특이적이다 (Fig. 4-12). 그렇지만, 관절 내 유리연골표면에 MSU결정이 침착되면 연골 표면을 따라 불규칙한 고에코 띠가 초음파에서 특징적으로 보인다 (Fig. 4-13). 이 고에코 띠와 연골하 골피질의 고에코 띠가 함께 보이는 것을 '이중윤곽징후(double contour sign)'라고 하며, 이는 초음파 입사각(sound beam angle)과 상관없이 고에코로 보인다.[24,25] 유리연골 표면의 chondroitin sulphate와

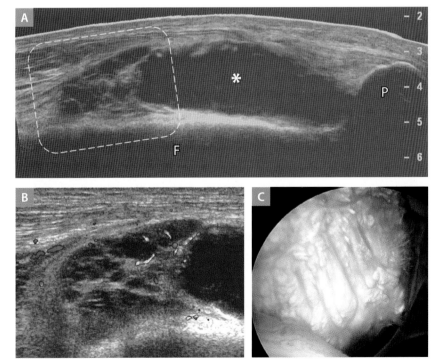

Figure 4-12 **Acute gouty arthritic attack in a knee joint (64-year-old man). A.** Panoramic longitudinal scan of the suprapatellar recess shows prominent effusion (*) with synovial hypertrophy (the dotted rectangle) in the proximal portion within the suprapatellar recess. F, femur; P, patella. **B.** Color Doppler of the dotted rectangle region of the A reveals increased synovial vascularity. **C.** Arthroscopy depicts hypertrophic synovium with multiple granular mineralization confirmed as gout pathologically. The granular mineralization was too weak and scattered to be depicted on ultrasound.

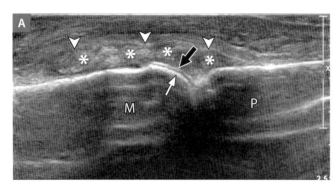
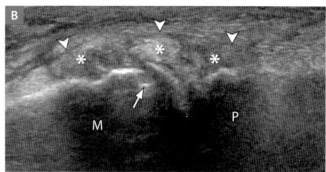
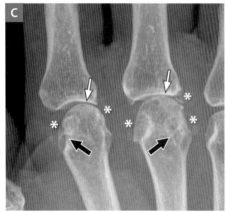

Figure 4-13 Gouty arthritis in a hand. A. Long-axis sonogram of the 3rd meta-carpophalangeal joint reveals the irregular hyperechoic line (thick black arrow) along the chondral surface which is parallel to the bone surface (white arrow) of the metacarpal head (M). The parallelism is called "double contour sign", which is independent on the angle of insonation. P, proximal phalanx. The joint space is filled with hyperechoic synovial proliferation (*) in the distended joint capsule (arrowheads). **B.** A different angled scan shows a tiny bone erosion (arrow) of the metacarpal head, and mixed hypoechoic and hyperechoic materials (*) with synovial hypertrophy in the joint (arrowheads). **C.** Radiograph of the 2nd and 3rd metacarpophalangeal joints show asymmetric joint space narrowing (white ar-rows), bone erosion (black arrows), and periosseous mineralization (*).

phosphatidylcholine이 MSU 결정 침착을 유도하는 것으로 알려져 있다.[26] 논란의 여지는 있지만, 실험 연구에 의하면, 정상 관절에서 연골 표면의 가느다란 고에코는 glycos-aminoglycans과 관련있다.[27] 통풍에서 보이는 관절연골 표면의 고에코는 좀 더 두껍고 불규칙하며, 증상이 없는 요산혈증(uricemia) 상태에서도 볼 수 있다 (Fig. 4-14).[28]

MSU 결정이 활막에도 침착할 수 있는데, 고에코의 작은 반점(speckled)으로 보이며, 통풍 결절을 형성하게 되면, 바깥은 저에코의 띠로 둘러 싸이고, 그 안은 저에코와 고에코가 섞여서 불균질하게 보인다 (Fig. 4-13).[26,27] 이 외에도 관절액에 고에코 부스러기, 비후된 활막의 혈류 증가 소견 등을 볼 수 있고, 골미란의 가장자리(margin)에 골증식이나 골극을 볼 수 있다.

5. 연골석회화증 Chondrocalcinosis

칼슘피로인산이수산기(calcium pyrophosphate dihydrate, CPPD) 결정체(crystal)는 관절내 유리연골, 섬유연골, 활막 및 관절막, 인대나 관절주위 힘줄, 윤활낭 등에 침착할 수 있는데, 연골내 침착을 연골석회화증이라 한다. 슬관절에 호발하며, 고관절 및 손목관절 등 여러 관절에서 발생한다. CPPD 결정이 활액내로 흘러 나오면 급성 염증 반응에 의한 위통풍(pseudogout)이 발생하나, 통풍보다 증상이 덜하며, 수 주간 증상이 지속하기도 한다. 확진은 활액을 편광현미경 검사하여 약한 양성이중굴절(positive birefringence)을 가진 능형(rhomboid) 결정을 발견하는 것이다.[23]

초음파에서 CPPD 결정의 연골내 침착을 세 가지 형태로 나눌 수 있다. 유리연골내에 표면과 평행한 고에코의 선이나

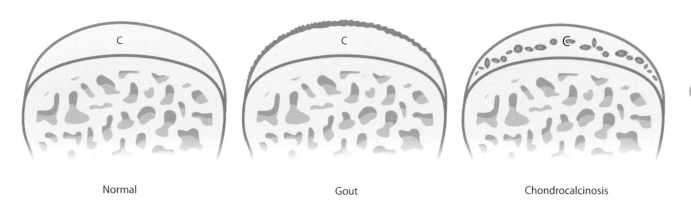

Normal   Gout   Chondrocalcinosis

Figure 4-14   Diagram of normal cartilage, gout, and chondrocalcinosis.

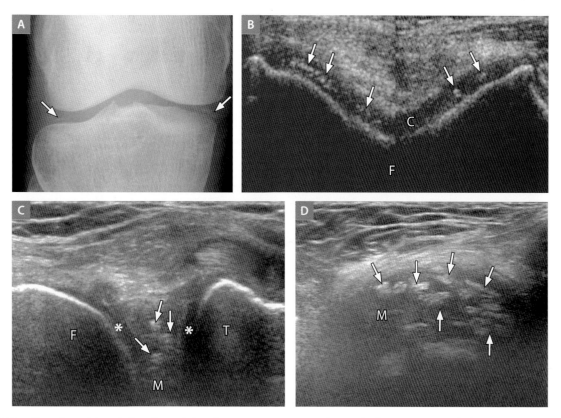

Figure 4-15   **Chondrocalcinosis in a knee joint.** **A.** Anteroposterior radiograph demonstrates calcific deposits in both medial and lateral menisci (arrows). **B.** Transverse sonogram over the femoral trochlea (F) reveals multiple hyperechoic punctation (arrows) within the articular cartilage (C). **C & D.** Longitudinal (C) and transverse (D) sonograms of the meniscus show hyperechoic foci (arrows) within the meniscus. F, femur; T, tibia; *, articular cartilage. (Courtesy of professor Lee SM, MD, Keimyung University)

띠(line or band) 형태, 작고 얇은 고에코의 점(punctate) 형태, 또는 균일한 고에코의 결절이나 난원(nodular or oval) 형태이다. 결절이나 난원 형태는 윤활낭이나 관절와(articular recess)에서 볼 수 있다 (Fig. 4-15).[29~31] 고에코의 띠 형태는 슬관절의 유리연골에서 가장 많이 볼 수 있으며, 점 형태는 무릎의 반월연골이나 손목의 세모섬유연골(triangular fibrocartilage) 등의 섬유연골과 힘줄에서 볼 수 있으며, 세 형태 중 점 형태가 가장 흔하다.[32,33] 활액내에서는 대개 경계가 확실한 고에코 둥근 덩어리 형태이며, 힘줄내 침착은 힘줄섬유를 따라 고에코 선 형태로 보인다.[29,33]

6. 감염성 관절염 Infectious arthritis

감염성 관절염의 병리기전은 혈행성 전파, 인접 연부조직 감염이나 골수염에서 전파, 외상 혹은 수술 후 감염 등이 있다. 활막(synovial membrane)은 기저막(basement membrane)이 없으므로 보호 기능(protection function)이 낮다. 급성 화농성 관절염은 원인균과 염증세포에서 비롯된 단

백용해물질(proteolytic materials)이 조직의 자가소화(autodigestion)를 일으켜 며칠만에 관절연골 및 인접 골의 파괴를 일으키고, 패혈증(sepsis) 등으로 사망할 수 있다.[34]

초음파검사는 관절액 증가와 활막증식, 골미란 등의 병변을 찾는 데는 매우 예민하나, 외상성-비외상성, 화농성-비화농성, 결핵성, 통풍성 관절염 등을 영상소견만으로 감별하기는 쉽지 않다. 검사를 하는 시기, 관절액의 점도(viscosity), 자극이나 병에 대한 반응기전과 생물학적 특성, 치료약 사용 여부 등에 따라 다양한 초음파소견을 보인다 (Fig. 4-16~4-18).

초음파검사 소견은 앞서 서술한 다른 관절염과 비슷한데, 관절액 증가가 좀 더 심하고, 관절액 내에 미만성 저에코 또는 부스러기(debris)에 의한 고에코가 무수히 떠다니며, 연부조직 염증과 활막증식에 의한 혈류 증가, 골미란 등이 동반될 수 있다 (Fig. 4-19).[35,36] 화농성 관절염이 의심되면, 전체혈구수(CBC count), 혈액 균배양(blood culture)뿐만 아니라, 응급으로 초음파유도하 관절액 흡인(aspiration) 또는 조직생검(biopsy) 등을 통한 균검사로 확진하며, 증상, 영상소견, 검사실 소견 등을 종합하여 판단해야 한다.[34]

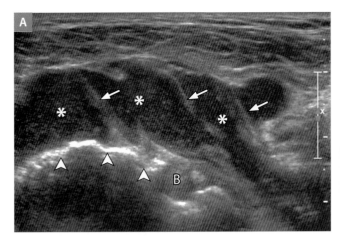
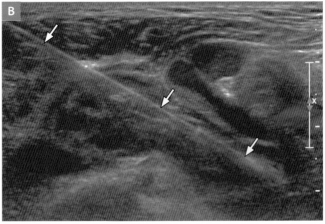

Figure 4-16 **Pyogenic arthritis of the shoulder (82-year-old woman). A** (anterior transverse scan) shows numerous hyperechoic debris floating in the fluid (*) with intra-articular fibrous streaks (arrows). The bone erosion (arrowheads) of the humeral head is depicted lateral to the biceps long head tendon (B). **B.** US-guided needle (arrows) aspiration was performed and confirmed as pyogenic arthritis by fluid analysis (WBC, 208,000; PMNL, 97%).

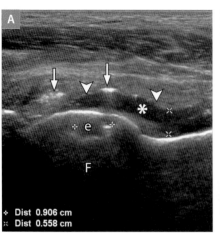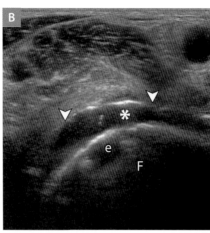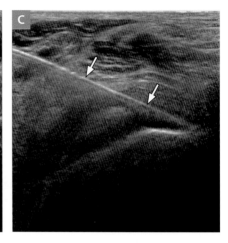

Figure 4-17 Septic arthritis of a hip joint (37-year-old man). A blind aspiration performed at ER was failed, and then the patient was referred to Radiology Department. Both longitudinal (**A**) and transverse (**B**) scans of the hip show distended joint capsule (arrowheads) with 6 mm thick (x-cursors) joint fluid (*). Gas bubbles are depicted as floating echogenic foci (thin arrows) supernatant in the joint effusion. **C.** Ultrasound-guided needle (arrows) aspiration (WBC, 300,000; PMNL, 65%; *Staphylococcus aureus*).

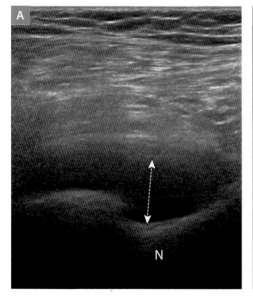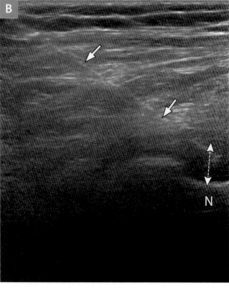

Figure 4-18 Septic arthritis of a hip joint (67-year-old man). A. Longitudinal scan on the anterior hip shows anechoic thick fluid (dashed arrow) at the femoral neck (N). **B.** After aspirating 7 ml of pustular fluid, the joint distention is improved. Compare the dashed arrows on the **A** and **B**. Fluid analysis (WBC, 35200; PMNL, 95%; *Escherichia coli*).

215

관절치환술이나 금속 고성술을 시술받은 환자에서, 감염성 관절염 진단 목적으로 초음파유도하에 관절액이나 액체저류를 확인하고 천자 흡인(aspiration)하는 것은 특히 유용하다 (Fig. 4-20, 4-21). 필요하면 초음파유도하 배농술을 시행한다 급성 관절염의 치료중 또는 치료 후 경과 관찰을 초음

파로 할 수 있는데, 보통 이틀 정도 지나면 관절액의 감소, 과혈관성(hypervascularity)이 줄어든다. 그렇지만, 증상의 개선과 함께 혈액 검사에서 백혈구, 적혈구침강속도, C-반응단백질(C-Reactive Protein)의 변화가 더 민감하다.

결핵성 관절염은 감염성 관절염과 치료방침과 약제가 다

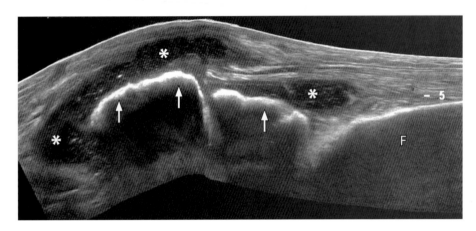

Figure 4-19 Pyogenic arthritis of total hip arthroplasty (longer than 10 years) in a 72-year-old man. The hip joint is filled with hypoechoic fluid (*) with numerous floating echoic debris and synovitis. The hip was confirmed as acute suppurative and chronic inflammation with metal pigment deposition pathologically after surgical intervention. arrows, metallic prosthesis; F, femoral shaft.

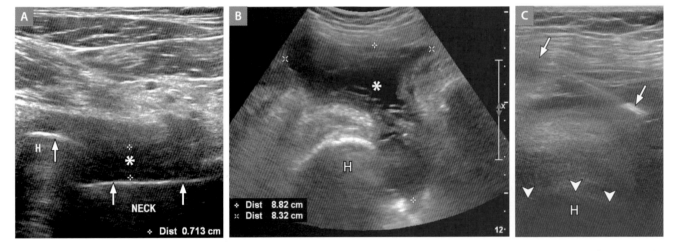

Figure 4-20 Post-THA seven weeks, 51-year-old man. A. Anterior long-axis view shows about 7 mm thick joint fluid (*) without capsular distention. The anterior margin of the prosthetic femoral head (H) and neck (arrows) are seen deep to the fluid. **B.** Longitudinal scan on the postero-lateral aspect demonstrates a large fluid collection (*) with synovitis. **C.** A 18-gauge needle (arrows) was introduced into the fluid along the previous incision scar in the posteo-lateral buttock. The femoral head (H) is poorly defined (arrowheads) in the bottom of the image. About 65 ml of serous and a little turbid fluid (non-infected appearance with the naked eye) was aspirated. Fluid analysis was as follows: WBC, 59,200/mL; RBC, 20,000/mL; PMNL, 93%; and *Staphylococcus aureus*.

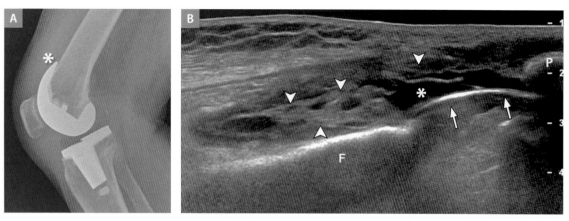

Figure 4-21   Infectious arthritis in total knee arthroplasty. A. Lateral knee radiograph shows increased density in the supra-patellar pouch (*) of the knee joint. **B.** Anterior long-axis view of the supra-patellar recess demonstrates mildly distended joint capsule with fluid (*) and thick synovial hypertrophy (arrowheads). F, femur; P, patella; arrows, prosthesis of femoral condyle.

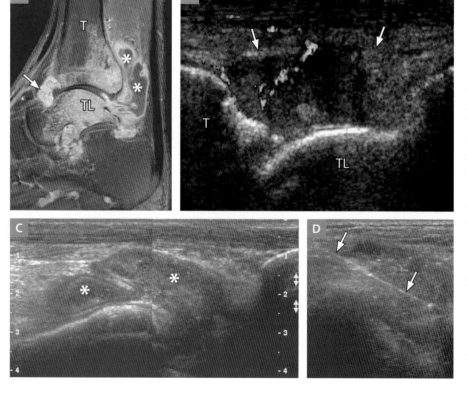

Figure 4-22   Tuberculous arthritis of the ankle. A. Sagittal fat-suppressed contrast-enhanced MR shows bone marrow change in the tibia (T) and talus (TL). The anterior ankle joint space is filled with solid synovial tissues (arrow), and the posterior ankle space filled with fluid (*) and synovitis. **B.** Anterior long-axis scan shows solid hypervascular synovial proliferation (arrows) in the ankle joint. **C.** Posterior long-axis scan shows distended joint space (*) filled with numerous hyperechoic debris and synovitis. Needle aspiration (arrows in **D**) for fluid analysis was attempted, but nothing obtained. Thus, automated gun-needle biopsy was performed. Tissue PCR for *M. tuberculosis* was positive.

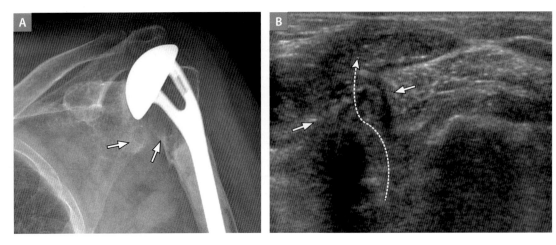

Figure 4-23 **Tuberculous arthritis in the shoulder with bipolar arthroplasty. A.** Anteroposterior radiograph shows superiorly migrated prosthetic humeral head with bone erosion at the inferior glenoid rim and adjacent humeral neck (arrows). **B.** Ultrasound reveals the echoic effusion with numerous debris and synovitis extending superficially (long curved arrow) through the muscle defect (between solid arrows).

르기 때문에 감별이 중요하나, 영상소견으로는 퇴행성관절염, 류마티스 관절염, 수술 후 변화와 감별이 어려울 때가 많다. 관절액 천자와 증식된 활액조직을 생검하여 균검사와 조직병리검사를 한꺼번에 시행하는 것이 편리하고 진단율을 높일 수 있다 (Fig. 4-22, 4-23). [4,34]

7. 외상성 관절혈증 Traumatic hemarthrosis

외상의 과거력이 불분명하거나, 원인을 알 수 없는 부종이나 관절통 때문에 시행한 단순촬영이 정상일 때, 다음 단계로 초음파검사를 시행하면 도움이 된다. 특히, 관절안 골절이나 작은 유리체, 관절액 증가, 관절혈증 등을 볼 수 있다 (Fig. 4-24). 청소년에서 반복되는 무릎관절의 부종이 혈우병(hemophilia)에 의한 관절혈증으로 판명되기도 한다 (Fig. 4-25). [37]

8. 관절안 종괴성 병변

관절내 종괴성 병변은 증상과 징후에서 관절염의 소견과 차이가 없다. 다행인 것은, 관절 내부의 종괴 병변은 거의 대부분이 양성이며, 진성종양(true neoplasm)이나 악성의 가능성이 매우 낮다. [38,39]

영상 소견에 따라, 크게 낭종성(cystic)과 고형성(solid)으로 나눌 수 있고, 좀 더 세분하면 표처럼 구분할 수도 있다 (Table 4-1).

1) 결절종 Ganglia, 활액낭종 Synovial cyst

결절종(Ganglia)이나 활액낭종(synovial cyst)의 거의 대부분은 특징적인 낭종의 소견을 초음파에서 보인다 (Fig. 4-26). 더 이상의 서술을 여기에서는 생략하고, 연부조직 종양 부분을 참조바란다.

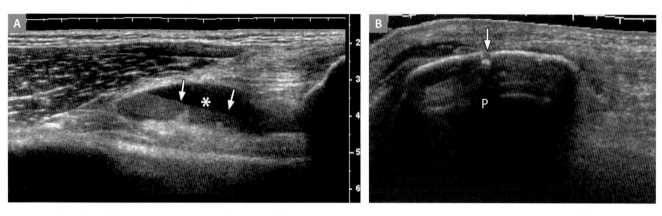

Figure 4-24   Hemarthrosis in the knee of a 35-year-old man. A. Anterior long-axis view demonstrates increased joint fluid (*) with fluid-fluid level (arrows) in the supra-patellar recess. **B.** The patella shows a focal cortical discontinuity (arrow) of the patella (P) representing of fracture, which was confirmed with MR after the ultrasonography.

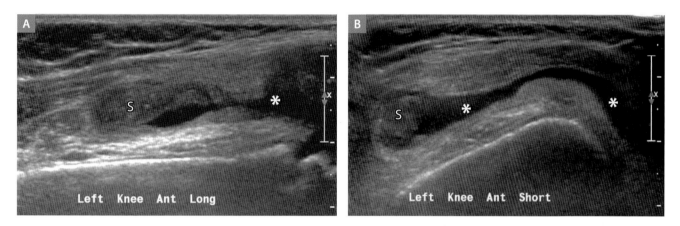

Figure 4-25   Hemophilia in a 5-year-old boy. Ultrasound depicts joint fluid (*) and thick synovial proliferation (S) on both anterior long-axis (**A**) and short-axis (**B**) views in the supra-patellar recess of the knee joint. Later, confirmed as 'hemophilia factor 8 deficiency'.

Table 4-1   Classification of Intra-Articular Tumor-like Lesions According to Ultrasound Findings

Findings	Examples & Diseases
Cystic	Synovial cyst, Meniscal cyst, Plica syndrome, Ganglion
Synovial Proliferating	Tenosynovial giant cell tumor (PVNS), Lipoma arborescens, Arthritis (Rheumatoid, Tuberculous, Degenerative)
Crystal deposition	Gout, Amyloid arthropathy
Neoplastic, Benign	Hemagioma, Lipoma
Neoplastic, Malignant	Synovial sarcoma, Chondrosarcoma, Metastasis
Miscellaneous	Protrusion of adjacent bone or soft tissue tumors, Foreign body, Intra-articular loose body, Orthopedic devices

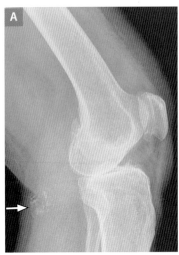

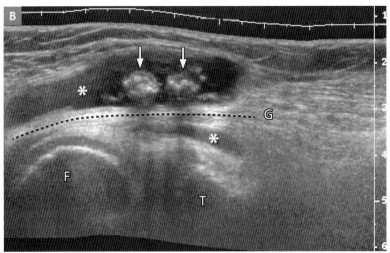

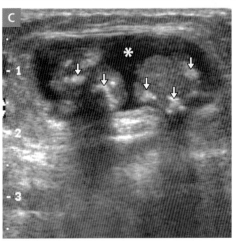

Figure 4-26 **Popliteal (Baker) cyst with calcified nodules due to osteoarthritis in a 58-year-old woman. A.** Lateral radiograph of the knee shows mottled soft tissue calcification (arrow) in the popliteal fossa, and an ossified nodule superior to the posterior femoral condyle. The patient was referred to ultrasound to rule out a popliteal mass. **B.** Long-axis scan in postero-medial knee shows multiple calcified nodules (arrows) with posterior acoustic shadowing in the fluid-distended popliteal cyst (*) which is indented by the medial head (dotted line) of the gastrocnemius (G) longitudinally (F, femoral condyle; T, tibia). **C.** Posterior transverse zoom-in-view shows aggregated nodules containing hyperechoic calcific spots (small arrows), which were secondary intra-articular loose bodies.

2) 힘줄활막거대세포종

Tenosynovial giant cell tumor, TSGCT

힘줄활막거대세포종은 이전에 건초거대세포종(giant cell tumor of tendon sheath) 또는 색소침착융모소결절성 활막염(pigmented villonodular synovitis)으로 불리던 질환으로, 2013년 WHO 분류에서 명칭이 바뀌었다. 20~50대에 주로 발생하며, 연부조직 종괴, 통증, 부종, 운동장애 등의 증상을 동반할 수 있다. 주로 하나의 관절을 침범하는데, 슬관절에서 가장 많이 발생하고, 고관절이나 발목관절 등의 다른 부위에서도 발생하며, 국소형(localized)과 미만형(diffuse)으로 나눈다. 병리학적으로 비후된 활막 내에 혈색소(hemosiderin)를 함유하는 조직구(histiocyte), 거대세포(giant cell), 형질세포(plasma cell)의 침윤을 가진다. 혈색소 때문에 MRI에서 특징적으로 낮은 신호강도를 보인다. 혈색소가 없다면 다른 고형성 활막증식과 감별이 어렵다. 초음파소견으로 불균질한 저에코의 종괴 또는 융모형의 활막 비후와 관절액 증가, 골미란 등을 볼 수 있고, Doppler검사에서 혈류 증가를 보이기도 하는데, 비특이적이다 (Fig. 4-27). [40]

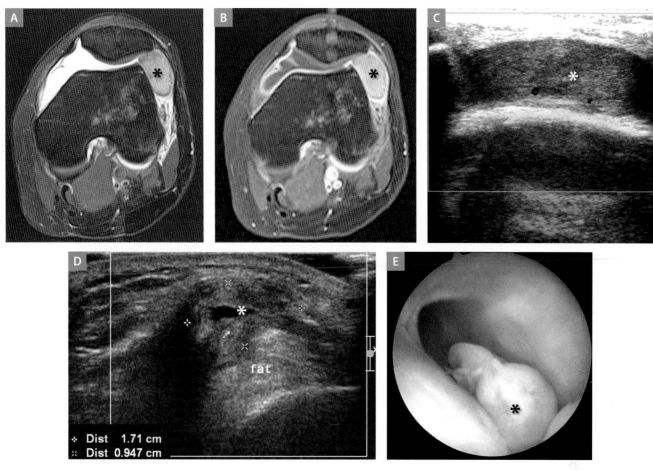

Figure 4-27   Tenosynovial giant cell tumor (42-year-old woman; a movable mass in the knee without pain). A & B. MR T2-weighted, and contrast enhanced fat-suppress T1-axial images show a solid nodule (*) in the lateral aspect within the supra-patellar recess of the knee joint. **C & D** (color Doppler ultrasound long-, and short-axes views) show the solid mass (*) sized 10×17 mm (cursors) with tiny vasculatures. The mass was movable in the joint space on knee flexion and extension. **E.** Arthroscopy shows the mass (*), afterwards confirmed tenosynovial giant cell tumor, finally.

3) 활막연골종증 Synovial chondromatosis

활막연골종증은 관절이나, 건초, 윤활낭 내의 활막이 연골성 화생(chondroid metaplasia)하는 질환이며, 주로 슬관절, 주관절, 고관절 등에 호발한다. 병리학적으로 연골화생인지 양성종양 질환인지 논란이 있다.[41]

활막연골종증은 병리학적으로 세 가지 시기로 나눌 수 있다.[42]

① 제1기(non-mineralized phase): 비후된 활막에 연골 증식

이 활성화 하는 시기이며, 아직 결절 형성이나 석회화가 없고, 관절강으로 떨어져 나온 유리체가 없다. 이시기의 단순촬영에는 소견이 나타나지 않는다.

② 제2기(mineralized phase): 활막비후가 연골화생(chondroid metaplasia)하여 결절을 형성하는 시기이며, 연골화생이 무기질(minerals)을 함유하면 여러 개의 결절이 단순촬영에서 보이기 시작한다. 관절강으로 떨어져 나온 연골 유리체(chondroid loose body)가 있을 수 있고, 이때 증상이 나타날 수 있다.

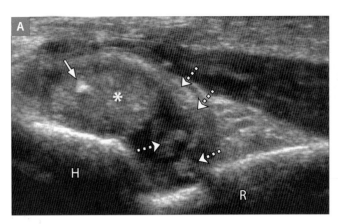
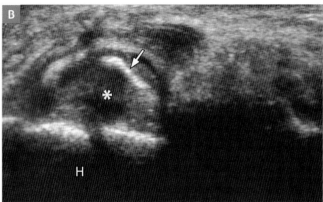

Figure 4-28 **Synovial chondromatosis in an elbow joint.** Radiographs of the elbow did not show any abnormality (not shown here). **A.** Longitudinal sonogram on the posterolateral elbow demonstrates a lobular mass (*), hyperechoic bright spot (arrow) and floating villous synovial tissues (dashed arrows) in the joint space. H, humerus; R, radius. **B.** In a different angled scan, mineralized hyperechoic line (solid arrow) is in the hypoechoic mass (*).

③ 제3기(ossified phase): 활막에서 더 이상의 연골화생은 일어나지 않고, 관절강으로 떨어져 나온 연골화생 결절이 골화되면서 관절강 유리체로 존재한다.

활막연골종증의 결절은 미네랄(mineral) 함량이 낮은 제1~2기에서는 단순촬영에서 보이지 않을 수 있는데, 이런 환자에서 초음파검사를 시행하면, 비교적 고른 크기의 수많은 알갱이 또는 자갈처럼 보이는 작은 결절(nodules)들이 관절안에 있다. 각각의 결절은 불균질하고, 결절 내부의 미네랄 또는 뼈성분이 고에코로 보이면서 소리그림자를 동반하며, Doppler에서 각각의 결절은 무혈관성인 경우가 대부분이다. 소리그림자가 없는 연골결절 안에는 작은 나뭇잎(frond-like) 또는 점상(mottled)의 고에코가 보일 수 있고, 관절액 증가가 있다면 더 뚜렷하게 보인다 (Fig. 4-28). [41,43] 감별질환으로는 이차성 유리체(secondary loose body)의 원인 질환인 외상, 퇴행성 관절염, 골괴사, 결핵성, 신경장애 관절병증(neurotrophic arthropathy) 등이다. 이차성 유리체는 크기가 불규칙하고, 결절 수가 많지 않은 것이 일반적인 차이점이다.

4) 수목상지방종 Lipoma arborescens, Villous lipomatous proliferation of synovial membrane

수목상지방종은 드문 관절내 질환으로, 윤활막 아래(subsynovial)에 지방침착을 가지면서, 윤활막의 나뭇가지 또는 융모형(villous)비후를 보이는 반응성 질환으로, 가성 종양(pseudotumor)이며, 진성 종양(true neoplasm)이 아니다. 슬개골상낭(suprapatellar pouch)이 호발 부위이고, 견관절, 고관절, 주관절 등에서도 발생하며, 관절의 만성 부종과 더불어 통증이 있을 수도 있다. 원발성(primary)과 이차성(secondary)으로 나뉘며, 이차성 질환은 주로 만성 자극이나, 관절염, 외상 후에 생긴다. 초음파에서는 관절액 증가와 함께 나뭇가지 모양의 활막 비후가 있고, 증식된 활막과 뼈 사이에 고에코의 지방이 보일 수 있으며, 혈류 증가는 없다 (Fig. 4-29). 초음파 탐촉자로 압박할 때, 나뭇가지 모양의 비후된 활막이 관절액 안에서 유연하게 움직인다. [5,44~46] MR T1강조 영상에서 지방 신호강도를 가지는 나뭇잎 모양의 활막 종괴로 보인다.

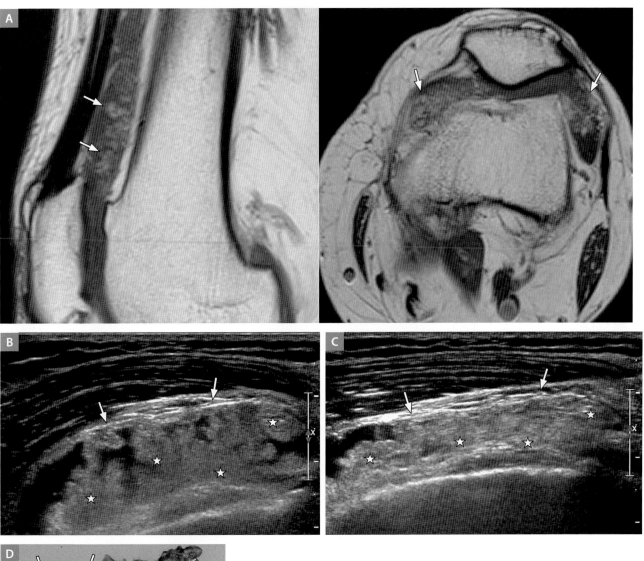

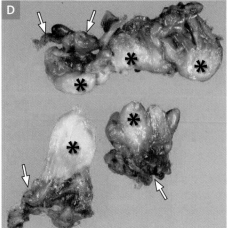

Figure 4-29 **Lipoma arborescens in a knee joint. A.** Sagittal and axial T1-weighted MR demonstrates villous fatty signal (arrows) with effusion in the suprapatellar recess of the knee joint. **B & C.** Anterior long-axis ultrasound scan reveals numerous hyperechoic frond-like synovial proliferation (*) which are freely movable in the effusion on compression with a transducer (**C**) and decompression (**B**) in the joint (arrows). **D.** Photograph of specimen) shows frond-like synovial hypertrophy (arrows) with subsynovial fat (*) infiltration. (Courtesy of Joon-Hyuk Choi, MD, Department of Pathology, Yeungnam University Hospital)

5) 혈관종 Hemangioma

관절내 활막 혈관종은 전체 혈관종의 1%도 안 되며, 주로 어린이나 젊은 나이에 발견된다. 반복되는 관절혈증(hemar-throsis)과 종괴 소견을 보이는데, 힘줄활막거대세포종(teno-synovial giant cell tumor), 외상이나 골절, 혈우병, 다른 비감염성 관절염도 비슷한 소견을 가진다 (Fig. 4-30).[38,39]

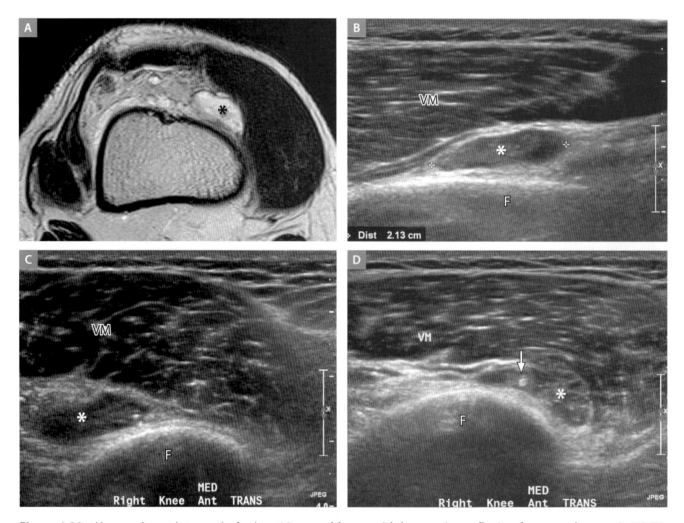

Figure 4-30 **Hemangioma, intra-articular in a 19-year-old man with knee pain on flexion for several years.** **A.** MR T2-weighted axial image shows a solid nodule (*) with high signal intensity in the medial upper corner of the supra-patellar recess. **B.** Long-axis view in the area shows the 2 cm long mass (*) in the suprapatellar recess between the vastus medialis (VM) and femoral bone surface (F). **C, D.** Transverse dynamic scan during knee flexion show the mass (*) moving from lateral to medial location between the vastus medialis muscle (VM) and medial femoral condyle (F) on knee flexion, vice versa. A tiny calcific spot (arrow) is in the mass.

6) 관절안 활막육종 Synovial sarcoma과 악성 활막 전이 Malignant synovial metastasis

활막육종은 연조직 육종의 5~10% 이하를 차지하고, 이의 대부분이 무릎 부근의 관절밖에 생기며, 관절안에서 발견되는 것은 활막육종의 10% 이하로 매우 드물다. 관절안 악성 활막 전이도 매우 드물며, 원발성 암으로는 폐선암(adeno-carcinoma of lung)이 무릎으로 전이하는 것이다.

7) 기타

다양한 관절염에서의 활액증식이 종괴처럼 보일 수 있다. 관절안 결절성섬유막염(nodular fasciitis)처럼 드문 질환이 생길 수도 있으므로 다양한 종양의 가능성을 고려한다.[47]
골부착부(Enthesis) 및 부착부병증은 Chapter 03 뼈 질환의 초음파검사를 참조 바란다.

IV. 결론

초음파는 관절 질환을 검사하는 데 간편하고 효과적인 검사이다. 물리적인 한계 때문에 비록 관절 전체를 보지 못하고, 관절을 부분적으로 검사하는 단점이 있다. 그렇지만, 관절액 증가, 활막염, 역동적 검사 및 Doppler검사를 통하여 다른 영상장비에서 얻지 못하는 독특한 정보를 얻을 목적으로 유용하며, 특히, 초음파유도하 흡인 및 조직생검을 통한 관절질환의 정확한 진단과 감염성 관절염에서 원인균과 항생제 선택을 위한 중요한 정보를 제공한다.

참고문헌

1. Wang S-C, Chhem RK, Cardinal E, Cho K-H. Joint sonography. Radiol Clin North Am 1999;37:653–668.
2. van Holsbeeck M, Introcaso J. Sonography of large synovial joints. In: van Holsbeeck MT, Introcaso JH. Musculoskletal ul- trasound, 3rd ed, Philadelphia, Jaypee, 2016:379–443.
3. 박재일, 조길호, 김미정. 무릎의 초음파 진단. 대한초음파의학회지 2012;31:127–138.
4. Cho K-H, Wansaicheong GK. Ultrasound of the foot and ankle. Ultrasound Clin 2012;7:487–503.
5. 여수현, 이성문, 조길호. 고관절 통증에서 초음파검사의 유용성. 대한초음파의학회지 2012;3:1–15.
6. Zamorani MR, Valle M. Chaper 5. Bone and joint. In: Bianchi S, Martinoli C, eds. Ultrasound of the musculoskeletal system. Berlin: Springer, 2007:150–185.
7. Resnick D. Articular anatomy and histology. In Bone and joint imaging, 2nd eds.Philadephia, Saunders, 1996:12–18.
8. O'Connell JX. Pathology of the synovium. Am J Clin Pathol 2000;114:773–784.
9. Wakefield RJ, Balint PV, Szkudlarek M, Filippucci E, Back- haus M, D'Agostino MA, et al. Musculoskeletal ultrasound including definitions for ultrasound pathology. J Rheumatol 2005;32:2485–2487.
10. 강창호, 김백현. 류마티스 관절염. In: 강흥식, 홍성환, 강창호 편저, 근골격영상의학, 1st ed. 서울: 범문에듀케이션, 2013;97–120.
11. Rowbotham EL, Grainger AJ. Rheumatoid arthritis: ultrasound versus MRI. AJR Am J Roentgenol 2011;197:541–546.
12. Klauser A, Chhem R, van Holsbeeck M, Introcaso J. Sonog- raphy of rheumatoid disease. In: van Holsbeeck MT, Introcaso JH. Musculoskletal ultrasound, 3rd ed, Philadelphia, Jaypee, 2016:560–588.
13. Aletaha D, Neogi T, Silman AJ, Funovits J, Felson DT, Bingham III CO, et al. 2010 rheumatoid arthritis classification criteria: an ACR (Am College of Rheum)/EULAR (Euro League Against Rheum) collaborative initiative. Arthritis Rheum 2010;62:2569– 2581.
14. Kang T, Horton L, Emery P, Wakefield RJ. Value of ultrasound in rheumatolgic diseases. J Korean Med Sci 2013;28:497–507.
15. Lee SH, Suh JS, Shin MJ, Kim SM, Kim N, Suh SH. Quan- titative assessment of synovial vascularity using contrast- enhanced power Doppler ultrasonography: correlation with his- tologic findings and MR imaging findings in arthritic rabbit knee model. Korean J Radiol 2008;9:45–53.
16. Kawashiri S, Suzuki T, Kanashima Y, Horai Y, Okada A, Nishino A, et al. Synovial inflammation assessed by ultrasonography correlates with MRI-proven osteitis in patients with rheumatoid arthritis. Rheumatology 2014;53:1452–1456.
17. Ramirez J, Ruiz-Esquide V, Pomes I, Celis R, Cuervo A, Her- nandez V, et al. Patients with rheumatoid arthritis in clinical remission and ultrasound-defined active synovitis exhibit higher disease activity and increased serum levels of angiogenic bio- markers. Arthritis Res Ther 2014;16:R5.
18. Nguyen H, Ruyssen-Witrand A, Gandjbakhch F, Constantin

A, Foltz V, Cantagrel A. Prevalence of ultrasound-detected residual synovitis and risk of relapse and structural progression in rheumatoid arthritis patients with clinical remission: a systematic review and meta-analysis. Rheumatology 2014;53:2110-2118.

19. Koski JM, Alasaarela E, Soini I, Kemppainen K, Hakulinen U, Heikkinen JO, Laasanen MS, Saarakkala S. Ability of ultrasound imaging to detect erosions in a bone phantom model. Ann Rheum Dis 2010;69:1618-1622.

20. 성미숙, 천경아. 퇴행관절질환. :In: 강흥식, 홍성환, 강창호 편저, 근골격영상의학, 1st ed. 서울: 범문에듀케이션, 2013;147-163.

21. Abraham AM, Pearce MS, Mann KD, Francis RM, Birrell F. Population prevalence of ultrasound features of osteoarthritis in the hand, knee and hip at age 63 years: the Newcastle thousand families birth cohort. BMC Musculoskeletal Disorders 2014;15:162.

22. Uson J, Fernandez-Espartero C, Villaverde V, Condes E, Godo J, Martinez-Blasco MJ, et al. Symptomatic and asymptomatic interphalangeal osteoarthritis: an ultrasonographic study. Rheumatol Clin 2014;10:278-282.

23. Park YB, Park YS, Song J, Lee WK, Suh CH, Lee SK. Clinical manifestations of Korean female gouty patients. Clin Rheumatol 2000;19:142-146.

24. Thiele RG, Schlesinger N. Diagnosis of gout by ultrasound. Rheumatology 2007;46:1116-1121.

25. Lai KL, Chiu YM. Role of ultrasonography in diagnosing gouty arthritis. J Med Ultrasound 2011;19:7-13.

26. Burt HM, Dutt YC. Growth of monosodium urate monohydrate crystals: effect of cartilage and synovial fluid components on in vitro growth rates. Ann Rheum Dis 1986;45:858-864.

27. Han TS, Kwack KS, Park S, Min BH, Yoon SH, Lee HY, et al. A superficial hyperechoic band in human articular cartilage on ultrasonography with histological correlation: preliminary observations. Ultrasonography 2015;34:115-124.

28. Pineda C, Amezcua-Guerra LM, Solano C, Rodriguez-Henriquez P, Hernandez-Diaz C, Vargas A, et al. Joint and tendon subclinial involvement suggestive of gouty arthritis in asymptomatic hyperuricemia: an ultrasound controlled study. Arthritis Res Ther 2011;11:R4.

29. Grassi W, MeenaghG, Pascual E, Filippucci E. "Crystal clear"-sonographic assessment of gout and calcium pyrophosphate deposition disease. Semin Arthritis Rheum 2006;36:197-202.

30. Gamon E, Combe B, Barnetche T, et al. Diagnostic value of ultrasound in calcium pyrophosphate deposition disease: a systematic review and meta-analysis. RMD Open 2015;1:e000118. doi:10.1136/rmdopen-2015-000118.

31. Frediani B, Filippou G, Falsetti P, Lorenzini S, Baldi F, Acciai C, et al. Diagnosis of calcium pyrophosphate dehydrate crystal deposition disease: ultrasonographic criteria proposed. Ann Rheum Dis 2005;64:638-640.

32. Ellabban AS, Kamel SR, Omar HASA, El-Sherif AMH, Abdel-Magied RA. Ultrasonographic diagnosis of articular chondrocalcinosis. Rheumatol Int 2012;32:3863-3868.

33. Dufauret-Lombard C, Vergne-Salle P, Simon A, Bonnet C, Treves R, Bertin P. Ultrasonography in chondrocalcinosis. Joint Bone Spine 2010;77:218-221.

34. 조길호, 황지영. 감염의 영상진단. In: 강흥식, 홍성환, 강창호 편저, 근골격영상의학, 1st ed. 서울: 범문에듀케이션, 2013;197-228.

35. Zamzam MM. The role of ultrasound in differentiating septic arthritis from transient synovitis of the hip in children. J Pediatr Orthop B 2006;15:418-422.

36. Ding YS, Wei TS, Liu SY, Ho SY, Liang WC, Yang CP. Early-stage tuberculous arthritis of the elbow presenting as lateral epicondylitis diagnosis with sonography. J Ultrasound Med 2008;27:293-297.

37. Melchiorre D, Linari S, Innocenti M, et al. Ultrasound detects joint damage and bleeding in haemophilic arthropathy: a proposal of a score. Haemophilia 2011;17:112-117.

38. Sheldon PF, Forrester DM, Learch TF. Imaging of intra-articular masses. Radiographics 2005;25:105-119.

39. Adams ME, Saifuddin A. Characterisation of intra-articular soft tissue tumours and tumour-like lesions. Eur Radiol 2007;17:950-958.

40. Yang PY, Wang CL, Wu CT, Wang TG, Hsieh FJ. Sonography of pigmented villonodular synovitis in the ankle joint. J Clin Ultrasound 1998;26:166-170.

41. Murphey MD, Vidal JA, Fanburg-Smith JC, Gajewski DA. Imaging of synovial chondromatosis with radiologic-pathologic correlation. Radiographics 2007;27:1465-1488.

42. Milgram JW. Synovial osteochondromatosis. J Bone Joint Surg 1977;59-A:792-801.

43. Roberts D, Miller TT, Erlanger SM. Sonographic appearance of primary synovial chondromatosis of the knee. J Ultrasound Med 2004;23:707-709.

44. Learch TJ, Braaton M. Lipoma arborescens: high-resolution ultrasonographic findings. J Ultrasound Med 2000;19:385-389.

45. Senocak E, Gurel K, Gurel S, Ozturan KE, Cakici H, Yilmaz F, et al. Lipoma arborscens of the suprapatellar bursa and extensor digitorum longus tendon sheath. J Ultrasound Med 2007;26:1427-1433.

46. Pan AR, Calvo AM, Reboredo AR, Díaz CM, Fernández RS. Articular and periarticular tumors: Differential diagnosis using magnetic resonance imaging. Radiologia 2012;54:21-44.

47. Harish S, Kuruvilla M, Alowami S, DeNardi F, Ghert M. Intra-articular nodular fasciitis of the shoulder: a case report and review of the literature. Skeletal Radiol 2011;40:1383-1386.

상지 신경

Peripheral Nerve: Upper Extremity

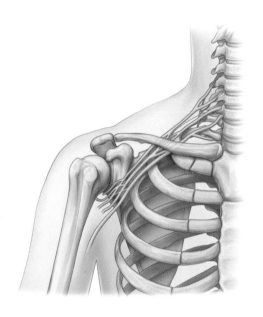

05 CHAPTER

■ 하동호, 이상용

상지 신경

Peripheral Nerve: Upper Extremity

말초신경병증(peripheral neuropathy)은 말초신경의 손상에 의해 근육 위축과 쇠약, 마비, 감각이상 등의 신경학적 증상이 나타나는 것을 말한다. 원인에 따라 포획신경증(entrap-ment neuropathy)과 비포획신경증(non-entrapment neuropa-thy)으로 구분한다.[1] 포획신경증은 신경압박증후군(nerve compression syndrome)이라고도 하는데, 특정 해부학 위치에서 말초신경이 장기간 지속적으로 압박되어 발생한다.[2] 이는 신경이 섬유골관(fibro-osseous tunnel)이나 섬유근관(fibormuscular tunnel), 혹은 근육 사이를 주행하는 곳에서 흔히 발생한다. 위치에 따라 팔꿈굴증후군(cubital tunnel syndrome), 수근관증후군(carpal tunnel syndrome), 원엎침근증후군(pronator syndrome), 족근관증후군(tarsal tunnel syndrome) 등으로 불린다. 비포획신경증은 외상 후 신경손상, 염증성 질환, 다발성 신경염 등에 의해 발생하고, 병변이 여러 부위의 신경을 같이 침범하는 경향이 있다.[2]

말초신경병증의 진단은 근전도(electromyography, EMG)나 신경전도속도(nerve conduction velocity, NCV) 같은 전기진단법(electrodiagnostic test)이 표준 검사로 사용된다.[3] 하지만 검사 결과가 모호하거나, 증상이 비특이적인 경우,

또는 신경 주위의 해부학적 정보가 필요한 경우에는 영상의학적 검사가 필요하다.[1] 초음파는 신경 주행을 따라 검사할 수 있고 MRI보다 공간해상도가 높으므로, 말초신경을 검사하는 데 적절한 검사이다. 또한 초음파는 역동적 검사가 가능하며, 신속하고, 또한 증상이 없는 반대편과 비교 검사할 수 있는 장점이 있다.[4,5]

환자 병력, 수술 과거력, 다른 영상검사, 근전도검사 등의 결과를 미리 확인하면 초음파검사의 정확도를 높일 수 있으며, 검사의 범위를 좁혀서 의심 부위를 세밀하게 검사하는 데 도움이 된다.[6] 포획신경병증은 특정 위치에서 발생하므로 이와 관련된 해부학적 지식이 필수적이다.[5] 신경 주행에 따라 장축(종축)과 단축(횡축) 두 개의 단면을 포함한 초음파영상을 얻는다.[6] 굴곡이 많은 부위에서는 탐촉자와 피부의 접촉을 좋게 하기 위해 충분한 양의 젤(gel)을 사용한다. 신경의 위치에 따라 적절한 주파수의 탐촉자를 선택한다. 예를 들면, 수근관(carpal tunnel)의 정중신경(median nerve)처럼 표층에 위치한 신경의 검사에는 12 MHz 이상의 고주파수 탐촉자를 선택하며, 좌골신경(sciatic nerve)처럼 심부에 위치한 신경의 검사에는 5~9 MHz 탐촉자를 이용한다.[5]

I. 말초신경의 정상 해부와 검사기법

말초신경의 기본 단위인 신경섬유(nerve fiber)는 신경내막(endoneurium)에 의해 둘러싸여 있다. 초음파에서 신경섬유와 신경내막은 구분되어 보이지 않는다. 여러 개의 신경섬유와 주위 결합조직이 합쳐진 신경다발(fascicle)은 신경다발막(perineurium)에 둘러싸여 있으며, 신경다발이 초음파영상의 기본 단위이다. 신경다발막은 신경다발을 감싸는 표층신경다발막(superficial perineurium)과 신경다발 사이의 신경다발막(interfascicular perineurium)으로 구성된다. 여러 개의 신경다발들이 합쳐져 형성된 신경은 비교적 두꺼운 신경외막(epineurium)으로 싸여 있다. 말초신경은 장축영상에서 굵은섬유다발양상(fascicular appearance), 즉 저에코와 고에코 띠들이 평형하게 주행하는 모양으로 보이며, 단축영상에서 벌집모양(honeycomb appearance) 혹은 반점모양(speckled appearance), 즉 둥근 저에코의 신경다발들이 주위 고에코에

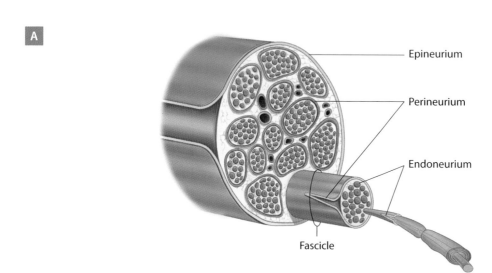

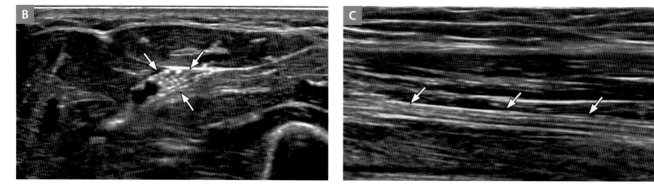

Figure 5-1 A. Schematic image of peripheral nerve. A Nerve fiber is covered by the endoneurium. A nerve fascicle or fasciculus is a small bundle of nerve fibers, enclosed by the perineurium. The epineurium is the outermost layer of dense irregular connective tissue surrounding a peripheral nerve. It usually surrounds multiple nerve fascicles. **B, C.** Ultrasound image of the normal peripheral nerve. Transverse view (**B**) shows a typical honeycomb appearance or speckled appearance (arrow). Longitudinal view (**C**) shows parallel echogenic lines and hypoechoic fascicle (arrows).

둘러싸인 모양으로 보인다 (Fig. 5-1). 저에코 신경다발 주위의 고에코는 신경다발막에 해당하고, 가장 바깥의 두꺼운 고에코는 신경외막에 해당한다.[5,7] 그러나 신경다발의 수와 신경외막의 두께는 신경에 따라 다양하며, 같은 신경의 경우에도 위치, 형태, 그리고 주변 구조물에 따라 다양한 모양과 에코를 보일 수 있다. 예를 들면 팔신경얼기(brachial plexus)의 신경뿌리(root)나 정중신경의 분지인 앞뼈사이신경(anterior interosseous nerve)은 하나의 큰 단일신경다발(monofascicular) 형태여서 균질한 저에코로 보여 주위의 혈관과 유사하게 보일 수 있다. 반면, 팔신경얼기의 신경다발이나 가시오목패임(spinoglenoid notch)에 위치한 어깨위신경(suprascapular nerve)은 내부에 결합조직(connective tissue)이 많아 에코가 증가하고, 이로 인해 주위 조직과의 구분이 쉽지 않다. 또한 신경의 위치에 따라서도 초음파영상이 달라지는데, 팔꿈굴(cubital tunnel)을 지나는 척골신경처럼 섬유골관(fibro-osseous tunnel)이나 섬유근관(fibormuscular tunnel)을 지나는 신경은 정상에서도 에코가 감소한다. 그리고 사용하는 초음파기기, 환자의 위치에 따라서도 초음파영상이 달라질 수 있다. 그러므로 신경의 해부학적 위치, 형태, 검사방법에 대한 지식이 필요하다. 초음파영상에서 신경이 건(tendon)과 비슷한 모습을 보이나 신경은 건에 비해서 비등방성 효과(anisotropic effect)가 덜하고, 근육 수축 시 움직임이 없으며, 저에코를 보이는 것 등이 감별점이다.[5,7,8]

말초신경병증(peripheral neuropathy)의 주요 진단기준은 단면적의 변화, 에코의 변화, 신경다발 모양의 변화, 단면상에서 벌집모양의 소실, 신경외막 두께의 증가, 신경내부 혈류량의 증가 등이다.[9,10] 단면적의 변화는 흔히 사용하는 진단기준이지만 몇 가지 제한점이 있다. 키, 몸무게, 체질량지수(BMI), 나이, 성별 등의 요인에 의해 신경 크기가 달라질 수 있으며, 또한 정상과 비정상 신경 단면적의 차이가 크지 않은 경우에는 진단기준으로 사용하는 데 주의해야 한다.[9]

신경이 지배하는 근육의 변화에 따라 신경병증의 진단과 그 발생 시기를 추측할 수 있다. 근육의 신경지배가 끊어지는 탈신경화(denervation)의 급성기 또는 아급성기에는 근육

에 부종이 생겨 부피가 증가한다. 만성기에는 근육이 위축되어 부피가 감소하며, 지방 침착이 생긴다.

외상 후 신경손상(nerve injury)은 그 정도에 따라 생리적 신경차단(neuropraxia), 축삭절단(axonotmesis), 신경절단(neurotmesis)으로 분류한다. 생리적 신경차단은 신경의 결합조직은 손상이 있으나 신경 축삭(axon)의 손상이 없는 경우이고, 축삭절단은 축삭이 손상을 입었으나 주위 결합조직은 손상이 없는 경우이다. 이에 비해 신경절단은 신경의 모든 부위가 손상된 경우이다.[3]

II. 팔신경얼기 | Brachial plexus

팔신경얼기는 다섯 개의 척수신경(spinal nerve), C5~T1이 합쳐져서 형성되며, 목에서부터 겨드랑이에 걸쳐 서로 얽혀지면서 상지의 운동, 감각, 교감신경을 형성한다.[9] 척수신경은 추간공(intervertebral foramen)에서부터 비스듬히 주

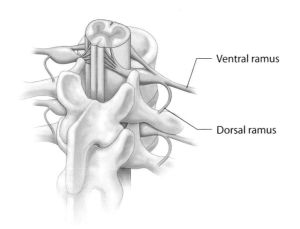

Figure 5-2 **Formation of ventral and dorsal rami of cervical spinal nerve.** Ventral rami of the C5-T1 spinal nerve exit the intervertebral foramen and form the roots of the brachial plexus. The root typically comprised a single large fascicle surrounded by a scant amount of epineurium.

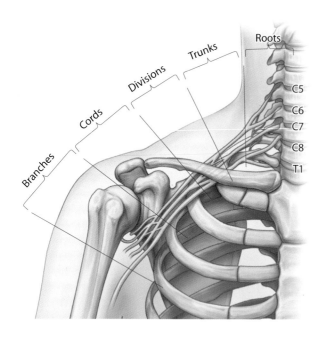

Figure 5-3 Schematic image of brachial plexus. C5 to T1 nerve roots combine to form 3 trunks, 6 divisions, 3 cords, and 5 main motor/sensory branches to the upper extremity. The roots and trunks are located at the supraclavicular area. Divisions are found at the retroclavicular area. Cords and braches are noted at the infraclavicular area.

행하여 앞가지(ventral ramus)와 뒷가지(posterior ramus)로 나뉘고, 앞가지가 합쳐져서 팔신경얼기의 신경뿌리(nerve root)를 형성한다. 뒷가지는 위관절돌기(superior articular process)를 돌아 뒤쪽으로 주행하여 뒤쪽의 척추 주위 근육과 피부를 신경지배 한다 (Fig. 5-2). 팔신경얼기는 다양한 형태학적 변이가 있지만 임상적 의의는 거의 없다.

팔신경얼기는 해부학적으로 신경뿌리(root), 신경줄기(trunk), 신경갈래(division), 신경다발(cord)과 신경가지(branch)로 구분한다 (Fig. 5-3). [8,11] 5개의 신경뿌리는 3개의 신경줄기를 형성한다. C5와 C6 신경뿌리는 합쳐져서 위신경줄기(upper trunk)를 형성하고, C7은 단독으로 중간신경줄기(middle trunk)를 형성하며, C8과 T1 신경뿌리는 아래신경줄기(lower trunk)를 형성한다. 쇄골 후방에서 3개의 신경줄기는 각각 앞신경갈래와 뒤신경갈래로 나뉘어져 총 6개의 신경갈래를 형성한다. 6개의 신경갈래는 아래로 주행하여 첫 번째 갈비뼈 부위에서 3개의 신경다발을 형성하며, 겨드랑동맥(axillary artery)과의 관계에 따라 뒤신경다발, 가쪽신경다발, 안쪽신경다발로 나뉜다. 위신경줄기와 중간신경줄기의 앞갈래가 가쪽신경다발을 형성하고, 아래신경줄기의 앞신경갈래는 안쪽신경다발로 이어지고, 모든 뒤갈래가 합쳐져서 뒤신경다발을 만든다. 작은가슴근(pectoralis minor muscle)의 외측면에서 신경다발들이 정중신경, 척골신경, 요골신경, 겨드랑신경(axillary nerve), 근육피부신경(musculocutaneous nerve)들을 형성한다. 가쪽신경다발에서 근육피부신경이 분지되고, 안쪽신경다발에서 척골신경이 분지된다. 가쪽신경다발과 안쪽신경다발의 분지가 합쳐져서 정중신경을 형성하며, 뒤신경다발에서 겨드랑신경과 요골신경이 분지된다. 긴가슴신경(long thoracic nerve)은 신경뿌리에서, 어깨위신경(suprascapular nerve)은 위신경줄기에서 각각 분지된다. 신경뿌리와 신경다발에서 직접 갈라지는 작은 신경들은 초음파검사가 어려우나, 어깨위신경은 초음파검사가 가능하다. [12]

팔신경얼기의 외과적 분류는 쇄골을 중심으로 쇄골위(supraclavicular), 쇄골뒤(retroclavicular), 쇄골아래(infracla-

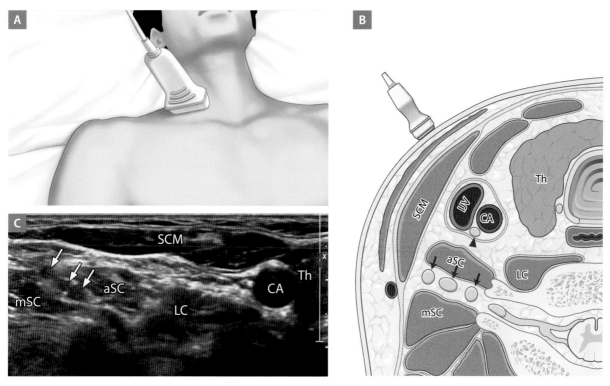

Figure 5-4   Roots of the brachial plexus at the level of thyroid gland. A. Transducer placement in the axial plane in supine position. Head is in a neutral position or turned to the contralateral side. **B.** Brachial plexus roots (arrows) are located between the anterior scalene (aSC) and middle scalene (mSC) muscles. **C.** Initially, find the thyroid gland and move laterally. And then find the linear homogeneous hypoechoic round nodules (arrows) between the anterior and middle scalene muscle. Th, thyroid gland; CA, carotid artery; IJV, internal jubular vein; SCM, sternocleidomastoid muscle; LC, longus colli muscle; Arrowhead, vagus nerve.

vicular) 팔신경얼기로 나눈다. 쇄골위 얼기는 신경뿌리와 신경줄기에 해당하고, 쇄골뒤 얼기는 신경갈래이며, 쇄골아래 얼기는 신경다발과 신경가지에 해당한다.

팔신경얼기의 초음파검사는 고주파수 탐촉자를 사용하며, 환자가 천장을 보고 바로 누운 자세나, 목을 반대편으로 약간 돌린 자세에서 시행한다 (Fig. 5-4A). 먼저 팔신경얼기 전체에 대하여 대략적 초음파검사를 시행한 후, 신경뿌리, 신경줄기, 신경갈래, 신경다발의 각 구역에 대하여 자세하게 검사한다.[6] 횡축 및 종축영상을 얻고, 필요하면 반대편 부위와 비교한다.

1. 팔신경얼기 | Brachial plexus

1) 해부학 및 검사기법

(1) 신경뿌리 Root

신경뿌리는 목의 후방삼각에 위치하고, 추간공(intervertebral foramen)의 바로 외측에서 분지하여 앞목갈비근(anterior scalene muscle)과 중간목갈비근(middle scalene muscle) 사이의 공간(interscalene triangle)으로 주행한다. 경추 부위의 신경뿌리는 첫 번째 갈비뼈를 향해 아래로 주행하고, 1번 흉추 신경뿌리는 첫 번째 갈비뼈를 향해 위로 주행하여 팔신경얼기를 형성한다.

초음파검사에서 신경뿌리를 찾을 때는 갑상선과 목갈비근(사각근, scalene muscle)을 이용하거나, 경추의 가로돌기(transverse process)를 이용한다. 갑상선에 횡축으로 탐촉자를 놓고 외측으로 이동하면 앞목갈비근과 중간목갈비근 사이에 일렬로 위치한 저에코의 신경뿌리를 찾을 수 있다 (Fig. 5-4B, C). 다른 방법은 경동맥(carotid artery) 후방에서 경추의 가로돌기를 찾은 후, 가로돌기 앞결절(anterior tubercle)과 뒤결절(posterior tubercle)사이에 위치한 저에코의 신경뿌리를 찾는 것이다 (Fig. 5-5). 다른 경추와 달리 C7의 가로돌기는 대부분 앞결절이 없고 큰 뒤결절만 있고, 뒤결절 앞쪽에 신경뿌리가 위치한다. C7 가로돌기의 이러한 해부학적 차이를 신경뿌리 위치를 찾는 기준점으로 사용한다 (Fig. 5-6). 아래쪽 신경뿌리인 C8과 T1은 깊숙한 곳에 있어서 찾

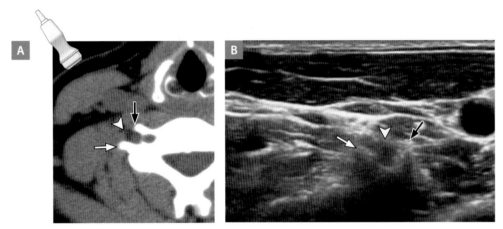

Figure 5-5 **Roots of the brachial plexus at the paravertebral area.** **A.** Transducer placement in the coronal oblique plane. The root of the brachial plexus (arrowhead) is located between anterior tubercle (black arrow) and posterior tubercle (white arrow). **B.** Initially, find the echogenic margin of transverse process of the cervical vertebrae. And then find the hypoechoic roots (arrowhead) between the echogenic anterior tubercle (black arrow) and posterior tubercle (white arrow) of cervical transverse process.

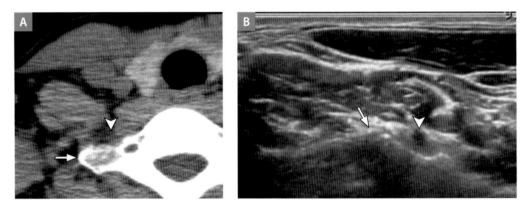

Figure 5-6 **C7 transverse process.** **A.** The shape of the transverse process of C7 is different. There is a prominent posterior tubercle only (arrow). **B.** The absence of an anterior tubercle can be used as a landmark for the C7 cervical root (arrowhead).

기 힘든 경우가 많다.[13]

다른 말초신경은 신경다발, 신경다발막과 신경외막에 의해 장축영상에서 굵은섬유다발양상, 단축영상에선 벌집모양을 보이는 데 비하여, 팔신경얼기의 신경뿌리는 단축영상에서 경계가 뚜렷한 균질한 저에코의 원형 또는 타원형으로 보이고, 장축영상에서는 균질한 저에코의 관상(tubular)으로 보인다 (Fig. 5-7A). 이는 하나의 큰 신경다발(fascicle)을 얇은 신경외막이 둘러싸는 단일신경다발형태(monofascicular pattern)이기 때문이다.[8] 따라서 초음파에서 혈관과 비슷해 보이므로 Doppler검사를 이용해 신경뿌리와 혈관을 감별할 수 있다 (Fig. 5-7B).

(2) 신경줄기 Trunk
목갈비근 사이공간의 바로 바깥에서 3개의 신경줄기를 형성한 후 쇄골 위쪽까지 주행한다. 목갈비근 사이공간에 위치한 신경뿌리에서 탐촉자를 비스듬히 외측으로 이동하면, 앞목갈비근이 없어지는 부위에서 벌집모양으로 보이는 3개의 신경줄기, 즉 위, 중간, 아래신경줄기가 일렬로 보인다 (Fig. 5-8).

(3) 신경갈래 Division
신경갈래는 쇄골의 뒤쪽에 위치한다. 초음파에서 신경갈래의 대부분은 쇄골에 가려진다. 간혹 첫 번째 갈비뼈 상부에서 쇄골하동맥(subclavian artery)의 외측에 신경갈래들이 합쳐져서 포도송이 모양처럼 보이기도 한다 (Fig. 5-9).

(4) 신경다발 Cord
신경다발의 위치는 쇄골아래에서 겨드랑이까지이다. 위줄기(superior trunk)와 중간줄기(middle trunk)의 앞갈래(anterior division)이 가쪽 다발(lateral cord)를 형성하고, 모든 뒤갈래(posterior division)가 합쳐져서 뒤갈래(posterior cord)를 형성한다. 아래줄(inferior trunk)의 앞갈래는 안쪽 다발(medial cord)를 형성한다 (Fig. 5-3).

신경다발의 근위부는 겨드랑동맥(axillary artery)의 상방에 위치한다. 가쪽다발(lateral cord)은 앞쪽에, 뒤다발(posterior cord)은 위쪽에, 안쪽다발(medial cord)은 뒤-아래쪽에 보인다 (Fig. 5-10A, B). 초음파 단축영상에서 겨드랑동맥을 감싸는 등에코(iso-echo)나 고에코의 원 혹은 타원으로 보인다 (Fig. 5-10C). 겨드랑동맥을 감싸며 아래로 주행하면서, 점차 신경다발 내부의 결합조직(connective tissue)이 증가하여 벌집모양이 좀 더 뚜렷해진다.

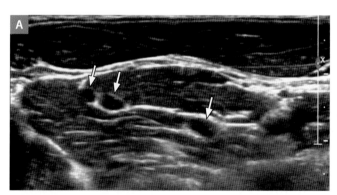 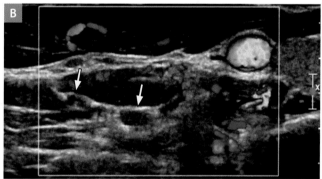

Figure 5-7　**The roots have similar ultrasonographic appearance as vessel on gray-scale image. A.** The root shows the round or oval homogeneous hypoechoic structure (arrows), not a reticular pattern on axial image. **B.** Using color Doppler imaging, the root can be differentiated from the adjacent vessels.

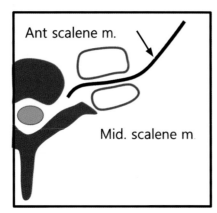

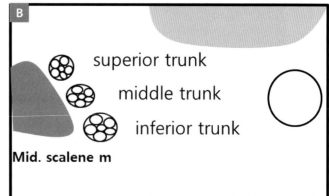

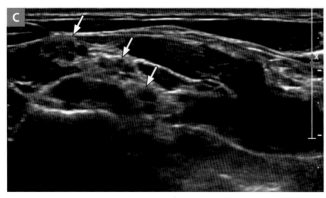

Figure 5-8 Trunks of brachial plexus. A. Roots pass between the anterior and middle scalene muscles (interscalene triangle) and form the 3 trunks. **B.** Three trunks (superior, middle, and inferior trunks) can be found at the just lateral of the interscalene triangle. **C.** Ultrasound shows three round reticular appearances (arrows) with linear alignment.

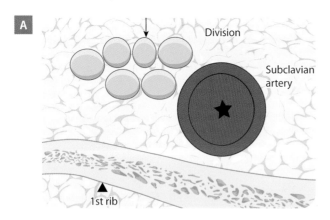

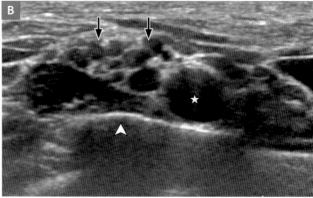

Figure 5-9 Divisions of the brachial plexus. A, B. Each trunk divides into anterior and posterior divisions. Six divisions can show clustered appearance (arrow), located lateral and cephalad to the subclavian artery (asterisk). Divisions can be found at the top of the echogenic first rib (arrowheads).

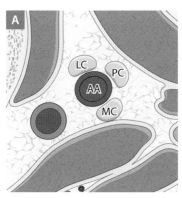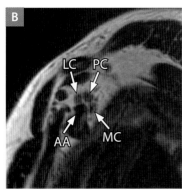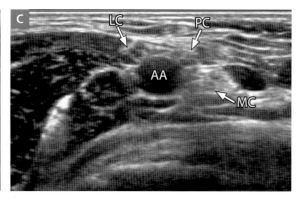

Figure 5-10 **Cords of the brachial plexus. A.** Beneath the clavicle, divisions form 3 cords superior to the axillary artery. Lateral cord located at the most anterior, posterior cord at the most superior, and medial cord at the most posterior and inferior area. **B.** Sagittal T1-weighted MR image shows circumferentially arranged iso-signal intensity cords. **C.** Axial plane US image demonstrates three echogenic circles with reticular pattern surrounding the axillary artery. LC, lateral cord; PC, posterior cord; MC, medial cord; AA, axillary artery.

2) 병리

팔신경얼기의 신경병증(neuropathy)의 증상은 대개 모호하며, 쇄골상부, 어깨, 상지 부위의 운동장애, 감각이상, 자율신경장애 등의 증상이 비특이적으로 나타난다. 원인에 따라 외상성과 비외상성 신경병증으로 분류한다. 성인에서는 대부분 외상성 신경증이 발생한다. 외상 직후 신경뿌리 손상의 진단과 범위의 판정에는 초음파보다 MRI가 더 적합하고, 특히 신경뿌리 견열손상(root avulsion)은 초음파로 진단하기 어렵다.

비외상성 신경병증의 주요 원인은 감염, 염증, 종양, 포획증후군 등이 있다. Parsonage-Turner증후군(Parsonage-Turner syndrome)은 급성 팔신경얼기 신경병증이며, 대부분 원인을 알지 못하지만 감염, 백신 접종, 수술, 방사선 치료와 관련되어 생길 수 있다. 이는 경추신경근병증(cervical radiculopathy)과 증상이 비슷하며, MRI가 감별에 도움이 된다. Charcot-Marie-Tooth(CMT)증후군, 만성염증성 탈수초다발신경병증(chronic inflammatory demyelinating polyneuropathy, CIDP), 다발성 운동신경병증(multifocal motor neuropathy, MMN)과 같은 신경염들도 팔신경얼기를 침범한다.

신경병증의 진단 시 초음파와 MRI 등의 영상의학 검사는 종괴 유무를 확인하는 것이 주된 목적이지만, 신경염의 유무, 병변 범위의 평가, 치료 반응의 평가에도 도움이 된다. 신경병증의 MRI 소견은 신경의 크기 증가, 신호 강도의 변화, 조영증강, 주위 조직과의 불분명한 경계 등이고, 반대편 정상 팔신경얼기와의 비교가 진단에 도움이 된다 (Fig. 5-11). 초음파소견 또한 신경이 커지고, 에코의 감소, 굵은섬유다발양상의 변화 등이고, 역시 반대편과의 비교가 도움이 된다.

팔신경얼기를 침범하는 종양은 유방암이나 폐암과 같은 악성종양에서 전이되거나 직접 침범한 이차성 종양, 그리고 신경초종(schwannoma)과 신경섬유종(neurfibroma) 등의 원발성 종양이다. 이차성 종양이 원발성 종양보다 더 흔하다. 초음파검사는 종양과 신경과의 관계를 명확히 보여주며, 특히 쇄골 위의 신경뿌리와 신경줄기를 침범한 종양의 진단에는 초음파검사가 유리하다. 쇄골 뒤에 위치한 종양은 초음파를 이용한 검사가 쉽지 않으나, 적절한 주파수의 탐촉자를 이용하면 검사에 도움이 된다 (Fig. 5-12).

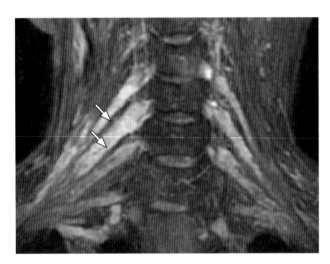

Figure 5-11 Right brachial plexus neuritis in 67-year-old female. On MR neurography using fat suppression T2 weighted image, the right brachial plexus (roots and trunks, arrow) shows diffuse enlargement and increased signal intensity, compared to the left side.

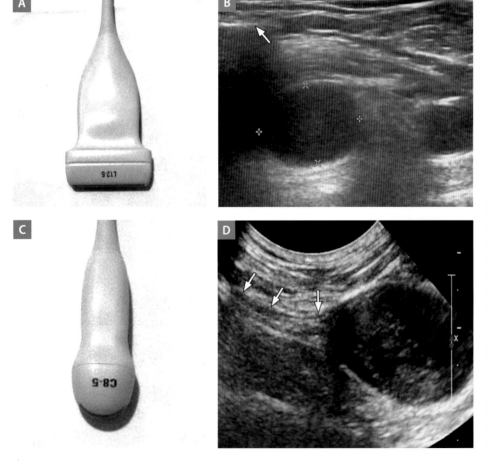

Figure 5-12 Schwannoma of the brachial plexus at the retroclavicular area. A, B. Using a high MHz linear probe, ultrasound shows an hypoechoic round mass (between cursors) with posterior enhancement at the retroclavicular area (clavicle, arrow). Some portion of mass can be obscured by posterior shadowing of ribs or clavicle. **C, D.** Using a sector transducer examining neonate brain, US can well delineate the relationship between the brachial plexus (arrows) and mass.

흉곽출구증후군(thoracic outlet syndrome)은 흉곽출구를 지나는 팔신경얼기와 쇄골하동맥(subclavian artery)이 여러 원인에 의해 압박되어 증상이 생기는 것이다. 흉곽출구는 목갈비근 사이공간(interscalene triangle), 늑-쇄골 공간(costoclavicular space), 작은가슴근 후방공간(retropectoralis minor space)으로 구성된다. 경추늑골(congential cervical rib), 비정상적으로 커진 C7 가로돌기, 선천성 섬유근이상(congenital fibromuscular anormaly), 비대칭 근육비후, 주위조직의 섬유화 등이 주요 원인이다.

2. 어깨위신경 Suprascapular nerve

1) 해부학 및 검사기법

어깨위신경은 극상근과 극하근을 신경지배하며, 어깨관절(glenohumeral joint)과 견봉쇄골관절(acromioclavicular joint) 부위의 감각을 담당한다. C5와 C6 신경뿌리에서 만들어진 위신경줄기(upper trunk)에서 분지하여 중간목갈비근(mid. scalene muscle)의 외측면을 지나 후방으로 주행한다

(Fig. 5-13A). [5] 어깨위신경은 단일신경다발형태(monofascicular pattern)이며, 초음파에서 목의 후방 삼각 부위에서 후방으로 주행하는 저에코의 관상구조물(tubular structure)로 보인다 (Fig. 5-13B). 이후 위어깨뼈패임(suprascapular notch)과 위가로인대(superior transverse ligament) 사이를 지나 극상와(supraspinatous fossa)로 주행한다. 어깨위신경에서 극상근신경(supraspinatus nerve)이 분지되어 극상근(supraspinatus muscle)으로 주행한다. 극상근신경이 분지된 후 어깨위신경은 어깨뼈가시(scapular spine)을 감아 돌아 가시오목패임(spinoglenoid notch)을 지나서 극하근신경(infraspinatus nerve)으로 이행한다 (Fig. 5-14A). [6,13] 위어깨뼈패임과 가시오목패임 내에서 어깨위신경은 고에코로 보이므로 주위 지방과의 감별이 쉽지 않다 (Fig. 5-14B). 마른 환자의 경우 간혹 극하근과 비슷한 에코로 보일 수 있다. [13]

초음파로 어깨뼈패임과 가시오목패임 부위의 종괴 유무를 검사하고, 극상근과 극하근의 위축 여부를 검사한다. [6] 가시오목패임 내의 확장된 정맥이 결절종 같은 낭종으로 오인될 수 있다 (Fig. 5-15A). [5,6] 감별을 위해 환자 팔을 내전(adduction)시켜 손을 반대편 어깨에 올려 놓고 검사하면 신경은 좀 더 표층으로 이동하고 정맥은 압박되어 보이지 않는

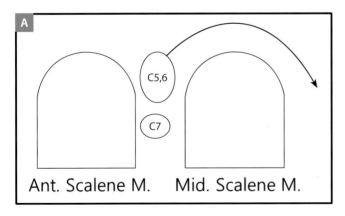

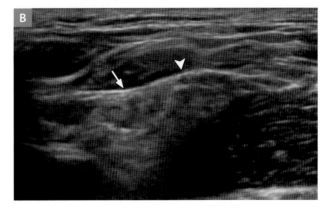

Figure 5-13 Suprascapular nerve at the posterior neck. A. Suprascapular nerve arises from the posterior aspect of the superior trunk (C5 and C6) of the plexus. **B.** Axial plane US shows the nerve as a hypoechoic tubular structure (monofascicular pattern, arrowhead) that is detached from the posterior aspect of the ovoid superior trunk with a reticular pattern (arrow).

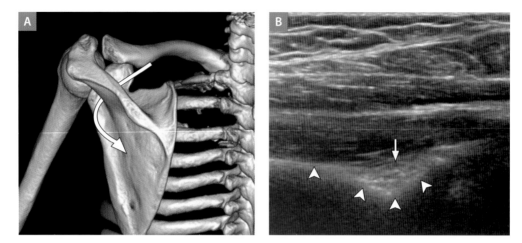

Figure 5-14 Suprascapular nerve in the spinoglenoid notch. A. Suprascapular nerve runs along the superior border of the scapula, and passes through the suprascapular notch inferior to the superior transverse ligament. It then curves around the base of the scapular spine and enters the spinoglenoid notch. The nerve bundles lie in the floor of fossa, deep into the infraspinatous muscle. **B.** Transverse US scan shows the nerve as an echogenic structure (arrow) with surrounding echogeic fat superior to the strong echogenic scapular margin (arrowheads).

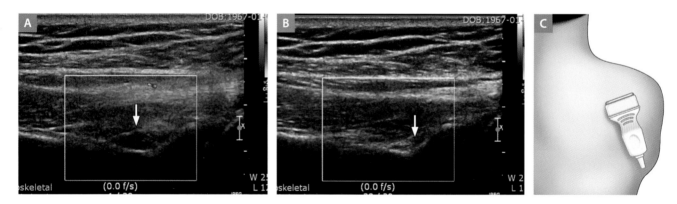

Figure 5-15 Dilated veins mimic ganglion or cystic mass. A. On neutral position or arm external rotation, enlarged veins may look like a cyst (arrow) on transverse plane. Blood flow signal could not be obtained on color Doppler image, due to remarkably low flow of the vein. **B.** An enlarged vein is collapsed (arrow) with arm internal rotation. **C.** For proper evaluation, the patient is positioned with arm adducted (internal rotation) and palm of the hand placed over the contralateral side shoulder. Transduce is over the posterior labrum on transverse plane.

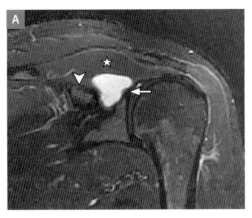
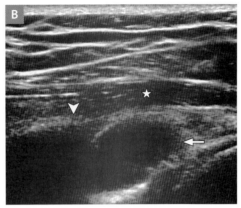

Figure 5-16 **Paralabral cyst of the spinoglenoid notch. A.** A fat-suppressed T2 weighted image displays well the demarcated cyst (arrow) between the glenoid and the scapular spine (arrowhead). **B.** An anechoic cyst is situated under the infraspinatous muscle (star) in the spinoglenoid notch.

다 (Fig. 5-15B).[5] 정맥내의 혈류속도가 너무 낮아 Doppler 검사는 도움이 되지 않을 수 있다. 관절순 주변낭종(paralabral cyst)은 원형 혹은 타원형 낭종으로 보이며, 위와 같은 역동적 검사에서 크기나 위치가 변하지 않는 것이 확장된 정맥과의 감별점이다.

2) 병리

어깨위신경 신경병증(suprascapular neuropathy)은 드물게 발생하며, 어깨부위 통증이나 근육 약화를 유발한다. 이는 신경의 신연손상(stretching injury), 인대의 이상, 낭종 등의 종괴가 원인이다. 이중 위어깨뼈패임이나 가시오목패임에 위치한 관절순주위낭종(paralabral cyst)에 의한 신경압박이 가장 흔하다 (Fig. 5-16).[13] 관절순 주변낭종은 대개 관절순 파열과 연관되어 있고, 간혹 초음파에서 관절순 파열을 진단할 수 있다. 압박된 신경이 지배하는 극상근 또는 극하근의 탈신경화(denervation)에 의한 근육의 부종 또는 위축이 발생할 수 있다.

3. 근육피부신경 Musculocutaneous nerve

1) 해부학 및 검사기법

근육피부신경은 위팔의 부리위팔근(coracobrachialis muscle), 위팔근(brachialis muscle), 위팔두갈래근(biceps brachi muscle)의 운동과 위팔 바깥 부위의 감각을 담당한다.[14] 겨드랑동맥의 바깥쪽에 위치한 팔신경얼기의 가쪽다발(lateral cord)에서 분지하여 겨드랑이 부위에서 부리위팔근을 통과한 후(Fig. 5-17A), 위팔에서 위팔근과 위팔두갈래근 사이를 주행하여 아래로 내려간다 (Fig. 5-17B).

초음파검사는 누운 자세에서 팔을 벌려 손을 머리 뒤에 두고 시행한다 (Fig. 5-17C). 위팔에 대해 횡축으로 탐촉자를 두고 위팔근과 위팔두갈래근 사이에 위치한 신경을 찾은 후, 신경의 근위부와 원위부로 추적한다 (Fig. 5-17D).[6] 위팔의 바깥쪽을 따라 아래로 주행하는 근육피부신경은 팔꿈치 부위에서 위팔두갈래근의 바깥쪽에서 근막을 뚫고 피하지방으로 빠져나가 가쪽앞팔피부신경(lateral antebrachial cutaneous nerve)이 된다.[14]

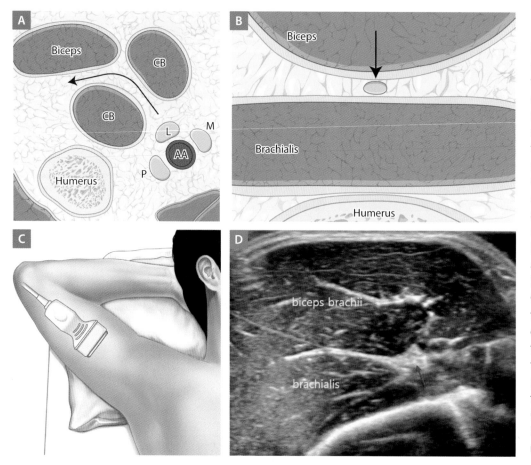

Figure 5-17 **Musculo-cutaneous nerve. A.** In the axilla, the musculo-cutaneous nerve originates from the lateral cord, laterally away from the axillary artery and pierces the coracobrachialis muscle and descends along the lateral aspect of the arm. **B.** The nerve (arrow) is located between biceps brachii and brachialis muscles in the upper arm level. **C.** The patient is positioned with arm abducted and supinated with the hand on the back of the head. **D.** A transverse plane ultrasound shows the echogenic nerve (arrow) between biceps brachii and brachialis muscles.

2) 병리

포획증후군은 흔하지 않으나, 외상 후 발생할 수 있으며, 대부분 부리위팔근 내부나 가쪽앞팔피부신경으로 이행하는 부위에서 일어난다. 신경이 지배하는 근육의 약화 또는 감각이상이 생기는데, 외측상과염(lateral epicondylitis)과 증상이 비슷할 수 있다.[14]

4. 겨드랑신경 Axillary nerve

1) 해부학 및 검사기법

겨드랑신경은 팔신경얼기의 뒤다발(posterior cord)에서 분지하여, 부리돌기(coracoid process) 하방으로 주행한 후 어깨밑근(subscapularis muscle)의 바깥 아래쪽을 감고 지나간다(Fig. 5-18A). 어깨관절낭(glenohumeral joint capsule)의 아랫면을 따라 뒤위팔휘돌이동맥(posterior circumflex humeral artery)과 함께 네모공간(quadrilateral space)으로 들어간

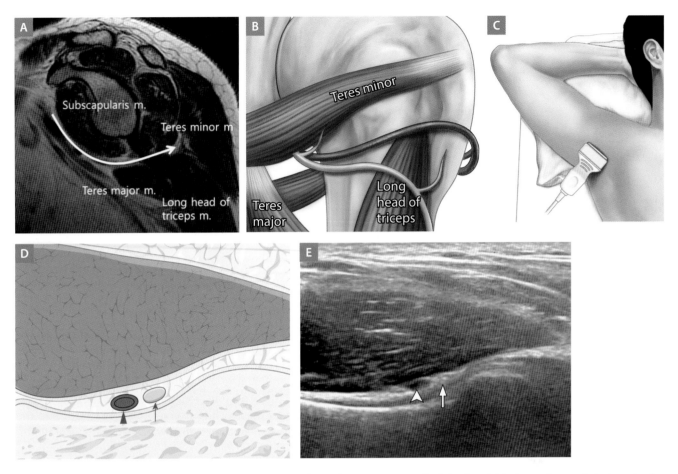

Figure 5-18 **Axillary nerve.** **A.** An axillary nerve arises from the posterior cord of the brachial plexus. It travels below the inferolateral border of the subscapularis(white arrow). **B.** The nerve curves inferior to the glenohumeral joint and passes through the quadrilateral space with posterior circumflex artery. **C.** As an anterior (axillary) approach, the patient is positioned with arm abducted and supinated with the hand on the back of the head. **D.** The nerve (arrow) is located between the glenohumeral joint capsule and the teres major muscle. **E.** An ultrasound scan can identify the echogenic nerve by using the anechoic posterior circumflex humeral artery (arrowhead) as a landmark.

다 (Fig. 5-18B). 네모공간은 내측에 위팔세갈래근의 긴갈래 (long head of triceps muscle), 외측에 상완골(humerous)의 근위부, 상부에 작은원근(teres minor), 하부에 큰원근(teres major)에 의해 경계 지워진다.[13]

누운 자세에서 팔을 벌려 손을 머리 뒤에 두고, 어깨관절 낭 부위에서 검사를 시작한다 (Fig. 5-18C). 뒤위팔휘돌이동 맥을 Doppler검사에서 찾은 후, 이를 기준으로 큰원근과 관

절낭 사이를 주행하는 저에코의 겨드랑신경을 찾는다 (Fig. 5-18D, E).[6]

겨드랑신경은 네모공간을 주행한 후 앞신경가지와 뒤 신경가지로 갈라진다.[6,13] 앞신경가지는 삼각근(deltoid muscle)의 앞쪽과 피부를 지배하고, 뒤신경가지는 삼각근의 뒤쪽, 작은원근과 후방의 피부를 지배한다.[14]

243

2) 병리

네모공간증후군 Quadrilateral space syndrome

네모공간증후군은 네모공간에서 겨드랑신경이 압박받아 견관절 부위의 통증과 감각이상이 초래되는 질환이다.[2] 신경의 신연손상(stretching injury)이 흔한 원인이고, 그 외에도 근위부 상완골 골절, 목발이나 석고붕대의 잘못된 사용, 섬유성 띠(fibrous band), 인접 근육의 비후, 하방 관절순주위 낭종 등이 원인이다. 초음파검사는 네모 공간에 생기는 종괴 유무의 확인이 주된 목적이다.[2,13] 작은원근의 위축은 이학적 검사나 초음파검사로 발견이 쉽지 않으며 MRI가 도움이 된다.

III. 정중신경 Median nerve

1. 해부학 및 검사기법

1) 위팔 부위 Upper arm

정중신경은 팔신경얼기의 안쪽다발(medial cord)과 가쪽다발(lateral cord)이 합쳐져서 형성된다. 위팔의 근위부에선 위팔동맥(brachial artery)의 외측에 위치하다가, 중간 이하에서는 동맥의 내측에 위치한다 (Fig. 5-19).[7,15]

위팔의 정중신경은 팔의 앞쪽에 위치하므로 환자는 검사자와 마주보고, 팔꿈치를 펴고, 손바닥을 위로 하는 자세를 취한다. 팔꿈치 뒤쪽에 베개를 받치면 팔꿈치가 완전히 펴진다 (Fig. 5-20A). 겨드랑부위에서 겨드랑동맥보다 외측에 위치하고(Fig. 5-20B), 위팔부위에서 위팔동맥을 따라 주행하므로 초음파에서 쉽게 찾을 수 있고, 위팔근(brachialis muscle)의 표면에 위치한다 (Fig. 5-20C). 정중신경은 위팔동맥에 근접해 있어, 위팔동맥을 표지물로 이용할 수 있지만, 위팔동맥의 변형(variation)이 흔히 있으므로 주의한다 (Fig. 5-21).

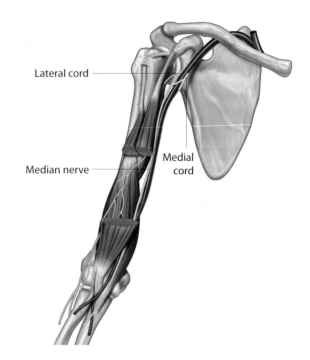

Figure 5-19 Course of median nerve. The median nerve originates from the lateral and medial cords of the brachial plexus. The nerve runs from the axilla into the arm, accompanied by the brachial artery. The nerve passes into the forearm and continues downward between flexor digitorum superficialis muscles and flexor digitorum profundus muscles.

2) 팔꿈관절 부위 Elbow level

주관절와(cubital fossa)에서 정중신경은 원엎침근(pronator teres muscle)의 상완두(humeral head)와 척골두(ulnar head) 갈래 사이를 지나는데, 이 부위를 원엎침근관(pronator teres tunnel)이라 한다. 초음파에서 두 갈래 근육 사이에서 고에코의 타원형으로 보인다 (Fig. 5-20D). 이 부위의 직하방에서 앞뼈사이신경(anterior interosseous nerve)을 분지하는데, 단일신경다발 형태(monofascicular pattern)로 보인다 (Fig. 5-20E).[15] 이는 정중신경의 가장 긴 가지로 골간막(interosseous membrane) 앞으로 전방골간동맥과 함께 주행하므로, 이를 표지물로 이용할 수 있다.

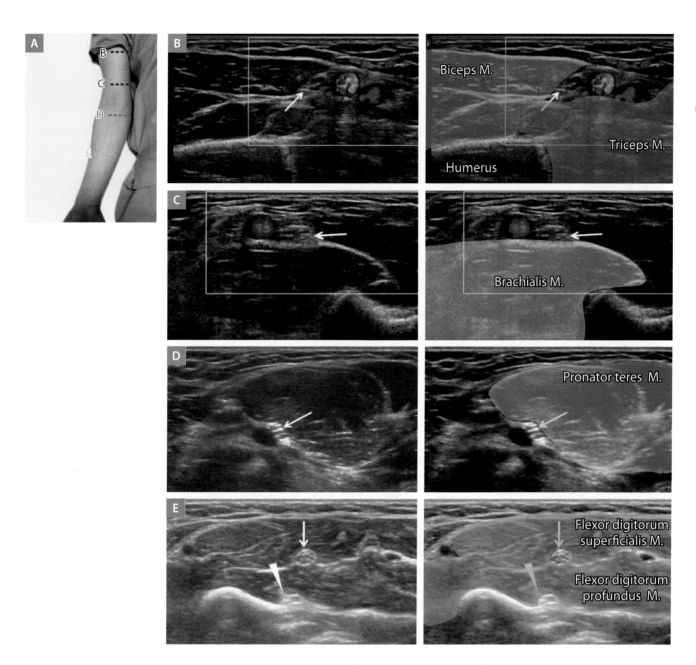

Figure 5-20 Various location of median nerve. A. Transducer positions. **B.** In the axilla, the median nerve (arrow) lies lateral side of the axillary artery. **C.** At the level of midshaft of humerus (about the level of the insertion of the coracobrachialis muscle), the nerve (arrow) inclines medially cross the brachial artery and then descends along its medial side. **D.** The median nerve at the elbow level passes into the forearm between humeral head and ulnar head of pronator teres. It runs deep to the aponeurotic arch. An axial US scan shows the ovoid echogenic reticular appearance (arrow) between two muscles. **E.** The median nerve (arrow) at the level of forearm travels between flexor digitorum superficialis muscles and flexor digitorum profundus muscles. The median nerve does give off anterior interosseous branch (arrowhead), accompanied by the corresponding artery and downward on the interosseous membrane.

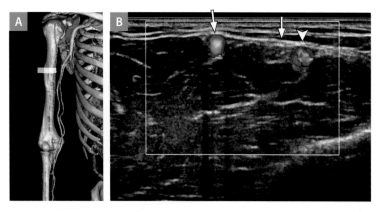

Figure 5-21 **Variations of the brachial artery. A.** The brachial artery is bifurcated into the radial and ulnar arteries at the level of upper arm. **B.** In the upper arm, the median nerve (arrow) runs along the ulnar artery (arrowhead). The radial artery (curved arrow) is located on the lateral side.

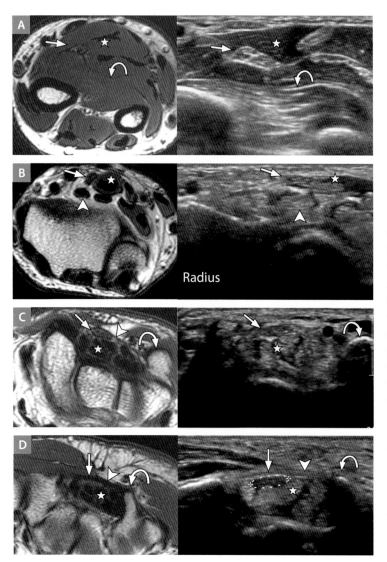

Figure 5-22 **The median nerve at the wrist and the carpal tunnel. A.** The median nerve (arrow) is located between the flexor digitorum superficialis muscle (star) and the flexor digitorum profundus muscle at the level of the pronator quadratus muscle (curved arrow) of the distal forearm. **B.** The nerve (arrow) enters the palm together with the tendons of the flexor digitorum superficialis (star) and flexor pollicis longus (arrowhead). **C.** The median nerve (arrow) is located at the carpal tunnel, deep to the flexor retinaculum (arrowhead) with the tendons of digital flexor muscles (star). Carpal tunnel is bounded by the flexor retinaculum and carpal bones. At the proximal carpal tunnel, the flexor retinaculum is attached to the tuberosity of the scaphoid on the radial side and pisiform (curved arrow) on the ulnar side. **D.** The flexor retinaculum of the distal carpal tunnel (arrowhead) is attached to the ridge of trapezium on the radial side and the hook of hamate on (curved arrow) the ulnar side. Arrow, median nerve; Star, flexor digitorum tendons.

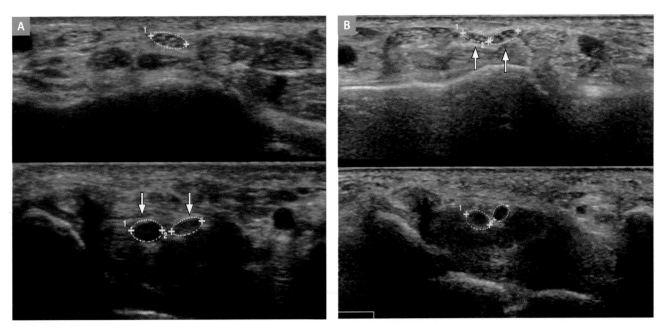

Figure 5-23 **Bifid median nerve.** The median nerve may divide into two nerve bundles (arrows) in the carpal tunnel (**A**) or in the distal forearm (**B**).

3) 아래팔 부위 Forearm level

아래팔에서 정중신경은 근육 사이에 깊이 위치하는데, 초음파에서 얕은손가락굽힘근(flexor digitorum superficialis muscle, 이하 FDS)과 깊은손가락굽힘근(flexor digitorum profundus muscle, 이하 FDP) 사이에 위치한다 (Fig. 5-22A). 손목 부위에서 정중신경은 FDS 외측을 따라 표층으로 이동한다 (Fig. 5-22B).[2] 이후 FDS힘줄과 함께 수근관(carpal tunnel)으로 들어간 후 굽힘근지지띠(flexor retinaculum)보다 깊게 위치한다 (Fig. 5-22C). 이 부위에서 긴엄지굽힘건(flexor pollicis longus tendon, 이하 FPL힘줄)과 두 번째 손가락의 FDS힘줄보다 표층에 위치한다.[7] 정중신경은 수근관 부위에서 신경을 찾은 후 근위부로 올라가면서 검사하는 것이 유용하다.[5]

아래팔 원위부 1/3에서 엄지두덩(thenar eminence)의 피부를 지배하는 얕은손바닥신경가지(superficial palmar branch)를 내는데, 이는 대개 수근관(carpal tunnel)보다 표층으로 주행한다.[15]

수근관은 손목에서 손바닥 중간부위에 이르는 약 6 cm 길이의 섬유골터널(fibroosseous tunnel)로 손목뼈(carpal bone), 굽힘근지지띠에 의해 둘러싸여 있다. 초음파검사에서 뼈표식자(bony landmark)를 이용하여 근위부와 원위부 수근관을 찾는다. 근위부 수근관의 요골측 뼈표식자는 주상골결절(scaphoid tubercle)이고 척골측은 콩알뼈(pisiform)이다 (Fig. 5-22C). 원위부 수근관의 요골측 뼈표식자는 큰마름뼈결절(trapezium tubercle), 척골측은 유구골의 갈고리(hamate hook)이다 (Fig. 5-22).[6,14]

비교적 흔한 변이로 이분정중신경(bifid median nerve)이 있다. 정중신경의 갈라짐은 수근관 직전이나 수근관 내부에서 관찰할 수 있다 (Fig. 5-23). 이분정중신경은 수근관증후군의 원인이 되고, 잔류정중동맥(persistent median artery)이 잘 동반된다. 하지만 이분정중신경이 수근관증후군 발생의 독립적인 위험인자는 아니라는 보고도 있다.[16,17]

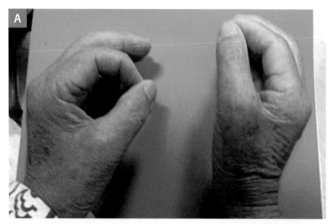

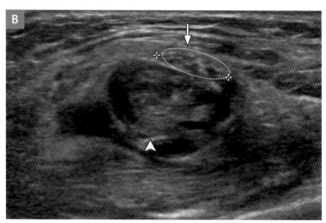

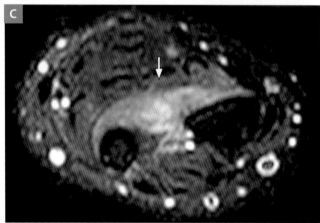

Figure 5-24 Anterior interosseous nerve syndrome. There may be weakness of the flexor pollicis longus muscle of thumb, flexor digitroum profundus muscles of the index and middle fingers, and the pronator quadratus muscle. **A.** A patient makes a triangle sign (right) instead of the OK sign (left). **B.** The hematoma (arrowhead) after a penetration of brachial artery compresses the median nerve (arrow) at the cubital fossa before branching anterior interosseous nerve. **C.** A fat-suppressed T2 weighed image shows well demarcated increased signal intensity in the pronator quadratus muscle (arrow) compared with adjacent muscles.

2. 정중신경 병리

1) 원엎침근증후군 Pronator teres syndrome

정중신경이 팔꿈치 하방의 원엎침근 근처에서 압박을 받아 만성적인 아래팔의 통증을 호소하는 질환을 원엎침근증후군(pronator teres syndrome)이라 한다. 근육의 위축이나 마비는 드물고, 압통이나 Tinel징후를 보이기도 한다.[2] 정중신경의 압박은 위팔두갈래근의 건막 부위(lacertus fibrosus), 원엎침근의 두 힘살(muscle belly) 사이, 얕은손가락굽힘근(flexor digitorum superficialis)이 기원하는 궁형(arch)에서 주로 생긴다. 주요 원인으로 섬유성띠(fibrous band), 원엎침근의 비후, 혈관 이상, 외상 후 혈종, 골절 등이 있다.

2) 앞뼈사이신경증후군 Anterior interosseous nerve syndrome, Kiloh-Nevin syndrome

앞뼈사이신경은 정중신경이 원엎침근을 지난 직후에 갈라져, 뼈사이막(interosseous membrane)의 앞면을 따라 척골동맥의 갈래인 앞뼈사이가지(anterior interosseous branch)와 함께 주행한다 (Fig. 5-20E). 이 신경은 순수 운동신경으로 긴엄지굽힘근(flexor pollicis longus muscle), 두 번째, 세 번째 손가락의 깊은손가락굽힘근(flexor digitorum profundus muscle), 네모 엎침근(방형회내근, pronator quadratus muscle)을 지배한다.[13] 이 신경의 압박에 의해 앞뼈사이신경증후군 혹은 Kiloh-Nevin증후군이 발생한다. 주로 아래팔에 통증을 호소하며, 쓰기나 집는 운동의 장애를 호소한다.

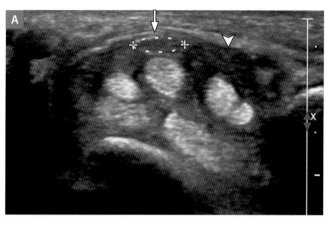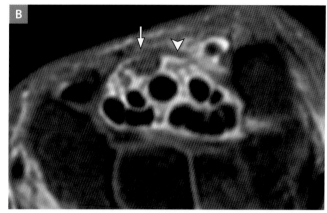

Figure 5-25　Carpal tunnel syndrome in a patient with rheumatoid arthritis. A. Ultrasonography shows hypoechoic synovial proliferation and effusion (arrowhead) in the carpal tunnel. The flexor tendons are normal in echotexture. Median nerve (arrow) is not swollen at the carpal tunnel. B. Axial T2 weighted image shows high SI synovial proliferative lesion (arrowhead) in the carpal tunnel. Median nerve (arrow) does not show compression or swelling.

엄지와 검지의 근육 약화로 두 손가락으로 집어서 "O"를 만들지 못하는 것이 특징적이다(OK sign) (Fig. 5-24A). [2] 이 포획신경증은 주로 팔꿈치 하방의 앞뼈사이신경이 압박되어 발생하지만, 앞뼈사이신경이 분지되기 전, 즉 팔꿈치 상방의 정중신경이 압박되는 경우에도 앞뼈사이신경 압박 증상만 생길 수도 있다 (Fig. 5-24B). [13] 원인은 골절, 혈종, 잘못된 부목의 사용, 종괴, 비후된 근육, 섬유성띠, 혈관기형 등이 있다. [2] 초음파검사에서 진단이 어려운 경우 반대편 신경과의 비교가 도움이 될 수 있다. [13] 탈신경화에 의한 초기 변화로 네모엎침근에 국한된 부종이 생기지만 초음파에서 확인이 어려울 수 있는데, MRI를 시행하면 지방억제 T2강조영상에서 근육 부종을 확인할 수 있다 (Fig. 5-24C).

3) 수근관증후군 Carpal tunnel syndrome

수근관증후군은 정중신경의 압박에 의해 발생하고, 상지에서 가장 흔한 포획신경병증이다. 여성의 6%, 남성의 0.9%에서 발병하고, 40~50대에 호발한다. [2,18] 첫 번째 손가락부터 네 번째 손가락의 요골측 절반까지의 정중신경 영역을 따라 통증과 저린 감각이 생기며, 특히 밤에 증상이 악화되

는 경향을 보인다. 특발성(idiopathic)이 가장 흔하고, 외상, 종양, 낭종, 건초염(tenosynovitis) (Fig. 5-25), 해부학적 변이 등이 원인일 수 있다. [2,18] 류마티즘, 갑상선 기능 저하증, 투석, 당뇨, 임신 등과도 관련이 있다.

전기진단법에서 이상 소견을 보이지 않는 수근관증후군의 진단 또는 수근관증후군 환자에서 원인 질환 유무를 확인하는 데 초음파검사는 중요한 역할을 한다. [19]

수근관증후군의 초음파소견은 정중신경이 수근관 직전이나 상부 수근관에서는 굵어지고, 수근관 내부에서는 납작해지며, 수근관의 진입부 또는 출구에서의 갑작스런 크기 변화(notch sign and inverterd notch sign) 등이다 (Fig. 5-26). [2] 때로는 수근관 내에서는 신경의 뚜렷한 크기 변화가 없이 수근관 원위부에서만 신경이 굵어지는 소견(post-stenotic swelling)을 보일 수 있다 (Fig. 5-27).

수근관증후군의 진단기준으로 수근관 진입부에서의 신경 부종에 의한 굵어짐, 수근관 내에서의 압박에 의한 납작해짐(flattening)과 납작해짐의 비율(flattening ratio)의 증가, 굽힘근지지띠의 손바닥 쪽 휨(palmar bowing of flexor retinaculum) 등이 이용되었다. [19,20]

최근에는 수근관 진입부나 수근관에서 정중신경 단면적의

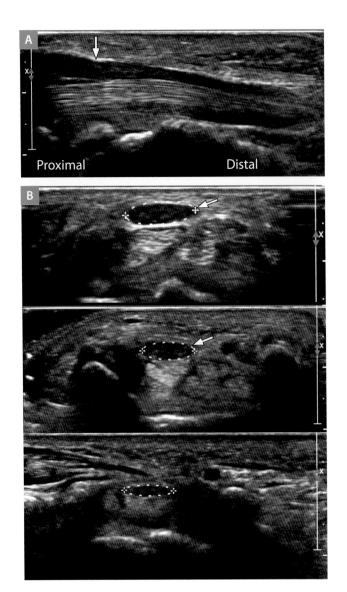

Figure 5-26 Ultrasonographic findings of the carpal tunnel syndrome. A. Longitudinal image. **B.** Serial axial images from proximal to distal. The median nerve is typically swollen (arrow) at the proximal portion of the carpal tunnel. Increased cross sectional area, decreased echogenicity, and loss of fascicular pattern are observed.

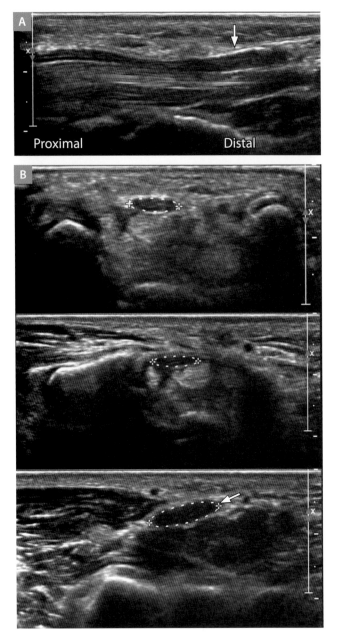

Figure 5-27 A patient with the carpal tunnel syndrome. **A.** Longitudinal image. **B.** Serial axial images from proximal to distal. In the carpal tunnel, the cross sectional area of the median nerve shows within a normal limit. The prominent swollen of median nerve (arrow) is observed at the distal portion of the carpal tunnel.

증가를 가장 일관성 있는 진단기준으로 한다.[19,21] 하지만 비정상 신경의 단면적은 10~15 mm²까지 다양하게 보고되어 있다.[18,20] 또한 수근관 상방에서의 정중신경 단면적과 수근관 내부에서의 단면적의 차이를 진단기준으로 제시하기도 한다.[22] 갑상선 기능저하증, 투석, 당뇨 등에서는 증상 유무와 관계 없이 정중신경이 굵어질 수 있으므로 진단에 주의가 필요하다.

신경부종으로 인한 정중신경 에코의 변화, 굵은섬유다발 양상의 소실 여부도 주요 진단기준으로 보고되어 있다.[2] 이외에도 Doppler검사에서 정중신경의 혈류증가, 역동적 검사에서 신경 이동성(mobility)의 변화, 탄성초음파(sonoelastography) 소견 능노 진단기준으로 제시되고 있다.[19,23]

IV. 척골신경 Ulnar nerve

1. 해부학 및 검사기법

1) 위팔 부위 Upper arm level

척골신경은 팔신경얼기의 안쪽다발(medial cord)에서 분지하여 위팔동맥(brachial artery), 정중신경(median nerve)과 함께 주행한다. 위팔의 상부에서는 위팔동맥의 내측-후방에 놓여 있다 (Fig. 5-28A~C). 위팔의 중간 부분에서 척골신경은 내측 근육사이막(medial intermuscular septum)을 지나 후방 구획(posterior compartment)의 표층에 놓이게 되며, 위팔세갈래근(triceps brachii muscle) 안쪽갈래(medial head)의 내측 면을 따라 주행한다 (Fig. 5-28D). 척골신경은 위팔에서는 갈래를 내지 않기 때문에, 팔꿈굴(팔꿈치굴, cubital tunnel)

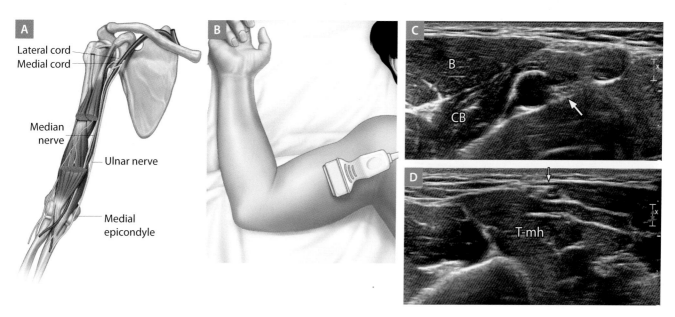

Figure 5-28 **Course of ulnar nerve.** The ulnar nerve originates from the medial cord of the brachial plexus and descends on the posteromedial aspect of the upper arm. **A.** At the upper arm, the nerve (arrow) runs along the brachial artery medially and posteriorly. **B.** Transducer position. **C, D.** Transverse view on the medial aspect of the arm with 15 MHz probe. (C) Ulnar nerve (arrow) is placed in the posterior aspect of the brachial artery. B, biceps brachii muscle, CB, coracobrachialis muscle. (D) Ulnar nerve (arrow) in distal upper arm is located at the medial margin of the medial head of the triceps brachii muscle. T-mh, medial head of the triceps brachii muscle.

에서 척골신경을 찾은 후 근위부로 올라가면서 척골 신경을 검사하는 방법도 유용하다.

2) 팔꿉관절-팔꿉굴 부위 Elbow-cubital tunnel level

팔꿉관절에서 척골신경은 팔꿉굴을 지난다. 팔꿉굴(cubital tunnel)은 팔꿉관절의 내측후방에 척골의 수두돌기(olecranon)와 내측상과(medial epicondyle) 사이의 공간으로 Osborne지지대(Osborne retinaculum, cubital tunnel retinaculum)라 불리우는 막(fascial sheet)이 지붕을 형성한다. 이 지지대의 약 1 cm 하방에서 활꼴인대(arcuate ligament)가 자쪽손목굽힘근(flexor carpi ulnaris, 이하 FCU)의 두 갈래

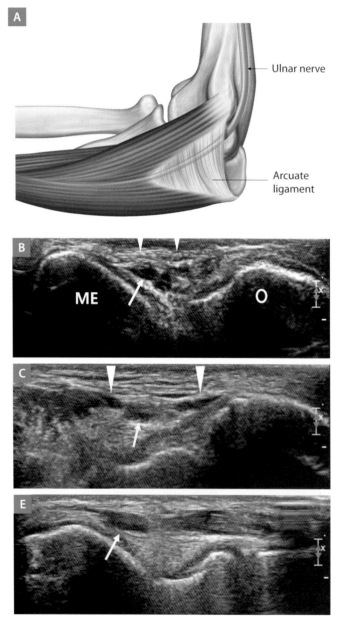
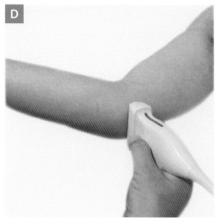

Figure 5-29 **Ulnar nerve at cubital tunnel. A.** Ulnar nerve (arrow) runs posterior to medial epicondyle (ME) into cubital tunnel. Osborne retinaculum and arcuate ligament (arrowheads) form the roof of cubital tunnel. **B.** US shows the hypoechoic fascicular ulnar nerve (arrow), medial to the medial epicondyle (ME) and under the cubital tunnel retinaculum (Osborne retinaculum) (arrowheads). O, olecranon. **C.** Ulnar nerve (arrow) under the arcuate ligament of the flexor carpi ulnaris muscle (arrowheads). The arcuate ligament of the flexor carpi ulnaris muscle is located about 1 cm below the cubital tunnel retinaculum. **D.** Transducer position. **E.** Ulnar nerve (arrow) is displaced anteriorly and slightly compressed under the cubital tunnel retinaculum with flexion of the elbow joint. FCU, flexor carpi ulnaris; FDS, flexor digitorum superficialis.

(humeral head와 ulnar head) 사이를 연결하여 팔꿈굴의 원위부 지붕을 형성한다 (Fig. 5-29A~C). Osborne지지대와 활꼴인대(arcuate ligament)가 같은 구조물로 기술되어 있기도 하고, 팔꿈굴의 근위부는 Osborne지지대가 지붕처럼 덮고 있고, 원위부는 활꼴인대가 덮고 있다고 구분되어 기술되어 있기도 하다.[24]

초음파검사는 팔을 외회전 후 검사한다 (Fig. 5-29D). 팔꿈치 뒤에서 탐촉자의 한쪽은 주두에, 다른 한쪽은 내측상과에 걸치고 척골신경의 단축영상을 얻는다. 척골신경은 내측상과에 인접한 둥글거나 타원형의 저에코 구조물로 보이며, 각각의 신경다발(nerve fascicles)은 구분되며, 비교적 균일한 두께를 가진다. 팔꿈을 굽히면 팔꿈관절 척측측부인대(ulnar collateral ligament)가 팽팽해져서 팔꿈굴 내의 압력이 증가하고 면적이 감소하면서 Osborne지지대와 활꼴인대에 의해 척골신경이 눌려 납작해지고 단면적이 감소하기 때문에 신경 압박증후군으로 오인할 수 있다. 또한 신경이 앞쪽으로 이동하는 것을 불완전 탈구로 오인할 수 있으므로 주의한다 (Fig. 5-29E).[24]

3) 아래팔 부위 Forearm level

팔꿈굴을 빠져 나온 척골신경은 아래팔의 상부에서 FCU(자쪽손목굽힘근)보다 깊은 곳으로 주행하면서 FCU와 세 번째와 네 번째 FDP(깊은손가락굽힘근)에 운동신경을 분지한다. 아래팔 중간 부위부터는 척골동맥과 함께 주행하고, 팔목 상방 약 5~6 cm 위치에서 등쪽감각신경가지(dorsal sensory branch)와 손바닥감각신경가지(palmar sensory branch)를 분지하며, 네 번째와 다섯 번째 손가락의 감각을 담당한다. 아래팔 중간부위에서 초음파를 시행하면 척골동맥과 함께 주행하는 척골신경을 비교적 쉽게 찾을 수 있으며(Fig. 5-30A, B), 손목의 5~6 cm 상방에서 감각신경가지를 찾을 수 있다 (Fig. 5-30C).

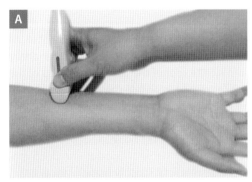

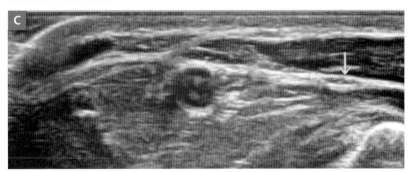

Figure 5-30 Ulnar nerve at the distal forearm. In the forearm, the ulnar nerve travels alongside the ulna. **A.** Transducer position. **B.** Ulnar nerve (arrow) courses with the ulnar artery (a), deep to the flexor carpi ulnaris muscle. In the forearm, it gives off the muscular branches, palmar branch, and dorsal branch of ulnar nerve (**C**). Dorsal sensory branch (arrow) can be detected at the upper dorsum of the wrist.

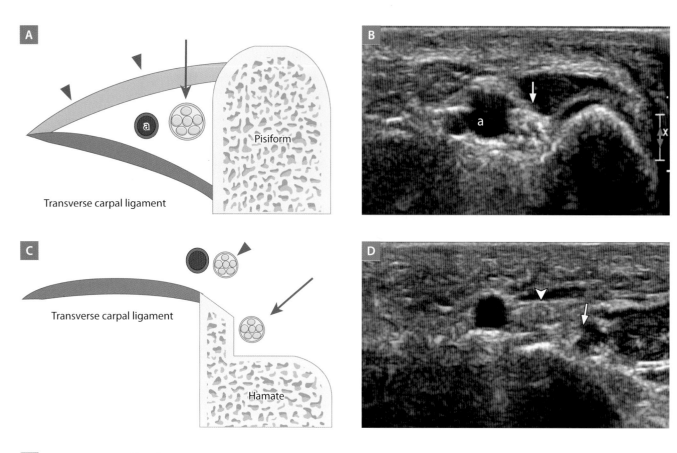

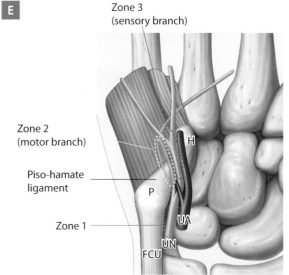

Figure 5-31 Ulnar nerve enters through the Guyon's canal (**A, B**) The ulnar canal or Guyon's canal allows passage of the ulnar artery (a) and ulnar nerve (arrow). The roof of the canal is made up of the palmar carpal ligament (arrowheads), while the deeper transverse carpal ligament (flexor retinaculum) comprises the floor. After finding the ulnar artery on US, ulnar nerve can be found easily. Ulnar nerve is located radially to the pisiform bone. (**C, D**) In the distal portion of the Guyon's canal, ulnar nerve bifurcates into deep motor branch (long arrow) and superficial sensory branch (arrow head) of the ulnar nerve. (**E**) Ulnar nerve (UN) in the Guyon's canal can be divided into three zones. Zone I is proximal to the level of nerve bifurcation. Zone II is the deep tunnel containing motor branch. Zone III is the superficial tunnel containing sensory branch. P, Pisiform; H, Hamate; UA, Ulnar artery; FCU, Flexor carpi ulnaris.

4) Guyon관과 손바닥 부위 Guyon canal and palm level

손목 부위에서 척골신경은 콩알뼈(pisiform)와 갈고리뼈(hamate)사이의 'Guyon관'이라는 섬유골성굴(fibroosseous tunnel) 내에 척골동맥과 함께 보인다 (Fig. 5-31A). Guyon관은 길이가 약 4 cm이며, 콩알뼈가 내측 경계를 이루고, 바닥은 굽힘근지지띠(flexor retinaculum) 혹은 가로손목인대(transverse carpal ligament)가, 지붕은 손바닥손목인대(palmar carpal ligament)가 형성하고 있다 (Fig. 5-31A, B). Guyon관의 원위부에서 척골신경은 새끼두덩근(hypothenar muscles)의 섬유활꼴(fibrous arch)에 의해 얕은감각신경가지(superficial sensory branch)와 깊은운동신경가지(deep motor branch)로 나뉘어지고, 운동신경가지는 유구골(갈고리뼈, hamate) 내측을 따라 내려간다 (Fig. 5-31C, D).[25] Guyon관은 세 구역으로도 구분하는데, 1구역은 척골신경이 나누어지기 전까지이며, 2구역은 깊은운동신경가지 부위, 3구역은 얕은감각신경가지 부위를 말한다. 운동신경가지는 갈고리뼈를 돌아 요골쪽으로 진행하여 뼈사이근(interosseous muscle), 세 번째와 네 번째 벌레근(lumbrical muscle), 새끼두덩근(hypothenar muscles), 엄지모음근(adductor pollicis muscle), 엄지굽힘근(flexor pollicis muscle) 일부를 지배한다. 감각신경가지는 직하방으로 주행하여 네 번째와 다섯 번째 손가락의 손바닥 쪽 감각을 담당한다. 탐촉자를 콩알뼈 위치에서 횡축으로 놓고 Guyon관 내에서 척골동맥과 함께 주행하는 척골신경을 찾은 후, 아래쪽으로 따라내려가면 깊은운동신경가지와 얕은감각신경가지를 확인할 수 있다 (Fig. 5-31B, D).[26]

2. 척골신경 병리

1) 팔꿈굴증후군 Cubital tunnel syndrome

팔꿈굴증후군은 상지에서 수근관증후군 다음으로 흔하며, 뼈의 이상증식, 골극(osteophyte), 뼈나 관절이 변형, 이소골화(heterotopic ossification), 관절낭이나 인대의 비후, 종양, 근육의 기형(accessory muscle), 활액막염 등이 원인이다. 증상은 팔꿈관절 내측의 통증, 네 번째와 다섯 번째 손가락의 감각 이상, Tinel징후, 신경지배 근육의 위축 등이다. 팔꿈치를 굴곡시키면 팔꿈굴이 좁아지면서 증상이 악화된다. 근육의 위축은 네 번째 지간(갈퀴막공간, web space)과 새끼두덩근육에서 가장 심하고, 네 번째와 다섯 번째 손가락은 갈퀴손(claw hand) 모양을 보인다. 초음파에서 척골신경 에코 및 단면적의 변화, 굵은섬유다발양상의 소실, 팔꿈굴 내부에서 신경 위치의 변화, 팔꿈굴 단면적의 감소 등을 관찰할 수 있다. 초음파검사의 중요 목표는 척골신경의 변화와 신경압박의 원인을 찾는 것이다 (Fig. 5-32).

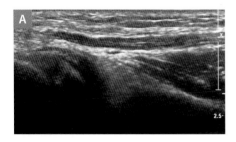
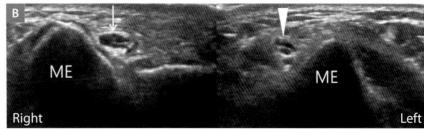

Figure 5-32 Right cubital tunnel syndrome in 52-year-old male. A. Longitudinal image. **B.** Axial image of both ulnar nerves. Right ulnar nerve in the cubital tunnel shows the enlargement of nerve (arrow) and loss of nerve fascicular pattern, compared to the contralateral left ulnar nerve (arrow head). ME, medial epicondyle.

2) 척골신경의 불안정
Subluxation or dislocation of ulnar nerve

선천적으로 또는 외상에 의해 팔꿈굴지지띠(cubital tunnel retinaculum)의 결손이 있으면, 팔꿈을 구부릴 때 척골신경이 팔꿈굴에서 앞쪽으로 아탈구되거나 탈구될 수 있다. 아탈구는 팔꿈을 구부릴 때 척골신경이 내측상과 부위로 이동하는 것이고, 탈구는 팔꿈굴에서 완전히 빠져나와 내측상과 앞쪽으로 이동하는 것이다. 이러한 불안정은 정상 성인 16~47%에서 볼 수 있는 정상변이며, 증상이 없는 경우가 많다.[27] 그러나 반복적으로 아탈구나 탈구가 발생하면 신경염 증상을 일으킬 수 있다. 팔꿈을 구부리면서 검사하면,

척골신경의 위치와 모양뿐만 아니라 아탈구 또는 탈구를 일으키는 원인도 함께 확인할 수 있다 (Fig. 5-33).

3) 아래팔에서 등쪽감각신경가지 손상

척골신경이 자쪽손목굽힘근 깊은 쪽으로 주행하다 손목관절 상방 약 5~6 cm 위치에서 등쪽감각신경가지(dorsal sensory branch)를 낸다. 운동 또는 수술 중 손상이 원인일 수 있고, 손목이나 손의 척골쪽 등쪽의 감각이상이 생긴다. 탐촉자를 횡축으로 놓고 등쪽감각신경가지를 따라 내려가면 손상된 부분을 찾을 수도 있다 (Fig. 5-34).[28]

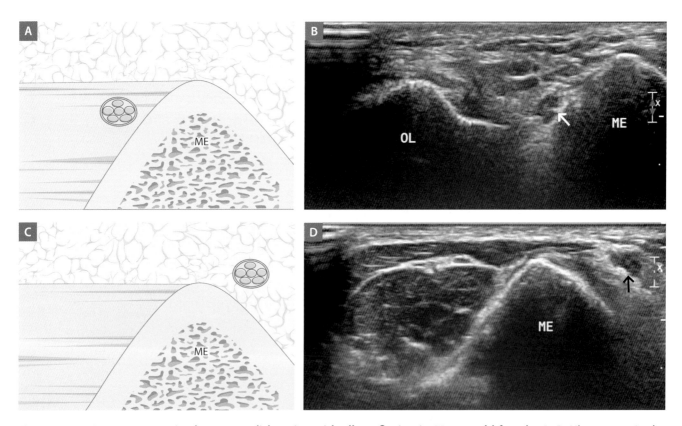

Figure 5-33 Nonsymptomatic ulner nerve dislocation with elbow flexion in 23-year-old female. A, B. Ulner nerve in the the cubital tunnel with elbow extension, ulnar nerve (arrow) is in the normal position, medial to medial epicondyle. **C, D.** With elbow flexion, the ulnar nerve (arrow) is dislocated anteriorly to the medial epicondyle. OL, olecranon; ME, medial epicondyle.

4) 팔꿉굴증후군 수술 후 합병증

팔꿉굴증후군의 수술적 치료로 척골신경을 내측상과 앞쪽으로 옮기는데, 옮겨진 척골신경이 활꼴인대 깊은 쪽으로 주행하면서 각이 지는 경우, 불완전한 위치 고정, 수술 후 반흔조직 등에 의해 증상이 재발될 수 있다.

5) Guyon관증후군 Guyon canal syndrome

Guyon관에서 척골신경이 압박되어 생긴다. Guyon관의 세구획 중 어느 부분에서 신경이 눌렸는지에 따라 서로 다른 증상을 보인다. 척골신경이 분지되지 않은 1구획에서 눌리면 운동, 감각신경 모두 증상이 있고, 운동신경가지가 지나가는 2구획에서는 운동신경 증상, 감각신경가지가 지나가는 3구획에서 눌리면 감각신경 증상을 보인다. 결절종, 덧근육 (accessory abductor digiti minimi muscle), 골절 파편, 동맥류 등에 의해 신경이 눌릴 수 있다 (Fig. 5-35).

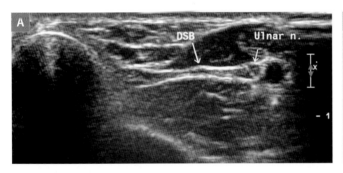
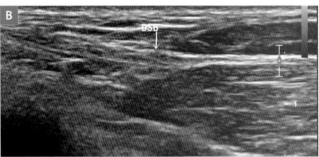

Figure 5-34 **Dorsal sensory nerve neuritis in 40-year-old female after lifting a heavy materials. A.** Transverse view at the level of distal forearm shows separation of dorsal sensory branch (long arrow) from the ulnar nerve (short arrow). DSB, dorsal sensory branch; Ulnar n., ulnar nerve. **B.** Sagittal view of dorsal sensory branch shows focal swelling of dorsal sensory branch (arrow). DSB, dorsal sensory branch.

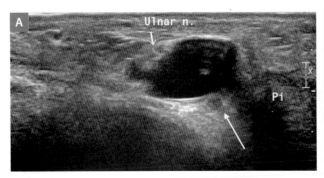
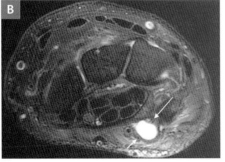

Figure 5-35 **Guyon's canal syndrome of 60-year-old male with interosseous muscle atrophy. A.** Transverse view of Guyon's canal shows a cystic mass between the superficial sensory (short arrow) and deep motor (long arrow) branches. Pi, pisiform. **B.** Transverse T2 fat-suppression MR image shows well-defined cyst between the two branches of ulnar nerve in the Guyon's canal. The signal intensity of the motor branch is increased because of the nerve impingement by ganglion. Short arrow, sensory branch, long arrow, motor branch.

V. 요골신경 Radial nerve

1. 해부학 및 검사기법

1) 위팔 부위 Upper arm level

요골신경은 팔신경얼기의 뒤신경다발(posterior cord)에서 나오며, 위팔세갈래근(triceps brachii muscle)과 아래팔 뒤쪽구획(posterior compartment)의 근육들을 신경지배하고 관절과 피부의 감각을 담당한다.

요골신경은 겨드랑이 후방에서 위팔뼈와 위팔세갈래근긴갈래(long head of triceps brachii), 큰원근(teres major muscle)이 이루는 삼각 모양의 공간을 위팔동맥(brachial artery)과 함께 통과한다 (Fig. 5-36A). 요골신경은 위팔세갈래근긴갈래로 가는 신경분지를 낸 후, 상완골 중간 부분 뒤쪽의 얕은 홈(요골신경고랑, radial groove or spiral groove)을 지나

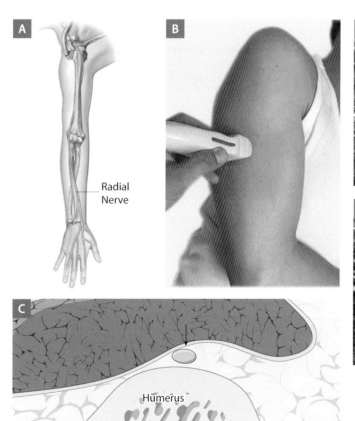

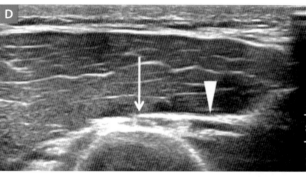

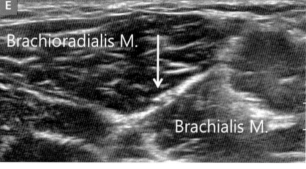

Figure 5-36 Course of Radial nerve at the upper arm. The radial nerve originates from posterior cord of the brachial plexus and descends on the posteromedial aspect of the upper arm. **A.** The nerve (arrows) travels posteriorly through the triangular interval, and then enters a radial groove on the humerus. **B.** Transducer position at the radial groove. **C, D.** On transverse view, radial nerve (arrow) is located adjacent to the posterior surface of the humerus. Radial nerve is going down through the lateral intermuscular septum (arrow head). **E.** At the distal portion of upper arm, radial nerve (arrow) is located between brahioradialis and branchialis muscle.

상완골 외측으로 주행한다 (Fig. 5-36C, D). 요골신경이 이 부위를 지나면서 위팔세갈래근의 가쪽갈래와 안쪽갈래, 팔꿈치근(anconeus muscle)으로 가는 신경 분지들과, 아래팔의 뒷피부신경가지(posterior cutaneous nerve)를 낸다. 위팔의 하방에서 요골신경은 외측근육사이막(lateral intermuscular septum)을 뚫고 위팔의 앞쪽 구획으로 들어온 후, 위팔근 (brachialis muscle)과 위팔노근(brachioradialis muscle)사이에서 아래로 주행한다 (Fig. 5-36E). 이 부위에서 외측 위팔근, 위팔노근, 긴노쪽손목폄근(extensor carpi radialis longus muscle), 짧은노쪽손목폄근(extensor carpi radialis brevis msucle)을 지배하는 신경가지를 낸다.

위팔을 내회전히고 위팔 중간부위 뒤쪽에 탐촉사를 놓으면 요골신경고랑을 지나는 요골신경을 찾을 수 있다 (Fig. 5-36B). 요골신경은 상완골에 거의 붙어서 안쪽-뒤쪽에서 바깥쪽-앞쪽으로 비스듬히 주행한다 (Fig. 5-36C, D). 초음파에서 이 부위의 요골신경은 단일신경가지(monofascicular) 형태를 보이므로 혈관과의 구분이 필요하다. 위팔의 아래쪽에서는 탐촉자를 앞쪽에 놓으면, 위팔근과 위팔노근 사이에서 요골신경을 찾을 수 있다 (Fig. 5-36E).[29]

2) 팔꿈관절 부위 Elbow level 와
아래팔 부위 Forearm level

팔오금(cubital fossa)으로 내려온 요골신경은 요골윤상인대 (노뼈머리띠인대, annular ligament of radius) 근처에서 아래팔의 뒤쪽 근육을 지배하는 깊은운동신경가지(deep motor branch)와 피부 감각에 관여하는 얕은감각신경가지(superficial sensory branch)로 분지된다(Fig. 5-36A, 5-37A). 깊은운동신경 가지는 손뒤침근(supinator muscle) 상방의 두꺼워진 Frohse연속활(arcade of Frohse)의 아래를 지나 손뒤침근을 관통하여 후골간신경(뒤뼈사이신경, posterior interosse-

ous nerve)으로 이행한다. 얕은감각신경가지는 손뒤침근의 앞쪽에서 요골동맥을 따라서 주행하며, 짧은노쪽손목폄침근 (extensor carpi radialis brevis, ECRB)과 위팔노근(brachioradialis muscle) 사이에 보인다.

팔꿈치 상방에서 위팔노근과 위팔근 사이에 위치한 요골신경을 횡축영상에서 찾은 후, 요골신경을 따라 아래로 내려가면 깊은운동신경가지와 얕은감각신경 가지를 찾을 수 있다 (Fig. 5-37C). 단축영상에서 깊은운동신경가지가 손뒤침근의 두갈래 사이로 들어가는 것을 볼 수 있다 (Fig. 5-37D). 깊은운동신경가지가 손뒤침근이 시작되는 부분, 즉 Frohse 연속활을 통과할 때는 신경이 약간 휘어지고, 손뒤침근 내부에서는 약간 얇아진다. 이러한 소견을 요골신경 포착증후군으로 오인하지 않아야 한다. 요골신경의 얕은감각신경가지는 위팔노근보다 깊은 쪽, 노쪽손목폄침근보다 내측으로 주행한다 (Fig. 5-38).

3) 손목 부위 Wrist level

아래팔의 하방, 손목관절(radiocarpal joint)의 약 7 cm 상방에서 얕은감각신경가지는 아래팔근막(전완근막, antebrachial fascia)를 뚫고 피하지방층으로 나온다. 이는 내측과 외측 가지로 나뉘어져 요측폄근이나 코담배갑(snuff box) 표층을 지나 손등으로 내려가며(Fig. 5-39A), 손의 등쪽, 첫 번째 갈퀴막공간(1st web space), 첫 번째~세 번째 손가락의 감각을 담당한다.

손목관절 가까이에서 노쪽피부정맥(요골측피부정맥, cephalic vein)과 가까이 위치하므로, 이 부위에서 정맥주사 시 신경을 손상시키지 않도록 주의하여야 한다.[30]

아래팔근막을 뚫고 나온 얕은감각신경의 가지들은 크기가 작으므로 고해상도의 탐촉자를 사용해야 한다 (Fig. 5-39B, C).

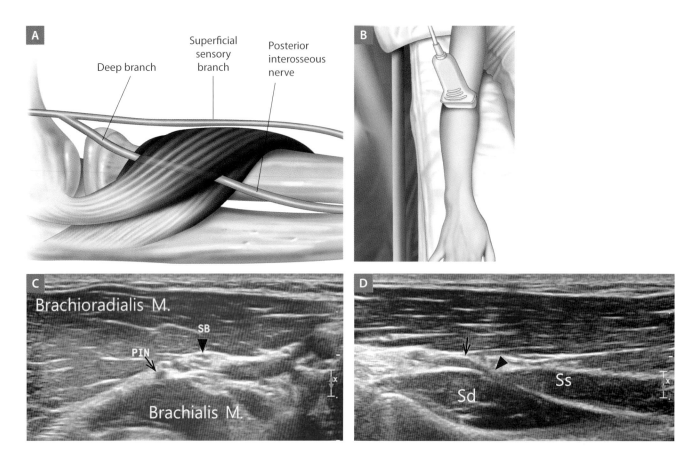

Figure 5-37   A. At the anterolateral elbow, the radial nerve divides into a deep branch and superficial branch. The deep branch pierces the supinator muscles and becomes the posterior interosseous nerve. **B.** Transducer position. **C.** On the transverse view, posterior interosseous nerve (PIN, arrow) and superficial sensory branch (SB, arrowhead) of radial nerve is located between the brahioradialis muscle and brachialis muscle. **D.** Sagittal view shows posterior interosseous nerve (arrow) going through the arcade of Frohse (arrowhead) into the space between the two heads of the supinator muscle. Ss, superficial head of the supinator muscle; Sd, deep head of the supinator muscle.

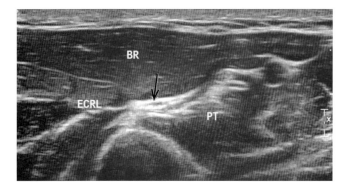

Figure 5-38   Transverse view of mid forearm with 15 MHz probe. Superficial branch of the radial nerve (arrow) is located between brachiradialis muscle and extensor carpi radialis muscle and pronator teres muscles. BR, brachioradialis muscle; ECRL, extensor carpi radialis muscle; PT, pronator teres muscle.

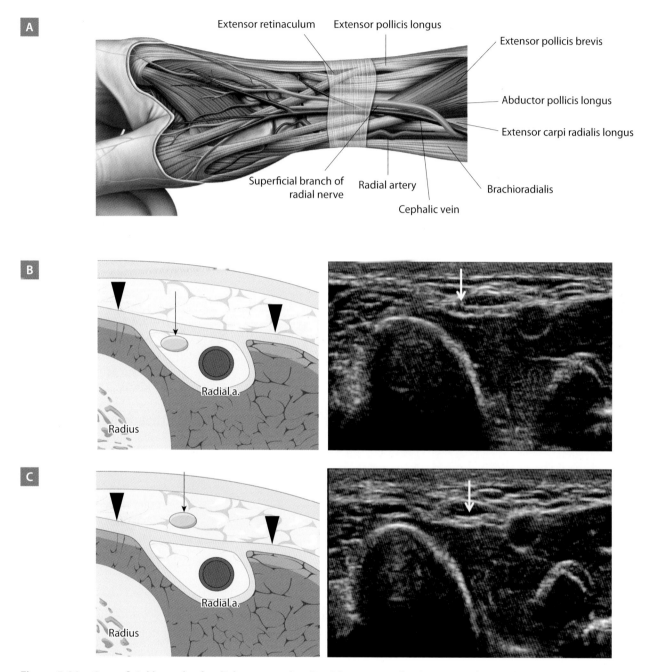

Figure 5-39 **Superficial branch of radial nerve at the distal forearm and wrist**. It runs deep to brachioradialis muscle and lies slightly lateral to the radial artery. **A.** About 5~10 cm proximal to the wrist, the nerve pierces the deep fascia and runs distally superficial to the abductor pollicis longus and extensor pollicis brevis. The nerve is divided into the medial and lateral braches. **B, C.** Serial transverse views of the distal forearm. **B.** Sensory branch of the radial nerve (arrow) is located under the forearm fascia (arrow head). **C.** It (arrow) is going superficially through the forearm fascia.

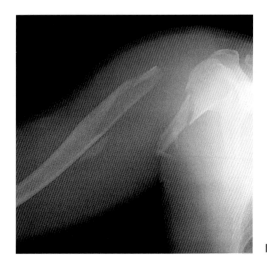

Figure 5-40   Humeral mid shaft fracture with radial nerve injury.

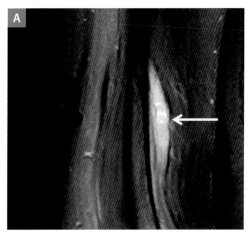
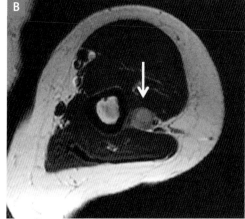

Figure 5-41   **Radial groove syndrome of 60-year-old female**. The patient was diagnosed as AML. **A.** Coronal T2 fat-suppression MR image show a high signal intensity tubular lesion along the radial nerve of upper arm (arrow). **B.** Axial T2 weighted image reveals a heterogeneous high signal intensity round nodular lesion at the lateral side of upper arm (arrow).

2. 요골신경 병리

1) 요골신경고랑증후군
Radial or spiral groove syndrome

상완골의 요골신경고랑에서 요골신경이 손상 또는 압박되는 것이다. 대부분 아래팔의 폄근의 장애나 손목처짐(wrist drop)과 같은 운동장애와 손등과 엄지손가락 등쪽 감각이상을 함께 보인다. 부목 사용, 수술에서 사용한 판(plate)에 의

한 요골신경의 눌림이 흔하고, 상완골 골간(diaphysis) 골절에 동반되어 신경손상이 흔히 생긴다 (Fig. 5-40). 이 요골 손상을 발생 원인에 따라 'Saturday night palsy', 'Honeymoon palsy', 'Crunch palsy' 등으로 다양하게 부른다.[13] 드물게 종양에 의해 신경이 침범될 수 있다 (Fig. 5-41).

초음파소견은 신경의 부종에 의해 요골신경고랑 혹은 상부의 요골신경 단면적의 증가, 에코 감소, 굵은섬유다발양상의 소실이다 (Fig. 5-42).

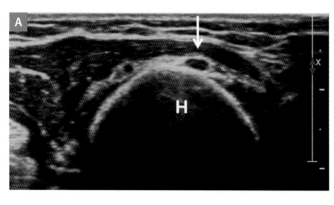
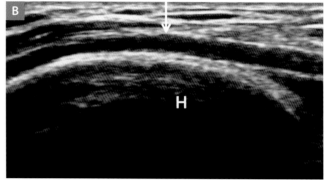

Figure 5-42 **(A)** Transverse view and **(B)** longitudinal view of posterior mid arm in 61-year-old female. Radial nerve (arrow) is enlarged in the radial groove of the mid humeral shaft. H, humerus.

2) 손뒤침근 회외근 증후군
Supinator syndrome or posterior interosseous nerve syndrome

손뒤침근 시작부위나 내부에서 요골신경의 깊은운동신경가지인 후골간신경(posterior interosseous nerve)이 눌리거나 손상되어 발생하는 증후군이다.[31] 두꺼워진 Frohse연속활에 의한 후골간신경 눌림이 가장 흔하며, 신경 주위를 지나는 동맥, 연부조직, Monteggia골절-탈구나 요골 골두의 골

절에 의해서도 신경이 눌리거나 손상될 수 있다. 후골간신경의 원위부, 즉 노쪽손목펼침근으로 가는 신경이 분지된 후 신경이 손상되면, 노쪽손목펼침근의 약화가 없으므로 손목처짐은 없고 손가락처짐만 볼 수 있다. 또한 엄지손가락을 벌리거나 펴는 힘이 약해지고, 팔꿉관절 외측에서 화끈거림(작열감, burning sensation)을 호소하기도 한다. 초음파에서 후골간신경이 눌리는 소견과 그 원인을 찾을 수 있다 (Fig. 5-43).

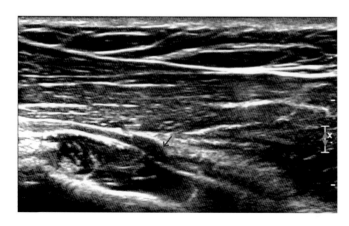

Figure 5-43 **Supinator syndrome of 61-year-old female.** Sagittal view of the posterior interosseous nerve (arrow) shows swelling proximal to the arcade of Frohse.

3) Wartenberg병

Wartenberg disease, cheiralgia paresthetica

요골신경의 얕은감각신경가지가 눌리는 비교적 드문 질환이며, 대부분 저절로 호전된다.[32,33] 아래팔을 엎칠(pronation) 때 위팔노근과 노쪽손목펼침근의 교차 움직임(scissoring action) 때문에 발생하거나, 얕은감각신경가지가 아래팔 근막을 뚫고 나오는 부위나 나온 직후에 신경이 눌려서 생긴다. 골절, 꽉 죄는 석고붕대, 팔찌, 혹은 시계 등으로 인해 증상이 생길 수 있으며, 손목을 엎치거나(pronation) 자쪽으로 굽힐 때(ulnar deviation) 증상이 심해진다.

초음파에서 신경이 눌린 부위 상방 혹은 하방에서 신경이 부어 있는 소견을 보면 진단할 수 있다 (Fig. 5-44).

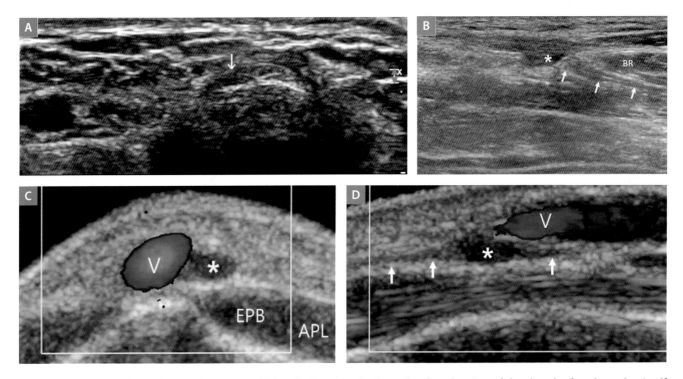

Figure 5-44 **Wartenberg disease. A.** 41-year-old female. Paresthesia along the dorsal region of the thumb after three days' golf play. Focal swelling of the sensory branch (arrow) of the radial nerve is noted on transverse view of the distal forearm radially. **B.** Post-traumatic neuroma of the superficial branch of the radial nerve. 51-year-old male patient complained tingling of the thumb for one year after glass injury. Long-axis US of the superficial radial nerve (arrows) shows focal enlargement of the nerve (*). BR: brachioradialis. (Courtesy of Prof. SM Lee, Keimyung Univ.) **C, D.** Neuroma of the superficial radial nerve after intravenous injection of the cephalic vein. This 50-year-old male patient complained numbness and tingling of the thumb just-after intravenous injection of the cephalic vein. Short-axis (C) and long-axis color Doppler images show focal enlargement of the superficial branch of the radial nerve (*) adjacent to the cephalic vein (V). Arrows, superficial radial nerve; APL, abductor pollicis longus tendon; EPB, extensor pollicis vrevis tendon. (Courtesy of Prof. SM Lee, Keimyung Univ.)

참고문헌

1. Andreisek G, Crook DW, Burg D, Marincek B, Weishaupt D. Peripheral neuropathies of the median, radial, and ulnar nerves: MR imaging features. Radiographics 2006;26:1267-1287.

2. 최수정, 류정아. 16장 압박신경병증. In: 강흥식, 홍성환, 강창호 편저, 근골격영상의학, 1st ed. 서울: 범문에듀케이션, 2013.

3. Tapadia M, Mozaffar T, Gupta R. Compressive neuropathies of the upper extremity: update on pathophysiology, classification, and electrodiagnostic findings. J Hand Surg Am 2010;35:668-677.

4. Choi SJ, Ahn JH, Ryu DS, Kang CH, Jung SM, Park MS, Shin DR. Ultrasonography for nerve compression syndromes of the upper extremity. Ultrasonography 2015;34:275-291.

5. O'Neil J. Musculoskeletal ultrasound anatomy and technique. Berlin: Springer 2008:283-312.

6. 근골격영상의학회. 초음파검사 실행 가이드라인. Seoul: 대한영상의학회, 2014:133-146.

7. Chiou HJ, Chou YH, Chiou SY, Liu JB, Chang CY. Peripheral nerve lesions: role of high-resolution US. Radiographics 2003;23:e15.

8. Won SJ, Kim BJ, Park KS, Yoon JS, Choi H. Reference values for nerve ultrasonography in the upper extremity. Muscle Nerve 2013;47:864-871.

9. Goedee HS, Brekelmans GJ, van Asseldonk JT, Beekman R, Mess WH, Visser LH. High resolution sonography in the evaluation of the peripheral nervous system in polyneuropathy--a review of the literature. Eur J Neurol 2013;20:1342-1351.

10. Johnson EO, Vekris M, Demesticha T, Soucacos PN. Neuroanatomy of the brachial plexus: normal and variant anatomy of its formation. Surg Radiol Anat 2010;32:291-297.

11. Orebaugh SL, Williams BA. Brachial plexus anatomy: normal and variant. ScientificWorldJournal 2009;9:300-312.

12. Todd M, Shah GV, Mukherji SK. MR imaging of brachial plexus. Top Magn Reson Imaging 2004;15:113-125.

13. Martinoli C, Bianchi S, Pugliese F, Bacigalupo L, Gauglio C, Valle M, et al. Sonography of entrapment neuropathies in the upper limb (wrist excluded). J Clin Ultrasound 2004;32:438-450.

14. Linda DD, Harish S, Stewart BG, Finlay K, Parasu N, Rebello RP. Multimodality imaging of peripheral neuropathies of the upper limb and brachial plexus. Radiographics 2010;30:1373-1400.

15. Pratt N. Anatomy of nerve entrapment sites in the upper quarter. J Hand Ther 2005;18:216-229.

16. Klauser AS, Halpern EJ, Faschingbauer R, Guerra F, Martinoli C, Gabl MF, et al. Bifid median nerve in carpal tunnel syndrome:

17. Kasius KM, Claes F, Meulstee J, Verhagen WI. Bifid median nerve in carpal tunnel syndrome: do we need to know? Muscle Nerve 2014;50:835-843.

18. McDonagh C, Alexander M, Kane D. The role of ultrasound in the diagnosis and management of carpal tunnel syndrome: a new paradigm. Rheumatology (Oxford) 2014.

19. Ooi CC, Wong SK, Tan AB, Chin AY, Abu Bakar R, Goh SY, et al. Diagnostic criteria of carpal tunnel syndrome using high-resolution ultrasonography: correlation with nerve conduction studies. Skeletal Radiol 2014.

20. Buchberger W, Schon G, Strasser K, Jungwirth W. High-resolution ultrasonography of the carpal tunnel. J Ultrasound Med 1991;10:531-537

21. Akcar N, Ozkan S, Mehmetoglu O, Calisir C, Adapinar B. Value of power Doppler and gray-scale US in the diagnosis of carpal tunnel syndrome: contribution of cross-sectional area just before the tunnel inlet as compared with the cross-sectional area at the tunnel. Korean J Radiol 2010;11:632-639.

22. Klauser AS, Halpern EJ, De Zordo T, Feuchtner GM, Arora R, Gruber J, et al. Carpal tunnel syndrome assessment with US: value of additional cross-sectional area measurements of the median nerve in patients versus healthy volunteers. Radiology 2009;250:171-177.

23. Miyamoto H, Halpern EJ, Kastlunger M, Gabl M, Arora R, Bellmann-Weiler R, et al. Carpal tunnel syndrome: diagnosis by means of median nerve elasticity--improved diagnostic accuracy of US with sonoelastography. Radiology 2014;270:481-486.

24. Bianchi S, Martinoli C. Ultrasound of the musculoskeletal system. Verlag, Berlin: Springer, 2007:357.

25. Maroukis BL, Ogawa T, Rehim SA, Chung KC. Guyon canal: the evolution of clinical anatomy. J Hand Surg Am 2015;40:560-565.

26. Bianchi S, Martinoli C. Ultrasound of the musculoskeletal system. Verlag, Berlin: Springer, 2007:448-449.

27. Okamoto M, Abe M, Shirai H, Ueda N. Morphology and dynamics of the ulnar nerve in the cubital tunnel. Observation by ultrasonography. J Hand Surg Br 2000;25:85-89.

28. Esplugas M, Lluch A, Garcia-Elias M, Llusa-Perez M. How to Avoid Ulnar Nerve Injury When Setting the 6U Wrist Arthroscopy Portal. J Wrist Surg 2014;3:128-131.

29. Bianchi S, Martinoli C. Ultrasound of the musculoskeletal system. Verlag, Berlin: Springer, 2007:338-339.

30. Kim KH, Byun EJ, Oh EH. Ultrasonographic findings of superficial radial nerve and cephalic vein. Ann Rehabil Med

2014;38:52-56.

31. Jacobson JA, Fessell DP, Lobo Lda G, Yang LJ. Entrapment neuropathies I: upper limb (carpal tunnel excluded). Semin Musculoskelet Radiol 2010;14:473-486.

32. Bianchi S, Martinoli C. Ultrasound of the musculoskeletal system. Verlag, Berlin: Springer, 2007:452.

33. De Maeseneer M, Marcelis S, Jager T, Girard C, Gest T, Jamadar D. Spectrum of normal and pathologic findings in the region of the first extensor compartment of the wrist: sonographic findings and correlations with dissections. J Ultrasound Med 2009;28:779-786.

하지 신경
Peripheral Nerve: Lower Extremity

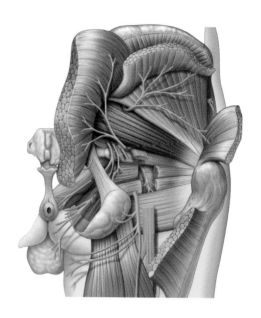

06 CHAPTER

■ 이선주, 이성문

하지 신경
Peripheral Nerve: Lower Extremity

I. 말초신경의 정상 초음파소견
Normal sonohistology of the peripheral nerves

말초신경의 기본단위는 신경섬유(nerve fiber)이며 신경내막 (endoneurium)에 싸여있다. 신경섬유들이 모여서 신경다발 (nerve fascicle)을 이루며, 신경다발은 신경다발막(perineuri-um)으로 둘러싸여 있다. 여러 가닥의 신경다발이 모여서 신경(nerve trunk)을 이루고, 신경은 신경바깥막(epineurium)으로 둘러싸여 있다. 신경다발막과 신경바깥막은 결합조직, 혈관, 림프관, 성근조직(areolar tissue), 탄력섬유(elastic fi-ber) 등으로 구성되어 있다 (Chapter 05 상지 신경 230쪽 그림 참조 바람).[1]

신경내막은 얇아서 초음파로 보이지 않으며, 신경다발막은 초음파에서 고에코의 선으로 보이고 신경바깥막은 더 두꺼운 고에코의 선으로 관찰된다. 단축(short axis)영상에서 말초신경은 벌집(honeycomb)처럼 보이는데 저에코의 신경다발이 고에코의 신경다발막과 신경바깥막에 의해 둘러싸여 있다. 장축(long axis)영상에서는 다수의 저에코 평행선들이 고에코의 띠로 분리된 형상으로 굵은섬유다발양상(fascicular pattern)을 보인다. 말초신경의 에코는 근육과 힘줄의 중간이며 힘줄에 비해 비등방성 효과(anisotropic effect)가 덜 생긴다.[2,3]

II. 검사방법 Scan techniques

표층에 위치하는 신경의 검사에는 고주파수(12~17 MHz) 탐촉자가 적당하고, 좌골신경(sciatic nerve)같이 깊이 놓인 신경에는 저주파수 탐촉자가 적당하며, 필요시 적절한 압박을 가한다. 탐촉자의 주파수가 낮을수록 해상도(resolution)는 떨어진다.[4] 신경이 섬유골터널(fibroosseous tunnel)에서는 지지띠(retinaculum)에 의해 고정되어 있는데, 역동적 검사를 통해 신경의 아탈구(subluxation) 혹은 탈구(dislocation)의 여부를 확인하는 것이 필요하다. 증상이 없는 반대편과 비교하면 신경의 크기나 에코의 변화를 확인하는 데 도움이 된다. Doppler검사에서 혈류의 변화를 관찰할 수 있다.[2] 검사 전에 환자의 병력 및 수술 등의 과거력을 미리 확인하고, 최근 시행한 다른 종류의 영상검사 또는 근전도검사 등의 결과를 미리 확인함으로써 초음파검사의 정확도를 높일 수 있으며 검사 범위를 좁힐 수 있다.

III. 정상해부학과 말초신경 포착증후군
Entrapment syndrome

1. 고관절 주위의 신경

1) 좌골신경 Sciatic nerve

(1) 정상해부학

좌골신경은 우리 몸에서 가장 크고 긴 신경이다. 4, 5번 요추신경과 1, 2, 3번 천추신경의 신경근(nerve root)들이 모여서 좌골신경을 이루며, 골반강 내에서 이상근(piriformis muscle)의 앞쪽으로 주행해 이 근육의 아래쪽을 지나서 대좌골공(greater sciatic foramen)을 통해 골반강 밖으로 빠져 나온다. 일부에서는 좌골신경의 일부가 이상근을 뚫고 주행하거나 혹은 이 근육의 위로 주행하기도 한다.[5] 골반강을 빠져 나온 좌골신경은 대전자(greater trochanter)와 좌골결절(ischial tuberosity)사이에 위치하고 대둔근(gluteus maximus)의 심부로 주행하다가 외측으로 돌아서 내폐쇄근(obturator internus muscle)과 쌍둥이근(gemellus muscle)의 표증으로 주행한다. 원위부로 반힘줄근(semitendinosus)과 대퇴이두근(biceps femoris) 사이를 지나 슬와(popliteal fossa)의 뒤쪽까지 한 줄기(single trunk)로 내려온다.[6] 대퇴부 아래쪽 1/3 부근에서 경골신경(tibial nerve)과 총비골신경(온종아리신경, common peroneal nerve)으로 분지된다. 좌골신경이 갈라지는 위치가 다양하므로 초음파유도하 신경차단술(nerve block)을 시행할 때 분지를 정확히 확인한 후 그 상방에서 시행하여야 한다.[7]

(2) 자세
환자가 엎드린 자세에서 검사한다 (Fig. 6-1).

(3) 검사방법
좌골결절과 대전자를 연결하는 횡축영상에서 대둔근의 아래, 좌골결절의 바깥쪽에서 좌골신경을 찾을 수 있으며, 그 아래에는 대퇴방형근(quadratus femoris)이 보인다. 좌골신

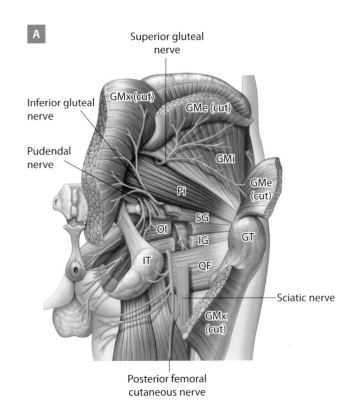

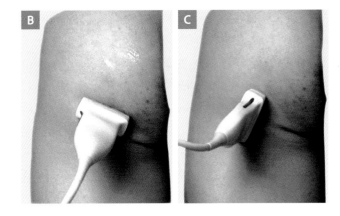

Figure 6-1 Sciatic nerve. A. The sciatic nerve lies between the gluteus maximus and the gemelli. This nerve can be traced proximally until it passes into the pelvis through the sciatic notch (inferior to the piriformis muscle). **B, C.** Transducer position on the buttock: short- (**B**) and long-axis (**C**). GMx, Gluteus maximus, GMe, Gluteus medius; GMi, Gluteus minimus; Pi, Piriformis; SG, Superior gemellus; OI, Obturator internus; IG, Inferior gemellus; QF, Quadratus femoris; IT, Ischial tuberosity; GT, Greater trochanter.

경을 찾은 후 위쪽으로는 최대한 볼 수 있는 부위까지, 아래쪽으로는 경골신경과 총비골신경으로 분지되는 부위까지 검사한다 (Fig. 6-2). [3,7]

(4) 신경병증 Neuropapthy

이상근증후군(piriformis syndrome)은 좌골신경이 대좌골절흔(greater sciatic notch) 주변에서 이상근에 의해 눌려서 발생한다. 원인으로 이상근의 비대, 근육 염증, 뇌성마비로 인한 이상근의 강직, 근육 내 혈종이나 외상 후 섬유성 유착, 신경의 이상근 내 주행 등을 들 수 있다. 전형적으로 엉덩이 통증, 전자(trochanter)부위나 허벅지 뒤쪽의 통증이 고관절을 내전(adduction)과 내회전(internal rotation)하면 악화되고 바로 누우면 호전된다. 이상근을 눌렀을 때 압통이 있을 수 있다. 초음파에서 신경과 근육의 크기나 에코양상의 변화 (Fig. 6-3), 신경 주위에 종괴가 있는지 등을 확인한다. 포착부위보다 근위부의 신경이 붓고 낮은 에코를 보인다. 만성적 말초신경장애가 있을 때, 탈신경 근위축(denervated muscle atrophy)이 있고, 이런 근육은 에코가 증가되어 밝게 보인다. [8~14]

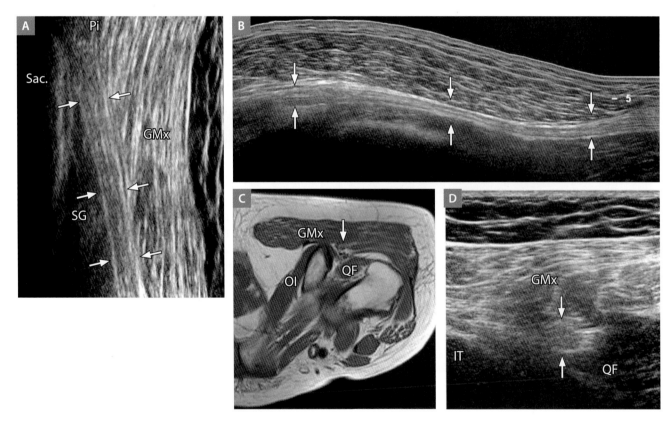

Figure 6-2 **Sciatic nerve**. **A, B.** Long-axis US shows tubular structure (arrows) with fascicular pattern between the gluteus maximus muscle (GMx) and the superior gemellus muscle (SG). Pi, priformis muscle; Sac, sacrum. **C.** Axial T1-weighted MR image in prone position shows the sciatic nerve (arrow) located between the gluteus maximus muscle (GMx) and the quadratus femoris muscle (QF). OI, obturator internus. **D.** Short-axis US shows a nodular structure (arrows) with honeycomb pattern between the gluteus maximus muscle (GMx) and the quadratus femoris muscle QF). IT, ischial tuberosity.

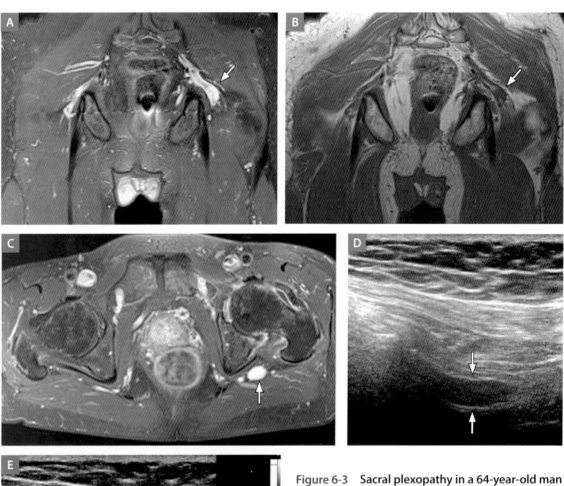

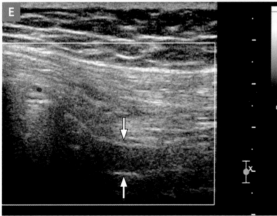

Figure 6-3 **Sacral plexopathy in a 64-year-old man with left sciatica**. **A-C.** On MR scans, left sciatic nerve (arrow) which originates from left sacral nerve plexus shows increased signal intensity and swelling on coronal fat suppressed intermediate-weighted image (**A**), low signal intensity on coronal T1-weighted image (**B**) and enhancement on axial contrast-enhanced T1-weighted image (**C**). **D, E.** On long-axis US and color Doppler scan, the sciatic nerve (arrows) shows swelling and decreased echogenicity without hypervascularity. Color Doppler examination also useful to differentiate the nerve from a vascular structure.

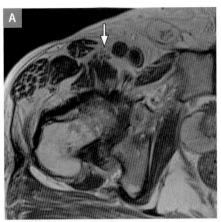

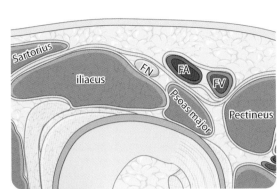

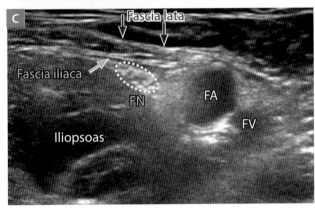

Figure 6-4 Femoral nerve. A. Axial T1-weighted MR image shows the femoral nerve (arrow) with fascicular pattern which is located lateral to the femoral artery and superficial to the iliacus and the psoas major muscle. **B.** Schematic diagram of normal anatomy of the femoral nerve. The femoral nerve is located lateral to the artery and the vein, and deep to the fascia iliaca. FA, femoral artery; FV, femoral vein; FN, femoral nerve. **C.** On short-axis US scan, the femoral nerve (FN) is seen as a hyperechoic nodular structure with honeycomb appearance between the femoral artery (FA) and the iliopsoas muscle, under the fascia iliaca.

2) 대퇴신경 Femoral nerve

(1) 정상해부학

대퇴신경은 2, 3, 4 요추신경의 신경근으로부터 형성되며, 장근(iliacus muscle, 엉덩근)과 요근(psoas muscle, 허리근) 사이로 주행한다. 내려오면서 서혜인대(inguinal ligament, 샅고랑인대) 밑으로 장요근(iliopsoas muscle)과 장골-치골근막(iliopectineal fascia, 엉덩-두덩근막) 사이로 지나며 대퇴동맥의 바깥쪽에 위치한다. 서혜인대를 지나자마자 대퇴신경은 앞뒤로 분지(division)되어 앞분지는 치골근(pectineus)과 봉공근(sartorius, 넙다리빗근)을 지배하고, 뒷분지는 대퇴사두근(넙다리네갈래근, quadriceps femoris muscle)을 지배한다.[15]

(2) 자세

환자가 누운 자세에서 검사한다.

(3) 검사방법

서혜인대에서 횡축영상을 얻으면 대퇴동맥의 바로 바깥쪽에서 타원형이거나 삼각형 모양의 대퇴신경을 볼 수 있다 (Fig. 6-4).[7]

(4) 신경병증

장근증후군(iliacus syndrome)은 골반이나 서혜부에서 대퇴신경이 눌려 발생한다. 원인으로는 의인성(iatrogenic) 손상 (Fig. 6-5), 외상성 손상, 장요근의 혈종이나 파열, 종괴, 장요근윤활낭(iliopsoas bursa)의 팽창, 가성동정맥류(pseudoa-

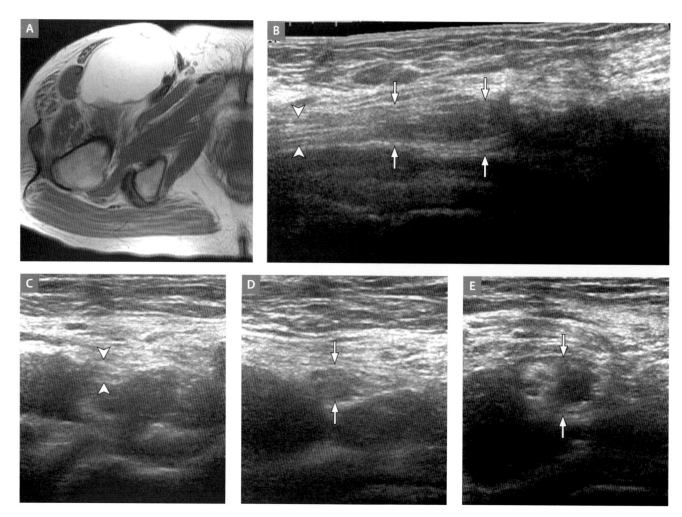

Figure 6-5 **Femoral nerve neuroma in a 63-year-old woman with paresthesia on the anterior thigh after excision of lipoma in the inguinal area. A.** Pre-operative axial T1-weighted MR image shows a well-marginated hyperintense mass (confirmed as lipoma) in the right femoral canal. **B-E.** On post-operative long-axis (**B**) and short-axis (**C-E**) US images, the femoral nerve near the operative site (arrows on **B**, **D** and **E**) shows swelling with decreased echogenicity as compared with normal proximal portion (arrowheads on **B** and **C**).

neurysm) 등이 있다. 임상증상은 무릎관절의 약화, 허벅지 앞쪽 근육의 위축, 앞쪽 허벅지와 내측 종아리, 발의 내측과 엄지발가락의 저림과 감각이상 등이 있다.[16,17]

3) 외측대퇴피부신경 Lateral femoral cutaneous nerve

(1) 정상해부학

외측대퇴피부신경은 2, 3번 요추신경근에서 기원하며 순수한 감각신경으로서 대퇴부의 전외측 감각을 담당한다. 골반강에서는 다양한 경로를 보일 수 있으나 대부분 전상장골극(anterosuperior iliac spine; 이하 ASIS)보다 약 1 cm 정도 내

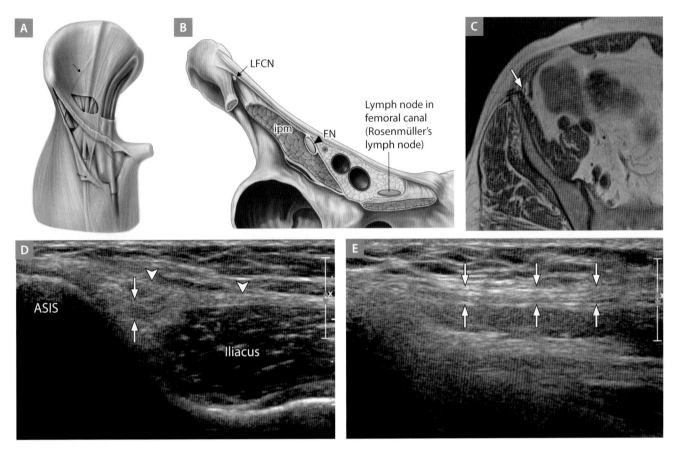

Figure 6-6 Lateral femoral cutaneous nerve (LFCN). A. Normal anatomy of the lateral femoral cutaneous nerve. The LFCN emerges from the lateral border of the psoas major and runs obliquely downward and laterally beneath the fascia iliaca toward the anterior superior iliac spine (ASIS). The nerve leaves the pelvis and runs beneath the fascia lata, and then upon it to the skin of the anterior thigh. **B.** A schematic diagram of normal anatomy of the lateral femoral cutaneous nerve. ipm, iliopsoas muscle; FN, femoral nerve. **C.** Axial T1-weighted MR image shows a normal lateral femoral cutaneous nerve (arrow) which is located medial to anterior superior iliac spine (ASIS) and under the fascia iliaca. **D.** Short-axis US shows LFCN (arrows) as a nodular structure with honeycomb pattern. It is located medial to the anterior superior iliac spine (ASIS) and under the inguinal ligament (arrowheads). **E.** Long-axis US shows the LFCN (arrows) as a tubular structure with fascicular pattern.

측으로 주행하며 서혜인대의 아래쪽을 지난다 (Fig. 6-6). 때로 서혜인대의 위로 지나거나, 인대를 뚫고 지날 수도 있고, ASIS의 외측으로 주행하는 등 경로가 다양하므로 이를 감안하여 초음파에서 찾아야 한다.[18]

(2) 자세
환자가 누운 상태에서 검사한다.

(3) 검사방법
ASIS를 기준점으로 서혜인대를 따라 횡축영상에서 ASIS에 인접한 신경을 찾을 수 있다. 매우 작은 신경이므로 고해상도의 탐촉자가 필요하다 (Fig. 6-6).[7]

(4) 신경병증
외측대퇴피부신경 포착증후군은 대퇴감각이상증(meralgia

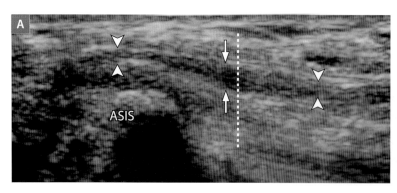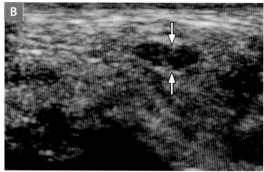

Figure 6-7 **Meralgia paresthetica in a 62-year-old woman with paresthesia on the lateral thigh. A.** On long-axis US image, the LFCN shows focal swelling with decreased echogenicity (arrows), compared with proximal and distal portion (arrowheads). **B.** On short-axis US image at the dashed line on A, the LFCN (arrows) shows decreased echogenicity and increased volume with loss of normal fascicular pattern. (Courtesy of Prof. Dong-Ho Ha, Dong-A Univ. Pusan, Korea)

paresthetica)이라고 하며 원인은 ASIS의 견열골절(avul-sion fracture), 종양, 하지 길이의 불일치, 벨트 혹은 비만으로 인해 신경이 눌리는 경우 등이 있다 (Fig. 6-7). 임상증상은 허벅지 외측의 통증, 저림, 무감각 등이 있는데 ASIS를 누르면 증상이 악화되고 고관절을 굽힐 때 증상이 완화된다.[18,19]

4) 음부신경 Pudendal nerve

(1) 정상해부학

음부신경은 3, 4 천추신경근으로부터 형성된다. 이 신경은 좌골신경과 함께 대좌골공(greater sciatic foramen)을 통해 골반을 빠져 나와 깊은 둔부 구역(deep gluteal compartment)에 도달한다. 그 후 천추인대(sacrospinous ligament)를 감고 돌아 좌골극(궁둥뼈가시, ischial spine)의 내측경계에 도달하고 항문거근(항문올림근, levator ani muscle)의 밑으로 주행하며 음부신경관(pudendal canal, Alcock's canal) 안에 위치한다 (Fig. 6-8).[13]

(2) 자세

환자가 엎드린 자세에서 검사한다.

(3) 검사방법

좌골극에서 횡축영상을 얻으면 좌골극 내측경계와 음부동맥(pudendal artery) 사이에서 음부신경을 볼 수 있다 (Fig. 6-8).[7]

5) 폐쇄신경 Obturator nerve

(1) 정상해부학

폐쇄신경은 2, 3, 4 요추신경의 복측신경가지(ventral ra-mus)에서 기원하며 요근의 후내측면을 따라 수직으로 주행하여 폐쇄관(obturator canal)을 통해 골반강에서 빠져 나간다. 폐쇄관을 지나면서 앞가지(anterior branch)와 뒷가지(posterior branch)로 나뉘는데, 앞가지는 단내전근(adductor brevis)의 앞으로 주행하면서 박근(두덩정강근, gracilis), 장내전근(adductor longus), 단내전근의 운동과 대퇴 내측의 감각을 지배한다. 뒷가지는 단내전근의 뒤로 주행하면서 외폐쇄근(obturator externus), 대내전근(adductor magnus) 일부의 운동과 슬관절 내측의 감각을 담당한다.[9~11]

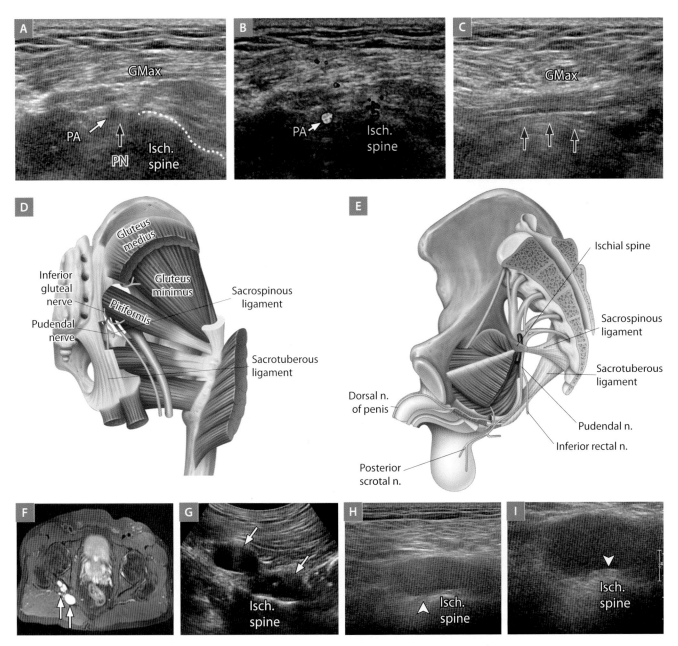

Figure 6-8 **Pudendal nerve. A.** On short-axis US image, the pudendal nerve (PN) and the pudendal artery(PA), showing nodular appearance, are located between the gluteus maximus (GMx) and the ischial spine. **B.** On color Doppler US image, arterial flow in the PA is helpful for differentiation of the PN from the PA. **C.** On long-axis US image, the PN is located between the gluteus maximus (GMx) and the ischial spine, showing fascicular appearance with curved pathway (arrows). **D, E.** Normal anatomy of the pudendal nerve. The pudendal nerve comes from sacral plexus. The nerve enters gluteal region through greater sciatic foramen medial to sciatic nerve, runs over the sacrospinous ligament, and enters pelvis again through lesser sciatic foramen between sacrospinous and sacrotuberous ligaments. **F-G.** Pudendal neuropathy due to a ganglion. A 59-year-old man complained perineal discomfort for several months. Proton-density fat-saturation axial image (**F**) and corresponding US show a multilocular cystic mass (arrows) around the right ischial spine. Short-axis (**G**) and long-axis (**H**) US images with 12 MHz probe show the pudendal nerve (arrowheads) between the ganglion and the ischial spine. US-guided aspiration was done and patient's symptom was improved.

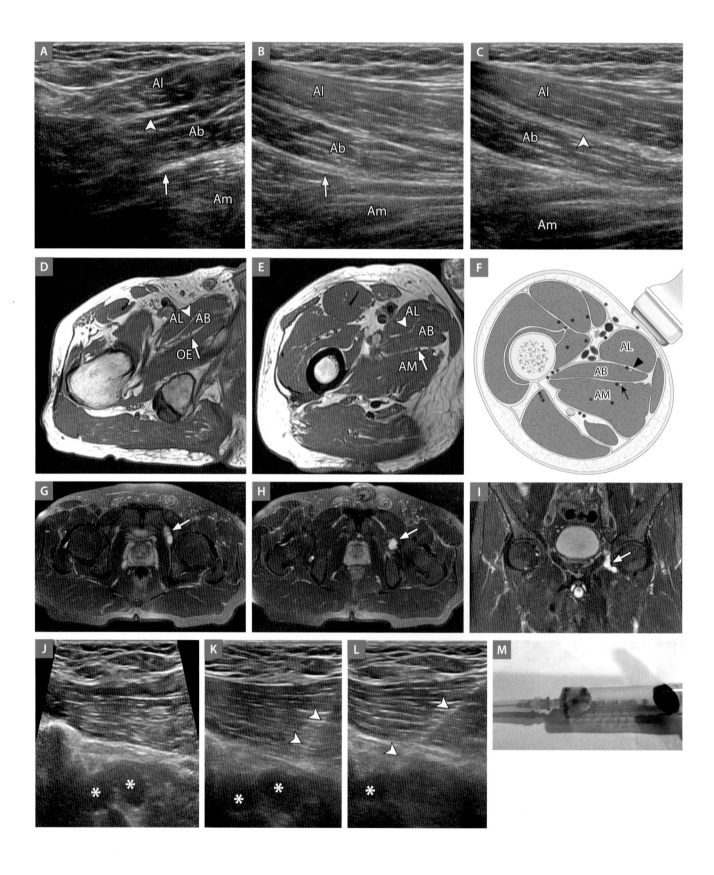

(2) 자세
환자가 누운 상태에서 검사한다.

(3) 검사방법
치골결절(두덩뼈결절, pubic tubercle)을 기준점으로 단내전근을 찾은 다음 단내전근의 앞뒤로 주행하는 폐쇄신경을 찾는다 (Fig. 6-9). 폐쇄신경의 분지들은 매우 작고 근육 사이에 위치하므로 고해상도의 초음파기기가 필요하다. 골반강내의 신경은 초음파검사로 찾기가 어려우며 폐쇄신경을 통상적으로 검사하지는 않는다.[7]

(4) 신경병증
폐쇄신경병증(obturator neuropathy)은 흔하지 않으며 주로 외상이나 수술과 관련되어 생긴다. 운동과 연관된 폐쇄신경병증은 단내전근의 힘줄증(tendinosis)과 동반되어 폐쇄신경의 앞가지가 근막(fascia)에 유착되어 증상을 유발하는 것으로 생각하고 있다. 임상증상은 서혜부나 내측 허벅지 통증, 내전근(adductor muscle)들의 약화, 넓은 걸음걸이(wide gait) 등을 볼 수 있다.[11,12]

6) 복재신경 Saphenous nerve

(1) 정상해부학
복재신경은 대퇴신경의 가장 길고 큰 분지이며 허벅지, 종아리, 발의 내측 감각을 담당하는 신경이다. 서혜인대 직하방에서 분지하여 내전근관(adductor canal, Hunter's canal) 안으로 들어가고 이후 봉공근(sartorius muscle)의 안쪽으로 지나면서 비스듬히 앞쪽에서 뒤쪽으로 주행한다.[3]

(2) 자세
환자가 누운 상태에서 검사한다.

(3) 검사방법
서혜인대 직하방에서 대퇴동맥의 내측으로 내전근관(adductor canal) 안에서 복재신경을 볼 수 있다 (Fig. 6-10).[7]

(4) 신경병증
포착증후군시 임상증상은 종아리, 발의 내측과 엄지발가락에 감각이상이나 무감각이 생길 수 있다. 내전근관(adductor canal)을 지날 때 피부 가까이 놓이므로 외상성 타박상이나 열상을 입기 쉽다.[9]

2. 무릎과 다리 주위의 신경
Nerves around the knee and calf

1) 경골신경 Tibial nerve

(1) 정상해부학
경골신경은 정상적으로 슬와(popliteal fossa)의 가장 윗부분(apex)에서 좌골신경으로부터 분지된다. 슬와는 상부의 대퇴이두근(biceps femoris)과 반막근(semimembranous muscle), 그리고 하부의 장딴지근(비복근, gastrocnemius muscle)의 두 머리(two heads)가 형성하는 다이아몬드 모양의 지방(fat)

Figure 6-9 **Obturator nerve**. Short-axis (**A**) and long-axis (**B, C**) US below the superior pubic ramus and axial T1-weighted MR images (**D, E**) show the obturator nerve that is located just below the superior pubic ramus. The nerve is divided into anterior (arrowhead) and posterior branch (arrow) after passing the obturator canal. Al, adductor longus; Ab, adductor brevis; Am, adductor magnus; P, pectineus; OE, obturator externus. **F**. Transducer position on the medial thigh. **G-L**. A gangion in the obturator canal with compressive neuropathy of the obturator nerve. A 54-year-old male patient complained left inguinal pain for more than six months. T2 weighted fat-suppression axial images (**G, H**) and coronal image (**I**) show multilocular cystic lesion (arrow) along left obturator canal. Long-axis US image (**J**) shows extrapelvic portion of the ganglion(*). US-guided aspiration was done (**K, L**) and patient's symptom was improved. **M**. Jelly-like material was aspirated into the syringe.

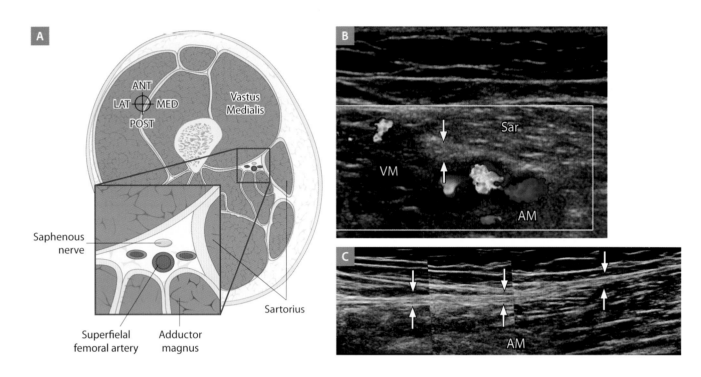

Figure 6-10   **Saphenous nerve**. **A.** Normal anatomy of the saphenous nerve. The saphenous nerve approaches the femoral artery where this vessel passes beneath the sartorius, and lies in front of the artery, behind the aponeurotic covering of the adductor canal, as far as the opening in the lower part of the adductor magnus. **B.** On short-axis color Doppler US image, the saphenous nerve (arrows) is located in the adductor canal, which is surrounded by the sartorius medially, the adductor magnus posteriorly, and the vastus medialis laterally. Sar, Sartorius; VM, vastus medialis; AM, adductor magnus. **C.** Long-axis US image shows the saphenous nerve (arrows) as a tubular structure with fascicular pattern, superficial to the adductor magnus.

공간이다. 슬와정맥의 후방에 위치하여 슬와의 정중앙으로 내려오는데, 이 부위에서는 슬와근막에 덮혀 있다. 슬와의 최하단부에서는 신경의 앞쪽에 슬와근(오금근, popliteus muscle)이, 뒤쪽에는 가자미근의 섬유 아케이드(fibrous arcade of soleus muscle)가 있는데, 이 사이로 주행하여 다리의 뒤쪽 구역(posterior compartment of the leg)으로 내려간다.[20,21]

(2) 자세

환자는 엎드린 자세에서 다리와 발목 부위를 베개 등으로 받혀 무릎이 약간 구부려진 상태에서 검사한다 (Fig. 6-11).

(3) 검사방법

대퇴 아래쪽 1/3지점의 횡축영상에서 대퇴이두근(biceps femoris muscle)보다 내측에서 좌골신경을 확인한 후, 아래로 내려오면서 슬와의 위쪽에서 경골신경과 총비골신경의 분지를 확인한다 (Fig. 6-11). 탐촉자를 좀 더 아래로 내려서 슬와의 중앙을 주행하는 경골신경을 확인한다. 슬와의 중간 부분에서는 신경 전방에 위치하는 슬와정맥을, 아래부분에서는 슬와근을 해부학적 지표로 삼을 수 있다. 횡축영상을 얻은 후, 경골신경의 전체 경로를 따라 종축으로도 확인한다 (Fig. 6-12).[7]

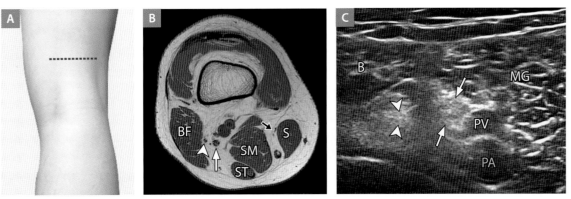

Figure 6-11 **Tibial nerve and common peroneal nerve: bifurcation of the sciatic nerve.** **A.** Transducer position on the distal thigh. **B.** Axial T1-weighted MR image shows the bifurcation of the sciatic nerve into the tibial nerve (arrow) and the common peroneal nerve (arrowhead) at the distal thigh. BF, biceps femoris; SM, semimembranosus muscle; ST, semitendinosus muscle; S, sartorius; G, gracilis; V, popliteal vein; black arrow, saphenous nerve. **C.** As tracing the pathway of the sciatic nerve, the bifurcation of the sciatic nerve into the tibial nerve (arrows) and the common peroneal nerve (arrowheads) is noted at the distal femoral level. Short-axis US shows two hyperechoic nodular structures with honeycomb appearance. B, biceps femoris; MG, medial head of the gastrocnemius muscle; PA, popliteal artery; PV, popliteal vein.

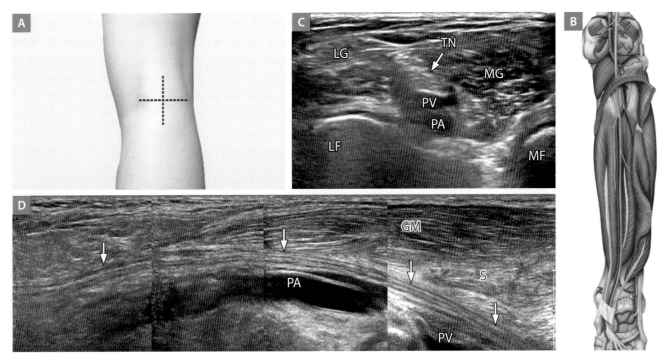

Figure 6-12 **Tibial nerve.** **A.** Transducer position on the posterior knee: short- and long-axis. **B.** Normal anatomy of the tibial nerve. The tibial nerve arises from the sciatic nerve at the apex of the popliteal fossa. It travels through the popliteal fossa, giving off branches to muscles in the superficial posterior compartment of the leg. **C.** Short-axis US shows the popliteal neurovascular bundles with typical alignment of the tibial nerve (TN), the popliteal vein (PV) and the popliteal artery (PA) in order from superficial to deep. LG, lateral head of the gastrocnemius muscle; MG, medial head of the gastrocnemius muscle; MF, medial femoral condyle; LF, lateral femoral condyle. **D.** Long-axis US image shows tibial nerve (arrows) as a hyperechoic tubular structure with fascicular pattern, superficial to the popliteal artery and vein. GM, gastrocnemius muscle; S, soleus muscle.

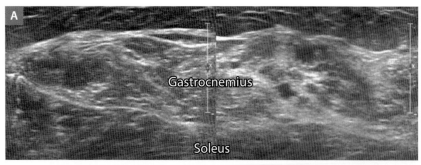

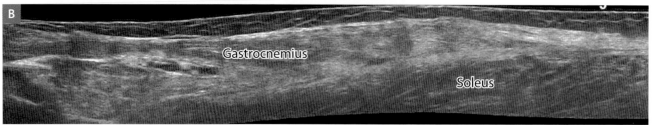

Figure 6-13 **Tibial neuropathy in a 21-year-old woman with progressive calf contracture.** She had tibial nerve block for calf reduction. On short-axis (A) and long-axis (B) US images, the gastrocnemius muscle shows increased echogenicity with atrophy, which means chronic denervative change of the muscle.

(4) 경골신경병증 Tibial neuropathy

경골신경은 종양이 침범하거나, 혈종이나 슬와낭종(popliteal cyst, Baker's cyst) 등에 의해 압박될 수 있으며, 드물게는 해부학적 이상에 의한 신경포착(nerve entrapment)도 있다 (Fig. 6-13).[22]

가자미근걸이증후군(soleal sling syndrome)은 경골신경이 가자미근 기시부의 힘줄활(tendinous arch, 혹은 근섬유성 걸이 fibromuscular sling)을 통과하여 장딴지 뒤쪽 깊은 구획(deep posterior compartment)으로 들어가는 부위에서 힘줄활에 의해 신경이 압박 받는 경우를 말하며 (Fig. 6-14) 수술로 호전될 수 있다.[23~26] 임상적으로 슬와 부위와 장딴지 상부의 통증과 압통이 있으며 체중부하를 가하거나 걸을 때 발이 땅에서 떨어지는 시점(stepping-off phase of walking), 또는 발을 수동적으로 발등굽힘(dorsiflexion) 할 때 통증이 심해지는 것이 특징이다. 또한 Tinel징후(Tinel sign)가 나타나고 발과 발바닥에 감각이상, 발가락의 발등굽힘과 외전(abduction)의 약화를 보이기도 한다.[25] T2강조 자기공명영상(MRI)에서 경골신경의 신호강도가 증가하고, 가자미근걸이(soleal sling)의 두께가 두꺼워지며, 장딴지 뒤쪽 구획

근육들의 탈신경 변화를 보이므로[27,28] 초음파에서도 같은 소견을 보일 것으로 기대한다.

2) 비골신경 종아리신경, Peroneal nerve

(1) 정상해부학

총비골신경(온종아리신경, common peroneal nerve)은 상부 슬와(popliteal fossa)에서 좌골신경으로부터 분지된 후, 대퇴이두근(넙다리두갈래근, biceps femoris muscle) 및 힘줄의 내측 경계면과 외측장딴지근(비복근, lateral head of gastrocnemius muscle) 사이에서 아래로 비스듬히 주행하여 표층부로 나온다. 이후 비골 목(fibula neck)을 휘감아 돌아 근육사이막(intermuscular septum)을 뚫고 장비골근(peroneus longus muscle)과 비골 골간단(metaphysis) 사이의 터널(tunnel)을 통해 다리의 전방 구획으로 주행한다.[29] 대부분의 경우 총비골신경은 비골의 목 또는 직하방 부위에서 삼분지(trifurcation)하는데, 표재 및 심비골신경과 회귀관절분지(recurrent articular branch)로 나뉜다.[20] 표재비골신경(superficial peroneal nerve)은 비골의 외측에서 장비골근과 앞쪽 근육사

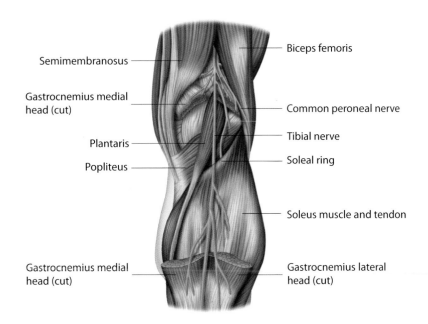

Semimembranosus

Gastrocnemius medial head (cut)

Plantaris

Popliteus

Gastrocnemius medial head (cut)

Biceps femoris

Common peroneal nerve

Tibial nerve

Soleal ring

Soleus muscle and tendon

Gastrocnemius lateral head (cut)

Figure 6-14 **Soleal sling.** An illlustration of the soleal sing and the tibial nerve from the posterior view. The gastrocnemius is stripped away for depiction of the tibial nerve. The tibial nerve passes below the tendinous arch of the soleus, and runs into the deep posterior compartment.

이막 사이를 주행하여 다리의 중간지점에서 종아리근막(하퇴근막, crural fascia)을 뚫고 나와 피하층(subcutaneous layer)으로 주행한다. 심비골신경(deep peroneal nerve)은 비골 목 부근에서 앞쪽 근육사이막을 뚫고 심부로 진입한다. 이후 전경골근(앞정강근, tibialis anterior muscle)과 지신근(발가락폄근, extensor digitorum muscle) 사이를 전경골동맥(앞정강동맥, anterior tibial artery)과 함께 주행하며, 원위부에서는 전경골근과 장족무지신근(긴엄지폄근, extensor hallucis longus muscle) 사이를 지난다. [21,29]

(2) 자세

환자는 누운자세(supine) 또는 옆누운자세(lateral decubitus)에서 허벅지를 내회전(internal rotation)시키고, 무릎을 약간 구부린 상태에서 검사를 진행한다 (Fig. 6-15).

(3) 검사방법

대퇴 아래쪽 1/3지점의 횡축영상에서 대퇴이두근(biceps femoris muscle)보다 내측에서 좌골신경을 확인한 후, 아래로 내려오면서 슬와 상부에서 총비골신경과 경골신경(정강신경, tibial nerve)의 분지를 확인한다. 탐촉자를 횡축으로 유지하면서 총비골신경의 주행을 따라 내려오면, 대퇴이두근과 외측장딴지근 사이에 신경이 보인다. 이 부위에서 총비골신경의 내후방으로 외측비복피신경(가쪽장딴지피부신경, lateral sural cutaneous nerve)이 분지되어 표재층을 따라 주행하는 것을 볼 수 있다. 이후, 무릎 외측의 표재층을 주행하다 비골 목을 감싸 돌아 심부로 진입하여 장비골근과 비골근위부 골 간단 사이를 주행하는 것을 확인한다. 이 부위에서 표재비골신경과 심비골신경으로 분지되는데, 일반적으로 심비골신경이 표재비골신경의 전방에 위치하고 표재비골신경은 비골에 보다 가까이 있다. 단축영상검사를 마친 후 다

▶ p.286으로 이어집니다.

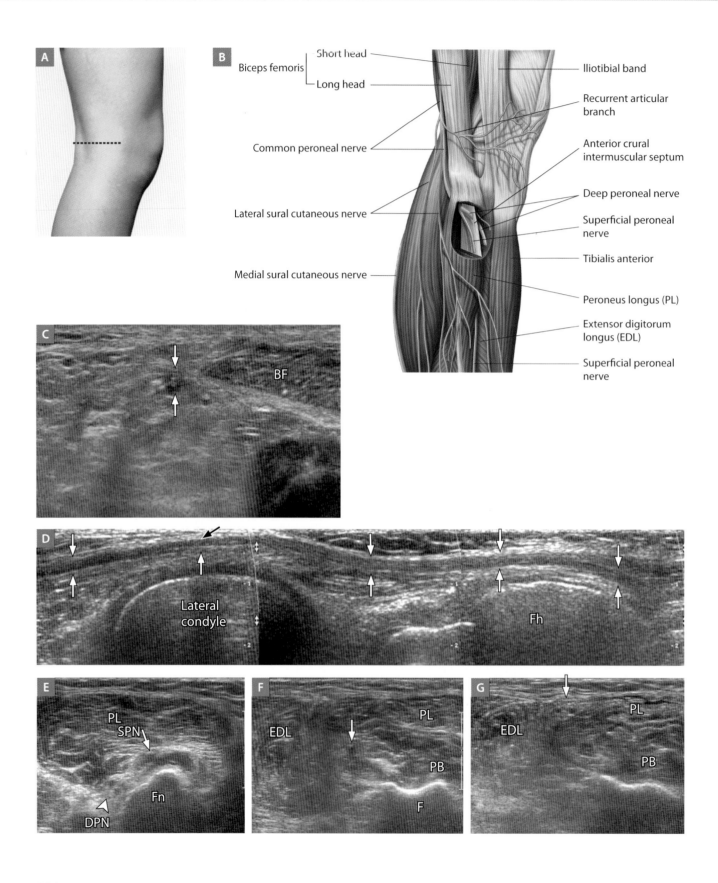

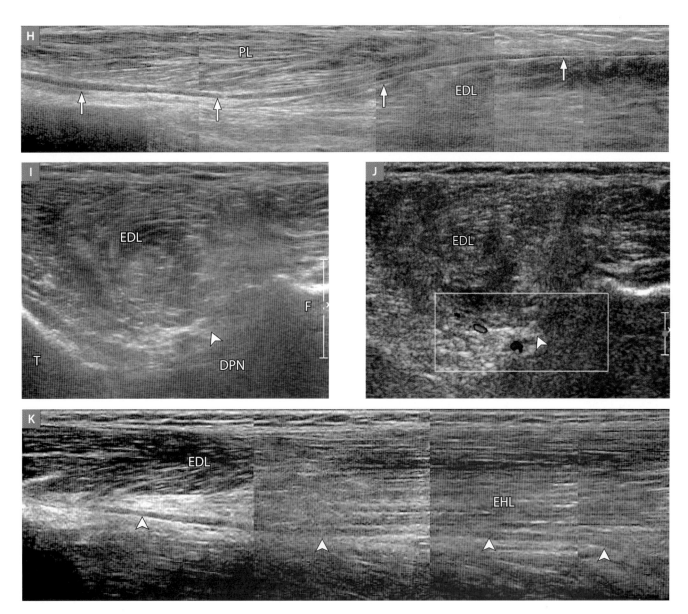

Figure 6-15 Common peroneal nerve. A. Transducer position on the lateral knee. **B.** Normal anatomy of the common perone-al nerve. The common peroneal nerve lies between the tendon of the biceps femoris and the lateral head of the gastrocnemius muscle, winds around the neck of the fibula, between peroneus longus and the bone, and divides beneath the muscle into the superficial peroneal nerve and the deep peroneal nerve. **C.** On short-axis US image, the common peroneal nerve (arrows) is lo-cated along the medial margin of the biceps femoris (BF). **D.** Long-axis US image shows the common peroneal nerve (arrows) as a hypoechoic structure with fascicular pattern along the lateral side of the lateral femoral condyle and the fibular head (Fh) with curved pathways. **E-H.** US of the superficial peroneal nerve in short-axis (**E-G**) and long-axis (**H**). After the common peroneal nerve bifurcates, the superficial peroneal nerve (arrows) runs downward anterolaterally between the peroneal muscles and the extensor digitorum longus. At mid-calf level, the superficial peroneal nerve pierces the crural fascia and runs distally in the sub-cutaneous fat layer. **I-K.** US of the deep peroneal nerve in short-axis (**I, J**) and long-axis (**K**). After bifurcation, the deep peroneal nerve (arrowhead) pierces the anterior crural intermuscular septum and runs distally deep to the extensor muscles. Color Dop-pler image (**J**) shows the anterior tibial artery and vein.

시 상하방향으로 총비골신경의 전장과 심비골신경 및 표재비골신경의 분지 부위까지 장축영상을 확인하는데, 복잡한 주행경로로 인해 검사가 어려울 수 있다 (Fig. 6-15).[7,30]

(4) 총비골신경병증 Common peroneal neuropathy

총비골신경은 슬와 부위에서 대퇴이두근과 외측 장딴지근 사이의 터널에서 근육비대(muscle hypertrophy) 등에 의한 포착(entrapment)이 생길 수 있다. 비골 목 부위에서는 표층부에 위치하므로 압박에 의한 손상을 받기 쉽고, 다리의 전방구획의 진입부에서는 뻗침손상(stretch injury)으로 인해 신경속박(nerve tethering)이 발생할 수 있다. 인접한 경비관절(정강종아리관절, tibiofibular joint)에서 발생한 결절종(ganglion)에 의해 압박받을 수 있다. 또한 총비골신경은 신경내결절종(intraneural ganglion)의 가장 흔한 호발 부위로 알려져 있다 (Fig. 6-16).[10] 임상증상으로는 종아리 외측 근위부 1/3부분에 이상감각, 족하수(발처짐, foot drop) 등이 생기며, 발을 발바닥쪽으로 굽히거나 내번(inversion)할 때 증상이 악화된다.[9] 감별진단으로는 구획증후군(compartment syndrome), 경골의 피로골절(stress fracture), 경골근육자강(shin splint) 등이 있다.[22]

3) 복재신경 Saphenous nerve

(1) 정상해부학

복재신경은 대퇴신경의 가장 긴 가지신경으로서 다리와 발의 앞쪽과 내측의 감각을 담당한다. 대퇴부의 전방부에서 안쪽 아래로 비스듬히 주행하며 슬개골의 약 7~10 cm 상방에서 내전근관(adductor canal, subsartorial canal, Hunter canal)을 빠져 나온다. 이후 봉공근(sartorius muscle)의 심부 경계면을 따라 내려오면서 봉공근과 두덩정강건(gracilis tendon) 사이 공간을 주행한다. 슬개골 하극(lower pole)에서 무릎아래신경가지(infrapatellar branch)와 봉공근신경가지(sartorial branch)로 분지된다. 무릎아래신경가지는 전하방으로 비스듬히 분지되어 슬개골 아래로 주행하고, 봉공근신경가지는 수직방향으로 내려와 봉공근과 두덩정강건 사이에서 근막을

뚫고 표재층으로 나와 대복재정맥(great saphenous vein)을 따라 주행한다.[3]

(2) 자세

환자는 바로 누워 대퇴부를 외회전하고 무릎을 약간 굽힌 자세에서 검사한다 (Fig. 6-17).

(3) 검사방법

복재신경은 크기가 작아 정확한 형태적 검사가 어려울 수 있다. 우선 대퇴 하부 1/3부위에서 횡축영상을 통해 봉공근과 대퇴혈관을 찾아 해부학적 지표로 삼는다. 복재신경은 봉공근의 심부 경계면을 따라 하방으로 주행한다. 무릎의 중앙 부위까지 내려오면 봉공근신경가지가 봉공근과 두덩정강건 사이를 지나 근막을 뚫고 표재층으로 주행한다. 무릎아래신경가지의 분지는 실제 초음파영상에서 확인이 어렵다. 다리의 근위 내측부위에서 표재층에 위치한 봉공근신경가지는 대복재정맥과 인접하여 함께 주행한다 (Fig. 6-17). 하부 대퇴와 무릎 부위에서 주행경로가 복잡하고 크기가 작아서 신경 전체의 종축영상은 얻기 어려울 수 있다.[3,7,30]

(4) 복재신경병증 Saphenous neuropathy

복재신경은 다리와 발의 내측 감각을 담당하는 신경이다. 대부분의 신경병증은 반월연골 봉합술, 전방십자인대 재건술 등의 무릎내측 수술과 관련된 합병증으로 주로 발생한다. 계기판손상(dashboard injury)과 같은 외상 또는 열상(laceration)에 의해서 무릎아래신경가지의 손상이 야기될 수 있다. 복재신경의 주행경로와 인접하여 발생하는 거위발윤활낭염(pes anserine bursitis), 반월연골낭(parameniscal cyst)이나 결절종(ganglion cyst) 등의 종괴에 의해 신경포착이 야기될 수 있다. 특발성 신경포착(idiopathic nerve entrapment)은 무릎 상부에서는 내전근관(adductor canal)의 출구 지점에서, 무릎 하부에서는 봉공근과 두덩정강건 사이의 근막에서 포착이 생길 수 있고, 무릎아래신경가지가 분지되는 부위에서도 포착이 발생할 수 있다.[13,20,22]

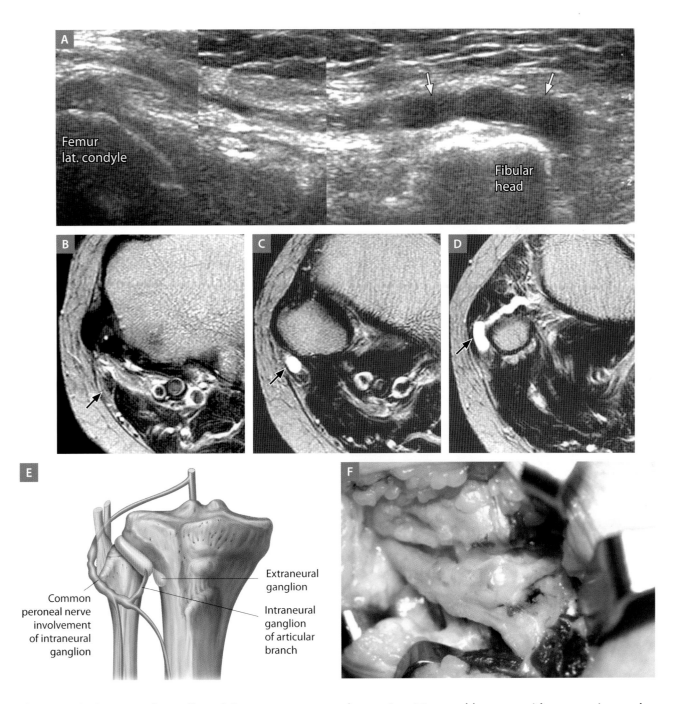

Figure 6-16 **Intraneural ganglion of the common peroneal nerve in a 56-year-old woman with progressive weakness and foot drop**. **A.** Long-axis US image shows the common peroneal nerve as a long tubular anechoic structure at the fibular head level, which represents the intraneural cystic lesion (arrows). **B-D.** Correlative axial T2-weighted MR images show tubular enlargement of the common peroneal nerve with fluid-like signal intensity at the fibular head level (arrows). **E.** A schematic diagram of intraneural ganglion of the common peroneal nerve. **F.** Gross morphology during operation. The common peroneal nerve shows cystic dilatation.

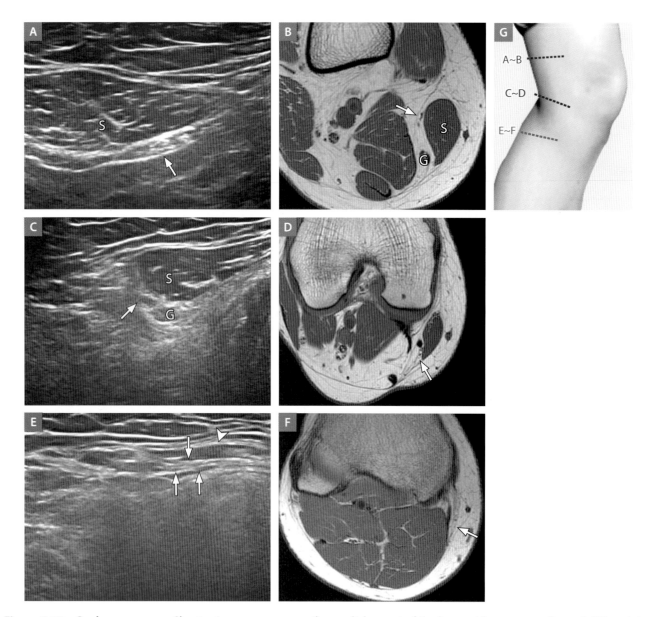

Figure 6-17 Saphenous nerve. Short-axis sonograms over the medial aspect of the knee with corresponding axial T1-weighted MR images show the saphenous nerve (arrows) at the level of the distal femur (**A-B**), at the level of the knee joint (**C-D**), and at the level of the proximal tibia (**E-F**). S, sartorius; G, gracilis. Note the saphenous nerve (arrows) running near the great saphenous vein (arrowheads) at the lower level. See the corresponding transducer positions (**G**).

3. 발목 및 발의 신경 Nerves of the ankle and foot

1) 경골신경 Tibial nerve 과 내측 및 외측족저신경
Medial and lateral plantar nerves

(1) 정상해부학
경골신경이 족근관(tarsal tunnel) 안에서 세 가닥 – 내측족저신경(medial plantar nerve), 외측족저신경(lateral plantar

nerve), 내측종골가지(medial calcaneal branch) – 으로 분지하며, 드물게 족근관 근위부에서 분지되기도 한다. 피부가지(cutaneous branch)들이 내측족저신경에서 나와 발바닥의 내측 2/3를 지배한다. 내측족저신경은 장지굴건(flexor digitorum longus tendon)의 내측을 따라 원위부로 주행한다. 외측족저신경에서도 피부가지(cutaneous branch)들이 나와 발바닥의 외측 1/3을 지배한다 (Fig. 6-18). [31]

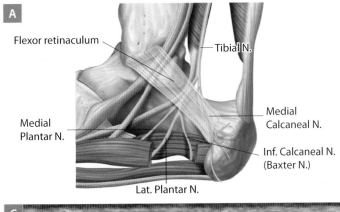

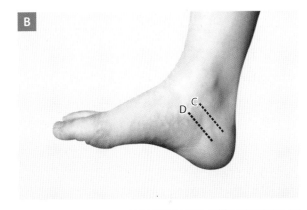

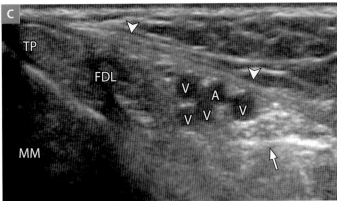

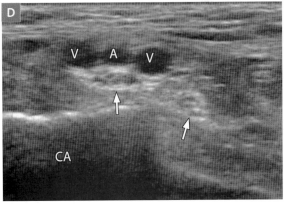

Figure 6-18 Tibial nerve branches. A. Normal anatomy of the tarsal tunnel. Just above the medial malleolus, the tibial nerve gives off a small branch, the medial calcaneal nerve, and then divides into its two main branches: the medial and lateral plantar nerves. The medial plantar nerve is more anterior of the two. The first branch of the lateral plantar nerve is the inferior calcaneal nerve (Baxter nerve), which passes inferiorly to the plantar fascia. **B.** Transducer position on the medial ankle. **C, D.** On short-axis US images, the posterior tibial nerve (arrow on **C**) is divided into the medial and lateral plantar nerves (arrows on **D**) in the tarsal tunnel. TP, tibialis posterior tendon; FDL, flexor digitorum longus tendon; V, vein; A, artery; MM, medial malleolus; CA, calcaneus; arrowheads, flexor retinaculum.

(2) 자세

눕거나 앉은 상태에서, 무릎은 구부리고, 발의 외측면은 바닥에 닿도록 한 개구리 다리 자세를 취한다 (Fig. 6-18).

(3) 검사방법

내측과(안쪽복사뼈, medial malleolus)의 뒤로 발바닥과 평행하게 탐촉자를 두고 굴근지지띠(flexor retinaculum)의 아래에 놓여있는 후경골건(tibialis posterior tendon), 장지굴건을 확인하고 이것의 후방에 위치한 경골신경, 후경골동맥 및 정맥을 찾는다. 탐촉자를 경골신경의 주행을 따라 단축영상을 얻으면서 아래로 내리면 경골신경에서 분지하는 내측 및 외측족저신경을 확인할 수 있다 (Fig. 6-18).[7,30]

(4) 신경병증

가) 족근관증후군 Tarsal tunnel syndrome

족근관은 굴근지지띠와 종골사이의 공간이다. 족근관 안에서 경골신경이 내측 및 외측족저신경과 종골가지로 분지되고, 후경골동맥과 정맥이 지나간다. 이 공간에서 경골신경이나 그 분지가 압박되어 증상이 유발되는 경우를 족근관증후군이라 한다.[32]

원인으로 골극(spur), 뼈조각, 족근골 융합(tarsal coalition) 등에 의해 경골신경이 눌리는 경우, 신경종양, 건초염(tenosynovitis), 부근육(accessory muscle), 정맥류, 결절종

등의 종괴에 의해 눌리는 경우(Fig. 6-19), 선천성 족부기형, 그리고 당뇨병이나 말초혈관질환 등 전신성 질환 등을 들 수 있다.[13,33] 임상증상은 발바닥 감각이상, Tinel징후, 발바닥 근육 약화 등이다. 초음파에서 경골신경의 크기와 에코의 변화, 발바닥 근육의 에코 변화, 종괴 등의 소견을 볼 수 있다.[34]

나) Jogger's foot

장지굴건(flexor digitorum longus tendon)과 장무지굴건(flexor hallucis longus tendon)이 발바닥에서 교차되는 부위를 Henry매듭(knot of Henry)이라 한다. Henry매듭과 무지외전근(abductor hallucis muscle) 사이의 좁은 공간에서 내측족저신경이 눌리는 경우를 Jogger's foot이라 한다 (Fig. 6-20). 이 신경은 단지굴근(flexor digitorum brevis), 무지외전근, 단무지굴근(flexor hallucis brevis), 첫 번째 벌레근(충양근, lumbrical muscle) 등을 지배한다.[35]

원인으로는 발꿈치 외반(heel valgus), 달리는 도중 심한 회내(엎침, pronation)손상, 높은 내측궁(high medial arch) 등이다. 증상으로는 발뒤꿈치, 내측궁, 첫 번째와 두 번째 발가락의 발바닥쪽 이상감각, 주상골결절(navicular tuberosity) 뒤쪽 Tinel징후, 이차적 강직족무지(hallux rigidus) 등이다. 초음파에서 지배 근육의 근위축을 볼 수 있고, 무지외전근과 단지굴근 사이에 종괴가 있는 경우도 있다.[13,35]

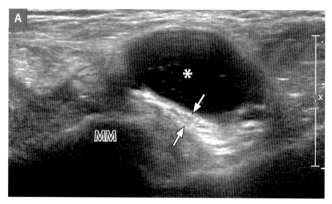
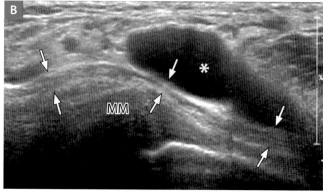

Figure 6-19 Tarsal tunnel syndrome due to a ganglion. A, B. On short-axis (**A**) and long-axis (**B**) US images, the posterior tibial nerve at the ankle level (arrows) is compressed by the ganglion cyst (asterisk). MM, medial malleolus.

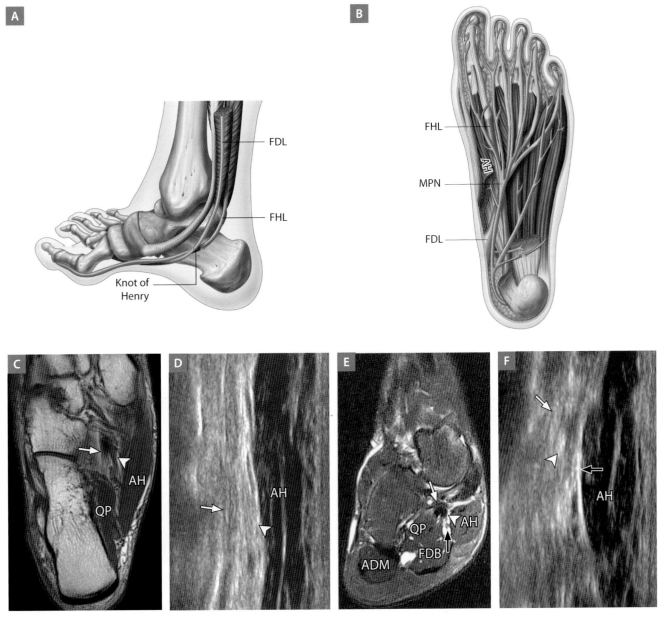

Figure 6-20 Medial plantar nerve at the knot of Henry. **A, B.** Normal anatomy of the medial plantar nerve at the knot of Henry (crossing point between FDL and FHL). FDL, Flexor digitorum longus (green color); FHL, Flexor halluces longus (purple color); MPN, Medial plantar nerve. **C.** On axial T2-weighted MR image, hypointense two tendons – FDL (arrowhead) and FHL (arrow) – are crossing between the abductor hallucis muscle (AH) and the quadratus plantae muscle (QP). **D.** On long-axis US image, the intersection of the FDL (arrowhead) and the FHL (arrow) is noted under the abductor hallucis muscle (AH). **E.** On coronal fat-suppressed T2-weighted MR image, the FDL (arrowhead) and the FLH (arrow) are surrounded by the abductor hallucis muscle (AH), the quadratus plantae muscle (QP), and the flexor digitorum brevis tendon (FDB). ADM, Abductor digiti minimi. **F.** On short-axis US image, the medial plantar nerve (MPN) is noted as a hyperechoic nodular structure with fascicular pattern between the abductor hallucis muscle (AH) and the knot of Henry. Arrowhead, FDL; Arrow, FHL; black arrow in E and F, Medial plantar nerve.

다) Baxter신경병증 Baxter neuropathy

족근관 안에서 외측족저신경(lateral plantar nerve)에서 분지하는 하종골신경(inferior calcaneal nerve)이 눌리는 신경병증이다 (Fig. 6-21). 외측족저신경은 경골신경의 말단분지

(terminal branch)이고 발의 대부분의 근육에 분포하는데, 소지외전근(새끼벌림근, abductor digiti minimi), 족저방형근(발바닥네모근, quadratus plantae), 단소지굴근(짧은새끼굽힘근, flexor digiti minimi brevis), 족무지내전근(엄지모음

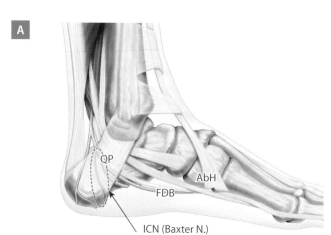

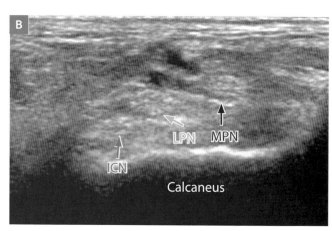

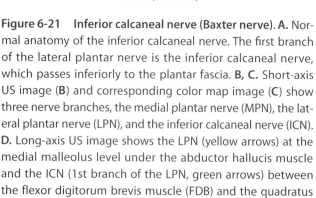

Figure 6-21　Inferior calcaneal nerve (Baxter nerve). A. Normal anatomy of the inferior calcaneal nerve. The first branch of the lateral plantar nerve is the inferior calcaneal nerve, which passes inferiorly to the plantar fascia. **B, C.** Short-axis US image (**B**) and corresponding color map image (**C**) show three nerve branches, the medial plantar nerve (MPN), the lateral plantar nerve (LPN), and the inferior calcaneal nerve (ICN). **D.** Long-axis US image shows the LPN (yellow arrows) at the medial malleolus level under the abductor hallucis muscle and the ICN (1st branch of the LPN, green arrows) between the flexor digitorum brevis muscle (FDB) and the quadratus plantae muscle (QP).

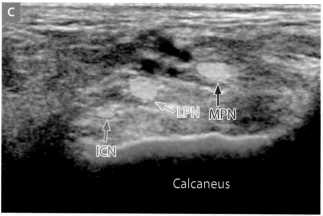

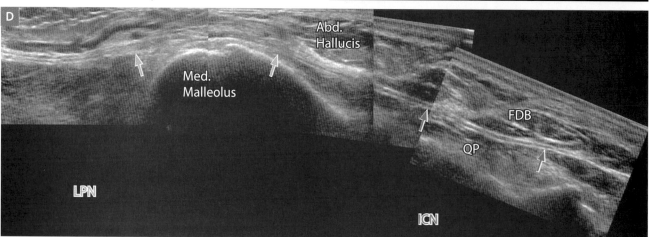

근, adductor hallucis), 뼈사이근(interossei muscle), 두 번째 ~네 번째 충양근(벌레근, lumbricals) 등이 포함된다. 전족(forefoot)과 중족(midfoot)의 발바닥 외측, 다섯 번째 발가락과 네 번째 발가락의 외측 반의 감각을 담당한다. 또한 하종골신경의 말단분지는 내측종골융기(medial calcaneal tuber-

osity)의 골막과 소지외전근에 분포한다.

원인으로는 육상선수에서 비대한 족무지외전근(엄지벌림근, abductor hallucis muscle)에 의해 눌린 경우, 신경이 종골의 내측 거친면의 앞쪽을 지날 때 하종골 부착부골극(inferior calcaneal enthesophyte)이나 비후된 족저근막(plantar

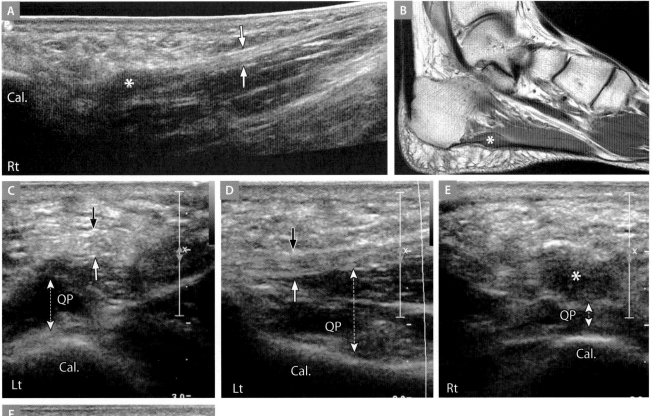

Figure 6-22 **Baxter's neuropathy in a 41-year-old man with right heel and plantar pain for 1 year after mountain-climbing. A, B.** Long-axis sonogram (A) over the plantar aspect of right hind foot with corresponding sagittal T1-weighted MR image (B) show rupture with focal thickening (asterisk) of the plantar fascia (arrows). Cal, calcaneus. **C, D.** Short-axis (C) and long-axis (D) US images of left foot show normal appearance of the quadratus plantae muscle (QP, two-direction arrows) and the plantar fascia (between black and white arrows). **E, F.** Short-axis (E) and long-axis (F) US images of right foot show atrophic change with increased echogenicity of the QP (two-direction arrows) and a focal hypoechoic nodular lesion, which suggests rupture with focal thickening of the plantar fascia (asterisk).

fascia)에 의해 눌리게 되는 경우(Fig. 6-22), 혹은 발을 회내(엎침, pronation) 한 채로 과도하게 움직였을 때 신경의 신연(stretching) 등이 있다. 증상으로는 발뒤꿈치의 통증, 발바닥 외측 1/3부분에 저린 느낌(numbness), 소지외전근의 근력 약화 등이다. 초음파영상에서 소지외전근(abductor digiti minimi)의 부종이나 지방변성(fatty atrophy)을 볼 수 있으며, 원인이 되는 족무지외전근의 비대나 족저근막염 등도 확인할 수 있다. [13,35]

2) 심비골신경 깊은종아리신경, Deep peroneal nerve 및 표재비골신경 얕은종아리신경, Superficial peroneal nerve

(1) 정상해부학

심비골신경은 비골 목 부근에서 앞쪽 근육사이막을 뚫고 심부로 진입하여 전경골동맥(앞정강동맥, anterior tibial artery)과 함께 전경골근(앞정강근, tibialis anterior muscle)과 족지신근(발가락폄근, extensor digitorum muscle) 사이로 주행하며, 원위부에서는 전경골근과 장족무지신근(긴엄지폄근, extensor hallucis longus muscle) 사이를 주행한다 (Fig. 6-23).

표재비골신경은 비골의 외측에서 장비골근과 앞쪽 근육사이막 사이를 주행하여 다리의 중간지점에서 종아리근막(하퇴근막, crural fascia)을 뚫고 나와 피하층(subcutaneous layer)으로 주행한다. [30,32]

(2) 자세

눕거나 앉은 자세에서 무릎을 굽혀 환자의 발바닥이 바닥에 닿도록 한다 (Fig. 6-23).

(3) 검사방법
가) 심비골신경

발목의 앞에 횡축방향으로 탐촉자를 두고 전경골동맥을 찾고, 이것을 기준으로 심비골신경을 확인한다. 심비골신경은 전경골동맥에 비해 외측에 위치하고 아래로 내려오면서 전경골동맥을 가로지르기 때문에, 발목관절 아래에서는 전경

골동맥의 내측에서 심비골신경을 찾을 수 있다 (Fig. 6-23). [7,30]

나) 표재비골신경

다리의 전외측 중간부분에서 횡축방향으로 탐촉자를 두고 장지신근(extensor digitorum longus)과 장비골근(peroneus longus muscle) 사이의 근간막(intemuscular septum)에 위치한 표재비골신경을 찾는다. 이후 탐촉자를 천천히 내리면 근막(fascia)의 바깥으로 나와 피하지방층 내에서, 발목의 앞쪽을 향해 진행하는 표재비골신경을 확인할 수 있다 (Fig. 6-24). [7,30]

(4) 신경병증
가) 심비골신경병증
Deep peroneal neuropathy, Anterior tarsal tunnel syndrome

심비골신경이 위, 아래 신전근지지띠(extensor retinacula) 안쪽으로 지나는 부위에서, 혹은 거주상골관절(목말발배관절, talonavicular joint) 부위를 지날 때 장족무지신건(긴엄지폄건, extensor hallucis longus tendon) 안쪽에서 눌리는 경우를 말한다. 그보다 원위부에서는, 심비골신경이 첫 번째와 두 번째 족근중족관절(발목발허리관절, tarsometatarsal joint) 부위에서 단족무지신근(짧은엄지폄근, extensor hallucis brevis muscle) 아래 좁은 통로를 지날 때에도 포착될 수 있다.

원인으로는 발목 불안정성(instability)에 따른 신경의 신전 손상, 발등의 직접 손상, 단족무지신근의 비대, 첫 번째 중족골간공간(intermetatarsal space) 근위부에 위치한 부속소골(os intermetatarseum), 거주상골관절의 발등쪽 퇴행성 골극, 꽉 끼는 신발 등이 있다.

증상으로 발등과 발 내측, 첫 번째 중족골간 공간(1st intermetatarsal space)의 이상감각, 단족무지신근의 약화 등이 생길 수 있다. 초음파영상에서 전경골근, 장족무지신근, 족지신근(발가락폄근, extensor digitorum muscle)등 앞쪽 구획(anterior compartment)의 신경차단부종(denervation edema)과 근위축 소견을 볼 수도 있다 (Fig. 6-25). [13,35]

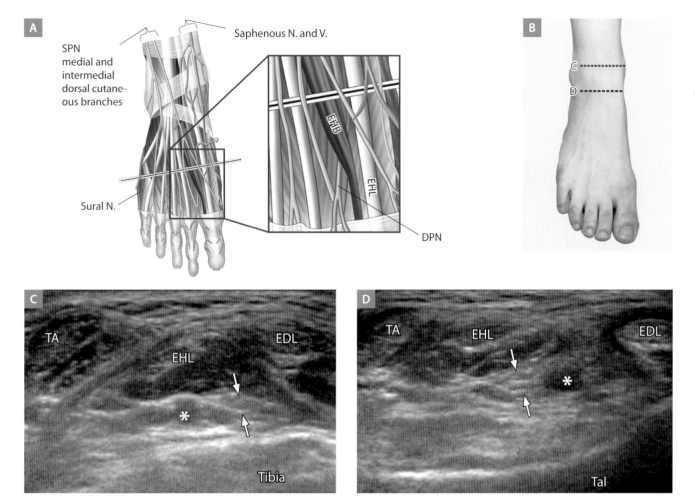

Figure 6-23 **Deep peroneal nerve**. **A.** Normal anatomy of the deep peroneal nerve. The deep peroneal nerve travels in the deep aspect of the anterior compartment, anterior to the interosseous membrane, along with the anterior tibial artery. It courses between the tibialis anterior and the extensor digitorum proximally and between the artery and the extensor hallucis in the distal aspect of the leg. The nerve entrapment most commonly occurs at the level of the superior and inferior extensor retinaculum, and at the crossing area of the extensor digitorum brevis tendon over the deep peroneal nerve. EHL, Extensor hallucis longus; EHB, Extensor hallucis brevis; DPN, Deep peroneal nerve; SPN, Superficial peroneal nerve. **B.** Transducer positions on the anterior ankle. **C.** On short-axis US image, the deep peroneal nerve (arrows) is located lateral to the anterior tibial artery (asterisk) which is present posterior to the space between the extensor hallucis longus tendon (EHL) and the extensor digitorum longus tendon (EDL). **D.** On short-axis US image, the deep peroneal nerve (arrows) is crossing over the anterior tibial artery (asterisk) and runs medial to the anterior tibial artery. TA, tibialis anterior tendon; EHL, extensor hallucis longus tendon; EDL, extensor digitorum longus tendon; Tal, talus.

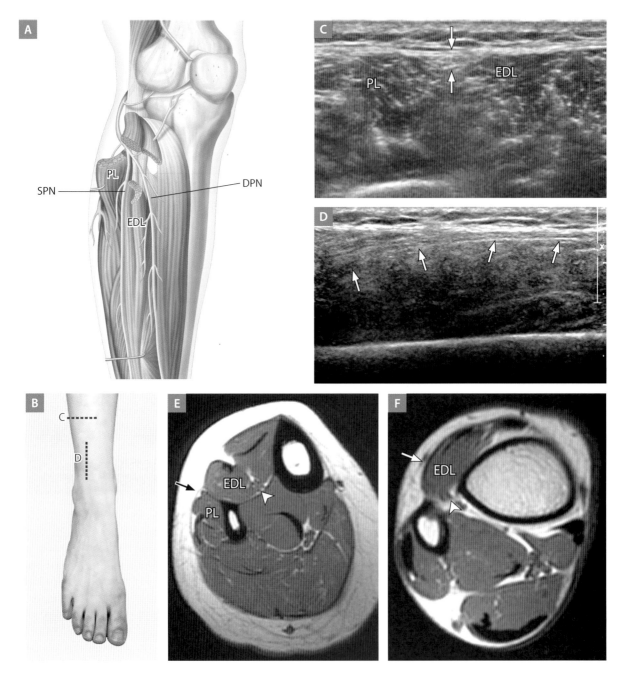

Figure 6-24 Superficial peroneal nerve. A. Normal anatomy of the superficial peroneal nerve. The superficial peroneal nerve pierces the deep fascia between the peroneus longus and the extensor digitorum longus in the distal third of the calf. **B.** Transducer position on distal lower leg – short (**C**) and long-axis (**D**) **C.** Short-axis US image shows the superficial peroneal nerve (arrows) as a stippled pattern of echos which is locating between the extensor digitorum longus muscle (EDL) and the peroneus longus muscle (PL). **D.** On long-axis US image, the superficial peroneal nerve (arrow) runs over the deep fascia of the EDL at the lower level. **E, F.** On axial T1-weighted MR image, the superficial peroneal nerve is present superficial area between the extensor digitorum longus muscle (EDL) and the peroneus longus muscle (PL). Arrowheads, Deep peroneal nerve.

CHAPTER

06

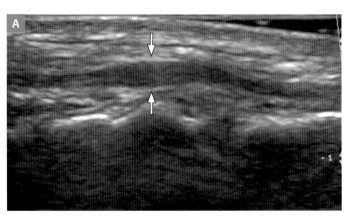 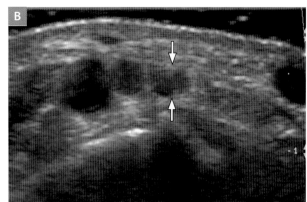

Figure 6-25 **Entrapment of the deep peroneal nerve in a 41-year-old man with hypesthesia and hypoalgesia in the 1st web space for 2 months.** Long-axis (**A**) and short-axis (**B**) US images show focal swelling of the deep peroneal nerve (arrows) with decreased echogenicity at the inferior extensor retinaculum, which suggests a neuroma formation.

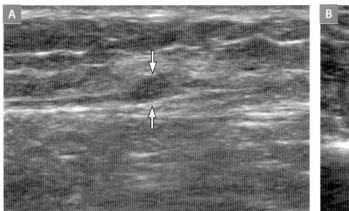 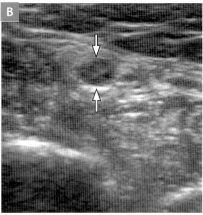

Figure 6-26 **Neuroma of the superficial peroneal nerve in a 22-year-old woman with painful tingling on foot dorsum after operation for distal fibular fracture.** Long-axis (**A**) and short-axis (**B**) US images show focal swelling of the superficial peroneal nerve (arrows) with loss of fascicular pattern and decreased echogenicity.

나) 표재비골신경병증 Superficial peroneal neuropathy

표재비골신경은 장비골근(peroneus longus muscle)과 족지신근(발가락폄근, extensor digitorum muscle)사이에서 근막을 따라 아래로 내려온다. 외측과(lateral malleolus) 끝으로부터 약 10~12 cm 위쪽 부분에서 외측 구획(lateral compartment)의 깊은 근막을 뚫고 나오는 부위에 포착되는 경우를 표재비골신경증이라 한다 (Fig. 6-26).

원인으로는 발목 손상 시 발바닥쪽굽힘(plantar flexion)이나 내번(inversion)되어 표재비골신경이 과신전(hyperextension)되는 경우, 외측 다리 깊은 근막의 비후, 외측 구획 근육의 탈장(hernia), 혹은 근막결손(fascial defect) 등이 있다. 증상으로는 종아리 아래쪽과 발등 외측을 따라 저림과 이상

감각이 생기며, 첫 번째 중족골간 공간의 감각은 정상이다. 첫 번째 중족골간 공간의 이상감각은 심부비골신경병증을 의미한다. 움직일 때 통증이 심해지고 외측과보다 10~12 cm 상방부에 압통이 생기는데, 이 부분에서 표재비골신경이 깊

은 근막을 통해 표면으로 나온다. 초음파영상에서 근막결손이나 근막비후가 보일 수 있지만, 이때 비골근 탈장(peroneal muscle hernia)은 동반되지 않을 수 있다.[13,35]

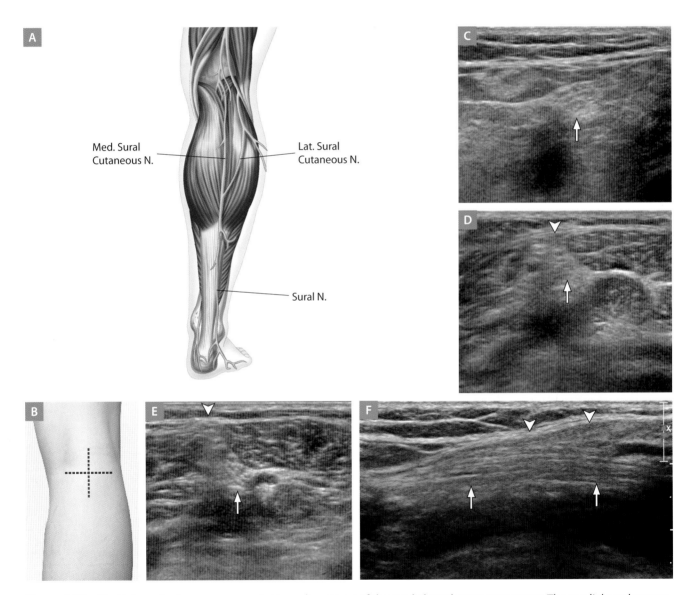

Figure 6-27 **Medial sural cutaneous nerve. A.** Normal anatomy of the medial sural cutaneous nerve. The medial sural cutaneous nerve descends between the two heads of the gatrocnemius. It pierces the deep fascia around the middle of the back of the leg, and unites with the anastomotic ramus of the common peroneal to form the sural nerve. **B.** Transducer position on the posterior lower leg. **C-F.** Short-axis (**C-E**) and long-axis (**F**) US images show the medial sural cutaneous nerve (arrowheads) originating from the tibial nerve (arrows). The medial sural cutaneous nerve is located in the subcutaneous fat layer.

3) 비복신경 Sural nerve

(1) 정상해부학

다리 후방의 감각을 담당하는 비복신경은 슬와 부위 경골 신경에서 분지된 내측비복피신경(medial sural cutaneous nerve)과 총비골신경에서 분지된 외측비복피신경(lateral sural cutaneous nerve)이 합쳐져서 이루어진다. 비복신경은 해부학적 변이가 매우 다양하나, 일반적으로 장딴지근(비복근, gastrocnemius muscle)의 내측 및 외측 머리(head) 사이를 따라 내려오다가 근위부 장딴지에서 심부근막(deep fascia)을 뚫고 나온다. 다리 후방의 피하지방층에서 소복재정맥(lesser saphenous vein)과 함께 주행하며, Achilles힘줄의 외측을 따라 내려온다. 외측과(lateral malleolus) 뒤쪽을 지나 발의 외측으로 주행한다 (Fig. 6-27).[36]

(2) 자세

엎드린 자세에 발목 아래에 베개를 놓아 자세를 고정시킨다.

(3) 검사방법

비복신경은 해부학적 변이가 많지만, 일반적으로 정강이 중간 부분에 횡축으로 탐촉자를 두면 소복재정맥(lesser saphenous vein) 외측의 피하지방층에 위치한 비복신경을 찾을 수 있다. 그 후 아래로 탐촉자를 이동하면 Achilles힘줄과 외측과의 바깥을 지나는 비복신경을 볼 수 있다 (Fig. 6-27).[7,30]

(4) 비복신경병증 Sural neuropathy

비복신경은 다섯 번째 중족골(5th metatarsal) 기저부에서 외측, 내측 말단분지들(terminal branches)로 분지하는데, 이 부분에서 신경이 눌리게 되어 발생한다. 비복신경은 발목과 발의 외측의 감각을 지배한다.[33]

원인으로는 다섯 번째 중족골 기저부, 거골(talus), 종골(calcaneus), 입방뼈(cuboid)의 골절, 신경의 견인손상(traction injury)과 이차적 섬유화, Achilles 힘줄증, 장딴지근의 외상, 종괴 등이 있다. 증상은 발을 내번(inversion)하거나 발바닥쪽굽힘(plantar flexion)을 할 때 통증이 심해지며, 운동을 하면 심해지는 만성 종아리 통증도 생길 수 있다 (Fig. 6-28).[35,36]

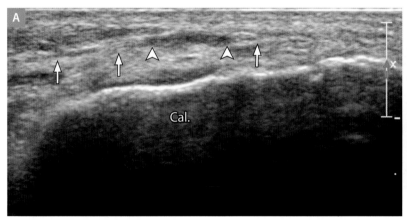
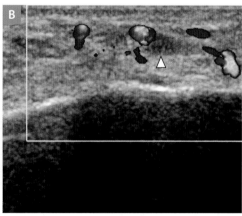

Figure 6-28 **Sural nerve neuroma.** A 40-year-old male patient complained pain around lateral ankle during walking. Focal tenderness and tingling were noted in the lateral inframalleolar area. He had history of motor bicycle accident 2 years ago. Long-axis (**A**) and short-axis color Doppler (**B**) US images show short segmental enlargement of the sural nerve (arrowheads). Arrows: sural nerve.

4) 지간신경 발가락사이신경, Interdigital nerve

(1) 자세

눕거나 앉은 자세에서 무릎을 펴고 발목을 검사대 위에 편하게 놓고 검사한다 (Fig. 6-29B). 엎드린 자세에서 발을 발바닥쪽굽힘(plantar flexion) 상태로 검사하기도 한다.

(2) 검사방법

중족골두 위치에서 발등 또는 발바닥 쪽에 탐촉자를 위치

시키고 횡축영상을 얻는다. 발등 쪽 접근 방법(dorsal approach)의 경우, 발등의 피부와 피하지방층이 발바닥보다 얇아 초음파 감쇄가 덜 일어나기 때문에 유용하고, 발바닥 쪽 접근 방법(plantar approach)은 지간신경이 보다 발바닥 쪽에 위치하고 있기 때문에 유용하다.

(3) Morton신경종 Morton's neuroma, Interdigital neuritis

Morton신경종(혹은 족지간신경종, 족지간신경염)은 족골간인대(intermetatarsal ligament) 아래에서 족지간신경(plantar

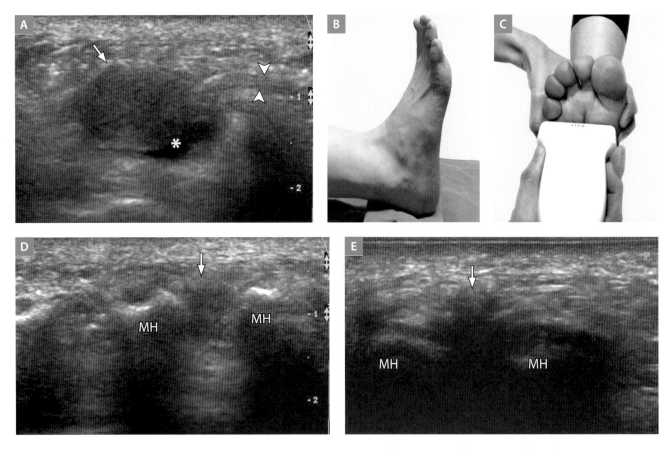

Figure 6-29　**Interdigital neuritis (Morton's neuroma) in a 54-year-old woman with metatarsalgia for 2 years. A.** Long-axis US image along interdigital nerve (arrowheads) shows hypoechoic nodule (arrow). Anechoic area (*) dorsal to the nodule maybe combined bursitis. **B.** Neutral position of the ankle for evaluation of the interdigital nerve. **C.** Transducer position for the sonographic Mulder test. **D, E.** Short-axis US images at the metatarsal head level. US without lateral compression (C) shows hypoechoic neuritis (arrow) in the intermetatarsal space. During lateral compression (D), plantar protrusion of the neuritis can be seen with click (sonographic Mulder test). MH, metatarsal head.

interdigital nerve)이 만성적으로 포착되어 발생하는 질환이다. Morton신경종은 가성종양(pseudotumor)이며, 조직학적으로 국소혈관증식, 신경섬유내막(endoneurium) 부종, 축삭변성(axonal degeneration), 그리고 신경 주위의 섬유화로 이루어져 있다. 족지간신경은 내측 및 외측 족저신경의 말단분지(terminal branch)이다. 첫 번째~세 번째 총발가락신경(common digital nerve)은 내측족저신경의 분지이고, 네 번째 총발가락신경(common digital nerve)은 외측족저신경의 분지다. Morton신경종은 두 번째와 세 번째 중족골간공간(intermetatarsal space)에서 가장 호발하고 다발성으로 생길 수도 있다.[37]

원인으로는 굽 높은 구두 등에 의한 중족골(metatarsal bone)의 과도한 발등쪽굽힘(dorsiflextion)과 회내(pronation, 엎침)를 유발하는 상황, 발바닥판(plantar plate) 손상, Freiberg균열골절(Freiberg infraction), 중족골간 결절종, 중족지관절의 관절염이나 활액막염(synovitis) 등이 있다. 증상은 걷거나 서 있을 때 심해지는 중족골간 통증과 저린 느낌이고, 쉬거나 볼이 넓은 편한 신발을 신으면 호전된다. 이학적 검사에서 종종 특징적인 퉁김(click)과 동반되어 종괴가 만져질 수 있으며, 이를 Mulder징후(Mulder sign)라 한다.[38]

초음파에서 Morton신경종은 탐촉자로 압박되지 않는 방추형 혹은 원형의 저에코 종괴로 보인다. 중족골두 위치의 횡축영상에서 종괴를 찾고 종축영상에서 족저측지신경과의 관계를 본다.

중족골두 위치에서 정상 족저측지신경의 크기는 직경 1~2 mm이다. 신경의 크기가 3 mm 이상이고 근육과 비교하여 저에코로 보이면 비정상이다 (Fig. 6-29). 감별진단으로 중족골간윤활낭염(intermetatarsal bursitis), 중족지관절활막염, 결절종, 신경초종(nerve sheath tumor), 피로골절 등이 있다. Morton신경종이 중족골간윤활낭염과 동반되는 경우가 흔하며(Fig. 6-29A), 윤활낭염은 Morton신경종 주변에 무에코의 물 또는 다양한 에코의 고형 병변처럼 보일 수 있다.[37,39]

Morton신경종의 진단에 초음파 Mulder검사(sonographic Mulder test)가 도움이 된다. 이는 탐촉자를 발바닥에 횡축으로 두고 검사자의 손으로 환자의 중족골두(metatarsal heads) 부위 양쪽 옆을 움켜쥐고 압박하면서 검사하는 것이다. Morton신경종이 있는 경우, 이 검사를 하면 중족골간공간(intermetatarsal space)이 좁아지면서 퉁김(click)과 함께 발바닥 쪽으로 튀어나오는 저에코의 종괴를 확인할 수 있다 (Fig. 6-29C).[7,37] 단, 발바닥쪽을 탐촉자로 너무 강하게 누르면 종괴가 튀어나오는 것을 방해할 수 있으므로 주의한다.

IV. 하지신경의 병리
Pathology of the lower limb nerves

1. 말초신경종양 Peripheral nerve tumors

말초신경과 연결된 고형성 연부조직종괴가 초음파에서 보이면 말초신경종양일 가능성이 높다. 비교적 균질하게 낮은 에코를 가지면서 경계가 좋은 둥근 모양의 종괴로 보인다. 종괴 뒤에 소리투과(through-transmission) 증가가 동반되어 복합 낭종(complex cyst)으로 오인되기도 하는데, 혈류증가를 보이면 감별에 도움이 된다.[41] 탐촉자로 종괴를 누르면 증상이 유발된다. 신경이 종괴의 중심에서 벗어나(eccentric) 연결되면 신경집종(schwannoma, neurilemmoma)을 시사하는 소견이다 (Fig. 6-30, 6-31). 신경섬유종(neurofibroma)의 경우, 종괴의 중심부로 신경이 연결되는 소견을 보이지만, 영상 소견만으로 양자간의 구별이 어렵다.[42] 신경종양의 중심부가 섬유질에 의해 고에코로 보이고, 주변부가 점액 성분에 의해 저에코로 둘러싸여 과녁(target)처럼 보일 때, 양성 신경종양이라는 보고가 있다.[41] 신경집종은 노화되면서 낭형성(cyst formation), 석회화, 출혈, 유리질화(hyalization) 등의 변화를 보인다. 신경섬유종은 국소(localized), 얼기모양(plexiform), 미만형(diffuse)의 세 종류로 나뉜다. 얼기모양 신경섬유종(plexiform neurofibroma)은 '벌레주머니(bag of worms)'처럼 보인다. 반면에, 미만형 신경섬유종

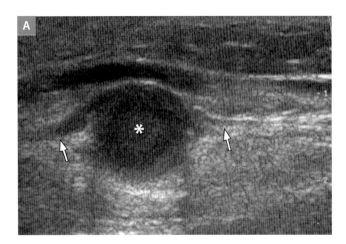
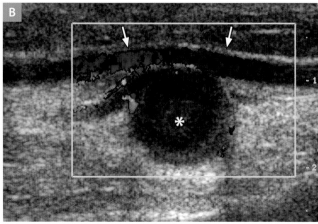

Figure 6-30 Schwannoma of the medial sural cutaneous nerve in a 56-year-old woman with palpable nodule and tingling on posterior calf. Long-axis US image (A) shows hypoechoic nodular lesion (asterisk) with connection to the adjacent medial sural cutaneous nerve (arrows). Color Doppler image (B) shows mild peripheral vascularity of the nodule, and is helpful in differentiation between the connecting nerve and vessel (arrows).

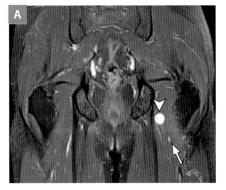
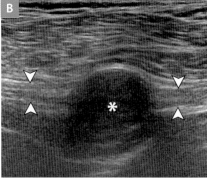
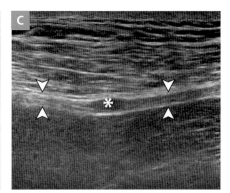

Figure 6-31 Schwannomas of the sciatic nerve in a 61-year-old man. Coronal enhanced MR image with fat-suppression (A) shows round (arrowhead) and ovoid (arrow) enhancing nodules originated from the sciatic nerve. Long-axis US images (B, C) show hypoechoic nodular lesions (asterisk) with connection to the sciatic nerve (arrowheads).

(diffuse neurofibroma)은 머리나 목에 잘 생기는데, 높은 에코의 피하지방층처럼 보이면서 그 안에 저에코의 가느다란 관(hypoechoic tubule)들이 모여 있는 모양이다. [42]

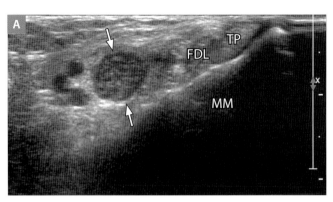
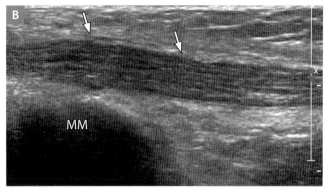

Figure 6-32   **Lipomatosis of the posterior tibial nerve in a 38-year-old man with tarsal tunnel syndrome. A, B.** Short-axis (A) and long-axis (B) US images show enlargement of the tibial nerve (arrows) in the tarsal tunnel with multiple hypoechoic thickened neural fascicles, which are dispersed by echogenic fat. TP, tibialis posterior; FDL, flexor digitorum longus; MM, medial malleolus.

2. 신경내 결절종 Intraneural ganglion

신경내 결절종은 특징적으로 비골신경에 주로 생기고, 비골 단일신경병증(peroneal mononeuropathy) 환자의 18%에서 발견된다.[41] 근위 경비관절(proximal tibiofibular joint)의 관절액이 신경의 관절분지를 타고 비골신경으로 빠져 나와서 신경내 결절종을 만들 수 있다. 비골 목 부근에서 생겨서 좌골신경을 따라 길게 자라 나가고, 원위부로 경골신경을 침범할 수 있다.[43] 초음파에서는 저에코의 다방낭(multi-locular cyst)으로 주로 보이며, 압박이 잘되지 않고, 침범한 신경을 따라 낭종이 길쭉하게 보인다 (Fig. 6-16).[43,44] 다른 말초신경질환에서와 마찬가지로, 지배 받는 근육을 검사하여, 신경차단 징후(denervation sign) – 에코 증가나 근육 위축 – 를 확인하는 것이 중요하다.

3. 신경지방종증 Lipomatosis of nerve

신경지방종증은 지방과 섬유조직이 신경외막(epineurium)을 침윤하는 질환으로, 손목 부위의 정중신경(median nerve)에 흔하며 대지증(macrodactyly)을 동반하는 경우도 있다. 신경다발(nerve fascicle) 사이와 주변에 지방과 섬유조직의 침윤으로 신경이 커진다 (Fig. 6-32) (Chapter 11 손목 및 손 Fig. 11-82 참조 바람).[45]

4. 외상신경종 Traumatic neuroma

외상신경종은 손상되거나 절단된 신경의 근위 말단부의 신경재생(regeneration) 과정에서 비종양성 증식으로 신경종을 형성할 수 있다.[46] 절단신경종(amputation neuroma)은 절단 후 1~12개월 사이에 생기고 크기가 다양하며, 초음파에서 신경과 연결된 저에코의 결절로 보인다 (Fig. 6-33).[47] 초음파에서 신경종을 찾은 후, 탐촉자로 압박으로 증상 유발하여 증상이 있는 신경종과 증상이 없는 신경종을 구분하는 것이 중요하다.

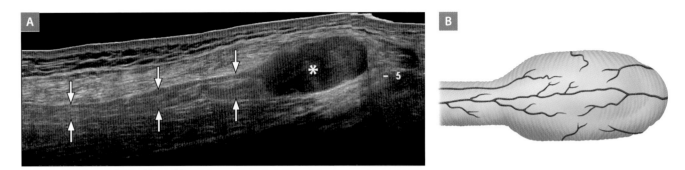

Figure 6-33 Amputation neuroma. A 67-year-old man complained painful tingling after AK amputation. Long-axis US image (**A**) and a schematic illustration (**B**) show sciatic nerve (arrows) with neuroma formation (asterisk) at distal end.

참고문헌

1. Gruber H, Kovacs P. Sonographic anatomy of the peripheral nervous system. In Peer S, Bonder G(eds.). High Resolution Sonography of the Peripheral Nervous System, 1st ed. New York: Springer, 2003:13-36.

2. Chiou HJ, Chou YH, Chiou SY, Liu JB, Chang CY. Peripheral nerve lesions: Role of high resolusion US. Radiographics 2003;23:e15.

3. van Holsbeeck MT, Introcaso JH. Musculoskeletal Ultrasound. St Louis: Mosby-Year Book, 1991:1-327.

4. Peer S. General considerations and technical concepts. In Peer S, Bonder G(eds.). High Resolution Sonography of the Peripheral Nervous System, 1st ed. New York: Springer, 2003:1-12.

5. Schwemmer U, Markus CK, Greim CA, Brederlau J, Kredel M, Roewer N. Sonographic imaging of the sciatic nerve division in the popliteal fossa. Ultraschall Med 2005;26:496-500.

6. Moayeri N, van Geffen GJ, Bruhn J, Chan VW, Groen GJ. Correlation among ultrasound, cross-sectional anatomy, and histology of the sciatic nerve: A review. Regional Anesthesia and Pain Medicine 2010;35:442-449.

7. 근골격영상의학회. 초음파검사 실행 가이드라인. Seoul: 대한영상의학회, 2014:133-146a.

8. Stoller DW, Rosenberg ZS, Cavalcanti C. Entrapment neuropathies of the lower extremity. In Stoller DW (eds.). Magnetic Resonance Imaging in Orthopaedics and Sports Medicine, Philadelphia, PA: Lippincott Williams & Wilkins, 2007:1051-1098.

9. Beltran LS, Bencardino J, Ghazikhanian V, Beltran J. Entrapment neuropathies III:lower limb. Semin Musculoskelet Radiol 2010;14:501-511.

10. Kim S, Choi JY, Huh YM, Song HT, Lee SA, Kim SM, et al. Role of magnetic resonance imaging in entrapment and compressive neuropathy – what, where, and how to see the peripheral nerves on the musculoskeletal magnetic resonance image:part 1. Overview and lower extremity. Eur Radiol 2007;17:139-149.

11. Petchprapa CN, Rosenberg ZS, Sconfienza LM, Cavalcanti CF, Vieira RL, Zember JS. MR imaging of entrapment neuropathies of the lower extremity. Part 1. The pelvis and hip. Radiographics 2010;30:983-1000.

12. Busis NA. Femoral and obturator neuropathies. Neurologic Clinics 1999;17:633-653.

13. 최수정, 류정아. 16장 압박신경병증. In: 강흥식, 홍성환, 강창호, eds. 근골격영상의학, 1st ed. 서울: 범문에듀케이션, 2013.

14. Windisch G, Braun EM, Anderhuber F. Piriformis muscle: clinical anatomy and consideration of the piriformis syndrome. Surg Radiol Anat 2007;29:37-45.

15. Gruber H, Peer S, Kovacs P, Marth R, Bodner G. The ultrasonographic appearance of the femoral nerve and cases of iatrogenic impairment. J Ultrasound Med 2003;22:163-172.

16. Martinoli C, Miguel perez M, Padua L, Gandolfp N, Zicca A, Tafliafico A. Imaging of neuropathies about the hip. Eur J Radiology 2013;82:17-26.

17. Busis NA. Femoral and obturator neuropathies. Neurol Clin 1999;17:633-653.

18. Tomaszewski KA, Popieluszko P, Henry BM, Roy J, Sanna B, Kijek MR, Walocha JA. The Surgical anatomy of the lateral femoral cutaneous nerve in the inguinal region: a meta-analysis. Hernia 2016;20:649-657.

19. Grossman MG, Ducey SA, Nadler SS, Levy AS. Meralgia paresthetica: diagnosis and treatment, J Am Acad Orthop Surg 2001;9:336-344.

20. Bianchi S, Martinoli C, Demondion X. Ultrasound of the nerves of the knee region: Technique of examination and normal US appearance. Journal of Ultrasound 2007;10:68-75.

21. Damarey B, Demondion X, Wavreille G, Pansini V, Balbi V, Cotton A. Imaging of the nerves of the knee region. Eur J Radiology 2013;82:27–37.

22. Donovan A, Rosenberg ZS, Cavalcanti CF. MR imaging of entrapment neuropathies of the lower extremity. Part 2. The knee, leg, ankle, and foot. Radiographics 2010;30:1001–1019.

23. Mastaglia FL, Venerys J, Stokes BA, Vaughan R. Compression of the tibial nerve by the tendinous arch of origin of the soleus muscle. Clin Exp Neurol 1981;18:81–85.

24. Williams EH, Williams CG, Rosson GD, Dellon LA. Anatomic site for proximal tibial nerve compression: A cadaver study. Annals Plastic Surg 2009;62:322–325.

25. Mastaglia FL. Tibial nerve entrapment in the pooliteal fossa. Muscle Nerve 2000;23:1883–1886.

26. Williams EH, Rosson GD, Hagan RR, Hashemi SS, Dellon LA. Soleal sling syndrome (proximal tibial nerve compression). Results of surgical decompression.

27. Chhabra A, Williams EH, Wubhawong TK, et al. MR neurography findings of soleal sling entrapment. AJR Am J Roentgenol 2011;196:W290–W297.

28. Ladak A, Spinner RJ, Amrami KK, Howe BM. MRI findings in patients with tibial nerve compression near the knee. Skeletal Radiol 2013;42:553–559.

29. Vieira RL, Rosenberg ZS, Kiprovski K. MRI of the distal biceps femoris muscle: normal anatomy, variants, and association with common peroneal entrapment neuropathy. Am J Roentgenol 2007;189:549–555.

30. Bianchi S, Martinoli C. Ultrasound of the musculoskeletal system. Berline Heidelberg New York:Springer, 2007:773–835.

31. Havel PE, Ebraheim NA, Clark SE, Jackson WT, DiDio L. Tibial nerve branching in the tarsal tunnel. Foot Ankle 1998;9:117–119.

32. Martinoli C, Court-Payen M, Michaud J, Padua L, Altafini L, Marchetti A, et al. Imaging of neuropathies about the ankle and foot. Seminars Musculoskeletal Radiology 2010;14:344–356.

33. Lopez-Ben R. Imaging of nerve entrapment in the foot and ankle. Foot Ankle Clin N Am 2011;16:213–224.

34. Lau JT, Daniels TR. Tarsal tunnel syndrome : A review of the literature. Foot Ankle Int 1999;20:201–209.

35. Delfaut EM, Demondion X, Bieganski A, Thiron MC, Mestdagh H, Cotten A. Imaging of foot and ankle nerve entrapment syndromes:from well-demonstrated to unfamiliar sites. Radiographics 2003;23:613–623.

36. Ricci S, Moro L, Antonelli Incalzi R. Ultrasound Imaging of the Sural Nerve: Ultrasound Anatomy and Rationale for Investigation. Eur J Vasc Endovasc Surg. 2010;39:636–641.

37. Quinn TJ, Jacobson JA, Craig JG, van Holsbeeck MT. Sonography of Morton's neuromas. AJR Am J Roentgenol 2000;174:1723–1728.

38. Redd RA, Peters VJ, Emery SF, Branch HM, Rifkin MD. Morton's neuroma: Sonographic evaluation, Radiology, 1998;171:415–417.

39. Zanetti M, Strehle JK, Zollinger H, Hodler J. Morton neuroma and fluid in the intermetatarsal bursae on MR images of 70 asymptomatic volunteers. Radiology 1997;200:516 520.

40. Reynolds DL Jr, Jacobson JA, Inampudi P, Jamadar DA, Ebrahim FS, Hayes CW. Sonographic characteristics of peripheral nerve sheath tumors. AJR Am J Roentgenol 2004;182:741–744.

41. Gruber H, Glodny B, Bendix N, Tzankov A, Peer S. High-resolution ultrasound of peripheral neurogenic tumors. Eur Radiol 2007;17:2880–2888.

42. Beggs I. Sonographic appearances of nerve tumors. J Clin Ultrasound 1999;27:363–368.

43. Lee YS, Kim JE, Kwak JH, Wang IW, Lee BK. Foot drop secondary to peroneal intraneural cyst arising from tibiofibular joint. Knee Surg Sports Traumatol Arthrosc 2013;21:2063–2065.

44. Fransen P, Thauvoy C, Sindic CJ, Stroobandt G. Intraneural ganglionic cyst of the common peroneal nerve: case report and review of the literature. Acta Neurol Belg 1991;91:231–235.

45. Taddie KL, Fallat LM. Lipofibromatous hamartoma of nerve. J Foot Ankle Surg 2007;46:116–119.

46. Sieratzki JS. Traumatic neuroma. Hum Pathol 1986;17:866.

47. Hobson-Webb LD, Walker FO. Traumatic neuroma diagnosed by ultrasonography. Arch Neurol 2004;61:1322–1323.

상지 혈관
Artery and Vein: Upper Extremity

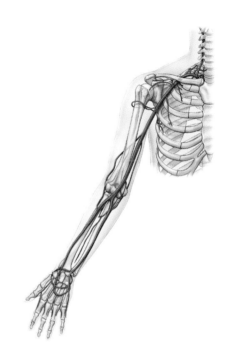

07 CHAPTER

■ 이선아, 김현주, 김백현

상지 혈관

Artery and Vein: Upper Extremity

상지 동맥 Upper extremity artery

상지 동맥질환의 진단을 위해서 초음파, MRI, CT 및 혈관조영술(conventional angiography) 등을 활용할 수 있다. 초음파검사는 회색조 초음파(gray scale) 뿐만 아니라 연속파형Doppler(continuous-wave Doppler, CW), 펄스파형Doppler(pulsed-wave Doppler, PW), 이중초음파(Duplex US), 색Doppler(color Doppler), 출력Doppler(output Doppler), 그리고 하모닉Doppler(harmonic Doppler) 등을 종합적으로 이용하여 혈관질환을 평가할 수 있다.[1] 혈관질환의 확진에는 혈관조영술이 주로 이용되나, Doppler초음파는 비침습적이므로 간접적인 동맥검사와 함께 혈관질환에 대한 선별검사(screening)로 이용될 수 있고, 반복적인 추적검사가 용이하다. 또한 혈관 병변의 위치와 협착 유무 및 정도뿐만 아니라 혈류의 방향, 속도 및 파형, 혈류량 등의 혈류역학적인 정보까지 파악할 수 있으므로, 정확하고 빠른 진단과 병변의 중증도에 대한 평가가 가능하다.[1,2]

I. 해부학 및 검사기법

1. 정상해부학

상지의 동맥은 쇄골하동맥(subclavian artery)에서 시작한다. 좌측 쇄골하동맥은 대동맥궁(aortic arch)에서 바로 분지하지만, 우측 쇄골하동맥은 무명동맥(innominate artery)에서 기시한다. 쇄골하동맥은 전방 및 중간사각근(목갈비근, anterior and middle scalene muscle) 사이를 통과한 후 쇄골과 첫 번째 늑골을 지나면 액와동맥(axillary artery)이 된다. 액와동맥이 대원형근(큰원근, teres major muscle) 하연(lower margin)을 지나면 상완동맥(brachial artery)이 되고, 팔의 내측으로 주행하여 삼두박근(triceps brachii)과 이두박근(biceps brachii) 사이의 고랑(groove)에 위치한다. 상완동맥은 근위부 상완에서 심부상완동맥(deep brachial artery)을 분지하며, 이는 원위부 상완동맥이 막힐 경우 팔꿈치 주변의 중요한 측부순환(collateral circulation)을 담당한다. 상완동맥의 말단 분지는 요골동맥(radial artery), 척골동맥(ulnar artery), 골간동맥(interosseous artery)이다. 골간동맥은 일반적으로 전, 후분지로 나뉜다. 척골동맥은 표재장동맥궁(superficial palmar arch)을, 요골동맥은 심부장동맥궁(deep palmar arch)을 형성하며, 이들 사이에는 상호연결동맥이 있다 (Fig. 7-1).

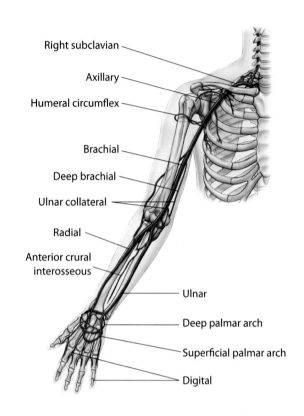

Right subclavian
Axillary
Humeral circumflex
Brachial
Deep brachial
Ulnar collateral
Radial
Anterior crural interosseous
Ulnar
Deep palmar arch
Superficial palmar arch
Digital

Figure 7-1 Upper extremity artery anatomy.

2. 초음파검사 기법

1) 장비

5~7.5 MHz의 선형탐촉자를 주로 이용하며, 상황에 따라 적절한 다른 주파수의 탐촉자를 사용할 수 있다. 초음파 음속(sound beam)과 혈류 방향 사이의 각(beam-vessel angle)을 Doppler각(Doppler angle)이라 하고, Doppler각을 조절하는 것은 말초동맥 검사에서 정확한 혈류 정보의 정량화에 매우 중요한 요소이다. 이 각이 90°이면, 이론상 Doppler효과가 나타나지 않고, 이 각이 0°일 때 Doppler효과가 가장 크지만 Doppler각을 0°로 하는 것은 실제로는 이루어지기 어렵다 (Chapter 01 초음파 물리 및 기법 참조 바람). Doppler각은 60°를 넘지 않는 것이 좋으며, 일반적으로 30~70° 사이로 조절

하면 정확한 혈류 정보를 얻는 데 충분하다.

2) 검사방법

환자는 검사 전에 바로 누운 자세에서 15분간 편안히 쉬도록 하여, 혈류에 대한 외부 영향을 감소시켜 재현 가능한 결과를 얻을 수 있도록 한다. 냉자극유도성 혈관수축(cold-induced vasoconstriction)을 방지하기 위해 검사실 온도는 21℃ 정도를 유지한다.

상지 동맥의 검사는 쇄골하동맥(subclavian artery) 부터 시작하는데, 이 부분이 폐색의 호발부위이다. 쇄골상와(supraclavicular fossa)에서 탐촉자를 횡축으로 놓고 쇄골하정맥 위를 지나는 쇄골하동맥을 검사하고, 이후 액와동맥과 상완동맥을 검사한다. 액와동맥은 탐촉자를 전방에 놓으면 어깨근육의 심부에 위치하며, 겨드랑이에 직접 탐촉자를 놓고 검사할 수도 있다. 상완동맥은 팔꿈치로부터 1 cm 원위부에서 요골동맥, 척골동맥으로 분지된다. 두 동맥은 팔을 바깥쪽으로 회전하고 약간 벌린 자세에서 검사한다. 횡축영상에서 요골동맥과 척골동맥을 찾은 후, 혈관의 진행 방향을 따라 각각의 종축 주행을 따라 검사한다. 척골동맥은 전완(forearm)의 상부에서 굴곡근(flexor muscles)안쪽으로 깊숙이 주행하고, 전완의 중간 이후에는 표층에 위치한다. 요골동맥은 전완의 외측을 따라 엄지손가락을 향해 주행한다.

혈관을 확인한 다음, 종축과 횡축방향으로 색Doppler검사를 시행한다 (Fig. 7-2). 회색조 영상에서 혈관의 모양, 죽상판(atheromatous plaque), 석회화(calcification), 혈전(thrombus)의 유무 등을 확인한다. 최근에 형성된 혈전은 혈액과 비슷한 에코를 보이므로, 색Doppler검사로 확인한다. 처음부터 색Doppler를 시행하기도 하는데, 작은 혈관의 위치를 확인하고 추적하는 데 용이하다. 예상하는 혈류속도에 맞추어 펄스반복주파수(pulse repetition frequency, PRF)를 설정하고, Doppler각에 주의하여 영상을 최적화 한다.

Doppler를 적용할 때 먼저 횡축영상에서 혈관의 해부학적 정보 및 주변 구조물과의 관계를 확인한 후 종축검사를 시행하는 것이 기본이다. 병변이 의심되는 부위에서 Dop-

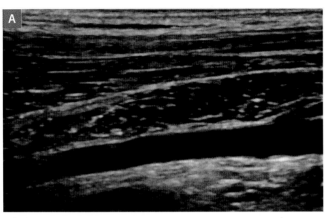
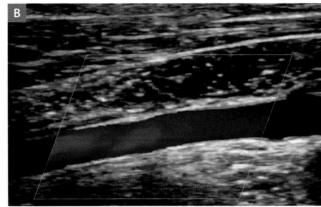

Figure 7-2 Normal ultrasonographic finding of subclavian artery. A. Longitudinal scan, gray scale. **B.** Longitudinal scan, Color Doppler US.

pler 파형을 분석하여 혈류 및 혈관협착에 대한 정량검사를 시행한다. 병변 부위의 근위부와 원위부에서도 파형을 분석해야 한다.(1)

II. 정상 상지 동맥의 초음파소견

말초동맥(peripheral artery)은 저항(resistance)이 높기 때문에 전형적으로 삼상(triphasic)파형을 보인다. 짧은 역류(reverse flow component)는 초기 확장기(early diastole)에 기준선(spectral base line) 아래쪽에 나타난다 (Fig. 7-3).

정상 말초동맥 혈류는 심장주기에 따라서 수축기에는 혈류가 강하게 분출되어 혈관 내의 혈액세포는 거의 동일한 혈류속도를 보이는 전형혈류(plug flow)를 보인다. 확장기에는 혈관의 중앙부에는 빠른 속도의 역전된 혈류를, 가장자리에는 상대적으로 느린 속도의 전진성 혈류를 보이는 층류(laminar flow)를 나타낸다. 이러한 정상 말초동맥 혈류의 Doppler 파형은 좁고 선명한 파형을 보이며, 수축기 최대치

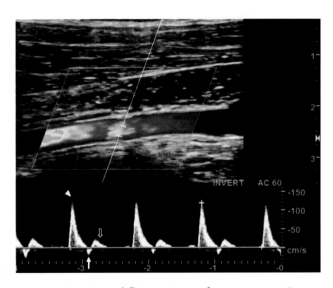

Figure 7-3 Normal flow pattern of upper extremity artery – triphasic waveform. Note early diastolic reverse flow (arrow). Arrowhead, peak systolic velocity; Open arrow, late diastolic forward flow.

파형의 아래는 빈 공간으로 보인다.

박동성 혈류를 보이는 정상 말초동맥의 확장기에는 색

Table 7-1   Stenosis degree of peripheral artery

Mild stenosis	PSV: 0~30%↑, compared to it of normal proximal artery segment Mild spectral broadening
Moderate stenosis	PSV: 30~100%↑, compared to it of normal proximal artery segment Triphasic waveform, but spectral broadening
Severe stenosis	PSV: 100%↑ Severe spectral broadening Monophasic waveform Color persistence at diastolic phase Mosaic pattern representing turbulent flow

Doppler 영상에서 혈류역전에 의한 적색과 청색 간의 색 교차를 볼 수 있지만, 박동성이 감소되거나 소실되면 일정한 색을 보인다. 상지동맥 혈류는 외부 온도에 따라 체온조절 요인이 작용하여 원위부 동맥의 혈류 유형이 주기적으로 변하며, 몇 분 안에 높은 저항성 혈류에서 낮은 저항성 혈류로 바뀔 수 있다.

III. 상지 동맥 질환

1. 죽상경화증 Atherosclerosis

말초동맥의 만성 폐쇄성 질환의 원인은 다양하며 죽상경화증이 가장 흔하다. 40~59세의 3~5%, 70세 이상에서는 약 20%에서 발병한다. 위험인자로는 흡연, 당뇨, 고지혈증, 고령, 고혈압 등이 알려져 있다. 전체 죽상경화증의 약 5%가 상지에 생기며, 주로 쇄골하동맥과 액와동맥을 침범한다. 일반적으로 죽상경화 병변은 다발성으로 나타나며, 중증도의 차이는 있으나 80% 정도에서 대칭적으로 나타난다.[1] 초음파는 말단동맥폐쇄성 질환이 의심되는 환자에서 선별검사(screening)나 수술적 치료 후의 추적검사 목적으로 이용한다.

Table 7-2   PVR of the stenosis

PVR	Stenosis
>2:1	>50% stenosis
3.7~4:1	>75% stenosis
7:1	90% stenosis

** PVR = PSV of the stenosis site / PSV of the normal proximal artery segment

검사방법

쇄골하동맥에서부터 시작하여 액와동맥, 상완동맥, 요골동맥과 척골동맥까지 회색조 영상, 색Doppler, 그리고 파형 Doppler 검사를 시행한다.

동맥경화증(arteriosclerosis)의 가장 초기 초음파소견은 혈관 내막(intima)과 중막(media)이 두꺼워지는 것이다. 폐쇄성 질환(occlusive disease)으로 진행하면서 내경(lumen diameter)의 감소, 또는 부드럽거나 딱딱한 판(플라크, plaque) 등을 볼 수 있고, 색Doppler영상에서 와류(turbulence)와 불규칙한 혈류(flow irregularity)를 볼 수 있다.

협착을 정량화하기 위해 일차적으로 파형의 분석과 최대수축기속도(peak systolic velocity, 이하 PSV)를 측정한다. 협착의 근위부 최대수축기속도(prestenotic PSV)는 감소될 수 있고, 협착부는 상대적으로 최대수축속도(PSV)가 증가되는 것이 진단 기준이다 (Table 7-1). 혈전성 폐색(thrombotic occlusion)이 발견되면, 폐색된 구간의 길이를 측정해야 한

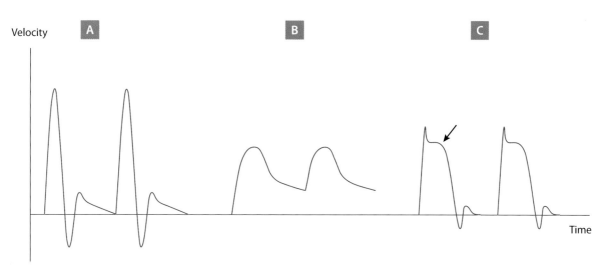

Figure 7-4 **Spectral waveforms. A.** Normal high-resistive flow pattern. **B.** Tardus-Parvus waveform distal to stenosis. As the systolic acceleration time increases, waveform develops a rounded upslope (termed tardus) configuration due to the prolonged time to PSV. Damped monophasic waveform with low-resistive, low velocity (termed parvus), and loss of pulsatility. **C.** High-resistive, low velocity, and low volume flow pattern proximal to the stenosis. There is characteristic shoulder (arrow) on systolic downstroke due to pulse wave reflection from distal stenosis.

다.[1,3,4]

　PSV의 정상 범위는 부위별로 차이가 있는데, 쇄골하동맥은 80~120 cm/s 정도이다. 부위에 상관없이 협착의 정도를 알 수 있는 방법은, 정상 근위부 동맥과 협착부위의 PSV비율(peak velocity ratio, 이하 PVR)을 구하는 것이다. PVR은 협착 부위의 PSV를 협착의 근위부 정상 동맥의 PSV로 나눈 값으로, PSV보다 PVR이 혈관의 협착정도와의 상관관계가 더 높다 (Table 7-2).[4]

　Doppler 파형이 비정상이면 주변 혈관의 병변을 추정할 수 있다. 혈류의 감쇄파형이 보이면 근위부 동맥의 협착을 시사한다. 근위부 동맥이 막히면 반응성 혈관확장에 의해 말초동맥의 저항이 감소하여 낮은 저항, 박동성 소실, 낮은 혈류속도에 의한 감쇄된 단상파형(damped monophasic waveform)이 보이고, 수축기 거상시간(systolic rise time)이 증가한다. 이러한 파형을 '지연저속파형(tardus-parvus wave-form)'이라 하는데, tardus는 'PSV까지 도달하는 시간이 늦다'는 뜻이고 parvus는 '혈류의 속도가 느리다'는 뜻이다. 반대로, 측정지점의 원위부 동맥에 협착이 있을 경우 높은 저

항, 낮은 혈류량, 낮은 혈류속도, 원위부로부터 전달되어 온 박동성 파형 반사에 의해 수축기의 내려오는 지점에서 특징적인 어깨(shoulder) 모양이 보인다 (Fig. 7-4).[1]

2. 흉곽출구증후군 Thoracic outlet syndrome

흉곽출구증후군은 다양한 원인에 의해 흉곽출구를 지나는 쇄골 아래의 혈관 및 팔신경얼기(brachial plexus)가 눌려서 양팔이 아프고 감각이 떨어지며 저리는 질환이다. 흉곽출구는 목갈비근 사이공간(interscalene triangle), 늑쇄골 공간(costoclavicular space), 작은 가슴근 후방공간(retropectoralis minor space) 등 3개의 구획으로 이루어져 있으며, 이 구획을 지나는 신경, 동맥, 그리고 정맥이 압박되어 발생한다. 동맥의 포착(entrapment)은 쇄골하동맥에서 액와동맥 사이의 세 곳에서 발생할 수 있다. 첫 번째는 경부늑골(cervical rib)이나 사각근(scalene muscle)부위, 두 번째는 쇄골하동맥이 첫 번째 늑골과 쇄골의 중간부위를 지나는 부분, 세 번째

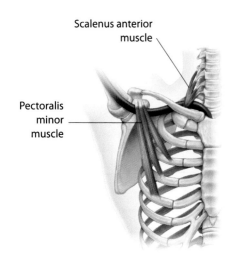

Scalenus anterior
muscle

Pectoralis
minor
muscle

Figure 7-5 Thoracic outlet syndrome. Three sites were indicated where the subclavian artery can be compressed. (1) The first site of possible compression is located at the level where the proximal subclavian artery as it passes between the scalenus anterior muscle and the first rib. (2) A second site of compression is the space between the first rib and the clavicle. (3) Third, the axillary artery can be compressed between the tendon of the pectoralis minor and the attachment at the coracoid process.

는 흉근(가슴근육, pectoralis muscle) 부분이다 (Fig. 7-5).

검사방법

동맥 흉곽출구증후군이 의심되는 환자에서 초음파로 쇄골하동맥과 액와동맥을 횡단면으로 검사하며, 혈관의 동맥류성 팽창이나 편위(deviation)와 같은 해부학적 이상을 찾을 수 있다.[5] 증상이 유발되는 자세를 취하여 동맥 협착을 유도한 후 초음파를 시행하는데, 주로 팔을 외전하고 고개를 그 반대측으로 돌린 자세이다.[6] 초음파검사에서 동맥 협착을 확인할 수 있으며, Doppler에서 둘러겹침(aliasing)허상이 보일 수 있다. 중립자세에서는 삼상파형을 보이고 혈류속

도가 약간 증가되는 소견을 보이다가, 증상이 유발되는 자세를 취하면 PSV가 확연하게 증가되며, PSV가 2배 이상 증가하면 동맥이 50~75% 협착되었다는 것을 의미한다. 또한, 팔을 중립, 90°, 120°, 그리고 180°로 외전하면서 Doppler를 시행하면 혈류의 변화를 관찰할 수 있다.[7~10] 초음파의 장점은 자세 변화로 유발된 증상과 이에 상응하는 혈관의 변화를 직접적으로 비교할 수 있다는 것이다. 또한 누운 자세에서 검사를 시행하는 CT나 MRI와는 달리, 초음파는 이학적 검사에서와 같이 서거나 앉은 자세에서 환자를 검사할 수 있다는 장점이 있다.[8] 그러나 초음파는 흉곽출구 전체를 검사할 수 없기 때문에 초음파만으로 흉곽출구증후군을 진단하는 데 제한이 있을 수 있다. CT나 MRI의 소견과 임상증상이 일치하지 않거나, 증상은 있으나 CT나 MR에서는 병변이 발견되지 않는 경우 등에서 추가적인 검사로 초음파가 유용하다.[5]

3. 쇄골하동맥도혈증후군
Subclavian steal syndrome

쇄골하동맥도혈증후군은 쇄골하동맥의 근위부와 추골동맥(vertebral artery)의 기시부 사이에서 협착이 생기고 이로 인해 추골동맥의 혈류가 두미방향(cephalo-caudal direction)으로 역행하는 것을 말한다. 쇄골하동맥도혈은 대부분 증상 없이 우연히 발견되지만, 때로는 운동 시에 증상이 유발되거나 일시적으로 상지 파행(claudication), 운동실조(ataxia) 등의 증상이 있을 수 있다.[11] 원인은 죽상경화증이 가장 흔하며, 드물게는 선천성 혈관기형 등이 원인이다.[11~13]

초음파는 쇄골하동맥도혈을 진단하기 위한 유용한 선별검사이며, 동시에 경부 혈관의 다른 병변도 함께 검사할 수 있다.[14] 초음파에서 쇄골하동맥도혈이 의심되면 CT혈관조영술이나 MR혈관조영술로 확진할 수 있다.[11]

CHAPTER

07

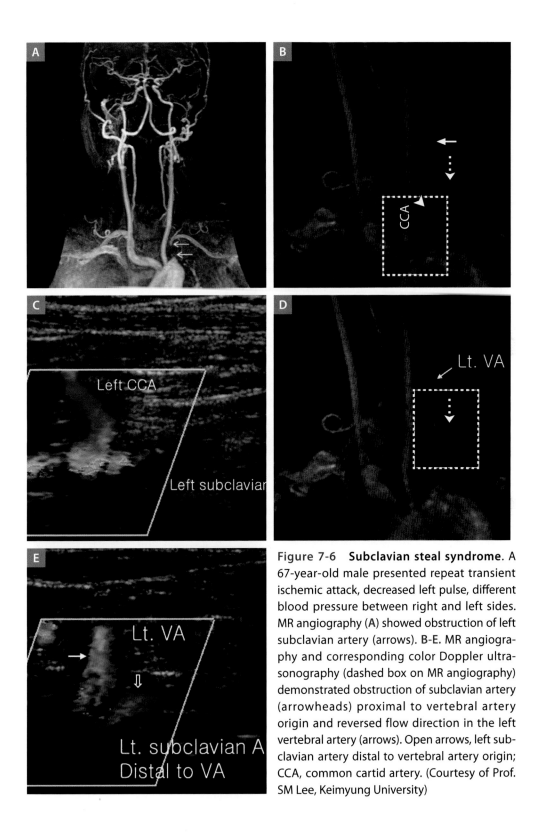

Figure 7-6 **Subclavian steal syndrome.** A 67-year-old male presented repeat transient ischemic attack, decreased left pulse, different blood pressure between right and left sides. MR angiography (A) showed obstruction of left subclavian artery (arrows). B-E. MR angiography and corresponding color Doppler ultrasonography (dashed box on MR angiography) demonstrated obstruction of subclavian artery (arrowheads) proximal to vertebral artery origin and reversed flow direction in the left vertebral artery (arrows). Open arrows, left subclavian artery distal to vertebral artery origin; CCA, common cartid artery. (Courtesy of Prof. SM Lee, Keimyung University)

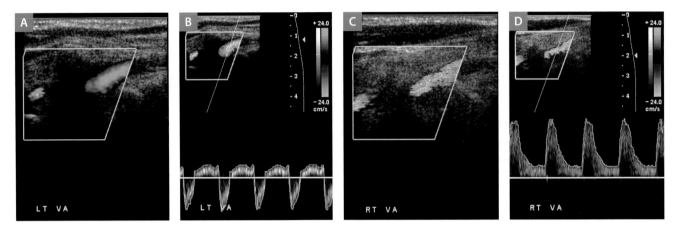

Figure 7-7 Subclavian steal syndrome A 71-year-old male presented decreased pulse of left upper extremity and different blood pressure between right and left sides. **A, B.** On color Doppler examination of left vertebral artery, reversed flow direction (blue color) and reversed flow spectrum were noted. **C, D.** Right vertebral artery showed normal flow direction (red color) and normal flow spectrum. (Courtesy of Prof. SM Lee, Keimyung University)

검사방법

누운 자세에서 검사하고자 하는 혈관의 반대 방향으로 고개를 돌린 상태에서 검사한다. 추골동맥은 쇄골하동맥에서 첫 번째로 분지하는 동맥이며, 탐촉자를 경동맥(carotid artery) 보다 바깥쪽에 놓으면 경추의 가로돌기(transverse process) 사이에서 볼 수 있다. 추골동맥의 직경은 다양하며 주로 왼쪽이 큰 경우가 많다. 정상적인 추골동맥의 파형은 급격하게 증가하는 PSV와 함께 전향적인(antegrade) 혈류를 보인다. 쇄골하동맥도혈의 경우 색Doppler초음파에서 추골동맥의 역류가 보이고, 파형초음파에서 혈류역학적인(hemodynamic) 변화를 확인 할 수 있다 (Fig. 7-6, 7-7). [15]

상지 정맥 Upper extremity vein

상지 정맥 초음파검사의 흔한 적응증은 심부정맥혈전증(deep vein thrombosis, 이하 DVT)이나 표재성혈전정맥염(superfi-cial thrombophlebitis)이며, 중심정맥관이나 기타 정맥 도관 삽입을 시행할 때 정맥의 위치를 확인하기 위해서도 사용한다. 혈액투석을 위해 동정맥루(arteriovenous fistula)를 형성한 환자에서 혈액투석 전에 동정맥루의 성숙도를 평가하거나 동정맥루의 각종 합병증에 대한 검사에도 이용된다. 초음파를 이용한 진단과 치료를 위해서는 상지 정맥의 정상해부학 및 초음파에 필요한 기본 술기를 알고 있어야 한다. 상지 정맥 초음파는 하지 정맥 초음파보다 더 난이도가 있으므로 검사법을 숙지하고 신중하게 검사해야 한다.

정맥조영술은 침습적이고 드물게 조영제에 의한 부작용과 정맥염 등의 합병증이 발생할 가능성이 있다. 또한 정맥의 모양 및 개방성(patency)만이 확인되고 혈관의 압축성 등 생리학적 정보는 얻을 수 없다는 단점이 있다. CT혈관조영술 및 MR혈관조영술은 초음파로 확인이 어려운 중심정맥(central vein)을 함께 확인할 수 있지만 초음파를 대체하기에는 제한이 있다. 정맥의 영상검사로는 초음파검사가 우선적으로 이용되며, 초음파에서 이상이 확인된 경우 필요에 따라 추가적인 CT혈관조영술 및 MR혈관조영술을 이용할 수 있다. [16]

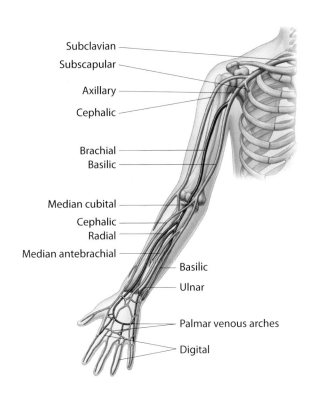

Subclavian
Subscapular
Axillary
Cephalic

Brachial
Basilic

Median cubital
Cephalic
Radial
Median antebrachial
Basilic
Ulnar
Palmar venous arches
Digital

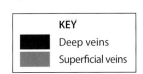

KEY
Deep veins
Superficial veins

Figure 7-8   Diagram of upper extremity vein anatomy.

I. 상지 정맥 해부학

상지 정맥은 중심정맥(central vein)과 심부정맥(deep vein), 그리고 표재성정맥(superficial vein)으로 나뉘어진다. 중심정맥에는 내경정맥(속목정맥, internal jugular vein)의 근위부, 쇄골하정맥(빗장뼈밑정맥, subclavian vein)의 중심부, 무명정맥(innominate vein, brachiocephalic vein) 및 상대정맥(위대정맥, superior vena cava) 등이 있다. 일부에서는 무명정맥 및 상대정맥만을 중심정맥으로 분류하기도 한다.

상지의 심부정맥에는 쇄골하정맥의 원위부, 액와정맥(겨드랑정맥, axillary vein), 상완정맥(위팔정맥, brachial vein), 척골정맥(자정맥, ulnar vein) 및 요골정맥(노정맥, radial vein) 등이 있다. 심부정맥과 표재성정맥은 초음파검사 시 구분이 어려울 수 있으나, 함께 주행하는 동맥이 있는 경우 심부정맥으로 간주한다. 상지의 표재성정맥으로는 요골측피부정맥(cephalic vein), 척골측피부정맥(basilic vein) 및 중앙

팔꿈치정맥(median cubital vein) 등이 있다 (Fig. 7-8).

척골정맥과 요골정맥은 각각의 동맥과 함께 주행하며, 주관절(팔꿈관절, elbow joint) 원위부에서 상완정맥(brachial vein)으로 합쳐진다. 상완정맥은 중심부를 향해 주행하다가 대원형근(큰원근, teres major muscle) 부위에서 척골측피부정맥(basilic vein)과 합쳐져서 액와정맥이 된다. 액와정맥은 대원형근부터 첫 번째 늑골까지이다. 첫 번째 늑골을 지나면 쇄골하정맥이 되고, 쇄골 하부를 지나 중심부에서 내경정맥(internal jugular vein)과 만나 무명정맥을 형성한 후 반대측의 무명정맥과 합쳐져 상대정맥이 된다.

척골측피부정맥은 팔에서 내측 피하지방층 내로 주행하며, 요골측피부정맥(cephalic vein)은 외측 피하지방층 내로 주행한다. 일부는 주관절 근처에서 합쳐져 중앙팔꿈치정맥(median cubital vein)을 형성하기도 한다. 요골측피부정맥은 심부정맥과 액와정맥 혹은 쇄골하정맥의 원위부에서 합쳐진다.

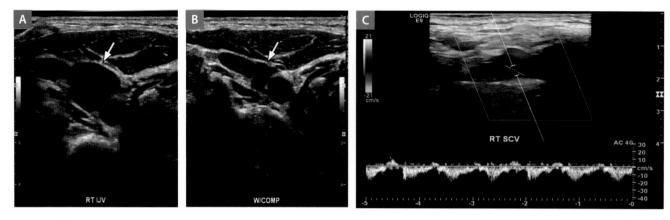

Figure 7-9 Normal ultrasonographic findings of central vein. Non-compressed (A) and compressed (B) images of the internal jugular vein show normally compressible vein. Doppler spectrum of subclavian vein (C) shows the normal triphasic pattern according to cardiac pulsation and respiration.

II. 초음파 기법

환자는 누운 자세(supine position)에서, 팔을 펴고 약간 외전(abduction) 및 외회전(external rotation)한 상태에서, 머리를 반대쪽으로 돌리고 검사한다. 중심정맥을 검사할 때는 5~10 MHz, 말초부위의 심부정맥이나 표재성정맥 검사 시엔 좀 더 높은 주파수 탐촉자를 사용하면 좋다. 굴곡형(convex) 또는 부채꼴(sector) 탐촉자는 액와부, 상대정맥 및 무명정맥과 같은 중심정맥 검사에 도움이 된다. 초음파검사는 중심부에서부터 말초 방향으로 검사를 진행한다. 압박 검사는 정맥 초음파에서 가장 중요한 검사이며, 압박하기 전의 정상 정맥과 압박된 정맥의 영상을 모두 남기고, 동영상 촬영을 시행할 수도 있다. 압박법은 일반적인 회색조영상이나 Doppler 검사에 비해 민감도와 정확도가 높다.

내경정맥은 상지정맥에 속하지는 않지만 상지정맥과 연결되어 있는 중심정맥의 개방성(patency)을 확인하기 위해 검사에 포함해야 한다. 내경정맥 검사는 하악골 부위부터 흉곽 입구부위까지 시행하고, 쇄골하정맥은 뼈에 가려져 검사가 불가능한 부위를 제외한 중심 및 원위부 쇄골하정맥을 모두 검사한다. 무명정맥 및 상대정맥의 일부도 소아용 부채꼴 탐촉자를 이용하면 흉골 상부 절흔(suprasternal notch)을 통해 검사가 가능하다. 중심정맥에서는 가능한 부위에서 압박 검사를 매 1~2 cm마다 시행하고, 회색조영상, 색Doppler 및 파형Doppler영상을 얻는다. Doppler검사는 혈관의 장축 방향을 따라 시행하며 Doppler각은 30~60°를 유지한다. 중심정맥의 경우 호흡 및 심장박동에 따른 파형의 변화가 보이는 것이 정상이다 (Fig. 7-9). 반대측 중심정맥과 비교하는 것이 좋다. Valsalva법(Valsalva maneuver)을 시행하여 내경정맥 및 쇄골하정맥의 내경이 감소하는 소견을 확인하는 것도 중요하다.

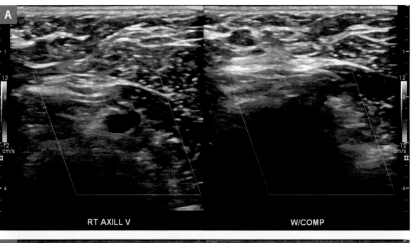

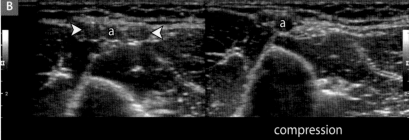

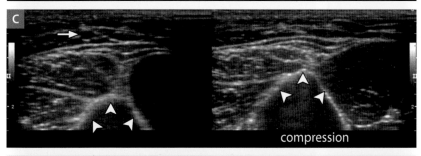

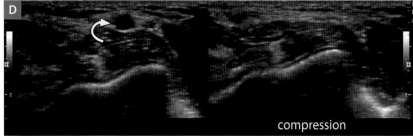

Figure 7-10 **Normal ultrasonographic findings of venous structures in upper extremity.** A. Normal axillary vein. The axillary vein is successfully compressed on compression image (blue color vessel). The patent vascular structure locating besides of the vein is the normal axillary artery. B. Normal brachial veins. Usually brachial veins run in pair in upper arm. There are two parallel veins (arrowheads) in both sides of brachial artery (a). Both veins are normally compressed after compression. C. Normal antecubital (median cubital) vein in distal humerus level. There is a normally compressible vein in subcutaneous fat layer (arrow). Arrowheads, anterior cortex of distal humerus. D. Normal cephalic vein in radial side of right upper arm. Note collapse of vein during compression (curved arrow).

말초 심부정맥은 내 1~2 cm마다 횡축영상에서 압박검사(compression test)를 시행한다. 압박이 되지 않는 정맥에서는 Doppler검사를 시행하여 혈류신호의 유무를 확인한다. 액와정맥, 상완정맥, 척측피부정맥과 요측피부정맥의 위치를 확인하고 압박검사를 시행한다 (Fig. 7-10). 액와정맥의 경우 팔의 외전 자세에서 접근이 어려울 경우, 상완을 외전 및 외회전하여 겨드랑이를 벌린 상태에서 검사한다. 과도하게 팔을 들어올리면 액와정맥이 눌릴 수 있으므로 주의 한다. 상지 심부정맥 검사는 주관절와(팔오금, antecubital fossa) 부위까지 시행하는 것이 기본이며, 정맥염이나 다른 정맥 이상이 의심되면 원위부의 심부정맥 및 표재성 정맥에 대하여 추가로 검사를 시행한다. 검사방법은 다른 심부정맥 검사와 동일하다.[17]

III. 상지 정맥 질환

1. 심부정맥혈전증 Deep vein thrombosis, DVT

상지의 통증, 부종, 측부혈관(collateral vessel) 발달 등의 동반 증상이 있거나 무증상 고위험군 환자에서 정맥혈전증을 확인하기 위해 초음파를 시행한다. DVT의 고위험군은 암이 있거나, 움직일 수 없거나, 이전에 DVT의 과거력이 있는 환자 등이 포함된다. 상지정맥의 DVT는 폐색전증 원인의 12~16%를 차지한다. 상지정맥의 급성 DVT(acute DVT)가 있으면 침범된 혈관은 커지고 압박성이 소실된다. 혈관 내부에는 다양한 에코의 혈전이 보이고, Doppler검사에서 혈류가 보이지 않는다 (Fig. 7-11A, B). 중심정맥에 혈

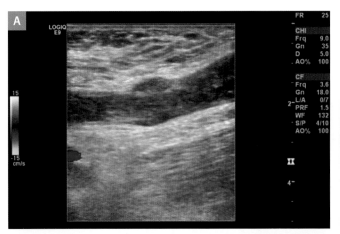

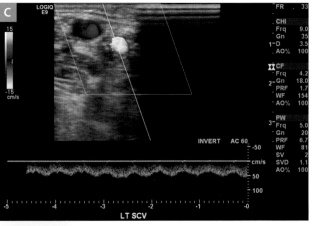

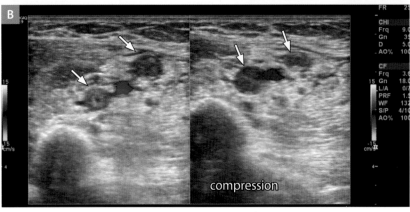

Figure 7-11 **This patient complained painful swelling of left upper arm for 5 days.** There is echogenic filling materials in left upper extremity vein from axillary to proximal brachial vein (A) with loss of compressibility (B, arrows) and widening of the vein diameter. This patient has history of deep venous thrombosis in left upper arm about 2 years ago. There is loss of variability according to respiration and cardiac pulsation in left distal subclavian vein also (C).

전이 있으면, 파형Doppler검사에서 호흡 및 심장박동에 의한 정상적인 파형 변화가 원위부 심부정맥에서 보이지 않고 단상형(monophasic)의 파형을 보인다 (Fig. 7-11C). 정맥이 부분폐쇄되면 남아있는 내경을 통과하는 혈류가 색Doppler검사에서 보일 수 있지만, 정상적인 Doppler파형의 변화는 소실되어 보이지 않는다. 상완정맥과 같이 쌍을 이루어 주행하는 정맥에서는 한쪽 정맥에만 혈전이 있을 수 있으므로 더 면밀히 관찰해야 한다.[16]

만성 DVT(chronic DVT)는 급성에 비하여 진단이 어렵다. 만성 DVT에서는 정맥 내 첨판(valve)의 움직임이 보이지 않거나, 정맥 내경의 유착이 의심되거나, 정맥의 내경이 좁아져 있으면서 압박 검사에서 늘려지지 않는 소견 등을 보인다 (Fig. 7-12).[18] 심한 만성 DVT에서는 내경이 완전히 소실되어 반흔(scar)만 남아서 초음파에서 정맥이 잘 보이지 않을 수 있다. 내경이 유지되어 있는 정맥에서도 혈류의 방향을 확인해보는 것이 중요하며, 오래된 DVT에서는 측부혈관(collateral vessel)이 발달하면서 혈류의 방향이 역전될 수 있다. 대표적인 사례로 편측 중심정맥의 폐쇄 또는 심한 협착

이 있으면, 내경정맥의 혈류가 역전되고 측부혈관을 통하여 반대측 내경정맥을 통해 중심정맥과 연결이 유지되는 경우가 있다. 상지에서는 하지와는 달리 측부혈관들이 잘 발달하고 큰 내경을 유지하며, 측부혈관 내에서도 심박동 및 호흡에 따른 정상 파형변화를 관찰할 수 있다. 하지만 이러한 측부혈관들은 정상 정맥에 비해 매우 구불구불한 주행을 보이고, 정상 정맥과 달리 동맥과 떨어져 있다. 급성 DVT의 소견 없이 만성 DVT의 소견만 보이면서 증상이 있는 환자들을 '혈전후증후군(post-thrombotic syndrome)'으로 진단하며, 항응고치료를 하지 않는 것이 원칙이다. 그러므로 만성 DVT 환자에서 동반된 급성 DVT 유무를 확인하는 것이 중요하다. 최근에는 탄성도 검사(elasticity imaging)를 이용하기도 한다. 만성 DVT에서 탄성도가 떨어진 혈관벽 및 혈전을 직접 확인할 수 있으므로 급성 및 만성 DVT를 감별하는 데 도움이 된다는 보고가 있다.[19]

정맥 도관삽입 등의 시술을 한 후에 삽입부의 주변으로 급성 DVT나 협착이 올 수도 있다 (Fig. 7-13).[20] 도관 자체 및 도관삽입 시 일어난 정맥 벽의 손상이 혈전 형성의 원인

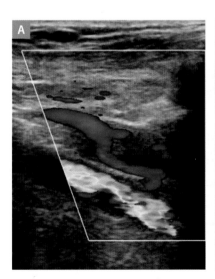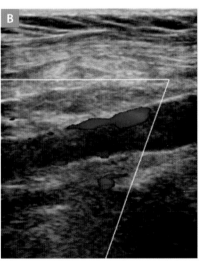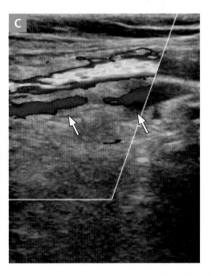

Figure 7-12 **Chronic DVT involving subclavian and axillary veins.** Color Doppler images of subclavian (**A**) and axillary (**B**) veins show intraluminal filling defect with partial recanalization (blue colored flow). C. Brachial vein (blue color) shows luminal irregularity and wall thickening (arrows). (Courtesy of Prof. SM Lee, Keimyung University)

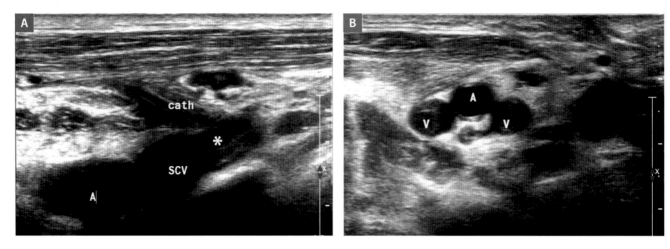

Figure 7-13   A 75-year-old male patient suffered from severe right arm swelling and pain after insertion of right subclavian central vein catheter (cath). A. There is formation of echogenic thrombi (*) at the position of tip of right subclavian vein catheter. A, subclavian artery; SCV, subclavian vein. **B.** The thrombus directly extends into right proximal brachial veins and also there are echogenic thrombi in both lumina of paired veins (v). There is also loss of compressibility in involved brachial veins (not shown). A, brachial artery.

이 된다. 침범된 정맥의 벽이 두꺼워지거나 불규칙한 소견이 보이며, 색Doppler 영상에서 혈관협착 부위에 와류(소용돌이흐름, turbulent flow)를 확인할 수 있다.

2. 표재성 혈전정맥염 Superficial thrombophlebitis

표재성 혈전정맥염의 초음파 진단은 1990년대부터 주로 하지 정맥을 중심으로 이루어졌으며, 표재정맥의 정맥염이 심부정맥의 혈전을 일으키거나, 심하면 폐색전증으로 진행할 수 있다. 표재성 혈전정맥염이 오래 지속되면 만성 표재정맥 혈전증처럼 보인다 (Fig. 7-14). 이 경우 침범된 혈관은 만성 DVT와 마찬가지로 내부에 혈류가 보이지 않으며, 혈관의 직경이 감소되고, 혈관의 벽이 두꺼워진다. 또한 압박검사 시 압박되지 않는다.[21]

3. 시술 전 정맥 위치 확인

중심정맥도관삽입술 등을 시행하기 전에 상지 정맥의 정확한 혈관의 위치와 상태를 파악하는 데 초음파검사가 도움이 된다. 도관을 삽입하고자 하는 혈관의 폐색이나 협착을 확인할 수 있고, 정확한 천자 위치를 파악하여 도관삽입 시 발생할 수 있는 합병증을 줄일 수 있다. 중심정맥관 삽입 시 표식자(landmark)가 되는 피부 구조물들과 실제 정맥의 위치가 다른 경우가 많기 때문에 초음파유도하 도관삽입술이 더욱 선호된다. 특히 중심정맥도관을 삽입한 과거력이 있는 환자들에서는 중심정맥의 협착 및 폐색 소견을 시술 전에 반드시 확인해야 한다.[16]

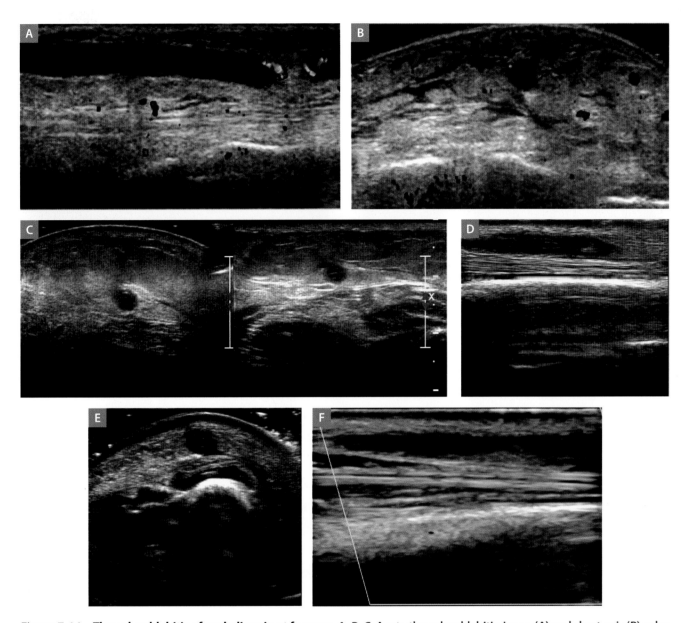

Figure 7-14 **Thrombophlebitis of cephalic vein at forearm.** A, B, C. Acute thrombophlebitis. Long- (A) and short-axis (B) color Doppler images show thrombosed cephalic vein without flow signal in the lumen. Increased perivascular vascularity and diffuse subcutaneous swelling maybe due to acute inflammation. Thrombosed vein is not compressible in short-axis gray-scale images without and with compression (C). D, E, F. Chronic thrombophlebitis. Long- (D) and short-axis (E) gray-scale images show heterogeneous soft tissue echo within cephalic vein. Color Doppler image (F) shows no flow signal. No acute inflammatory change is noted around the vein.

동정맥루 Arterio-venous fistula, AVF

I. 동정맥루의 수술 전 평가
Pre-operative evaluation for AVF

색Doppler검사는 투석용 접근이식편(dialysis access graft)을 계획하는 데 필요한데, 특히 AVF의 시술 전에 상완정맥 혹은 쇄골하정맥의 개방성을 확인하는 데 이용된다. 투석용 접근이식편을 설치할 수 있는 부위는 제한되어 있으므로 초음파를 이용해서 적절한 혈관을 고르는 것이 중요하다.

1. 동맥

상지 동맥은 쇄골하동맥부터 요골 및 척골동맥에 이르기까지 종축으로 색Doppler검사하며, 이상 소견이 보이는 부분은 파형Doppler를 이용하여 협착이나 폐색을 확인한다. 이때 동맥 혈관의 내경이 50% 이상 감소되거나 PSV가 2배 이상 증가하면 혈역학적으로 의미 있는 협착이다. 하지만 이보다 경한 협착이라도 AVF 후에 혈류가 증가하면 문제가 될 수 있다. 초음파는 혈관조영술에 비해 협착의 정도를 정확하게 측정할 수 있을 뿐 아니라, 요골동맥과 척골동맥의 해부학적 변이 등도 확인할 수 있다. AVF를 위한 적당한 요골동맥을 평가하기 위해서는 동맥의 직경, 혈관 벽의 모양, 그리고 충혈반응(hyperemic response)을 측정한다.[22~25]

1) 동맥 직경 Arterial diameter

요골동맥의 내경은 손목과 하부 상완에서 혈관 내막(intima)과 내막 사이의 거리를 혈관벽에 수직으로 측정한다 (Fig. 7-15). 동맥은 심장의 수축기와 이완기에 따라 혈관 직경이 변화한다.[22,25]

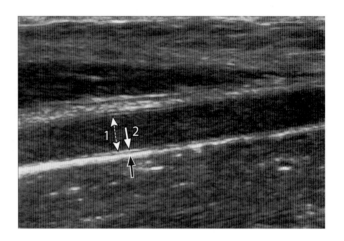

Figure 7-15 **Gray scale long-axis image of radial artery.**
1. Distance between intima and intima (lumen diameter).
2. IMT (intima-media thickness).

2) 동맥 혈관벽 모양 Arterial wall morphology

AVF가 성숙(maturation)하는 동안에 영양동맥(feeding artery)이 확장되고 혈류가 증가하게 되는데, 질병이 있는 동맥은 이런 과정이 생기지 않는다. 따라서 혈관벽의 두께와 모양 – 내막의 평활도(smoothness of the intima), 내벽의 두께(wall thickness), 석회화 – 등을 평가한다. 내-중막 두께(intima-media thickness, IMT)를 하부 요골동맥의 종축영상에서 측정한다 (Fig. 7-15).[22,24]

3) 충혈반응 Hyperemic response

충혈반응은 혈압측정 띠(blood pressure cuff) 등을 이용하여 측정한다. 동맥을 압박하여 허혈을 유도한 후 압박을 풀고 동맥의 충혈반응을 관찰한다. 허혈(ischemia) 상태에서 건강한 동맥은 혈류증가, 하부 소동맥(distal arteriole) 확장 등의 반응성 충혈(reactive hyperemia)을 보이며, 파형Doppler검사로 평가할 수 있다. 허혈 중에는 삼상고저항파형(triphasic high resistance waveform)을 보이다가, 반응성 충혈 때는 증가된 속도의 단상저저항파형(monophasic low-resistance waveform)으로 바뀐다. 이러한 파형의 변화는 저항지수(resistive index)나 PSV를 측정하여 압박 전-후의 차이로 정량화가 가능하다. 동맥의 충혈반응이 클수록 낮은 저항지수와 높은 PSV 차이를 보인다. [22,24,26,27]

2. 정맥

지혈대(tourniquet)로 묶어 상완의 요골측피부정맥(cephalic vein)을 확장시킨 후, 상완에서부터 탐촉자를 횡축으로 놓고 정맥을 간헐적으로 누르면서 개방성을 평가한다. 이러한 검사는 해부학적인 정맥지도(vein mapping)를 그리고, AVF의 실패를 야기할 수 있는 유출폐쇄(out-flow obstruction)를 확인하고자 함이다. AVF에 적절한 정맥을 결정하는 기준은 형태, 직경, 팽창성 등이다. [22] 만약 요골측피부정맥에 병변이 있으면 척골측피부정맥(basilic vein)을 검사한다.

1) 정맥의 형태와 바늘 삽입의 적합성

정상 정맥은 얇고 부드러운 혈관벽, 무반향의 내강을 가지고 있으며 압박이 가능하다. AVF를 위한 정맥은 투석용 바늘을 삽입하기 위해 충분한 길이를 확보해야 하며, 혈관이 피부로부터 6 mm 이내의 깊이에 있어야 한다. [22,28]

2) 정맥의 직경과 팽창성

정맥의 직경과 깊이는 상지 전체에서 측정되어야 하며, 충분한 젤(gel)과 적절한 압력을 사용하여 정맥을 직접 누르지 않아야 한다. 직경은 종축영상 혹은 횡축영상에서 측정할 수 있다. [25] 횡축영상에서 탐촉자는 피부 표면에서 수직이어야 하며 정맥의 종축영상에서는 피부 표면과 평행해야 직경의 과측정(over estimation)을 피할 수 있다.

지혈대로 묶기 전과 묶은 다음 2분 뒤에 정맥 직경을 측정하여 직경의 증가율을 계산하고 정맥의 팽창성을 평가한다. 직경 측정의 오류를 최소화하기 위해서 적절한 검사실 온도를 유지하고 따뜻한 젤을 사용하여 표준 자세로 검사하는 것이 좋다. [29,30]

3) 정맥 Doppler

이상이 의심되면 정맥의 개방성(patency)은 Doppler를 이용하여 추가로 검사할 수 있다. Doppler파형을 얻기 위해서는 Doppler각을 적절하게 유지하고, 펄스반복주파수(pulse repetition frequency, PRF)를 낮게 조절한다. 정상 정맥은 지속적인 혈류 파형을 보인다. [22]

4) 중심정맥

수술 전 검사에서 중심정맥의 협착 역시 성공적인 AVF 형성에 영향을 끼치는 요인이다. 중심정맥에 무증상의 협착이 있으면 투석 중에 혈류가 원활하게 흐르지 못하므로 상지가 붓고 정맥고혈압이 야기된다 (Fig. 7-16). [31] 일반적으로 조영제를 이용한 고식적인 혈관조영술이 중심정맥의 평가에 가장 널리 사용된다. [28,32] 초음파로는 중심정맥에서부터 근위부 쇄골하정맥까지 직접적으로 보기 어렵지만, 원위부 쇄골하정맥과 내경정맥(internal jugular vein)에서 Doppler검사를 시행하면 간접적인 측정이 가능하다. Doppler파형이 호흡과 심장주기에 따라 변하면 중심정맥이 개통되어 있음을 의미하지만, 단상 파형은 완전 폐쇄를 의미한다. [10]

Check list for pre-operative evaluation of AVF

1. Artery

1) Target: radial artery
2) US evaluation
- Diameter: longitudinal scan, intimal to intimal distance
- Wall morphology: wall thickening, smoothness of the intima, calcification
- Hyperemic response: Spectral Doppler US, waveform, PSV

2. Vein

1) Target: cephalic vein >>basilic vein
2) Compress the arm using tourniquet due to vein dilatation
3) US evaluation
- Venous suitability for cannulation
- Vein morphology
- Diameter and distensibility

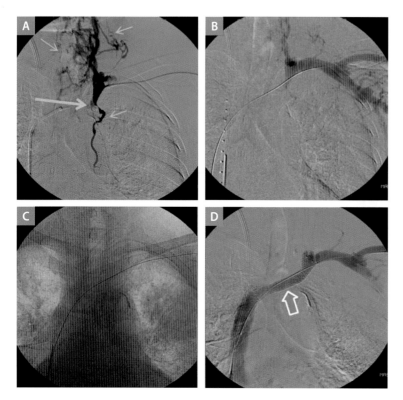

Figure 7-16 **AVF failure due to central venous obstruction.** A 68-year-old female with a history of chronic renal failure was hospitalized for left arm swelling. The patient had underwent an arteriovenous fistula operation at left arm 2 months ago. Angiogram showed left innominate vein obstruction (long arrow in **A**) with multiple collateral vessels (short arrows in **A**). Stent was inserted by through-and-through technique, then balloon dilatation was performed (**B, C**). After stent insertion and balloon dilatation, the innominate vein demonstrated normal blood flow without collateral vessel (open arrow in **D**).

II. 동정맥루 초음파검사

동정맥루 시술 전 혈관지도 작성뿐만 아니라, 만들어진 동정맥루의 성숙도를 평가하여 혈액투석에 사용하기에 적합한지 확인하는 것이 중요하다. 동정맥루 형성에 가장 흔히 이용되는 혈관은 요골동맥-요골측피부정맥(radio-cephalic) 동정맥루이다. 때로는 주관절 부위에서 상완동맥-요골측피부정맥(brachio-cephalic) 동정맥루나 상완동맥-척골측피부정맥(brachio-basilic) 동정맥루를 이용할 수 있다. 자가 혈관을 이용한 동정맥루의 형성이 어려우면 주관절와(antecubital fossa)부위에서 굽은 형태의 인조혈관을 이용하여 상완동맥과 주관절와 정맥을 연결해준다. 혹은 위팔(상완, upper arm)부위에서, 직선 형태의 인조혈관을 이용해 주관절와 부

위의 상완동맥과 근위부 척측피부정맥을 연결하기도 한다. 드물게 굽은 형태의 인조혈관을 이용해 액와동맥(axillary artery)과 액와정맥을 연결할 수도 있다. 초음파를 시행하기 전에 반드시 어떤 형태의 동정맥루인지 알고 검사해야 한다.[17]

동정맥루 초음파검사를 시행할 때에는 과도한 압력에 의해 정맥이 눌리지 않도록 주의한다. 기본적으로 동정맥루 및 도관 초음파에서는 혈류의 유입 및 유출, 와류의 유무, 협착 여부 및 거대 경쟁정맥(large competing vein)의 존재 여부를 확인해야 한다.

초음파검사는 7 MHz 이상의 탐촉자를 이용하며, 혈류속도를 확인하기 위해서는 9~15 MHz의 선형탐촉자가 가장 효과적이다.

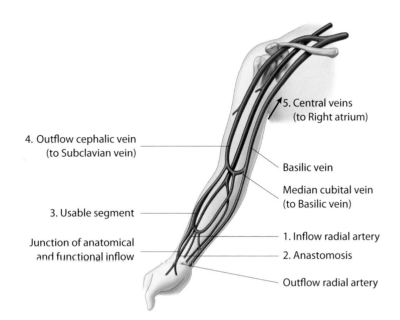

5. Central veins
   (to Right atrium)

4. Outflow cephalic vein
   (to Subclavian vein)

Basilic vein

Median cubital vein
(to Basilic vein)

3. Usable segment

Junction of anatomical
and functional inflow

1. Inflow radial artery

2. Anastomosis

Outflow radial artery

Figure 7-17 **All autologous AVF has 5 segments which should be evaluated during ultrasonography evaluation.** 1. Arterial, 2. Anastomosis, 3. Usable segment, 4. Outflow vein, and 5. Central vein.

III. 동정맥루 성숙도 평가

혈액투석에 적절한 동정맥루는 쉽게 만져지고 두 군데에 17게이지(gauge)의 바늘로 천자할 수 있어야 한다. 수술 후 4~6주가 경과된 뒤에도 이러한 혈관이 확인되지 않으면 초음파를 시행하여 자가동정맥루 및 인공도관의 상태를 확인해야 한다.

동정맥루 초음파는 최소 다섯 부위에서 시행해야 하는데, ① 유입동맥(inflow artery), ② 문합부(anastomosis), ③ 투석부위(usable segment), ④ 유출정맥(outflow vein), 그리고 ⑤ 중심정맥이다 (Fig. 7-17). [33] 성숙된 동정맥루(matured AVF)는 문합부로부터 2 cm 근위부와 문합부의 PVR(peak velocity ratio)이 3 미만이고, 문합부로부터 2 cm 원위부의 투석 부위와 문합부의 PVR은 2 미만이다. 투석 부위 및 유출정맥 모두 동맥화 되어 단상형의 파형을 보이고 유출정맥

의 혈류량은 500 mL/min 이상이다. 이학적 검사 시 투석 부위 상방에서 떨림(thrill)이 만져진다. 전환현상(steal phenomenon)이 있으면 유출정맥의 혈류량이 충분히 확보되지 않아 문제가 될 수 있다 (IV. 동정맥루 합병증의 진단 참조 바람). 유출정맥의 혈류량과 혈류속도 측정은 직선으로 주행하면서 내부에 와류를 보이지 않는 부분에서 시행한다. Doppler각은 60° 이하를 유지하고, 3~4회의 심장박동 동안 평균속도를 측정하는 데 3~5회 반복한다. 또한 이러한 유출정맥의 직경은 4 mm 이상이어야 한다. 또한 유출정맥과 피부와의 거리는 5 mm 미만이어야 한다 (Fig. 7-18). [29,33]

또한 유출정맥과 연결된 다른 정맥들을 확인하고, 지나치게 큰 경쟁정맥(competing vein)이 있으면 이를 결찰(ligation)해야 동정맥루 성숙에 도움이 된다. 중심정맥의 협착이나 혈전 존재 여부도 함께 확인해야 한다. [34]

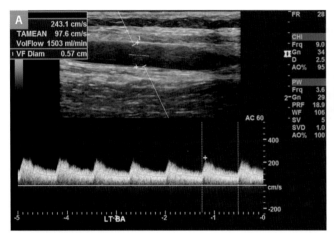
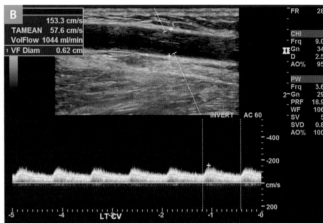
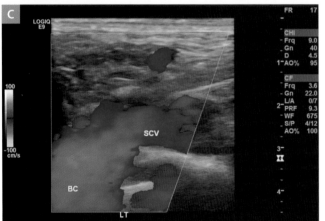

Figure 7-18 Normally matured native brachiocephalic AVF. A. Feeding brachial artery shows monophasic flow pattern and there is no evidence of stenosis in anastomosis site (not shown). The PVR at anastomosis to artery is less than 3. **B.** Outflow cephalic vein has been successfully arterialized and it shows arterial flow pattern. The PVR at anastomosis to cephalic vein is less than 2. The flow volume of outflow vein is 1,044 mL/min which is over than 500 mL/min. The diameter of the vein is 6.2 mm. **C.** Also there is no evidence of stenosis or other abnormality in central venous structures. BC, brachiocephalic vein (innominate vein); SCV, subclavian vein.

IV. 동정맥루 합병증의 진단

동정맥루의 기능 이상이 있으면 동정맥루 및 도관의 합병증을 의심하고 초음파검사를 시행한다. 혈액투석을 위한 도관의 삽입이 어려운 경우, 혈전 형성이 의심되는 경우, 도관원위부의 허혈 소견, 도관 주위 감염, 도관 주위의 종괴 형성 및 동맥류나 가성동맥류 형성이 의심되는 소견 등이 보이면 동정맥루의 기능 이상을 의심할 수 있다.

동정맥 문합부위 협착이 가장 많이 생기는 합병증이고, 그 다음으로는 유출정맥의 합병증이 흔하다. 문합부와 유입동맥 2 cm 상방의 PVR이 3:1 이상이면 50% 이상의 협착을 시사한다. 문합부의 각도가 예각이 되면서 최대수축기속도(PSV)가 변화되어 문합부 협착으로 오인될 수 있으므로 협착부위을 직접 확인해야 한다. 협착의 경우에는 대개 유출정맥의 혈류량도 500 mL/min 미만으로 감소한다.

유출정맥의 협착이 보이거나 색Doppler검사에서 둘러겹침(aliasing)이 보이면 반드시 협착 의심부위와 이의 2 cm 원위부 투석부위 정맥에서 PSV를 확인해야 한다. 이 경우에 PVR이 2를 넘으면 50% 이상의 협착을 시사한다. 협착부위가 없이 유출정맥의 혈류속도가 느려져 있다면 중심정맥의 협착이나 혈전 형성을 시사하는 소견이므로 내경정맥이나 쇄골하정맥 같은 중심정맥을 확인해야 한다.[34]

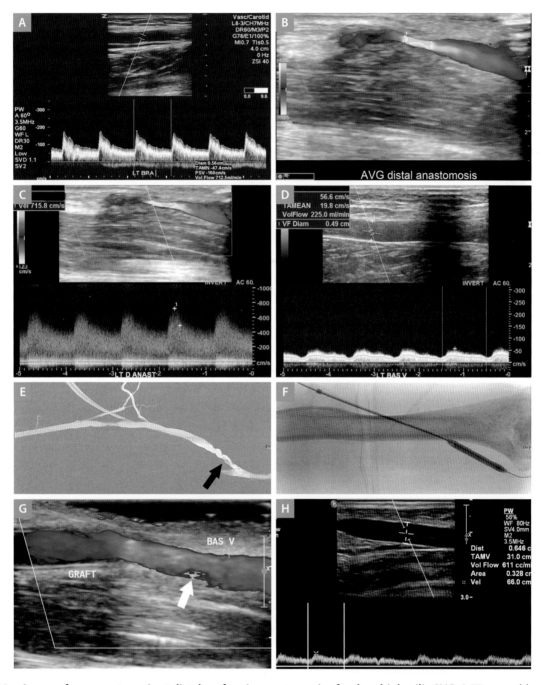

Figure 7-19   **A case of venous stenosis at distal graft-vein anastomosis after brachiobasilic AVG**. A 77-year-old male patient suffered from ineffective hemodialysis via his brachiobasilic AVG. On Doppler USG, brachial artery shows normal monophasic flow pattern of maturated AVG with effective flow volume of 712.5 ml/min (**A**). However, there is a 1 mm stenotic segment in basilic vein, just distal to graft-venous anastomosis site (**B**). The flow volume of stenotic site is 715.8 cm/sec (**C**) and the flow volume of basilic vein, 2 cm distal from stenotic segment is 56.6 cm/sec (**D**). The flow volume of the vein is decreased also (225 mL/min). The ratio of the flow volume is over 2. On venography for intervention, there is stenosis just distal to graft-vein anastomosis (**E**, arrow). After balloon dilatation (**F**), the stenosis has been improved (**G**, arrow) and the flow volume of basilic vein is normalized (611 mL/min, H). (Courtesy of Prof. DH Hyun, Samsung Medical Center)

동정맥루의 정상적인 기능을 위해서는 적절한 동맥 혈류가 있어야 한다. 동맥 협착이 있으면 협착의 원위부에서 특징적인 소맥(pulsus parvus) 및 지연맥(pulsus tardus)을 보이게 된다. 동맥 협착은 전체 동정맥루 협착의 5% 정도이다.

증상은 없으나 흔히 관찰되는 합병증 중 하나가 말초동맥의 전환 현상이다. 전환 현상은 동정맥루보다 원위부의 말초동맥 혈류 방향이 반대로 바뀌는 현상을 말한다. 이러한 소견은 전체의 약 1.8~9.0%로 보고되어 있는데 대부분은 증상이 없으며 치료가 필요하지 않다. 그러나 일부는 원위부의 혈류 부족에 의한 통증 및 감각이상, 심하면 허혈에 의한 괴사를 보일 수도 있다.[35]

인조혈관을 이용한 동정맥도관에서는 정맥-도관 문합부에 가장 협착이 흔하게 생긴다 (Fig. 7-19).[17] 자가 동정맥루에서는 문합부와 유입동맥 2 cm 상방의 PVR이 2 이상이면 50% 이상의 협착을 시사하고, 3 이상이면 75% 이상의 협착을 시사한다. 반면에 인조혈관을 이용한 동정맥도관의 문합부 혈류이상은 자가 동정맥루에 비해 다양하고, PVR이 3 이상이면 50% 협착의 의심할 수 있으나 특이도는 떨어진다. 인공도관 내 혈류는 회색조, 색Doppler 및 파형Doppler 검사 모두를 도관의 중심 부위에서 시행해야 한다. 협착이 의심되는 부위가 발견되면 위치를 기술하고 협착의 길이도 측정한다.

인공도관 내 혈류속도는 매우 다양하지만 500~650 mL/min 미만의 혈류속도를 보이면 협착부위가 보이지 않아도 혈관조영술을 시행하여 협착 유무를 확인해야 한다. 인공도관 내의 정상 혈류속도는 평균적으로 자가 동정맥루의 경우보다 빠르다. 중심정맥에 대한 검사도 함께 시행해야 한다.

가성동맥류(pseudoaneurysm)는 동정맥루 및 동정맥도관 모두에서 생길 수 있지만 인공도관의 경우에 더 흔하다. 대부분은 혈액투석을 위해 반복적으로 도관 및 정맥을 천자하면서 발생한다. 문합부에서 동맥류가 발생하면 감염이 원인일 가능성이 높으므로 감염의 징후가 있는지 함께 관찰해야 한다.[35] 초음파에서 가성동맥류는 동정맥루 혹은 동정맥도관 주변의 무에코 종괴로 보인다. 색Doppler검사에서는 내부에 음양징후(yin-yang sign)를 확인할 수 있다 (Fig. 7-20). 가성동맥류와 도관, 정맥 혹은 동맥과 연결된 경부(neck)를 확인하는 것이 중요하다. 가성동맥류 경부에서 수축기에는 동맥류안으로 들어가는 혈류와 이완기에는 빠져나

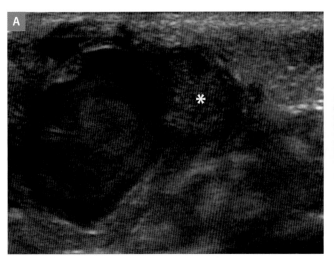
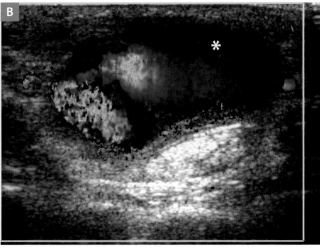

Figure 7-20 **Yin-yang sign of the pseudoaneurysm.** Gray-scale (A) and color Doppler (B) images show pseudoaneurysm of distal artery with partial thrombus (*). Typical yin-yang sing is noted on color Doppler image. Even in gray-scale image, amorphous whirling movement of blood flow can be seen. (Courtesy of Prof. SM Lee, Keimyung University)

오는 특징적인 Doppler신호가 보이는데, 이를 전후유동(to-and-fro motion)이라 한다 (Fig. 7-21). 탐촉자로 가성동맥류의 경부를 압박하여 가성동맥류 내에 혈전 형성을 촉진시키거나, 초음파유도하에 가성동맥류 내에 트롬빈(thrombin)을 주사하여 치료할 수 있다.[36] 이와 같은 치료에도 호전되지

않으면 중재적 시술을 통해 도관 및 혈관 내에 피복스텐트(covered stent)를 삽입할 수 있다.[35] 가성동맥류는 반복적 혈액투석 및 정맥 사용에 의하여 생기는 정맥 측의 동맥류성 확장(aneurysmal dilatation of vein)과 반드시 구별되어야 한다 (Fig. 7-22). 동정맥루 및 동정맥도관이 혈액투석에 문제

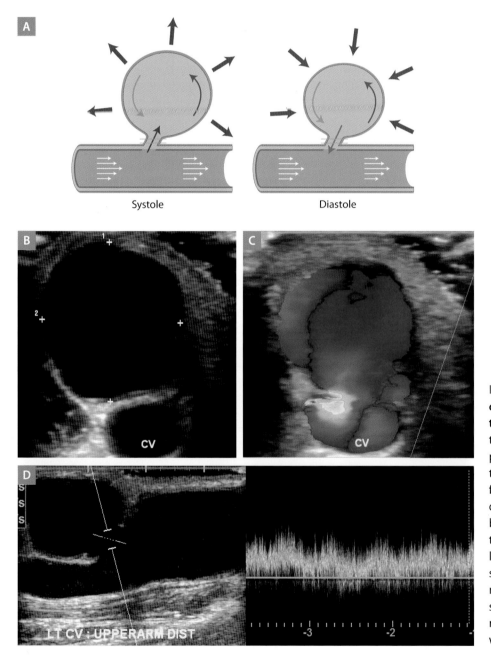

Figure 7-21 **Pseudoaneurysm of cephalic vein near AVF anastomosis. A.** Drawing of flow pattern in the neck and lumen of pseudoaneurysm. In the neck, to-and-fro flow occurs due to forward flow (artery to pseudoaneurysm) during systole and backward flow (pseudoaneurysm to artery) during diastole. In the lumen, whirling flow pattern is seen. **B, C.** Anechoic pseudoaneurysm with typical yin-yang sign. **D.** Doppler spectrum at the neck shows to-and-fro motion of waveform.

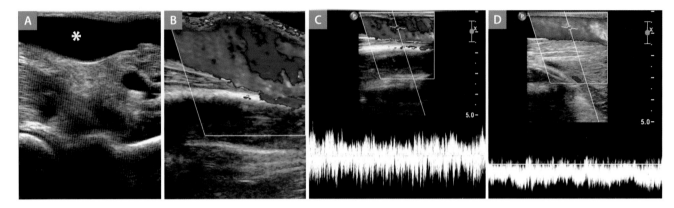

Figure 7-22 Aneurysmal dilatation of cephalic vein. A. Gray-scale long-axis image shows focal aneurysmal dilatation of cephalic vein at forearm (*). **B.** Color Doppler image shows whirling flow within the lumen without filling defect. **C.** Flow spectrum at dilatation shows to-and-fro waveform. **D.** Normal flow towards central vein is seen distal to the aneurysmal dilatation.

가 없고, 정맥 확장부위의 피부에 괴사 현상이 없으면 동맥류성확장에 대한 중재적 시술은 필요하지 않다. 그러나 동맥류성확장의 꼬임(kinking)이 너무 심해 혈류장애를 일으키거나, 내부에 혈전이 형성되거나, 갑자기 크기가 커지면 중재적 시술을 고려해야 한다.

참고문헌

1. 박재형 편저, 심장 혈관 영상의학 제2판, 일조각 2013 p.89-93, p477-493.

2. Cossman DV, Ellison JE, Wagner WH, Carroll RM, Treiman RL, Foran RF, et al. Comparison of contrast arteriography to arterial mapping with color-flow duplex imaging in the lower extremities. Journal of vascular surgery 1989;10:522-528, &discussion 528-529.

3. Jager KA, Phillips DJ, Martin RL, Hanson C, Roederer GO, Langlois YE, et al. Noninvasive mapping of lower limb arterial lesions. Ultrasound in Medicine & Biology 1985;11:515-521.

4. Ranke C, Creutzig A, Alexander K. Duplex scanning of the peripheral arteries: correlation of the peak velocity ratio with angiographic diameter reduction. Ultrasound in Medicine & Biology 1992;18:433-440.

5. Demondion X, Vidal C, Herbinet P, Gautier C, Duquesnoy B, Cotten A. Ultrasonographic assessment of arterial cross-sectional area in the thoracic outlet on postural maneuvers measured with power Doppler ultrasonography in both asymptomatic and symptomatic populations. Journal of Ultrasound in Medicine 2006;25:217-224.

6. Joseph FP. Peripheral vascular sonography. a practical guide (2nd eds.), Lippincott Williams & Wilkins 2004, p212, p296-297.

7. Longley DG, Yedlicka JW, Molina EJ, Schwabacher S, Hunter DW, Letourneau JG. Thoracic outlet syndrome: evaluation of the subclavian vessels by color duplex sonography. AJR Am J Roentgenol 1992;158:623-630.

8. Demondion X, Herbinet P, Van Sint Jan S, Boutry N, Chantelot C, Cotten A. Imaging assessment of thoracic outlet syndrome. Radiographics 2006;26:1735-1750.

9. Napoli V, Vignali C, Braccini G, Bagnolesi P, Cioni R, Russo R, et al. Echography and echo-Doppler in the study of thoracic outlet syndrome. Correlation with angiographic data. La Radiologia Medica 1993;85:733-740.

10. Wadhwani R, Chaubal N, Sukthankar R, Shroff M, Agarwala S. Color Doppler and duplex sonography in 5 patients with thoracic outlet syndrome. Journal of Ultrasound in Medicine 2001;20:795-801.

11. Osiro S, Zurada A, Gielecki J, Shoja MM, Tubbs RS, Loukas M. A review of subclavian steal syndrome with clinical correlation. Medical Science Monitor 2012;18:RA57-63.

12. Fields WS, Lemak NA. Joint Study of extracranial arterial occlusion. VII. Subclavian steal: a review of 168 cases. JAMA 1972;222:1139-1143.

13. Bornstein NM, Norris JW. Subclavian steal: a harmless haemo-

dynamic phenomenon? Lancet 1986;2:303–305.

14. Vecera J, Vojtisek P, Varvarovsky I, Lojik M, Masova K, Kvasnicka J. Non-invasive diagnosis of coronary-subclavian steal: role of the Doppler ultrasound. European Journal of Echocardiography 2010;11:E34.

15. Kalaria VG, Jacob S, Irwin W, Schainfeld RM. Duplex ultrasonography of vertebral and subclavian arteries. Journal of the American Society of Echocardiography 2005;18:1107–1111.

16. Therese M. Weber, Mark E. Lockhart and Michelle L. Robbin. Upper Extremity Venous Doppler Ultrasound. Radiol Clin N Am 2007;45:513–524.

17. 근골격영상의학회. 초음파검사 실행 가이드라인. Seoul: 대한영상의학회, 2014;180–190.

18. Eva E Chin, Peter T. Zimmerman, Edward G Grant. Sonographic Evaluation of Upper Extremity Deep Venous Thrombosis. J Ultrasound Med 2005;24:829–838.

19. Jonathan M Rubin, Hua Xie, Kang Kim, et al. Sonographic Elasticity Imaging of Acute and Chronic Deep Venous Thrombosis in Humans. J Ultrasound Med 2006;25:1179–1186.

20. Alain Luciani, Olivier Clement, Philippe Halimi, et al. Catheter-related Upper Extremity Deep Venous Thrombosis in Cancer Patients: A Prospective Study Based on Doppler US. Radiology 2001;220:655–660.

21. Peripheral Veins. In: Michael Hennerici, Doris Neuerburg-Heusler, eds. Vascular Diagnosis with Ultrasound: Clinical Reference with Case Studies, volume 1: Cerebral and Peripheral Vessels. 2nd ed. New York, Thieme.

22. Ferring M, Henderson J, Wilmink A, Smith S. Vascular ultrasound for the pre-operative evaluation prior to arteriovenous fistula formation for haemodialysis: review of the evidence. Nephrology, Dialysis, Transplantation 2008;23:1809–1815.

23. Brimble KS, Rabbat CG, Schiff D, Ingram AJ. The clinical utility of Doppler ultrasound prior to arteriovenous fistula creation. Seminars in Dialysis 2001;14:314–317.

24. Malovrh M. Native arteriovenous fistula: preoperative evaluation. American Journal of Kidney Diseases 2002;39:1218–1225.

25. Malovrh M. The role of sonography in the planning of arteriovenous fistulas for hemodialysis. Seminars in Dialysis 2003;16:299–303.

26. Wall LP, Gasparis A, Callahan S, van Bemmelen P, Criado E, Ricotta J. Impaired hyperemic response is predictive of early access failure. Annals of Vascular Surgery 2004;18:167–171.

27. Lockhart ME, Robbin ML, Allon M. Preoperative sonographic radial artery evaluation and correlation with subsequent radiocephalic fistula outcome. Journal of Ultrasound in Medicine 2004;23:161–168; quiz 169–171.

28. III. NKF-K/DOQI Clinical Practice Guidelines for Vascular Access: update 2000. American Journal of Kidney Diseases 2001;37:S137–181.

29. Planken RN, Keuter XH, Hoeks AP, Kooman JP, van der Sande FM, Kessels AG, et al. Diameter measurements of the forearm cephalic vein prior to vascular access creation in end-stage renal disease patients: graduated pressure cuff versus tourniquet vessel dilatation. Nephrology, Dialysis, Transplantation 2006;21:802–806.

30. van Bemmelen PS, Kelly P, Blebea J. Improvement in the visualization of superficial arm veins being evaluated for access and bypass. Journal of Vascular Surgery 2005;42:957–962.

31. Karakayali F, Ekici Y, Gorur SK, Arat Z, Boyvat F, Karakayali H, et al. The value of preoperative vascular imaging in the selection and success of hemodialysis access. Annals of Vascular Surgery 2007;21:481–489.

32. Lee SA, Chung HH, Lee SH, Cha SH, Je BK, et al. Venogram of the upper extremity using the tourniquet technique for the evaluation of central vein patency: a comparison to conventional and CO_2 venogram. Journal of the Korean Society of Radiology 2011;65:61–68.

33. Victoria Teodorescu, Susan Gustavson, Harry Schanze. Duplex Ultrasound Evaluation of Hemodialysis Access: A Detailed Protocol. International Journal of Nephrology 2012;508956:1–7.

34. Jan Swinnen. Duplex Ultrasound Scanning of the Autogenous Arteriovenous Hemodialysis Fistula: a Vascular Surgeon's Perspective. Australasian Journal of Ultrasound in Medicine 2011;14:17–23.

35. Frank T Padberg Jr, Keith D Calligaro, Anton N Sidawy. Complications of Arteriovenous Hemodialysis Access: Recognition and Management. Journal of Vascular Surgery 2008;48:55S–80S.

36. Faisan H Arshad, Darrell Sutijono, Christopher L Moore. Emergency Ultrasound Diagnosis of a Pseudoaneurysm Associated with an Arteriovenous Fistula. Academic Emergency Medicine 2010;17:e43–e45.

하지 혈관
Artery and Vein: Lower Extremity

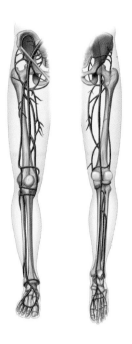

08 CHAPTER

■ 송유선, 김선정, 이성문

하지 혈관
Artery and Vein: Lower Extremity

혈관의 Doppler검사는 혈관질환이나 수술 후 혈류의 상태를 평가하는 데 필요한 해부학적 정보와 정량적 정보를 제공하는 비침습적 검사이다. 최근의 초음파기계들은 색Doppler, 강화Doppler(power Doppler), 혈류 파형(spectrum)분석은 물론, 삼차원영상과 CT, MRI 등과의 융합영상(fusion imaging)을 제공하고 있다. 이러한 영상을 이해하고 정확한 진단을 위해서는 기본적인 해부학과 검사방법을 정확히 아는 것이 중요하다.

하지 동맥

I. 개요

하지 동맥의 Doppler검사는 동맥 폐쇄성 질환의 진단과 협착 정도에 대한 정보를 제공함으로써 적절한 치료 방향을 결정할 수 있게 한다. 또한 말초동맥류와 가성동맥류의 진단뿐만 아니라 탐촉자를 이용한 압박이나 초음파유도하 트롬빈(thrombin) 주입으로 가성동맥류의 치료도 시행할 수 있다.

II. 하지 동맥의 해부학과 검사방법

하지 동맥의 Doppler검사는 복부대동맥(abdominal aorta), 총골반동맥(common iliac artery), 외골반동맥(external iliac artery), 총대퇴동맥(common femoral artery), 심대퇴동맥 근위부(proximal deep femoral artery), 표재대퇴동맥(superficial femoral artery), 슬와동맥(popliteal artery), 경골동맥(tibial artery)을 포함해야 한다 (Fig. 8-1).

하지의 동맥들은 다양한 정도의 깊이에 위치하므로, 동맥에 따라 적절한 주파수의 탐촉자를 선택하여 검사한다. 골반동맥 검사에는 3~5 MHz의 볼록(convex) 탐촉자가 적합하며, 대퇴동맥에서 슬와동맥까지는 5~7 MHz의 선형탐촉자가 적합하다. 말초동맥 검사에서 Doppler 각 조절이 중요하며, 60°가 가장 이상적이지만 30~70° 사이의 각이면 정확한 정보를 얻는데 충분하다.[1]

복부대동맥과 총골반동맥, 외골반동맥은 반듯이 누운 자세에서 검사하며, 적절한 영상을 얻기 위해 탐촉자로 적당한 압력을 가하는 것이 필요하다. 영상에 방해가 되는 장내 공기를 줄이기 위해 4~6시간 정도 금식을 하는 것이 도움이 된다. 누운 자세에서 다리를 외전하고 무릎을 약간 구부린 상태에서, 탐촉자를 서혜부에서 허벅지 안쪽으로 이동하며 총

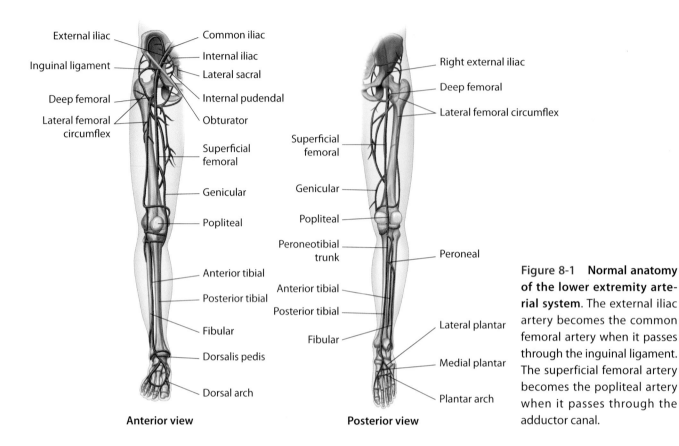

External iliac
Inguinal ligament
Deep femoral
Lateral femoral circumflex
Common iliac
Internal iliac
Lateral sacral
Internal pudendal
Obturator
Superficial femoral
Genicular
Popliteal
Anterior tibial
Posterior tibial
Fibular
Dorsalis pedis
Dorsal arch

Anterior view

Right external iliac
Deep femoral
Lateral femoral circumflex
Superficial femoral
Genicular
Popliteal
Peroneotibial trunk
Anterior tibial
Posterior tibial
Fibular
Peroneal
Lateral plantar
Medial plantar
Plantar arch

Posterior view

Figure 8-1 Normal anatomy of the lower extremity arterial system. The external iliac artery becomes the common femoral artery when it passes through the inguinal ligament. The superficial femoral artery becomes the popliteal artery when it passes through the adductor canal.

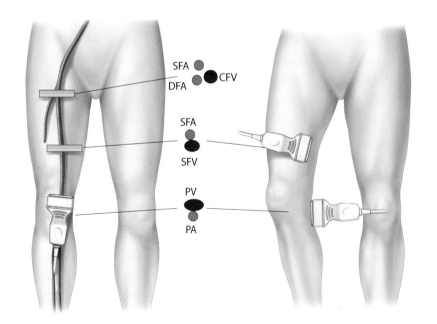

SFA
DFA
CFV
SFA
SFV
PV
PA

Figure 8-2 Probe position for scanning the lower extremity artery. In the thigh level, the artery is located superficial to the vein. In the popliteal fossa, the artery is located deep to the vein. SFA, superficial femoral artery; DFA, Deep femoral artery; CFV, common femoral vein; SFV, superficial femoral vein; PA, popliteal artery; PV, popliteal vein.

대퇴동맥과 표재대퇴동맥을 검사한다. 슬와동맥, 경골-비골동체(tibioperoneal trunk), 후경골동맥(posterior tibial artery), 비골동맥(peroneal artery)은 엎드리거나 옆 누운 자세에서 검사한다. 전경골동맥(anterior tibial artery)은 바로 누운 자세에서 검사한다. 허벅지에서는 동맥이 심부정맥보다 표층에 위치하며, 슬와부위에서는 동맥이 심부정맥보다 깊게 위치한다 (Fig. 8-2).

1. 복부대동맥과 총골반동맥 Common iliac artery

볼록 탐촉사를 검상돌기(xiphoid process) 하방에 놓고 복부대동맥을 검사한 후, 아래쪽으로 이동시켜 배꼽 높이에서 탐촉자를 비스듬하게 기울여 총골반동맥을 검사한다. 이 때 원위부 복부대동맥에서 근위부 총골반동맥 방향으로 탐촉자를 천천히 이동하면서 협착 부위를 찾는다. 장골능선(iliac crest) 높이에서 원위부 총골반동맥과 근위부 외골반동맥을 볼 수 있다.

2. 총대퇴동맥 Common femoral artery 과 표재대퇴동맥 Superficial femoral artery

선형탐촉자를 서혜부에 놓고 총대퇴동맥을 검사한 후(Fig. 8-3), 탐촉자를 허벅지의 안쪽 부위를 따라 무릎까지 이동하면서 표재대퇴동맥의 전장을 검사한다. 원위부 표재대퇴동맥은 내전근관(adductor canal, Hunter's canal)을 지날 때에는 허벅지 깊은 곳에 위치하므로, 누운 자세보다 엎드리거나 옆 누운 자세로 바꾸어 검사하는 것이 좋다. 표재대퇴동맥은 내전근관을 지나면서 슬와동맥이 된다.

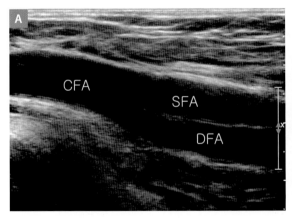
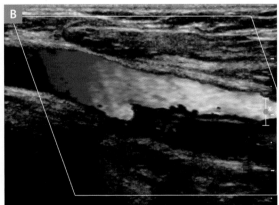

Figure 8-3 **Longitudinal scan of the common femoral artery.** A, B. Grayscale (A) and color Doppler (B) images show a longitudinal image of the common femoral artery (CFA) and its branches-superficial (SFA) and deep (DFA) femoral arteries.

3. 슬와동맥 Popliteal artery 과
경비골동맥 Tibioperoneal artery

엎드린 자세에서 무릎 뒤쪽의 슬와동맥을 검사하고, 종축영상에서 첫 번째로 분지하는 전경골동맥을 확인한다. 후경골동맥은 발목의 내측과(medial malleolus)의 뒤쪽에서 동맥을 찾아 근위부로 추적검사하는 것이 쉽다 (Fig. 8-4).[2] 비골동맥(peroneal artery)은 근위부 장딴지 부위에서 비골 뒤쪽에 있다 (Fig. 8-5). 경골동맥과 비골동맥을 찾을 때, 각 동맥과 함께 쌍(pair)을 이루어 동반 주행하는 정맥을 확인하면 도움이 된다. 전경골동맥은 바로 누운 자세에서 아래 다리의 전외측에 탐촉자를 놓으면 뼈사이막(interosseous membrane) 앞쪽에 보인다 (Fig. 8-6, 8-7).[2]

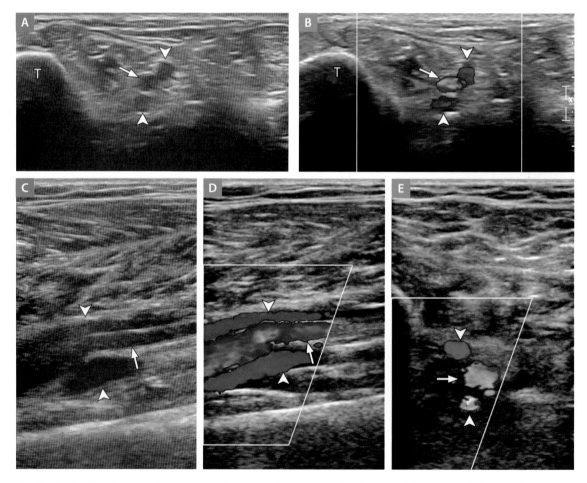

Figure 8-4 Posterior tibial artery. A, B. Short-axis gray scale (**A**) and color Doppler (**B**) images of the distal posterior tibial artery (arrow) and veins (arrowhead) which are located posterior to the medial malleolus of the tibia (T). **C, D, E.** Long-axis gray scale (**C**) and color Doppler (**D**) images, and short-axis color Doppler (**E**) image show the proximal tibial artery (arrow) and the paired veins (arrowheads) deep to the muscles.

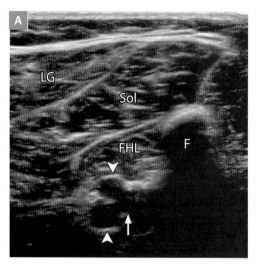

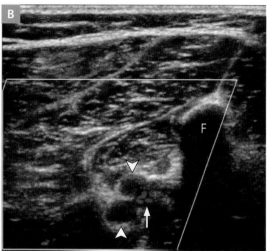

Figure 8-5 **Peroneal artery. A, B.** Gray scale (**A**) and color Doppler (**B**) short-axis images show the peroneal artery (arrow) and veins (arrowhead) adjacent to the fibula (F). LG, lateral head of gastrocnemius muscle; Sol, Soleus muscle; FHL, flexor hallucis longus muscle.

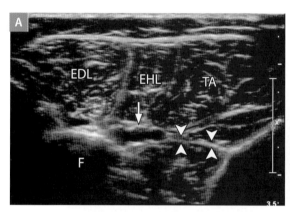

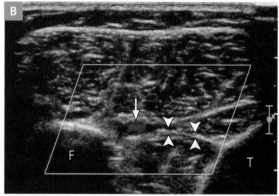

Figure 8-6 **Anterior tibial artery. A, B.** Gray scale (**A**) and color Doppler (**B**) short-axis images show the anterior tibial artery (arrow) that is located anterior to the interosseous membrane (arrowhead). F, fibula; T, tibia; EDL, extensor digitorum longus muscle; EHL, extensor hallucis longus muscle; TA, tibialis anterior muscle.

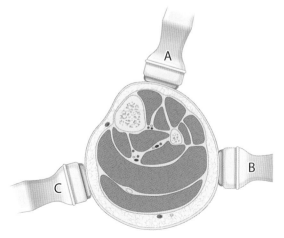

Figure 8-7 **Probe position for scanning of the lower extremity artery below knee.** Axial illustration image demonstrates the appropriate probe position for scanning the anterior tibial artery (**A**), the peroneal artery (**B**), and the posterior tibial artery (**C**).

III. 하지 동맥 질환

하지 동맥의 정상 혈류파형은 삼상파형(triphasic wave form)을 보이며, 심실 수축기(systole)의 고속 전진성(prospective) 혈류, 초기 이완기(diastole)의 혈류역전(flow reversal), 후기 이완기의 저속 전진성 혈류로 구성된다. 골반동맥에서 경골동맥으로 갈수록 최고 수축기 혈압은 감소하며 파형도 다양하게 변할 수 있다. 말초 저항이 감소하는 상황, 즉 운동 후, 혈관이완제 복용 후, 근위부에 혈류를 감소시키는 병변이 있는 경우 등에서는 혈류파형의 이완기 혈류역전이 소실되어 단상(monophasic)파형을 보일 수 있다.[3] 또한 고연령층이나 당뇨 환자 등에서 혈관의 탄성이 감소하면 전진성 혈류가 소실되어 이상(biphasic)파형을 보일 수 있다 (Fig. 8-8).

1. 동맥폐쇄성 질환

동맥의 회색조 횡축 및 종축영상에서 해부학적 정보, 석회화, 혈전 유무를 검사한 후, Doppler검사를 시행한다. Doppler 영상에서 병변이 의심되는 동맥 부위가 보이면, 이 부위에 대해 혈류파형을 얻는다.[2] 동맥 협착이나 폐쇄가 보이면, 병변 부위의 혈류파형과 위치를 기록하고, 병변 부위보다 2~4 cm 근위부 및 원위부에서도 혈류파형을 기록한다. 동맥 협착 부위보다 근위부에서는 정상적인 삼상 혈류를 보이지만 최고수축기혈류속도(peak systolic velocity, 이하 PSV)는 감소하며, 협착 부위에서는 PSV가 증가하게 된다. 동맥 협착 부위 원위부에서는 반응성 혈관확장에 의해 낮은 저항, 박동성 소실, 낮은 혈류속도를 보인다 (Fig. 8-9, 8-10).

Doppler검사에서 동맥의 혈류신호가 보이지 않으면 동맥

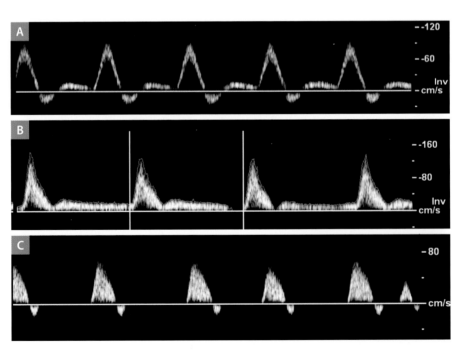

Figure 8-8 **Types of pulse Doppler waveform of artery.** A. Normal triphasic waveform. B. Monophasic waveform. C. Biphasic waveform. Triphasic and biphasic waveform can be seen in a normal artery.

폐쇄로 간주할 수 있으나, Doppler 민감도를 높게, 속도범위를 낮게 조절하여, 저속 혈류신호를 놓치지 않도록 주의해야 한다.[3]

폐쇄성 질환의 혈류파형은 초기 이완기 혈류역전이 보이지 않고 PSV가 증가된다. PSV는 재현성(reproducibility)이 높아 정량분석에서 가장 흔히 이용되며, 동맥 부위에 따라 정상 PSV의 차이가 있다. PSV는 외골반동맥에서 1.2 m/sec, 총대퇴동맥의 근위부에서 1.1 m/sec, 표재대퇴동맥에서 0.9 m/sec, 슬와동맥에서 0.7 m/sec, 경골동맥에서 0.5 m/sec 정도이며, 원위부로 갈수록 점차 감소한다.[4,5]

최고수축기혈류속도비율(peak systolic veolocity ratio, 이하 PVR)은 동맥의 협착이 가장 심한 부위의 PSV를 협착 부위보다 2~4 cm 근위부 정상 동맥에서의 PSV로 나눈 값이다. 하지 동맥에서는 PVR이 두 배가 되면 직경의 50% 정도

의 협착이, PVR이 4배 이상이면 70% 이상의 협착이 있는 것으로 본다 (Table 8-1).[5] 그러나 일부 연구에서 PVR이 3.4이면 직경감소가 70%라는 보고도 있다.[6] Doppler검사와 혈관조영술을 비교한 연구에서 PSV와 PVR이 동맥의 협착 정도를 가장 잘 반영하는 것으로 보고되어 있다.[5]

내전근관(adductor canal) 부위의 표재대퇴동맥은 깊게 위치하기 때문에 협착과 폐쇄를 구분하는 데 어려움이 있지만, 병변이 흔한 부위이므로 반드시 확인해야 한다.

골반동맥에서는 적절한 Doppler각을 맞추기 힘들므로 동맥 협착의 정도를 기술하는 데 어려움이 있다. 전경골동맥과 후경골동맥은 표층부에 위치하기 때문에 전장에 걸쳐 폐쇄 유무를 평가할 수 있으나, 비골동맥은 이보다 깊게 위치하므로 검사가 어려울 수 있다.[7]

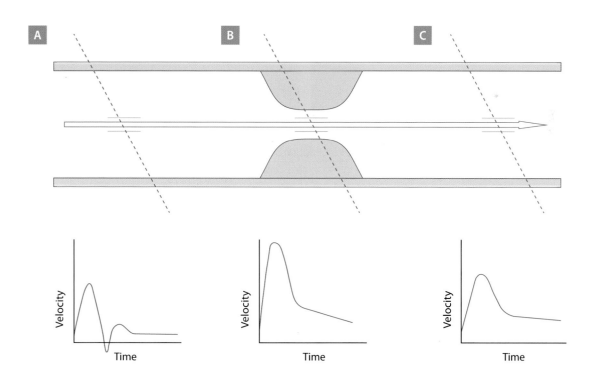

Figure 8-9 **Types of Doppler waveform according to the location.** A. At proximal to the stenosis, normal triphasic pattern waveform and low peak velocity is noted. B. At the stenosis, peak systolic velocity is increased. C. At distal to the stenosis, damped waveform is noted.

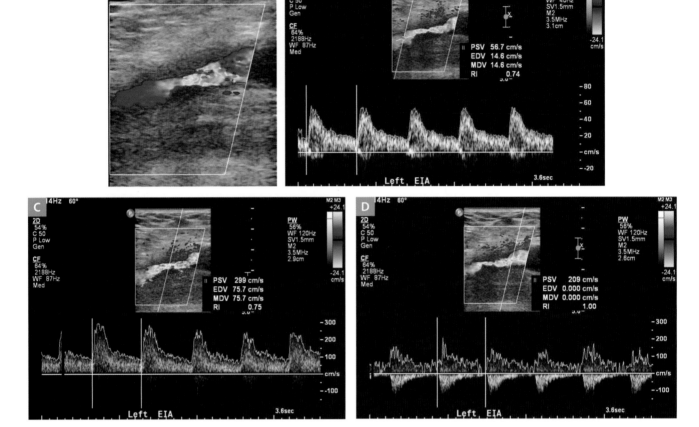

Figure 8-10 **Focal stenosis at the left external iliac artery. A.** Color Doppler longitudinal scan of the external iliac artery demonstrates a focal stenotic lesion. **B.** Pulse Doppler image obtained at proximal to the stenosis demonstrates decreased peak systolic velocity. **C.** Pulse Doppler image obtained at the stenosis demonstrates increased peak systolic velocity. **D.** Pulse Doppler image obtained at distal to the stenosis demonstrates damped waveform.

Table 8-1 **Duplex classification of peripheral artery occlusive disease**

% of stenosis	Peak systolic velocity(m/s)	Velocity ratio	Spectral waveform
<20%	<1.5	<1.5	Triphasic, normal PSV
20-49%	1.5-2	1.5-2	Triphasic, normal PSV
50-75%	2-3	2-4	Monophasic, reduced PSV
>75%	>3	>4	Damped, monophasic, reduced PSV
Occlusion	No flow		Damped, monophasic, reduced PSV

Abbreviations: PSV, Peak Systolic Velocity

2. 말초동맥류, 가성동맥류, 동정맥루의 검사

복부 대동맥류(aortic aneurysm)의 경우 신동맥 상방, 신동맥 부위, 신동맥 하방 복부대동맥의 직경을 단축 영상에서 측정해야 한다. 말초동맥류의 경우 동맥의 최대 지름, 혈류속도, 유출혈관의 개방성(patency)을 확인한다.

대퇴가성동맥류(pseudoaneurysm)의 검사에는 가성동맥류의 크기, 총대퇴동맥, 표재대퇴동맥, 심대퇴동맥 내의 혈류속도가 포함되어야 하며 주변 정맥의 혈전, 동정맥루의 존재와 동맥류에 의한 주위 구조물의 압박 등도 검사해야 한다.

Doppler검사에서 가성동맥류 내부에 소용돌이 모양의 전형적인 음양신호(yin-yang sign)가 보인다. 가성농맥류 경부(neck)에서의 Doppler신호는 특징적으로 수축기에 동맥류 안으로 들어가는 혈류와 이완기에 빠져 나오는 양상을 보이는데, 이를 전후유동(to-and-fro motion)이라 한다 (Fig. 8-11).

탐촉자로 가성동맥류를 압박하여 치료할 수 있으며, 최소 3번 정도 시도할 수 있다. 경부가 길고, 경부 직경이 5 mm 미만으로 가늘거나, 가성동맥류의 크기가 작으면 치료될 확률이 높다.[8,9] 다른 방법으로 초음파유도하 트롬빈을 동맥류 내에 주입하여 혈전 형성을 유도할 수도 있다 (Fig. 8-12).

동정맥루(arteriovenous fistula)가 형성되면 동정맥 연결 부위에서 높은 속도(PSV >3 m/s)의 혈류 분출(flow jet)이 관찰되며, 동정맥루보다 근위부 동맥에서는 낮은 저항의 혈류가, 원위부 동맥에서는 높은 저항의 혈류가 보인다.[5]

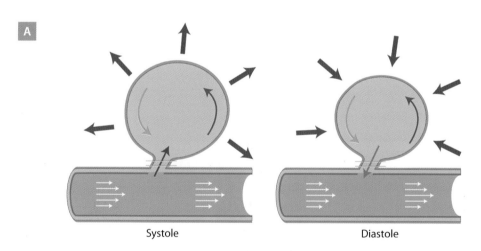

Systole   Diastole

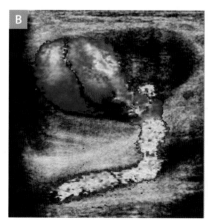

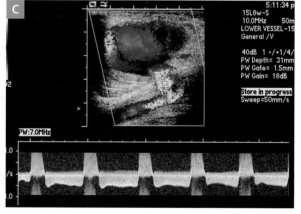

Figure 8-11 **A.** Scheme and Doppler image of pseudoaneurysm. **B.** On a color Doppler image, typical yin-yang sign is noted. **C.** On a pulse Doppler image, to-and-fro motion of waveform is noted in the neck of the pseudoaneurysm.

3. 경혈관성형술 Transvascular angioplasty 과 스텐트 Stent 시술 후 말초동맥 검사

맥박과 혈압의 정상화를 위해 검사 전 5~10분간 안정을 취하고, 혈관수축을 막기 위해 검사실 온도를 적절하게 유지한다. 5~7 MHz 선형탐촉자가 적합하며, 폐쇄성 동맥질환의 검사와 동일하게 혈관 부위에 따라 적절한 검사 자세를 취한다.

시술부위 혈관의 근위부와 원위부의 Doppler 및 혈류파형 검사를 실시하며, 혈관 또는 스텐트의 지름, 죽상판(atheromatous plaque)의 유무를 확인한다. Doppler파형은 스텐트 또는 혈관에 대하여 적절한 Doppler각을 유지하여 협착부위와 협착보다 근위부의 PSV를 측정한다.

합성 인조혈관이나 복재정맥(saphenous vein) 등이 혈관

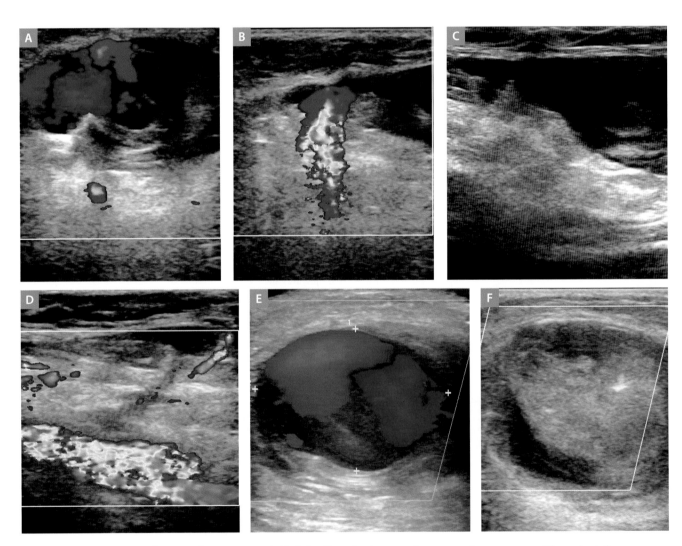

Figure 8-12 **Treatment for pseudoaneurysm.** A, B. Color Doppler images show pseudoaneurysm with neck at the common femoral artery. C, D. After compression with the probe, the thrombosed pseudoaneurysm and absence of blood flow at the neck portion are noted. E, F. Color Doppler images show the thrombosed pseudoaneurysm after thrombin injection. (Courtesy of SM Lee, Keimyung University)

성형술에 사용되며, 합성혈관으로 성형술을 실시한 경우에는 문합부에서의 가성동맥류 또는 협착에 대해 검사한다. 적절한 추적검사 시기는 시술 후 2주 이내이며, 첫 검사가 정상이라면 3~6개월 뒤에 다시 추적검사를 실시한다. 중등도의 협착(PSV: 1.8~3 m/sec, PVR: 2~3.5)이 있지만 증상이 없으면 2~3개월 간격을 두고 협착의 진행 여부에 대해 추적검사를 시행하며, 협착이 심하면 이차적 시술이나 수술을 계획한다.[5]

이식혈관 주위에 큰 혈종이 있는 경우 이식혈관의 개방성을 평가하는 데도 초음파검사가 유용하다. 이식혈관의 PSV

감소(<0.4 m/s)는 우회술의 실패를 나타내는 중요한 소견이며, 혈관조영술 등의 추가 검사를 시행한다.[5]

4. 슬와동맥포착증후군
Popliteal artery entrapment syndrome

슬와동맥포착증후군은 발목의 발등굽힘(dorsiflexion) 시에 슬와동맥이 비복근두(head of gastrocnemius muscle)에 둘러싸여 눌리는 현상이다. 근육이나 혈관의 해부학적 변이에 따

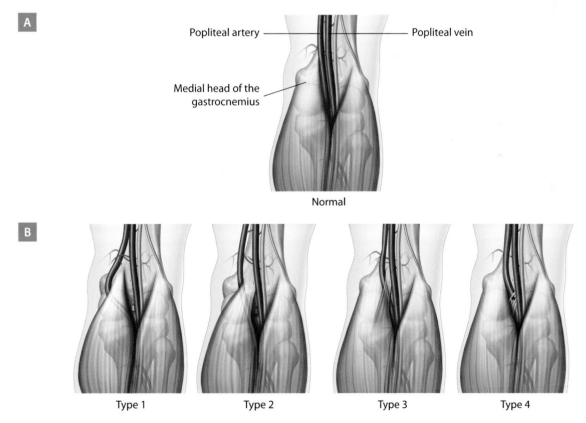

Figure 8-13 Scheme for classification of the popliteal artery entrapment syndrome. A. Normal relationship between the popliteal artery and the medial head of the gastrocnemius muscle. **B.** Classification of the popliteal artery entrapment. Type I : The popliteal artery is displaced medially around the medial head of the gastrocnemius muscle. Type II : The medial head of the gastrocnemius muscle has abnormal lateral position. Type III : The accessory slip of the gastronemius muscle compresses the popliteal artery. Type IV : The fibrous band or popliteus muscle(*) compresses the popliteal artery.

라 네 가지 유형으로 구분되며 (Fig. 8-13), 다섯 번째 유형은 슬와정맥을 포함하는 경우이다. 이완된 자세에서 초음파검사나 혈관촬영술을 실시하면 슬와동맥이 정상으로 보이나, 발등굽힘을 한 스트레스 자세에서는 동맥의 내경이 좁아지는 것을 볼 수 있다 (Fig. 8-14). 적절한 치료를 하지 않으면 대부분의 경우 동맥의 내경이 점차 좁아지고 섬유화로 인해 혈전이 형성된다.[10]

IV. 요약

1. 동맥폐쇄성 질환

① 협착이나 폐쇄가 있는 부위, 그 근위부, 원위부에서의 혈류파형을 기록한다.

② PSV와 PVR을 측정하여 협착의 정도를 알 수 있다.

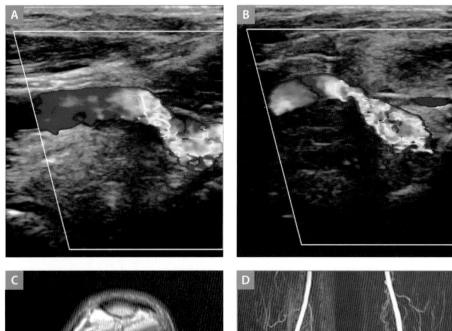

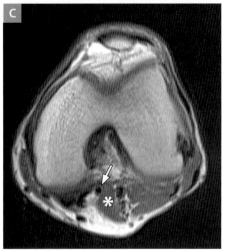

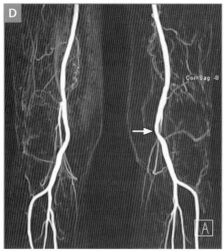

Figure 8-14 **Type 2 popliteal artery entrapment syndrome, left.** **A.** A color Doppler image of the popliteal artery with the knee extension demonstrates normal popliteal artery. **B.** With ankle dorsiflexion, focal stenosis of the popliteal artery is noted. Peak systolic velocity was markedly increased also (not shown). **C.** Axial T2WI MRI shows medial head of gastrocnemius (*) lateral to the popliteal artery (arrow). **D.** MR angiography reveals medially displaced popliteal artery with compression (arrow). (Courtesy of SM Lee, Keimyung University)

2. 말초동맥류, 가성동맥류, 동정맥루

① 말초동맥류의 최대 지름, 혈류속도, 유출혈관의 개방성
   에 대해 확인한다.
② 가성동맥류는 Doppler검사에서 특징적 음양징후를 보이
   고, 경부에서는 전후유동의 혈류를 보인다.

3. 경혈관성형술과 스텐트 시술 후 말초동맥의 추척 검사

혈관성형술 후 문합부에서의 가성동맥류, 협착 등의 합병증
에 대한 검사를 한다.

4. 슬와동맥포착증후군

발목의 발등굽힘 스트레스 검사를 시행하여 동맥 내경이 좁
아지는 것을 확인한다.

하지 정맥

I. 개요

Doppler검사는 하지 정맥의 폐쇄 및 역류를 진단하고, 정맥
부전의 범위를 파악하는 데 중요하다. 병변의 위치 및 혈류
의 방향을 비침습적으로 정확히 파악할 수 있고, 각각의 혈
관을 구분하여 검사할 수 있으며, 혈관 주변 연부조직도 함
께 검사할 수 있는 장점이 있다.[11-13]

II. 하지 정맥 해부학

하지 정맥은 근육 전체를 싸고 있는 근막(fascia)을 기준으로
근막의 바깥쪽에 위치하는 표재정맥(superficial vein), 근막
의 안쪽에 존재하는 심부정맥(deep vein), 그리고 이들을 연
결하는 관통정맥(perforating vein)으로 구성되어 있다.

1. 표재정맥 Superficial vein

표재정맥에는 크게 대복재정맥(great saphenous vein)과 소복
재정맥(small saphenous vein)이 있고, 복재근막(saphenous
fascia)에 의하여 형성되는 공간인 복재구획(saphenous com-
partment)을 따라 주행한다.[14]

대복재정맥은 발등의 정맥활(dorsal venous arch)에서 시
작하여, 내측과(medial malleolus) 앞쪽을 지나 장딴지와 허
벅지의 내측을 따라 주행한 후, 서혜인대(inguinal ligament)
3 cm 하방에서 복재대퇴접합부(saphenofemoral junction)를
형성하면서 대퇴정맥(femoral vein)으로 합쳐진다. 복재대퇴
접합부에는 몇 개의 지류(tributaries)가 같이 합류하는데 표
재회선장골정맥(superficial circumflex iliac vein), 표재하복
벽정맥(superficial epigastric vein), 표재외음부정맥(superfi-
cial external pudendal vein), 대복재정맥의 전외측분지(an-
terolateral tributary)와 후내측분지(posteromedial tributary)
등이 합류된다 (Fig. 8-15).

소복재정맥은 외측과(lateral malleolus) 뒤쪽에서 시작하
여 장딴지의 중앙선을 따라 위로 주행한다. 장딴지의 원위
부 2/3에서는 피하지방 내에 위치하다가, 이후 근막을 뚫고
비복근두(gastrocnemius head)사이로 들어가 슬와(popliteal
fossa)까지 주행한다. 약 2/3의 경우에 소복재정맥은 슬와
에서 슬와정맥(popliteal vein)과 합류하여 복재슬와접합부
(saphenopopliteal junction)를 형성한다. 나머지에서는 소복
재정맥이 슬와보다 더 위쪽에서 슬와정맥 혹은 대퇴정맥과

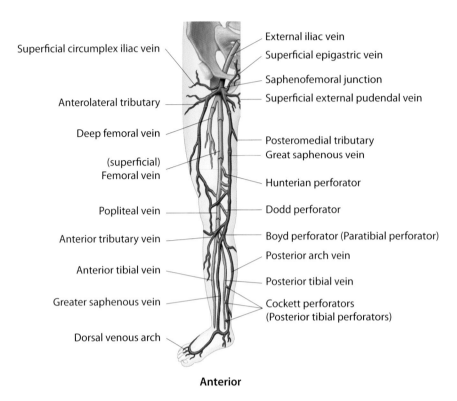

Superficial circumplex iliac vein

External iliac vein

Superficial epigastric vein

Anterolateral tributary

Saphenofemoral junction

Superficial external pudendal vein

Deep femoral vein

Posteromedial tributary

Great saphenous vein

(superficial)
Femoral vein

Hunterian perforator

Popliteal vein

Dodd perforator

Anterior tributary vein

Boyd perforator (Paratibial perforator)

Posterior arch vein

Anterior tibial vein

Posterior tibial vein

Greater saphenous vein

Cockett perforators
(Posterior tibial perforators)

Dorsal venous arch

Anterior

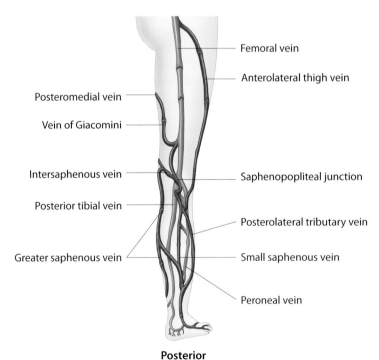

Femoral vein

Anterolateral thigh vein

Posteromedial vein

Vein of Giacomini

Intersaphenous vein

Saphenopopliteal junction

Posterior tibial vein

Posterolateral tributary vein

Greater saphenous vein

Small saphenous vein

Peroneal vein

Posterior

Figure 8-15 Normal anatomy of the deep and superficial venous system, and the perforating veins. A. Anterior view. **B.** Posterior view. Light blue, Deep venous system; Dark blue, Superficial venous system.

350

합류하거나, 계속 위로 주행하여 복재간정맥(intersaphenous vein)의 하나인 Giacomini정맥(Giacomini vein)을 통하여 대복재정맥으로 직접 합류할 수도 있다 (Fig. 8-15).

2. 심부정맥 Deep vein

심부정맥에는 대퇴정맥(femoral vein), 슬와정맥(popliteal vein), 전경골정맥(anterior tibial vein), 후경골정맥(posterior tibial vein), 비골정맥(peroneal vein), 비복근정맥(gastrocnemius vein), 가자미근정맥(soleal vein)이 있다. 장딴지에서 전경골, 후경골 및 비골정맥은 쌍(pair)으로 존재하며, 같은 이름의 동맥과 나란히 주행한다. 후경골정맥과 비골정맥은 총체(common body)를 이루며, 전경골정맥이 이 총체에 합류하고, 한 개 또는 한 쌍의 총체가 원위 슬와에서 슬와정맥이 된다. 장딴지근육 내의 정맥혈은 비복근정맥과 가자미근정맥으로 모이고, 이 정맥들은 슬와정맥으로 합류된다. 슬와정맥은 슬와동맥보다 표층에 위치하고, 모음근굴(adductor canal) 내로 들어가면서부터 대퇴정맥이 되며, 허벅지 내측을 따라 위로 주행하다가 서혜인대 9 cm 하방에서 심부대퇴정맥(deep femoral vein)과 만나서 총대퇴정맥(common femoral vein)이 된다. 이 부위의 바로 위쪽 지점에서 대복재정맥이 총대퇴정맥으로 합류하여 복재대퇴접합부(saphenofemoral junction)를 형성한다. 총대퇴정맥은 총대퇴동맥 보다 내측에 위치하며, 서혜인대 상부에서 외골반정맥(external iliac vein)이 되고, 내골반정맥(internal iliac vein)과 만나 총골반정맥(common iliac vein)이 된다 (Fig. 8-15).[14]

3. 관통정맥 Perforating vein

관통정맥은 표재정맥과 심부정맥 사이의 연결 정맥이다. 정맥 내에 밸브가 있어 표재정맥에서 심부정맥 쪽으로만 혈류가 흐르며, 대개 지름이 2 mm 미만이다. 관통정맥은 하지 전체에 약 150개가 존재하며, 배열이나 연결, 크기, 분포가 매우 다양하다. 중요한 관통정맥은 하지의 내측에서 비교적 전형적인 위치에 있다. 모음근굴 상부에 있는 Hunterian관통정맥, 허벅지 내측 하부에 있는 Dodd관통정맥, 장딴지 내측 상부에 있는 Boyd관통정맥, 발목 내측에 있는 Cockett관통정맥 등이다. Boyd관통정맥은 곁경골관통정맥(paratibial perforator)이라고도 하며, 대복재정맥과 후경골정맥을 연결한다. Cockett관통정맥은 후경골관통정맥(posterior tibial perforator)이라고도 하며, 후방궁정맥(posterior arch vein)과 후경골정맥을 연결한다 (Fig. 8-15).[15]

III. 하지 정맥 질환 및 검사방법

1. 심부정맥혈전증 Deep vein thrombosis

심부정맥혈전증은 대개 장딴지정맥에서 시작하여 슬와정맥으로 진행하지만, 근위 대퇴나 서혜부에서 시작하기도 한다. 혈전이 근위부로 이동하여 폐동맥 색전(embolism)을 유발할 수도 있으며, 치료하지 않으면 만성 심부정맥혈전증으로 진행하여 정맥의 폐쇄 및 만성 정맥성 하지 부종을 일으킬 수 있다.[11]

검사방법

외장골정맥, 총대퇴정맥, 대퇴정맥은 바로 누운 자세에서 검사한다. 슬와정맥, 후경골정맥, 비골정맥, 비복근정맥, 가자미정맥은 바로 누운 상태에서 개구리다리 자세를 취하거나, 엎드린 자세에서 검사하고자 하는 하지의 발목을 반대측 하지의 발목에 걸치게 하여 슬관절을 약간 굽힌 상태에서 검사한다.

탐촉자를 횡축으로 놓고 총대퇴정맥에서 슬와정맥, 종아리 정맥까지 1~2 cm 간격으로 검사하며, 인접한 동맥의 모양이 변할 정도의 압력으로 탐촉자로 압박하여 정맥의 허탈(collapse) 여부를 확인한다 (Fig. 8-16). 압박검사(compression test)는 혈전증 진단에 가장 중요하며, 혈전이 있는 정맥은 허탈되지 않는다 (Fig. 8-17). 대퇴정맥의 원위부는 모음굴근 깊은 곳에 위치하므로 압박이 어려울 수 있는데, 검사

를 시행하는 손의 반대쪽 손으로 원위부 허벅지의 내측을 받치고 모음굴근 부위를 탐촉자로 압박하여 검사한다.[16] 압박되지 않는 부분에서 Doppler검사와 파형을 관찰하여 혈전

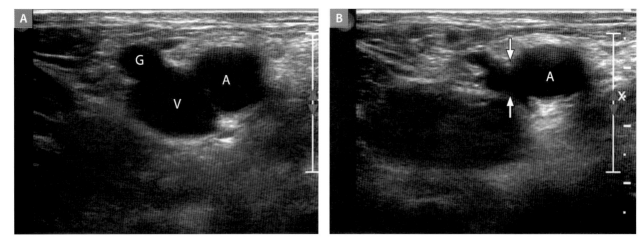

Figure 8-16 Normal finding in a patient with suspected DVT. A. Transverse gray scale US image without compression shows the common femoral vein (V) and smaller adjacent the common femoral artery (A). **B.** Transverse gray scale US image with compression shows complete apposition of the venous walls (arrows) while the artery (A) remains patent. G, great saphenous vein.

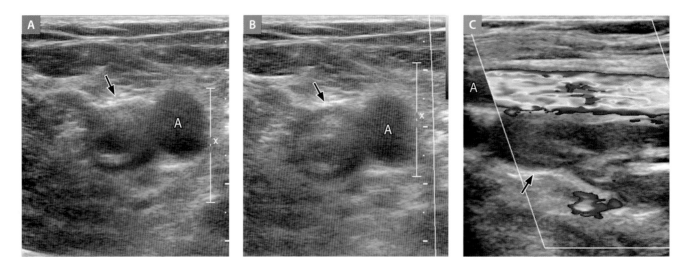

Figure 8-17 Non-compressible venous segment due to acute DVT. Transverse gray scale US images of the common femoral vein obtained without (**A**) and with (**B**) compression show non-compressible echogenic thrombus in the distended venous lumen (arrows). Color Doppler image (**C**) shows no flow signal in the femoral veins (arrow). The femoral artery shows normal flow signal. A, artery.

유무를 확인한다. 혈전이 있어도 혈전과 벽 사이로 흐르는 부분 혈류가 Doppler검사에서는 보일 수 있으므로 주의가 필요하다. 파형Doppler(spectral Doppler) 검사는 종축에서 시행하는데, 정상 정맥혈은 발끝에서 머리 쪽으로 한 방향으로 흐르면서(unidirectional) 호흡에 따른 위상혈류(phasic flow)를 보인다. Valsalva법을 시행하면 혈류가 중단되고, 원위부 근육을 쥐어짜면 혈류가 증가한다 (Fig. 8-18). 특히 서혜부인대 보다 근위부의 심부정맥에서는 파형Doppler검사가 유용하다. 호흡에 따른 위상혈류가 소실되고 지속성혈류(continuous flow)로 바뀌면 근위부 폐쇄를 의심해야 한다 (Fig. 8-19).[11] 양쪽 총대퇴정맥 또는 외장골정맥에서는 좌-우측 정맥의 혈류파형이 서로 다르거나 호흡에 의한 변화가

없으면 하대정맥 혈전증(IVC thrombosis)을 의심할 수 있다. 하지만 부분폐쇄, 측부혈관(collateral vessel) 형성, 심부정맥의 중복(duplication) 등이 있으면 Doppler파형이 정상으로 보일 수 있으므로 주의해야 한다.

혈전(thrombus) 형성 후 2주 이내는 급성혈전(acute thrombus), 2~4주는 아급성혈전(subacute thrombus), 4주 이상을 만성혈전(chronic thrombus)이라 한다. 급성기에는 초음파에서 정맥 내부를 채우고 있는 저에코 혈전을 확인할 수 있으나, 일부 혈전은 무에코로 보일 수 있으므로 정상 정맥과 구별이 어려울 수 있으며, Doppler검사로 구분할 수 있다. 급성기에는 혈전에 의해 정맥이 확장되고, 혈전이 정맥 벽에 느슨하게 부착되어 있거나 정맥 내에 떠 있을 수 있기

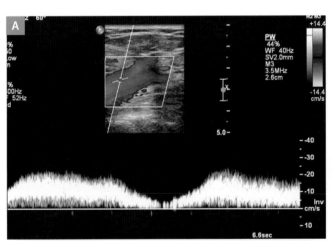

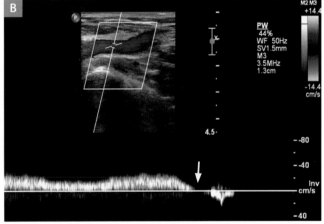

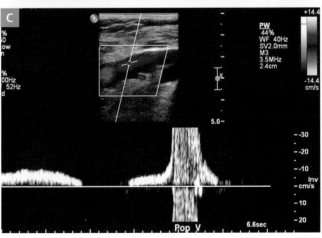

Figure 8-18 **Normal findings of longitudinal spectral Doppler US images. A.** Normal phasic variation of venous flow in the common femoral vein. **B.** Cessation of flow in the common femoral vein during Valsalva maneuver (arrow). **C.** Augmentation of flow at the popliteal vein with manual compression of the calf.

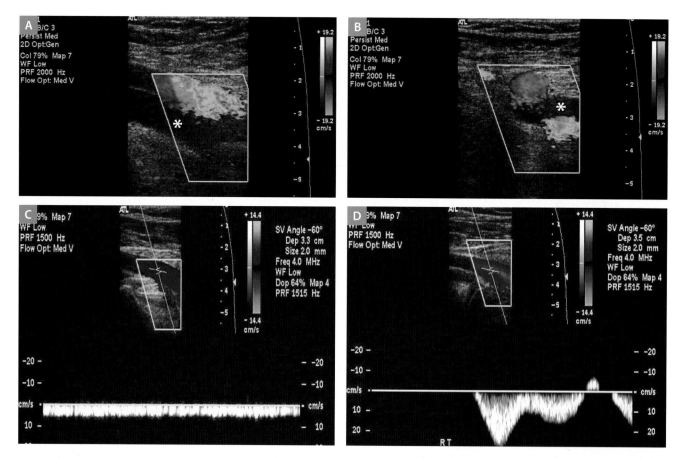

Figure 8-19 **DVT involving the common femoral vein and proximal segment of the superficial and deep femoral veins.**
A. Long-axis color Doppler image at the common femoral vein (*) and its bifurcation area does not show flow signal within the veins. B. During compression, the common femoral vein (*) cannot be compressed completely. C. Doppler spectrum at the popliteal vein shows low velocity continuous flow pattern with loss of phasicity, that represents proximal occlusion. D. Contralateral normal popliteal vein shows unidirectional phasic flow pattern due to respiration.

때문에, 압박검사를 실시하면 폐색전증을 유발할 수 있으므로 주의해야 한다. [11,16] 아급성기에는 혈전의 크기가 감소하여 정맥의 크기가 정상으로 돌아오고, 혈전의 에코가 점차 증가하며, 정맥 내에 떠 있던 혈전은 혈관벽에 부착되고, 혈류가 부분적으로 회복된다. 치료하지 않은 급성기의 정맥혈전이나 치료 후 부분적으로 용해되지 않고 남아있는 혈전은 만성혈전으로 진행한다. 혈전은 점차 섬유화 되어 정맥벽이 불규칙하게 두꺼워지고 에코가 증가되는 소견을 보인다. 정맥의 내경이 좁아지거나 완전히 보이지 않으면 초음파검사

에서 정맥을 찾기 어려울 수 있으며, 주변부에 측부혈관 형성을 보일 수 있다 (Fig. 8-20). [16]

2. 정맥부전 Venous insufficiency 및 하지 정맥류 Varicose vein

하지 정맥의 혈류를 능동적으로 심장까지 보내기 위해서는 심장에서부터 발목까지 형성되어 있는 유체역학적 힘(hydro-

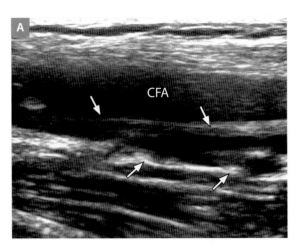
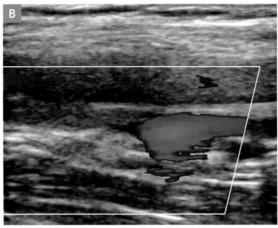

Figure 8-20 **Appearance of chronic DVT. A.** Longitudinal gray scale US image of the common femoral vein shows echogenic and thick venous walls (arrows). CFA, common femoral artery. **B.** Longitudinal color Doppler US image shows partial recanalization of the vein with spontaneous flow.

dynamic force)을 극복하여야 한다. 이를 위해서는 정맥의 판막(valve)과 근육 펌프가 정상적으로 작동해야 하고, 정맥 유출로가 개방(patent venous outflow tracks)되어야 한다.[15] 이러한 정맥계를 구성하는 요소가 손상되어 생기는 정맥 고혈압으로 인해 정맥부전이 발생하며, 판막 부전이 원인의 대부분을 차지한다. 판막이 손상 받으면 표재정맥과 그 분지들에 역류가 일어나게 되고, 표재정맥은 정상보다 높은 압력에 노출되면서 직경과 길이가 늘어나서 정맥류, 세정맥확장(venulectasis), 모세혈관확장(telangiectasis)을 일으키게 된다. 정맥압의 증가가 지속되면 피부의 색소 침착, 통증, 심한 경우 피부 궤양을 유발한다. 복재정맥 부전이 가장 흔하며, 때로 관통정맥 자체의 부전 때문에 정맥류가 생길 수 있다. 심부정맥계의 정맥부전은 주로 심부정맥혈전증 이후에 잘 발생한다.[17] 정맥유출로가 막히면 압력이 상승하게 되고 이는 정맥의 확장과 이차적인 판막의 부전을 초래하게 된다. 이로 인해 관통정맥의 부전과 정맥고혈압 및 이차적인 표재정맥부전을 초래하게 된다.[15]

검사방법

우선 심부정맥혈전 유무를 확인한 후, 기립 혹은 반기립(semierect) 자세에서 검사하는 다리를 들고 반대쪽 다리로 체중을 지탱한 상태에서 검사한다.

횡축영상에서 복재대퇴접합부를 확인하고, 종축영상에서 Doppler검사와 파형Doppler검사를 시행하여 역류 여부를 확인한다. Valsalva법을 하게하여 정맥혈의 역류를 유도한다 (Fig. 8-21, 8-22). 환자의 협조가 잘 되지 않으면 환자의 장딴지를 손으로 힘껏 쥐었다가 놓거나, 혈압측정띠(pneumatic cuff) 등을 장딴지에 감아 압박했다가 순간적으로 풀어서 역류를 유도한다. 이후 횡축으로 대복재정맥의 주행을 따라 정맥 직경을 측정하고, 원위부를 압박하면서 대복재정맥과 대복재정맥 분지의 역류 여부, 정맥류와의 관계를 확인한다. 일반적으로 부전이 있는 지류의 혈류나 관통정맥의 혈류가 유입되는 지점에서는 복재정맥의 직경이 증가하고, 이보다 원위부 복재정맥의 직경은 감소한다.[18] 정맥류가 시작되는 지점을 찾으면 정맥류가 있는 부위를 따라 아래쪽으로 검사를 진행하여 정맥류의 원인을 찾는다.

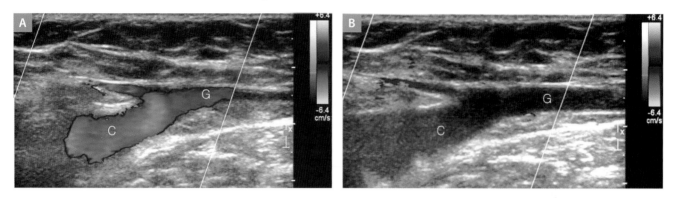

Figure 8-21 Normal finding of longitudinal color Doppler US images of the common femoral vein. A. Spontaneous flow in the saphenofemoral junction during relax. **B.** Cessation of flow in the saphenofemoral junction during Valsalva maneuver. C, common femoral vein; G, great saphenous vein.

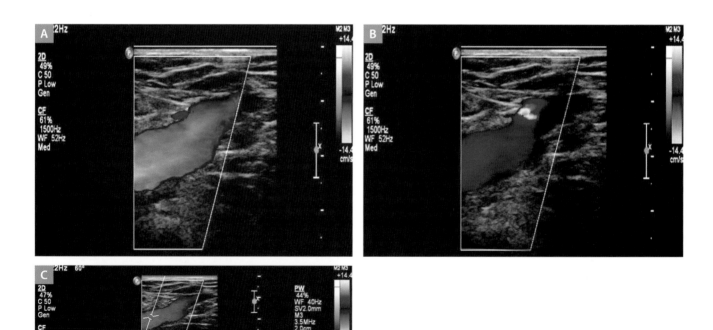

Figure 8-22 Reversed flow in the common femoral vein and the sapheno-femoral junction during Valsalva maneuver. A. Normal antegrade flow in resting state. **B, C.** During Valsalva, color Doppler image (B) shows change of color from blue to red, and spectral Doppler image (C) shows reversed flow (between arrows).

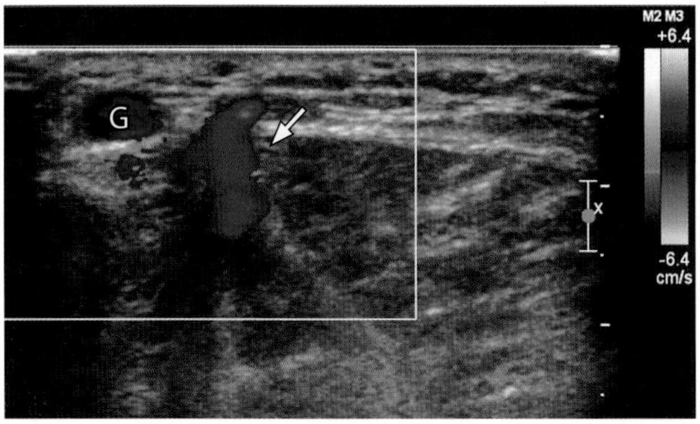

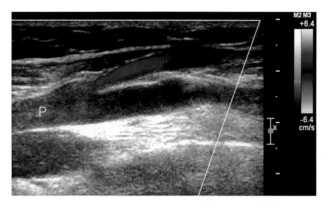

Figure 8-23　Reflux in Cockett's perforator. Transverse color Doppler image of the enlarged perforating vein shows reflux flow (arrow) from deep to superficial vein by compression of the calf. G, great saphenous vein.

Figure 8-24　Reflux in sapheno-popliteal junction. Longitudinal color Doppler image shows reflux in the sapheno-popliteal junction due to manual compression of the calf. P, popliteal vein.

복재대퇴접합부 결찰(ligation of saphenofemoral junction)을 시행 받은 환자에서는 남아있는 대복재정맥이나 중복정맥의 여부와 역류를 동반하는 확장된 지류가 있는지 확인하여야 한다. 또한 대복재정맥과 그 분지들에서 기시하는 관통정맥을 찾아 원위부 압박을 시행하여 역류 여부를 확인한다 (Fig. 8-23).

소복재정맥을 검사하기 위해서 환자를 돌아서게 한 다음, 무릎을 약간 굽혀서 근육이 이완되도록 한다. 소복재정맥이 심부정맥으로 유입되는 형태는 다양하기 때문에 주의가 필요하다. 복재-슬와접합부에서는 Valsalva법을 이용하지 않고, 장딴지를 쥐어짜거나 혈압 측정띠를 감아 압박했다가 풀어서 역류여부를 확인한다 (Fig. 8-24). 다음으로 소복재정맥의 주행경로를 따라 직경을 측정하고, 역류 여부와 정맥류와의 관계를 확인하고, 소복재정맥과 그 분지들에서 기시하는 관통정맥을 찾아 역류 여부를 확인한다. 심부정맥의 역류 여부도 확인해야 하는데, 대퇴정맥이나 슬와정맥이 한 쌍으로 있는 경우에는 한쪽 정맥에서만 역류가 일어날 수 있으므로 주의해야 한다.

정맥혈의 역류가 대퇴정맥이나 슬와정맥에서는 1초, 대복재정맥, 소복재정맥, 종아리의 심부정맥에서는 0.5초, 관통정맥에서는 0.35초를 초과하면 병적인 것으로 판단한다.[19] 기립자세에서 대복재정맥과 소복재정맥의 직경은 정상적으로 각각 4 mm, 3 mm를 넘지 않는다. 관통정맥의 직경이 3.5 mm 이상이면 대부분 역류를 동반하지만,[17] 이보다 직경이 작더라도 역류를 동반할 수 있으므로 Doppler검사로 역류를 확인한다. 정맥류의 경우는 역류가 항상 동반되므로 역류 여부를 검사하지 않아도 된다.

3. 표재성 혈전정맥염 Superficial thrombophlebitis

표재성 혈전정맥염은 정맥류환자에서 많이 발생하지만, 암이나 자가면역질환 등 다양한 기저질환과 관련 있을 수 있다 (Fig. 8-25).[20,21] 환자는 표재정맥의 경로를 따라 온열감, 발적, 연부조직 종창 및 통증을 호소하고, 정맥의 경로를 따라 딱딱하게 줄(cord)처럼 만져질 수 있다. 초음파검사에서

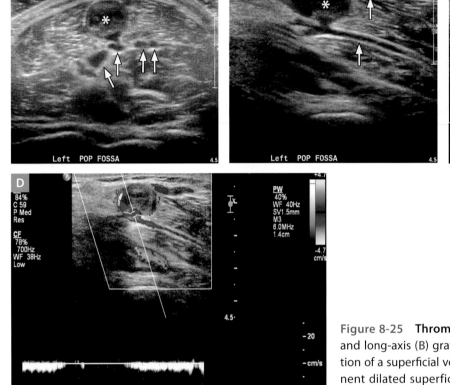

Figure 8-25 Thrombosis in a varicose vein. Short-axis (**A**) and long-axis (**B**) gray scale images show aneurysmal dilatation of a superficial vein with thrombosis (*). There are prominent dilated superficial and muscular veins (arrows). These veins show venous flow pattern on color Doppler (**C**) and spectral Doppler images (**D**).

표재정맥과 연결성을 보이고, 압박검사에서 정맥이 허탈되지 않는다. 정맥주변을 둘러싸고 있는 고에코의 피하지방 테두리(halo)를 종종 볼 수 있다. 급성기에는 정맥벽이나 그 주변부로 증가된 혈류를 관찰할 수 있다 (Fig. 8-26). 환자의 약 25%에서 심부정맥혈전증을 동반할 수 있고, 심부정맥혈전증이 동반된 환자의 약 반수에서는 인접하지 않은 심부정맥에도 혈전이 있을 수 있으므로, 전체 심부정맥에 대한 검사가 필요하다.[22]

IV. 요약

1. 심부정맥혈전증

① 압박검사는 혈전증을 진단하는 데 가장 중요하며, 혈전이 있는 정맥은 허탈되지 않는다.

② 압박검사가 어려운 부분에 대해서는 Doppler검사와 혈류파형을 확인하여 혈전이 있는지 확인한다.

③ 장딴지의 비복근정맥, 가자미정맥도 검사에 포함한다.

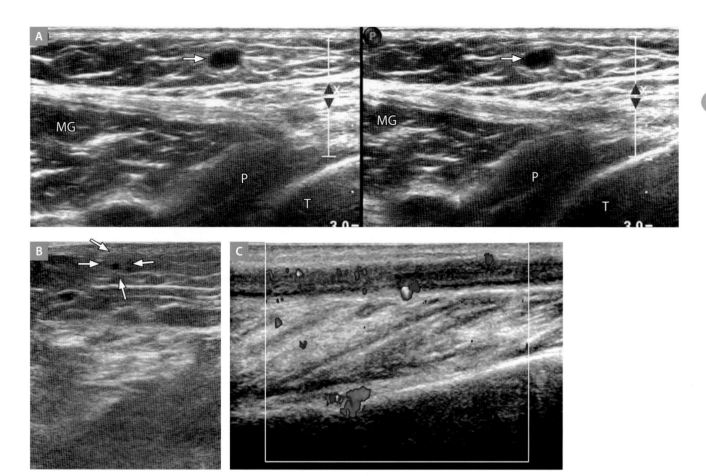

Figure 8-26 **Superficial thrombophlebitis in the great saphenous vein at the calf. A.** Transverse gray scale US images of the great saphenous vein obtained without (left) and with (right) compression show non-compressible distended vein (arrows). MG, medial head of gastrocnemius muscle; P, popliteus muscle; T, tibia. **B.** Transverse gray scale US image of the tributaries of great saphenous vein. Note reactive hyperechoic subcutaneous fat (arrows) surrounding the thrombosed vein. **C.** Longitudinal color Doppler image of the great saphenous vein shows increased color flow signal in the thrombus and soft tissue surrounding the thrombosed vein.

2. 정맥 부전 및 하지 정맥류

① 각 정맥에 따라 적절한 검사 자세를 취하고, Valsalva법과 압박법을 효율적으로 이용하여 검사하고, 해부학적 변이를 항상 염두에 두어야 한다.
② 주요 관통정맥과 심부정맥의 혈전증 및 역류도 확인한다.

3. 표재성 혈전정맥염

표재성 혈전정맥염이 있으면 심부정맥도 검사한다.

참고문헌

1. R. Eugene Zierler. Strandness's Duplex Scanning in Vascular Disorders, 4th edition : Lippincott Williams & Wilkins, 2009.

2. 박재형. 심장, 혈관 영상의학 제2판: 일조각, 2013.

3. Polak JF. Arterial sonography: Efficacy for the diagnosis of arterial disease of the lower extremity. AJR Am J Roentgenol 1993;161:235-243.

4. Polak JF. Peripheral Vascular Sonography : a practical guide, Williams & Wilkins, 1992.

5. Kelly D, Dennis F. Interpretation of arterial duplex testing of lower extremity arteries and interventions. Seminars Vasc Surg 2013;26:95-104.

6. Ranke C, Creutzig A, Alexander K. Duplex scanning of the peripheral arteries : correlation of the peak velocity ratio with angiographic diameter reduction: Ultrasound Med Biol 1992;18:433-440.

7. Moneta GL, Yeager RA, Antonovic R, et al. Accuracy of lower extremity arterial duplex mapping. J Vasc Surg 1992;15:275-284.

8. Fellmeth BD, Roberts AC, Bookstein JJ, et al. Postangiographic femoral artery injuries: nonsurgical repair with US-guided compression. Radiology 1991;178:671-675.

9. DiPrete DA, Cronan JJ. Compression ultrasonography: treatment for acute femoral artery pseudoaneurysm in selected cases. J Ultrasound Med 1992;11:489-492.

10. Lonnie B. Wright, W. Jean Matchett, Carlos P. Cruz, et al. Popliteal artery disease: diagnosis and treatment. Radiographics 2004;24:467-479.

11. Dupuy DE. 1999 plenary session: Friday imaging symposium: venous US of lower-extremity deep venous thrombosis: when is US insufficient? Radiographics 2000;20:1195-1200.

12. Nicolaides AN, Cardiovascular Disease E, Research T, European Society of Vascular S, Organization TIASAC, International Union of A, et al. Investigation of chronic venous insufficiency: A consensus statement (France, March 5-9, 1997). Circulation 2000;102:E126-16.

13. Gillespie D, Glass C. Importance of ultrasound evaluation in the diagnosis of venous insufficiency: guidelines and techniques. Semin Vasc Surg 2010;23:85-89.

14. Mozes G, Gloviczki P. New discoveries in anatomy and new terminology of leg veins: clinical implications. Vasc Endovascular Surg 2004;38:367-374.

15. Min RJ, Khilnani NM, Golia P. Duplex ultrasound evaluation of lower extremity venous insufficiency. J Vasc Interv Radiol 2003;14:1233-1241.

16. Cornuz J, Pearson SD, Polak JF. Deep venous thrombosis: complete lower extremity venous US evaluation in patients without known risk factors: outcome study. Radiology 1999;211:637-641.

17. van Bemmelen PS, Bedford G, Beach K, Strandness DE. Quantitative segmental evaluation of venous valvular reflux with duplex ultrasound scanning. J Vasc Surg 1989;10:425-431.

18. Khilnani NM. Duplex ultrasound evaluation of patients with chronic venous disease of the lower extremities. AJR Am J Roentgenol 2014;202:633-642.

19. Labropoulos N, Tiongson J, Pryor L, Tassiopoulos AK, Kang SS, Ashraf Mansour M, et al. Definition of venous reflux in lower-extremity veins. J Vasc Surg 2003;38:793-798.

20. Leon L, Giannoukas AD, Dodd D, Chan P, Labropoulos N. Clinical significance of superficial vein thrombosis. Eur J Vasc Endovasc Surg 2005;29:10-17.

21. Decousus H, Bertoletti L, Frappe P, Becker F, Jaouhari AE, Mismetti P, et al. Recent findings in the epidemiology, diagnosis and treatment of superficial-vein thrombosis. Thromb Res 2011;127 Suppl 3:S81-8.

22. Quere I, Leizorovicz A, Galanaud JP, Presles E, Barrellier MT, Becker F, et al. Superficial venous thrombosis and compression ultrasound imaging. J Vasc Surg 2012; 56:1032-1038.

02

상지

Upper Extremity

어깨
Shoulder

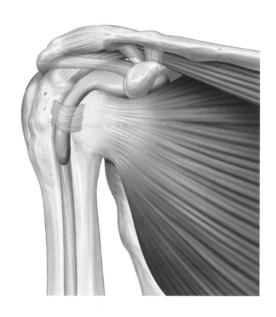

09

■ 이영환, 이승훈, 박지선, 진 욱

어깨

Shoulder

어깨 질환은 관절 내 질환보다 회전근개(rotator cuff)를 비롯한 관절 주위 연부조직의 질환에 의한 경우가 더 흔하고, 최근에는 노인층의 증가와 운동과 관련된 손상으로 인하여 발생 빈도가 증가하고 있기 때문에, 어깨 초음파검사는 근골격계 초음파 분야에서 이용이 가장 많다. 회전근개 힘줄증(tendinosis)과 힘줄파열, 석회화힘줄염(calcific tendinitis) 등에 관한 초음파검사가 가장 많지만, 상완이두장두건(long head of biceps brachii tendon, 이하 LHBT)의 파열 및 힘줄증(tendinosis), 견봉하-삼각근하(subacromial-subdeltoid, 이하 SASD) 윤활낭염(bursitis), 유착성관절낭염(adhesive capsulitis), 견봉쇄골관절(acromioclavicular joint) 및 상완와관절(glenohumeral joint)의 퇴행성, 염증성, 감염성 질환 등의 진단에도 초음파검사가 중요한 역할을 담당한다.[1~3] 어깨 질환의 진단에 있어서 초음파검사는 MRI 또는 CT에 비하여 검사 시간이 짧고, 저렴한 비용, 방사선 조사가 없는 등의 여러 장점 이외에도 역동적 검사를 실시할 수 있는 것이 큰 이점이다. 어깨 초음파검사를 적절하게 하기 위해서는 해부학적 지식과 함께 올바른 초음파검사기법에 대한 숙지가 필요하다.

I. 정상해부학

1. 상완와관절 Glenohumeral joint

상완와관절은 절구공이(ball-and-socket) 관절로, 편평한 관절와(glenoid fossa)에 비해 상완골두가 비대칭적으로 큰 불안정한 구조이다. 즉 관절와는 상완골두의 약 1/4 정도의 적은 부분만 덮고 있어, 우리 몸에 있는 관절 중 운동범위는 가장 넓지만 불안정한 관절 구조로 인해 아탈구와 탈구가 자주 발생한다.[4] 회전근개와 LHBT는 관절의 안정성 유지에 중요한 구조물이며, 특히 회전근개 힘줄들은 관절낭(joint capsule) 및 인대들과 함께 역동적 인대의 역할을 한다. 또한 관절낭이 부분적으로 비후된 상완와인대(glenohumeral ligament, 이하 GHL)가 관절낭을 보강한다.[4] GHL은 상부, 중간, 하부(superior, middle, inferior) GHL로 구분되며, 하부 GHL은 관절의 전방탈구를 방지하는 구조물 중 가장 중요하다 (Fig. 9-1).[5]

상완와관절에는 결간구(이두근구, intertubercular sulcus, bicipital groove) 내의 LHBT 주위의 활막초(synovial sheath), 견갑하오목(subscapularis recess), 액와오목(axillary recess), 뒤관절오목(posterior joint recess) 등의 여러 관절 오

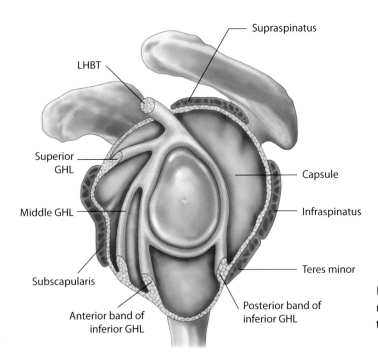

LHBT

Superior
GHL

Middle GHL

Subscapularis

Anterior band of
inferior GHL

Supraspinatus

Capsule

Infraspinatus

Teres minor

Posterior band of
inferior GHL

Figure 9-1 **Glenohumeral joint; lateral view**. GHL, glenohumeral ligament; LHBT, long head of biceps brachii tendon.

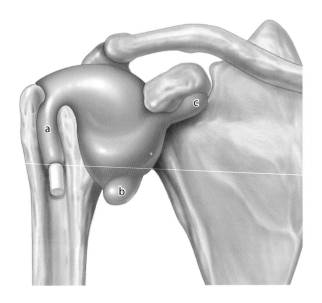

Figure 9-2 **Recesses of the glenohumeral joint**. a: biceps tendon sheath, b: axillary recess, c: subscapularis recess.

목들이 있다 (Fig. 9-2). 관절낭(joint capsule)은 두 개의 구멍을 가지며 하나는 LHBT 주위의 활막초로 연결되고, 또 다른 하나는 회전근개간격(rotator interval)에서 견갑하오목으로 연결된다.

2. 회전근개 Rotator cuff

회전근개는 견관절의 운동뿐만 아니라 관절의 안정성과 영양공급에 기여하며, 앞쪽에서 뒤쪽으로 견갑하근(subscapularis, 이하 SSC), 극상근(supraspinatus, 이하 SSP), 극하근(infraspinatus, 이하 ISP), 소원근(teres minor, 이하 TMi)과 그 힘줄들로 구성된다 (Fig. 9-3). 이 근육들은 견갑골에서 기시하여 상완골두의 소결절(lesser tuberosity) 및 대결절(greater tuberosity)에 부착한다. SSC힘줄은 독립적으로 소결절에 부착하고, 다른 세 개의 힘줄들은 융합힘줄(conjoined tendon)을 형성하여 대결절에 부착한다. 대결절에는 세 개

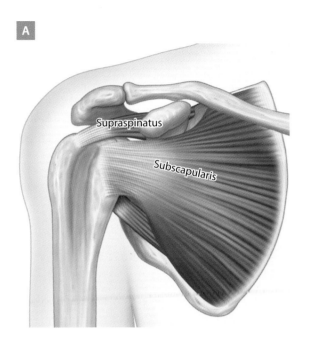

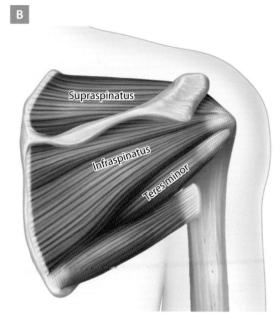

Figure 9-3 **Rotator cuff. A.** Anterior view. **B.** Posterior view.

의 힘줄 부착 단면(facet), 즉 위쪽, 중간, 아래쪽(superior, middle, inferior) 단면이 있으며, SSP힘줄은 위쪽 단면 전체와 중간 단면 위쪽-앞쪽 일부에 부착하고, ISP힘줄은 부분적으로 SSP힘줄과 겹치면서 중간 단면에 부착하며, TMi힘줄은 아래쪽 단면에 부착한다 (Fig. 9-4).

SSC는 팔의 내회전(internal rotation)과 내전(adduction)이 주 기능이며, 견갑골의 전면에서 기시하고, 상완와관절 앞쪽을 지나 여러 개의 힘줄다발이 소결절에 부착한다. SSC힘줄의 일부는 결간구를 지나 대결절에 부착하면서, 가로상완인대(transverse humeral ligament) 및 오구상완인대(cora-cohumeral ligament, 이하 CHL)와 합쳐진다. SSC힘줄의 위쪽 경계와 SSP힘줄의 앞쪽 경계 사이를 회전근개간격(rotator interval)이라 하며, 이 부위에 LHBT, CHL, 상부 상완와인대(superior glenohumeral ligament, 이하 SGHL)가 있다.

SSP는 견갑골 후방의 극상와(supraspinatus fossa)에서 기시하여 외측으로 주행하며, 상완와관절 위쪽을 지나 대결

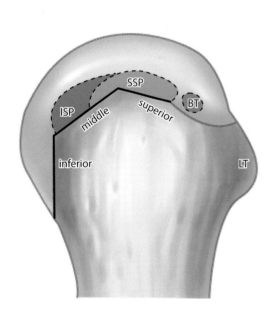

Figure 9-4 **Superior, middle, and inferior facets of the greater tuberosity.** BT, long head of biceps brachii tendon; SSP, supraspinatus tendon; ISP, infraspinatus tendon; LT, lesser tuberosity.

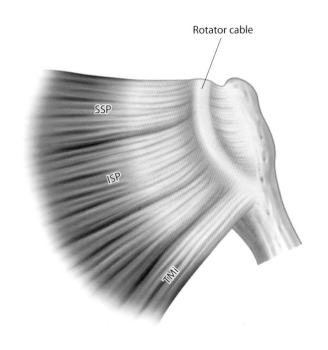

Rotator cable

SSP

ISP

TMi

Figure 9-5 Rotator cable. The rotator cable spans the entire length of the supraspinatus (SSP) and infraspinatus (ISP) insertions. Tmi, teres minor.

절에 부착한다. 견봉(acromion) 아래에 SSP의 근-건이행부(myotendinous junction)가 있다. SSP의 주 역할은 상완골의 외전(abduction)이다. SSP힘줄은 상완골두의 위쪽을 둘러싸면서 상완골두를 아래로 미는 역할을 하며, 이는 상완골두를 들어올리는 역할을 하는 삼각근(deltoid muscle)의 반작용을 담당한다.[6~8] SSP힘줄이 파열되면 상완골두는 위쪽으로 이동한다. SSP는 견갑상신경(어깨위신경, suprascapular nerve)의 지배를 받으며, 이 신경은 견갑상절흔(위어깨뼈패임, suprascapular notch) 내로 주행한다.

ISP는 견갑골의 극하와(infraspinatus fossa)에서 기시하며, 부채살 모양의 배열을 보이면서, 상완와관절의 후상부를 지나 SSP힘줄 부착부 보다 뒤쪽-아래쪽에 위치하며, 부분적으로 SSP힘줄과 겹치면서 대결절의 중간 단면에 부착한다. ISP는 견갑상신경의 지배를 받으며, 주 역할은 상완골의 외

회전이며, 상완골두를 아래로 미는 역할도 담당한다.[6~8]

TMi는 견갑골 외연의 중산 1/3 부위에서 기시하여 ISP 하연을 따라 비스듬히 주행하여 대결절의 아래쪽 단면에 부착한다. 이 근육은 액와신경(axillary nerve)의 지배를 받으며, 상완골의 외회전(external rotation)을 담당하고, 상완골두의 전방 전이를 막는 역할을 한다.[6~8] TMi힘줄은 심한 회전근개 손상 시에만 파열된다.

회전근개의 원위부에 있는 회전근개 케이블(rotator cable)은 SSP힘줄과 ISP힘줄의 관절면과 관절낭(joint capsule) 사이에 위치하며, 힘줄섬유의 장축 주행방향에 대해 수직으로 주행하는 'U' 모양의 섬유 케이블이다. 대결절-관절연골 경계에서 약 9 mm (4~15 mm) 떨어진 곳에 위치하고, 양쪽 끝은 대결절에 부착한다 (Fig. 9-5).[9~11] 'U' 모양의 회전근개 케이블 안에 포함된 회전근개 부위를 회전근개 초승달(rotator crescent)이라 한다. 회전근개 케이블은 회전근개가 받는 부하(stress)를 분산시키는 현수교 역할을 하며, 회전근개의 안정성 유지에 중요한 구조물이다.

3. 상완이두장두건
Long head of biceps brachii tendon

상완이두장두건(LHBT)은 관절와상결절(supraglenoid tubercle)과 상부 관절순(labrum)에서 기시하여, SSP힘줄과 SSC힘줄 사이의 회전근개간격을 지나, 대결절과 소결절 사이의 결간구(bicipital groove) 내에 놓인다 (Fig. 9-6). 결간구 내의 LHBT는 상완와관절의 활액막이 연장된 활막초(synovial sheath, 혹은 건초, tendon sheath)에 의해 둘러싸여 있으며, 상완와관절강과 연결되어 있으므로 정상적으로 소량의 관절액이 LHBT 주위에 보일 수 있다. 결간구 내의 근위부 LHBT의 바깥쪽에 전상완회선동맥(anterior circumflex humeral artery)의 분지가 주행한다. 결간구를 빠져 나온 상완이두근의 장두(long head)는 오구돌기에서 기시한 단두(short head)와 합쳐져 하나의 근육 힘살을 형성하여, 요골조

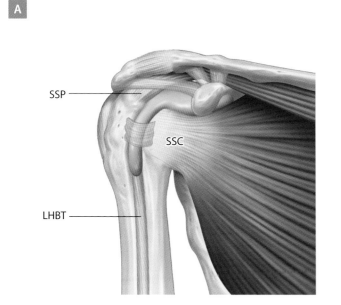

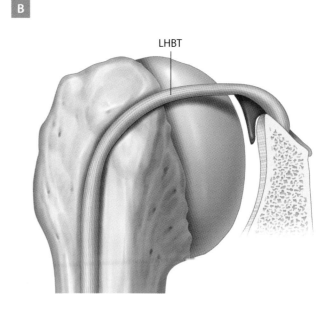

Figure 9-6 **Long head of biceps brachii tendon (LHBT).** SSP, supraspinatus; SSC, subscapularis.

면(radial tuberosity)에 부착한다.

결간구는 대결절과 소결절은 연결하는 가로상완인대 (transverse humeral ligament)에 의해 덮여 있다. 가로상완인대의 역할에 대해서는 정립되지 않았지만, 결간구 내 LHBT의 안정성 유지에 중요한 요소는 아닌 것으로 보는 견해가 많다.[12~14] 또한 가로상완인대는 독립적으로 존재하는 구조물이 아니고 대부분 SSC힘줄 섬유가 연장된 것이며, 부분적으로 SSP힘줄 섬유와 CHL이 기여한다는 보고도 있다.[15,16] 최근 연구에서는 가로상완인대는 두 층, 즉 표재 (superficial) 및 심부(deep)층으로 구성되며, 심부층은 SSC힘줄, SSP힘줄, CHL 섬유의 연장에 의해 형성된다는 보고도 있다.[17]

4. 회전근개간격 Rotator interval

회전근개간격은 어깨의 전상방에 위치하며, SSC힘줄과 SSP힘줄 사이의 삼각형 공간이며, 이 공간 안으로 LHBT가 주행한다. 이 삼각형 공간의 기저부(base)는 오구돌기(coracoid process), 꼭지점(apex)은 가로상완인대(transverse humeral ligament)이며, 위쪽은 SSP힘줄의 앞쪽 경계(margin), 아래쪽은 SSC힘줄의 위쪽 경계이다.[12,15,18~21] 회전근개간격은 관절낭으로 덮혀 있으며, 관절낭의 바깥쪽에는 오구상완인대(CHL)가, 관절낭 안쪽에는 상부관절와상완인대 (SGHL)에 의해 보강된다 (Fig. 9-7).[18]

CHL은 오구돌기에서 기시하여, 바깥쪽으로 주행하면서 점차 넓어지고 관절낭과 합쳐지며, 상완골두의 대결절 및 소결절에 부착된다. CHL은 내측 및 외측 갈래(medial & lateral bands)로 나뉘어지며, 외측 갈래가 좀 더 크다.[18] 외

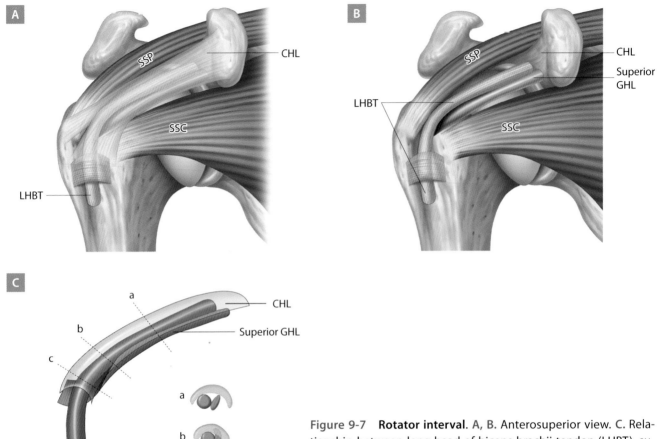

Figure 9-7 **Rotator interval.** A, B. Anterosuperior view. C. Relationship between long head of biceps brachii tendon (LHBT), superior glenohumeral ligament (GHL), and coracohumeral ligament (CHL). SSP, supraspinatus; SSC, subscapularis.

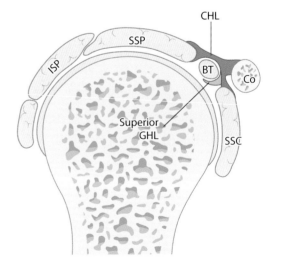

Figure 9-8 **Biceps pulley, oblique sagittal view.** CHL, coracohumeral ligament; GHL, glenohumeral ligament; BT, long head of biceps tendon; SSP, supraspinatus; SSC, subscapularis; ISP, infraspinatus; Co, coracoid process.

측 갈래는 LHBT의 표층 및 외측을 감싸면서 대결절에 부착하고, SSP힘줄의 앞쪽 섬유와 합쳐진다. 내측 갈래는 LHBT를 지나서 소결절에 부착하고, SSC힘줄의 표층 섬유(superficial fiber)와 합쳐진다. 또한 내측 갈래는 SGHL과 합쳐져서 삼각건 형태(sling-like band)의 CHL-SGHL 복합체(complex)를 이루어 관절 내 LHBT의 내측-깊은쪽을 감싼다.

SGHL은 관절낭이 부분적으로 비후된 것으로, 관절와상결절(supraglenoid tubercle)에서 LHBT 기시 부위 바로 앞쪽에서 기시하여 소결절에 부착하며, 일부는 SSC힘줄 섬유와 합쳐진다.[18,20] 기시 부위의 SGHL은 LHBT 바로 앞쪽에 위치하며, 좀 더 외측, 즉 회전근개간격 중간 부위에서 SGHL은 띠(band) 형태로 바뀌어 CHL과 함께 'T' 모양을 만들어서 LHBT를 앞쪽에 위치한다. 좀 더 외측, 즉 LHBT가 결간구 내로 들어가기 직전에는 SGHL과 CHL의 내측 갈래가 합쳐져서 요람(cradle) 모양의 이두건 활차(biceps pulley)를 형성한다 (Fig. 9-8). 이두건 활차는 관절내 LHBT의 안전성에 가장 중요한 구조물이며, 팔을 외전 및 외회전할 때 LHBT의 내측 탈구를 방지한다.

5. 견봉하-삼각근하 윤활낭
Subacromial-subdeltoid bursa

견봉하-삼각근하(subacromial-subdeltoid, SASD) 윤활낭은 인체에서 가장 큰 윤활낭이며, 견봉하윤활낭(subacromial bursa)와 삼각근하윤활낭(subdeltoid bursa)이 분리되기도 하지만 약 95%에서 두 윤활낭은 연결되어 있다. 드물게 SASD 윤활낭과 오구돌기하윤활낭(subcoracoid bursa)가 연결될 수도 있다. SASD윤활낭은 회전근개와 견봉 및 오구견봉인대(coracoacromial ligament) 사이, 그리고 회전근개와 삼각근(deltoid muscle) 사이에 위치하면서, 회전근개가 오구견봉궁(coracoacromial arch)과 삼각근 이래에서 쉽게 미끄러질 수 있도록 도와주는 역할을 한다.

SASD윤활낭은 앞쪽으로는 결간구까지, 안쪽으로는 오구돌기(coracoid process)까지 확장된다. 뒤쪽 및 바깥쪽 경계는 일정하지 않지만 대개 대결절 보다 약 3 cm 아래쪽까지 확장된다 (Fig. 9-9).[22,23] 윤활낭 주위에는 얇은 윤활낭 주위 지방(peribursal fat)이 있다. 윤활낭의 정상 두께는 평균 0.5 mm이며, 최대 2 mm까지를 정상으로 간주한다.[22,24]

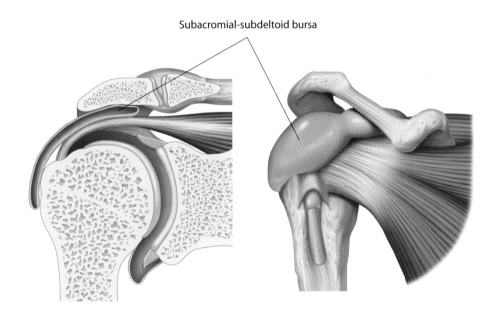

Subacromial-subdeltoid bursa

Figure 9-9
Subacromial-subdeltoid bursa

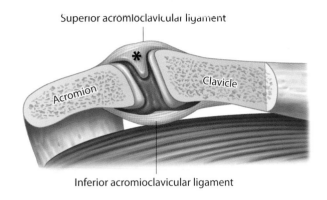

Figure 9-10 **Acromioclavicular joint**. Asterisk, fibrocartilaginous disk.

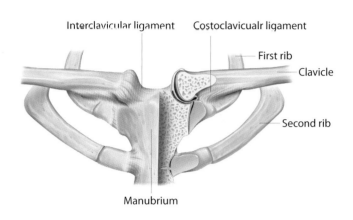

Figure 9-11 **Sternoclavicular joint**.

6. 견봉쇄골관절 Acromioclavicular joint

견봉쇄골관절은 견봉의 안쪽 끝과 쇄골의 바깥쪽 끝 사이의 활막관절(synovial joint)이다. 견봉과 쇄골의 관절면은 연골로 덮여있고, 중간에 쐐기 모양의 섬유연골 디스크가 관절강을 부분적 또는 완전하게 분리하고 있다 (Fig. 9-10). 견봉쇄골관절의 관절낭(joint capsule)은 상부 및 하부 견봉쇄골인대(acromioclavicular ligament)에 의해 보강된다. 오구쇄골인대(coracoclavicular ligament)는 전외측의 사다리꼴인대(trapezoid ligament)와 후내측의 원추인대(coronoid ligament)의 두 가지 인대로 구성되며, 쇄골이 위쪽으로 탈구되는 것을 방지하는 역할을 한다.

7. 흉쇄골관절 Sternoclavicular joint

흉쇄골관절은 흉부와 어깨 사이의 유일한 관절이다. 흉골(sternum)의 자루(manubrium)와 첫 번째 늑골, 쇄골(clavicle)의 사이의 얕은 말 안장(saddle) 모양의 공간이 흉쇄골관절이며, 흉골의 관절면보다 쇄골의 관절면이 좀 더 큰 일치

하지 않는 구조를 가진다 (Fig. 9-11). 흉쇄골관절 내에 섬유연골 디스크가 있다. 늑쇄골인대(costoclavicular ligament) 및 쇄골간인대(interclavicular ligament)는 흉쇄골관절을 강화하여 불안정성을 막는 역할을 한다.[1]

8. 견갑상신경 Suprascapular nerve

견갑상신경은 상완신경총(brachial plexus)의 상부 줄기인 C5와 C6 신경뿌리(nerve root)에서 시작되며, 견갑골의 극상절흔(supraspinous notch)과 상횡견갑인대(superior transverse scapular ligament)에 의해 만들어지는 견갑상공(suprascapular foramen)을 지나 극상와(supraspinous fossa)로 진행한다. 이후 견갑상신경은 SSP 하방으로 진행하여 극관절와절흔(spinoglenoid notch)과 하횡견갑인대(inferior transverse scapular ligament)로 만들어지는 터널을 지나 극하와(infraspinous fossa)로 진행한다 (Fig. 9-12). 견갑상신경은 극상와에서 SSP의 운동신경을 분지하고, 이후 극하와에서 분지된 원위 분지는 ISP를 신경지배한다. 견갑상신경은 견갑상혈관과 함께 주행한다.[1]

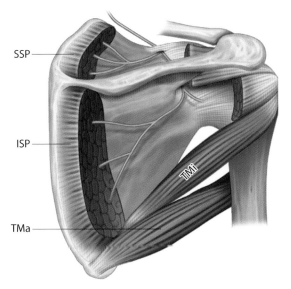

Figure 9-12 **Suprascapular nerve.** SSP, supraspinatus; ISP, infraspinatus; TMi, teres minor; TMa, teres major.

9. 어깨 근육

어깨 근육들은 해부학적으로 내인근과 외인근(intrinsic and extrinsic muscles)으로 구분한다. 내인근은 상지에서 기시하고 상지에 부착하는 근육으로, SSC, SSP, ISP, 대원근(teres major), 소원근(teres minor), 삼각근(deltoid)이 포함된다. 외인근은 상지와 척추를 연결하는 근육과 상지와 흉벽을 연결하는 근육으로 나뉘어 진다. 상지와 척추를 연결하는 근육에는 승모근(trapezius), 광배근(latissimus dorsi), 견갑거근(levator scapulare), 능형근(rhomboid)이 있고, 상지와 흉벽을 연결하는 근육에는 전방거근(serratus anterior), 대흉근(pectoralis major), 소흉근(pectoralis minor)이 있다.

대원근은 견갑골의 하방 등쪽과 외측 가장자리에서 기시하여 상완골 골간(diaphysis)의 내측 능선(medial lip)에 부착한다. 상완의 내전과 내회전을 담당한다.

삼각근은 회전근개와 상완와관절을 덮고 있는 두껍고 강력한 근육으로 액와신경(axillary nerve)의 지배를 받는다. 삼각근은 쇄골, 견봉, 견갑골극(scapular spine)에서 넓게 기시

하여 상완골 골간 중간 부위의 전외측에 부착한다. 삼각근의 앞쪽 다발은 주로 상완골의 굽힘(flexion)과 내회전을, 중간 다발은 상완골의 외전(abduction)을, 뒤쪽 다발은 상완골의 신전(extension)과 외회전을 담당하는데, 삼각근의 가장 중요한 역할은 상완골의 외전이다.[4] SSP힘줄이 파열되면 삼각근에 의해 상완골두가 위쪽으로 아탈구되고, 삼각근 단독으로 상완골의 외전을 담당하게 된다.

승모근은 넓고 평평한 삼각형 근육이며, 목 뒤쪽과 몸통 상부를 덮고 있다. 두개골의 후두 융기(occipital protuberance), 항인대(목덜미인대, ligamentum nuchae), C7-T12 극돌기(spinous process)에서 기시하여 쇄골이 외측 1/3, 견봉, 견갑골극에 부착한다. 승모근은 부신경(accessory nerve)의 지배를 주로 받고, 부분적으로 C3-C7신경 지배를 받으며, 견갑골을 올리고 회전하는 역할을 담당한다.

대흉근은 상부 흉벽의 대부분을 덮고 있는 부채 모양의 근육이다. 삼각근-흉근삼각(delto-pectoral triangle)은 대흉근의 위쪽 경계와 삼각근 사이의 고랑(groove)이며, 요골측피부정맥(노쪽피부정맥, cephalic vein)이 주행한다. 대흉근의 주 역할은 상완골의 내전 및 내회전이다. 대흉근은 초음파검사에서 액와(axillary) 혈관 및 신경을 찾을 때 유용한 표식자(landmark) 역할을 한다.[25] 대흉근은 세 개의 갈래, 즉 쇄골두(clavicular head), 흉늑골두(sternocostal head), 복두(abdominal head)로 구성된다. 쇄골두는 쇄골의 내측 1/2에서, 흉늑골두는 흉골과 2~7번 늑연골(costal cartilage)에서, 복두는 외경사근(external oblique muscle)의 건막(aponeurosis)에서 기시한다. 이 세 갈래는 외측으로 주행하면서 합쳐져 세 겹힘줄(trilaminar tendon)을 형성하여, LHBT의 근-건이행부(myotendinous junction)를 지나 상완골 결간구의 외측 능선에 세로로 4~6 cm 길이에 걸쳐 부착한다. 세 겹의 힘줄은 180° 회전하면서 상완골에 부착하므로, 가장 위쪽에서 기시한 쇄골두는 외측 능선의 가장 아래쪽 앞쪽에 부착하고, 가장 아래쪽에서 기시한 복두는 가장 위쪽 뒤쪽에 부착하고, 흉늑골두는 두 골두 사이에 부착한다 (Fig. 9-13).[26,27]

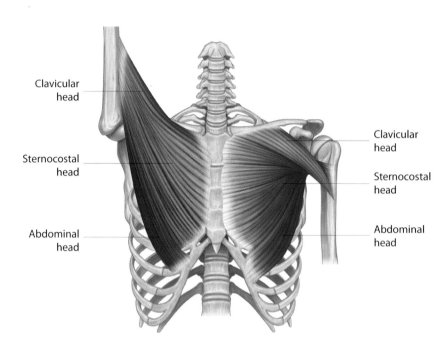

Clavicular head

Sternocostal head

Abdominal head

Clavicular head

Sternocostal head

Abdominal head

Figure 9-13 **Pectoralis major**. The three parts of the pectoralis major are twisted each other as they insert on the humerus (left arm). The muscle fibers become un-twisted and stretched with increase elevation of the arm (right arm).

II. 어깨초음파 표준 검사방법 및 정상 초음파소견

어깨 초음파검사에는 일반적으로 7 MHz 이상의 선형(linear) 탐촉자를 이용한다. 지방 또는 근육이 두꺼운 환자에서는 낮은 주파수의 볼록(convex) 탐촉자를 이용할 수도 있으나 정확도가 떨어질 수 있다. 팔걸이와 등받이가 없는 회전의자에 환자를 앉히고 검사를 시작한다. 검사자는 초음파 화면을 보고 앉고, 오른쪽 어깨를 검사하는 경우에 환자는 검사자를 엇비슷하게 마주 보고 앉으며, 왼쪽 어깨를 검사할 경우 환자를 초음파 화면 쪽으로 적당하게 돌려 앉힌 상태에서 검사한다. 환자는 힘을 뺀 상태에서 팔을 옆구리에 자연스럽게 붙이고, 손바닥을 위로 향하게 하여 환자의 허벅지에 손을 올려놓은 중립자세(neutral position)를 취한다 (Fig. 9-14). 증상이 있는 어깨를 먼저 검사하고, 비교를 위해 반대쪽 어깨를 검사할 수 있다. 양쪽 어깨를 모두 검사하는 경우에는 증상이 경한 어깨를 먼저 검사하는 것이 좋다.

일반적으로 검사는 어깨의 앞쪽에서 시작하여, 위쪽, 뒤쪽으로 진행하고, 기본적으로 10가지 초음파영상을 얻으며

Figure 9-14 **Neutral position for US examination of the shoulder.**

(Table 9-1), 필요에 따라 영상을 추가할 수 있다.[1] 기본 초음파영상을 중심으로 검사방법과 초음파소견을 기술하고자 한다.

1. 상완이두장두건
Long head of biceps brachii tendon

결간구(bicipital groove)는 어깨 초음파검사에서 중요한 뼈 표식자(bony landmark)이며, 중립자세에서 탐촉자를 결간구 앞쪽에 횡축으로 놓으면 결간구 내에 위치한 LHBT의 단축영상(short axis image)을 얻을 수 있다 (Fig. 9-15). LHBT 는 난원형의 고에코 구조물로 보이며, 힘줄의 내측에 소결절이, 외측에 대결절이 있다. 초음파 음속(sound beam)이 비스듬하게 주사되면 비등방성에 의해 힘줄의 에코가 감소하므로, 음속이 힘줄에 수직이 되도록 탐촉자의 각도를 조절하는 것이 중요하다 (Fig. 9-15C). 결간구 바닥의 피질골이 고에코로 보이면 음속이 수직으로 주사되고 있음을 알 수 있다. 가로상완인대(transverse humeral ligament)는 힘줄의 표층에서 결간구를 덮는 고에코의 얇은 띠로 보인다. 단축영상에서 상완골두 부위의 근위부 힘줄에서 원위부의 근-건이행부까지 탐촉자를 상하로 이동하여 LHBT 전체에 대해 검사한다. 탐촉자를 SSC힘줄 부착부보다 원위부로 이동하면 대흉근 힘줄이 LHBT 앞쪽을 지나서 상완골에 부착하는 것을 볼 수 있다 (Fig. 9-16).

LHBT의 단축영상을 얻은 다음, 탐촉자를 90° 돌리면 힘줄의 장축영상(long axis image)을 얻을 수 있으며, 힘줄은 평

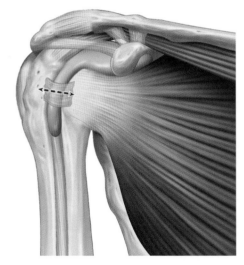
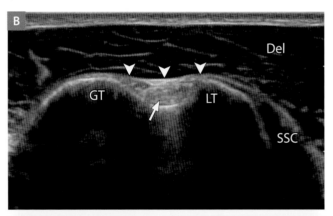
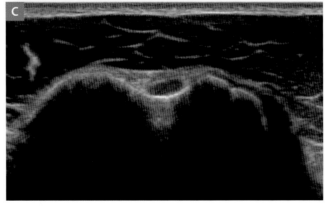

Figure 9-15 Long head of biceps brachii tendon: short axis view. A. Placing the transducer transversely over the bicipital groove. **B.** Short axis US image shows the oval-shaped hyperechoic long head of biceps brachii tendon (arrow) within the bicipital groove. Note transverse humeral ligament (arrowheads). **C.** Toggling the transducer creates anisotropy and the tendon appears artifactually hypoechoic mimicking fluid. SSC, subscapularis; GT, greater tuberosity; LT, lesser tuberosity; Del, deltoid.

행한 고에코의 가는섬유다발양상(fibrillar pattern)으로 보인 다 (Fig. 9-17). 힘줄이 원위부로 갈수록 비스듬하게 깊은 쪽 으로 주행하여 비등방성이 생기기 쉬우므로, 탐촉자의 아래

쪽을 조금 더 눌러서(heel-toe maneuver) 음속이 힘줄에 수직 이 되도록 해야 한다 (Chpater 01 초음파 물리 및 기법 참조 바람).

근위부 LHBT는 활막초(synovial sheath)에 의해 둘러싸여

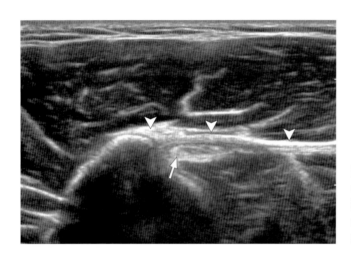

Figure 9-16 Myotendinous junction of the long head biceps brachii tendon. Transverse US image obtained on the long axis the pectoralis major tendon shows the myotendinous junction of biceps tendon (arrow) and the humeral insertion of the pectoralis major tendon (arrowheads).

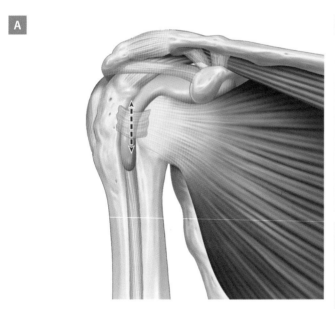

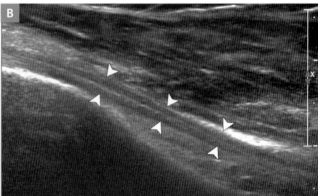

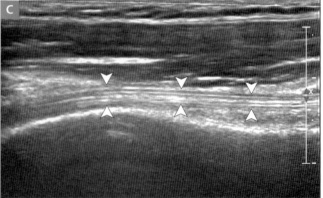

Figure 9-17 Long head of biceps brachii tendon: long axis view. A. Placing the transducer vertically over the long head of biceps brachii tendon. **B.** Long axis US image shows the biceps tendon (arrowheads) hypoechoic from anisotropy. **C.** Anisotropy is corrected with heel-toe maneuver and the biceps tendon (arrowheads) shows hyperechoic fibrillar pattern.

있고, 활막초는 상완와관절(glenohumeral joint)과 연결되어 있으므로, 정상적으로 LHBT 주위에 소량의 관절액이 보일 수 있다 (Fig. 9-18). 또한 근위부 LHBT의 바깥쪽에 전상완회선동맥(anterior circumflex humeral artery)의 분지가 위치하므로, Doppler검사에서 이 동맥을 활막초의 혈류 증가 소

견으로 오인하지 않도록 주의해야 한다 (Fig. 9-19). SASD윤활낭의 앞쪽 부분이 LHBT와 삼각근(deltoid muscle) 사이에 위치하므로, SASD윤활낭 내의 활액(synovial fluid)이 LHBT 앞쪽에 보일 수 있다 (Fig. 9-20).

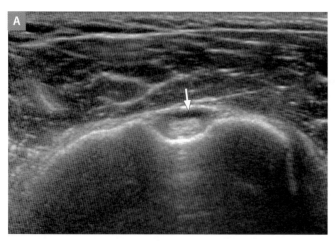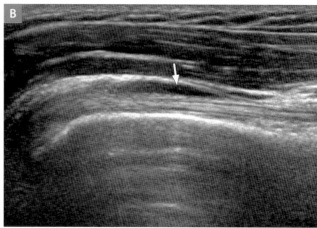

Figure 9-18 **Fluid within the biceps tendon sheath.** Small amount of anechoic fluid (arrows) is seen around the long head of biceps brachii tendon on the short axis (**A**) and long axis (**B**) US images.

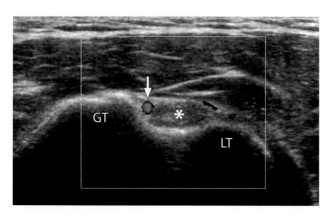

Figure 9-19 **Ascending branch of the anterior circumflex humeral artery.** Doppler US image demonstrates the ascending branch of anterior circumflex humeral artery (arrow) as it courses deep to the transverse humeral ligament and alongside the biceps tendon (asterisk). GT, greater tuberosity; LT, lesser tuberosity.

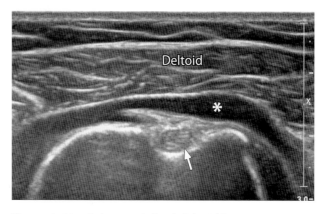

Figure 9-20 **Subacromial-subdeltoid bursa.** Transverse US image over the bicipital groove shows anechoic fluid within the subacromial-subdeltoid bursa (asterisk) anterior to the long head of biceps brachii tendon (arrow).

2. 견갑하근힘줄 Subscapularis tendon

중립자세에서 탐촉자를 소결절 부위에 횡축으로 놓고 약간 내측으로 이동하면, SSC힘줄은 비등방성으로 인해 저에코로 보이고, 힘줄의 상당부분은 오구돌기(coracoid process)에 가려져 보이지 않는다 (Fig. 9-21A, B). SSC힘줄을 적절하게 검사하기 위하여 중립자세에서 환자의 팔을 외회전하면, 오구돌기 하방에 가려져 있던 힘줄이 충분히 노출되어 근-건이행부까지 장축영상으로 검사할 수 있다 (Fig. 9-21C, D). [28] SSC힘줄은 장축영상에서 고에코의 가는섬유다발양상으로

보이며, 윤활낭면(bursal surface)은 약간 볼록하게 보인다. 삼각근(deltoid muscle)과 SSC힘줄 사이에는 고에코의 지방층과 저에코의 SASD윤활낭이 있다. [29] SSC힘줄보다 깊은 쪽에 보이는 상완골의 피질골은 정상에서 약간 울퉁불퉁하게 보일 수 있다. 장축영상에서 탐촉자를 상하로 이동하면서 SSC힘줄 너비 전체에 대해 검사를 실시한다. SSC힘줄의 장축영상을 얻은 후, 탐촉자를 90° 돌려 종축으로 놓고, SSC힘줄을 단축영상에서 검사한다. SSC힘줄은 단축영상에서 고에코의 힘줄 다발(bundle) 사이에 저에코의 근육이 줄무늬(striation)로 섞여 보이며, 이를 이상 소견으로 오인하면 안

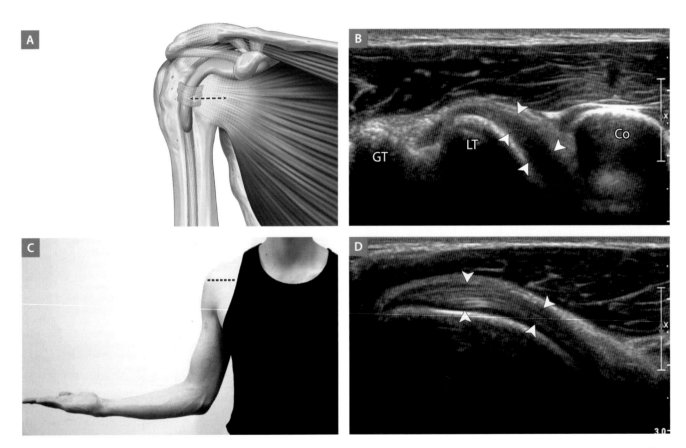

Figure 9-21 **Subscapularis tendon: long axis view. A.** Placing the transducer transversely over the lesser tuberosity (LT). **B.** Long axis US image shows the subscapularis tendon (arrowheads) hypoechoic from anisotropy. **C.** External rotation of the shoulder brings the subscapularis tendon out from under the coracoid and into full view. **D.** Long axis US image shows normal hyperechoic fibrillar pattern of the subscapularis tendon (arrowheads). Co, coracoid; GT, greater tuberosity.

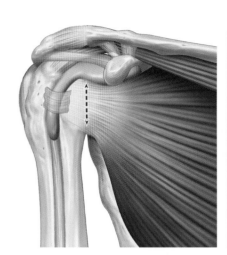

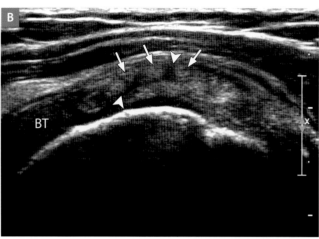

Figure 9-22   **Subscapularis tendon: short axis view. A.** Placing the transducer vertically over the lesser tuberosity. **B.** Short axis US image of the subscapularis tendon shows hypoechoic striation (arrowheads) of interfaces between the several hyperechoic tendon bundles (arrows). BT, long head of biceps brachii tendon.

된다 (Fig. 9-22). 또한 SSC힘줄의 장축영상을 얻는 자세에서 팔을 내-외회전하면서 역동적 검사를 실시하여, LHBT의 아탈구 또는 탈구 여부, SSC힘줄의 오구돌기하 충돌(subcoracoid impingement) 여부, 어깨의 운동범위 등을 확인한다.

3. 견봉쇄골관절 Acromioclavicular joint

견봉쇄골관절의 병변은 보통 회전근개 질환과 증상이 유사하기 때문에 어깨 초음파검사에 포함하며, 탐촉자를 관절 위에 관상면으로 놓고 검사한다 (Fig. 9-23). 고에코의 견봉과 쇄

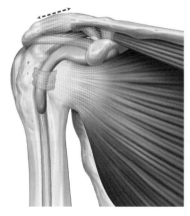

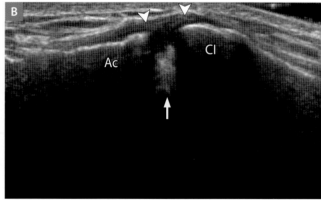

Figure 9-23   **Acromioclavicular joint. A.** Placing the transducer in coronal plane over the distal clavicle. **B.** Coronal US image shows the acromioclavicular joint space and a hyperechoic fibrocartilaginous disk (arrow). The superior acromioclavicular ligament can be seen as a fibrillar structure (arrowheads). Cl, clavicle; Ac, acromion.

골 사이에 저에코의 관절강(joint cavity)이 보이며, 정상에서 3 mm 이하의 관절 간격을 보인다. 관절강 내에 섬유연골 디스크가 고에코로 보일 수 있다. 견봉쇄골관절 간격을 확인하고, 반대편 관절과 비교해 볼 수 있다. 견봉쇄골관절의 불안정성이 의심되면 검사하는 쪽의 손을 반대쪽 어깨로 올렸다 내리는 동작(cross-arm test, Tossi maneuver)을 반복하거나, 환자의 팔을 앞뒤로 움직이면서 관절의 움직임을 초음파로 확인한다.

4. 극상근힘줄 Supraspinatus tendon

어깨 초음파검사에서 SSP힘줄의 장축 및 단축영상을 정확하게 검사하는 것이 가장 중요하며, 이를 위해서는 해부학적 지식과 함께 정확한 초음파검사 기법을 알아야 한다. 중립자세에서 탐촉자를 대결절 위에 관상면(coronal plane)으로 놓고 SSP힘줄의 장축영상을 얻으면 힘줄 근위부 대부분이 견봉(acromion)에 의해 가려져서 보이지 않는다 (Fig. 9-24). SSP힘줄을 최대한 노출시키기 위해서는 팔을 내회전-내전(internal rotation-adduction)한 자세(Crass position)가 필요하고, 이를 위해서는 환자의 손등을 허리 뒤에 놓고 팔꿈치를 몸에 붙이면 된다 (Fig. 9-25). [1] 이 상태에서 상완골은 내회전되어 대결절이 어깨 앞쪽으로 이동한다 (Fig. 9-26). Crass자세에서 탐촉자를 대결절과 견봉 사이에 시상면(saggital plane)으로 놓으면 SSP힘줄의 장축영상을 얻을 수 있다. 이 자세에서는 SSP힘줄이 좀 더 팽팽하게 되므로 부분층파열과 같

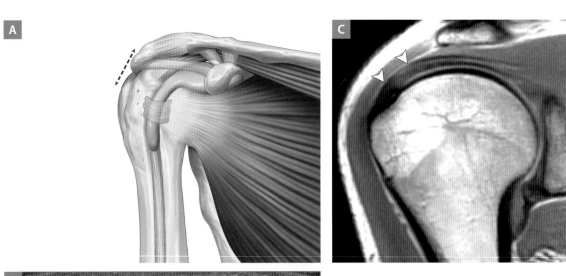

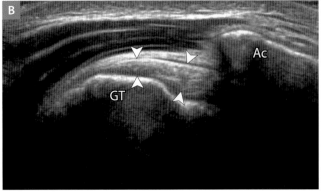

Figure 9-24 **Supraspinatus tendon: long axis view in neutral position. A.** Placing the transducer in coronal plane over the greater tuberosity (GT). **B.** Long axis US image only shows the distal supraspinatus tendon (arrowheads), and much of the tendon is hidden beneath the acromion (Ac). **C.** Correlative oblique coronal proton density-weighted MR image.

은 미세한 병변을 진단하는 데 도움이 된다. 하지만, 통증이
나 운동제한이 있는 환자는 정확한 자세를 취하기 어렵고 회
전근개간격(rotator interval)을 검사하는 데 제한이 있을 수
있다. 다른 검사자세인 modified Crass자세는 환자의 손바
닥을 같은 쪽 엉덩이에 두고 팔꿈치를 뒤쪽으로 향하게 하는
자세이다 (Fig. 9-27).[1] Modified Crass자세에서는 Crass자
세에서 보다 상완골이 약간 외회전된 상태이며, 대결절의 위

치는 중립자세와 Crass자세에서의 중간 지점에 오게 된다.
검사자세에 따른 대결절의 위치 변화를 아는 것이 정확한 영
상을 얻는 데 중요한 요소이다. Modified Crass자세에서 탐
촉자를 대결절과 견봉 사이에 비스듬하게 위시상면(parasag-
ittal plane)으로 놓으면 SSP힘줄의 장축영상을 얻을 수 있다.
Modified Crass자세는 Crass자세보다 환자가 자세를 취하기
가 좀 더 용이하고, 회전근개간격을 검사하는 데 유리하다.

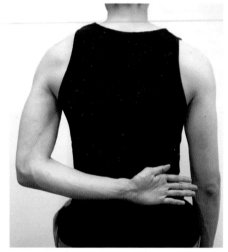

Figure 9-25 **Crass position for imaging the supraspinatus tendon.**

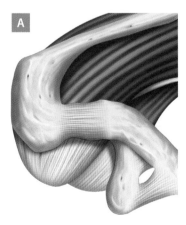

Neutral position

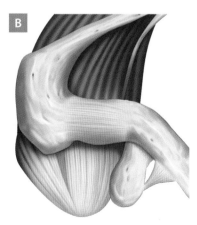

Crass position

Figure 9-26 **Supraspinatus tendon, superior view.** On the neutral position (A), much of the supraspinatus tendon is hidden beneath the acromion. With the arm in the Crass position (B), the humerus is rotated internally such that the greater tuberosity and supraspinatus tendon are located anteriorly.

SSP힘줄은 장축영상에서 상완골두 위를 지나는 고에코의 가는섬유다발양상으로 보이며, 윤활낭면(bursal surface)은 약간 볼록하게 보인다. 삼각근과 SSP힘줄 사이에는 저에코의 SASD윤활낭과 고에코의 윤활낭 주위 지방층이 있으며, 관절낭(joint capsule)을 SSP힘줄과 구분하기는 힘들다 (Fig. 9-28). 대결절 부착부의 힘줄은 주행방향이 구부러져서 비등방성에 의한 에코 감소가 생기기 쉬우므로, 음속이 힘줄에 수직이 되도록 탐촉자의 각도를 조절하는 것이 중요

Figure 9-27 **Modified Crass position for imaging the supraspinatus tendon.**

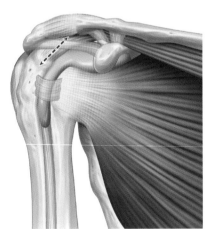
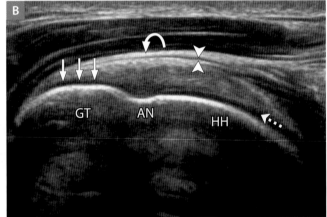

Figure 9-28 **Supraspinatus tendon, long axis view. A.** Placing the transducer in sagittal or parasagittal plane over the greater tuberosity (GT) with the arm in the Crass or modified Crass position. **B.** Supraspinatus tendon shows normal hyperechoic fibrillar pattern with a convex superior margin. It lies over the hypoechoic cartilage (dashed arrow) of the humeral head (HH). Thin hypoechoic subacromial-subdeltoid bursa (arrowheads) and hyperechoic peribursal fat (curved arrow) overly the tendon. Note thin hypoechoic layer (arrows) over the greater tuberosity, which represents the fibrocartilage transition zone between the tendon and bone at the enthesis. AN, anatomical neck.

하다 (Fig. 9-29). 상완골두를 둘러싸는 저에코의 얇은 띠는 유리연골(hyaline cartilage)이다. 때때로 대결절의 힘줄-뼈 부착부(enthesis)의 섬유연골(fibrocartilage)이 얇은 저에코로 보일 수 있는데, 이를 유리연골로 오인하면 안 된다 (Fig. 9-28).

장축영상에서 탐촉자를 앞뒤로 움직이면서 SSP힘줄 너비 전체에 대하여 검사하여야 하며, 특히 탐촉자를 앞쪽으로 이동하여 관절 내 LHBT가 보이는 부분까지 검사하는 것이 중요하다. SSP힘줄의 적절한 장축영상을 얻기 어려울 수 있는데, 관절 내 LHBT과 SSP힘줄은 비교적 평행하게 주행하

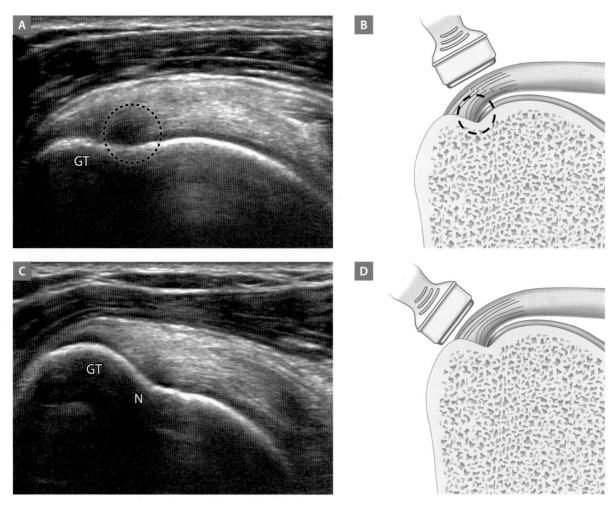

Figure 9-29 **Anisotropy in the supraspinatus tendon. A.** Long axis US image of supraspinatus tendon shows artifactual hypoechogenicity (dotted circle) in the preinsertional area overlying the anatomical neck of the humerus, mimicking a partial tear or tendinosis. **B.** Schematic diagram reveals a straight course of the more superficial tendon fibers (blue color) around insertion into the greater tuberosity. In contrast, the articular tendon fibers (red color) show a curved diverging course, leading to artifactual hypoechogenicity related to anisotropy. **C.** With the reposition of the transducer, the distal tendon appears hyperechoic and a hypoechoic artifact from anisotropy disappears. **D.** Schematic diagram illustrates proper transducer repositioning to correct anisotropy. The transducer orientation should be adjusted to visualize the preinsertional area of the tendon in a plane as perpendicular to the US beam. GT, greater tuberosity; N, anatomical neck.

므로, 관절 내 LHBT의 장축영상을 먼저 얻은 후 탐촉자를 SSP힘줄 쪽으로 이동하면 SSP힘줄의 장축영상을 얻는 데 도

움이 된다 (Fig. 9-30). 탐촉자를 뒤쪽으로 이동하면 SSP힘줄 위에 ISP힘줄이 겹쳐지는 부위에서 비등방성에 의한 저에코

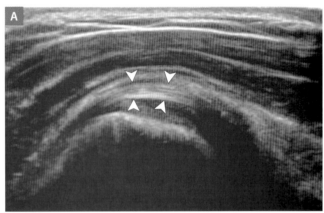

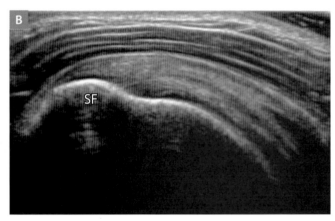

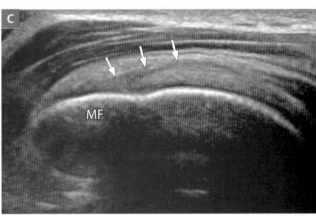

Figure 9-30　Proper orientation of the transducer for evaluating the long axis of the supraspinatus tendon. **A.** Transducer positioning over the rotator interval shows the intra-articular portion of the long head of biceps brachii tendon (arrowheads). **B.** Transducer positioning in the same plane but upward and posterior to (**A**) over the superior facet (SF) of the greater tuberosity shows the long axis of the supraspinatus tendon. **C.** As the transducer is moved posteriorly to (**B**) over the middle facet (MF) of the greater tuberosity, alternating linear areas (arrows) representing anisotropy of the infraspinatus tendon fibers can be seen over the supraspinatus tendon.

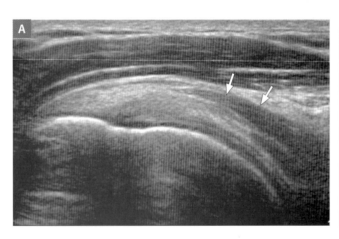

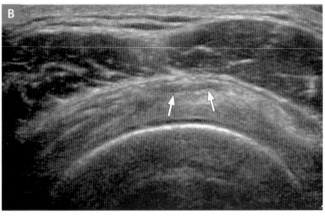

Figure 9-31　Myotendinous junction of supraspinatus tendon. US images of the supraspinatus tendon in long axis (**A**) and short axis (**B**) show intervening hypoechoic muscle (arrows) and hyperechoic tendon.

선이 보일 수 있으므로, 이를 병변으로 오인하지 않아야 한다 (Fig. 9-30C). 또한 근-건이행부에서 고에코의 힘줄 사이에 보이는 저에코의 근육 부분을 병변으로 오인할 수 있으므로 주의해야 한다 (Fig. 9-31).[30,31]

SSP힘줄을 장축영상으로 검사한 후, 탐촉자를 90° 돌려 상완골두 위에 놓으면 SSP힘줄의 단축영상을 얻을 수 있다. 적절한 단축영상에서는 볼록한 상완골두의 피질골이 고에코로 보이고, 골두를 덮고 있는 저에코의 관절연골과 고에코의 힘줄이 일정한 두께로 보인다 (Fig. 9-32). SSP힘줄은 단축영상에서 앞뒤 약 2.0~2.5 cm의 너비를 가진다. 단축영상에

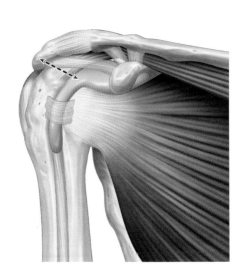

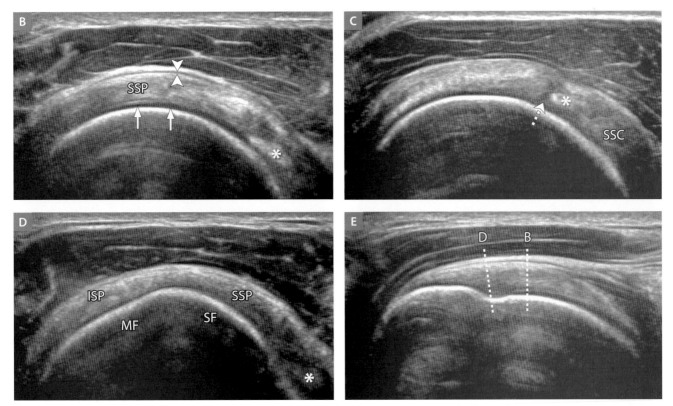

Figure 9-32 **Supraspinatus tendon, short axis view. A.** Placing the transducer transversely over the humeral head with the arm in the Crass or modified Crass position. **B.** Supraspinatus (SSP) tendon over the humeral head is of uniform thickness and hyperechoic. The tendon lies between the humeral cartilage (arrows) and the subacromial-subdeltoid bursa (arrowheads). **C.** Short axis US image of anterior portion of the supraspinatus tendon. Note hypoechogenicity (dashed arrow) between the supraspinatus tendon the long head of biceps tendon (asterisk). **D.** Short axis US image over the greater tuberosity shows superior (SF) and middle (MF) facets and overlying supraspinatus and infraspinatus (ISP) tendons. **E.** Long axis US image of supraspinatus tendon as a reference for images **B** and **D**. SSC, subscapularis tendon.

서 SSP힘줄 바로 앞에 LHBT가 위치하며, LHBT는 어깨 초음파검사에서 중요한 표식자이다. SSP힘줄의 병변은 앞쪽 부분에 많이 생기므로, LHBT를 확인하는 것이 힘줄의 앞쪽 병변을 놓치지 않고 검사하는 데 중요하다. SSP힘줄의 앞쪽 경계와 LHBT 사이에는 정상적으로 저에코로 보이는 부위가 있는데, 이를 SSP힘줄의 파열로 오인하지 않아야 한다 (Fig. 9-32C).

탐촉자를 힘줄의 원위부로, 즉 상완골두에서 대결절 쪽으로 이동하면 관절연골이 점차 사라지고 편평한 대결절이 보인다. 탐촉자를 대결절 쪽으로 좀더 이동하면 대결절이 각진 모양으로 바뀌면서 힘줄이 점차 가늘어진다. 대결절에는 세 개의 힘줄 부착 단면(facet), 즉 위쪽, 중간, 아래쪽(superior, middle, inferior) 단면이 있으며, 위쪽 및 중간 단면

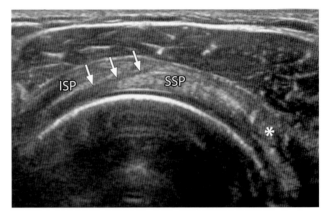

Figure 9-33 Supraspinatus-infraspinatus tendon junction. Short axis US image of the supraspinatus tendon shows linear hypoechogenesity (arrows) representing anisotropy of infraspinatus (ISP) tendon fibers that overlap the supraspinatus (SSP) tendon. Asterisk, biceps tendon.

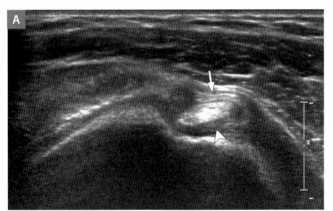

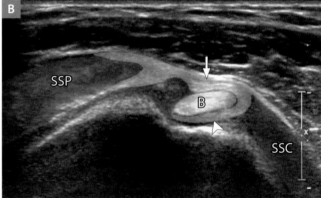

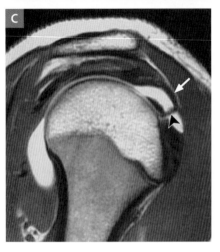

Figure 9-34 Rotator interval. A. US image of the intra-articular portion of the long head of the biceps brachii tendon in short axis shows the coracohumeral ligament (arrow) and the superior glenohumeral ligament (arrowhead). **B.** Correlative schematic drawing. **C.** Correlative oblique sagittal T2-weighted MR arthrography image of another patient. SSP: supraspinatus, SSC: subscapularis, B: long head of biceps brachii tendon.

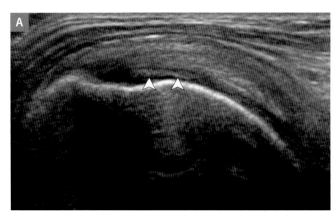
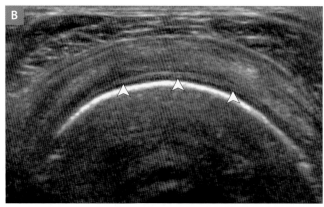

Figure 9-35   **Rotator cable.** Long axis (**A**) and short axis (**B**) US images of the supraspinatus tendon show the hyperechoic rotator cable (arrowheads) deep to the supraspinatus tendon.

이 만나는 부위가 각진 모양을 보인다 (Fig. 9-32D). SSP힘줄은 위쪽 단면 전체와 중간 단면 위쪽-앞쪽 일부에 부착하고, ISP힘줄은 부분적으로 SSP힘줄과 겹치면서 중간 단면에 부착한다 (Fig. 9-4). 장축영상에서와 마찬가지로 단축영상에서도 SSP힘줄 위에 ISP힘줄이 겹쳐지는 부위에서 비등방성에 의한 저에코 선이 보일 수 있으므로 병변으로 오인하지 않아야 한다 (Fig. 9-33).

단축영상에서 SSP힘줄 앞에 위치하는 LHBT을 검사하면서 회전근개간격(rotator interval)에서 LHBT의 활차(biceps pulley)를 볼 수 있다. 상부 상완와인대(superior glenohumeral ligament)는 LHBT와 SSC힘줄 사이에서 상완골두에 인접해서 보이고, 오구상완인대(coracohumeral ligament)는 LHBT 위를 덮는 균질한 고에코 띠로 보인다 (Fig. 9-34). [32] 오구상완인대가 파열되면 LHBT 주위로 활액이 둘러싸게 된다. [33]

회전근개 케이블(rotator cable)은 SSP 및 ISP힘줄의 관절면에 보이며, 힘줄의 주행방향에 대해 수직으로 가로지르는 가는섬유다발양상의 고에코 띠로 보인다. 대결절과 관절연골 경계에서 약 9 mm (4~15 mm) 떨어진 곳에 보이며, 두께는 약 2 mm (0.6~3.5 mm)이고 너비는 약 11 mm (8~18 mm)이다 (Fig. 9-5, 9-35). [9~11]

견봉하충돌증후군(subacromial impingement syndrome)

의 진단을 위한 SSP힘줄의 역동적 검사는 뒤쪽의 견봉하충돌증후군 부분에서 기술한다.

5. 견봉하-삼각근하 윤활낭
Subacromial-subdeltoid bursa

SSP힘줄을 검사하면서 삼각근과 SSP힘줄 사이의 SASD윤활낭을 함께 검사한다. SASD윤활낭은 고에코로 보이는 두 층(layer)의 윤활낭 주위 지방(peribursal fat) 사이에 저에코 선으로 보이며, 내부에 소량의 활액이 보일 수 있다. 정상 두께는 약 0.5 mm이며, 최대 2 mm까지를 정상으로 간주한다 (Fig. 9-36). [24] 정상 윤활낭의 활액막은 초음파에서 구분되지 않지만, 충돌증후군(impingement syndrome) 등에서 활액막이 두꺼워지면 윤활낭이 SSP힘줄의 일부처럼 보일 수 있다 (Fig. 9-37). 윤활낭 내 활액의 증가가 있으나 양이 많지 않으면 낮은 곳(dependent portion)으로 이동하므로, 주로 대결절 바깥쪽에 고여서 물방울징후(teardrop sign)를 보인다 (Fig. 9-38). [22] SASD윤활낭을 검사할 때 탐촉자로 너무 강하게 압박하면 윤활낭 내의 활액이 초음파영상 밖으로 밀려나서 보이지 않게 되므로 주의해야 한다 (Fig. 9-39).

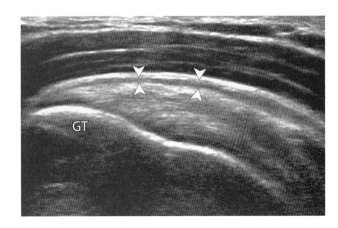

Figure 9-36 Subacromial-subdeltoid bursa. Long axis image over the supraspinatus tendon shows a thin hypoechoic subacromial-subdeltoid bursa overlying the supraspinatus tendon. GT, greater tuberosity.

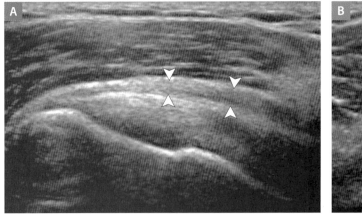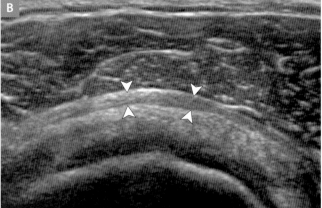

Figure 9-37 Subacromial-subdeltoid bursitis. Long axis (**A**) and short axis (**B**) US images over the supraspinatus tendon show isoechoic or slight hypoechoic bursal thickening (arrowheads).

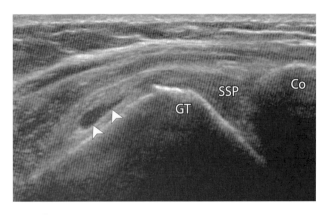

Figure 9-38 Subacromial-subdeltoid bursal fluid. Longitudinal US image over the greater tuberosity (GT) shows the lateral pouch of the bursa distended by anechoic fluid (arrowheads), the so-called teardrop sign. SSP, supraspinatus; Co, coracoid.

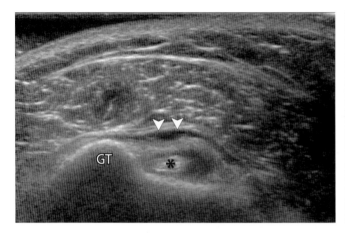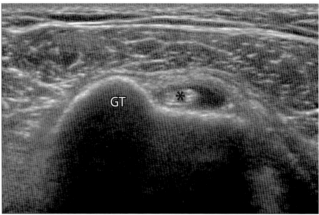

Figure 9-39 **Subacromial-subdeltoid bursal fluid. A.** Transverse US image over the bicipital groove shows the bursa distended some fluid (arrowheads) overlying the long head of biceps tendon (asterisk). **B.** The bursa is collapsed by applying pressure with the transducer. GT, greater tuberosity.

6. 극하근힘줄 Infraspinatus tendon

ISP힘줄을 검사하기 위해서 마주 보고 있던 환자를 90° 정도 돌려서 검사자가 환자 어깨 뒤쪽을 보는 자세를 취하고, 환자의 팔은 중립자세로 한다. 탐촉자를 견갑골극(scapular spine) 바로 아래에 견갑골극과 평행하게 놓은 다음, 탐촉자의 바깥쪽 끝을 상완골두 쪽으로 약간 비스듬하게 돌린다 (Fig. 9-40A, B). ISP의 근-건이행부(myotendinous junction)에서 중심 힘줄(central tendon)을 찾은 후 힘줄의 주행을 따라 탐촉자를 원위부로 이동하면 ISP힘줄의 장축영상을 얻을 수 있다 (Fig. 9-40C, D). 탐촉자를 좀 더 원위부로 이동하면 힘줄이 대결절의 중간 단면(middle facet)에 부착하는 것을 확인할 수 있다. 환자의 손을 반대쪽 어깨에 올린 자세에서 ISP힘줄을 검사할 수도 있지만, 힘줄의 주행이 약간 굽어지므로 비등방성허상이 생길 수 있다.

탐촉자를 ISP힘줄의 장축방향으로 놓으면 ISP힘줄보다 깊은 쪽에 뒤관절오목(posterior joint recess)과 관절순(labrum)을 볼 수 있다. 관절와(glenoid)의 끝에 붙은 관절순이 고에코의 세모꼴로 보인다 (Fig. 9-41). 관절순과 관절와의 경계부(gleno-labral junction)에 정상적으로 약 2 mm 미만의 저에코가 보일 수 있다.[34] ISP힘줄과 관절순 사이의 간격이 2 mm 이상 벌어지면 관절액의 증가를 의미한다. 관절액 증가가 있으나 양이 많지 않은 경우에는 팔을 외회전한 자세에서 뒤관절오목을 검사해야만 확인할 수 있다 (Fig. 9-42). 탐촉자를 좀더 내측으로 이동하면 극관절와절흔(spinoglenoid notch)이 보인다 (Fig. 9-43). 팔을 외회전한 상태에서 검사하면 극관절와절흔 내의 견갑상정맥(suprascapular vein)이 굵어져서 관절순주위낭종(paralabral cyst)처럼 보일 수 있으므로 주의해야 한다. ISP 장축 검사 후 탐촉자를 약간 아래쪽으로 이동하면 소원근(teres minor)이 보인다. 소원근의 근-건이행부는 근육의 얕은 쪽에 치우쳐 보이며, 힘줄은 대결절의 아래쪽 단면(inferior facet)에 부착한다.

▶ p.392로 이어집니다.

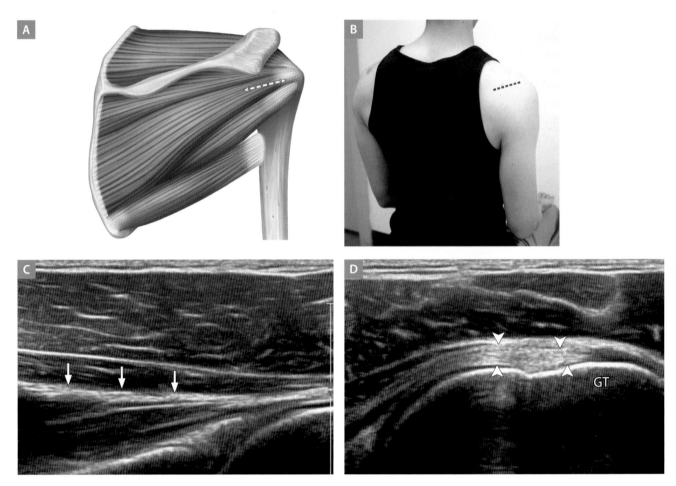

Figure 9-40　**Infraspinatus tendon, long axis view. A, B.** Placing the transducer in the oblique axial plane parallel and just inferior to the scapular spine. **C, D.** Long axis images show the infraspinatus tendon (arrowheads), which arises within the muscle from central aponeurosis (arrows). GT, greater tuberosity.

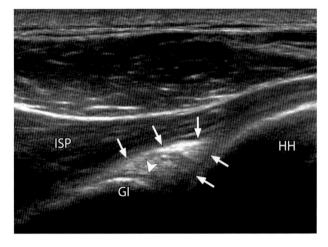

Figure 9-41　**Glenoid labrum.** Transverse US image over the posterior shoulder shows the triangular hyperechoic glenoid labrum (arrows). Note the thin hypoechoic band (arrowhead) between the glenoid (Gl) and the labrum. HH, humeral head; ISP, infraspinatus.

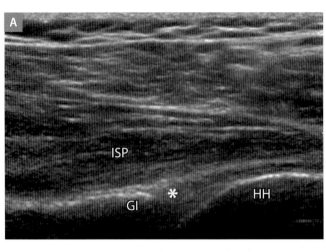
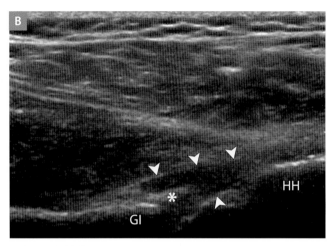

Figure 9-42 Joint effusion. A. Transverse US image over the posterior shoulder in neutral position shows no visible joint fluid. **B.** US image with the shoulder in external rotation shows small amount of joint fluid (arrowheads) in the posterior glenohumeral recess. Gl, glenoid; HH, humeral head; ISP, infraspinatus; asterisk, labrum.

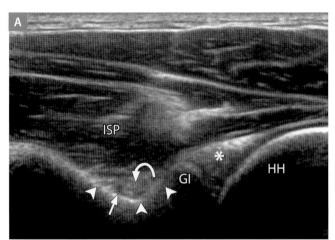
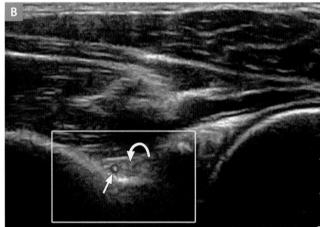

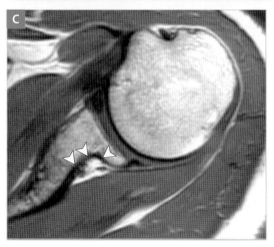

Figure 9-43 Spinoglenoid notch. A. Transverse US image over the posterior shoulder shows the spinoglenoid notch (arrowheads) as a fat-filled concavity of the scapula located at the base of the glenoid. **B.** Doppler US image shows the suprascapular artery (arrow), distinguishing from the adjacent suprascapular nerve (curved arrow). **C.** Correlative axial proton density-weighted MR image. Gl, glenoid; HH, humeral head; ISP, infraspinatus; asterisk, labrum.

III. 회전근개 질환

회전근개 병변이 의심되는 환자에서 단순촬영, 초음파, CT, MRI 등의 영상검사가 이용된다. 단순촬영에서는 회전근개의 석회화를 볼 수 있으며, 충돌증후군(impingement syndrome)과 관련된 견봉부골(os acromiale), 오구견봉인대(coracoacromial ligament)의 골화, 대결절(greater tuberosity)의 변화, 견봉쇄골관절(acromioclavicular joint)의 퇴행성 변화 등의 소견들을 볼 수 있다. 상완골두와 견봉 사이 간격이 6 mm 이하로 좁아지면 단순촬영에서 회전근개의 파열을 의심할 수 있다. 대결절과 견봉의 골극(osteophyte), 골경화, 낭성 변화(cystic change) 등은 회전근개 병변을 시사하는 간접 소견이다. CT관절조영술은 침습적인 영상검사이며, 회전근개의 질적 변화를 잘 알기 어렵기 때문에 회전근개 질환의 진단에 제한적이다. MRI 또는 MR관절조영술은 회전근개 및 관절 주위 연부조직뿐만 아니라 관절 내의 병변을 발견하고 진단하는 데 높은 민감도와 특이도를 보이지만, 초음파에 비해 비용과 시간이 많이 소요된다. 초음파검사는 회전근개 질환의 진단에 MRI와 비슷한 민감도와 특이도를 보일 뿐만 아니라, 역동적 검사를 실시할 수 있는 장점이 있다.[35~39]

1. 회전근개 힘줄증 및 파열
Rotator cuff tendinosis and tear

회전근개 질환은 가장 흔한 어깨 질환이며, 회전근개 힘줄증(tendinosis)과 파열이 회전근개 질환의 대부분을 차지한다.[40] 회전근개 힘줄증은 조직학적으로 염증소견 없이 힘줄에 허혈성 혹은 퇴행성 변화를 보이므로 힘줄염(tendinitis)보다 힘줄증(tendinosis) 또는 힘줄병증(tendinopathy)이 더 적합한 표현이다. 대부분의 회전근개 파열은 명확한 외상 또는 전신질환의 병력이 없이 발생하며, 내인성과 외인성 원인에 의한 것으로 알려져 있다. 내인성 원인으로 허혈성 및 퇴행성 가설이 있다. 허혈성 가설은 힘줄의 원위부 끝 1~2 cm 부위에 저혈류 및 저산소증을 보이는 임계구역(critical zone)이 있고, 이 부위의 허혈성 때문에 힘줄파열이 잘 생긴다는 것이다. 퇴행성 가설은 나이와 관련된 힘줄의 여러 가지 퇴행성 변화에 의해 파열된다는 것이다. 외인성 원인은 오구견봉궁(coracoacromial arch)과 관련된 만성 기계적 마찰이 중요한 요소이다. 요즘은 내인성 및 외인성 원인들을 포함하는 여러 원인들이 복합적으로 관련되는 것으로 생각하고 있다.[41]

회전근개 파열의 대부분은 SSP힘줄에 생기며, 특히 SSP힘줄의 앞쪽 원위부에 파열이 가장 잘 생긴다. SSP힘줄의 퇴행성 파열이 SSP힘줄 뒤쪽 및 SSP-ISP힘줄 접합부에 많이 생긴다는 보고도 있다.[42] 회전근개 파열을 만성과 급성으로 구분할 수 있다. 만성파열은 수개월에서 수년 동안 서서히 진행된 파열로, 주로 40세 이상에서 발생하며, SSP힘줄 원위부에 주로 생기고, 대결절의 불규칙한 피질(cortical irregularity)이 많이 동반된다. 급성파열은 10% 이내로 알려져 있으며, 만성파열보다 좀 더 근위부에 생긴다.[43,44]

회전근개 파열은 전층파열(full-thickness tear)과 부분층파열(partial-thickness tear)로 구분한다 (Fig. 9-44). 전층파열은 힘줄의 전체 두께를 침범하는 파열, 즉 힘줄의 관절면에서부터 윤활낭면까지 전층을 침범하는 파열이며, 대부분 관절강과 SASD윤활낭이 연결된다. 부분층파열은 힘줄 두께의 일부분에 국한된 파열로, 파열 부위에 따라 윤활낭면(bursal side), 관절면(articular side), 힘줄내(intrasubstance or interstitial) 파열로 구분한다.[43,45] 관절면 부분층파열이 윤활낭면 또는 힘줄내 부분층파열보다 좀 더 흔하다. 힘줄내 파열은 힘줄의 관절면 또는 윤활낭면으로 확장되지 않는 파열이며, 대결절 부착 단면으로는 파열이 확장될 수 있다.

부분층파열은 파열의 깊이(depth)에 따라 1도(grade 1): <3 mm, 2도(grade 2): 3~6 mm(힘줄 두께의 50% 미만), 3도(grade 3): >6 mm(힘줄 두께의 50% 이상)로 분류하고, 좀 더 간단하게 힘줄 두께의 50% 미만이면 경도(low grade), 50% 이상이면 고도(high grade) 파열로 구분하기도 한다.[46] 힘줄 두께의 50% 이상을 침범한 비교적 심한 부분층파열은 수술적 치료를 고려할 수 있는 파열이다.

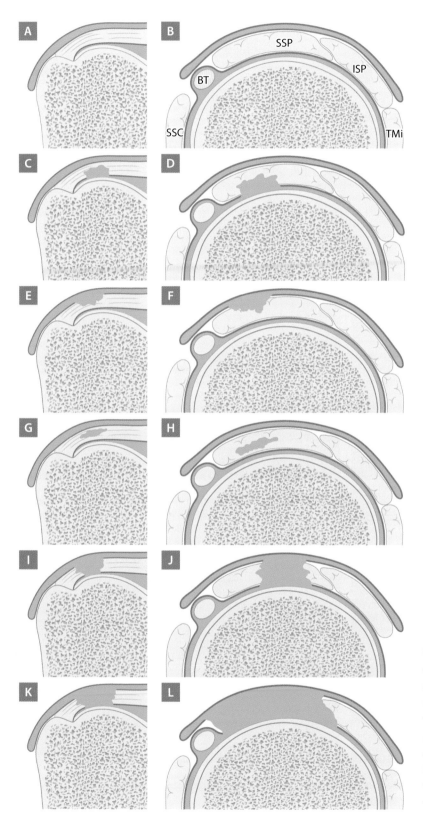

Figure 9-44 **Rotator cuff tear**. **A, B.** Illustration of the normal supraspinatus tendon, long axis (A) and short axis (B) views. **C, D.** Articular side partial-thickness tear. **E, F.** Bursal side partial-thickness tear. **G, H.** Intrasubstance partial-thickness tear. **I, J.** Full-thickness tear. **K, L.** Complete or full-width and full-thickness tear. BT, long head of biceps brachii tendon; SSP, supraspinatus; ISP, infraspinatus; SSC, subscapularis; TMi, teres minor.

전층파열은 파열의 가장 긴 방향으로의 크기(dimension)에 따라 small: <1 cm, medium: 1~3 cm, large: 3~5 cm, massive: >5 cm 파열로 구분하며, 파열의 크기에 따라 치료방법을 선택하고 수술 후 예후 및 재파열의 가능성을 예측하는 데 도움이 된다.(47) 힘줄의 전체 너비를 침범하는 전층파열을 완전파열(complete tear) 또는 전폭-전층파열(full-width and full-thickness tear)이라 하고, 힘줄 너비의 일부를 침범하는 전층파열은 불완전파열(incomplete tear)이라고 한다 (Fig. 9-44K, L). 또한 한 개의 힘줄에 완전파열이

있으면서 인접한 다른 힘줄의 전층파열이 동반되면 거대파열(massive tear)이라 한다.

1) 힘줄증 Tendinosis

힘줄증은 조직학적으로 섬유성, 점액성, 호산구성 변성을 보이며, 힘줄의 원위부 임계구역(critical zone)에서 잘 생긴다.(48,49) 힘줄증의 초음파소견은 불균질한 저에코 병변과 힘줄 비후이다 (Fig. 9-45). 국소 힘줄증(focal tendinosis)

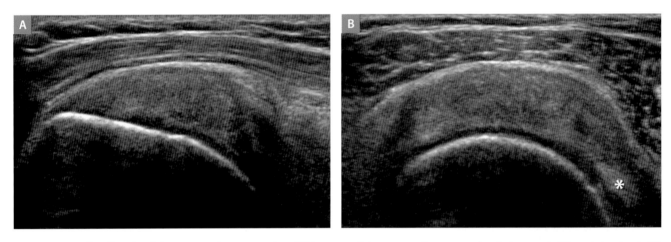

Figure 9-45 **Tendinosis of the supraspinatus tendon.** US images of the supraspinatus tendon in long axis (**A**) and short axis (**B**) show hypoechoic and swollen tendon. Asterisk, biceps tendon.

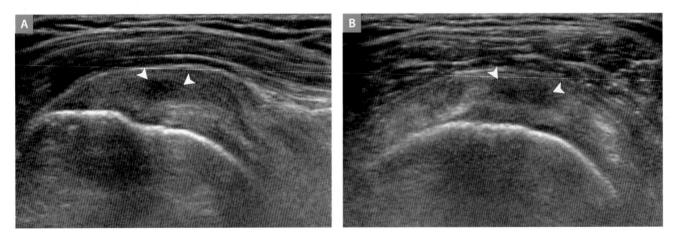

Figure 9-46 **Focal tendinosis of the supraspinatus tendon.** US images of the supraspinatus tendon in long axis (**A**) and short axis (**B**) show focal, ill-defined hypoechogenicity (arrowheads).

은 불균질한 저에코로 보이고, 힘줄파열보다 경계가 불분명하지만 부분층파열과의 감별이 어려울 수 있다 (Fig. 9-46, 9-47).(43,50) 또한 국소 힘줄증과 비등방성허상과의 감별이 중요하다. 미만성 힘줄증(diffuse tendinosis)의 경우, 힘줄 비후와 함께 힘줄 전체가 저에코로 보이며, 힘줄섬유 형태가 유지되고, 힘줄 위쪽 면의 볼록한 모양이 유지되는 점이 힘줄파열과는 다른 소견이다. 힘줄파열에서는 대결절의 불규칙한 피질이 흔히 동반되지만 힘줄증에서는 피질의 변화가 경미하다.(43,44)

힘줄증의 초음파소견이 경미하면 증상이 없는 반대쪽 힘줄과의 비교가 도움이 될 수 있다. 힘줄의 두께가 반대측 힘줄보다 1.5~2.5 mm 이상 두꺼워지면 비정상으로 생각할 수 있으나, 두께 측정보다 환자의 증상이 중요하다 (Fig. 9-48).(51) 힘줄의 두께는 앞쪽에서 뒤쪽으로 갈수록, 그리고 원위부로 갈수록 얇아지기 때문에, 반대쪽 힘줄 두께와 비교할 때는 동일한 부위에서 측정해야 한다. 비후된 SASD

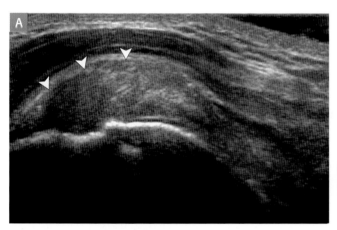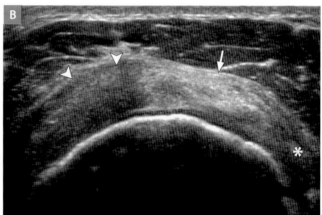

Figure 9-47 **Focal tendinosis of the rotator cuff**. US images of the supraspinatus tendon in long axis (**A**) and short axis (**B**) show thickening and ill-defined hypoechogenicity in the junction of the supraspinatus and infraspinatus tendons (arrowheads). The anterior portion of the supraspinatus tendon shows relatively normal hyperechoic pattern (arrow). Asterisk, biceps tendon.

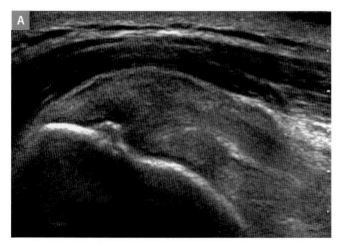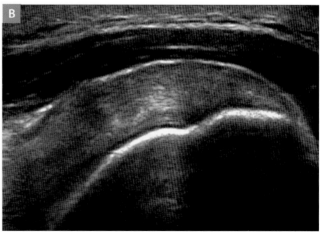

Figure 9-48 **Tendinosis of the supraspinatus tendon**. US image of the supraspinatus tendon in long axis (**A**) shows diffuse thickening and heterogeneous hypoechogenicity throughout the tendon, compared with the contralateral tendon (**B**).

윤활낭의 에코가 증가되어 있는 부분을 힘줄의 일부분으로 오인하지 않아야 한다 (Fig. 9-37).

2) 부분층파열

부분층파열은 파열 부위에 따라 윤활낭면, 관절면, 힘줄내 파열로 구분한다 (Fig. 9-44). 초음파에서 부분층파열은 정상 힘줄의 고에코 가는섬유다발양상이 부분적으로 소실되고 비

교적 경계가 좋은 저에코 또는 무에코 병변으로 보인다 (Fig. 9-49~9-51). 파열된 힘줄 끝 주위에 액체가 둘러싸면서 고에코와 저에코가 혼재된 소견으로 보일 수도 있다 (Fig. 9-52). [43,45] 또한 힘줄의 두께가 불규칙하거나 전반적으로 얇아져 보일 수 있다 (Fig. 9-53, 9-54). 크기가 작은 부분층파열과 국소(focal) 힘줄증과의 감별이 어려울 수 있으나, 양쪽 모두 보존적 치료를 시행하므로 두 병변 간의 감별이 중요하지 않을 수 있다. 힘줄에 국소 병변이 보이면 장축 및 단축영상 모

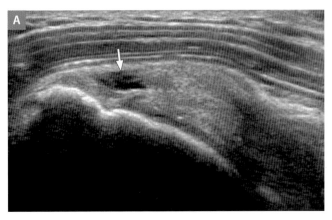
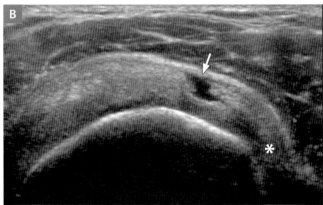

Figure 9-49 **Bursal side partial-thickness tear of the supraspinatus tendon.** US images of the supraspinatus tendon in long axis (**A**) and short axis (**B**) show a well-defined disruption (arrow) at the bursal surface of the tendon and replacement with anechoic fluid. Asterisk, biceps tendon.

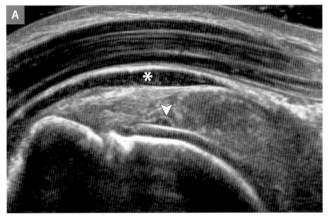
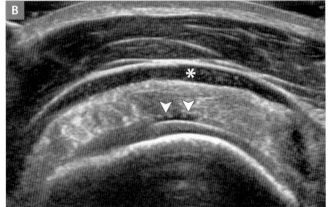

Figure 9-50 **Articular side partial-thickness tear of the supraspinatus tendon.** US images of the supraspinatus tendon in long axis (**A**) and short axis (**B**) show a well-defined hypoechoic disruption (arrowheads) of the tendon fibers with articular extension as cartilage interface sign. Additionally, complex fluid is seen in the subacromial-subdeltoid bursa (asterisk).

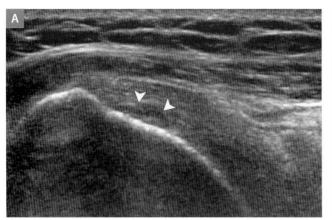

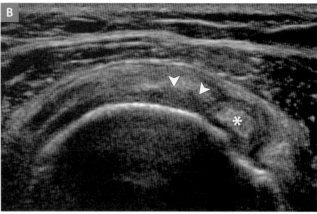

Figure 9-51 **Articular side partial-thickness tear of the supraspinatus tendon**. US images of the supraspinatus tendon in long axis (**A**) and short axis (**B**) show a hypoechoic defect at the articular surface of supraspinatus tendon in close to the greater tuberosity. Asterisk, biceps tendon.

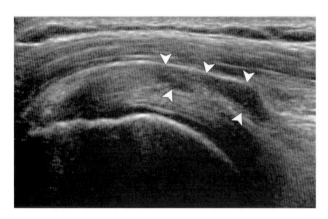

Figure 9-52 **Bursal side partial-thickness tear of the supraspinatus tendon**. US image of the supraspinatus tendon in long axis shows thinning of the tendon from loss of bursal-side fibers. Note the thickened hypoechoic subacromial-subdeltoid bursa (arrowheads), which fills the tendon tear.

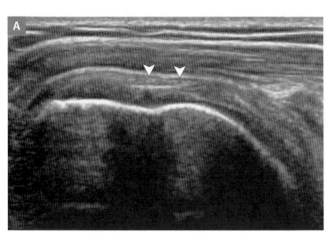

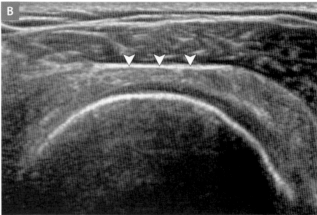

Figure 9-53 **Bursal side partial-thickness tear of the supraspinatus tendon**. US images of the supraspinatus tendon in long axis (**A**) and short axis (**B**) show thinning of the tendon (arrowheads) and flattening of the superior tendon surface from loss of bursal-side fibers.

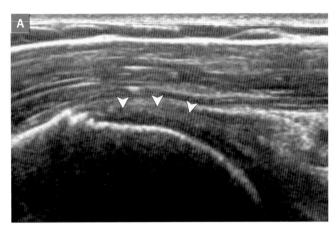 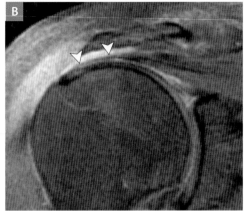

Figure 9-54 Bursal side partial-thickness tear of the supraspinatus tendon. US image (**A**) of the supraspinatus tendon in long axis and correlative oblique coronal fat-saturated proton density-weighted MR image (**B**) show diffuse thinning of the supraspinatus tendon (arrowheads).

두에서 병변을 확인하여야 하고, 비등방성허상과의 구분을 위해 탐촉자의 각도를 적절하게 조절해야 한다. 또한 탐촉자로 병변 부위를 압박하는 등의 역동적 검사가 정확한 진단에 도움이 된다.

관절면 부분층파열은 SSP힘줄의 앞쪽 원위부, 특히 대결절 부착부위 가까이에서 많이 생기며, 40세 이하의 젊은 연령층에서의 발생 빈도가 증가하고 있다.[49,52,53] 초음파에서 힘줄 내의 저에코 또는 무에코 병변이 관절면으로 확장되어 관절연골과 맞닿아 보이면 관절면 부분층파열을 시사하는 소견이다 (Fig. 9-50, 9-51). 파열된 힘줄의 저에코와 관절연골의 저에코 사이 경계면에서 고에코 선이 보이는데, 이를 연골경계면징후(cartilage interface sign)라고 한다 (Fig. 9-50, 9-55).[43,54] 연골경계면징후는 초음파 음속(sound beam)이 관절연골에 수직으로 주사될 때 보인다. 그러나 이 징후는 힘줄파열이 없이도 보일 수 있으므로 힘줄의 병변 소견과 병행하여 해석해야 한다.

윤활낭면 부분층파열은 대부분 대결절 가까운 부위에서 생긴다. 윤활낭면 파열이 대결절 부착 단면으로 확장된 경우에도 윤활낭면 부분층파열로 분류된다 (Fig. 9-56). 윤활낭면 부분층파열은 힘줄의 윤활낭면이 편평해지고, 힘줄의 두께가 감소하며, 파열 부위 내로 삼각근(deltoid)과 윤활낭 주위

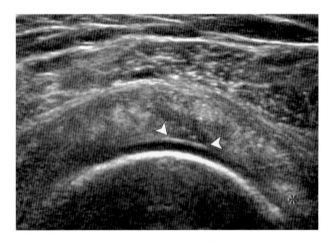

Figure 9-55 Articular side partial-thickness tear of the supraspinatus tendon. US images of the supraspinatus tendon in short axis shows ill-defined hypoechoic disruption (arrowheads) of the tendon fiber with articular extension as cartilage interface sign. Asterisk, biceps tendon.

지방이 밀려 내려오는 'sagging peribursal fat sign'을 보일 수 있다.[55] 탐촉자로 강도를 달리하면서 압박(graded compression)하면 SASD윤활낭 활액이 힘줄파열 부위 내로 들어오는 소견이 보일 수도 있다. 파열 부위가 활액막 증식으로 채워지면 파열을 간과할 수 있으므로 주의해야 한다.

힘줄내파열은 힘줄의 장축방향으로 파열(longitudinal split

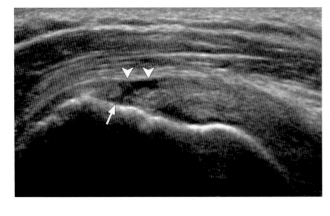

Figure 9-56 **Bursal side partial-thickness tear of the supraspinatus tendon**. US image of the supraspinatus tendon in long axis shows a well-defined disruption of the tendon fibers, which extends from the bursal surface (arrowheads) to the greater tuberosity (arrow).

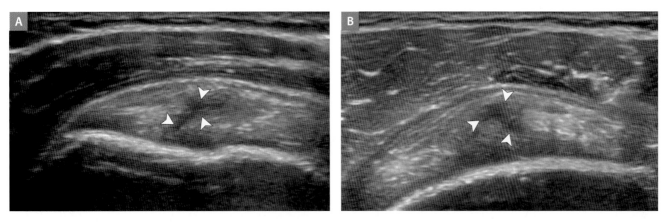

Figure 9-57 **Intrasubstance partial-thickness tear of the supraspinatus tendon**. US images of the supraspinatus tendon in long axis (**A**) and short axis (**B**) show a hypoechoic defect (arrowheads) within the distal portion of the tendon.

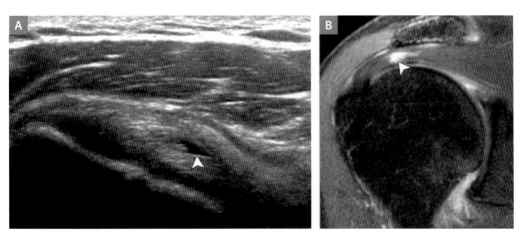

Figure 9-58 **Intrasubstance cyst**. US image (**A**) of the supraspinatus tendon in long axis shows an intrasubstance cyst (arrowhead) within the tendon. Correlative oblique coronal fat-saturated T2-weighted MR image (**B**) of the same case also shows an intrasubstance cyst (arrowhead).

tear)된 소견으로 보이며, 대부분 대결절 부착단면에서 시작된다 (Fig. 9-57). 파열이 관절면 또는 윤활낭면으로 확장되지 않는 것을 확인하는 것이 중요하며, 종종 소량의 무에코 액체가 보일 수 있다 (Fig. 9-58). 비등방성허상과의 구분이 중요하며, 국소 힘줄증과의 감별이 어려울 수 있다.

3) 전층파열

전층파열은 힘줄의 관절면에서부터 윤활낭면까지 파열이 연결되는 것으로, 부분층파열보다 초음파 진단이 비교적 용이하다. SSP힘줄의 전층파열은 주로 앞쪽 원위부, 특히 LHBT에 근접하여 생겨서 뒤쪽으로 파급되지만, 퇴행성 파열은 힘줄 뒤쪽, 즉 SSP-ISP힘줄 접합부에서 생길 수 있다.[42,50]

전층파열은 파열 부위에 저류된 활액(synovial fluid)의 양에 따라 다양한 소견을 보인다. 파열 부위에 활액 저류가 많으면 저에코 또는 무에코의 힘줄 결손으로 보이므로 비교적 쉽게 진단할 수 있으며, 특히 급성파열에서는 대개 파열 부위가 활액으로 차 있다 (Fig 9-59~9-61). 저류된 활액 양이 적으면 파열 부위는 힘줄 결손으로만 보인다 (Fig 9-62). 그러나 힘줄파열 부위가 고에코의 육아조직이나 활액막 증식으로 차 있으면 부분층파열과 혼동될 수 있고, 파열의 크기를 정확하게 측정하기 어려울 수 있다 (Fig. 9-63).[49,56] 파열 부위에 정상 힘줄의 가는섬유다발양상(fibrillar pattern)의 소실이 중요 소견이며, 탐촉자로 압박해보면 진단에 도움이 된다(Fig. 9-64). 파열이 커질수록 전체 힘줄의 두께가 감소하고, 힘줄의 위쪽 부분이 편평해지거나 오목해진다. 삼

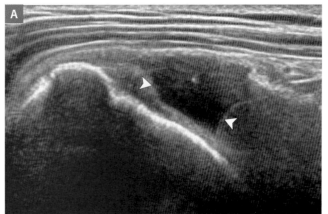
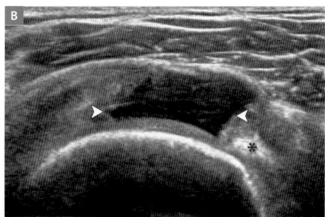
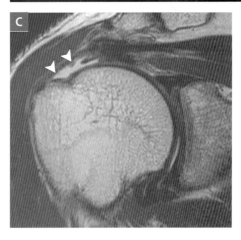

Figure 9-59 **Acute full-thickness tear of the supraspinatus tendon. A, B.** US images of the supraspinatus tendon in long axis (**A**) and short axis (**B**) show a fluid-filled anechoic disruption (arrowheads) of the anterior distal portion of the tendon. **C.** Correlative oblique coronal T2-weighted MR image.

각근과 윤활낭 주위 지방이 파열 부위 내로 밀려 내려오는 'sagging peribursal fat sign'을 윤활낭면 부분층파열에서 보다 더 저명하게 볼 수 있으며, 탐촉자로 압박하면 이 소견이 더 명확해진다 (Fig. 9-62, 9-64). [55] SSP힘줄의 결손으로 인해 관절연골이 노출되는 소견을 'uncovered cartilage sign'이라 한다 (Fig. 9-62). 또한 관절면 부분층파열에서와 마찬

가지로 관절연골 고에코 경계면이 강조되는 연골경계면징후 (cartilage interface sign)도 볼 수 있다 (Fig. 9-61, 9-65).

5 mm 이하의 작은 전층파열은 관절강과 SASD윤활낭을 연결하는 저에코의 가는 틈(cleft)으로 보인다. 힘줄 두께의 감소가 없고 힘줄의 뒤당김(retraction)이 없기 때문에 부분층파열과의 감별이 어려울 수 있으며, 탐촉자로 병변 부위

▶ p.404로 이어집니다.

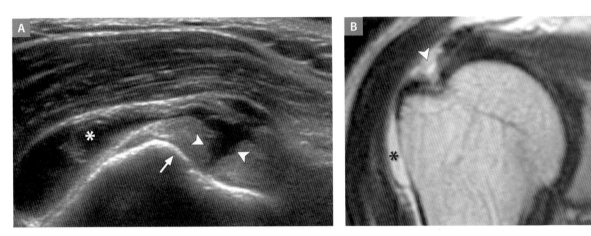

Figure 9-60   Acute full-thickness tear of the supraspinatus tendon. **A.** US image of the supraspinatus tendon in long axis shows a fluid-filled anechoic disruption (arrowheads) of the tendon fibers, which extends into the subacromial-subdeltoid bursa (asterisk). Note smooth greater tuberosity (arrow). **B.** Correlative oblique coronal T2-weighted MR image.

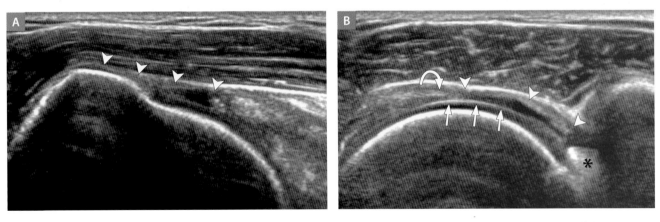

Figure 9-61   Complete (full-thickness, full-width) tear of the supraspinatus tendon. **A.** Long axis US image of the supraspinatus tendon shows a full-thickness tear (arrowheads). **B.** Short axis US image of the tendon shows a wide defect (arrowheads) of the tendon from immediately posterior to the intraarticular portion of the biceps tendon (asterisk) to the superior boundary of the infraspinatus tendon (curved arrow), reflecting a complete tear of the supraspinatus tendon. Note cartilage interface sign (arrows).

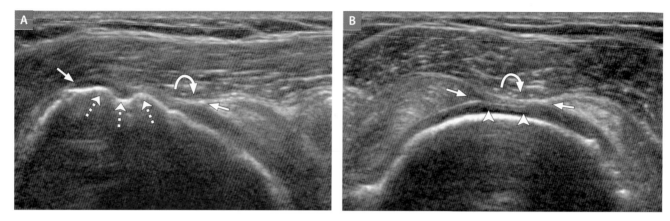

Figure 9-62   Full-thickness tear of the supraspinatus tendon. US images of the supraspinatus tendon in long axis (**A**) and short axis (**B**) show a full-thickness tear (arrows) in the anterior distal portion of the tendon. There is herniation of the deltoid muscle and bursal tissue (curved arrow) into the space created by a full-thickness tear and close apposition of the deltoid muscle and peribursal fat to the hypoechoic articular cartilage (arrowheads) of the humeral head (uncovered cartilage sign). Note irregular cortical outline of the greater tuberosity (dashed arrows).

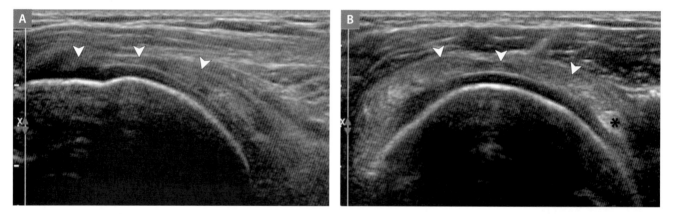

Figure 9-63   Chronic full-thickness tear of the supraspinatus tendon. US images of the supraspinatus tendon in long axis (**A**) and short axis (**B**) show a retracted supraspinatus tendon tear, with the tendon void (arrowheads) filled with hypoechoic synovium and debris. Asterisk, biceps tendon.

CHAPTER
09

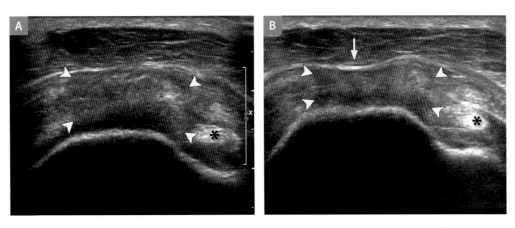

Figure 9-64   Chronic full-thickness tear of the supraspinatus tendon. A. Short axis US image of the supraspinatus tendon shows a full-thickness tear with the tendon defect filled with isoechoic synovium and debris (arrowheads). **B.** US image with applying pressure with the transducer shows mild collapse of the synovium-filled tendon defect and herniation of the deltoid muscle and bursal tissue (arrow) into the tendon defect. Asterisk, biceps tendon.

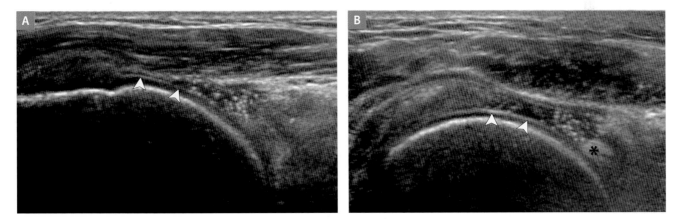

Figure 9-65   Cartilage interface sign. US images of the supraspinatus tendon in long axis (**A**) and short axis (**B**) show a full-thickness tear. The acoustic interface between the fluid in the tear and the surface of the articular cartilage produces a bright linear echo (arrowheads), which can be considered an indirect sign of a tendon tear. Asterisk, biceps tendon.

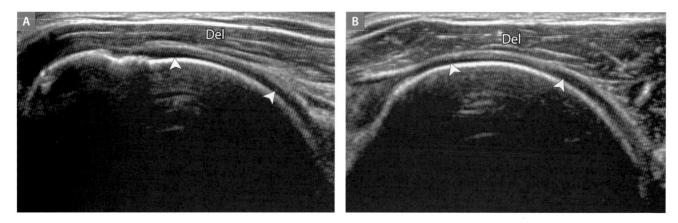

Figure 9-66 **Chronic massive tear of the supraspinatus and infraspinatus tendons: naked head sign.** Long axis (**A**) and short axis (**B**) US images over the humeral head show non-visualization the rotator cuff and close apposition of the deltoid muscle (Del) and peribursal fat to the hypoechoic articular cartilage (arrowheads) of the humeral head.

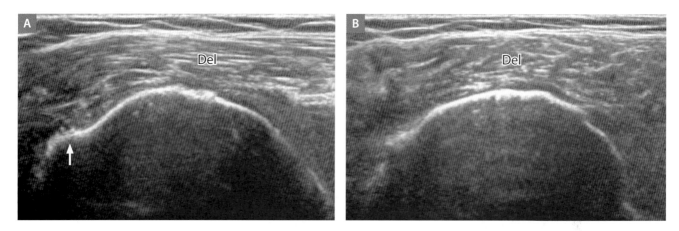

Figure 9-67 **Chronic massive tear of the supraspinatus and infraspinatus tendons: naked head sign.** Long axis (**A**) and short axis (**B**) images over the humeral head show non-visualization the rotator cuff and close apposition of the deltoid muscle (Del) to the humeral head and greater tuberosity (arrow). Diffuse loss of the articular cartilage of the humeral head is also seen.

를 압박하거나 Crass자세로 바꾸어 힘줄을 좀 더 팽팽하게 하면 진단에 도움이 된다. 완전파열(complete tear)처럼 파열이 크고 힘줄의 뒤당김이 심한 만성파열에서는 힘줄 끝이 견봉 아래로 사라져 보이지 않을 수 있고, 상완골두가 위쪽으로 전위되는 소견이 동반된다. 상완골두 대부분이 SSP힘줄에 의해 덮혀 있지 않아 위쪽 삼각근이나 윤활낭 주위 지방에 맞닿아 노출되는 'naked head sign'을 보이며,[57] 삼각근이나 지방을 SSP나 SSP힘줄로 오인하지 않아야 한다 (Fig. 9-66~9-68).

SSP힘줄의 완전파열이 있는 환자의 20%에서 ISP힘줄파

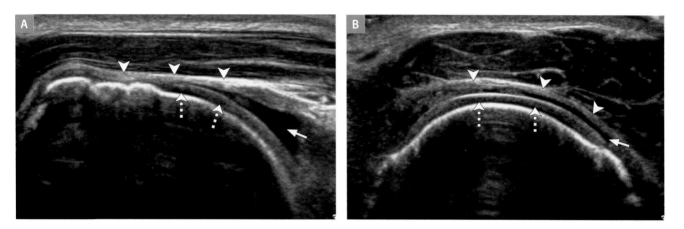

Figure 9-68 **Full-thickness tear of the supraspinatus tendon**. US images of the supraspinatus tendon in long axis (A) and short axis (B) show complete absence of the supraspinatus and infraspinatus tendons. A hyperechoic layer (arrowheads) represents the collapsed subacromial-subdeltoid bursa and peribursal fat. Small amount of anechoic joint fluid (arrow) is seen. Del, deltoid; dashed arrows, articular cartilage.

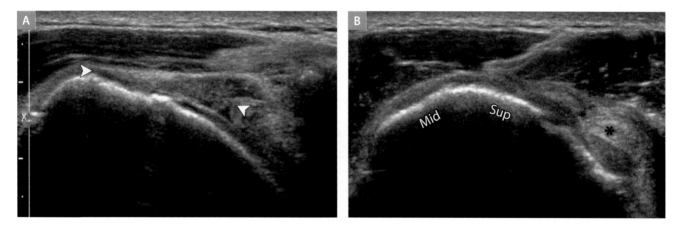

Figure 9-69 **Chronic complete full-thickness tear of the supraspinatus tendon**. A. US image of the supraspinatus tendon in long axis shows a retracted tendon tear (between arrowheads), with the tendon defect filled with hypoechoic synovium and debris. B. On short axis image, the supraspinatus tendon tear extends posterior to the long head of the biceps tendon (asterisk) beyond 2.5 cm, and extends over the posterior aspect of the middle facet (Mid). This finding indicates involvement of the infraspinatus tendon. Sup, superior facet.

열이, 10%에서 SSC힘줄파열이 동반되므로, 크기가 큰 SSP 힘줄파열이 보이면 ISP 및 SSC힘줄의 동반 파열에 대해 검사하여야 한다.[58] SSP힘줄의 단축영상에서 파열이 앞쪽 끝에서 뒤쪽으로 2.5 cm 이상 연장되면, ISP힘줄파열이 동반되었음을 의미한다 (Fig. 9-69). 또한 대결절 위에서 얻은 단축영상에서 대결절의 중간 단면(middle facet)의 뒤쪽 부분까지 힘줄파열이 침범되어 있으면 ISP힘줄파열이 동반된 소견이다. ISP힘줄파열은 대부분 SSP힘줄파열과 동반되어 생기며, 단독 파열은 드물다.

SSP힘줄파열이 앞쪽으로 연장되면 회전근개간격(rotator interval)을 지나 SSC힘줄의 위쪽까지 침범할 수 있으며, LHBT의 활차(biceps pulley)의 파열과 LHBT의 탈구(dislocation) 또는 아탈구(subluxation)가 동반될 수 있다. SSC힘줄의 전층파열이 있으면 LHBT가 정상적인 위치에 있더라도 역동적 검사를 시행하여 LHBT의 탈구 또는 아탈구에 대한 확인이 필요하다. SSC힘줄파열도 대개 SSP힘줄파열과 동반되어 생기며, SSC힘줄파열이 단독으로 생기는 경우는 대개 외상과 관련이 있다. 불완전파열의 경우 대개 위쪽 힘줄이 파열되고 아래쪽 힘줄은 유지되는 양상을 보인다.

대결절의 불규칙한 피질(cortical irregularity)은 노화(aging process)에 의해 생길 수 있지만, 회전근개 손상, 특히 SSP힘줄의 파열과 관련성이 많은 것으로 알려져 있다.[43,44,59,60] SSP힘줄의 만성파열에서는 대개 대결절의

불규칙한 피질이 동반되지만, 젊은 사람의 급성파열에서는 이 소견이 동반되지 않는다 (Fig 9-59, 9-60).

4) 회전근개 부착부 Footprint 파열

회전근개 부착부 파열은 SSP힘줄과 ISP힘줄이 대결절에 부착되는 부위의 파열을 말한다.[52] 회전근개 부착부 파열도 전층파열과 부분층파열로 구분하고, 부분층파열은 윤활낭면, 관절면, 힘줄내 파열로 구분한다 (Fig. 9-70). 부착부 관절면 부분층파열을 PASTA (partial articular-side supraspinatus tendon avulsion)라 하고, rim-rent파열과 거의 동의어로 사용된다. 초음파에서 SSP힘줄의 대결절 부착부의 관절면에 부분층파열이 저에코로 보이고, 파열부위가 관절연골과 맞닿아 연골경계면징후가 동반된다 (Fig. 9-71). 부착부 윤활낭면 부분층파열은 reverse PASTA라고도 하며, 초음파소견은

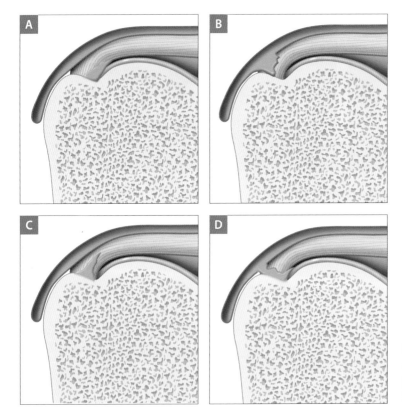

Figure 9-70 Tears at the rotator cuff footprint.
A. Articular side partial-thickness tear. **B.** Bursal side partial-thickness tear. **C.** Intrasubstance partial-thickness tear. **D.** Full-thickness tear.

PASTA와 동일하지만 파열이 대결절 부착부에서 윤활낭면으로 확장된다 (Fig. 9-72). 부착부 힘줄내 파열은 대결절 부착부에서 힘줄의 장축방향으로 진행하며, 관절면 또는 윤활낭면으로 확장되지 않는다 (Fig. 9-73). 비등방성허상으로 오인하지 않는 것이 중요하며, 국소 힘줄증과의 감별이 어려울 수 있다. 부착부 전층파열은 윤활낭면에서 관절면까지 파열

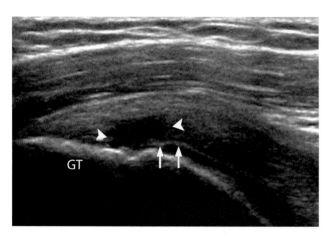

Figure 9-71 Supraspinatus footprint tear: articular side partial-thickness tear. US image of the supraspinatus tendon in long axis shows a detachment of the articular aspect of the tendon fibers (arrowheads) form their insertion into the greater tuberosity (GT). Note cartilage interface sign (arrows).

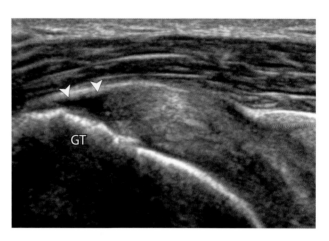

Figure 9-72 Supraspinatus footprint tear: bursal side partial-thickness tear. US image of the supraspinatus tendon in long axis shows a detachment of the bursal aspect of the tendon fibers (arrowheads) from their insertion into the greater tuberosity (GT).

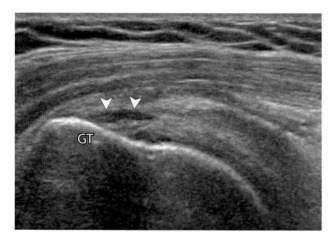

Figure 9-73 Supraspinatus footprint tear: intrasubstance partial-thickness tear. US image of the supraspinatus tendon in long axis shows a hypoechoic longitudinal defect (arrowheads) oriented from the tendon insertion into the greater tuberosity (GT).

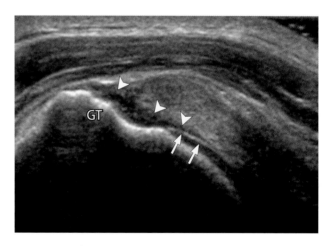

Figure 9-74 Supraspinatus footprint tear: full-thickness tear. US image of the supraspinatus tendon in long axis shows a well-defined anechoic defect (arrowheads), which extends from the bursal surface to the articular surface. Note cartilage interface sign (arrows). GT, greater tuberosity.

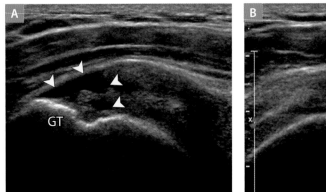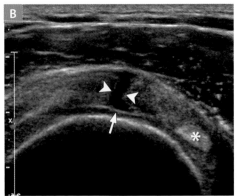

Figure 9-75 **Supraspinatus footprint tear: full-thickness tear.** US images of the supraspinatus tendon in long axis (A) and short axis (B) show a anechoic full-thickness tear (arrowheads). Note broader bursal extent and more focal articular extent with cartilage interface sign (arrow). GT, greater tuberosity; asterisk, biceps tendon.

이 연결되는 것으로, 파열이 관절연골과 맞닿는 것을 확인하는 것이 중요하다 (Fig. 9-74, 9-75).

5) 회전근개 초음파검사의 함정 Pitfalls

① SSP힘줄의 대결절 부착부위는 주행방향이 구부러지기 때문에 비등방성에 의한 에코 감소가 생기므로, 이 부분을 힘줄증 또는 파열로 오인하지 않아야 한다. 초음파 음속이 힘줄에 수직이 되도록 탐촉자의 각도를 조절하는 것이 중요하다 (Fig. 9-29).

② 회전근개간격에서 SSP힘줄의 앞쪽 끝부분과 LHBT은 얇은 저에코로 분리되는데, SSP힘줄파열로 오인하지 않아야 한다 (Fig. 9-32C). [61]

③ 회전근개 근-건이행부(myotendinous junction)에서 고에코의 힘줄 사이에 끼인(interdigitation) 저에코의 근육을 힘줄증 또는 파열로 오인하지 않아야 한다. 특히 SSP힘줄의 단축영상에서 진단적 오류를 범하기 쉬운데, 탐촉자의 방향을 장축방향으로 돌리면 근위부에서 원위부로 갈수록 가늘어지는 근육을 확인할 수 있다 (Fig. 9-31). SSP힘줄의 장축영상에서 고에코의 힘줄 표층에 보이는 저에코의 근육을 SASD윤활낭의 비후로 오인할 수도 있다.

④ SSP힘줄과 ISP힘줄이 겹치면서 융합힘줄(conjoined tendon)을 이루는 부위가 단축 또는 장축영상에서 비등방성에 의한 저에코 선으로 보일 수 있으며(Fig. 9-30C, 9-33), 또한 이 부분은 단축영상에서 힘줄의 두께가 약간 감소되어 보이므로 병변으로 오인하지 않아야 한다.

⑤ 힘줄의 대결절 또는 소결절 부착부위의 섬유연골이 저에코로 보이며, 이 부분을 힘줄 병변이나 관절연골로 오인하지 않아야 한다 (Fig. 9-28A). [62]

⑥ 삼각근의 근막(fascia)으로 인한 굴절그림자(refractive shadowing)를 회전근개의 병변으로 오인하지 않아야 한다 (Fig. 9-76).

⑦ 비후된 SASD윤활낭이 때때로 에코가 증가되어 보여, 힘줄 또는 근육의 일부로 오인할 수 있다. 비후된 윤활낭에는 힘줄의 가는섬유다발양상이 보이지 않으며, 대결절의 바깥쪽까지 연장되는 것을 확인하는 것이 중요하다 (Fig. 9-77).

⑧ 힘줄파열 부위가 고에코의 육아조직이나 활액막 증식으로 채워지면 파열의 정도(severity)를 낮게 진단하거나 힘줄증으로 오인할 수 있다. 힘줄을 장축 및 단축영상 모두에서 주의 깊게 관찰하여야 하며, 탐촉자로 압박하는 등의 역동적 검사가 진단에 도움이 될 수 있다 (Fig. 9-64).

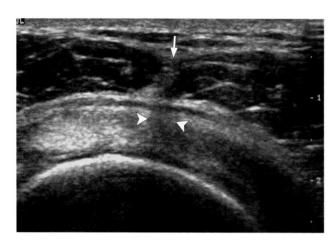

Figure 9-76 **Pitfall: refractive shadowing.** Short axis US image of the supraspinatus tendon shows refractive shadowing (arrowheads) from the prominent deltoid fascia (arrow).

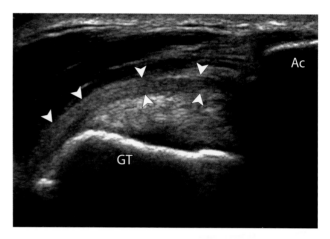

Figure 9-77 **Subacromial-subdeltoid bursitis.** Longitudinal US image over the greater tuberosity (GT) shows slight hypoechoic thickening the subacromial-subdeltoid bursa (arrowheads) extending lateral to the greater tuberosity. Ac, acromion.

2. 수술 후 회전근개 Postoperative rotator cuff

회전근개 질환의 수술이 증가함에 따라, 수술 후 힘줄의 상태를 파악하고 합병증을 진단하기 위한 영상검사가 증가하고 있다. MRI가 가장 정확한 검사이지만, 최근 연구에서 초음파는 MRI와 비슷한 진단적 정확성을 보이는 것으로 보고하고 있다. [63~65] 수술 후 회전근개의 초음파검사는 MRI에 비해 비용과 접근성에 장점이 있고, 또한 역동적 검사가 가능하고, 금속인공물에 의한 제한이 적기 때문에 활용도가 증가하고 있다. 또한 수술 후 관절 삼출액과 관절 주위 액체저류의 감염여부를 초음파유도하 흡인을 통해 확인할 수 있다. 수술 전 힘줄파열의 크기, 힘줄의 상태, 다양한 수술 방식, 치유과정에서 발생하는 육아조직, 부종, 섬유성 반흔 등에 의해 수술 후 힘줄은 다양한 변화를 보이기 때문에, 수술 후 회전근개의 초음파검사는 수술 전 검사에 비해 어려우며, 충분한 경험과 교육이 필요하다. [63,66~68]

회전근개의 봉합술은 관절경하(arthroscopic), 소절개(mini-open), 개방(open) 봉합술 등이 있으며, 파열의 정도, 방향, 모양에 따라 수술방법을 결정한다. 대개 경도(low-grade) 부분층파열에 대해서는 손상된 조직제거(debridement)를 시행하고, 고도(high-grade) 부분층파열이나 전층파열에 대해서는 봉합술을 시행하며, 장축방향의 파열은 힘줄-힘줄 봉합술을, 단축방향의 파열은 힘줄-뼈 봉합술을 시행한다. 대표적인 봉합술로는 단열(single row), 이중열(double row), 이중열 교량형(double row suture-bridge), 경골 등가(transosseous equivalent) 봉합술 등이 있다 (Fig. 9-78). [69] 필요에 따라 견봉하 감압술(subacromial decompression), LHBT의 절제술(tenotomy) 또는 고정술(tenodesis) 등을 추가하기도 한다.

수술 후 회전근개의 초음파소견은 수술 전 힘줄의 상태와 수술방법에 다양하므로, 수술 전 영상, 수술소견, 수술 방법을 고려하는 것이 중요하다. 수술 후 힘줄은 시기에 따라 두껍거나 가늘게 보일 수 있으며, 부분적인 저에코를 포함하는 불균질한 에코를 보인다 (Fig. 9-79~9-81). 일반적으로 수술 후 힘줄은 시간이 경과하면서 점차 에코가 증가하고 균질한 에코로 변하면서, 9~12개월 정도에 정상 힘줄처럼 보인다. [70~72] 힘줄 내의 봉합실(suture material)은 고에코로 보이며, 봉합실에 의한 후방음영이 힘줄 결손처럼 보일 수

▶ p.412로 이어집니다.

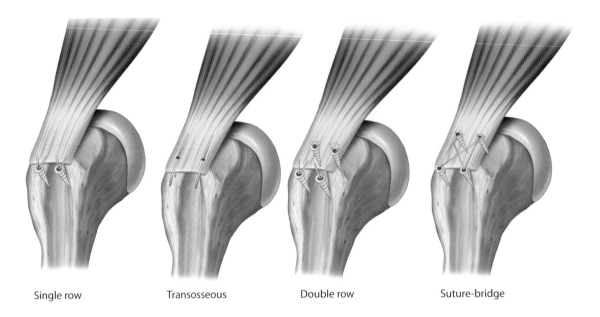

| Single row | Transosseous | Double row | Suture-bridge |

Figure 9-78 **Rotator cuff repair**. suture techniques.

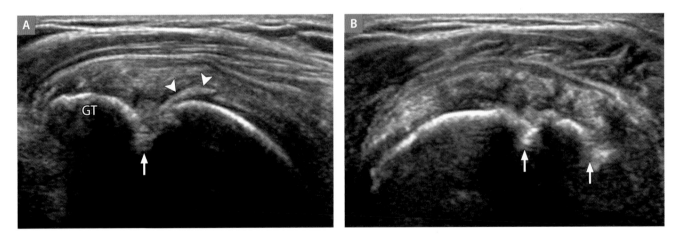

Figure 9-79 **Postoperative rotator cuff after single row repair**. US images of the supraspinatus tendon in long axis (**A**) and short axis (**B**) show heterogeneous echogenicity of tendon, a hyperechoic suture material (arrowheads), and implantation trough (arrows). GT, greater tuberosity.

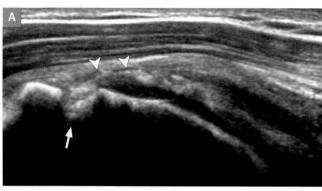
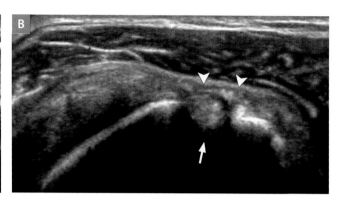
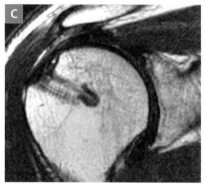

Figure 9-80 Postoperative rotator cuff after single row repair. US images of the supraspinatus tendon in long axis (**A**) and short axis (**B**) show tendon thinning (arrowheads) and an implantation trough (arrow). **C.** Correlative oblique coronal T2-weighted MR image.

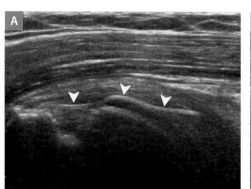
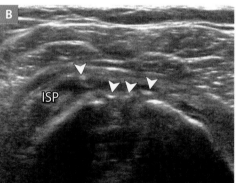
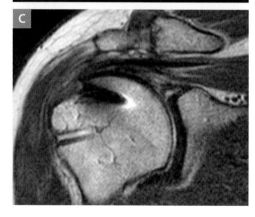

Figure 9-81 Postoperative rotator cuff after suture bridge repair. US images of the supraspinatus tendon in long axis (**A**) and short axis (**B**) show hyperechoic suture materials (arrowheads) crossing and inserting on two portions of greater tuberosity. The repaired tendon is thinner than infraspinatus tendon (ISP). **C.** Correlative oblique coronal T2-weighted MR image.

411

있다. 수술 후 상당기간에 걸쳐 관절 내와 주위에 소량의 액체와 함께 부스러기(잔해물, debris)가 관찰되기도 한다 (Fig. 9-82). 수술 후 SASD윤활낭은 흔히 저에코로 두꺼워져 보이며, 수술과정에서 SASD윤활낭은 대개 제거된다. 수술적으로 LHBT를 절단(tenotomy)하거나 절단한 힘줄을 결간구에 고정(tenodesis)하면 결간구 내에 LHBT가 보이지 않는다 (Fig. 9-83).

수술 후 재파열된 힘줄은 대개 1 cm 이상 크기의 저에코 또는 무에코 결손을 보인다 (Fig. 9-84). 파열 부위에 육아조직 또는 부스러기가 차 있으면 진단이 힘들 수 있는데, 탐촉자로 압박하여 병변 부위가 눌리거나 모양이 변하면 재파열을 시사하는 소견이다. 대개 힘줄 재파열은 크기가 크고 뒤당김(retraction)이 많이 동반된다. 봉합실이 보이지 않거나, 봉합실이 끊어져서 전위되거나, 봉합 나사못(suture anchor)이 전위되는 소견도 힘줄의 재파열을 시사한다 (Fig. 9-85). 초음파소견이 명확하지 않으면 추적 초음파검사 또는 추가적인 MRI를 실시한다.

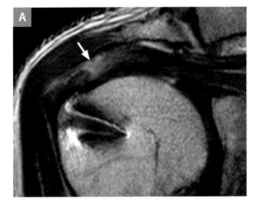
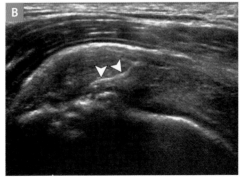
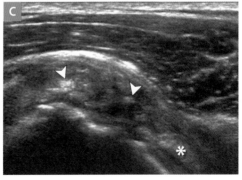

Figure 9-82 **Postoperative rotator cuff after single row repair. A.** Oblique coronal T2-weighted MR image shows increased signal intensity (arrow) in the distal portion of the repaired supraspinatus tendon. **B, C.** Long axis (B) and short-axis (C) US images of the repaired tendon show heterogeneous echogenicity and preserved hyperechoic suture materials (arrowheads). On compression with transducer, tendon defect is absent (not shown), which suggests high signal on T2-weighted MR image is postoperative change rather than tendon defect. Asterisk, biceps tendon.

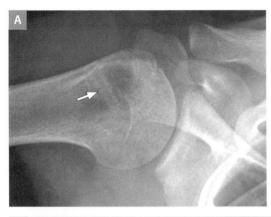

Figure 9-83 Biceps tenodesis. A. Radiography shows a screw (arrow) for biceps tenodesis. Long axis (**B**) and short axis (**C**) US images over the long head of biceps brachii tendon show a hyperechoic screw (arrow) and intact distal portion of the biceps tendon (arrowheads). (Courtesy of Prof. JA Choi, Hallym Univ. Dongtan Sacred Heart Hospital)

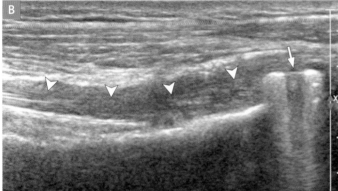

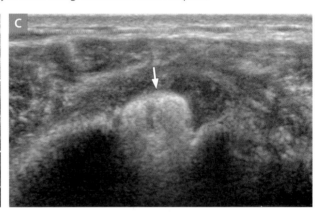

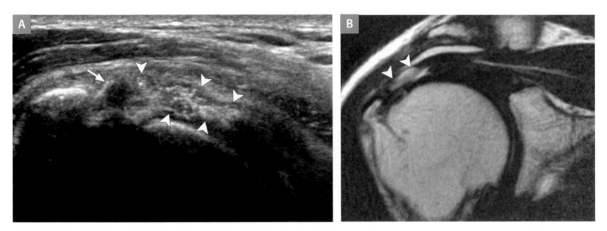

Figure 9-84 Retar of posterior operative rotator cuff. A. Long axis US image of the supraspinatus tendon shows a tendon defect (arrowheads) filled with complex fluid. Note torn hyperechoic suture materials (arrow). **B.** Correlative oblique coronal T2-weighted MR image.

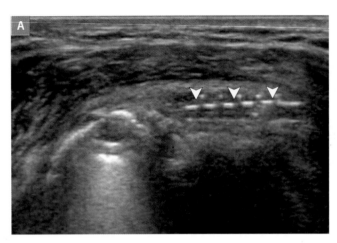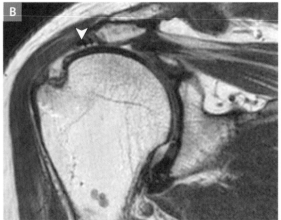

Figure 9-85 Postoperative rotator cuff: anchor displacement. Long axis US image (**A**) of the supraspinatus tendon and correlative oblique coronal T2-weighted MR image (**B**) show full-thickness tear of the tendon and complete dislodging of the suture anchor (arrowheads) from the footprint. (Courtesy of Prof. JA Choi, Hallym Univ. Dongtan Sacred Heart Hospital)

3. 견봉하충돌증후군
Subacromial impingement syndrome

견봉하충돌증후군(subacromial impingement syndrome)은 상완골두와 오구견봉궁(coracoacromial arch) 사이의 공간에서 SSP힘줄과 SASD윤활낭의 만성 자극(irritation)에 의해 증상이 생기며, SSP힘줄증 또는 파열과 SASD윤활낭염을 유발한다. 오구견봉궁은 견봉(acromion)의 앞쪽 1/3, 오구돌기(coracoid process), 오구견봉인대(coracoacromial ligament), 견봉쇄골관절로 이루어진다.

단순촬영에서 견봉의 모양, 견봉부골(os acromiale), 견봉쇄골관절의 퇴행성 변화 등의 해부학적인 정보를 얻을 수 있으며, MRI는 이러한 해부학적 정보와 함께 SSP힘줄과 SASD윤활낭의 병변, 상완와관절의 불안정성 등을 알 수 있지만, 단순촬영과 MRI 모두 어깨 관절의 기능적 움직임(functional kinematics)에 대한 정보를 제공하지는 못한다.[73] 이에 반해 초음파검사는 어깨관절을 움직이면서 견봉, SASD윤활낭, SSP힘줄, 대결절의 상호관계에 대한 역동적 검사를 실시할 수 있는 장점이 있다.[73]

견봉하충돌증후군에 대한 역동적 검사는 견봉과 대결절이 보이도록 탐촉자를 비스듬한 관상면으로 놓고, 환자의 팔을 회내(pronation), 약간 굴곡(flexion)한 상태에서 수동적으로 외전(abduction)시키면서 검사한다. 정상에서는 SSP힘줄과 대결절이 견봉 아래로 부드럽게 밀려들어간다 (Fig. 9-86). 견봉하충돌증후군을 역동적 초음파소견에 따라 세 등급으로 구분한다 (Fig. 9-87). [73~76] 경증(mild) 충돌은 견봉쇄골관절이나 오구견봉인대 아래에서 충돌이 일어나면서 역동적 검사 도중에 통증은 유발되지만 초음파에서 이상 소견은 보이지 않는 경우이다. 중등도(moderate) 충돌에서는 팔을 외전할 때 견봉 바깥쪽의 SASD윤활낭 내에 활액이 점차 고이거나 활액막이 두꺼워지고, 두꺼워진 윤활낭의 퉁김(snapping)이나 SSP힘줄이 견봉 아래에서 걸려서 덜거덕거리며 밀려들어가는 소견(ratchet motion)이 보일 수 있다 (Fig. 9-88A). 중증(severe) 충돌에서는 상완골두가 위쪽으로 이동하며, SSP힘줄이 견봉 아래로 밀려들어가지 못하고 견봉 바깥쪽에 불룩하게 튀어나오는 소견을 보인다 (Fig. 9-88B). 하지만 증상이 없는 환자군과 증상이 있는 환자군의 비교연구에서 SASD윤활낭 내에 활액의 양이 점차 증가하여 고이는

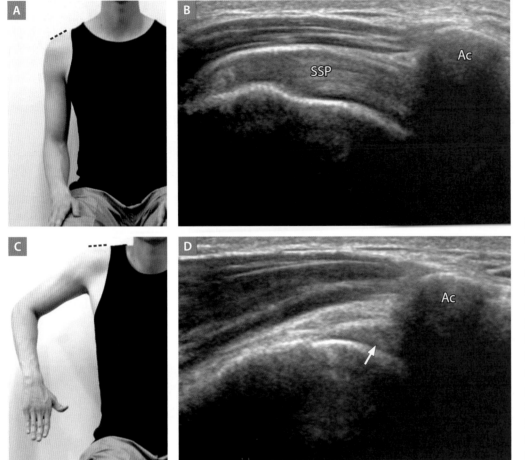

Figure 9 86 **Subacromial impingement test**. **A, B.** Placing the transducer in coronal plane with its medial margin over the lateral edge of the acromion (Ac) with the arm in a neutral position. **C, D.** The patient abducts his arm while in pronation. With this maneuver, the supraspinatus (SSP, arrow) and the bursa can be seen passing deep to the acromion.

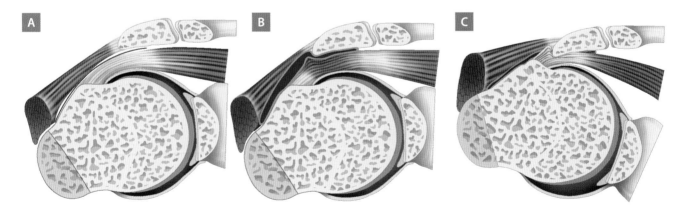

Figure 9-87 **Subacromial impingement**. A. Normal. B. Moderate impingement. Note accumulation of subacromial–subdeltoid bursal fluid lateral to the acromion and alteration of superior surface of the supraspinatus tendon with arm elevation. C. Severe impingement. Note upward migration of the humeral head, which prevents passage of the greater tuberosity and the supraspinatus tendon beneath the acromion.

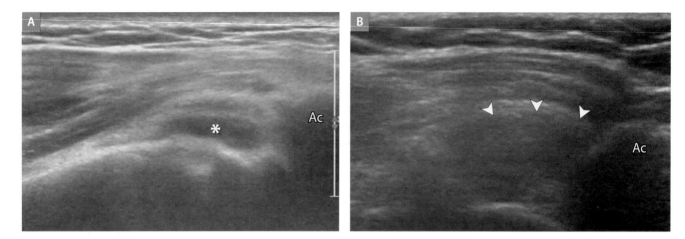

Figure 9-88   Subacromial impingement. A. Moderate impingement. Longitudinal US image over the acromion (Ac) with arm elevation shows gradual accumulation of subacromial–subdeltoid bursal fluid (asterisk) lateral to the acromion. **B.** Severe impingement. Longitudinal US image over the acromion with arm elevation shows that the greater tuberosity cannot glide under the acromion. Note bulging of supraspinatus tendon (arrowheads) lateral to the acromion.

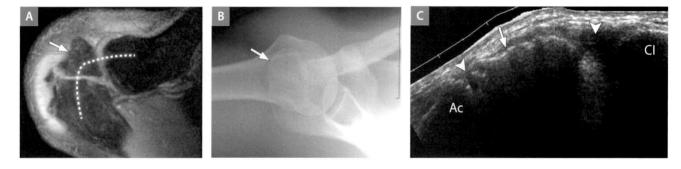

Figure 9-89   Os acromiale. Axial fat-saturated proton density-weighted MR image (**A**) over the acromioclavicular joint and plain radiography (**B**) show an os acromiale (arrow) separated from the acromion by a fibrous gap and connected to the distal end of the clavicle. Curved extended-field-of-view following the dashed line on MR image shows a "double joint appearance" (arrowheads) representing the junction of the os acromiale (arrow) with the acromion (Ac) and with the clavicle (Cl).

소견이 양쪽 군 모두에서 비슷한 정도로 관찰되어, SASD윤활낭 내에 활액이 고이는 소견이 반드시 증상과 관련되지는 않는다는 보고도 있다.[74]

　견봉부골은 견봉의 끝부분의 이차 골화중심(secondary ossification center)이 융합되지 않은 상태로 남아있는 것이며, 인구의 약 8% 정도에서 발견된다.[25] 견봉부골은 다양한 크기와 모양을 보이며, 전상방 충돌증후군의 원인이 되기도 한다.[77] 탐촉자를 견봉쇄골관절 부위에서 견봉 앞쪽 끝으로 옮기면 견봉부골 때문에 관절이 한 개 더 있는 것처럼 보인다 (Fig. 9-89).

4. 석회화힘줄염 Calcific tendinitis

석회화힘줄염은 힘줄 내에 칼슘이 침착되는 질환의 총칭이며, 대부분 칼슘수산화인회석(calcium hydroxyapatite)이 침착되고, 칼슘수산화인회석결정침착병(calcium hydroxyapatite crystal deposition disease, HADD)이라고도 한다. 성인의 약 3%에서 생기며, 40대에 호발하고, 대개 자연적으로 치유된다. 회전근개에 가장 흔하게 생기며, 특히 SSP힘줄을 가장 많이 침범하는데 임계구역(critical zone)에 주로 생긴다. 회전근개 이외에 LHBT, 대흉근(pectoralis major), 삼각근(deltoid)의 견봉 부착부위, 인대, 관절낭(joint capsule) 등에도 생길 수 있다 (Fig. 9-90).

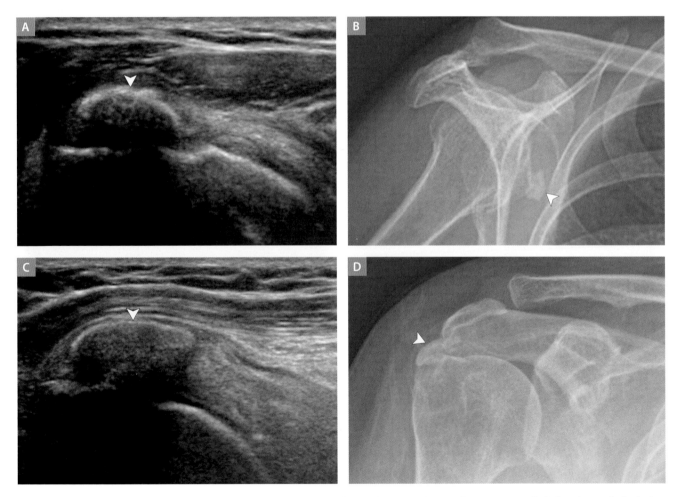

Figure 9-90 Calcific tendinitis: variable US appearances and correlative radiographs. A, B. A well-defined ovoid, thick, hyperechoic subscapularis calcific deposit with posterior acoustic shadowing. **C, D.** A well-defined ovoid, thin, hyperechoic supraspinatus calcific deposit with faint acoustic shadowing. (continued)

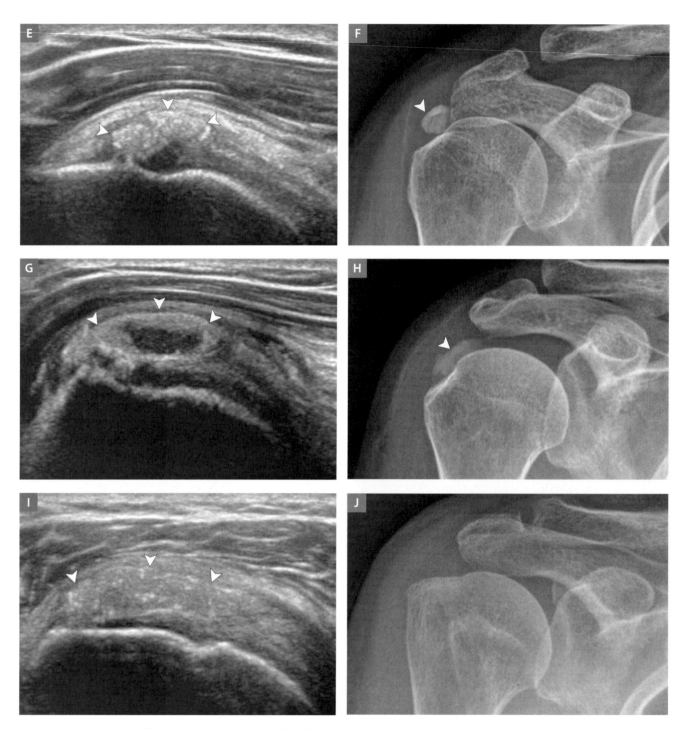

Figure 9-90 (continued) Calcific tendinitis: variable US appearances and correlative radiographs. **E, F.** A globular, homogeneous, slight hyperechoic deposit without acoustic shadowing in the supraspinatus. **G, H.** An ovoid calcific deposit with internal fluid consistence in the supraspinatus. **I, J.** An ill-defined isoechoic or slight hyperechoic deposit without acoustic shadowing in the distal portion of the supraspinatus (not visualized on the radiograph).

석회화힘줄염의 원인은 명확하게 알려져 있지 않으며, 반복적 외상과 관련된 퇴행성변화, 힘줄의 저산소증(hypoxia)과 관련된 섬유연골화생(fibrocartilaginous metaplasia), 대사성 및 신경학적 인자, 유전적 소인 등의 다양한 요소가 관여하는 것으로 알려져 있다.[78~81] 석회화힘줄염은 (1) 잠복기 혹은 형성기(latent or formative phase), (2) 흡수기 또는 기계적 자극기(resorptive or mechanical phase), (3) 유착성 관절주위염기(adhesive periarthritis phase)의 세 단계로 구분하거나, 석회화 전 단계(precalcific stage), 석회화 단계(calcific or formative), 흡수 단계(resorptive), 석회화 후 단계(postcalcific)로 구분하기도 한다.[82] 흡수기에 석회화가 포식세포(phagocyte)에 의해 탐식되면서 심한 통증을 유발한다. 형성기에는 대개 증상이 없거나 경미한 만성 통증이 있을 수 있다. 석회화가 크거나 견봉 하에 위치하면 견봉하충

돌증후군을 일으킬 수 있다 (Fig. 9-91). 힘줄에 석회화를 보이는 예의 50% 정도에서는 증상이 없으므로, 임상소견과 연관 지어 석회화힘줄염의 영상소견을 해석하는 것이 필요하다.[83] 초음파검사는 단순촬영과 MRI에 비해 힘줄 내 석회화 진단의 민감도가 높고, 석회화 위치를 정확하게 알 수 있으며, 또한 석회화의 형태와 에코를 증상과 연관하여 진단할 수 있다.[84~86]

초음파에서 힘줄의 석회화를 세 가지로 구분할 수 있다.[4] 제1형은 고에코의 석회화와 함께 소리그림자(acoustic shadowing)가 분명하게 보이는 경우이며, 형성기 석회화에 해당한다 (Fig. 9-90A). 제2형은 현탁액(slurry)과 비슷한 형태의 고에코 석회화와 함께 약한 소리그림자를 동반하는 경우이고 (Fig. 9-90C), 제3형은 소리그림자가 보이지 않는 경우이다 (Fig. 9-90E, G, I). 2형과 3형은 흡수기 석회화에 해당

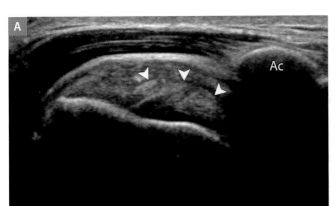

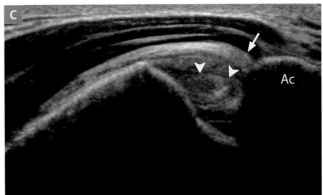

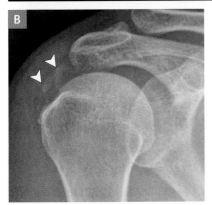

Figure 9-91　Calcific tendinitis: impingement. A. Longitudinal US image over the acromion (Ac) shows a globular, homogeneous, slight hyperechoic deposit without acoustic shadowing in the supraspinatus tendon. **B.** Correlative radiograph. **C.** Longitudinal US image over the acromion with arm elevation shows that the calcific deposit cannot glide under the acromion. Note bulging of supraspinatus tendon (arrow) lateral to the acromion.

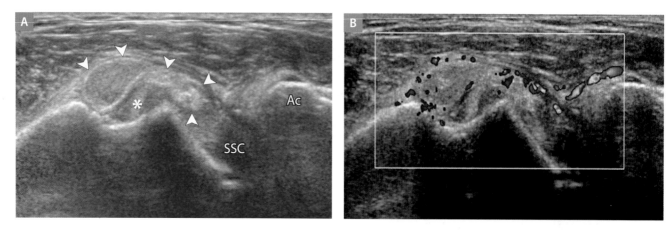

Figure 9-92   Calcific tendinitis: intrabursal extension. A. Transverse US image over the bicipital groove shows calcific deposits (arrowheads) within the distal portion of the subscapularis tendon (SSC) and the adjacent subacromial-subdeltoid bursa. **B.** Doppler US image shows increased blood flow around calcific deposits. Ac, acromion; asterisk, biceps tendon.

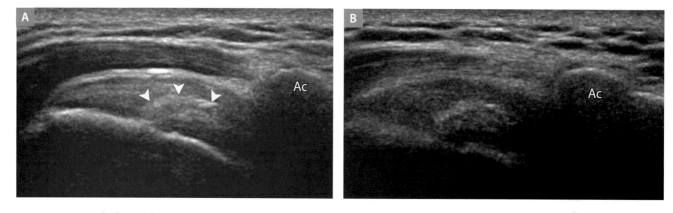

Figure 9-93   Calcific tendinitis: anisotropy. A. Long axis US image of the supraspinatus tendon shows a hyperechoic deposit (arrowheads) within the tendon. **B.** With toggling the transducer, the hyperechoic calcific deposit is more conspicuous as the surrounding tendon is hypoechoic as a result of anisotropy. Ac, acromion.

하며, 석회화가 치약 같은 물질로 변한 상태(milky state)이다. 소리그림자가 보이지 않는 3형의 석회화는 단순촬영에서는 보이지 않을 수 있다 (Fig. 9-90I).[87] 급성 통증을 가지는 2형 또는 3형 석회화는 Doppler검사에서 혈류 증가 소견을 보일 수 있다 (Fig. 9-92). 또한 흡수기 석회화는 주위 힘줄과 비슷한 등에코(iso-echo)로 보여 인지하기 어려울 수 있는데, 정상 힘줄의 가는섬유다발양상(fibrillar pattern)이 보이지 않고 비정형 에코(amorphous echo)로 대체되는 소견을 놓치지 않아야 한다 (Fig. 9-90I). 등에코 석회화의 진단에 비등방성을 이용할 수도 있다. 탐촉자를 약간 기울이면 석회화 주위 정상 힘줄은 비등방성에 의해 에코가 감소되는 반면에, 석회화의 에코는 거의 변하지 않으므로, 석회화가 주위 힘줄에 비해 상대적으로 고에코로 보이게 된다 (Fig. 9-93).[88] 때로는 탐촉자로 압박하면 현탁액 형태의 석회화가 움직이는

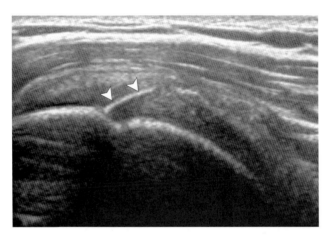

Figure 9-94　Calcific enthesopathy. Long axis US image of the supraspinatus tendon shows a linear calcification (arrowheads) in the preinsertional area of the tendon.

것을 볼 수도 있다.

　석회화는 비교적 큰 타원형, 분절형(fragmented) 또는 결절형(nodular), 무정형(amorphous), 작고 가는 선 형태 등의 다양한 모양과 크기를 보인다. SSP힘줄의 대결절 부착부에 생기는 석회화 부착부병증(enthesopathy)에서 선 형태의 석회화가 특징적으로 보이며, 힘줄내 파열로 오인하지 않도록 주의해야 한다 (Fig. 9-94).

　석회화에 의해 대결절 또는 소결절의 힘줄 부착부에 골미란을 만들거나 피질하낭종(subcotical cyst) 내로 석회화가 퍼질 수 있다 (Fig. 9-95). 힘줄의 석회화가 힘줄 주위 또는 윤활낭 내로 퍼지면 심한 염증성 반응이 동반될 수 있다 (Fig. 9-92, 9-96). 드물게 SASD윤활낭이 칼슘을 포함한 고에코 활

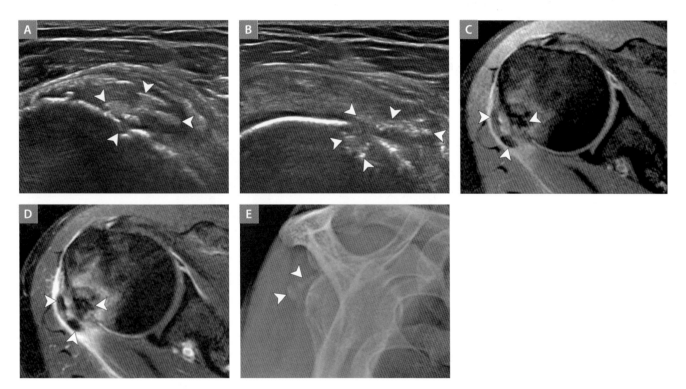

Figure 9-95　Calcific tendinitis: intraosseous penetration. A, B. Long axis (**A**) and short axis (**B**) US images of the infraspinatus tendon show slurry calcifications (arrowheads) within the tendon. The calcific shadows extend into the subcortical cyst within the greater tuberosity. **C, D.** Correlative axial fat-saturated proton density-weighted (**C**) and contrast enhanced fat-saturated T1-weighted (**D**) MR images show an amorphous lesion of heterogeneous signal intensity intermixed dark and high signal intensities, in the tendon and the humeral head with surrounding bone marrow and soft tissue edema. **E.** Correlative radiograph.

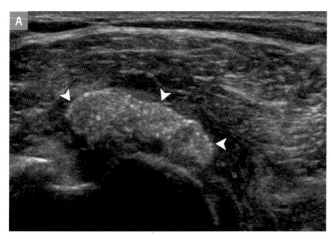
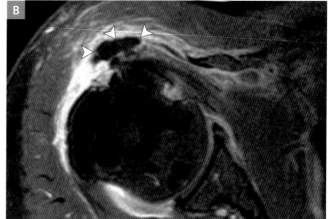

Figure 9-96 **Calcific tendinitis: intrabursal extension. A.** Transverse US image over the bicipital groove shows a calcific deposit within the distal portion of the subscapularis tendon and the adjacent subacromial-subdeltoid bursa. On compression with the transducer, mobile internal echoes are seen, reflecting a semiliquid content (not shown). **B.** Correlative axial contrast enhanced fat-saturated T1-weighted image of the same case also shows a calcific deposit as dark signal intensity lesion and prominent surrounding soft tissue edema.

액으로 차거나, 칼슘-액체층(calcium-fluid level)을 보일 수도 있다. 석회화힘줄염과 함께 힘줄의 부분파열이 드물지 않게 동반되며, 주로 윤활낭면 부분층파열이 생긴다.[89]

석회화힘줄염은 대개 보존적 치료를 하며, 진통제 및 비스테로이드소염제(non-steriodal anti-inflammatory drug, NSAID)의 경구복용이나 초음파유도하 윤활낭내 스테로이드 주입 등으로 90%의 환자에서 증상 호전을 보인다. 급성 통증이 심한 환자에서 힘줄 내의 석회화를 초음파유도하 바늘 천자(dry needling) 또는 바늘흡인세척(needle aspiration and lavage)을 실시하거나 관절경하 석회화 제거를 시행할 수도 있다 (Chapter 15 초음파유도 중재 시술 참조 바람).

IV. 회전근개 이외의 어깨 질환

1. 상완이두장두건 Long head of bceps brachii tendon 질환

1) 상완이두장두건 주위 삼출액

결간구(bicipital groove) 내의 상완이두장두건(long head of biceps brachii tendon, LHBT)의 건초(tendon sheath, 혹은 활막초, synovial sheath)는 상완와관절과 연결되어 있기 때문에, 정상에서도 소량의 활액이 힘줄 주위에 보일 수 있다 (Fig. 9-18). 그러나 활액의 양이 많거나 활액이 힘줄을 완전히 둘러싸고 있으면 비정상 소견이다 (Fig. 9-97). LHBT 주위에 삼출액 증가되면 힘줄 자체의 병변보다 상완와관절의 질환을 먼저 고려해야 하며, LHBT 자체의 건초염(tenosynovitis)에 의한 경우는 드물다.[1]

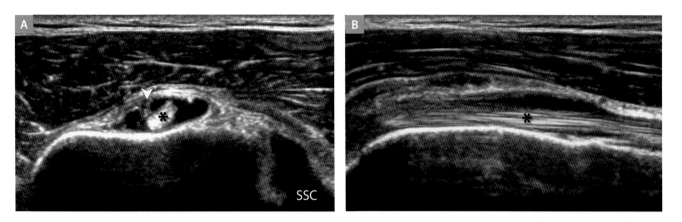

Figure 9-97 **Biceps tendon sheath effusion.** US images the long head biceps brachii tendon (asterisk) in short axis (A) and long axis (B) over the bicipital groove show anechoic fluid which distends the tendon sheath. Note the mesotendon (arrowhead). SSC, subscapularis.

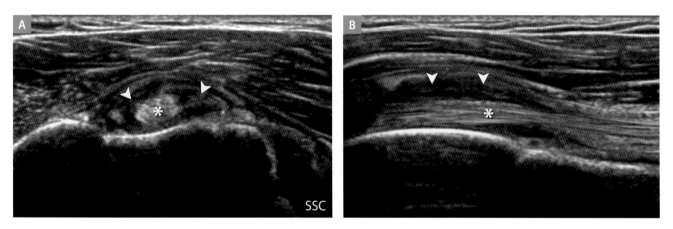

Figure 9-98 **Biceps tendon sheath effusion.** US images the long head biceps brachii tendon (asterisk) in short axis (A) and long axis (B) over the bicipital groove show complex fluid and synovial debris (arrowheads). SSC, subscapularis.

무에코의 활액은 염증이 동반되지 않은 단순 활액 증가를 의미하지만, 때때로 복합에코(complex echo)의 삼출액은 활액막 비후와의 감별이 어려울 수 있다. 탐촉자로 누를 때 복합에코의 삼출액은 압박되면서 내부 에코의 움직임이 보이지만, 활액막 비후는 탐촉자로 눌러도 압박되지 않고, Doppler검사에서 혈류 증가 소견을 보일 수 있다 (Fig. 9-98).[90] LHBT 건초염이 있으면 건초가 국소적으로 확장되면서 혈류

증가 소견을 보이고, 탐촉자로 누르면 통증이 동반된다 (Fig. 9-99). 그러나 국소 증상이 없으면서 건초가 전반적으로 확장되었을 때, 상완와관절의 삼출액 증가도 함께 보이면 관절 삼출액에 의한 소견을 의미한다. 근위부 LHBT의 바깥쪽에 전상완회선동맥(anterior circumflex humeral artery)의 분지가 있으므로, Doppler검사에서 이 동맥을 건초의 혈류 증가 소견으로 오인하면 안 된다 (Fig. 9-19).[4]

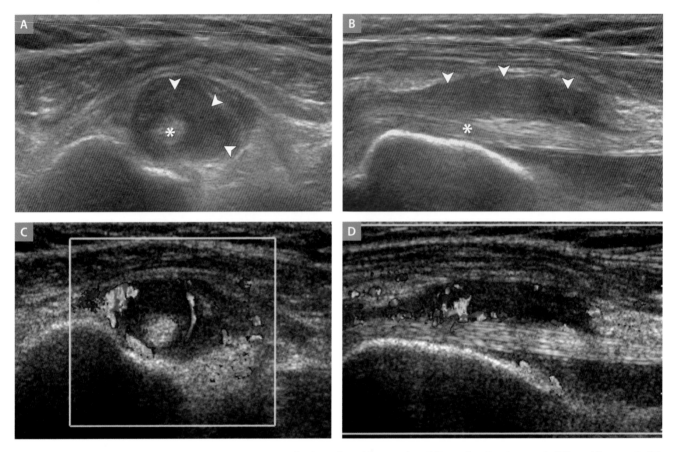

Figure 9-99   Biceps tenosynovitis. A, B. US images the long head biceps brachii tendon in short axis (**A**) and long axis (**B**) show hypoechoic synovial thickening (arrowheads) around the tendon (asterisk). **C, D.** Short axis (**C**) and long axis (**D**) Doppler US images show hyperemia in the synovial thickening.

2) 상완이두장두건의 힘줄증 및 파열

LHBT의 힘줄증은 충돌(impingement)과 마모(attrition)에 의해 생긴다.[4] 팔을 외전(abduction) 및 회전(rotation) 할 때 관절 내 LHBT가 상완골두와 오구견봉궁(coracoacromial arch) 사이에서 SSP힘줄의 견봉하충돌과 비슷한 기전으로 충돌을 일으킨다. 또한 SSP힘줄이 파열되면 LHBT가 상완골두의 위쪽 이동을 방지하는 역할이 커지므로, 이로 인한 만성적 부하 증가에 의해 힘줄증이 생길 수 있다.[91] 또한 결간구의 퇴행성 변화로 인해 결간구 내 LHBT의 만성적 마모가 힘줄증의 원인이 될 수도 있다.[92]

초음파에서 LHBT 힘줄증은 힘줄 섬유의 연결성은 유지되면서 힘줄이 굵어지고 저에코로 보인다. 힘줄증은 대개 관절와상결절(supraglenoid tubercle) 기시부에서 3.5 cm 이내에 주로 생기며, 결간구 또는 관절 내 LHBT에서 잘 보인다 (Fig. 9-100).[93] 관절 내 LHBT는 modified Crass자세에서 좀 더 용이하게 검사할 수 있다.

LHBT의 부분층파열은 주로 길이 방향으로 생기는 종축분열파열(longitudinal split tear)이 많다. 힘줄 내에 무에코 또는 저에코의 틈새(cleft)가 보이면 부분층파열를 시사하는 소견이며 (Fig. 9-101), 정상 변이인 이분상완이두장두건(bifid LHBT) 및 힘줄 내 결절종(intratendinous ganglion)과의 감별

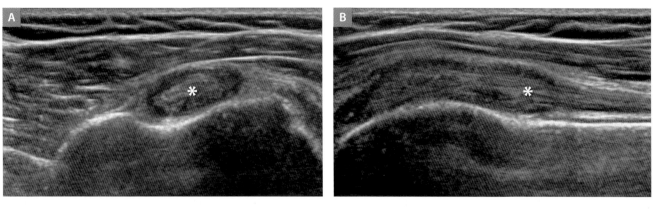

Figure 9-100 Biceps tendinosis. US images of the long head of biceps brachii tendon in short axis (**A**) and long axis (**B**) show hypoechoic thickening of the tendon (asterisk) and complex fluid that surrounds the tendon.

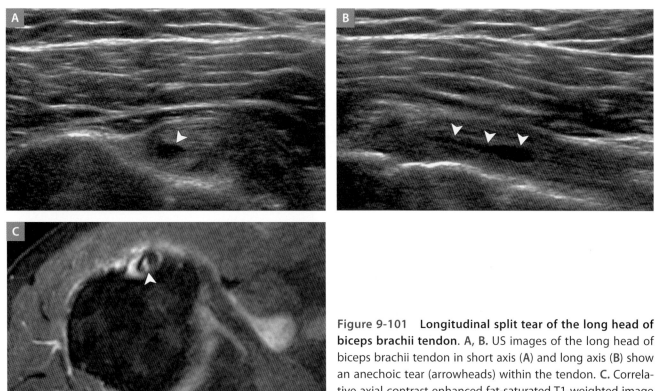

Figure 9-101 Longitudinal split tear of the long head of biceps brachii tendon. A, B. US images of the long head of biceps brachii tendon in short axis (**A**) and long axis (**B**) show an anechoic tear (arrowheads) within the tendon. **C.** Correlative axial contrast enhanced fat-saturated T1-weighted image (indirect MR arthrogram) demonstrates a tear (arrowhead) of the biceps tendon.

이 필요하다 (Fig. 9-102, 9-103). (94,95) 이분LHBT는 각각의 힘줄과 연결되는 독립적인 힘줄간막(mesotendon)이 확인되면 진단할 수 있다 (Fig. 9-102).

LHBT의 전층파열은 회전근개산격에서 주로 생기며, 원위부 힘줄의 뒤당김(retraction)으로 근육은 특징적인 Popeye 징후를 보이며, 파열된 힘줄의 끝은 대개 대흉근(pectoralis

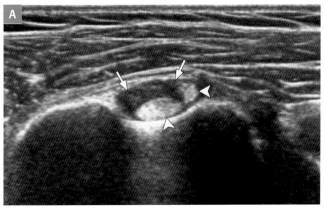
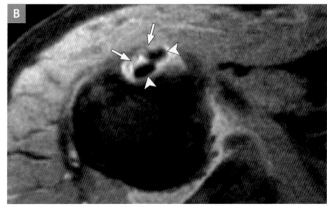
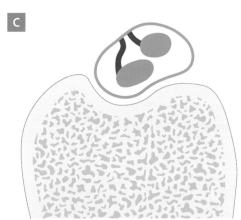

Figure 9-102 **Bifid biceps tendon**. Transverse US image (A) over the bicipital groove, correlative axial fat-saturated proton density-weighted image (B), and schematic drawing correlation (C) show two separate biceps tendon (arrowheads), each characterized by an individual mesotendon (arrows).

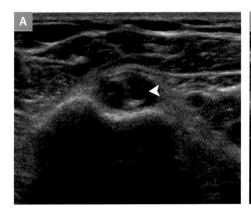
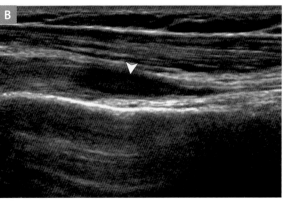

Figure 9-103 **Ganglion cyst of the long head of biceps brachii tendon**. US images of the long head of biceps brachii tendon in short axis (A) and long axis (B) show an anechoic cyst (arrowhead) within the tendon.

426

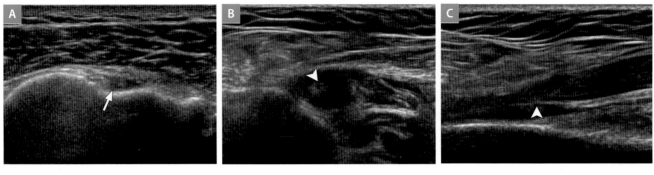

Figure 9-104   Recent rupture of the long head of biceps brachii tendon. A. Transverse US image over the bicipital groove shows hypoechoic fluid (arrow) and no tendon fibers. **B, C.** US images the long head of biceps brachii more distal in short axis (**B**) and long axis (**C**) show the retracted distal stump (arrowhead) surrounded by hypoechoic fluid.

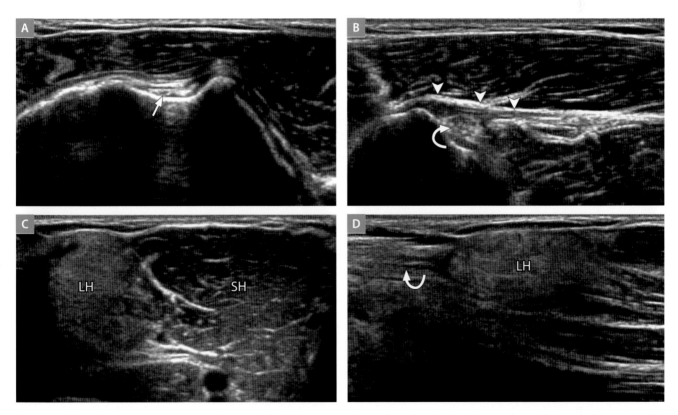

Figure 9-105   Chronic rupture of the long head of biceps brachii tendon. A-C. Series of transverse US images. Transverse US image (**A**) over the bicipital groove shows an empty sheath (arrow). Transverse US image (**B**) obtaining on the long axis of the pectoralis major tendon shows the retracted tendon end (curved arrow) located just deep to the pectoralis insertion (arrowheads). The more distal transverse US image (**C**) shows marked echotextural difference between two biceps heads with the long head (LH) being much more echogenic. **D.** Long axis US image over the long head of biceps brachii shows the retracted distal tendon stump (curved arrow) and the echogenic muscle. SH, short head of biceps brachii.

427

major) 힘줄 부착부 주위에서 보인다 (Fig. 9-104~9-106). 초음파에서 힘줄이 보이지 않거나 결간구가 비어 있는 상태로 보이며, 결간구 내의 활액막 증식이나 남아있는 건초를 힘줄로 오인하지 않아야 한다 (Fig. 9-107).[96] 급성파열에서는 당겨진 힘줄이 액체로 둘러싸여 있으며, 근육은 정상 에코를 유지한다. 반면에, 만성파열에서는 상완이두근 장두 (long head)의 부피가 감소하고, 단두(short head)에 비하여 근육의 에코가 증가하여, 횡축영상에서 두 갈래 근육의 에코가 흑백(black and white)으로 대비되는 양상을 보인다 (Fig. 9-105).[4]

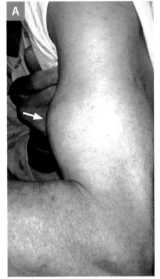
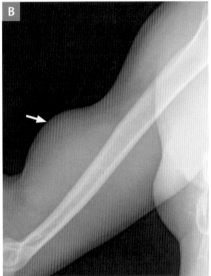

Figure 9-106 **Popeye sign.** Photograph (**A**) and radiograph (**B**) show distal retraction of the muscle belly of the long head of the biceps brachii following tendon rupture, resulting in the characteristic Popeye appearance (arrow).

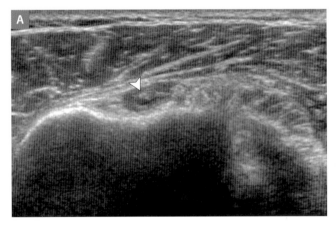
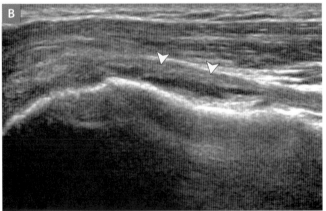

Figure 9-107 **Rupture of the long head of biceps brachii tendon.** Transverse (**A**) and longitudinal (**B**) US images over the bicipital groove show hypoechoic synovial hypertrophy (arrowheads) with lack of visualization the biceps tendon.

결간구 내에 LHBT가 보이지 않으면, 완전파열의 가능성과 함께 LHBT의 탈구, 수술적으로 힘줄을 절단(tenotomy)하거나 절단한 힘줄을 결간구에 고정(tenodesis)했을 가능성도 고려해야 한다. LHBT의 근-건이행부(myotendinous junction)에서 파열이 발생하면, 결간구 내의 힘줄은 정상으로 보일 수도 있다 (Fig. 9-108).

3) 상완이두장두건의 아탈구 Subluxation 및 탈구 Dislocation

관절내 LHBT는 둥근 상완골두를 따라 둥글게 주행하므로 근육이 강하게 수축하거나 어깨를 외회전하면 내측으로 이동하는 경향이 있다.[97] LHBT가 내측으로 아탈구되면 힘줄의 일부는 결간구에 보이지만 일부는 소결절 표층에 얹혀진다 (Fig. 9-109). LHBT가 완전히 내측으로 탈구되면 SSC힘줄 또는 소결절 표층에 놓이거나, 파열된 SSC힘줄 내에 보

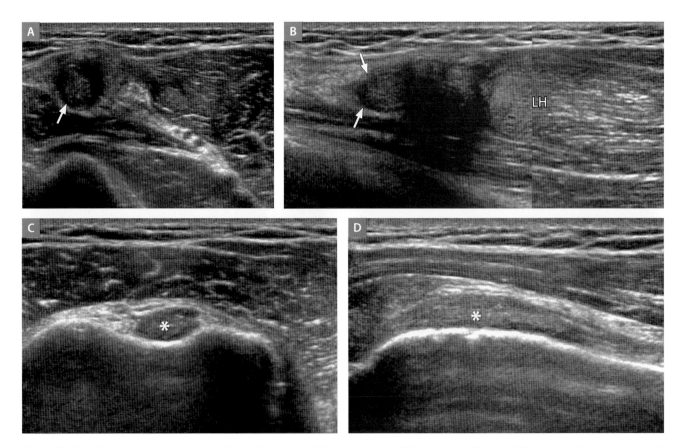

Figure 9-108 **Rupture of the myotendinous junction of the long head of biceps brachii. A, B.** US images of the long head of biceps brachii tendon in short axis (**A**) and long axis (**B**) at the level of myotendinous junction show the retracted tendon stump (arrows). **C, D.** US images of biceps tendon in short axis (**C**) and long axis (**D**) over the bicipital groove show a slight hypoechoic biceps tendon (asterisk). LH, long head of biceps brachii.

이거나, 상완와관절 내로 전위될 수 있다 (Fig. 9-110, 9-111). [18] LHBT가 관절 내로 탈구되면 관절 내의 힘줄을 찾기 어렵고, 관절순(labrum) 등과의 구분이 어려울 수 있다.

LHBT의 아탈구 또는 탈구가 팔을 외회전 한 상태에서만 보일 수 있으므로, 역동적 검사를 실시하여 힘줄의 전위 여부를 확인한다.[98] 또한 아탈구 또는 탈구된 힘줄이 있을 때 팔을 내회전하면서 힘줄이 결간구 내로 되돌아 가는지, 또는 힘줄이 되돌아 가면서 통증을 동반한 퉁김(snapping)이 있는지를 확인한다. 선천적으로 결간구 깊이가 얕고(<3 mm) 소결절이 납작한 환자에서는 LHBT의 아탈구 및 탈구가 잘 생긴다 (Fig. 9-110).[97]

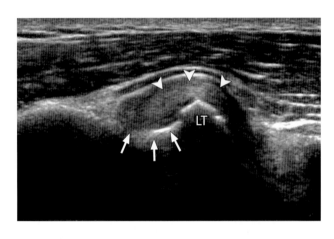

Figure 9-109 **Subluxation of the long head of biceps brachii tendon.** Short axis US image of the long head of biceps brachii tendon shows subluxation of the biceps tendon (arrowheads) medial to the bicipital groove (arrows) and partially superficial to the lesser tuberosity (LT).

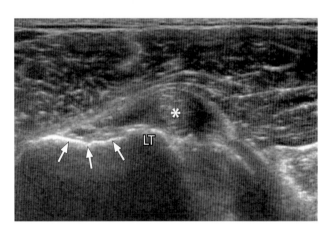

Figure 9-110 **Dislocation of the long head of biceps brachii tendon.** Short axis US image of the long head of biceps brachii tendon shows medial dislocation of the tendon (asterisk). Note that empty bicipital groove (arrows) is shallow. LT, lesser tuberosity.

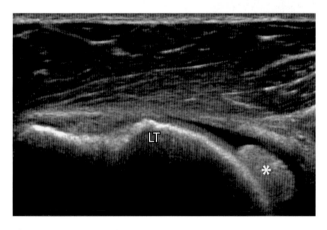

Figure 9-111 **Dislocation of the long head of biceps brachii tendon with complete tear of the subscapularis tendon.** Short axis US image of the long head of biceps brachii tendon shows non-visualization of the subscapularis tendon and the biceps tendon (asterisk) dislocated medially into the glenohumeral joint space. LT, lesser tuberosity.

2. 견봉하-삼각근하 윤활낭 SASD bursa 질환

정상 SASD윤활낭은 고에코 지방 사이에 저에코 띠로 보이며, 정상 두께는 약 0.5 mm이며, 2 mm까지를 정상 두께로 간주한다 (Fig. 9-36). [22,24] SASD윤활낭염 소견은 윤활낭 내의 활액 증가와 활액막 비후(synovial thickening)이다 (Fig. 9-112). 회전근개 파열과 견봉하충돌증후군(subacromial impingement syndrome)이 가장 흔한 원인이며, 회전근개의 전층파열이 생기면 관절강(joint cavity)과 SASD윤활낭이 서로 연결된다. 드물게 견봉쇄골관절까지 모두 연결되어 활액이 차면 "간헐천징후(geyser sign)"를 보일 수 있다

(Fig. 9-113). [99]

윤활낭 내에 활액이 증가되면 무에코로 보이지만, 활액의 성분에 따라 저에코로 보이며, 때로로 복합에코(complex echo)로 보여 활액막 비후와의 감별이 어려울 수 있다 (Fig 9-114~9-115). Doppler검사에서 혈류 증가 소견을 보이거나 탐촉자로 눌러도 압박되지 않으면 활액막 비후를 시사하는 소견이다. 비후된 SASD윤활낭이 때때로 증가된 에코로 보여, 힘줄 또는 근육의 일부로 착각할 수 있다 (Fig. 9-37). 비후된 윤활낭에는 힘줄의 특징인 가는섬유다발양상이 보이지 않으며, 대결절의 외측-아래쪽까지 연장되는 것을 확인하는 것이 중요하다 (Fig. 9-77).

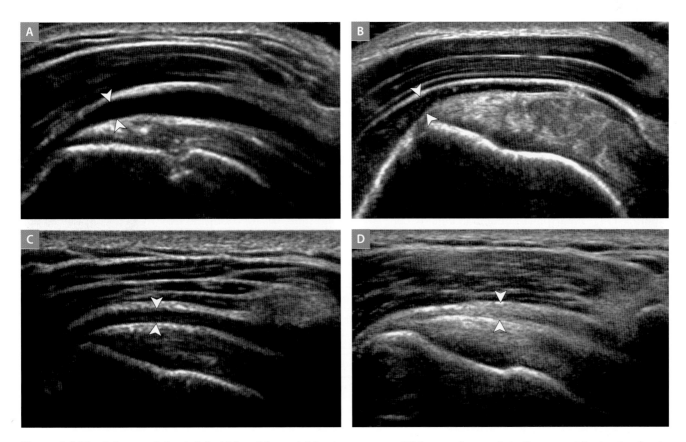

Figure 9-112 **Subacromial-subdeltoid bursitis: variable appearances.** US images long axis to the supraspinatus tendon in four patients with subacromial-subdeltoid bursitis (arrowheads) show the followings: **A.** anechoic bursal distension; **B.** complex fluid within the bursa; **C.** hypoechoic bursal thickening; **D.** isoechoic bursal thickening.

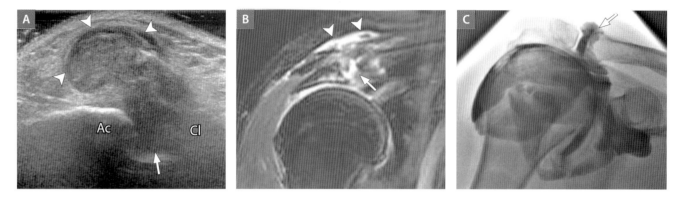

Figure 9-113   Geyser sign in three different patients. A. Longitudinal US image over the acromioclavicular joint shows a complex cystic mass (arrowheads) with a funnel-like communication with the underlying acromioclavicular joint (arrow). **B.** Coronal fat-saturated T2-weighted image shows a massive tear of the supraspinatus tendon and extravasation of joint fluid from the glenohumeral joint through the acromioclavicular joint (arrow) into the subcutaneous region (arrowheads). **C.** Arthrography shows direct passage of contrast medium from the glenohumeral joint to the acromioclavicular joint (arrow). Ac, acromion, Cl, clavicle.

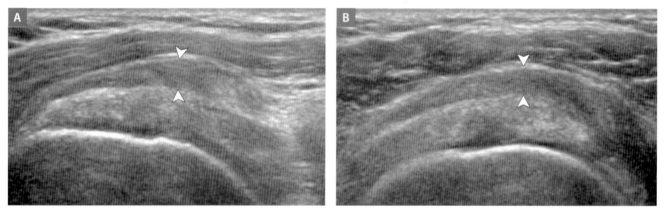

Figure 9-114   Subacromial-subdeltoid bursitis. Long axis (**A**) and short axis (**B**) US images over the supraspinatus tendon show non-uniform, slight hypoechoic bursal distension (arrowheads) from synovial thickening.

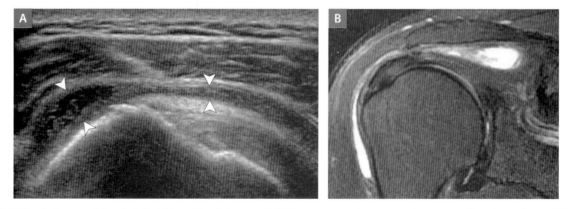

Figure 9-115   Subacromial-subdeltoid bursitis. A. Long axis US image over the supraspinatus tendon shows bursal distension (arrowheads) from synovial thickening and anechoic fluid. **B.** Correlative oblique coronal fat-saturated T2-weighted MR image also shows bursal fluid and synovial thickening.

432

윤활낭의 활액이 증가하거나 활액막 비후 소견이 보이면, 회전근개 파열과 충돌증후군 이외에도 류마티스관절염, 통풍 등의 염증성 질환, 감염성 윤활낭염, 출혈 등의 원인도 고려해야 한다 (Fig 9-116, 9-117).[22] 석회화힘줄염에서 회전근개의 석회화가 윤활낭 내로 퍼지거나 윤활낭 자체에서

석회화가 생겨도 비슷한 소견을 보일 수 있다 (Fig. 9-118). 또 다른 원인으로 색소융모결절활액막염(pigmented villon-odular synovitis)이나 활액막연골종증(synovial chondroma-tosis)과 같은 활액막증식 질환이 있다.

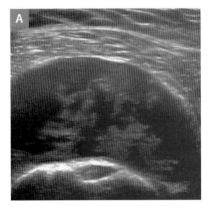
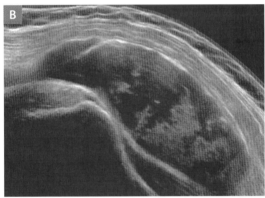

Figure 9-116 Subacromial-subdeltoid bursitis: rheumatoid arthritis. Transverse US image (**A**) over the bicipital groove and longitudinal extended-field-of-view (**B**) over the greater tuberosity show heterogeneous distension of the bursa with anechoic fluid and synovial proliferation.

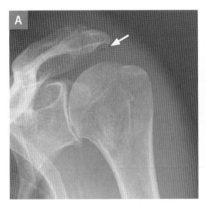
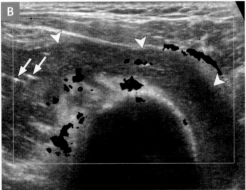
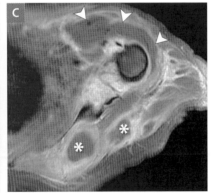

Figure 9-117 Subacromial-subdeltoid septic bursitis. A. Radiograph of the shoulder shows soft tissue swelling with air-bubbles (arrow). **B.** Transverse Doppler US image over anterior shoulder shows complex bursal effusion (arrowheads) with hyperemia. Note small echogenic foci (arrows), suggesting air-bubbles. **C.** Correlative axial contrast enhanced fat-saturated T1-weighted MR image shows septic bursitis (arrowheads) with multifocal intramuscular abscesses (asterisks).

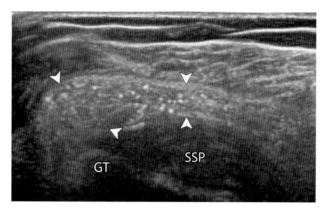

Figure 9-118 **Subacromial-subdeltoid calcific bursitis.** Long axis US image over the supraspinatus tendon (SSP) shows distension of the bursa (arrowheads) by extensive hyperechoic calcific deposits. GT, greater tuberosity.

3. 유착관절낭염 Adhesive capsulitis

유착관절낭염 혹은 동결견(frozen shoulder)은 임상적 소견에 의한 진단이다. 원인은 밝혀지지 않았으나, 상완와관절의 염증성 또는 퇴행성 변화와 이와 연관된 활액막(synovium)과 관절낭(joint capsule)의 반응성 섬유화(reactive fibrosis)를 원인으로 생각하고 있다.[100,101] 이는 관절경검사에서 관절 용적(capacity)의 감소, 액와오목(axillary recess)의 소실, 앞쪽 관절낭의 조임(tightening), 관절 내 활액막의 변화 - 융모성 비대(villous hypertrophy) 및 비후(thickening), 섬유소 반응(fibrinous reaction), 혈류 증가 - 가 관찰되기 때문이다.

원발성 혹은 외상 후에 이차성 질환으로 생기며, 오랫동안 어깨를 움직이지 못한 환자에서 생길 수도 있다. 환자는 어깨 통증을 호소하며, 점진적인 운동범위의 제한을 보인다.

견봉과 대결절이 함께 보이도록 탐촉자를 비스듬한 관상면으로 놓고, 수동적으로 환자의 팔을 천천히 외전(abduction)시키면, SSP힘줄이 견봉 아래로 부드럽게 미끄러져 들어가지 못하고 지속적인 이동 제한을 보인다.[102,103] 또한 팔을 외회전 할 때 통증을 동반한 운동 제한을 보인다. 회전근개간격에서 비정상적인 저에코가 보이거나, 혈류 증가 소견, 오구상완인대(coracohumeral ligament)가 두꺼워지는 소견 등도 유착성관절낭염을 시사하는 것으로 알려져 있다 (Fig.

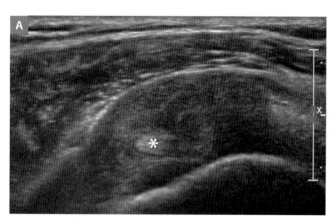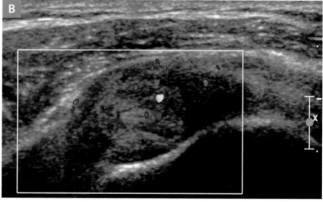

Figure 9-119 **Adhesive capsulitis. A.** Short axis US image over the intraarticular portion of the biceps tendon (asterisk) shows hypoechoic soft tissue filling the space of rotator interval. **B.** Doppler image shows mild increased blood flow.

9-119). [103~105]

4. 견봉쇄골관절 Acromioclavicular joint 병변

견봉쇄골관절에서 가장 흔한 병변은 퇴행성 관절염이다. 초음파에서 관절낭이 확장되고, 관절염이 진행할수록 피질이 울퉁불퉁해지고, 골극 형성과 관절 간격이 좁아지는 소견을 볼 수 있다 (Fig. 9-120). 관절강 내의 섬유연골 디스크는 40세 이상에서는 대부분 퇴행성 변화로 인해 보이지 않는 경우가 많다. [106] 류마티스 관절염에서는 관절 주위 연부조직의 종창(swelling), 골미란, 관절 삼출액, 활액막 비후 및 혈류 증가 소견 등을 보인다. SSP힘줄의 만성 전층파열이 있으면 상완와관절의 활액이 견봉쇄골관절로 연결될 수 있으며, 이를 간헐천(geyser)징후라고 한다 (Fig. 9-113). [100]

초음파에서 관절 간격이 넓어진 소견이 보이면 외상, 염증성 또는 감염성 질환은 고려해야 한다 (Fig. 9-121). 만성 외상에서 원위 쇄골 골흡수에 의해 관절 간격이 넓어지며, 이를 외상후골용해(post-traumatic osteolysis)라고 한다. [107] 외상후골용해는 염증성 또는 종양성 질환과 감별이

중요한데, 외상후골용해는 원위 쇄골에서만 변화가 보이고 견봉은 정상으로 보인다. 초음파검사에서 쇄골 끝부분에 불규칙한 피질골 미란, 관절 간격의 확장 및 관절 활액, 주위 연부 종창 등의 소견이 보일 수 있다 (Fig. 9-122). [4,108]

경한 견봉쇄골관절 손상의 진단은 초음파가 단순촬영에 비하여 민감도가 높으며, 관절 간격이 넓어지고, 관절강 내에 활액 또는 혈종이 차며, 위쪽 관절낭이 부풀어오르는 소견 등이 보일 수 있다. 오구쇄골인대(coracoclavicular ligament)가 손상되면 쇄골 끝이 위쪽으로 전이되는 소견을 볼 수 있다. 쇄골의 소리그림자로 인해 오구쇄골인대를 초음파에서 직접적으로 보기는 어렵지만, 쇄골과 오구돌기 사이의 혈종이 인대 손상의 간접 소견이 될 수 있다. 또한 쇄골과 오구돌기 사이의 간격을 측정하면 진단의 정확도를 높일 수 있다. [109]

견봉쇄골관절의 불안정성이 의심되면 검사하는 쪽의 손을 반대쪽 어깨로 올렸다 내리는 동작(cross-arm test, Tossi maneuver)을 반복하거나, 환자의 팔을 앞뒤로 움직이면서 관절의 움직임을 초음파로 확인한다 (Fig. 9-123). 관절 간격은 장축영상에서 측정하며, 반대쪽과 비교하는 것이 도움이 된다. 부하검사는 팔을 아래로 늘어뜨린 상태에서 양쪽 손목

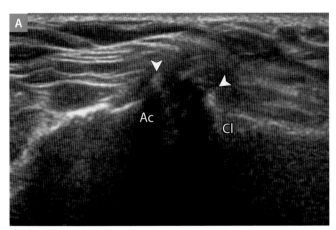
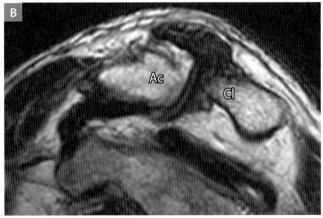

Figure 9-120 **Osteoarthritis of the acromioclavicular joint.** A. Long axis US image over the distal clavicle (Cl) shows cortical irregularity from osteophytes (arrowheads) caused by osteoarthritis. B. Correlative oblique sagittal T2-weighted MR image. Ac, acromion.

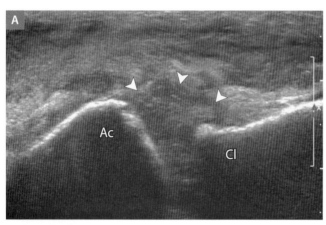

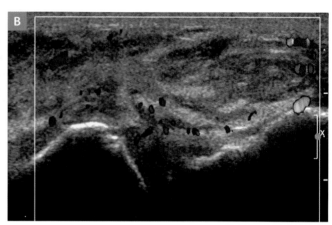

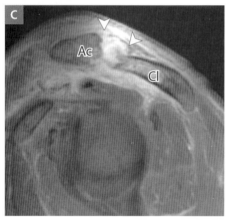

Figure 9-121   Pyogenic arthritis of the acromioclavicular joint. A, B. Long axis US (**A**) and Doppler (**B**) images over the distal clavicle (Cl) show a widened and irregular acromioclavicular joint (arrowheads) with soft tissue swelling and hyperemia. **C.** Correlative oblique sagittal contrast-enhanced fat-saturated T1-weighted MR image. Ac, acromion.

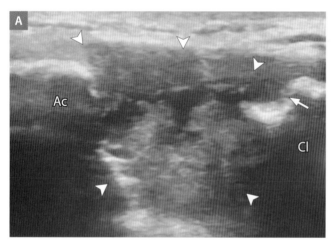

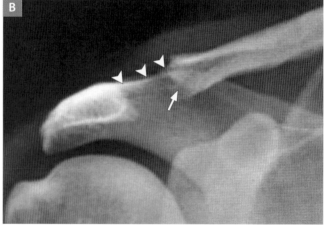

Figure 9-122   Post-traumatic osteolysis of the clavicle. Long axis US image (**A**) over the distal clavicle (Cl) and correlative radiograph (**B**) show distension of joint space (arrowheads) with synovial thickening and irregular bone erosion (arrow). Ac, acromion.

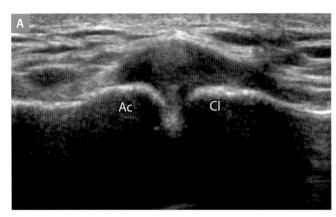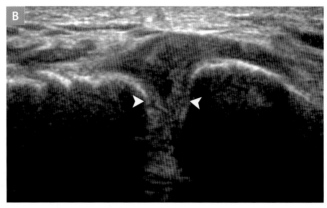

Figure 9-123 **Acromioclavicular joint injury. A.** Long axis US image over the distal clavicle (Cl) shows normal acromioclavicular joint space. **B.** US image with dynamic maneuver shows widening (arrowheads) of the acromioclavicular joint space. Ac, acromion.

에 무거운 물건을 매달고 검사한다.[97] 견봉쇄골지수(acromioclavicular index, AC지수)는 정상 관절의 간격을 손상 관절의 간격으로 나누어 계산한다. 정상(Tossy I)에서는 관절간격이 6 mm를 넘지 않으며 AC지수는 1.0이다. Tossy II 불안정성의 경우 관절 간격은 평균 10.2 mm 정도이고 AC지수는 0.5 정도이다. Tossy III 불안정성의 경우 관절 간격은 평균 22.3 mm 정도이고, AC 지수는 0.25 미만이다.[110]

5. 상완와관절 Glenohumeral joint 과 관절순 Labrum 병변

상완와관절에는 결간구 내의 LHBT 주위의 활막초(synovial sheath), 견갑하오목(subscapularis recess), 액와오목(axillary recess), 뒤관절오목(posterior joint recess) 등의 여러 관절오목들이 있다. 관절액이 증가되는 다양한 관절질환에서 이러한 오목들에 활액이 증가하는 것을 초음파로 검사할 수 있으며, 초음파유도하 흡인 또는 관절 내 주사를 실시할 수도 있다.

상완와관절의 퇴행성 관절염은 회전근개의 심한 만성파열과 연관된 경우가 많다. 초음파에서 관절간격이 좁아지고,

불규칙한 피질골 및 골극(osteophyte), 관절 내 유리체(loose body) 등의 소견을 볼 수 있다 (Fig. 9-124). 상완골의 골증식(hyperostosis)은 해부학적 경부 주위에 주로 생기며, 관절와(glenoid)의 변화는 상대적으로 뚜렷하지 않기 때문에 찾기 힘들 수 있다. 관절면의 골증식은 고에코로 보이고, 얇은 저에코의 연골로 덮혀 있다. 관절 내 활액 증가와 반응성 활액막 비후도 보일 수 있다. 관절내 유리체는 액와오목, LHBT 주위 활막초, 뒤관절오목 등에 보이는 경우가 많으며, 대부분 소리그림자를 동반한 고에코로 보인다.

류마티스 관절염은 상완와관절뿐 아니라 견봉쇄골관절, 흉쇄골관절, SASD윤활낭까지 침범한다. 단순촬영에서 이상 소견이 보이지 않는 초기 류마티스 관절염의 경우에도 초음파검사에서는 활액막염을 보일 수 있다. 활액막 비후와 삼출액을 구분할 수 있으며, 저에코의 판누스(pannus)로 채워진 작은 골미란(bone erosion)을 볼 수 있다 (Fig. 9-125).[111] 액와오목과 뒤관절오목에서 상완골두와 관절낭(joint capsule) 사이의 거리를 측정하여 활액막염의 정량적인 평가에 이용할 수도 있다.[111,112] 증식된 활액막의 혈류 증가를 Doppler검사로 측정하여 관절염의 활동성 평가나 치료에 대한 반응 지표로 사용할 수 있지만, 객관적인 평가자료로 이용하는 데는 제한이 있다.[112]

화농성 관절염이 의심될 때 확진을 위해서는 초음파유도 하 흡인이 필요하다.[111] 회전근개 파열이 동반되면 SASD 윤활낭으로 감염이 파급된다. 화농성 윤활낭염의 초음파소 견은 윤활막이 두꺼워지고, 부스러기와 격막(septation)을 동반하는 복합에코의 삼출액이 증가하고, 주위 연부조직의 부종이 동반된다 (Fig. 9-126).[111] Doppler검사에서 두꺼워

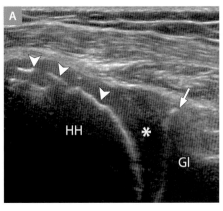
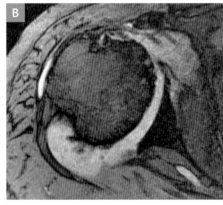

Figure 9-124 **Glenohumeral joint: osteoarthritis. A.** Transverse US image over the posterior shoulder shows osteophytes (arrow), irregular cortical profile (arrowheads), and joint effusion (asterisk). **B.** Correlative axial gradient-echo MR image. HH, humeral head; Gl, glenoid.

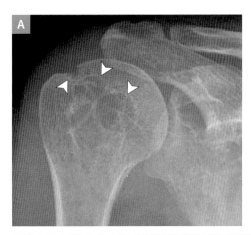

Figure 9-125 **Glenohumeral joint: rheumatoid arthritis. A.** Radiograph shows confluent marginal erosions and subchondral cysts (arrowheads) in the anatomical neck of humeral head. **B, C.** Long axis (**B**) and short axis (**C**) US images over the supraspinatus tendon show synovial thickening and cortical irregularities in the humeral head, consistent with bone erosions (arrowheads).

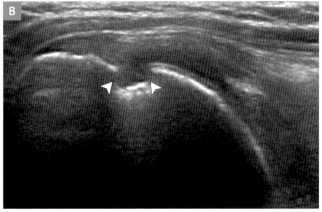
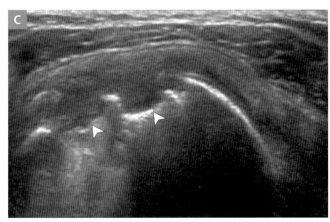

진 활액막과 주위 연부조직에 혈류 증가 소견이 보일 수 있지만, 다른 관절염과 구분되지 않는 비특이적 소견이다. 상완와관절 오목에는 삼출액이 없으면서 윤활낭에만 삼출액이 보이면 초음파유도하 흡인을 윤활낭에서만 실시하여, 불필요한 관절 천자나 이로 인한 관절 내로의 감염 파급을 피할 수 있다.[111]

관절순은 관절와의 가장자리를 감싸는 구조물이며, 초음파에서 균질한 고에코 삼각형 구조물로 보인다. 탐촉자를

ISP힘줄의 장축방향으로 놓으면 ISP힘줄보다 깊은 쪽에 뒤관절오목과 후방관절순을 볼 수 있다 (Fig. 9-41). 그러나 다른 부위의 관절순을 초음파로 검사하는 것은 쉽지 않다. 어깨 앞쪽에서는 연부조직이 두껍기 때문에 전방관절순을 검사할 때는 5 MHz의 이하의 볼록 탐촉자를 이용하며, 환자의 팔을 내전하거나, 팔을 90° 외전한 자세에서 전방 혹은 겨드랑이 쪽에서 검사하며, 역동적 검사가 도움이 된다.[97,113] 상관절순은 견봉에 의해 가려지기 때문에 검사

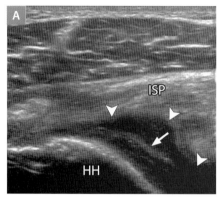
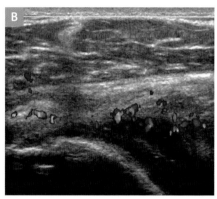
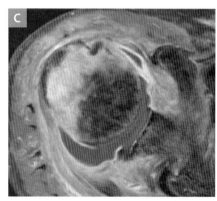

Figure 9-126 Glenohumeral joint: pyogenic arthritis. A, B. Transverse US (**A**) and Doppler (**B**) images over the posterior shoulder shows complex joint effusion (arrowheads), septation (arrow), and hyperemia. **C.** Correlative axial contrast-enhanced fat-saturated T1-weighted image. HH, humeral head; ISP, infraspinatus.

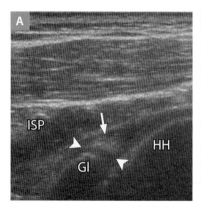
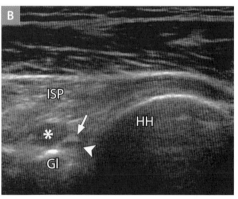
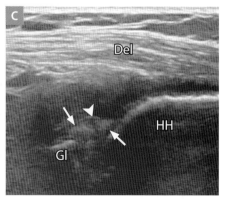

Figure 9-127 Labral tear: variable appearances. US images in three different patients show the followings: **A.** US image in long axis to the infraspinatus tendon shows a hypoechoic cleft (arrowheads) within the posterior labrum (arrow). **B.** US image in long axis to the infraspinatus tendon shows a hypoechoic cleft (arrowhead) within the posterior labrum (arrow) and an associated paralabral cyst (asterisk). **C.** US image over the humeral head shows a hypoechoic cleft (arrowhead) within the superior glenoid labrum (arrows). HH, humeral head; Gl, glenoid; ISP, infraspinatus; Del, deltoid.

가 힘들다. 일반적으로 관절순이 관절액으로 둘러싸여 있으면 검사가 쉽다.

관절순이 불균질한 저에코로 보이면 퇴행성변화를 의미하며, 관절순 파열이 있으면 관절순 내에 경계가 분명한 저에코나 무에코의 틈(cleft)이 보인다 (Fig. 9-127). 어깨관절의 전방 불안정성과 관련된 전방관절순 손상이 있으면, 관절순과 관절와의 경계부에 저에코 구역이 2 mm보다 넓게 보이거나 또는 관절순이 보이지 않거나 절단된 모양으로 보이며, 역동적 검사에서 관절순의 비정상적 움직임을 볼 수 있다.(97,113)

관절액이 관절순 파열 부위를 통해 관절 밖으로 나와서 관절순주위낭종(paralabral cyst)을 형성할 수 있다 (Fig. 9-127C). 관절순주위낭종은 주로 상관절순 파열(superior labrum anterior posterior, SLAP) 또는 어깨관절의 후방 불안정성과 관련되어 상관절순 또는 후방관절순 주위에 생기고, 드물게 전하방 관절순 주위에도 생길 수 있다. 후방관절순 주위의 낭종이 극관절와절흔(spinoglenoid notch) 또는 견갑상절흔(suprascapular notch)에 생기면 견갑상신경 압박에 의한 증상이 유발될 수 있다. 초음파검사에서 극관절와절흔 또는 견갑상절흔 내에 원형 또는 난원형 낭종이 보이고, 역

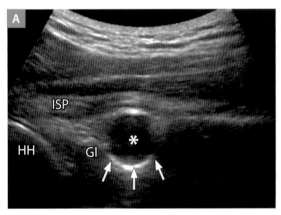
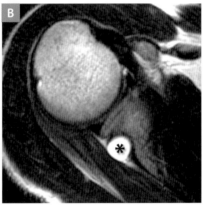

Figure 9-128 **Ganglion cyst in the spinoglenoid notch**. Transverse US image (**A**) over the posterior shoulder and correlative axial T2-weighted MR image (**B**) show a cyst (asterisk) in the spinoglenoid notch (arrows). Gl, glenoid; HH, humeral head; ISP, infraspinatus.

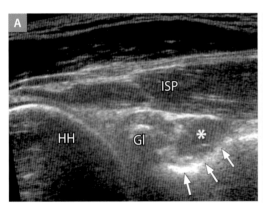
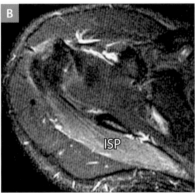
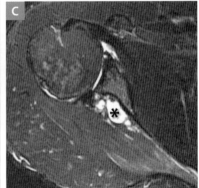

Figure 9-129 **Ganglion cyst in the spinoglenoid notch**. Transverse US image (**A**) over the posterior shoulder and correlative axial fat-saturated T2-weighte MR images (**B, C**) show a cyst (asterisk) in the spinoglenoid notch (arrows). Increased T2-weighted signal intensity is seen in the infraspinatus (ISP), suggesting denervation change. Gl, glenoid; HH, humeral head.

동적 검사에서 크기나 위치가 변하지 않는 것이 확장된 정맥과의 감별점이다. 가끔 낭종이 관절순 파열 부위로 연결되는 것을 볼 수도 있다. 견갑상절흔의 낭종은 SSP와 ISP의 위축을 초래하고, 극관절와절흔의 낭종은 ISP의 위축만 초래한다 (Fig. 9-128, 9-129).[97]

6. 흉근 Pectoralis 과 삼각근 Deltoid 병변

대흉근 손상은 누워서 역기들기(bench press)와 관련되어 상완골의 외회전, 신전, 외전 상태에서 주로 발생하는데, 환자

는 근육 손상 시에 '퍽'하고 터지는 것을 느낄 수 있으며, 팔과 어깨에 갑작스런 통증이 생긴다. 대흉근 손상은 위치에 따라 골부착부(enthesis), 근-건이행부(myotendinous junction), 근육 내 파열로 나누고, 주로 골부착부 또는 근-건이행부에서 손상이 일어난다. 대부분의 대흉근 손상은 한 개의 갈래(head)에 생기며, 주로 흉늑골두(sternocostal head)가 파열된다.[26,27]

탐촉자를 LHBT 부위에 횡축으로 놓고 SSC힘줄 부착부보다 원위부로 이동하면, 대흉근 힘줄이 LHBT 앞쪽을 지나서 상완골에 부착하는 것을 볼 수 있다 (Fig. 9-130). 골부착부를 확인한 후 탐촉자를 가슴 쪽으로 이동하여 근-건이행부와

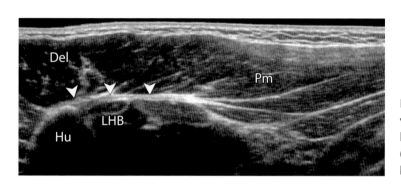

Figure 9-130 **Pectoralis major.** Extended-field-of-view in long axis to the pectoralis major shows the humeral insertion of the pectoralis major tendon (arrowheads). Pm, pectalis major; Del, deltoid; Hu, humerus; LHB, long head of biceps brachii.

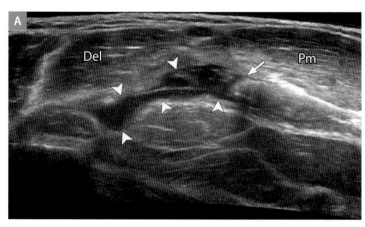
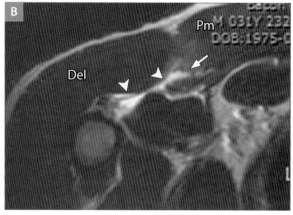

Figure 9-131 **Pectoralis major tear.** Extended-field-of-view in long axis (A) to the pectoralis major (Pm) and axial T2-weighted MR image (B) correlation show the retracted tear (arrow) and fluid filling (arrowheads) the bed of the pectoralis major tendon. Del, deltoid.

힘살(belly)에 대해 검사한다. 힘줄이 골부착부에서 파열되면 힘줄이 파도모양으로 구겨져 보이거나 보이지 않게 되고, 저에코의 혈종이 피질골에 접해서 보일 수 있다 (Fig. 9-131). [114] 힘줄의 뒤당김이 동반되면 적어도 한 개 이상의 갈래가 전층파열이 된 것으로 볼 수 있다. 견열골절이 동반되면 고에코의 뼈조각이 골부착부에서 보이고 주위에 부종이 동반되며, 수술적 치료의 적응증이 된다. 대흉근 힘줄은 LHBT를 안정화에 기여하므로, 파열되면 LHBT가 전방으로 전위된다. 대흉근의 감염성 질환이 견관절 동통을 유발 할 수 있으므로 감별이 필요하다. 대흉근과 소흉근은 선천성 근육 결손이 가장 흔하게 발생하는 부위이므로, 초음파검사에서 근육 또는 힘줄이 보이지 않으면 반대쪽을 함께 검사하여 확인한다.

삼각근 손상은 대부분 회전근개의 심한 파열과 관련된다. 삼각근 파열과 회전근개의 파열이 동시에 있으면 손상되지 않은 삼각근의 수축에 의해 상완골두가 삼각근 결손부로 돌출되면서 충돌(impingement)을 초래하여 더 심한 근육 파열을 일으킨다. [115,116]

7. 흉쇄골관절 Sternoclavicular joint 병변

흉쇄골관절은 지지 인대가 매우 튼튼하여 관절 손상은 드물다. 흉쇄골관절의 탈구 또는 아탈구의 경우 역동적 검사가 중요하고, 반대쪽의 관절과 비교하면 진단에 도움이 된다.

감염성 관절염의 경우 다른 관절과 마찬가지로 관절낭(joint capsule) 팽창 소견과 함께 다양한 에코의 삼출액 및 활액막 비후 소견을 보이고, 관절 간격이 넓어지거나, 아탈구, 골미란 소견 등이 동반될 수 있으며, 초음파유도하 흡인을 통해 확진할 수 있다 (Fig. 9-132, 9-133). 골 파괴를 동반하는 병변이 보이면 악성 골병변의 가능성을 함께 고려해야 한다. 퇴행성 골관절염은 관절 간격이 좁아지고 골증식 소견이 보이며, 류마티스 관절염은 관절면이 불규칙하게 보이고, 쇄골의 내측 끝에서 골용해와 활액막 증식 소견을 보인다. [4]

Tietze증후군은 늑골흉골증후군 또는 전방흉벽증후군이라고도 하며, 하나 이상의 늑연골(costal cartilage)의 부종을 보이는 염증성 질환으로, 전방 흉벽의 통증이 생긴다. 초음파에서 늑연골의 부종과 불규칙한 석회화 소견을 보이며, 늑골 주위 연부조직의 부종이 동반되기도 한다. [117,118]

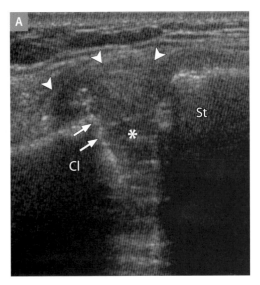
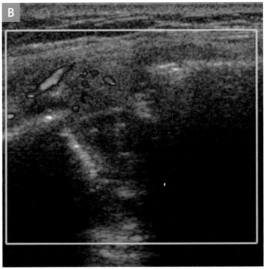

Figure 9-132
Pyogenic arthritis of the sternoclavicular joint. Transverse US (A) and Doppler (B) images over the sternoclavicular joint show joint space widening (asterisk and arrowheads), irregularities in the medial end of the clavicle (arrows), and soft tissue swelling with hyperemia. St, sternum; Cl, clavicle.

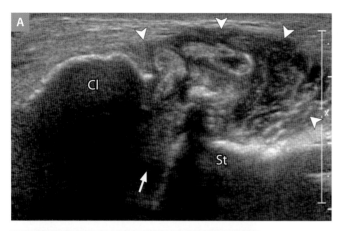

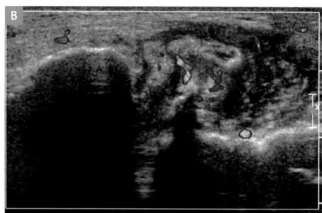

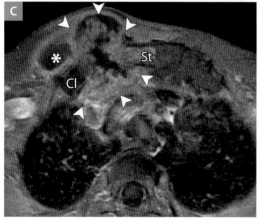

Figure 9-133   Tuberculosis of the sternoclavicular joint. A, B. Transverse US (**A**) and Doppler (**B**) images over the sternoclavicular joint show a complex soft tissue mass with hyperemia (arrowheads) in the sternoclavicular joint (arrow) and adjacent soft tissue. **C.** Abscess formation (asterisk) is seen on the correlative axial fat-saturated T1-weighted MR image. St, sternum; Cl, clavicle.

참고문헌

1. Coombs P, Ptasznik R. Sonography of the shoulder and upper arm. In van Holsbeeck MT, Introcaso JH. Musculoskeletal Ultrasound, 3rd ed. Panama: Jaypee, 2016;737–811.

2. Hodler J1, Kursunoglu–Brahme S, Snyder SJ, Cervilla V, Karzel RP, Schweitzer ME, et al. Rotator cuff disease: assessment with MR arthrography versus standard MR imaging in 36 patients with arthroscopic confirmation. Radiology 1992;182:431–436.

3. Palmer WE, Brown JH, Rosenthal DI. Rotator cuff: evaluation with fat–suppressed MR arthrography. Radiology 199;188:683–687.

4. Bianchi S, Martinoli C. Shoulder. In Bianchi S, Martinoli C. Ultrasound of the Musculoskeletal System. Berlin: Springer, 2007:189–331.

5. Stoller DW, Wolf EM. The shoulder. In Stoller DW, eds. Magnetic resonance imaging in orthopedics and sports medicine. 3rd ed. Philadelphia: Lippincott, 2007:1131–1461.

6. Rafael F. Escamilla, et al. Shoulder muscle activity and function in common shoulder rehabilitation exercises. Sports Med 2009;39:663–685.

7. Alpert SW, et al. Electromyographic analysis of deltoid and rotator cuff function under varying loads and speeds. J Shoulder Elbow Surg 2000;9:47–58.

8. Sharkey NA, Marder RA. The rotator cuff opposes superior translation of the humeral head. Am J Sports Med 1995;23:270–275.

9. Morag Y1, Jacobson JA, Lucas D, Miller B, Brigido MK, Jamadar DA. US appearance of the rotator cable with histologic correlation: preliminary results. Radiology 2006;241:485–491.

10. Morag Y, Jamadar DA, Boon TA, Bedi A, Caoili EM, Jacobson JA. Ultrasound of the rotator cable: prevalence and morphology in asymptomatic shoulders. AJR Am J Roentgenol

2012;198:W27-30.

11. Gyftopoulos S, Bencardino J, Nevsky G, Hall G, Soofi Y, Desai P, et al. Rotator cable: MRI study of its appearance in the intact rotator cuff with anatomic and histologic correlation. AJR Am J Roentgenol 2013;200:1101-1105.

12. Sethi N, Wright R, Yamaguchi K. Disorders of the long head of the biceps tendon. J Shoulder Elbow Surg 1999;8:644-654.

13. Bennett WF. Subscapularis, medial, and lateral head coracohumeral ligament insertion anatomy. Arthroscopic appearance and incidence of "hidden" rotator interval lesions. Arthroscopy 2001;17:173-180.

14. Curtis AS, Snyder SJ. Evaluation and treatment of biceps tendon pathology. Orthop Clin North Am 1993;24:33-43.

15. Nakata W, Katou S, Fujita A, Nakata M, Lefor AT, Sugimoto H. Biceps pulley: normal anatomy and associated lesions at MR arthrography. Radiographics 2011;31:791-810.

16. Gleason PD, Beall DP, Sanders TG, Bond JL, Ly JQ, Holland LL, et al. The transverse humeral ligament: a separate anatomical structure or a continuation of the osseous attachment of the rotator cuff? Am J Sports Med 2006;34:72-77.

17. Snow BJ, Narvy SJ, Omid R, Atkinson RD, Vangsness CT Jr. Anatomy and histology of the transverse humeral ligament. Orthopedics 2013;36:e1295-1298.

18. Petchprapa CN, Beltran LS, Jazrawi LM, Kwon YW, Babb JS, Recht MP. The rotator interval: a review of anatomy, function, and normal and abnormal MRI appearance. AJR Am J Roentgenol 2010;195:567-576.

19. Ho CP. MR imaging of rotator interval, long biceps, and associated injuries in the overhead-throwing athlete. Magn Reson Imaging Clin N Am 1999;7:23-37.

20. Jost B, Koch PP, Gerber C. Anatomy and functional aspects of the rotator interval. J Shoulder Elbow Surg 2000;9:336-341.

21. Lee JC, Guy S, Connell D, Saifuddin A, Lambert S. MRI of the rotator interval of the shoulder. Clin Radiol 2007;62:416-423.

22. van Holsbeeck MT Strouse PJ. Sonography of the shoulder: evaluation of the subacromial-subdeltoid bursa. AJR Am J Roentgenol 1993;160:561-564.

23. Bureau NJ, Dussault RG, Keats TE. Imaging of bursae around the shoulder joint. Skeletal Radiol 1996;25:513-517.

24. Schmidt WA, Schmidt H, Schicke B, Gromnica-Ihle E. Standard reference values for musculoskeletal ultrasonography. Ann Rheum Dis 2004;63:988-994.

25. 문승규, 송인섭. 어깨. In 강흥식, 홍성환, 강창호. 근골격 영상의학. 1st ed. Korea, 범문에듀케이션 2013;503-560.

26. Rehman A, Robinson P. Sonographic evaluation of injuries to the pectoralis muscles. AJR Am J Roentgenol 2005;184:1205-1211.

27. Weaver JS, Jacobson JA, Jamadar DA, Theisen SE, Ebrahim F, Kalume-Brigido M. Sonographic findings of pectoralis major tears with surgical, clinical, and magnetic resonance imaging correlation in 6 patients. J Ultrasound Med 2005;24:25-31.

28. Bigliani LU, Morrison DS, April EW. The morphology of the acromion and its relationship to rotator cuff tears. Orthop Trans 1986;10:216-228.

29. Patten RM. Tears of the anterior portion of the rotator cuff (the subscapularis tendon): MR imaging findings. AJR Am J Roentgenol 1994;162:351-354.

30. Middleton WD, Edelstein G, Reinus WR, Melson GL, Totty WG, Murphy WA. Sonographic detection of rotator cuff tears. AJR Am J Roentgenol 1985;144:349-353.

31. Crass JR, Craig EV, Feinberg SB. Ultrasonography of rotator cuff tears: a review of 500 diagnostic studies. J Clin Ultrasound 1988;16:313-327.

32. Petchprapa CN, Beltran LS, Jazrawi LM, Kwon YW, Babb JS, Recht MP. The rotator interval: a review of anatomy, function, and normal and abnormal MRI appearance. AJR Am J Roentgenol 2010;195:567-576.

33. Martinoli C, Bianchi S, Prato N, Pugliese F, Zamorani MP, Valle M, et al. US of the shoulder: non-rotator cuff disorders. Radiographics 2003;23:381-401.

34. Schydlowsky P, Strandberg C, Gakatius A, Gam A. Ultrasonographic examination of the glenoid labrum of healthy volunteers. Eur J Ultrasound 1998;8:85-89.

35. Ferri M, Finlay K, Popowich T, Stamp G, Schuringa P, Friedman L. Sonography of full-thickness supraspinatus tears: comparison of patient positioning technique with surgical correlation. AJR Am J Roentgenol 2005;184:180-184.

36. Fotiadou AN, Vlychou M, Papadopoulos P, Karataglis DS, Palladas P, Fezoulidis IV. Ultrasonography of symptomatic rotator cuff tears compared with MR imaging and surgery. Eur J Radiol 2008;68:174-179.

37. Naqvi GA, Jadaan M, Harrington P. Accuracy of ultrasonography and magnetic resonance imaging for detection of full thickness rotator cuff tears. Int J Shoulder Surg 2009;3:94-97.

38. Vlychou M, Dailiana Z, Fotiadou A, Papanagiotou M, Fezoulidis IV, Malizos K. Symptomatic partial rotator cuff tears: diagnostic performance of ultrasound and magnetic resonance imaging with surgical correlation. Acta Radiol 2009;50:101-105.

39. de Jesus JO, Parker L, Frangos AJ, Nazarian LN. Accuracy of MRI, MR arthrography, and ultrasound in the diagnosis of rotator cuff tears: a meta-analysis. AJR Am J Roentgenol 2009;192:1701-1707.

40. Matava MJ, Purcell DB, Rudzki JR. Partial-thickness rotator cuff tears. Am J Sports Med 2005;33:1405-1417.

41. Soslowsky LJ, Carpenter JE, Bucchieri JS, Flatow EL. Biomechanics of the rotator cuff. Orthop Clin North Am 1997;28:17-30.

42. Kim HM, Dahiya N, Teefey SA, Middleton WD, Stobbs G, Steger-May K, et al. Location and initiation of degenerative rotator cuff tears: an analysis of three hundred and sixty shoulders. J Bone Joint Surg Am 2010;92:1088-1096.

43. Jacobson JA, Lancaster S, Prasad A, van Holsbeeck MT, Craig JG, Kolowich P. Full-thickness and partial-thickness supraspinatus tendon tears: value of US signs in diagnosis. Radiology 2004;230:234-242.

44. Wohlwend JR, van Holsbeeck M, Craig J, Shirazi K, Habra G, Jacobsen G, et al. The association between irregular greater tuberosities and rotator cuff tears: a sonographic study. AJR Am J Roentgenol 1998;171:229-233.

45. van Holsbeeck MT, Kolowich PA, Eyler WR, Craig JG, Shirazi KK, Habra GK, et al. US depiction of partial-thickness tear of the rotator cuff. Radiology 1995;197:443-446.

46. Ellman H. Diagnosis and treatment of incomplete rotator cuff tears. Clin Orthop Relat Res 1990;254:64-74.

47. DeOrio JK, Cofield RH. Results of a second attempt at surgical repair of a failed initial rotator-cuff repair. J Bone Joint Surg Am 1984;66:563-567.

48. Buck FM, Grehn H, Hilbe M, Pfirrmann CW, Manzanell S, Hodler J. Magnetic resonance histologic correlation in rotator cuff tendons. J Magn Reson Imaging 2010;32:165-172.

49. Kjellin I, Ho CP, Cervilla V, Haghighi P, Kerr R, Vangness CT, Friedman RJ, et al. Alterations in the supraspinatus tendon at MR imaging: correlation with histopathologic findings in cadavers. Radiology 1991;181:837-841.

50. Bachmann GF, Melzer C, Heinrichs CM, Möhring B, Rominger MB. Diagnosis of rotator cuff lesions: comparison of US and MRI on 38 joint specimens. Eur Radiol 1997;7:192-197.

51. Crass JR, Craig EV, Feinberg SB. Clinical significance of sonographic findings in the abnormal but intact rotator cuff: a preliminary report. J Clin Ultrasound 1988;16:625-634.

52. Schaeffeler C, Mueller D, Kirchhoff C, Wolf P, Rummeny EJ, Woertler K. Tears at the rotator cuff footprint: prevalence and imaging characteristics in 305 MR arthrograms of the shoulder. Eur Radiol 2011;21:1477-1484.

53. Tuite MJ, Turnbull JR, Orwin JF. Anterior versus posterior, and rim-rent rotator cuff tears: prevalence and MR sensitivity. Skeletal Radiol 1998;27:237-243.

54. van Holsbeeck M, Introcaso JH, Kolowich PA. Sonography of tendons: patterns of disease. Instr Course Lect 1994;43:475-481.

55. Moosikasuwan JB, Miller TT, Burke BJ. Rotator cuff tears: clinical, radiographic, and US findings. Radiographics 2005;25:1591-1607.

56. Petranova T, Vlad V, Porta F, Radunovic G, Micu MC, Nestorova R, et al. Ultrasound of the shoulder. Med Ultrason 2012;14:133-140.

57. Teefey SA, Middleton WD, Bauer GS, Hildebolt CF, Yamaguchi K. Sonographic differences in the appearance of acute and chronic full-thickness rotator cuff tears. J Ultrasound Med 2000;19:377-378.

58. Walch G. Surgical-proved rotator cuff tears case 959 1988-1996. EULAR symposium épaule doloreuse 1999;28:4-9.

59. Huang LF, Rubin DA, Britton CA. Greater tuberosity changes as revealed by radiography: lack of clinical usefulness in patients with rotator cuff disease. AJR Am J Roentgenol 1999;172:1381-1388.

60. Jiang Y, Zhao J, van Holsbeeck MT, Flynn MJ, Ouyang X, Genant HK. Trabecular microstructure and surface changes in the greater tuberosity in rotator cuff tears. Skeletal Radiol 2002;31:522-528.

61. Middleton WD, Reinus WR, Melson GL, Totty WG, Murphy WA. Pitfalls of rotator cuff sonography. AJR Am J Roentgenol 1986;146:555-560.

62. Rutten MJ, Jager GJ, Blickman JG. From the RSNA refresher courses: US of the rotator cuff: pitfalls, limitations, and artifacts. Radiographics 2006;26:589-604.

63. Ruzek KA, Bancroft LW, Peterson JJ. Postoperative imaging of the shoulder. Radiol Clin North Am 2006;44:331-341.

64. Codsi MJ, Rodeo SA, Scalise JJ, Moorehead TM, Ma CB. Assessment of rotator cuff repair integrity using ultrasound and magnetic resonance imaging in a multicenter study. J Shoulder Elbow Surg 2014;23:1468-1472.

65. Prickett WD, Teefey SA, Galatz LM, Calfee RP, Middleton WD, Yamaguchi K. Accuracy of ultrasound imaging of the rotator cuff in shoulders that are painful postoperatively. J Bone Joint Surg Am 2003;85-A:1084-1089.

66. Mohana-Borges AV, Chung CB, Resnick D. MR imaging and MR arthrography of the postoperative shoulder: spectrum of normal and abnormal findings. Radiographics 2004;24:69-85.

67. Beltran LS, Bencardino JT, Steinbach LS. Postoperative MRI of the shoulder. J Magn Reson Imaging 2014;40:1280-1297.

68. Crim J, Burks R, Manaster BJ, Hanrahan C, Hung M, Greis P. Temporal evolution of MRI findings after arthroscopic rotator cuff repair. AJR Am J Roentgenol 2010;195:1361-1366.

69. Jacobson JA, Miller B, Bedi A, Morag Y. Imaging of the postoperative shoulder. Semin Musculoskelet Radiol 2011;15:320-339.

70. Fealy S, Adler RS, Drakos MC, Kelly AM, Allen AA, Cordasco

FA, et al. Patterns of vascular and anatomical response after rotator cuff repair. Am J Sports Med 2006;34:120-127.

71. Miller BS, Downie BK, Kohen RB, Kijek T, Lesniak B, Jacobson JA, et al. When do rotator cuff repairs fail? Serial ultrasound examination after arthroscopic repair of large and massive rotator cuff tears. Am J Sports Med 2011;39:2064-2070.

72. Nho SJ, Adler RS, Tomlinson DP, Allen AA, Cordasco FA, Warren RF, et al. Arthroscopic rotator cuff repair: prospective evaluation with sequential ultrasonography. Am J Sports Med 2009;37:1938-1945.

73. Bureau NJ, Beauchamp M, Cardinal E, Brassard P. Dynamic sonography evaluation of shoulder impingement syndrome AJR Am J Roentgenol 2006;187:216-220.

74. Daghir AA, Sookur PA, Shah S, Watson M. Dynamic ultrasound of the subacromial-subdeltoid bursa in patients with shoulder impingement: a comparison with normal volunteers. Skeletal Radiol 2012;41:1047-1053.

75. Farin PU, Jaroma H, Harju A, Soimakallio S. Shoulder impingement syndrome: sonographic evaluation. Radiology 1990;176:845-849.

76. Tandon A, Bhatt S, Bhargava SK. Dynamic Musculoskeletal Sonography. JIMSA 2013;26:21-24.

77. Sammarco VJ. Os acromiale: frequency, anatomy, and clinical implications. J Bone Joint Surg Am 2000;82:394-400.

78. Hottat N, Fumière E, Delcour C. Calcific tendinitis of the gluteus maximus tendon: CT findings. Eur Radiol 1999;9:1104-1106.

79. Kandemir U, Bharam S, Philippon MJ, Fu FH. Endoscopic treatment of calcific tendinitis of gluteus medius and minimus. Arthroscopy 2003;19:E4.

80. Dürr HR, Lienemann A, Silbernagl H, Nerlich A, Refior HJ. Acute calcific tendinitis of the pectoralis major insertion associated with cortical bone erosion. Eur Radiol 1997;7:1215-1217.

81. Lee HS, Lee YH, Sung NK, Jung KJ, Park YC, Kim HG, et al. Sonographic Findings of Calcific Tendinitis around the Hip. J Korean Soc Ultrasound Med 2005;24:139-144.

82. Uhthoff HK, Sarkar K. Calcifying tendinitis. Baillieres Clin Rheumatol 1989;3:567-581.

83. McKendry RJ, Uhthoff HK, Sarkar K, Hyslop PS. Calcifying tendinitis of the shoulder: prognostic value of clinical, histologic, and radiologic features in 57 surgically treated cases. J Rheumatol 1982;9:75-80.

84. Zubler C, Mengiardi B, Schmid MR, Hodler J, Jost B, Pfirrmann CW. MR arthrography in calcific tendinitis of the shoulder: diagnostic performance and pitfalls. Eur Radiol 2007;17:1603-1610.

85. Chiou HJ, Chou YH, Wu JJ, Hsu CC, Huang DY, Chang CY. Evaluation of calcific tendonitis of the rotator cuff: role of color Doppler ultrasonography. J Ultrasound Med 2002;21:289-295.

86. Le Goff B, Berthelot JM, Guillot P, Glémarec J, Maugars Y. Assessment of calcific tendonitis of rotator cuff by ultrasonography: comparison between symptomatic and asymptomatic shoulders. Joint Bone Spine 2010;77:258-263.

87. Farin PU. Consistency of rotator-cuff calcifications. Observations on plain radiography, sonography, computed tomography, and at needle treatment. Invest Radiol 1996;31:300-304.

88. Jacobson JA. Shoulder ultrasound. In Jacobson JA. Fundamentals of Musculoskeletal Ultrasound, 2nd ed. Philadelphia: Elsevier Saunders, 2013;3-71.

89. Jim YF, Hsu HC, Chang CY, Wu JJ, Chang T. Coexistence of calcific tendinitis and rotator cuff tear: an arthrographic study. Skeletal Radiol 1993;22:183-185.

90. Breidahl WH, Stafford Johnson DB, Newman JS, Adler RS. Power Doppler sonography in tenosynovitis: significance of the peritendinous hypoechoic rim. J Ultrasound Med 1998;17:103-107.

91. Wallny T, Wagner UA, Prange S, Schmitt O, Reich H. Evaluation of chronic tears of the rotator cuff by ultrasound. A new index. J Bone Joint Surg Br 1999;81:675-678.

92. Pfahler M, Branner S, Refior HJ. The role of the bicipital groove in tendopathy of the long biceps tendon. J Shoulder Elbow Surg 1999;8:419-424.

93. Buck FM, Grehn H, Hilbe M, Pfirrmann CW, Manzanell S, Hodler J. Degeneration of the long biceps tendon: comparison of MRI with gross anatomy and histology. AJR Am J Roentgenol 2009;193:1367-1375.

94. Rutten MJ, de Jong MD, van Loon T, Jager GJ. Intratendinous ganglion of the long head of the biceps tendon: US and MRI features (2010: 9b). Intratendinous ganglion. Eur Radiol 2010;20:2997-3001.

95. Enad JG. Bifurcate origin of the long head of the biceps tendon. Arthroscopy 2004;20:1081-1083.

96. Skendzel JG, Jacobson JA, Carpenter JE, Miller BS. Long head of biceps brachii tendon evaluation: accuracy of preoperative ultrasound. AJR Am J Roentgenol 2011;197:942-948.

97. Martinoli C, Bianchi S, Prato N, Pugliese F, Zamorani MP, Valle M, et al. US of the shoulder: non-rotator cuff disorders. Radiographics 2003;23:381-401.

98. Farin PU, Jaroma H, Harju A, Soimakallio S. Medial displacement of the biceps brachii tendon: evaluation with dynamic sonography during maximal external shoulder rotation. Radiology 1995;195:845-848.

99. Craig EV. The geyser sign and torn rotator cuff: clinical significance and pathomechanics. Clin Orthop Relat Res 1984;(191):213-215.

100. Griesser MJ, Harris JD, Campbell JE, Jones GL. Adhesive cap-

sulitis of the shoulder: a systematic review of the effectiveness of intra-articular corticosteroid injections. J Bone Joint Surg Am 2011;93:1727-1733.

101. Song KD, Kwon JW, Yoon YC, Choi SH. Indirect MR Arthrographic findings of Adhesive capsulitis. AJR Am J Roentgenol 2011;197:W1105-1109.

102. Hollister MS, Mack LA, Patten RM, Winter TC 3rd, Matsen FA 3rd, Veith RR. Association of sonographically detected subacromial/subdeltoid bursal effusion and intraarticular fluid with rotator cuff tear. AJR Am J Roentgenol 1995;165:605-608.

103. Ryu KN, Lee SW, Rhee YG, Lim JH. Adhesive capsulitis of the shoulder joint: usefulness of dynamic sonography. J Ultrasound Med 1993;12:445-449.

104. Homsi C, Bordalo-Rodrigues M, da Silva JJ, Stump XM. Ultrasound in adhesive capsulitis of the shoulder: is assessment of the coracohumoral ligament a valuable diagnostic tool? Skeletal Radiol 2006;35:673-678.

105. Lee JC, Sykes C, Saifuddin A, Connell D. Adhesive capsulitis: sonographic changes in the rotator cuff interval with arthroscopic correlation. Skeletal Radiol 2005;34:522-527.

106. Simovitch R, Sanders B, Ozbaydar M, Lavery K, Warner JJ. Acromioclavicular joint injuries: diagnosis and management. J Am Acad Orthop Surg 2009;17:207-219.

107. Levine AH, Pais MJ, Schwartz EE. Posttraumatic osteolysis of the distal clavicle with emphasis on early radiologic changes. AJR Am J Roentgenol 1976;127:781-784.

108. Yu YS, Dardani M, Fischer RA. MR observations of postraumatic osteolysis of the distal clavicle after traumatic separation of the acromioclavicular joint. J Comput Assist Tomogr 2000;24:159-164.

109. Sluming VA. Technical note: measuring the coracoclavicular distance with ultrasound--a new technique Br J Radiol 1995;68:189-193.

110. Tossy JD, Mead NC, Sigmond HM. Acromioclavicular separations: useful and practical classification for treatment. Clin Orthop Relat Res 1963;28:111-119.

111. Gibbon WW, Wakefield RJ. Ultrasound in inflammatory disease. Radiol Clin North Am 1999;37:633-651.

112. Alasaarela EM, Alasaarela EL. Ultrasound evaluation of painful rheumatoid shoulders. J Rheumatol 1994;21:1642-1648.

113. Hammar MV, Wintzell GB, Aström KG, Larsson S, Elvin A. Role of us in the preoperative evaluation of patients with anterior shoulder instability. Radiology 2001;219:29-34.

114. Beloosesky Y, Grinblat J, Katz M, Hendel D, Sommer R. Pectoralis major rupture in the elderly: clinical and sonographic findings. Clin Imaging 2003;27:261-264.

115. Blazar PE, Williams GR, Iannotti JP. Spontaneous detachment of the deltoid muscle origin. J Shoulder Elbow Surg 1998;7:389-392.

116. Bianchi S, Martinoli C, Abdelwahab IF. Imaging findings of spontaneous detachment of the deltoid muscle as a complication of massive rotator cuff tear. Skeletal Radiol 2006;35:410-415.

117. Choi YW, Im JG, Song CS, Lee JS. Sonography of the costal cartilage: normal anatomy and preliminary clinical application. J Clin Ultrasound 1995;23:243-250.

118. Kamel M, Kotob H. Ultrasonographic assessment of local steroid injection in Tietze's syndrome. Br J Rheumatol 1997;36:547-550.

447

팔꿈치의 초음파검사
Ultrasound of the Elbow

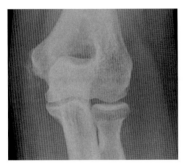 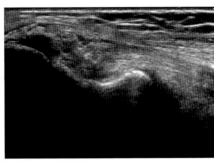 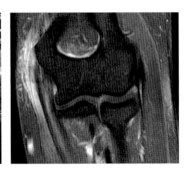

10 CHAPTER

■ 조길호, 박소영, 김성준

팔꿈치의 초음파검사
Ultrasound of the Elbow

I. 서론

팔꿈관절(주관절)은 상-하지의 큰 관절 여섯 개 중에서 병의 발생이 가장 낮은 부위이다. 다양한 관절질환의 초기 소견인 관절액 증가를 확인할 때 초음파검사는 매우 예민하며, 역동적 검사(dynamic examination)를 추가하면 활막염, 관절연골의 변화, 관절내 유리체 등을 진단할 수 있다.(1~3) 관절질환 외에, 팔꿈치에서 초음파검사가 의뢰되는 주 병변으로는 내-, 및 외-상과염(epicondylitis), 활액낭염(bursitis), 척골신경질환 등이 있는데, 단순촬영과 더불어 초음파를 시행하면, 팔꿈치의 연부조직 질환이나 통증의 원인과 관련된 정보를 얻을 수 있다. CT나 MR을 먼저 시행한 환자에서 병변과 그 주위의 신경, 혈관에 대한 정보를 얻기 위하여 초음파검사를 추가로 시행하기도 하며, 특히, 관절 질환에서 확진을 위한 수단으로 초음파유도하 관절액 흡인이나 조직 검사를 시행한다.

II. 해부학 및 검사방법

검사자와 마주 보고 앉은 상태에서, 환자의 팔꿈치를 펴고 손바닥이 위를 향하게 하여 검사대에 놓는다. 환자와 검사자가 나란히 앉은 상태에서 화면을 보면서 검사할 수도 있다. 다른 방법은 환자가 침대에 누운 상태에서, 팔꿈치를 환자의 몸통 옆에 놓는다.

팔꿈치에서는 피부와 뼈 사이의 연부조직이 얇고, 검사대상이 되는 구조물은 대부분 표재성이므로, 10 MHz 이상의 선형탐촉자(linear-array transducer)를 사용한다. 또, 관절부분은 오목하고, 근육을 포함한 연부조직은 상대적으로 볼록하기 때문에 탐촉자와 피부 사이의 접촉이 좋지 않고, 비등방성허상이 흔히 생길 수 있다. 따라서, 피부에 젤(gel)을 두껍게 바른 다음, 탐촉자를 가볍게 대고, 검사 구조물의 주행방향을 따라 장축(long-axis) 방향에서 검사하고, 또 탐촉자를 90° 돌려서 구조물의 단축(short-axis) 방향에서도 검사한다 (Chapter 01 초음파 수기 참조 바람).

1. 팔꿈관절

팔꿈관절은 3개의 뼈 – 상완골(위팔뼈, humerus), 요골(노뼈, radius), 척골(자뼈, ulna) – 로 이루어진 윤활관절(synovial joint)이다 (Fig. 10-1). 상완골 활차(도르래, trochlea)와 척골 사이의 경첩관절(hinge joint)관절은 팔꿈치의 신전 및 굴곡을 담당한다. 상완골 소두(capitellum, capitulum)와 요골 사이의 자축관절(trochoid joint)은 신전 및 굴곡뿐만 아니라, 축회전(axial rotation)을 담당한다. 요척(radio-ulnar)관절에서 요골두(radial head)는 척골의 요골절흔(radial notch) 안에서 내-외 회전운동을 한다. 해부학 자세(anatomical position)에서 상완골과 척골이 이루는 각을 운반각(carrying

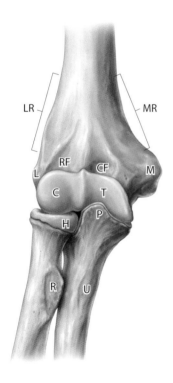

Figure 10-1 Anterior view of the right elbow. C, capitellum; T, trochlea; H, radial head; P, coronoid process; L, lateral epicondyle; M, medial epicondyle; LR, lateral supracondylar ridge; MR, medial supracondylar ridge; R, radial tuberosity; U, ulnar tuberosity; RF, radial fossa; and CF, coronoid fossa. Articular cartilage is the light blue part.

angle, 160~170°)이라 하며, 남자에서 12~16° 외반(cubitus valgus)되어 있고, 여자에서는 좀 더 뚜렷하게 15~20° 외반되어 있다.

초음파에서 뼈 표면(bone surface)은 깨끗한 고에코의 선(line)으로 보이며, 소리그림자(posterior sonic shadow)를 동반한다. 관절안에서 뼈의 표면을 덮고 있는 저에코의 얇은 띠 구조물은 관절의 유리연골(hyaline cartilage)이며, 그 두께가 1~2 mm이다 (Fig. 10-2). 팔꿈치를 160° 이상 편 상태에서 탐촉자를 종축으로 상완골 소두(capitellum) 앞쪽에 놓고 검사하고, 팔꿈치를 100° 이상 구부린 상태에서 상완골 소두의 뒤쪽을 검사하면, 상완골 소두의 관절면 전체를 볼 수 있다.[4] 상완골 소두의 뒤쪽 일부분에서 뼈 표면이 불규칙하고 관절연골이 없는 부분이 있는데, 이는 소두결손(capitellar defect)이라고 불리는 정상 소견이며, 골연골손상(osteochondral injury)이나 관절염 등에 의한 골미란(bone erosion)과 감별해야 한다.[5]

팔꿈의 관절와(관절오목, joint recess)는 앞쪽에 요골와(radial fossa)와 구돌와(coronoid fossa)가 있고, 뒤쪽에는 주두와(olecranon fossa)가 있다. 각각의 관절와에는 관절막안-윤활막밖(intracapsular-extrasynovial) 구조물인 지방체(fat pad)가 있다 (Fig. 10-2). 정상 관절막은 고에코로 보이며, 1~2 mm의 두께를 가진다.[6]

어린이 팔꿈치의 성장기 뼈에는 6개의 이차골화중심(secondary ossification center)이 있는데, 나이에 따라 상완골 소두, 요골두, 내상과(medial epicondyle), 활차와 주두(trochlea and olecranon), 외상과(lateral epicondyle) 순으로 나타난다. 각각의 이차골화중심이 나타나는 시기는 남녀, 성별, 종족, 문화적 요소 등에 따라 개인차가 있지만, 여아 나이를 기준으로 1-3-5-7-9-11살의 나이로 외워두면 편하고, 남아에서는 여아보다 1년 정도 늦다 (Table 10-1). 이차골화중심이 뼈로 완성되는 시기가 여자에서는 13~15세이며, 남자에서는 1~2년 늦어져서 14~16세이다.[7,8] 단순촬영에서 성장기 뼈의 이차골화중심과 골절의 감별이 어려울 때가 많은데 초음파검사를 추가하면 도움이 된다.[7,8]

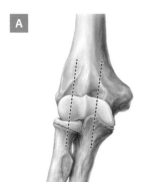

Figure 10-2   A. Anterior view of the elbow (right arm). **B.** The long-axis ultrasound along the dashed red line on the **Fig A** depicts anterior bone surface of round capitellum (C), rhomboidal radial head (RH) and neck (N). Anterior fat pad (F) at the radial fossa is superior to the capitellum (C). The annular ligament (arrow) is anterior to the radial head (RH). **C.** Anterior long-axis ultrasound along the dashed blue line of the **Fig A** shows the bone surface of the trochlea (T) and ulnar coronoid process (C). Proximal to the trochlea is fat (F)-containing coronoid fossa. arrowheads, articular cartilage; asterisk, intra-articular fat; BR, brachioradialis; Br, Brachialis.

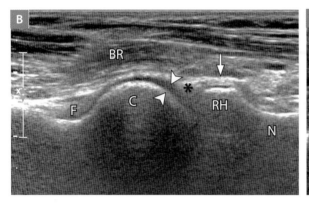

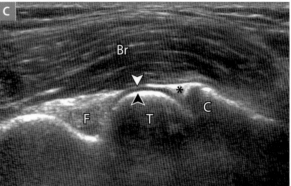

Table 10-1   Appearance of the secondary ossification centers according to ages in the elbow

Ossification center	Age range (years)
Capitellum	0.5~2
Radial head	3~6
Internal (Medial) epicondyle	5~7
Trochlea	8~10
Olecranon	8~10
External (Lateral) epicondyle	9~13

CRITOE as a mnemonic for easy memorization

2. 연부조직

팔꿈치의 연부조직 구조물은 두 구획(굴곡을 담당하는 전방과 신전을 담당하는 후방), 또는 네 구획(전방, 외측, 내측, 후방)으로 나눌 수 있는데, 여기에서는 네 구획으로 나누어 설명한다. 증상이 있는 구획을 주로 검사하며, 검사 시작 때나 마칠 때, 관절을 포함한 네 구획 모두를 종축 및 횡축 방향에서 검사한다. 횡축 검사에서 팔꿈 관절선(joint line)보다 위(근위부, proximal) 및 아래(원위부, distal)쪽으로 각각 5~10 cm 정도를 검사범위에 포함한다. 즉, 상완이두근(biceps brachii)의 근-힘줄 경계(myotendinous junction)에서 이 힘줄의 요골조면(radial tuberosity) 부착부까지를 포함한다 (Fig. 10-3).

1) 전방팔꿈지

팔꿈 관절선보다 5~10 cm 근위부에서 탐촉자를 횡축으로 놓으면, 피부 바로 아래에 두 개의 근육 – 이두근(biceps brachii)과 상완근(brachialis) – 이 있고, 그 사이의 근막층(fascial layer)에는 근피부신경(musculocutaneous nerve)이 작은 둥근 구조물로 보이는데, 이 신경은 아래팔 외측의 피부감각을 담당한다 (Fig. 10-4B, C). 탐촉자를 천천히 원위부로 움직이면서 상완동맥(위팔동맥, brachial artery)의 박동을 먼저 찾는데, 이는 중요한 길잡이(landmark) 역할을 하기 때문이다. 상완동맥과 상완골(humerus) 사이에 상완근(brachialis)이 있고, 상완동맥의 내측에 정중신경(median nerve)이 있다 (Fig. 10-4D). 정중신경은 원회내근 상완기시부(humeral head of

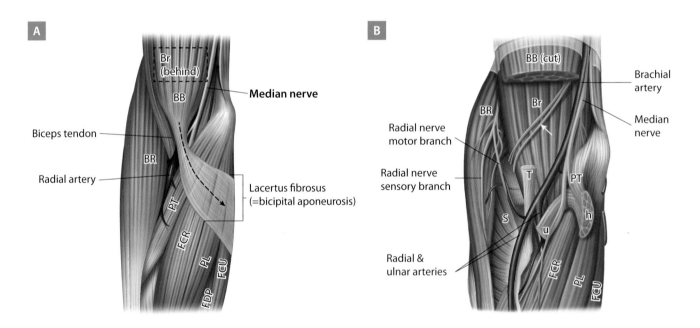

Figure 10-3 A. Diagram of the anterior elbow. B. Diagram after cut-off the distal biceps brachii (BB), and pronator teres (PT) muscles. The musculocutaneous nerve (arrow) is anterior to the brachialis (Br). The median nerve runs with brachial artery above the elbow joint line. In the proximal forearm, the brachial artery bifurcates to the radial and ulnar arteries. The median nerve is between the humeral (h) and ulnar (u) heads of the pronator teres (PT, cut-off). FCR, flexor carpi radialis; PL, palmaris longus; FDP, flexor digitorum profundus; and FCU, flexor carpi ulnaris. The radial nerve between the brachioradialis (BR) and brachialis (Br) branches into the superficial sensory and deep motor nerves. The motor branch goes into the supinator (S) behind the arcade of Frohse (See the **Fig. 10-6** also).

the pronator teres)와 상완근사이에 있다. 횡축으로 놓인 탐촉자를 원위부로 옮겨 관절면을 지나면, 상완동맥과 같이 주행하는 정중신경이 원회내근(pronator teres)의 상완 및 척골 기시부(humeral and ulnar heads) 사이를 지나는데, 이 곳에서 정중신경 포획(entrapment)이 생길 수 있다 (Fig. 10-4E). 정중신경보다 표재성으로 놓인 근육이 원회내근 상완 기시부이다. 원회내근 척골 기시부는 정중신경과 심부의 척골동

맥(ulnar artery)사이에 위치한다 (Fig. 10-3, 10-4D, E). 정중신경은 원회내근, 요측수근굴근(flexor carpi radialis, FCR), 장수장근(palmaris longus), 표재지굴근(flexor digitorum superficialis, FDS)을 지배한다.

상완동맥보다 외측에, 상완근보다 표재성으로 놓인 고에코 구조물이 원위부 이두근힘줄(distal tendon of biceps brachii)이다. 이두근힘줄보다 더 외측에는 상완요골근(brachio-

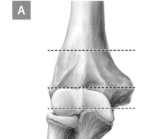

Figure 10-4 **A.** Anterior transverse scans in different levels in the elbow. **B.** Transverse ultrasound along the dashed red line of **Fig A** shows two musculocutaneous nerves (arrows) at the tissue plane between the biceps brachii (BB) and brachialis (Br). **C.** Long-axis ultrasound along one of the musculocutaneous nerves. **D.** On anterior transverse scan along the blue line of the **Fig A**, the biceps tendon (arrows) is lateral to the brachial artery (red circle). Medial to the brachial artery, the median nerve (cursors, speckled appearance) is between the pronator teres humeral head (PT) and brachialis (Br). Humerus (arrowheads) is deep to the brachialis muscle (Br). **E.** Longitudinally, the median nerve (arrows) in the proximal forearm runs between the humeral head (H) and ulnar head (U) of the pronator teres in proximity to the ulnar artery and vein (a, v). The brachialis (Br) is deeply located over the elbow joint and bone surface(arrowheads). **F.** Transverse ultrasound along the dashed green line of the **Fig A** demonstrates the biceps brachii tendon (white arrow). Deep to the brachialis muscle (Br), capitellum (C) and trochlea (T) are covered with hypoechoic articular cartilage (arrowheads). Radially, the radial nerve (black arrow) is between the brachioradialis (BR) and brachialis (Br) muscles.

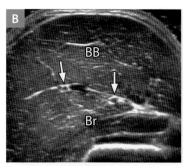

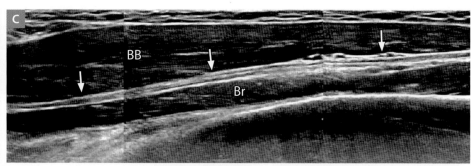

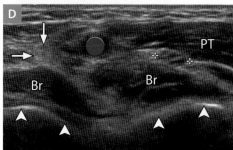

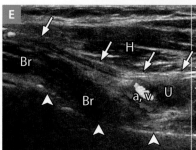

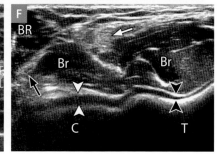

radialis)이 있다. 상완요골근과 상완근 사이의 비스듬한 근막층에 요골신경(radial nerve)이 있다 (Fig. 10-3, 10-4F).

팔꿈치 앞쪽에서 탐촉자를 종축으로 세로로 길게 놓으면, 두꺼운 근육과 짧은 힘줄을 가진 상완근(brachialis)이 팔꿈관절 앞을 지나면서 뒤쪽-비스듬(posterior-oblique) 주행하여 척골조면(ulnar tuberosity)에 붙는다 (Fig. 10-2B). 상완근보다 표재층에 있는 상완이두근(biceps brachii)은 상완동맥보다 외측에서 피부 바로 밑에 있다 (Fig. 10-4D, F). 팔꿈관절보다 근위부에서 이미 긴 힘줄(약 7 cm 길이)로 바뀌어지며, 이 힘줄이 관절 앞을 지나서 요골조면(radial tuberosity)에 부착한다 (Fig. 10-3, 10-5). 이두근 힘줄의 원위부는 비등방성 허상(anisotropy) 때문에 흔히 저에코로 보이는데, 힘줄이 뒤로 깊숙히 구부러지며 비스듬하게 주행을 하기 때문이다. 아래팔(forearm)을 외회전(external rotation) 한 상태에서, 탐

촉자의 아래쪽을 깊숙하게 누르면서 각도 조정(heel-toeing and steering)을 하여 초음파 입사각이 힘줄에 대해 90°에 가깝도록 맞추면, 고에코의 힘줄 영상을 얻을 수 있다 (Fig. 10-5C). 이 힘줄은 건초(힘줄집, tendon sheath)가 없고, 대신에 건초주위조직(paratenon)에 의해 둘러싸여 있다.

다른 방법은 팔꿈치의 중앙보다 좀 더 내측에 탐촉자를 놓은 다음, 팔꿈치 관절을 약간 구부리면서 초음파 입사각이 바깥쪽으로 향하도록 탐촉자를 약간 기울인다. 또 다른 방법은, 팔꿈치를 약간 구부린 상태에서 요골두(radial head) 내측에 탐촉자를 비스듬하게 종축으로 놓고 아래팔을 외회전하면, 이두근 힘줄의 장축 영상을 얻을 수 있다.

마지막으로, 탐촉자를 횡축으로 요골두 뒤쪽에 놓고 아래팔을 내회전 하면, 요골조면에 붙는 이두근 힘줄의 끝을 볼 수 있다.

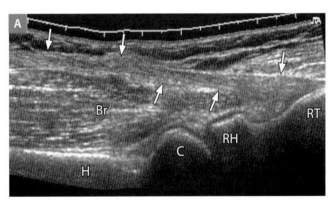
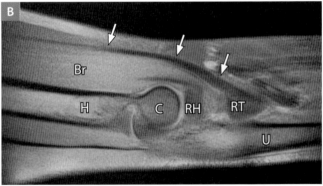
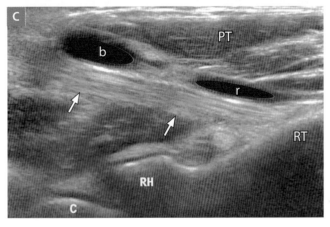

Figure 10-5 **A.** The distal biceps tendon (arrows) in the panoramic view inserts onto the radial tuberosity (RT). **B.** MR sagittal section (proton density image) shows well compatible findings to the **Fig A. C.** The tendon (arrows) is depicted as hyperechoic fibrillar pattern in a different angled view (oblique from ulnar aspect) with adjusting transducer by steering and tilting. The brachial (b) and radial (r) arteries are very close to the tendon. Br, brachialis; C, capitellum; H, humerus; PT, pronator teres; RH, radial head; U, ulna.

이두근의 원위부는 두 개의 힘줄, 즉 장두건 및 단두건(long and short head tendons of the distal biceps brachii)으로 구성된다. 상대적으로 두꺼운 장두근 힘줄은 요골조면(radial tuberosity)의 요골측에 넓게 붙는다. 상대적으로 작은 단두근 힘줄은 장두건의 표층에서 척골쪽으로 주행하여 좀 더 원위부의 요골조면에 좁게 부착한다.[9] 건초주위염이 생기면 두 개의 힘줄이 구분되어 보이기도 한다 (뒤의 병리 부분 Fig. 10-10 참조 바람).

상완이두근 근막(biceps brachii muscle fascia)이 이두근 힘줄에 대해 내측으로 20° 정도 비스듬히 주행하여 아래팔의 내측에 있는 원회내근(pronator teres) 및 총굴근(forearm flexor muscles)의 근막끼지 이어지는데, 이를 이두근 널힘줄(bicipital aponeurosis or lacertus fibrosus)이라 한다 (Fig. 10-3A). 이 널힘줄의 주행을 따라 초음파 탐촉자를 길게 놓으

면, 고에코의 얇은 섬유막(fibro-membrane) 구조물이 근육과 피하지방 사이에 보이고, 횡축으로 탐촉자를 돌리면 너비(width) 15~20 mm의 구조물로 보인다 (Fig. 10-6). 이 널힘줄의 역할에 대해서는 논란이 있기 하지만, 상완이두근 힘줄의 지지고정(stabilizer) 역할과, 힘줄에 가해지는 힘을 분산하는 역할을 한다.

탐촉자를 횡축으로 요골두와 요골조면(radial tuberosity)사이에 놓으면 요골을 감싸는 회외근이 있다. 회외근(supinator)은 외상과, 외측측부인대, 윤상인대(annular ligament), 척골(ulnar crest and ulnar supinator fossa) 등에서 넓게 기원한다. 이런 여러 힘줄이 요골두 부근에서 모여서 활모양의 섬유성 띠(arch of fibrous band)를 형성하는데, 이를 'arcade of Frohse'라고 한다 (Fig. 10-3B, 10-4F, 10-7). 표재 및 심부 근육 다발로 구성된 회외근은 요골경부를 감싸

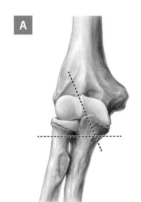
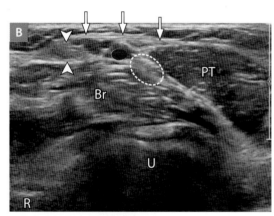
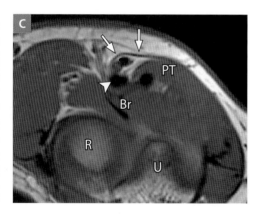
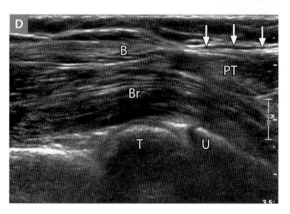

Figure 10-6 The lacertus fibrosus (=bicipital aponeurosis). B. Transverse scan in the proximal radio-ulnar level (along the dashed red line of the **Fig A**) demonstrates the lacertus fibrosus (arrows) which is superficially extending from the distal biceps brachii (arrowheads) to the pronator teres humeral head (PT). The brachial artery (red circle) and the median nerve (dotted circle) are deep to the lacertus fibrosus. **C.** MR T1-axial image depicts the bicipital aponeurosis (arrows). **D.** Oblique long-axis ultrasound (at the dashed blue line of the **Fig A**) shows distal biceps muscle (B) and lacertus fibrosus (arrows). B, biceps brachii; Br, brachialis; PT, pronator teres; R, radial head; T, trochlea; U, ulnar coronoid process.

면서 주행하여 요골 근위부에 부착한다. 회외근은 요골신경(radial nerve) 주행과 밀접한 관계가 있다.[10~13] 팔꿈관절 앞쪽에서 요골신경은 감각을 담당하는 표재 분지(superficial sensory branch)와 운동을 담당하는 심부 분지(deep motor branch)로 나뉜다. 표재 분지는 상완요골근(brachioradialis)과 회외근 사이를 주행한다. 심부 분지는 arcade of Frohse 후방에서 회외근의 표재 및 심부 근육다발 사이를 휘돌아 주행하여 회외근을 빠져 나간다 (Fig. 10-7A). 초음파로 요골신경을 검사할 때, 아래팔을 내-외 회전하면서 심부 분지의 주행을 따라가면서 검사한다. 신경은 주행 과정에서 모양이 조

금씩 달라 보일 수 있는데, 이를 병변으로 오인하지 않아야 하며, 신경의 단면적 크기가 가장 중요하다 (Chapter 05 상지 신경 참조 바람).[13]

정상에서는 보이지 않지만, 팔꿈치 앞쪽에 두 개의 활액낭이 있다. 하나는 원위부 이두근힘줄과 요골 사이에 있는 이두근힘줄-요골 활액낭(bicipito-radial bursa)이고, 다른 하나는 요골두와 척골 사이에 있는 골간(interosseous) 활액낭이다. 활액낭염이 있을 때 인접한 신경의 자극 증상을 동반하기도 한다.[14]

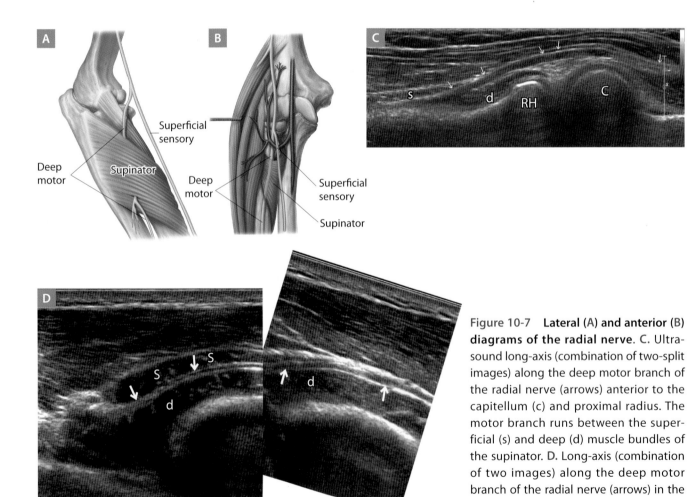

Figure 10-7 **Lateral (A) and anterior (B) diagrams of the radial nerve**. C. Ultrasound long-axis (combination of two-split images) along the deep motor branch of the radial nerve (arrows) anterior to the capitellum (c) and proximal radius. The motor branch runs between the superficial (s) and deep (d) muscle bundles of the supinator. D. Long-axis (combination of two images) along the deep motor branch of the radial nerve (arrows) in the exiting site of the supinator.

2) 내측 팔꿈치

팔꿈치 내측에는 원회내근(pronator teres), 총굴근 및 힘줄(common flexor muscle and tendon)이 있고, 관절지지 고정물(stabilizer)인 내측측부인대 복합체(medial collateral ligament complex)가 있다. 검사자세는 환자의 팔꿈치를 펴거나 20° 정도 구부린 자세에서 아래팔을 최대한 외회전(external rotation)한 후, 탐촉자를 내상과(medial epicondyle)에서 기원하는 총굴근의 주행을 따라 장축 방향으로 놓는다. 총굴근 힘줄은 고에코의 가는섬유다발양상으로 보이며, 그 원위부는 근육으로 이행한다 (Fig. 10-8). 총굴근을 구성하는 근육은 앞-얕은 쪽에서 뒤-깊은 쪽 순서대로 요측수근굴근(flexor carpi radialis), 장수장근(palmaris longus), 표재지굴근(flexor digitorum superficialis), 척측수근굴근(flexor carpi ulnaris) 등이다. 심지굴근(flexor digitorum profundus)은 내상과에서 기원하지 않고, 척골 전내측과 골간막(interosseous mem-brane)에서 기원한다 (Fig. 10-8A, B).

내측측부인대(medial or ulnar collateral ligament, MCL or UCL)는 세 개의 띠(앞쪽, 뒤쪽, 가로 띠)로 구성되어 있는데, 앞쪽 띠(anterior band 또는 bundle)가 팔꿈관절의 안정성 유지에 가장 중요하다. 앞쪽 띠는 총굴근힘줄보다 깊은 곳에서 내상과 밑면(undersurface)에서 기원하여 척골구상돌기(ulnar coronoid process)의 내측에 있는 승화결절(sublime tubercle)에 붙는 섬유성 고에코(비등방 허상 때문에 흔히 저에코로 보이기도 함)의 구조물이며, 성인 남자에서 그 두께가 2~3 mm이다 (Fig. 10-9). [15] 팔꿈을 펴면 MCL 앞쪽 띠가 팽팽해지고, 팔꿈을 구부리면 상대적으로 느슨해진다. 또, 외반력(valgus stress)를 가하면 보다 팽팽해지브로, 외반력을 이용한 역동적 검사가 도움이 되며, 단축영상에서도 검사한다. MCL 앞쪽 띠와 상완골 사이의 틈새(cleft)에 관절와(joint recess)가 있을 수 있다.

팔꿈을 편 상태에서, 탐촉자를 횡축으로 내상과와 주두

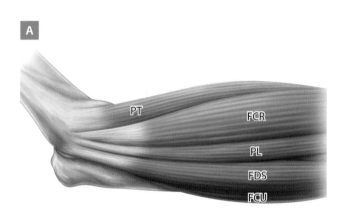

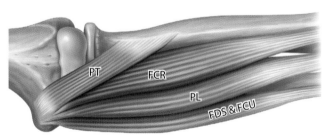

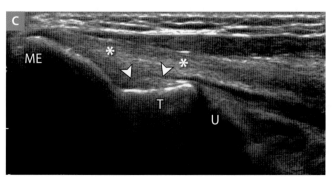

Figure 10-8 **The medial epicondyle and common flexor tendon.** **A** and **B** (diagrams on flexion and extension of the elbow). PT, Pronator teres humeral head; FCR, Flexor carpi radialis; PL, palmaris longus; FDS, Flexor digitorum superficialis; FCU, Flexor carpi ulnaris. **C.** Long-axis US along the common flexor tendon (*) including its origination from the medial epicondyle (ME). On this image, the anterior band of the MCL (arrowheads) is partially seen deep to the common flexor tendon. T, trochlea; U, ulna.

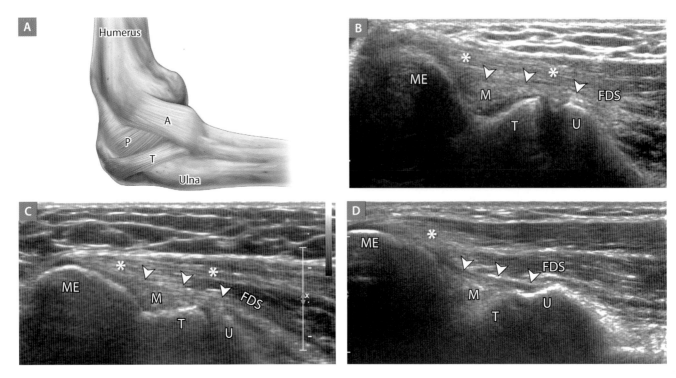

Figure 10-9 **The medial collateral ligament (MCL) in different angled views. A.** Diagram of the three bands of the MCL. A, anterior; T, transverse; P, posterior band. **B-D.** Deep to the common flexor tendon (*), the anterior band of the MCL (M) is between the undersurface of the medial epicondyle (ME) and the ulnar sublime tubercle (U). The arrowheads indicate the interface between the MCL and common flexors (*). The deepest muscle and tendon close to the MCL anterior band is flexor digitorum superficialis (FDS). **D.** The MCL anterior band (M) shows two different echo patterns with a superficial thin hypoechogenicity.

(olecranon)사이에 놓으면 지방이 차있는 팔꿉굴(cubital tunnel)이 있고, 척골동맥 바로 옆에서 내상과 쪽에 있는 난원형 구조물이 척골신경이며, 팔꿉굴의 고에코 지방 때문에 척골신경이 상대적으로 저에코로 보일 수 있고, 반점(speckled)처럼 보인다 (Fig. 10-10). 팔꿉굴에서 척골신경의 평균 단면적은 7 mm²이며, 단면적이 9 mm² 이상이면 비정상 소견으로 본다.[16]

팔꿉굴의 바닥에 보이는 치밀한 섬유성 고에코가 MCL 뒤쪽 띠이다. 이 굴의 지붕은 얇은 막인 팔꿉굴지지띠(cubital tunnel retinaculum, Osborne fascia or ligament)이며, 정상인에서 이 지지띠가 없거나 부분적으로 있을 수 있다. 횡축으로 놓은 탐촉자를 약간 원위부로 옮기면, 척측수근굴근

(flexor carpi ulnaris)의 상완기시부(humeral head)와 척골기시부(ulnar head) 사이를 연결하는 궁상인대(arcuate ligament)가 있고, 더 원위부에서는 척측수근굴근 보다 심부에 척골신경이 지나간다. 척골신경보다 심부에는 지굴근(flexor digitorum)이 있다. 탐촉자를 90° 돌려서 척골신경을 장축에서도 검사한다 (Fig. 10-10E).

팔꿉굴에서 탐촉자를 횡축으로 놓은 다음, 팔꿉의 구부림과 폄을 반복하면서 척골신경의 탈구(dislocation) 여부를 검사한다. 팔꿉을 굽힐 때 척골신경은 팔꿉굴 안에서 약간의 움직임을 보이지만 내상과 앞쪽으로 이동하지는 않는다. 그렇지만, 정상인의 약 20%에서 팔꿉을 구부릴 때 척골신경이 내상과 앞쪽으로 퉁김(snapping)을 보이면서 탈구되

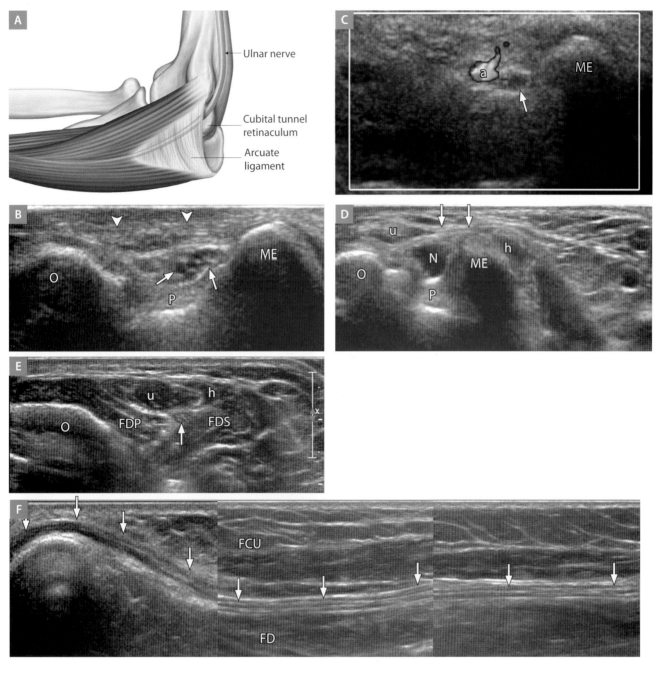

Figure 10-10   The ulnar nerve in the cubital tunnel. **A.** Diagram of cubital tunnel and ulnar nerve. **B.** On transverse scan at the inlet level of the cubital tunnel, the ulnar nerve (arrow, hypoechoic speckles) is deep to the cubital tunnel retinaculum (arrowheads) which bridges the olecranon (O) and medial epicondyle (ME). The base of the cubital tunnel is covered with the posterior band (p) of the MCL. **C.** On the color Doppler image, the ulnar nerve (arrow) is between the superior ulnar collateral artery (a) and medial epicondyle (ME). **D.** In the middle of the cubital tunnel, the ulnar nerve (N) is deep to the arcuate ligament (arrows) between the ulnar (u) and humeral (h) heads of the flexor carpi ulnaris (FCU). **E.** Inferior to the cubital fossa, the ulnar nerve (arrow) is deep to the FCU ulnar (u) and humeral (h) heads, and superficial to the flexor digitorum profundus (FDP) and superficialis (FDS). **F.** The ulnar nerve (arrows) in the long-axis view runs between the flexor carpi ulnaris (FCU) and the flexor digitorum (FD) muscles in the proximal forearm.

고, 팔꿈을 펴면 원래 위치로 신경이 퉁김을 보이면서 되돌아 올 수 있는데, 증상이 없다. 따라서, 신경탈구를 진단할 때는 증상 동반여부를 고려하여 판단한다 역동적 검사에서 신경 자극 증상이나 통증이 있고, 척골신경의 비정상 에코와 형태를 보이면서 퉁김현상이 있다면 의미 있는 초음파소견이다.[17,18] 주의할 점은 탐촉자로 팔꿈굴을 너무 강하게 누르면, 척골신경의 탈구가 방해되어 병변을 놓칠 수 있으므로, 젤(gel)을 충분히 두껍게 바르고, 탐촉자를 가볍게 놓고 검사한다. 환자가 앉은 자세에서 팔꿈치를 베개 위에 두고 검사하거나, 환자가 옆누운 자세에서 팔을 외회전한 상태에서 검사를 하는 것이 환자와 검사자 모두에게 편하다. 역동적 검사에서 척골신경의 탈구와 더불어 삼두근이 탈구되면 삼두근 퉁김(Triceps snapping)이라고 한다.[18]

관절융기위 뼈돌기(supra-condylar process)가 내상과보다 5~10 cm 상방에서 전하방으로 돌출되어 있을 수 있다. 이 돌기와 내상과 사이에 Struthers인대(ligament of Struthers)가 있고, 이곳을 지나는 정중신경이나 상완동맥(brachial artery)이 눌릴 수 있다 (뒤의 병리 부분 및 Chapter 05 상지 신경을 참조 바람).[19]

초음파소견만으로는 관절융기위 뼈돌기가 골연골종(osteochondroma)과 비슷하므로, 단순촬영을 참조한다 (Chapter 03 뼈 질환의 초음파검사 참조 바람).

3) 외측 팔꿈치

외상과에서 기원하는 총신전힘줄(common extensor tendon)은 단요측수근신근(extensor carpi radialis brevis, ECRB), 지신전근(손가락폄근, extensor digitorum, ED), 소지신전근(extensor digiti minimi, EDM), 척측수근신근(extensor carpi ulnaris, ECU) 등 4개 근육의 힘줄로 구성된다. 이 중에서 ECRB힘줄은 총신전힘줄의 대부분을 차지하면서 관절 가까이에 있고, 지신전근힘줄은 표재층에 위치한다 (Fig. 10-11A, B).

아래팔 신전근(forearm extensor muscle)이면서 외상과에서 기원하지 않는 것으로는 장요측수근신근(extensor carpi radialis longus, ECRL), 상완요골근(brachioradialis), 회외근(supinator)이 있다. ECRL은 외상과보다 근위부에서 기원하고, 상완요골근은 ECRL보다 근위부에서 기원한다. 회외근은 팔꿈의 외측측부인대(LCL), 요골윤상인대(annular ligament), 근위부 척골(proximal ulnar crest and ulnar supinator fossa) 등에서 넓게 기원하여, 'arcade of Frohse'라는 섬유성 띠를 형성한 다음, 요골 경부를 감싸면서 요골 근위부에 부착한다. 요골신경 운동가지(PIN)가 Arcade of Frohse의 후방에서 회외근의 표재 및 심부다발 사이로 주행한다. 장무지신근(extensor pollicis longus, EPL)은 척골 중앙부와 골간막에서 기원한다. 식지신전근(extensor indicis)은 EPL 기원보다 바로 원위부 척골과 골간막에서 기원한다.

환자의 팔꿈을 펴거나 적당하게 구부린 상태에서 팔꿈의 외측에 젤을 두껍게 바른 다음, 탐촉자를 외상과에서 기원하는 총신전건(common extensor tendon)을 따라 탐촉자를 종축으로 놓고 검사한다 (Fig. 10-11). 총신전건은 외상과의 전외측에서 기원하는 고에코의 섬유다발로 보이며, 총신전건을 구성하는 각각의 힘줄을 구분하기는 어려우므로, 아래팔에서 근위부로 역추적하면서 검사한다.

외측측부인대 복합체(lateral or radial collateral ligament complex)는 고유의 외측측부인대(lateral or radial collateral ligament, LCL or RCL), 요골윤상인대(annular ligament of the radius), 외측 척골측부인대(lateral ulnar collateral ligament, LUCL) 등을 총칭하는 용어이다. RCL은 외상과의 앞쪽 가장자리에서 기원하여 윤상인대와 회외근 근막에 부착한다 (Fig. 10-12). 따라서, 총신전건을 종축에서 검사하는 상태에서, 탐촉자를 약간 뒤쪽으로 이동하면 총신전건과 팔꿈치 뼈 사이에 위치하는 RCL이 있는데, 길이 20 mm, 너비 10 mm, 두께 2~3 mm이다. 외상과에 탐촉자를 종축으로 놓은 다음, 탐촉자의 아래쪽을 요골두 뒤로 비스듬히 기울여서 척골이 보이도록 각도를 조정하면, 주근(anconeus)보다 심부에

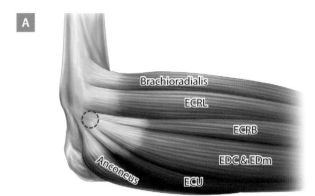

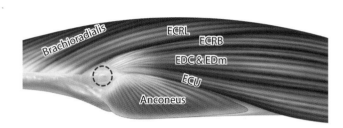

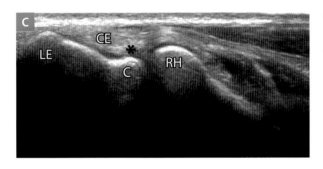

Figure 10-11 **The lateral epicondyle and common extensor tendon.** A and B. (lateral views in elbow flexion and extension). The brachioradilais and extensor carpi radialis longus (ECRL) originate from the supra-condylar ridge proximal to the lateral epicondyle (dotted circle). Extensor carpi radialis brevis (ECRB), Extensor digitorum communis (EDC) and minimi (Edm), and Extensor carpi ulnaris (ECU). C. The common extensor tendon (CE) originates from the lateral epicondyle (LE) in long-axis ultrasound. Deep to the common extensor, the lateral collateral ligament (*) is partially depicted. C, capitellum; RH, radial head.

서 외상과와 척골을 연결하는 LUCL를 볼 수도 있다. LUCL 은 요골두가 뒤쪽으로 밀리는 것을 방지한다. 윤상인대는 요 골두를 둥글게 둘러싸면서 척골에 연결된다. 특히, 어린이 에서 팔꿈당김손상(pulled elbow)이 있을 때, 이 인대가 관절 안으로 아탈구(subluxation) 된다.[20~22]

상완-요골관절(radio-capitellar joint)의 후외측에는, 관절 막에 붙어서 관절 안으로 돌출된 활막주름(plica, meniscus-like synovial fold or reflection)이 세모꼴의 고에코로 보일 수 있는데, 정상소견이다 (뒤의 병리 부분 참조 바람).[23]

4) 후방팔꿈치

환자의 손바닥을 검사대(또는 환자의 허벅지)에 대고 팔꿈치 를 90° 구부린 상태(개구리 또는 게 다리 자세)에서 종축 및 횡축 모두에서 검사하며, 역동적 검사를 추가한다. 뒤쪽에 는 삼두근(세머리근, triceps brachii)과 주근(anconeus)이 있 다. 삼두근은 안쪽 다발(medial head), 바깥쪽 다발(lateral head), 긴 다발(long head)로 구성되며, 주두의 상후측에 부 착한다. 상대적으로 짧은 안쪽 다발은 주두의 심부에 붙고, 바깥쪽 다발과 긴다발은 합쳐져서 긴 힘줄을 형성하여 주두 의 표재층에 부착한다 (Fig. 10-13). 주근은 세모꼴 근육으로, 외상과의 후측면에서 기원하여 척골의 후상방 바깥쪽에 부착

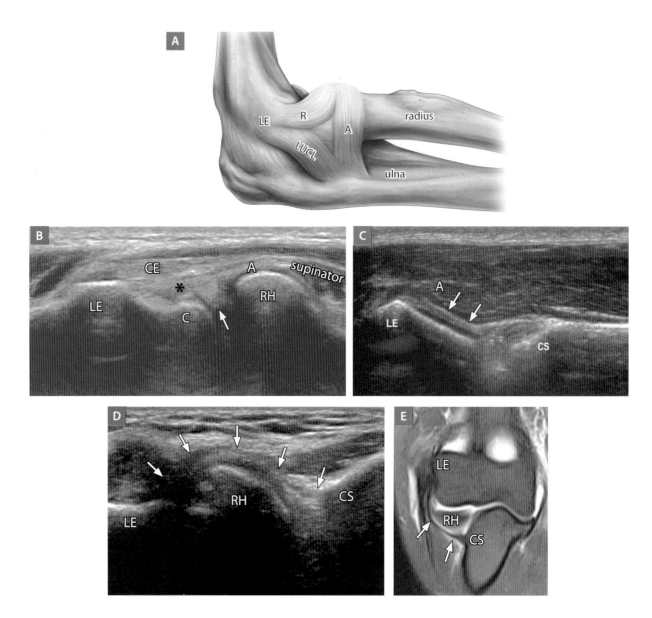

Figure 10-12 The lateral collateral ligament (LCL) complex and synovial fold. A. Diagram of the LCL complex is composed of the radial collateral ligament (R), annular ligament (A), and lateral ulnar collateral ligament (LUCL). The LUCL is between the lateral epicondyle (LE) and the supinator crest of the ulna. **B.** Deep to the common extensor tendon (CE), the LCL (*) originates from the undersurface of the lateral epicondyle (LE) and inserts to the annular ligament (A). A triangular synovial fold (arrow) is depicted in the joint between the capitellum (C) and radial head (RH). The supinator muscle is inferior to the annular ligament and radial head. **C.** The proximal portion of the LUCL (arrows) is visualized as a thin band (arrows) originating from the lateral epicondyle (LE) deep to the anconeus muscle (A). **D & E.** The distal portion of the LUCL (arrows) overlies the radial head and inserts onto the supinator crest (CS) of the ulna on both longitudinal ultrasound (**Fig D**) and MR T2 coronal view (**Fig E**).

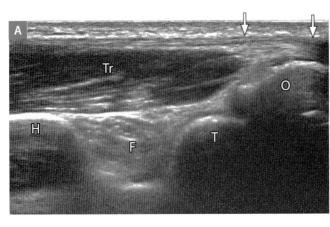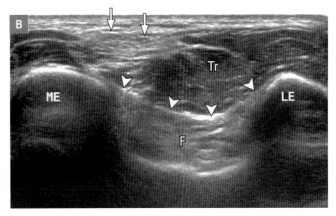

Figure 10-13 **Posterior elbow. A.** The triceps brachii muscle (Tr) and tendon (arrows) insert onto the olecranon (O) on long-axis view. Olecranon fossa containing the posterior fat pad (F) is between the humeral shaft (H) and trochlea (T). **B.** On transverse scan, the olecranon fossa is filled with fat (F) between the medial epicondyle (ME) and lateral epicondyle (LE). The superficial (posterior) margin (arrow heads) is concave deep to the triceps muscle (Tr) and tendon (arrows).

하는 작은 근육이다. 정상에서 주두와는 지방체로 차 있고, 횡축영상에서 삼두근에 눌린 모양을 하며, 표재 경계가 오목하다. 주두활액낭(olecranon bursa)은 주두의 뒤쪽 연부조직에 있는데, 정상에서는 거의 보이지 않는다.

척골신경에 관한 내용은 '내측 팔꿈치'에서 기술하였다 (Chapter 05 상지 신경 참조 바람).

III. 팔꿈치의 병리 Ultrasound of elbow pathology

팔꿈치에서 초음파검사를 하는 가장 흔한 질환이 외상과염 (lateral epicondylitis), 관절염에 동반된 관절액 증가 유무, 신경 증후군, 및 윤활낭염을 비롯한 다양한 연부조직 손상, 종괴 등이 있다 (연부조직 종괴와 신경에 관한 내용은 각 해당 장 참조 바람).

팔꿈치 통증의 원인을 찾기 위해서, 통증이 있는 곳을 부위별로 선택하여 먼저 검사한다. 이어서, 나머지 부분에 대한 검사를 시행한 후에 검사를 마친다 (Table 10-2).

1. 관절염 및 활액막염 Arthropathy and synovitis

관절액의 증가는 외상을 포함한 여러 관절질환의 초기 소견이며, 초음파는 증가된 관절액을 찾는 데 매우 예민하다. 증가된 관절액이 지방체(fat pad)와 뼈 사이에 고이면, 지방체는 뼈 표면에서 멀어진다. 이때, 저에코의 관절연골의 표면이 고에코의 선으로 보일 수 있는데, 이는 관절액과 관절연골 사이에서 나타나는 경계면징후(interface sign)이다 (Chapter 01 초음파 물리 및 기법 참조 바람).

팔꿈을 구부린 상태에서 관절액은 주두와(olecranon fossa)에 가장 잘 고이며, 2 mm 이상의 두께를 보이면 의미있는 증가로 본다.[25] 증가된 관절액이 주두와에 고이면서 뒤로 밀려난 후지방체(posterior fat pad)가 팔꿈치 측면 단순촬영에서 보이면 후지방체 징후 양성(positive sign)이라 한다. 초기 관절질환의 단순촬영에서 지방체 징후 음성(negative)인 적은 양의 관절액을 초음파검사에서 확인 가능하다 (Fig. 10-14).

무에코(anechoic)의 관절액 증가 소견을 보일 때, 감염이나 출혈의 가능성이 낮지만, 관절액 증가 소견은 비특이적이다. 관절액의 에코가 증가되거나 관절액에 부유물질(floating debris)이 있는 복합 관절액(complex effusion)이면 외상, 감염성 관절염, 류마티스 관절염 등의 다양한 관절질환을 감별진단에 포함하고, 드물지만 유골종(osteoid osteoma)과 같은 뼈 종양에 의한 이차적 소견일 수도 있다.[26] 관절액 증가와 더불어 활액막 증식이 심하면, 화농성, 결핵성뿐만 아니라, 퇴행성관절염, 류마티스관절염, 통풍, 활막연골종증(sy-novial chondromatosis), 힘줄활막거대세포종(tenosynovial giant cell tumor) 등의 다양한 활액막 증식 질환을 감별에 포함한다 (Fig. 10-14~10-18).

복합 관절액과 활액막 증식의 초음파소견이 비슷할 수 있는데, 탐촉자로 점진적 압박(graded compression)을 가해보면 관절액은 쉽게 모양이 바뀌면서 압력을 덜 받는 쪽으로 밀려난다.

Table 10-2 Causes of Elbow Pain based on Anatomic Location

- Anterior: biceps tendinopathy, bursitis, pronator syndrome, radial tunnel/PIN syndrome
- Lateral: lateral epicondylitis, plica syndrome, instability (LCL)
- Medial: medial epicondylitis cubital tunnel (ulnar nerve) syndrome, instability (MCL), hypervalgar overload syndrome
- Posterior: olecranon bursitis, posterior impingement syndrome, triceps tendinopathy

All four compartments: joint fluid, various arthritides (osteoarthrosis, rheumatoid arthritis, pyogenic arthritis), intra-articular loose bodies, fracture

Modified from References 3, 24

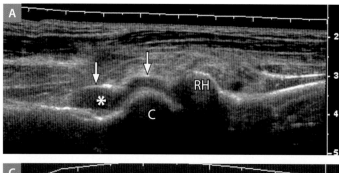
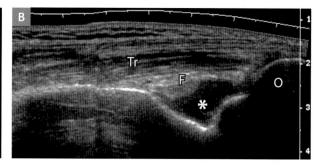
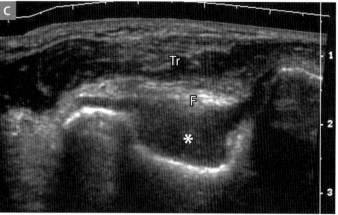

Figure 10-14 **Joint effusion in a 37-year-old male with elbow pain. A.** The anterior long-axis view at the capitellum (C) and radial head (RH) shows fluid collection (*) with disappeared fat pad at the radial fossa within the distended joint capsule (arrowheads) **B** and **C**. Posterior longitudinal (B), and transverse (C) scans demonstrate the displaced posterior fat pad (F) by the joint fluid (*) at the olecranon fossa deep to the triceps muscle (Tr). O, olecranon process.

증식된 활액조직은 초음파검사에서 고형 물질(solid material)로 보이며, Doppler검사에서 혈류 증가를 가질 수 있다. 혈류 증가가 관절 밖의 연부조직에도 보이면, 반응성 변화 또는 염증의 파급을 의미할 수 있는데, 특히 감염성 관절염이 의심될 때는 염증의 파급일 가능성을 항상 고려한다. 감염이 의심되면 증가된 관절액을 초음파유도하 세침 흡인하거나 활액막 증식을 생검하여, 검사실 소견(laboratory finding)

및 조직병리 결과를 참조하여 감염 여부를 확진한다 (Fig. 10-15).

때로는 활액막 증식이 관절 안을 완전히 채워서 관절 내 종괴처럼 보일 수도 있다. 관절액 증가나 활액막염에 의한 관절 팽창이 인접한 신경을 누르거나 자극하여 신경증상이 나타날 수 있다 (Chapter 05 상지 신경 참조 바람).

초음파에서 활액막 증식 소견이 보이면, 유리체(loose

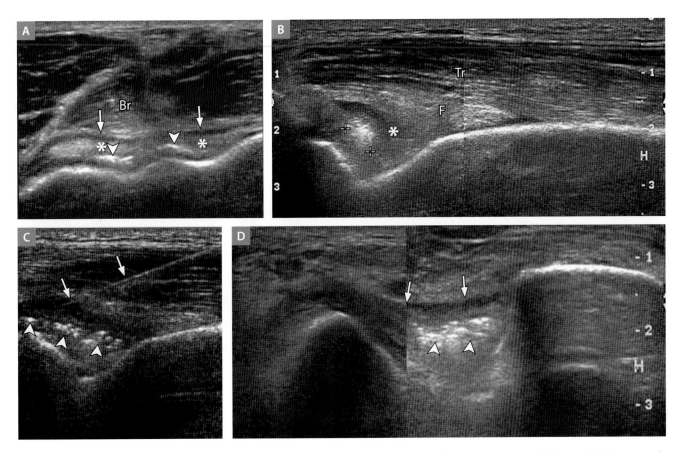

Figure 10-15 **Pyogenic arthritis in 63-year-old male after acupuncture. A** (anterior transverse scan). Distended joint capsule (arrows) deep to the brachialis (Br) contains hyperechoic joint fluid (*). Some floating dirty hyperechoic spots (arrowheads) in the joint space are air bubbles by failed blind aspiration without ultrasound-guidance. **B.** Posterior longitudinal scan at the olecranon fossa shows posteriorly displaced posterior fat pad (F) by the increased joint fluid (*) deep to the triceps muscle (Tr) on this two-split images. Air bubbles (cursors) are seen as hyperechoic spots in the fossa. **C.** Percutaneous needle (arrows) aspiration was performed in the posterior elbow. Numerous air bubbles (arrowheads) in the joint space in the olecranon fossa. **D.** Transverse scan at the olecranon fossa after aspiration shows concave posterior joint capsule (arrows) by decreased joint fluid. Hyperechoic air bubbles (arrowheads) are remained.

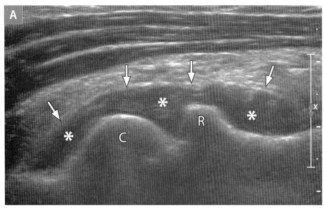

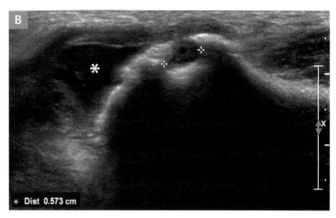

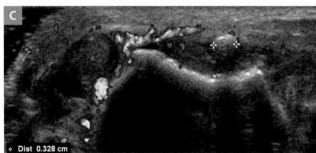

Figure 10-16   Tuberculous arthritis in a 63-year-old man.
A. Anterior long-axis view at the radial head (R) and capitellum (C) shows heterogeneous fluid collection (*) with some floating echoic materials within the distended elbow joint capsule (arrows). **B.** Lateral long-axis ultrasound demonstrates joint fluid collection (*) and bone erosion (+ cursors) of the lateral epicondyle. **C.** Short-axis view shows hyperemic synovial proliferation and a loose body (3 mm by cursors).

body), 골미란(bone erosion), 주두활액낭염(olecranon bursitis) 유무를 함께 확인한다. 관절 내 유리체는 초음파에서 고에코로 보이고 소리그림자를 동반하는데, 역동적 검사를 하면 뼈에서 분리되는 소견을 더 잘 알 수 있고, 단순촬영에서 보이지 않는 골미란(bone erosion), 유리체, 염증조직의 혈류 증가를 초음파에서 확인할 수 있다 (Fig. 10-16~10-18). 뼈 표면의 연속성이 끊어지거나 불규칙한 곳에서 초음파 투과 증가를 동반하면 골미란을 의심한다. 골미란의 원인은 다양하며, 정상 및 정상변이에 의한 뼈 표면의 불규칙, 골절, 관절염 등을 감별하는 것이 중요하다.[4,7,8] 외상에 의한 관절 내 유리체는 주로 상완골 소두(capitellum)에서 떨어져 나오기 때문에, 이 부위의 연골과 뼈를 확인하는 것이 중요하다. 이물질 반응(foreign body reaction) 때문에, 유리체를 감싸는 활액막 증식이 저에코의 테두리처럼 보일 수도 있다. 활막연골종증(synovial chondromatosis)에서 동반된 관절 내 유리체의 가능성도 고려한다 (Fig. 10-19).

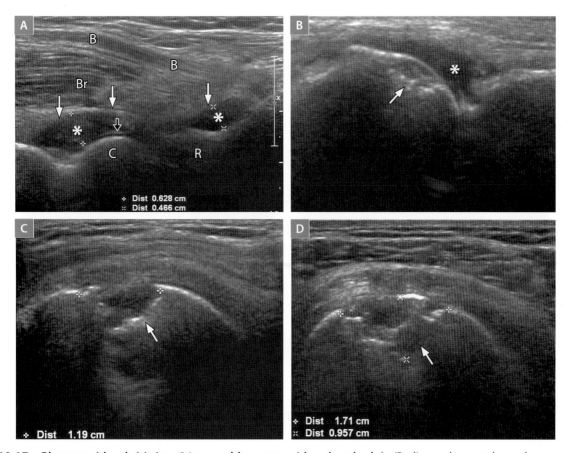

Figure 10-17   Rheumatoid arthritis in a 34-year-old woman with polyarthralgia (Radiographs, not shown here, were unremarkable). **A.** Anterior long-axis scan along the capitellum (C) and radial head (R) shows hypoechoic joint fluid (* and cursors) within the distended joint capsule (white arrow) deep to the biceps tendon (B) and brachialis muscle (Br). Black arrow: articular cartilate. **B.** The metacarpo-phalangeal joint of the index finger depicts increased effusion (*) and bone erosion (arrow) at the metacarpal head. **C** (right) and **D** (left) of humeral heads of both shoulders show prominent bone erosions (arrow). Later on, Lab data (RA factor, 124; Anti-CCP Ab, 98.8 U).

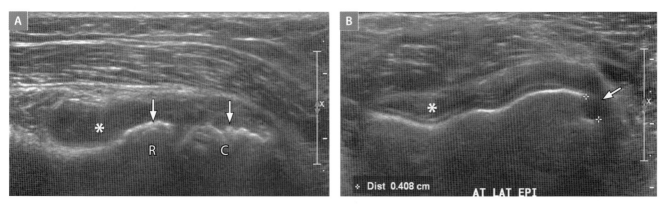

Figure 10-18   Rheumatoid arthritis in a 58-year-old woman (Radiographs were unremarkable). **A** (antero-lateral long-axis) and **B** (anterior transverse) scans of the elbow joint show heterogeneous joint fluid (*) with bone erosion (arrow) at the radial head (R) and capitellum (C) of which normal roundness is lost. **Fig B** shows focal erosion (4 mm by cursors) at the lateral epicondyle.

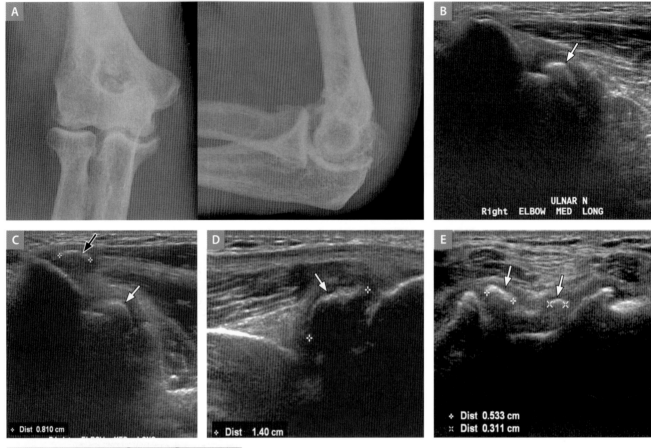

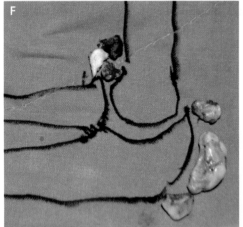

Figure 10-19 **Synovial chondromatosis in 60-year-old man with limited range of elbow motion.** **A** Radiographs (A-P and lateral) show osteoarthritis with osteophytes and suspected loose bodies in the joint. **B** and **C**. Medial long-axis scans show crescent calcific nodule (white arrow), and the other nodule (black arrow) under the medial epicondyle in a different angled scan (**C**). **D** (long-axis) and **E** (short-axis) scans in the posterior elbow. Several calcific nodules (arrows) with posterior acoustic shadow in the olecranon fossa. **F**. Post-surgical photos of the ossified nodules.

2. 힘줄 병변

원위부 이두근힘줄증(distal biceps tendinopathy)은 힘줄의 비균질한 에코 감소, 두께의 변화, 힘줄 주위 염증 소견 등의 초음파소견을 보인다 (Fig. 10-20). 원위부 이두근힘줄은 건초(tendon sheath)가 없고, 힘줄주위조직(paratenon)이 건초 역할을 하므로 건초염(tenosynovitis)보다는 힘줄주위염(paratendinitis, paratenonitis)이라고 하는 것이 더 바람직하지만 관습적으로 두 용어를 함께 사용한다.

원위부 이두근힘줄의 손상은 근-힘줄이행부(myotendinous junction)에서 잘 생기고, 힘줄의 견열손상(avulsion injury)은 요골조면(radial tuberosity) 부착부보다 1~2 cm 근위부에서 잘 생긴다.[27] 힘줄 두께의 감소, 혈종 형성, 인접한 근육의 에코 변화를 보인다. 힘줄의 불연속(discontinuity)과 함께, 끊어진 힘줄이 뒤당김(퇴축, retraction)되어 찌그러진 용수철처럼 보이기도 한다 (Fig. 10-21). 이두근힘줄의 원위부 두 갈래 중 한쪽만 손상되면서 뒤당김을 동반하는 부분파열이 전층파열로 오인될 수 있다. 또, 이두근힘줄의 두 갈래가 다 찢어진 전층파열에서 이두근힘줄막(bicipital aponeurosis or lacertus fibrosus)의 손상이 없으면, 힘줄의 뒤당김이 없을 수도 있다.[9,28] 이 때, 아래팔을 내-외 회전하면서 역동적 검사를 하면 도움이 된다. 힘줄의 굵기가 불

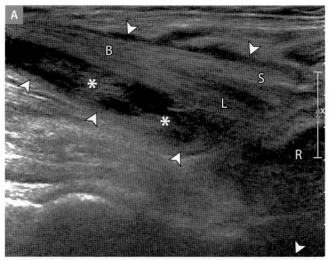

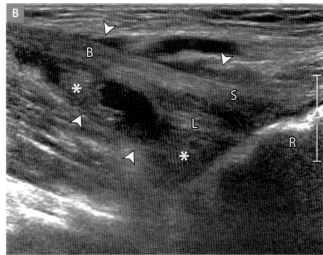

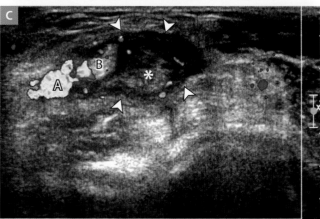

Figure 10-20 Distal biceps paratendinopathy in a 55-year-old woman with arm pain. A. Long-axis scan of the biceps tendon (B) shows synovial proliferation (*) and fluid collection (arrowheads) along the tendon which is composed of bifurcated short (S) and long (L) heads with insertion onto the radial tuberosity (R). **B.** Long-axis scan of the biceps tendon (B) in a different angle. **C.** Short-axis color Doppler scan of the distal biceps tendon (B) shows synovial proliferation (*) and fluid in the paratendon space (arrowheads). The brachial artery (A) is close to the tendon.

규칙하게 가늘어지면 부분파열을 시사하고, 파열되지 않고 남아있는 힘줄이 요골조면과 같이 움직이면 부분파열을 시사하는 소견이다. 비등방성허상에 의한 힘줄의 저에코를 부분파열로 오인하지 않아야 한다.

내상과의 힘줄염을 내상과염(medial epicondylitis, golfer's elbow)이라 하고, 외상과의 힘줄염을 외상과염(lateral epicondylitis, tennis elbow)이라고 한다. 만성적 과다사용(overuse), 반복된 스트레스 또는 외상에 의한 힘줄의 미세 손상(micro-injury)이 원인이다. 해부병리학적으로, 상과염

은 뼈의 병변이 아니고, 상과에서 기원하는 힘줄의 점액변성(mucoid degeneration), 혈관섬유증식(angiofibroblastic hyperplasia), 미세 손상, 미성숙 복구반응(immature reparative response) 등을 보이는 힘줄의 비염증성 변성(non-inflammatory degeneration)이다. 염증이 아니므로, 힘줄염(tendinitis)이나 힘줄병증(tendinopathy)이라는 용어보다 힘줄증(tendinosis)이라고 하는 것이 바람직하다. 따라서, '내상과염'을 '총굴건증 또는 내상과힘줄증'으로, '외상과염'을 '총신건증 또는 외상과힘줄증'으로 하는 것이 좋으나, 관습적

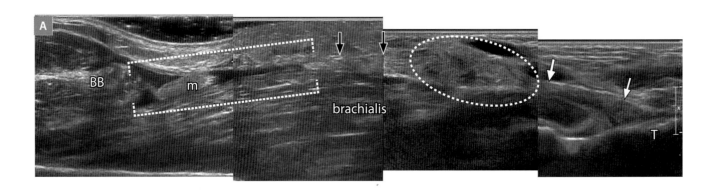

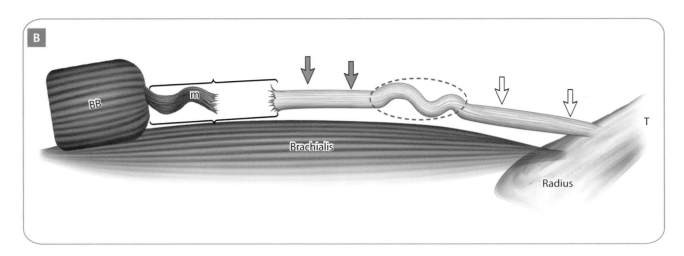

Figure 10-21 **A.** Torn distal biceps brachii (BB) at the muscle-tendon junction. Proximally, the paratenon space (bracket) is filled with fluid, torn muscle bundle (m) and retracted tendon stump (black arrows). The distal tendon (white arrows) is intact with insertion onto the radial tuberosity (T). Between the proximal tendon stump (black arrows) and distal insertion (white arrows), the tendon shows irregular coiled deformity (dotted circle) by retraction. **B.** Diagram for comprehension of the **Fig A.**

으로 '상과염'이라는 용어를 쓰고 있다.

외상과염은 초음파검사에서 미만성(diffuse) 저에코 부종에 의한 힘줄의 비균질(inhomogeneity), 비후, 부분파열이 있을 수 있고, Doppler검사에서 다양한 정도의 혈류 증가를 보일 수 있다. 외상과의 편평한 면에서 힘줄의 두께가 4.2 mm 이상이고, 단면적이 32 mm² 이상이면 외상과염의 가능성이 높다.[29] 탐촉자로 압박을 가할 때 힘줄이 눌리면서 두께가 감소하는 힘줄연화증(tenomalacia)도 힘줄염을 시사하는 소견이며(Fig. 10-22), 초음파 탄성검사(sono-elastography)에서도 비슷한 결과를 보였다.[30,31]

내상과염은 총굴건 중 주로 요측수근굴근(flexor carpi radialis)과 원회내근(pronator teres)이 부착되는 곳의 통증을 동반하며, 아래팔의 회내운동(pronation)이 제한된다. 외상과염에서는 총신건을 구성하는 구조물 중 가장 표층에 있

는 단요측수근신근(extensor carpi radialis brevis, ECRB)을 주로 침범하며, 지신전근(extensor digitorum, ED)을 포함한 다른 힘줄의 변화를 동반하기도 한다. 만성 상과염에서는 힘줄 및 힘줄 부착부의 석회화, 불규칙한 뼈 표면을 보일 수 있다 (Fig. 10-23). 상과염에서 동반되는 힘줄 파열의 크기와 인접한 인대의 약화는 예후와 관련이 있다.[32]

부착부병증(inflammatory enthesopathy)에서 보이는 부착부골극(enthesophyte)은 삼두근 힘줄의 변성에 의해 주로 일어난다. 경계가 불명확한 부착부골극과 함께 비정상적인 힘줄 및 혈류 증가를 보이면 염증성 부착부병증(inflammatory enthesopathy)을 시사하며, 다양한 염증성 척추관절병증(spondyloarthropathy)의 초기 소견으로 동반될 수 있다 (부착부 병증은 Chapter 03 뼈 질환의 초음파검사 마지막 부분을 참조 바람).

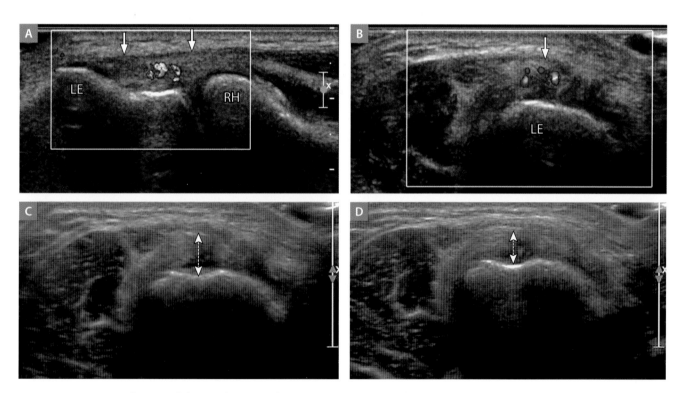

Figure 10-22 **Lateral epicondylitis with tenomalacia.** Long-axis (**A**) and short-axis (**B**) views of the common extensor tendon (arrows) show hypoechoic and hyperemic change on color Doppler examination. LE, lateral epicondyle; RH, radial head. **C & D.** On transverse scan (= short-axis view), the thickness (dashed arrow of **Fig C**) of the common extensor tendon is thinned out on compression with transducer (dashed arrow on **Fig D**), which is corresponding to tenomalacia.

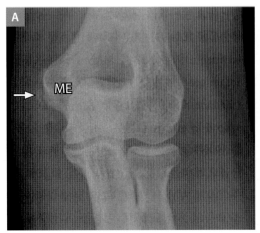

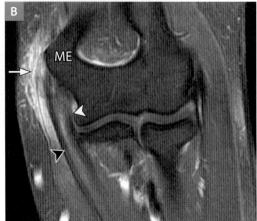

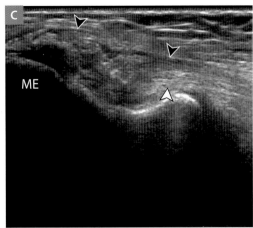

Figure 10-23 Medial epicondylitis, chronic.
A (A-P radiograph of the elbow) shows speckled calcification (arrow) at the medial epicondyle (ME). **B** (MR T2-weighted coronal section) demonstrates diffuse inflammation (arrow) in the soft tissues and at the originating site of the common flexor tendon (black arrowhead). Deep to the tendon, the medial collateral ligament (white arrowhead) is defined. Bone marrow is normal. **C.** Long-axis ultrasound depicts diffuse heterogeneity and tiny hyperechoic mineralization of the thickened common flexor tendon.

3. 인대 손상

팔꿈관절의 내측측부인대(ulnar collateral ligament)의 부분파열 또는 염좌(sprain)는 불균질한 저에코 부종을 보이거나 두께 변화를 보이지만, 인대섬유의 부분적인 연결은 유지된다. 오래된 인대 손상에서는 인대가 정상 에코를 보이거나, 인대의 두께가 증가되면서 약간 느슨해 질 수 있다 (Fig. 10-24).

팔꿈치를 약 30° 굽히고, 아래팔의 회외(supination) 상태에서 외반력(valgus stress)을 가하면서 검사하면 부분파열과 전층파열의 감별에 도움이 된다.[33] 인대의 연결성이 끊어지거나, 관절 간격이 비정상적으로 벌어지면 전층파열을 의미할 수 있고, 증상이 없는 반대편과 비교하여 좌-우 비대칭 소견이 보이면 의의가 있을 수 있다. 주의할 점은 팔꿈관절의 외반력을 많이 사용하는 야구 투수에서는 증상 없이도 인대의 좌-우 비대칭 소견을 보일 수 있다.[34]

외측측부인대(lateral collateral ligament) 파열의 초음파소견은 내측측부인대의 소견과 같다 (Fig. 10-25).

전층파열이 있을 때 내반력(varus stress)을 가하면 관절 불안정(joint instability)을 보인다. 외측측부인대의 손상에서 인접한 총신근힘줄의 비정상 소견이 종종 동반된다.

요골두(radial head)의 비정상적 운동이나 윤상인대(annu-

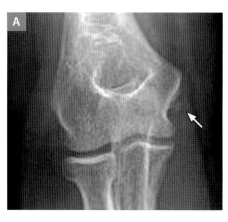
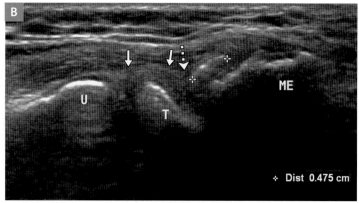

Figure 10-24 Tear of the medial collateral ligament (MCL), chronic. A. A-P radiograph of the elbow shows a bone fragment (arrow) at the undersurface of the medial epicondyle (ME). **B.** Long-axis ultrasound along the MCL demonstrates the ligament (arrows) overlies the trochlea (T) and inserts onto the ulna (U). The MCL shows focally depressed deformity (dashed arrow) just inferior to the bone fragment (about 5 mm by cursors) in the undersurface of the medial epicondyle (ME) which shows cortical irregular defect.

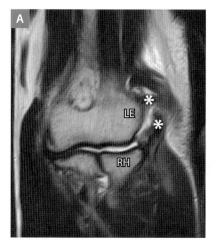
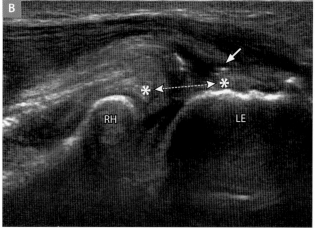

Figure 10-25 Tear of the lateral collateral ligament (LCL), acute. A. MR T1-weighted coronal section shows discontinuity (between asterisks) of the LCL at the lateral epicondylar (LE) attachment. **B.** Long-axis ultrasonogram of the LCL depicts full-thickness tear with retraction of the LCL (dashed arrow between asterisks), and tear of the overlying common extensor tendon (solid arrow). RH, radial head.

lar ligament)의 비정상적 퉁김(snapping)을 알기 위하여, 요골-소골두 관절의 전외측에 탐촉자를 종축으로 놓고 아래팔의 회내 및 회외 운동을 반복하면서 역동적 검사를 한다. 팔을 펴면 두꺼워진 윤상인대의 위쪽 끝이 요골-소두관절(ra-diocapitellar joint) 안으로 미끄러져 들어가고, 팔꿈치를 구부리면 그 인대가 원래 위치로 되돌아 온다. 이때, 관절 내로 아탈구된 인대의 모양을 갈고리징후(hook sign or J-sign)로 표현하기도 한다.[20~22]

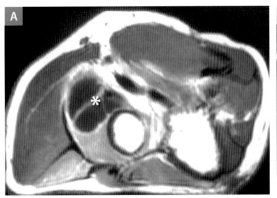

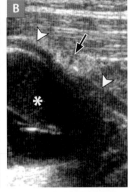

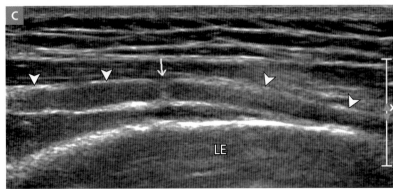

Figure 10-26 Radial nerve lesions. A. Axial T1-weighted MR shows a ganglion (*) in the supinator muscle. However, the MR does not provide information about the relationship between the ganglion and adjacent radial nerve. **B.** Long-axis ultrasound along the radial nerve at the area demonstrates the radial nerve (arrowheads) just anterior to the ganglion (*). A part of the radial nerve shows abnormal nerve and perineural echoes (black arrow), which was confirmed as fibrous inflammation on surgery. (Courtesy of Sung-Moon Lee, MD, Dongsan Hospital, Keimyung University). **C.** In other patient, long-axis ultrasound of the radial nerve (arrowheads) in the lateral epicondyle (LE) level shows a focal constriction with poor margin of the nerve, which was confirmed as a fibrous band by surgery.

4. 신경 이상

팔꿈치에서 요골신경 증상이 잘 생기는 곳은 팔꿈관절을 기준으로 아래-위 5 cm인데, 뼈 또는 연부조직의 외상이나 종괴, 관절염, 염증, 혈관 이상 등이 그 원인이다. 가장 흔하게는 요골신경이 arcade of Frohse를 지나는 곳에서 눌리면서 증상이 나타난다고 알려져 있다. 상완근(brachialis)과 상완요골근(brachioradialis) 사이의 근육막 또는 섬유성 띠(intermuscular septum or fibrous band)에 눌리면서 증상이 생길 수 있다 (Fig. 10-26). 요골신경에 인접하여, 회귀요골동맥(recurrent radial artery)과 혈관 분지가 그물망처럼 분포하는 것을 'leash of Henry(Henry혈관얼기)'라고 하며, 이런 혈관의 충혈 등이 요골 신경증상을 일으킬 수 있다. PIN이 회외근(supinator)을 빠져나가는 지점에서 눌리거나 자극

을 받아서 증상이 나타나기도 한다. 팔꿈관절 앞쪽에서 요골신경이 지나가는 경로, 즉 요골굴(radial tunnel)에 대한 정의와 범위, 분지의 이름, 신경 증후군에 대하여 다양한 주장과 의견이 있고, 명칭도 복잡하다 (Table 10-3). 첫째, '요골굴'이라는 구조가 없다는 주장이 있다. 둘째, 요골굴의 근위부 경계를 외상과(lateral epicondyle)로 할 것인지, 팔꿈관절로 할 것인지에 대한 논란이 있다. 셋째, 요골굴의 원위부 경계를 arcade of Frohse로 할지, 회외근(supinator)의 원위부 끝으로 할지에 대해서도 이견이 있다. 또한 요골신경 심부분지(deep motor branch)는 외상과와 arcade of Frohse 사이(팔꿈관절을 기준으로 근위부 3 cm에서 원위부 4 cm까지)의 다양한 위치에서 분지하므로, 요골신경 운동가지와 후골간신경(posterior interosseous nerve, PIN)의 구분과 정의도 다양하다.[10~13] 이 책에서는 '요골굴'의 근위부 기준을 외상과로

Table 10-3   **Various syndromes and colloquial terms related to the radial nerve**

Terms	Characteristics : wrist drop and numbness, paresthesia in the arm mainly in the dorsal aspect.
Radial nerve syndrome	Abnormal function of the radial nerve by irritation anywhere along the course from the posterior cord of the brachial plexus to the wrist.
Crutch palsy	Radial nerve palsy by poorly fitted crutches. resulting in nerve compression in the axilla. All the radial nerve innervations including the triceps brachii are involved.
Spiral groove syndrome or Saturday night palsy or Honeymooner's palsy	Symptoms by the radial nerve irritation in the spiral groove of the humerus. Common causes are holding up the arm hanging over the chair back or arm rest, and sliding an arm over the back of the bench or bar edge with compression on the medial aspect of the area. Preserved triceps function. Honeymooner's palsy refers to anterior interosseous nerve palsy of the median nerve from compression on the forearm. resulting in inability to flex the index and thumb tips
Radial tunnel syndrome	Radial nerve symptoms of both superficial sensory and deep motor branches.
PIN syndrome Supinator syndrome	Nerve symptoms caused by deep motor branch of the radial nerve. Mainly from the arcade of Frohse to the distal end of the supinator. The elbow extension is preserved.

하고, 원위부 기준을 회외근 원위부 끝으로 한다. 또, 요골신경의 운동가지와 후골간신경(PIN)을 같은 구조물로 간주한다. 요골신경 증상과 관련한 다양한 용어 들을 표에서 정리하였다 (Table 10-3).

신경이 지배하는 근육이 위축(atrophy)되어 비정상적으로 가늘어 지거나 지방침착으로 고에코를 보이면 신경포착 증후군을 진단하는 데 도움이 될 수 있다. 하지만, 초기의 근육 변화를 초음파검사에서 알기가 어려우므로, MR에서 근육 신호강도의 변화를 확인하는 것이 좋다.

정중신경(median nerve)이 원위부 상박골(distal humerus)에서 Struthers ligament에 의해 압박될 수 있다. 팔꿈 관절 부위에서 회내근의 상박골 및 요골 갈래(humeral and ulnar heads of the pronator teres) 사이를 지나는 부위에서 정중신경이 포착(entrapment)될 수 있는데, 이를 회내근 증후군(pronator teres syndrome)이라 한다 (Fig. 10-26). 더 원위부에서는 정중신경의 가지인 전골간신경(anterior interosseous nerve)이 섬유성 띠 또는 근육 이상에 의해 압박될 수도 있다 (Chapter 05 상지 신경을 참조 바람).

5. 종괴

팔꿈치에서도 다양한 종괴가 생긴다. [35] 연부조직 종괴에 관한 내용은 연부조직(Chapter 02 참조 바람)에서 기술하였고, 여기에서는 팔꿈에서 보이는 독특한 병변에 대해서만 기술한다.

1) 윤활낭염

정상 윤활낭은 초음파에서 보이지 않지만, 외상, 류마티스 관절염 등의 다양한 관절염, 감염, 통풍, 혈액투석, 당뇨병, 알코올중독 등에서 윤활낭이 커질 수 있고, 드물지만 과도한 지속적 자극에 의한 외막윤활낭(adventitious bursa)도 있다. 윤활낭염의 진단에서 가장 중요한 요소는 그 해부학적 위치이다. 팔꿈치 앞쪽에는 이두근-요골 윤활낭(bicipito-radial bursa)과 골간윤활낭(interosseous bursa)이 있고, 팔꿈치 뒤쪽에는 주두윤활낭(olecranon bursa)이 있다. 이두근-요골 윤활낭은 이두근힘줄과 요골조면(radial tuberosity) 사이에 위치하며, 관절과의 연결은 없으나 골간윤활낭과는 연결될 수 있다. 골간윤활낭은 요골과 척골 사이에 위치하며, 이두근-

요골 윤활낭과의 감별이 어려울 수 있다. 윤활낭이 커지면 인접한 요골신경을 누를 수 있다 (Chapter 05 상지 신경 참조 바람). 이두근-요골 윤활낭염에서 증가된 삼출액이 이두근힘줄을 둘러 싸는데, 삼출액이 많아지면 C-, 또는 U-모양(말발굽모양)으로 보인다 (Fig. 10-27).[1,36]

팔꿈치 뒤쪽에 있는 주두윤활낭(olecranon bursa)은 주두와 피부 사이에 위치하므로, 젤(gel)을 두껍게 바른 뒤, 탐촉자를 가볍게 대고 검사하며 탐촉자로 너무 심하게 누르면 병변을 놓칠 수 있다 (Fig. 10-28). 윤활낭에 고이는 삼출액은 관절염과 마찬가지로 무에코로 보이거나 부스러기, 작은 석회화, 활액막 증식 등에 의한 복합액체로 보일 수 있으며, 드물게 윤활낭 내부가 증식된 활액막으로 채워져서, 또 Doppler검사에서 혈류 증가를 보일 수도 있으므로, 고형 종괴로 오인될 수 있다 (Fig. 10-28C, D).

2) 림프절

내상과보다 좀 더 근위부의 위팔에서 림프절이 지방층 안에서 종종 발견된다 (Fig. 10-29).

림프절 비대의 원인으로는 반응성 림프 종대, 결핵을 포함한 감염, 림프종, 전이암 등이 있다. 반응성 또는 염증성 림프정 비대는 대개 정상 림프절의 특징을 유지하면서 커진다. 만약 고에코 문맥의 소실, 저에코 피질의 비대칭적 비후, Doppler검사에서 주변부 혹은 혼합 양상의 혈류 증가 소견을 보이면 악성의 가능성이 있으므로 조직 검사를 통한 확진이 필요하다.[37,38]

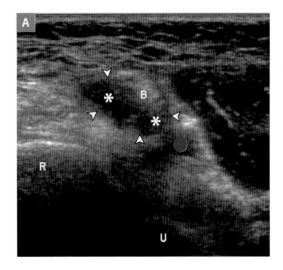
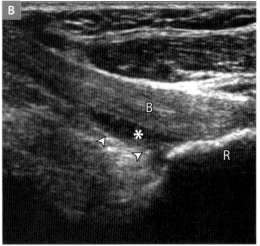

Figure 10-27 **Bicipito-radial bursitis. A.** In a transverse scan of the distal biceps tendon (B) in the proximal radio-ulnar joint level, the tendon (B) is circumscribed eccentrically by distended bicipito-radial bursa (* and arrowheads). **B.** Long-axis sonogram of the distal biceps tendon (B) shows the bicipito-radial bursa (*). R, radius; red circle, radial artery; U, ulna.

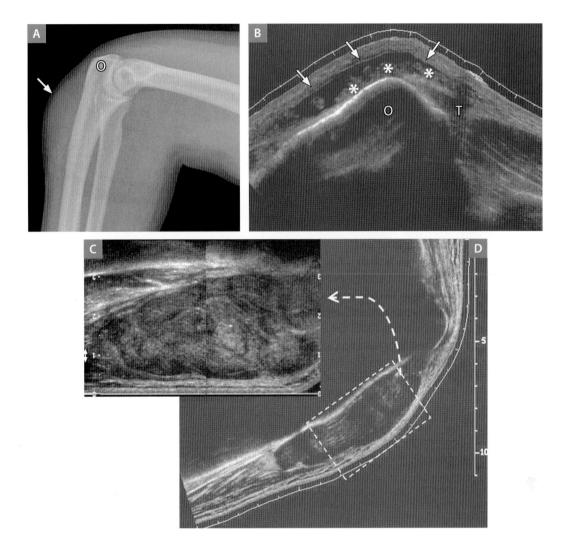

Figure 10-28 Olecranon bursitis. A. Lateral radiograph shows soft tissue swelling (arrow) in the proximal ulna posterior aspect. **B.** Ultrasound panoramic scan from the distal triceps (T) to the ulnar olecranon (O) in the posterior elbow shows olecranon bursitis (arrows) with intra-bursal frond-like synovial hypertrophy (*).

C & D. In other patient, chronic olecranon bursitis is fully occupied with synovial proliferation without fluid. Zoom-in view (**C**) of the rectangle in **Fig D** (panorama of the olecranon bursitis in the posterior elbow) shows solid materials in the bursa.

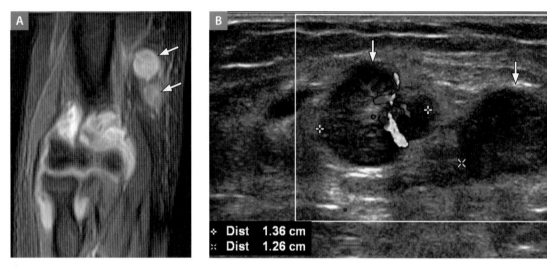

Figure 10-29　Lymphadenitis in the elbow. A. MR T2 coronal image shows two soft tissue nodules (arrows) in supra-condylar region in the medial elbow. **B.** The nodules on MR are depicted as typical pattern of enlarged lymph node hyperplasia.

3) 후상활차골

후상활차골(os supratrochleare dorsalis)은 주두와에 보이는 종자뼈(sesamoid bone)이다. 때로는 증상을 일으키며, 유리체, 외상에 의한 골편, 윤활막연골종증 등과 감별해야 한다 (Fig. 10-30). [39,40]

4) 활막주름

활막주름(synovial fold)이 상완-요골관절(radio-capitellar joint)의 후외측에서 관절막에 붙어서 관절 안으로 돌출되는 세모꼴의 고에코 구조물로서 대부분 정상 소견이다. [23] 가끔은 충돌 증후군(impingement syndrome)을 관절내에서 유발한다 (Fig. 10-31).

5) 활차위주근

활차위주근(anconeus epitrochlearis or accessory anconeus muscle)은 주두에서 기원하여 내상과에 부착하는 다양한 크기(1~3 cm)의 부근육(accessory muscle)이다. 척골신경이 지나가는 팔꿈굴의 지붕에서 발견된다 (Fig. 10-32). 인구의 4~34%에서 보이는 정상변이이며, 팔꿈지지띠(cubital retinaculum, Osborne fascia)와 같이 주행하며, 이 근육의 흔적(remnant)이 팔꿈지지띠라는 주장도 있다. 이 근육이 척골신경증(ulnar neuropathy)을 유발할 수 있고, 양측성으로 올 수도 있다. [41~43]

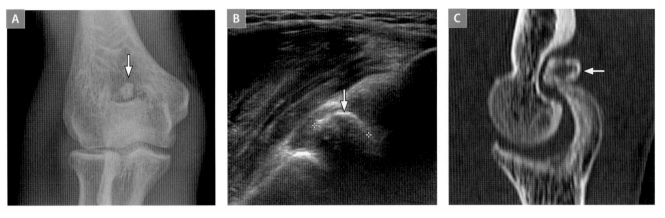

Figure 10-30   Os supratrochleare dorsale as a sesamoid in the olecranon fossa. A. AP radiograph of the elbow shows the sesamoid (arrow) in the olecranon fossa. **B.** Posterior long-axis ultrasound demonstrates a 6 mm (cursors) sesamoid in the fossa. **C.** Sagittal reformatted CT shows the same finding.

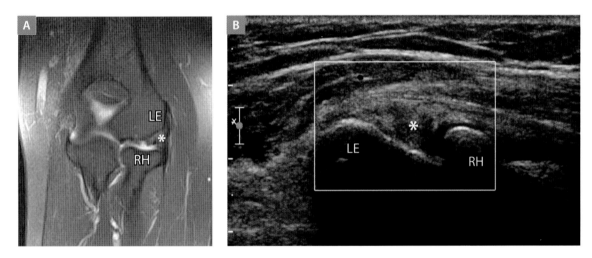

Figure 10-31   Impingement syndrome by synovial fold. A. MR coronal section (proton density image) shows an irregular synovial fold (*) between the lateral epicondyle (LE) and radial head (RH) in the posterolateral elbow joint. **B.** Ultrasound at the same area depicts heterogeneous synovial fold (*) which causes impingement between the lateral epicondyle (LE) and the radial head (RH) on dynamic examination. (Courtesy of Sung-Moon Lee, MD, Keimyung University)

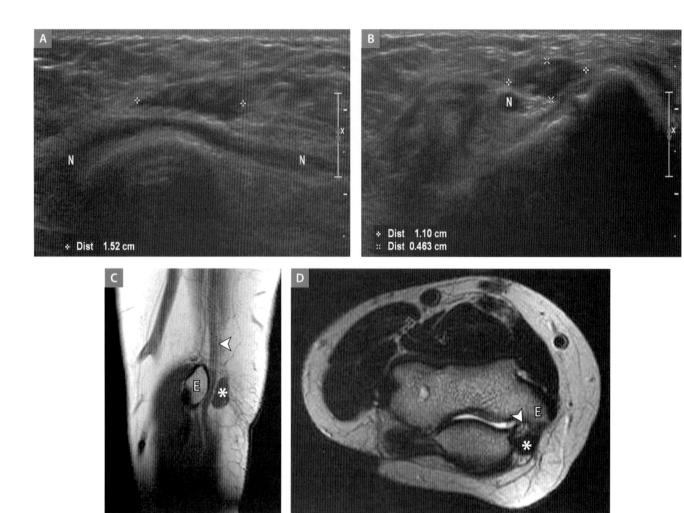

Figure 10-32 **The anconeus epitrochlearis (or accessory anconeus muscle).** Long-axis (**A**) and short-axis (**B**) ultrasounds in the cubital tunnel show the anconeus epitrochlearis (15×5 mm by cursors) at the area of cubital tunnel retinaculum, posterior to the ulnar nerve (N). MR sagittal (**C**) and axial (**D**) T2-weighted images demonstrate the ulnar nerve (arrowhead) interposed between the medial epicondyle (E) and aberrant accessory anconeus muscle (*) in the cubital tunnel.

IV. 맺음말

단순촬영과 더불어 역동적 검사(dynamic exam)를 포함한 초음파검사를 시행하면, 팔꿈치 관절, 연부조직 질환이나 통증의 원인을 찾고, CT나 MR 등의 추가 검사나 의료적 결정(decision-making)에 필요한 정보를 얻을 수 있다. CT나

MR을 먼저 시행한 환자에서, 병변과 그 주위의 신경-혈관계(neuro-vascular system)에 대한 정보를 얻기 위하여 초음파를 추가로 시행하기도 하며, 특히, 관절질환에서 확진을 위한 수단으로 초음파유도하 관절액 흡인이나 조직 검사를 시행하면 많은 도움이 된다.

참고문헌

1. Chhem RK, Etienne C, Bouffard, AH, Cho KH: Elbow. In: Guidelines and gamuts in musculoskeletal ultrasound. Chhem RK, Cardinal E, editors: Wiley-Liss;1999;73-105, NJ, USA.

2. 근골격계 초음파검사의 기초와 이해, 제2판. 한솔의학, 서울 2015;123-162.

3. Konin GP, Nazarian LV, Walz DM. US of the elbow: indications, technique, normal anatomy, and pathologic conditions. Radiographics 2013;33:E125-E147.

4. Takenaga T, Goto H, Nozaki M, Yoshida M, Nishiyama T, Otsuka T. Ultrasound imaging of the humeral capitellum: a cadaveric study. J Orthop Sci 2014;19:907-912.

5. Cotten A, Jacobson J, Brossmann J, et al. MR arthrography of the elbow: normal anatomy and diagnostic pitfalls. J Comput Assist Tomogr 1997;21:516-522.

6. Hogan MJ, Rupich RC, Bruder JB, Barr LL. Age-related variability in elbow joint capsule thickness in asymptomatic children and adults. J Ultrasound Med 1994;13:211-213.

7. Cho KH, Lee SM, Lee YH, Suh KJ. Ultrasound diagnosis of either an occult or missed fracture of an extremity in pediatric-aged children. Korean J Radiol 2010;11:84-94.

8. Patel B, Reed M, Patel S. Gender-specific pattern differences of the ossification centers in the pediatric elbow. Pediatr Radiol 2009;39:226-231.

9. Tagliafico A, Michaud J, Capaccio E, Derchi LE, Martinoli C. Ultrasound demonstration of distal biceps tendon bifurcation: normal and abnormal findings. Eur Radiol 2010;20:202-208.

10. Konjengbam M, Elangbam J. Radial nerve in the radial tunnel: anatomic sites of entrapment neuropathy, Clinical Anatomy 2004;17:21-25.

11. Debouck C, Rooze M. The arcade of Frohse: an anatomic study. Surg Radiol Anat 1995;17:245-248.

12. Junagade BS, Mukherjee A. Anatomical study of the radial tunnel by cadaveric dissection for possible sites of the posterior interosseous nerve entrapment. Int J Pharm Med Bio Sc 2014;3:31-39.

13. Dong Q, Jamadar DA, Robertson BL, et al. Posterior interosseous nerve of the elbow: normal appearances simulating entrapment. J Ultrasound Med 2010;29:691-696.

14. Draghi F, Gregoli B, Sileo C. Sonography of the bicipitoradial bursa; A short pictorial essay Journal of Ultrasound 2012;15:39-41.

15. Wald S, Teefey SA, Paletta Jr GA, Middleton WD, Heldebolt CF, et al. Sonography of the medial collateral ligament of the elbow: a study of cadavers and healthy adult male volunteers. AJR Am J Roentgenol 2003;180:389-394.

16. Thoirs K, Williams MA, Phillips M. Ultrasonographic measurements of the ulnar nerve at the elbow. J Ultrasound Med 2008;27:737-743.

17. Okamoto M, Abe M, Shirai H, et al. Morphology and dynamics of the ulnar nerve in the cubital tunnel: observation by ultrasonography. J Hand Surg(Br) 2000;25:85-89.

18. Jacobson JA, Jebson PJ, Jeffers AW, et al. Ulnar nerve dislocation and snapping triceps syndrome: diagnosis with dynamic sonography-report of three cases. Radiology 2001;220:601-605.

19. Camerlinck M, Vanhoenacker FM, Kiekens G. Ultrasound demonstration of Struthers' ligament. J Clin Ultrasound 2010;38:499-502.

20. Chai JW, Kim SJ, Lim HK, Bae KJ. Ultrasonographic diagnosis of snapping annular ligament in the elbow. Ultrasonography 2015;34:71-73.

21. Dohi D. Confirmed specific ultrasonographic findings of pulled elbow. J Pediatr Orthop 2013; 33:829-831.

22. Sohn YD, Lee YS, Oh YT, Lee WW. Sonographic finding of a pulled elbow. The "hook sign". Pediatr Emer Care 2014;30:919-921.

23. Husarik DB, Saupe N, Pfirrmann CW, Jost B, Hodler J, Zanetti M. Ligaments and plicae of the elbow: normal MR imaging variability in 60 asymptomatic subjects. Radiology 2010;257:185-194.

24. Kane SF, Lynch JH, Taylor JC. Evaluation of elbow pain in adults. J Am Family Physician 2014;89:649-657.

25. De Maeseneer M, Jacobson JA, Jaovisidha S, Leon L, Ryu KN, et al. Elbow effusions: distribution of joint fluid with flexion and extension and imaging implications. Invest Radiol 1998;33:117-125.

26. Ebrahim FS, Jacobson JA, Lin J, et al. Intraarticular osteoid osteoma: sonographic findings in three patients with radiographic, CT, and MR imaging correlation. Am J Roentgenol 2001;177:1391-1395.

27. Chew ML, Giuffre BM. Disorders of the distal biceps brachii tendon. Radiographics 2005;25:1227-1237.

28. Miller TT, Adler RS. Sonography of tears of the distal biceps tendon. Am J Roentgenol 2000;175:1081-1086.

29. Lee MH, Cha JG, Jin W, Kim BS, Park JS, et al. Utility of sonographic measurement of the common tensor tendon in patients with lateral epicondylitis. Am J Roentgenol 2011;196:1363-1367.

30. El-Khoury V, Cardinal E. "Tenomalacia": a new sonographic sign of tendinopathy? Eur Radiol 2009;19:144-146.

31. De Zordo T, Lill SR, Fink C, Feuchtner GM, Jaschke W, et al. Real-time sonoelastogrpahy of lateral epicondylitis: comparison

of findings between patients and healty voluteers. Am J Roentgenol 2009;193:180–185.

32. Clarke AW, Ahmad M, Curtis M, et al. Lateral elbow tendinopathy: correlation of ultrasound findings with pain and functional disability. Am J Sports Med 2010;38:1209–1214.

33. De Smet AA, Winter TC, Best TM, et al. Dynamic sonography with valgus stress to assess elbow ulnar collateral ligament injury in baseball pitchers. Skeletal Radiol 2002;31:671–676.

34. Nazarian LN, McShane JM, Ciccotti MG, et al. Dynamic US of the anterior band of the ulnar collateral ligament of the elbow in asymptomatic major league baseball pitchers. Radiology 2003;227:149–154.

35. Lee JY, Kim SM, Fessel DP, Jacobson JA. Sonography of benign palpable masses of the elbow. J Ultrasound Med 2011;30:1113–1119.

36. Draghi F, Gregoli B, Sileo C. Sonography of the bicipito-radial bursa. A short pictorial essay Journal of Ultrasound 2012;15:39–41.

37. Barr LL, Kirks DR. Ultrasonography of acute epitrochlear lymphadenitis. Pediatr Radiol 1993;23:72–73.

38. Melville DM, Jacobson JA, Downie B, Biermann JS, Kim SM, Yablon CM. Sonography of cat scratch disease. J Ultrasound Med 2015;34:387–394.

39. Obermann WR, Loose HWC. The os supratrochleare dorsale: a normal variant that may cause symptoms. Am J Roentgenol 1983;141:123–127.

40. Tomsick SD, Petersen BD. Normal Anatomy and Anatomical Variants of the Elbow. Semin Musculoskelet Radiol 2010;14:379–393.

41. Husarik DB, Saupe N, Pfirrmann CW, et al. Elbow nerves: MR findings in 60 asymptomatic subjects—normal anatomy, variants, and pitfalls. Radiology 2009;252:148–156.

42. O'Driscoll SW, Horii E, Carmichael SW and Morre BF. The cubital tunnel and ulnar neuropathy. J Bone Joint Surg (Br) 1991;73:613–617.

43. Dekelver I, Van Glabbeek F, Dijs H, Stassijns G. Bilateral ulnar nerve entrapment by the M. anconeus epitrochlearis. A case report and literature review. Clin Rheumatol 2012;31:1139–1142.

손목 및 손
Wrist and Hand

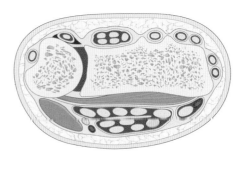

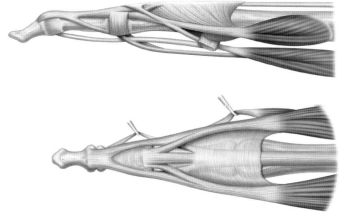

■ 최수정, 김옥화

11 CHAPTER

손목 및 손
Wrist and Hand

I. 서론

손목, 손, 그리고 손가락은 많은 근육, 힘줄과 이를 보강하는 다양한 구조물들이 있기 때문에 기본적인 해부학을 잘 이해하는 것이 중요하다. 또한 구조물의 크기가 작고 표재성으로 위치하므로 gel을 두껍게 바르고 검사하는 것이 좋으며, 역동적 검사(dynamic study)를 함께 시행하는 것이 진단에 도움이 된다. 7~18 MHz 정도의 고주파 탐촉자를 필요로 하며, 작은 크기의 탐촉자(hockey stick transducer)는 손가락과 같은 작은 부위의 검사에 도움이 된다.[1]

II. 정상해부학과 검사기법

1. 아래팔 Forearm 의 원위부와 손목

1) 손등쪽 부위 검사

신전근 힘줄 폄근 힘줄, Extensor tendon

손가락과 손목의 신전에 관여하는 근육들은 아래팔의 원위부 등쪽에 몰려있으므로 횡축 검사를 시행하는 것이 각각의 힘줄을 구분하기 쉽다. 각각의 근육은 손목 부위에서 검사를 시작하여 위쪽으로 탐촉자를 이동하면서 추적(trace)하는 것

이 도움이 될 때가 많은데, 그 이유는 손목 부분에서는 뚜렷하게 6개의 구획(compartments)으로 나뉘어 보이기 때문이다. 손목 부위에서 요골(radius)과 척골(ulna)의 등쪽 표면에 각 구획의 힘줄들이 놓이는 얕은 고랑(groove)이 있고, 위쪽에 2 cm 정도 너비의 폄근지지띠(extensor retinaculum)가 각 구획의 신전근 힘줄들을 덮고 있다 (Fig. 11-1). 폄근지지띠는 요골의 외측에서부터 내측으로 두상골(콩알뼈, pisiform)과 삼각골(세모뼈, triquetrum)에 부착하고, 요골의 표면에 각 구획의 뼈융기 쪽으로도 부착하여, 신전근 힘줄들을 구획 짓는 섬유골통로(fibroosseous channel)들을 형성한다.[1] 신전근 힘줄들은 총 6개의 구획으로 나뉘어지며, 요골 등쪽의 Lister결절(Lister's tubercle)을 중심으로 2번과 3번 구획이 구분된다. 가장 요골측에 위치하는 1번 구획에는 장무지외전건(긴엄지벌림힘줄; abductor pollicis longus tendon, 이하 APL힘줄)과 단수무지신건(짧은엄지폄힘줄; extensor pollicis brevis tendon, 이하 EPB힘줄)이 위치한다. 아래팔의 원위부에서 APL힘줄과 EPB힘줄은 장요측수근신건(긴노쪽손목폄힘줄; extensor carpi radialis longus tendon, 이하 ECRL힘줄)과 단요측수근신건(짧은노쪽손목폄힘줄; extensor carpi radialis brevis tendon, 이하 ECRB힘줄)의 등쪽으로 비스듬하게 이 두 힘줄들을 가로질러 1번 구획으로 내려간다(proximal intersection) (Fig. 11-2). 1번 구획의 힘줄들이 여러 가닥으로 보일 수 있고, 가끔 APL힘줄과 EPB힘줄 사이에 격막이 있어, 이로 인해 1번 구획이 두 개의 소터널(subtunnel)로 나

뉘어지기도 한다.(2) 간혹 1번 구획의 두 힘줄이 잘 구분되지 않을 수 있는데, APL힘줄이 좀 더 손바닥 쪽에, EPB힘줄이 손등 쪽에 위치한다. ECRL과 ECRB힘줄이 있는 2번 구획의 척골측에 요골의 융기, 즉 Lister결절이 있다. 그 바로 척골측에 있는 3번 구획에 장수무지신건(긴엄지폄힘줄; extensor pollicis longus tendon, 이하 EPL힘줄)이 놓인다. EPL힘줄은 3번 구획을 지나 원위부로 가면서 ECRL과 ECRB힘줄의 등쪽을 비스듬하게 가로질러 엄지손가락쪽으로 주행한다

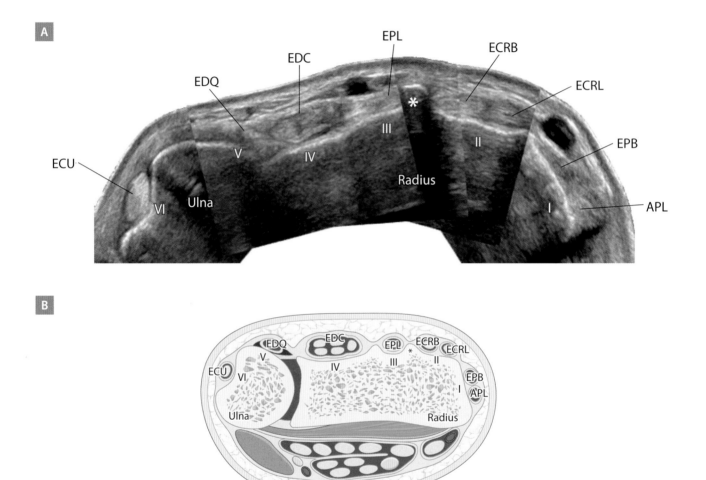

Figure 11-1 Compound image of transverse sonograms (A) and schematic drawing (B) of the dorsal wrist at the level of distal radioulnar joint. Abductor pollicis longus (APL) and extensor pollicis brevis (EPB) tendons are seen in the first compartment (I). Adjacent to the first compartment, extensor carpi radialis longus (ECRL) and brevis (ECRB) tendons are noted in the second compartment (II). The extensor pollicis longus (EPL) tendon is located adjacent to the Lister's tubercle (asterisks) in the third compartment (III). The extensor digitorum communis (EDC) tendon slips are grouped together in the fourth compartment (IV), and extensor digiti quinti (extensor of the little finger, EDQ) tendon is seen in the anterior aspect of distal radioulnar joint capsule in the fifth compartment (V). Extensor carpi ulnaris (ECU) tendon is located in a sulcus in the distal ulna in the sixth compartment (VI).

(distal intersection) (Fig. 11-3). EPL힘줄은 외상이나 관절염 시 쉽게 손상받는 구조물이므로 이에 대한 초음파검사가 많다. EPL힘줄은 비스듬히 주행하는 부분의 횡축검사에서 비등방성 효과(anisotropic effect)에 의해 저에코로 보일 수 있으므로 이를 병변으로 오인하지 않아야 한다. 3번 구획의 척골측에 4번 구획의 공통지신전건(공통손가락폄힘줄, extensor

digitorum communis, 이하 EDC힘줄)과 5번 구획의 소지신전건(다섯째손가락폄힘줄, extensor digiti quinti or minimi, 이하 EDQ힘줄)이 무리지어 관찰된다 (Fig. 11-4). 이 두 구획의 힘줄들은 서로 가까이 위치하고, 5번 구획은 뼈로 구분되는 관이 형성되어 있지 않아 각각의 힘줄을 구분하기 어려울 수도 있다. EDC힘줄 중에, 두 번째 손가락의 힘줄은 같

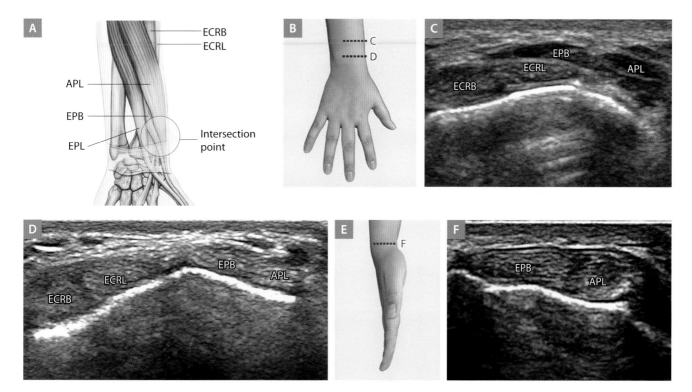

Figure 11-2 **Schematic drawing (A), transducer positioning and transverse sonograms (B-F) of the extensor tendons (compartment I and II) from the level of distal forearm to the radial side dorsal wrist. A.** The musculotendinous junctions of the first extensor compartment tendons (abductor pollicis longus, APL and extensor pollicis brevis, EPB) intersect the second extensor compartment tendons (extensor carpi radialis longus and brevis, ECRL and ECRB) at an angle of approximately 60° at the level of distal forearm; approximately 4 cm proximal to Lister's tubercle (intersection point). EPL, extensor pollicis longus. **B.** A photo indicates corresponding images of the transducer positioning. **C.** Transverse sonogram at the level of the intersection point, the APL and EPB tendons are seen over the second extensor compartment (ECRL, ECRB). **D.** More distally, the first extensor compartment tendons (APL and EPB) are seen at the radial side of the second extensor compartment tendons (ECRL and ECRB). **E.** A photo indicates corresponding image of the transducer positioning. **F.** At the level of the distal radius, in the position of radial side wrist up, APL and EPB are seen in the first extensor compartment over the radial styloid process. The APL is usually larger in size and located volar side compared to EPB.

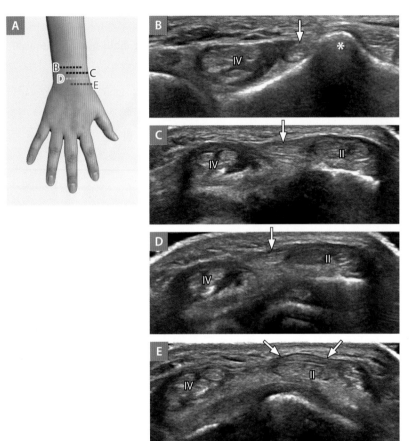

Figure 11-3 Transducer positioning (A) and transverse sonograms (B-E) of the extensor pollicis longus (EPL) tendon (compartment III). Lister's tubercle (asterisk) is a bony prominence, located in the dorsal radius, and can be used as a landmark to find the EPL tendon (arrows). After detecting the EPL tendon (arrows) at the ulnar side of the Lister's tubercle, the EPL tendon must be traced down on transverse scans to avoid anisotropy. Care should be taken to demonstrate the EPL tendon as it crosses over the second extensor compartment tendons (II) (arrows in E). IV, extensor compartment IV tendons.

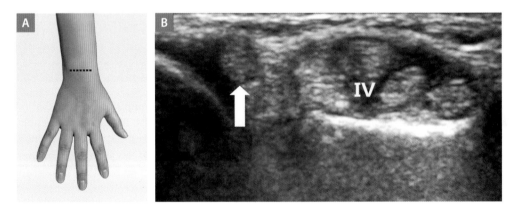

Figure 11-4 Transducer positioning (A) and transverse sonogram (B) of the extensor tendons (compartment IV and V). Extensor compartment IV is wide, and encloses the extensor digitorum tendons from the second to fifth fingers and extensor indicis proprius. Fifth extensor compartment is a fibrous channel without bony groove, and contains extensor digiti quinti (EDQ) tendon. The EDQ tendon (arrow) lies in front of the distal radioulnar joint capsule.

은 구획 내에 존재하는 고유식지신전건(extensor indicis proprius, 이하 EIP힘줄)과 함께 주행한다. EIP힘줄은 대개 집게 손가락의 힘줄에 비해 척골측에 위치한다. 이 힘줄은 하나인 경우가 가장 흔하지만, 40% 정도에서는 없거나 흔적만 남아 있을 수 있으며 위치나 힘줄 가닥의 갯수가 다양할 수 있다.[1,3] EPL 등 힘줄 파열이 있을 때 EIP힘줄을 이용하여 힘줄이식(tendon transfer)을 시행할 수 있으므로, 수술 전에 EIP힘줄의 존재나 위치에 대한 검사가 필요할 때도 있다.[4] 4번 구획 내부에는 여러 힘줄이 함께 뭉쳐져 관찰되므로, 환자의 손가락을 움직여 보면 몇 번째 손가락의 힘줄인지 알 수 있다. 5번 구획의 EDQ힘줄은 원위 요-척골관절의 표면을 지나 수행하며, 순수한 섬유성통로(fibrous channel) 내부에 위치한다 (Fig. 11-4). 6번 구획의 척측수근신건(자쪽손목폄힘줄; extensor carpi ulnaris tendon, 이하 ECU힘줄)은 원위 척골의 후내측에 위치한 얕은 고랑에 놓이고(Fig. 11-5), 척골 원위부에서는 삼각섬유연골복합체(triangular fibrocartilagenous complex, 이하 TFCC), 삼각골(세모뼈, triquetrum), 갈고리뼈(hamate)의 손등 쪽 표면을 지나 다섯 번째 중수골의 기저부로 연결된다. 손목을 요측으로 편위시키고 검사하면 ECU힘줄의 위치를 쉽게 파악할 수 있다.[1]

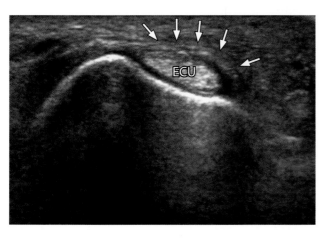

Figure 11-5 **Transverse sonogram of the extensor carpi ulnaris (ECU) tendon (compartment VI).** The ECU tendon is seen in the groove of the distal ulna. Note extensor retinaculum covering the ECU tendon (arrows).

〈Check List〉

✓ 1st extensor compartment : APL and EPB

✓ 2nd extensor compartment : ECRL and ECRB

✓ 3rd extensor compartment : EPL (just medial to Lister's tubercle)

✓ 4th extensor compartment : EDC

✓ 5th extensor compartment : EDQ

✓ 6th extensor compartment : ECU

2) 척골부 손목의 검사

삼각섬유연골복합체
Triangular fibrocartilagenous complex

TFCC는 여러 가지 연부조직 구조물로 구성된 복합체로 척골과 수근골 사이의 공간에 위치하며, 삼각섬유연골판(triangular fibrocartilage disk, 이하 TFCD), 반달연골상동기관(meniscus homologue), 손바닥 및 손등 요척골인대(volar and dorsal radioulnar ligaments), 척골측 측부인대(ulnar collateral ligament, 이하 UCL), ECU 힘줄집(건초, tendon sheath)으로 구성된다. TFCC는 원위 요골-척골관절과 손목 관절에 안정성을 부여하고, 손목의 축방향 부하(axial loading) 시 척골쪽에 가해지는 압력을 흡수하는 역할을 한다.[1] TFCC 초음파검사의 민감도(sensitivity)는 63~87%, 특이도(specificity)는 100%로 보고되어 있다.[5~7] TFCC는 손목을 엎친 상태(회내전, pronation)에서 약간 요골측으로 편위(deviation)시키고, ECU힘줄을 음창(sonic window)으로 하여 검사할 수 있는데, 이들은 고에코 구조물로 종축영상에서 잘 보인다 (Fig. 11-6). 손목을 뒤친 상태(회외전, supination)에서 손바닥 쪽의 TFCC도 관찰할 수 있지만, TFCC의 전체를 검사하는 데는 제한적이며, 특히 TFCD의 요골측 부착부위는 잘 보이지 않는다.[5] 손목에서 UCL은 척골의 경상돌기(styloid process)에서 수근골로 향하는 인대처럼 보이는 구조물로서 TFCC의 구성 요소로 언급되기도 하지만, 척골과 수근골 사이 관절낭의 일부분으로 보는 견해도 있다

(Fig. 11-6). (5)

〈Check List〉

✓ TFCD

✓ ECU

3) 손바닥쪽 검사

(1) 수근터널보다 근위부 Proximal to the carpal tunnel

손등 쪽과 마찬가지로, 손바닥 쪽의 검사에서도 손목의 횡축영상이 구조물의 해부학적 위치를 파악하는 데 도움이 된

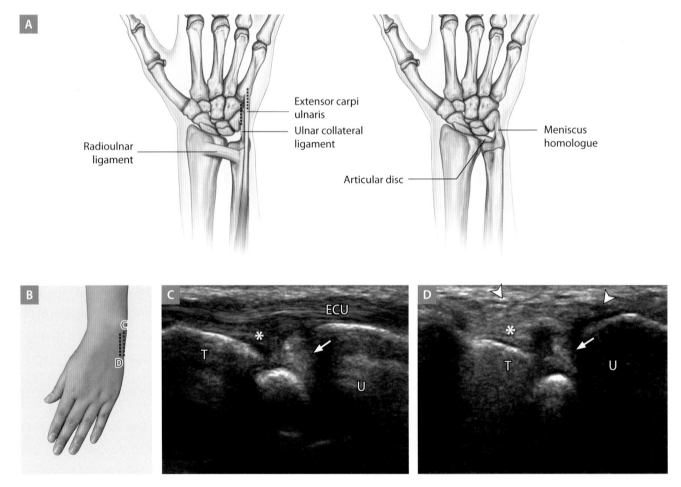

Figure 11-6 **Schematic drawing (A), transducer positioning (B), and longitudinal sonograms (C, D) of triangular fibrocartilagenous complex (TFCC). A.** TFCC is formed by the articular disc and meniscus homologue, inside, and volar and dorsal radioulnar ligament, ulnar collateral ligament and tendon sheath of extensor carpi ulnaris muscle tendon (ECU), outside. **B.** A photo indicates corresponding images of the transducer positioning. **C, D.** Longitudinal sonograms of the dorsal ulnar side wrist reveal the articular disc (arrow in **C** and **D**) between ulna (U) and triquetrum (T). The fibrocartilage articular disc (arrow) is seen as a triangular hyperechoic structure with ECU tendon sheath used as an acoustic window (ECU in **C**). The meniscus homologue (asterisks in **C** and **D**) is also hyperechoic under the ulnar collateral ligament or the joint capsule of the ulnocarpal joint (arrowheads in **D**).

다. 아래팔의 원위부에서 가장 깊은 곳에 횡단면으로 주행하는 방형회내근(네모엎침근; pronator quadratus muscle, 이하 PQ)이 보인다. PQ 바로 표층으로 요골측에 장수무지굴근(긴엄지굽힘근; flexor pollicis longus, 이하 FPL), 척골측으로 심수지굴근(깊은손가락굽힘근; flexor digitorum profundus, 이하 FDP힘줄)과 표재지굴근(얕은손가락굽힘근; flexor digitorum superficialis, 이하 FDS)이 놓이고, 그 사이에 정중신경(median nerve)이 위치한다 (Fig. 11-7). FPL힘줄보다 표재층에 요측수근굴건(노쪽손목굽힘힘줄; flexor carpi radialis tendon, 이하 FCR힘줄)이 위치하며, FCR힘줄의 요골측에 요골동맥과 신경이 보인다. 척골측의 표재층에는 척측수근굴건(자쪽손목굽힘힘줄; flexor carpi ulnaris tendon, 이하 FCU힘줄)이 척골동맥과 신경의 바로 옆에 주행하며, 종축영상에서

FCU힘줄이 두상골(콩알뼈; pisiform)에 부착한다. FCR힘줄과 FCU힘줄 사이의 표재층에 장수장건(긴손바닥힘줄; palmaris longus tendon, 이하 PL힘줄)이 있는데, 이 힘줄은 변이가 많고 없는 경우도 있다.[8] 따라서 손바닥 쪽 힘줄 중에 수근터널을 통과 하지 않는 힘줄은 PL힘줄, FCR힘줄, FCU힘줄이다. 나머지 FPL힘줄과 FDP힘줄, FDS힘줄은 정중신경과 함께 수근터널 내부로 주행한다.

(2) 수근터널 Carpal tunnel

수근터널은 근위부에서는 주상골(scaphoid)과 두상골(pisiform) 사이, 원위부에서는 대능형골(큰마름뼈, trapezium)과 유구골(갈고리뼈, hamate)의 갈고리(hook) 사이의 공간을 말하며, 내부에 정중신경과 손가락 힘줄 9개가 위치한다. 근위

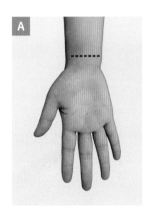

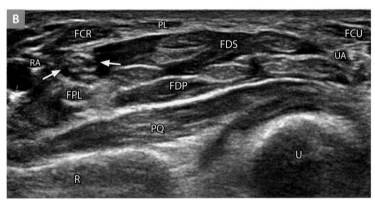

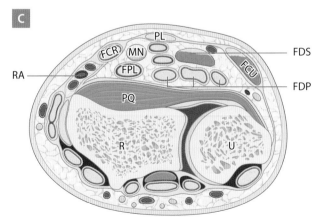

Figure 11-7 Transducer positioning (A), transverse sonogram (B), and schematic drawing (C) of the volar side distal forearm, proximal to carpal tunnel. Pronator quadratus muscle (PQ) is seen in the deep volar side distal forearm, perpendicular to the axis of the forearm. Median nerve (MN, arrow) is seen between the flexor pollicis longus (FPL) and flexor digitorum profundus and superficialis tendons (FDP & FDS). Note superficially located muscle tendons; flexor carpi radialis (FCR) in the radial side, palmaris longus (PL) in the middle, and flexor carpi ulnaris (FCU) in the ulnar side. RA, radial artery; UA, ulnar artery; R, radius; U, ulna.

부 수근디널은 초음파성 주성골과 두성골의 피질(cortex)이 고에코로 보이고 후방음향음영(posterior acoustic shadow)을 동반하므로, 이 두 뼈를 기준으로 찾는다. 수근터널 내부에서 정중신경은 주변 힘줄들에 비해 저에코로 보이며, 탐촉자를 조절하여 비등방성효과(anisotropic effect)가 생기지 않게 하면 내부에 굵은다발양상(fascicular pattern)을 보이는 신경을 확인할 수 있다. 근위부 수근터널 내부에서 정중신경은 두 번째와 세 번째 손가락의 굽힘힘줄보다 표재층에 보이고, 힘줄과 평행하게 주행하며, FPL힘줄보다 척골측에 위치한다. 횡축영상에서 정중신경은 타원형으로 보이는데, 신경 주변에 신경외막지방(epineural fat)으로 인한 고에코가 관찰

되기도 한다. 굽힘근시시띠(flexor retinaculum; 또는, 횡수근인대, transverse carpal ligament)는 수근골 사이를 연결하여 수근터널의 지붕을 형성하는 강한 섬유성 띠(fibrous band)이다. 근위부 수근터널의 횡축영상에서 약 1~1.5 mm 두께의 띠가 볼록하게 보이고, 비등방성효과로 인해 저에코로 보일 수 있다 (Fig. 11-8).

원위부의 수근터널은 유구골의 갈고리가 좀 더 중앙쪽에 위치하므로 근위부 보다 좁고, 굽힘근지지띠는 근위부에 비해 좀 더 두껍다. 원위부 수근 터널 내부의 정중신경은 횡축영상에서 근위부에 비해 좀 더 납작하게 보이고, 깊은쪽으로 약간 경사져서 손가락쪽으로 주행하므로 비등방성효과로 에

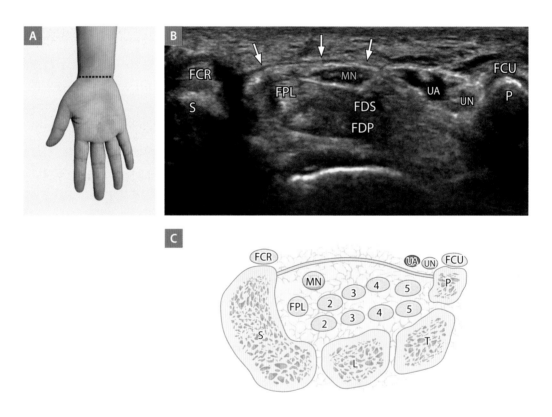

Figure 11-8 Transducer positioning (A), transverse sonogram (B) and schematic drawing (C) of the volar side wrist, at the level of proximal carpal tunnel. The hyperechoic cortex of the scaphoid (S) and pisiform (P) can be used as landmarks for proximal carpal tunnel. The transverse carpal ligament (arrows) forms the roof of the carpal tunnel and the floor of the Guyon canal. Ulnar artery (UA) and nerve (UN) are seen, right next to the pisiform in the Guyon canal. Median nerve (MN) is surrounded by hyperechoic epineural fat. RA, radial artery; FCR, flexor carpi radialis tendon; FCU, flexor carpi ulnaris tendon; FPL, flexor pollicis longus; FDP, flexor digitorum profundus; FDS, flexor digitorum superficialis; L, lunate; T, triquetrum.

코가 감소되어 보일 수 있다 (Fig. 11-9). 탐촉자를 기울이거나 손목을 약간 굽히면 비등방성효과를 줄일 수 있다.[1] 드물게 수근터널 내부로 주행하는 부굴근(덧굽힘근, accessory flexor muscle)이나 충양근(벌레근; lumbrical muscle) 등의 근육변이(anomalous muscle)로 인해 수근터널증후군을 야기시킬 수 있다.[9] 또한 아래팔의 원위부에서 정중신경이 두 개의 다발로 나뉘어지는 이분정중신경(bifid median nerve)이 있을 수 있다 (Fig. 11-10).[10] 이분정중신경의 두 신경다발 사이로 잔류정중동맥(persistent median artery)이 함께 주행하는 경우가 있는데, 이 동맥에 혈전 또는 동맥류가 생기면 수근터널증후군이 유발할 수 있다. 증상이 없는 환자군에서도 잔류정중동맥이 보일 수 있으며, 변이가 없는 정상 정중신경과 함께 보이기도 한다.[11]

(3) Guyon관 Guyon canal

척골신경(ulnar nerve)은 척골동맥과 함께 손목 부위에서 'Guyon관'이라는 섬유골관을 통과하게 된다. 이는 두상골과 갈고리뼈의 갈고리 사이의 공간으로 굽힘근지지띠가 바닥을

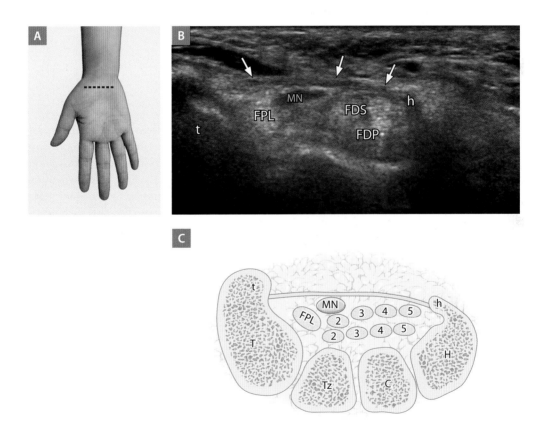

Figure 11-9 **Transducer positioning (A), transverse sonogram (B), and schematic drawing (C) of the volar side wrist, at the level of the distal carpal tunnel.** The transverse carpal ligament (arrows) becomes flatter and linear compared to that in the proximal carpal tunnel. The transverse carpal ligament inserts into the tubercle (t) of the trapezium (T) and hook (h) of hamate (H). Hook of hamate (h) is seen as a small hyperechoic structure with posterior acoustic shadowing in the sonogram. Median nerve (MN) also becomes flatter than that in the proximal carpal tunnel, and located between the flexor pollicis longus (FPL) and flexor digitorum tendons (FDP and FDS). Tz, trapezoid; C, capitate.

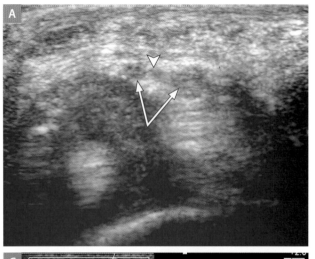

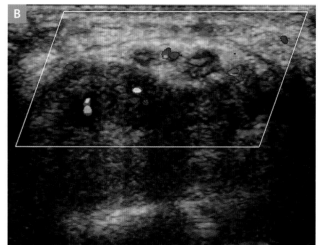

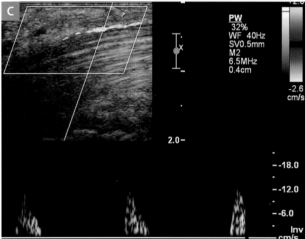

Figure 11-10 **Bifid median nerve and persistent median artery.** Transverse sonogram (**A**) and corresponding color Doppler image (**B**) at the level of the distal forearm (proximal to the carpal tunnel) show bifid median nerve (arrows) and persistent median artery (arrowhead). Note the normal fascicular pattern of the median nerve. Doppler spectrum of the persistent median artery (**C**) reveals low-velocity, high-resistant arterial flow pattern.

형성하고, 손바닥수근인대(volar or palmar carpal ligament) 가 지붕을 형성한다. 횡축영상에서 굽힘근지지띠는 쉽게 찾을 수 있으나, 손바닥수근인대는 매우 얇아 잘 보이지 않을 수 있다. 초음파에서 두상골을 먼저 찾은 후, 바로 옆에 위치하는 굵은다발양상(fascicular pattern)의 척골신경과 박동을 보이는 척골동맥을 찾을 수 있다. 척골신경은 Guyon관의 원위부에서 얕은감각신경(superficial sensory branch)과 깊은 운동신경(deep motor branch)으로 분지된다. 척골동맥의 분지들과 함께 얕은감각신경은 원위부로 그대로 평행하게 주행

하고, 깊은운동신경은 유구골의 갈고리보다 척골측으로 깊게 주행한다 (Fig. 11-8, 11-11).

〈Check List〉

✓ Flexor retinaculum

✓ Carpal tunnel (Median nerve)

✓ Flexor tendons

✓ Scaphoid, pisiform, trapezium, hook of hamate

✓ Guyon canal (ulnar nerve)

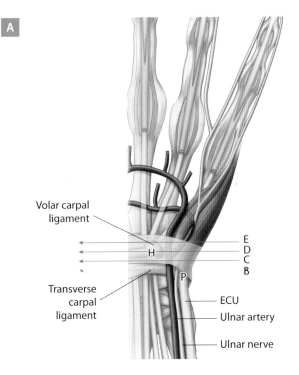

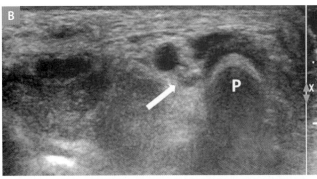

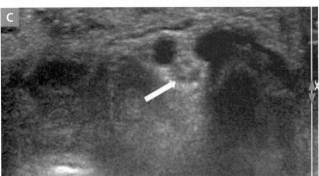

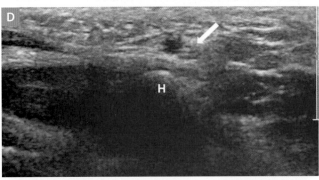

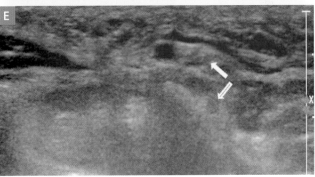

Figure 11-11 **Schematic drawing (A) and transverse sonograms (B-D) of the ulnar nerve in the Guyon canal. A.** The inserted schematic drawing indicates corresponding images of the transducer positioning. **B.** At the level of the proximal Guyon canal, transverse sonogram reveals the ulnar nerve (arrow) between the pisiform (P) and the ulnar artery. **C.** The fascicular pattern of the ulnar nerve (arrow) is well demonstrated in this sonogram, just distal to the pisiform. **D.** At the level of the distal Guyon canal, the hyperechoic cortex of the hamate hook (H) is seen at the radial side of the ulnar nerve (arrow). **E.** More distally, the ulnar nerve divides into superficial sensory branch (arrow) and deep motor branch (empty arrow).

2. 손과 손가락

1) 손등쪽 부위의 검사

신전건 폄힘줄, Extensor tendon 과
신전건덮개 Extensor hood

1번 구획의 APL과 EPB힘줄은 엄지손가락 쪽으로 주행하여, APL힘줄은 첫 번째 중수골의 기저부에, EPB힘줄은 첫 마디뼈(proximal phalanx)에 부착한다. 3번 구획의 EPL힘줄은 손목부위에서 2번 구획의 힘줄들을 표층으로 가로질러 엄지쪽으로 주행하여, 끝마디뼈(distal phalanx) 기저부에 부착한다. 두 번째부터 다섯 번째 손가락의 신전건들은 EDC힘줄에서 각 손가락까지 이어진다. 두 번째 손가락에는 EIP힘줄이, 다섯 번째 손가락에는 EDQ힘줄이 추가로 있으므로, 두 번째 및 다섯 번째 중수골 부위에서의 횡축영상에서 힘줄이 두개로 보일 수 있다 (Fig. 11-12). EIP와 EDQ 힘줄은 각각 손가락의 EDC힘줄과 합쳐지는 것이 가장 흔한 형태이나, 여러 가지 변이가 있을 수 있다.[3] 또한 중수골 부위에서 두

번째부터 나섯 번째 손가락의 신선선 사이에는 서로 연결이 있을 수 있으므로, 근위부 횡축영상에서 어느 손가락으로 가는 힘줄인지 판단하기 어려울 수 있다. 그러므로 원위부 손가락에서부터 근위부로 검사하거나, 각 손가락을 하나씩 움직이면서 검사하면 어느 손가락의 힘줄인지 알 수 있다.

중수골 머리부위에서 각 손가락의 신전건은 중수지관절(손허리손가락관절; metacarpophalangeal joint, 이하 MCP관절)의 관절낭, 주변 측부인대(곁인대; collateral ligaments), 이외에 횡으로 주행하는 여러 섬유성 구조물에 의해 보강되어 안정성을 유지한다. 중수골 머리의 양쪽에 있는 띠와 같은 섬유성 구조물을 세로띠(sagittal band)라 한다 (Fig. 11-13). 초음파에서 세로띠는 고에코의 가는섬유다발양상(fibrillar pattern)으로 보인다. 세로띠는 척골측보다 요골측에서 더 얇고 길어서, 요골측에 파열이 더 흔하게 생긴다. 요골측 세로띠가 파열된 경우, 손가락을 구부리면 신전건이 척골쪽으로 아탈구 된다.[12] 신전건 복합체는 양측으로 골간근(interossei muscle)과 충양근(lumbricalis muscle)의 섬유가 첫 마디뼈(proximal phalanx) 부위에서 함께 부착되면서 등

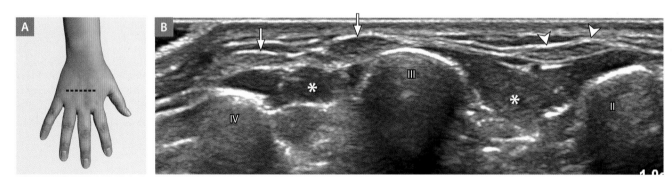

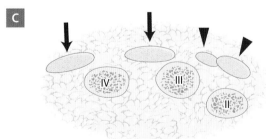

Figure 11-12 Transducer positioning (A), transverse sonogram (B) and schematic drawing (C) of the dorsum of the hand. Extensor tendons of the fingers (arrows and arrow heads) are seen as elliptical hyperechoic structures over the interosseous muscles (asterisks) and metacarpal bones. II, second metacarpal bone; III, third metacarpal bone; IV, fourth metacarpal bone. Note two paired tendon slips of the extensor indicis proprius and the extensor digitorum for the index finger (arrow heads).

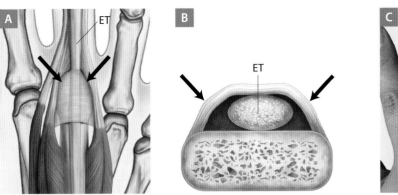

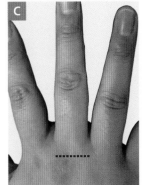

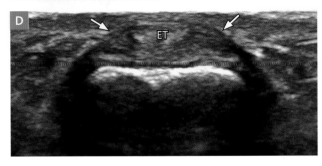

Figure 11-13 Schematic drawings (A, B), transducer positioning (C), and transverse sonogram (D) of the extensor tendon and sagittal band. A, B. Coronal (A) and axial (B) schematic drawings show the relationship between the extensor tendon (ET) and the sagittal band (arrows). Sagittal band (arrows) is a transversely oriented ligamentous structure which helps to centralize and stabilize the extensor tendon (ET). C. A photo indicates corresponding transducer positioning. D. Transverse sonogram at the level of the metacarpal head shows the sagittal band as an oblique hyperechoic ligamentous structure (arrows) joining over the extensor tendon (ET). Lateral aspect of the sagittal band becomes hypoechoic due to anisotropy.

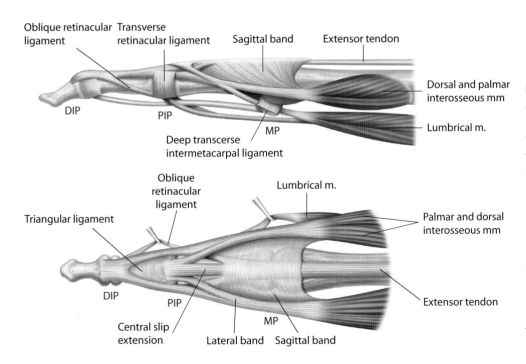

Figure 11-14 Schematic drawings of the extensor hood system. From the distal end of the metacarpal, fibrous hood formed by the extensor tendon, sagittal band, and fibers from the lumbrical and interosseous muscle expands, and covers the back and sides of the head of the metacarpal and the proximal phalanx. DIP, distal interphalangeal joint; PIP, proximal interphalangeal joint; MP, metatarsophalangeal joint.

499

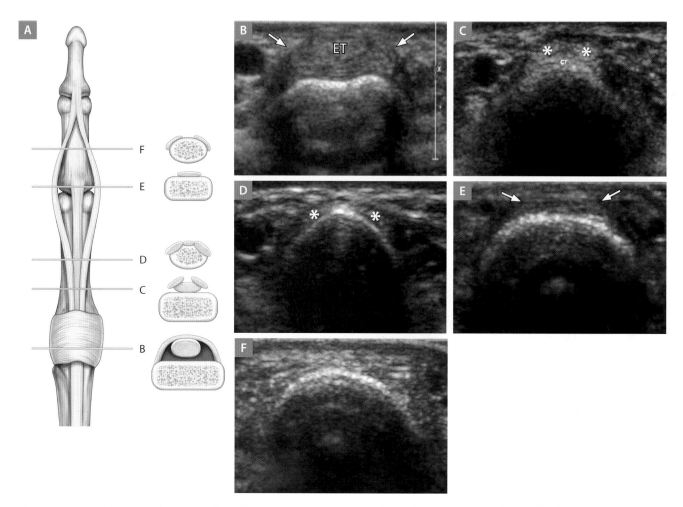

Figure 11-15 **Schematic drawings (A) and transverse sonograms (B-F) of the extensor tendon of the finger. A.** Left side inserted drawing indicates corresponding transducer positioning. **B.** At the level of metacarpal head, extensor tendon (ET) is seen as a hyperechoic oval structure and covered by the sagittal band (arrows). **C.** At the level of the proximal phalanx base, central tendon (CT) is separated with two lateral slips (asterisks). Transverse sonogram reveals central tendon (CT) and the divided two lateral slips (asterisks). **D.** At the level of the mid proximal phalanx, lateral slips (asterisks) run along the lateral aspect of the proximal phalanx. **E.** At the level of the middle phalanx base, transverse sonogram shows the central tendon inserting into the base of the middle phalanx (arrows). **F.** At the level of the middle phalanx, only lateral slips run over the middle phalanx shaft as thin membranous layers, which are barely demonstrated in the sonogram.

쪽 손가락의 반 가량을 덮게 되는 섬유성확장(fibrous expansion)을 형성하게 되는데 이를 신전건덮개(extensor hood)라 부른다 (Fig. 11-14).[12,13] 신전건덮개의 중앙에 위치하는 신전건은 횡축영상에서 고에코의 둥근 구조물로 보이며, 이는 첫 마디뼈 부위에서 두 개의 가쪽가닥(lateral slips)과 한 개의 중심가닥(central slip)으로 나뉜다. 중심가닥은 중앙으로 주행하여 중간마디뼈 기저부의 등쪽에 부착하고, 두 개의 가쪽가닥은 중간마디뼈의 가장자리로 벌어져 주행하다가 다시 합쳐져서 끝마디뼈 기저부에 부착한다 (Fig. 11-14, 11-15). 횡축영상에서 가쪽가닥은 매우 가늘고 뼈의 피질에 가깝게 위치하여 잘 보이지 않을 수 있으며, 종축검사를 시행하면 중심가닥과 가쪽가닥의 부착부위를 확인할 수 있다

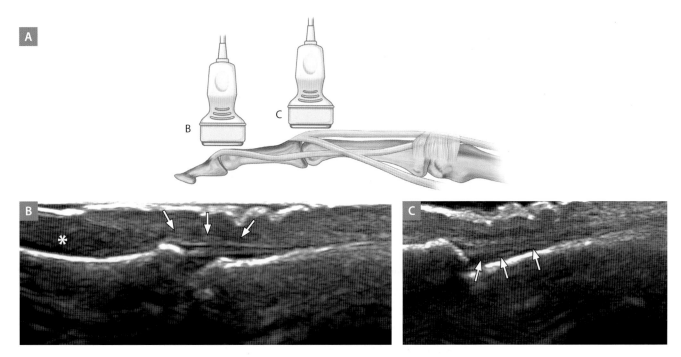

Figure 11-16 **Schematic drawing (A) and longitudinal sonograms (B, C) of the insertion sites of the extensor tendon.** **A.** Schematic drawing indicates transducer positioning. **B.** At the level of distal interphalangeal joint, two lateral slips are joined together and inserted into the base of the distal phalanx. Longitudinal sonogram shows the fibrillar pattern of the joined lateral slips (arrows) inserting into the base of the distal phalanx. Nail bed is seen as a marked hypoechoic structure over the dorsal surface of distal phalanx (asterisk). **C.** At the level of proximal interphalangeal joint, longitudinal sonogram reveals the central tendon inserting into the base of the middle phalanx (arrows).

(Fig. 11-16).

〈Check List〉

✓ Extensor tendon
✓ Sagittal band

2) 손바닥 쪽 부위의 검사

(1) 굴건 굽힘힘줄, Flexor tendon

FDS와 FDP힘줄은 수근터널을 통과한 후 수장건막(손바닥널힘줄; palmar aponeurosis)보다 깊게 위치하고, 쌍으로 같은 힘줄집에 싸여 두 번째에서 다섯 번째 손가락으로 주행한다. 중수골 부위의 횡축영상에서 FDS와 FDP힘줄은 거의 같은 크기로 보이며 FDP힘줄에서 기시하는 충양근들이 중수골

사이에서 보인다. FDS와 FDP 힘줄 및 충양근들은 손바닥중심근막(palmar middle fascia)에 의해 중수골 사이의 골간근과 구분된다 (Fig. 11-17).

FDS힘줄은 각 손가락의 첫 마디뼈 부위에서 양쪽으로 갈라져 FDP힘줄의 양 측면을 따라 주행하다가 FDP힘줄의 등쪽에서 서로 교차하면서 다시 합쳐지는데, 이 교차 부위를 Camper교차(chiasm of Camper)라 한다. 합쳐진 FDS힘줄은 FDP힘줄보다 깊게 주행하여 중간마디뼈 기저부에 부착한다. FDP힘줄은 두 갈래의 FDS힘줄 사이로 빠져나와 끝마디뼈 기저부에 부착한다 (Fig. 11-18). [1,12] FDS힘줄이 갈라져 FDP힘줄 주변으로 주행하는 것을 횡축영상에서 확인할 수 있지만, 초음파의 해상도가 좋지 못하면 안 보일 수 있다. 종축영상에서 FDS와 FDP 힘줄들은 한 개의 힘줄처럼 보일 수 있으며 (Fig. 11-18H), 역동적 검사를 하면 구분할 수 있다.

FPL힘줄은 무지융기(엄지두덩; thenar eminence)의 근육들 사이에 깊게 주행하며, 단수무지굴근(짧은엄지손가락굽힘근; flexor pollicis brevis, 이하 FPB)의 표재 및 심부 힘살(superficial and deep muscle belly) 사이를 지나 엄지 쪽으로 향한다. 초음파에서 저에코의 FPB힘살(muscle belly) 사이에 위치하는 고에코의 FPL힘줄을 확인할 수 있다 (Fig. 11-19). 중수골 머리 부근에서 FPL힘줄은 첫 번째 MCP관절에 위치한 두 개의 종자골 사이로 주행한다.

(2) 활차 도르래, Pulley 와 손바닥판 Volar plate

굽힘 힘줄들은 MCP관절 부위에서 끝마디뼈까지 활액막에 싸여 주행하지만 이 활액막과 손가락 관절은 서로 연결되지 않는다. 이 굽힘 힘줄은 섬유성 지지띠인 활차에 의해 보강되는데, 활차는 각 손가락뼈의 양쪽 피질에 강하게 부착한다. 활차들은 위치 및 모양에 따라 고리활차(A1~A5 annular pulleys)와 십자활차(C1~C3 cruciform pulleys)로 나뉘며, 활차의 역할은 손가락을 구부릴 때 힘줄이 손가락에서 멀어지지 않도록 지지하여 안정을 유지하는 것이다.[14] 초음파에

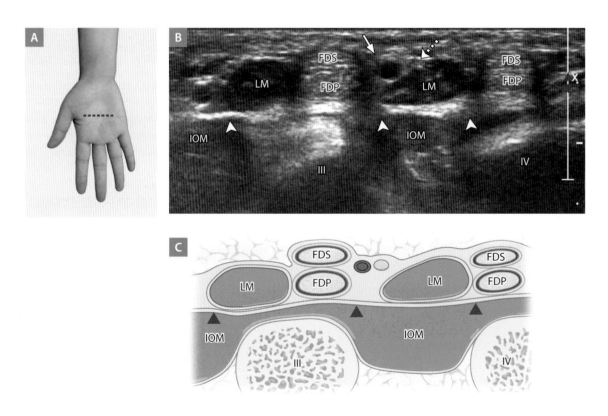

Figure 11-17 **Transducer positioning (A), transverse sonogram (B) and schematic drawing (C) of the palmar side hand.** At the level of metacarpals, the flexor tendons of the fingers (2nd to 5th) consist of the flexor digitorum superficialis (FDS) and flexor digitorum profundus (FDP) tendon slips. They are seen as paired hyperechoic oval structures over the metacarpals. III, third metacarpal; IV, fourth metacarpal. Lumbrical muscles (LM) are originated from the radial side of the FDP tendons. Palmar side hand is divided into two compartments (superficial and deep) by the middle palmar fascia (arrowheads in **B** and **C**). Palmar interosseous muscles (IOM) are located in the deep compartment. Note the common digital artery (arrow) and nerve (dashed arrow), lumbrical muscles (LM) and flexor tendons in the superficial compartment.

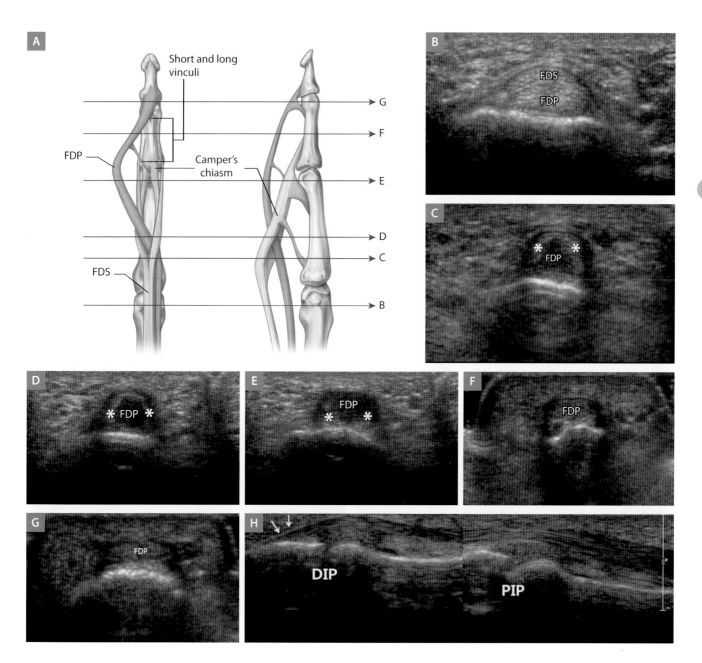

Figure 11-18 **Schematic drawing (A), transverse (B-G) and longitudinal sonograms (H) of the flexor tendon of the finger.** **A.** Inserted drawing indicates corresponding images of the transducer positioning. **B.** At the level of the metacarpal neck, the flexor digitorum superficialis tendon (FDS) lies over the flexor digitorum profundus tendon (FDP). **C, D.** At the level of the proximal phalanx, the FDS is divided into two halves (asterisks) and running down around the FDP. **E.** More distally, the two halves of FDS (asterisks) are joined together in the undersurface of the FDP (Chiasm of Camper) and inserted into the base of the middle phalanx. **F, G.** After FDS insertion into the base of the middle phalanx, only FDP is seen over the bone at the level of the distal middle phalanx and reaches the base of the distal phalanx. **H.** Longitudinal sonogram of the mid finger at the midline shows the insertion of the FDP into the distal phalanx (arrows). DIP, distal interphalangeal joint; PIP, proximal interphalangeal joint.

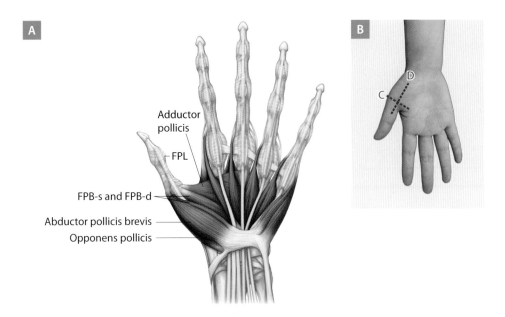

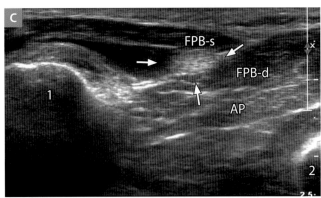

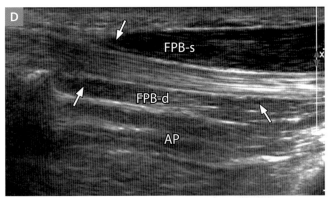

Figure 11-19 Schematic drawing (A), transducer positioning (B), and sonograms (C, D) of the flexor pollicis longus (FPL) tendon. A. Schematic drawing of the thenar eminence shows the addcutor pollicis muscle and three thenar muscles (opponens pollicis, abductor pollicis brevis, flexor pollicis brevis). FPL tendon passes through the two bellies of the FPB; superficial (FPB-s) and deep FPB (FPB-d). B. A photo indicates corresponding images of the transducer positioning. C, D. Transverse (C) and longitudinal (D) sonograms show the FPL tendon (arrows) between FPB-s and FPB-d. Note the hyperechoic fibrillar pattern of the FPL tendon. AP, adductor pollicis; 1: first metacarpal, 2: second metacarpal.

서 십자활차는 관찰하기 어려우나, 고리활차는 약 0.3~0.5 mm의 두께로 보이며, A1, A2, A4 활차는 정상인에서도 관찰된다.[14] 초음파에서 활차는 대부분 인접한 힘줄에 비해 고에코로 보이고, 때로 가는섬유다발양상(fibrillary pattern)을 보이기도 하지만, 탐촉자의 방향에 따라 저에코로

보일 수 있다 (Fig. 11-20). 고리활차중 첫 마디뼈 부위의 A2 활차가 가장 길고, 두껍고, 강하기 때문에 초음파검사에서 가장 잘 보인다. 방아쇠손가락(trigger finger) 증상이 있는 환자에서는 주로 A1 활차가 두꺼워진다.[14]

손가락의 각 관절 부위에서 굽힘 힘줄은 뼈에 밀착되지 않

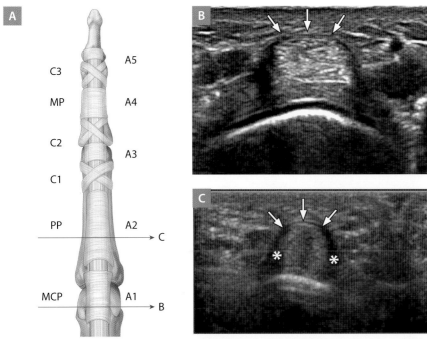

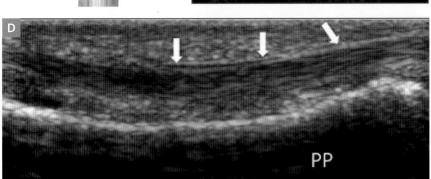

Figure 11-20 **Schematic drawing (A) and sonograms (B-D) of the finger pulley system. A.** The finger pulley system has two types; annular (A1~A5) and cruciate (C1~C3) pulleys, and they are numbered by the region. The annular pulleys are formed by thick arciform fibers, whereas the cruciform pulleys are formed by thin crisscrossing fibers. MP, middle phalanx; PP, proximal phalanx; MCP, metacarpophalangeal joint. **B.** Transverse sonogram at the level of the metacarpal head shows A1 pulley (arrows). **C.** Transverse sonogram at the level of the proximal phalanx shows A2 pulley. Note anisotropy (asterisks) in the lateral aspect. **D.** Longitudinal sonogram shows A2 pulley with linear hyperechoic fibrillar pattern (arrows). PP, proximal phalanx.

고 약간의 거리를 두고 관찰된다. 이는 중수골이나 손가락 뼈 머리의 모양때문이기도 하지만 이 부위에 손바닥판(volar plate, palmar plate)이 존재하기 때문이다. 손바닥판은 매우 두꺼운 인대성(ligamentous) 구조물로, MCP관절과 손가락의 관절에서 관절낭(joint capsule)과 굽힘 힘줄 사이에 위치한다. 관절낭에 강하게 부착되어 관절의 안정성을 강화하고, 손가락이 과신전 되지 않도록 보호하는 역할을 한다. 손바닥판은 관절 측부인대의 경사띠(oblique band)와 연결되며, 손바닥판의 손상은 인접한 측부인대 손상과 연관되어 나

타나기도 한다.[13] 관절의 종축영상에서 손바닥판은 원위부 뼈의 기저부에서부터 꼭지점이 근위부 방향으로 향하는 삼각형 모양의 고에코의 구조물로 관찰된다 (Fig. 11-21).

〈Check List〉

✓ Flexor tendon
✓ Annular pulley
✓ Volar plate

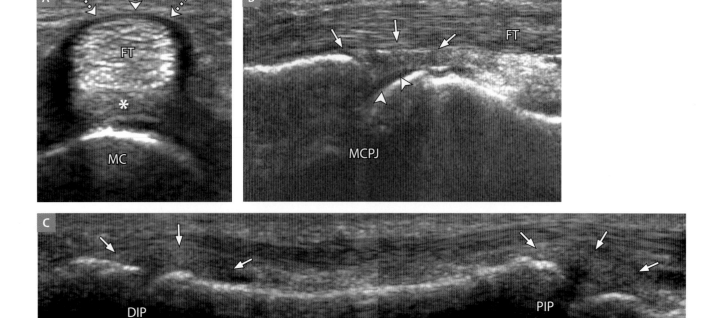

Figure 11-21 **Sonograms of the volar plate (A-C). A.** Transverse sonogram at the level of metacarpal head (MC) shows the volar plate (asterisk) as a hyperechoic ligamentous structure between flexor tendon (FT) and metacarpal head (MC). A1 pulley (dashed arrows) is also seen at this level. **B.** Longitudinal sonogram at the level of metacarpophalangeal joint (MCPJ) shows triangular shaped volar plate (arrows). Note hypoechoic articular cartilage in the metacarpal head (arrowheads). **C.** Compound image of the longitudinal sonograms of the finger also shows the volar plates (arrows) at volar sides of the proximal (PIP) and distal interphalangeal joints (DIP).

3) 손가락의 측면 검사

엄지의 측부인대 Collateral ligament of thumb

모든 MCP관절과 손가락관절에는 관절낭을 강화하는 측부인대가 손바닥 쪽의 손바닥판(volar plate)과 연결되어 존재한다. 그러나 두 번째부터 다섯 번째 MCP관절의 측면 검사는 탐촉자를 위치시키기가 어려우므로 초음파검사에 한계가 있다. 하지만 엄지의 MCP관절은 검사가 용이하며, 스포츠손상과 관련하여 자측측부인대(ulnar collateral ligament, 이하 UCL) 손상에 대한 검사가 많이 요구된다. 여기서는 주로 첫 번째 MCP관절의 측부인대 검사에 관하여 설명한다. 첫 번째 MCP관절에는 손바닥 쪽 굽힘 힘줄과 손바닥판, 손등 쪽 신전건이 있으며 그 사이에 관절낭을 보강하는 양측의 측부인대가 있다. UCL은 관절의 척골측에 보이고, 중수골 머리에서 첫 마디뼈의 기저부로 4~8 mm의 너비, 12~14 mm의 길이를 가진다.[15] 무지융기(thenar eminence)는 FPB, 단무지외전근(짧은엄지벌림근; abductor pollicis brevis), 무지대립근(엄지맞섬근; opponens pollicis)으로 구성되며(Fig. 11-19A), 무지융기의 근육들보다 가장 깊은 쪽에 무지내전근(엄지모음근; adductor pollicis, 이하 AP)이 존재한다. 일부 문헌에서는 AP를 무지융기의 근육에 포함시키기도 한다.[15] AP는 무지융기의 근육들에 비해 비교적 큰 근육이며, 두 개

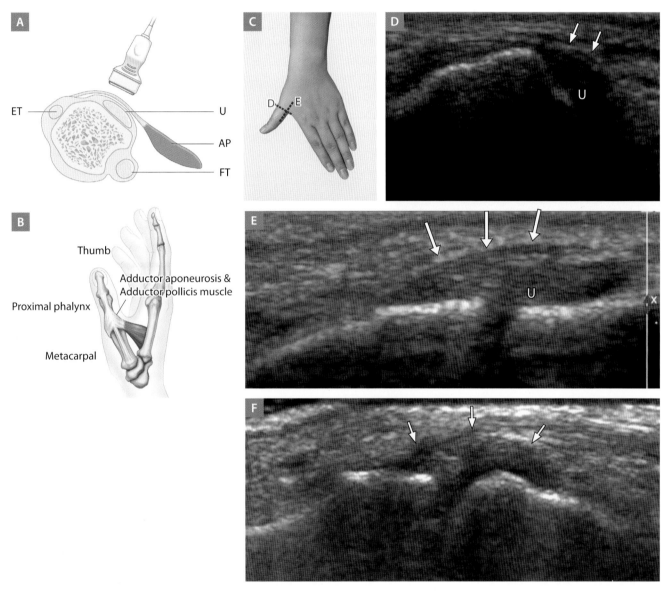

Figure 11-22 **Collateral ligaments in the first metacarpophangeal joint (MCPJ). A, B.** Schematic drawings of axial (**A**) and coronal (**B**) scans of the first MCPJ shows the relationship between the aponeurosis of the adductor pollicis muscle (AP) and ulnar collateral ligament (UCL). Note the adductor pollicis aponeuorsis extends to the dorsal aspect of first MCPJ. U, UCL; ET, extensor tendon; FT, flexor tendon. **C.** A photo indicates corresponding images of the transducer positioning. **D.** Transverse sonogram shows the adductor pollicis aponeurosis (arrows) covering the UCL (U). **E.** Longitudinal sonogram of ulnar side first MCPJ shows adductor pollicis aponeurosis (arrows) and UCL (U). Note the hyperechoic pattern of the UCL. **F.** Longitudinal sonogram of radial side first MCPJ shows radial collateral ligament (arrows).

의 힘살(oblique and transverse)이 세 번째 중수골과 수근골들에서 넓게 기시하여 엄지 첫 마디뼈의 척골측과 그 종자골(sesamoid)에 부착한다. 이때 무지내전근막(aponeurosis of adductor pollicis)은 엄지의 MCP관절에서 척골측 종자골을 건너, UCL을 덮으면서 엄지의 등쪽까지 이어진다 (Fig. 11-22).[15] 초음파에서 UCL은 중수골과 첫 마디뼈사이에 고에코의 가는섬유다발양상으로 보이며, 탐촉자의 방향에 따라 비등방성효과로 의해 저에코로 보이기도 한다.[1,15] 첫 번째 지간(first web space)을 벌린 상태에서 손등 쪽 척골측에 탐촉자를 놓고, 횡축과 종축으로 UCL 검사를 시행하며, UCL을 덮고 있는 AP 근막은 고에코로 보인다 (Fig. 11-22). 초음파검사 시 외반(valgus) 혹은 내반(varus) 부하검사(stress test)를 시행하면 측부인대의 손상을 더 잘 발견할 수 있으나, 손상을 악화시킬수 있으므로 주의해야 한다.[15] 요골측 부인대는 UCL과 대칭구조를 보이지는 않지만, UCL과 비슷한 에코의 가는섬유다발양상을 보인다 (Fig. 11-22F). UCL과는 달리 덮고 있는 근막은 존재하지 않는다.

〈Check List〉

✓ UCL

✓ Adductor pollicis aponeurosis

III. 아래팔, 손목 및 손의 병변
Pathologies in forearm, hand and wrist

1. 외상성 병변 Traumatic lesion

1) 힘줄손상 Tendon injury

손목과 손에서 힘줄의 손상은 골절 다음으로 흔하다. 힘줄의 파열은 대개 이학적 검사와 병력으로 알 수 있다. 그러나 복잡한 손상에서는 정확한 진단을 위해 영상검사가 필요하다.[16] 힘줄은 전형적인 가는섬유다발양상(fibrillar pattern)을 보이는데, 이는 힘줄의 collagen섬유다발이 힘줄의 종축과 평행하게 주행하는 조직학적인 구조 때문이다 (Fig. 11-23). 힘줄의 초음파검사 시 주의할 점은 비등방성허상(anisotrophy artifact)이다. 이는 초음파가 힘줄의 종축 또는 가로축에 수직으로 들어가지 않고 비스듬히 들어가면, 힘줄의 에코가 부분적으로 감소하는 것을 말하고 오진의 원인이 될 수 있다 (Fig. 11-24). 힘줄이 굴곡되어 있으면 더 잘 생긴다.[17]

힘줄의 완전파열이 있을 경우 힘줄의 연속성이 소실되고, 파열된 힘줄 사이에 액체 또는 낮은 에코의 조직 파편 또는 부스러기(debris)로 채워질 수 있다 (Fig. 11-25, 11-26). 힘줄

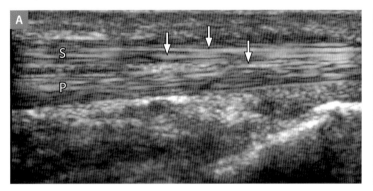
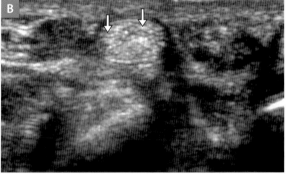

Figure 11-23 **Normal tendon: the fibrillar pattern.** **A.** Long-axial US image of normal flexor tendons over the palm demonstrates numerous echogenic intratendinous interfaces (arrows), resulting in the typical fibrillar appearance. **B.** Short-axial US image of normal flexor tendon shows a homogeneous intratendinous pattern of made of bright stippled clustered dots (arrows). S, flexor digitorum superficialis; P, flexor digitorum profundus.

의 부분파열이 있고, 파열된 부위에 낮은 에코의 조직 파편으로 채워져 있으면, 초음파검사로 국소적 힘줄증(tendinosis, tendinopathy, 건병증)과 구분이 어려울 수 있다.[18] 그러나, 부분파열의 경우에는 흔히 힘줄이 얇아져 보이는 반면에, 과도한 사용으로 인한 힘줄증은 힘줄이 두꺼워지고 혈류가 증가되는 소견을 보일 수 있다 (Fig. 11-27).[18] 완전파열과 부분파열의 구분이 어려운 경우에는 수동적 또는 능동적으로 손상된 힘줄을 움직이면서 시행하는 역동적(dynamic) 검사가 도움이 된다. 역동적 검사에서 손상 부위의 원위부와 근위부 힘줄이 같이 움직이면 부분파열을 의미하고, 힘줄의 움직임이 손상 부위를 건너가지 못하면 완전파열을 의미한다.[19]

'망치손가락(mallet finger)'이란 손가락 끝마디뼈(distal phalanx)의 등쪽 기저부(base)에 부착하는 지신전건(extensor digitorum tendon)의 말단띠(terminal slip)가 견열(찢김, avulsion)된 경우를 말하고, 야구, 농구선수 등에서 주로 발생하는 손상이다. 끝마디뼈의 견열골절(avulsion fracture)을 동반하기도 한다 (Fig. 11-28). 견열골절을 동반한 경우에는 단순촬영에서 골절 조각의 크기와 이동 정도를 확인할 수 있으나, 골절의 동반이 없는 경우에는 초음파검사로 힘줄 파열

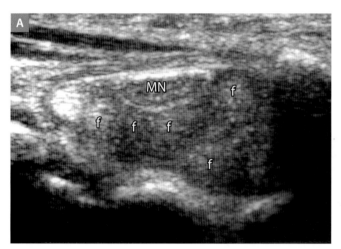
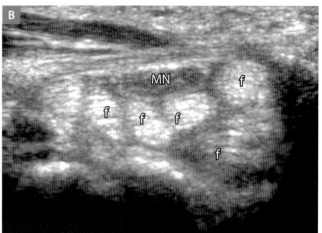

Figure 11-24 Tendon anisotrophy. A. Transverse US image of the normal flexor tendons at the carpal tunnel shows the artifactual hypoechoic appearance obtained with an inappropriate angle. **B.** Note the normal intratendinous pattern made of bright stippled clustered dots displayed when the US beam is perpendicular to the tendon axis. f, flexor digitorum tendons; MN, median nerve.

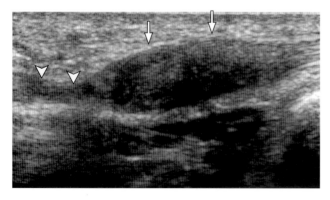

Figure 11-25 Complete tendon tear. Long-axis US image over the flexor tendon of the 5th ray in the palm shows the distal tendinosis end (arrows) of the ruptured tendon and the empty sheath (arrowheads) by the retraction of the torn tendon.

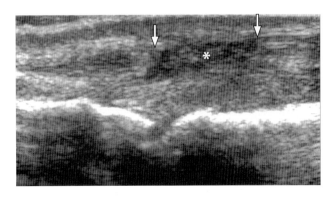

Figure 11-26 **Complete tendon tear.** Long-axis US image over the flexor tendon in the palm shows a wide full-thickness hypoechoic gap in the tendon substance filled with hypoechoic fluid (asterisks) between the proximal and distal ends (arrows), consistent with a complete rupture.

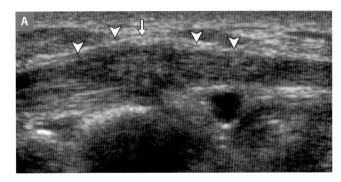
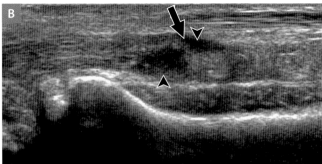

Figure 11-27 **Tendinosis versus partial tendon tear.** **A.** Long-axial US image of flexor pollicis longus tendon shows the diffuse hypoechoic thickening of the tendon (arrowheads) with disappearance of normal fibrillar pattern and intrasubstance calcific infiltrations (arrow). **B.** Long-axial US image over the flexor pollicis longus tendon at the distal forearm shows a focal attenuated tendon (arrow) showing the hypoechoic fluid filling in the torn tendon defect (black arrowheads).

을 진단할 수 있고, 끊어진 힘줄의 뒤당김(proximal retraction) 정도를 잘 알 수 있다. 지신전건의 중앙띠(central slip)는 정상적으로 중간마디뼈의 등쪽 기저부에 부착한다. 이 부위에서 중앙띠의 견열이 있으면, 근위마디뼈사이관절(proximal interphalangeal joint, 이하 PIP관절)이 과굴곡(hyperflexion)되어 첫 마디뼈 머리가 단추 구멍처럼 생긴 지신전건의 두 개의 가죽띠(lateral band) 사이에 끼게 되고, 원위마디뼈사이관절(distal interphalangeal joint, 이하 DIP관절)은 과신전(hyperextension)되는데, 이런 손가락 변형을 '단추구멍변형(boutonniere deformity)'이라고 한다 (Fig. 11-29, 11-30). 중앙띠의 부착부위인 중간마디뼈 기저부의 견열골절을 동반할 수 있다 (Fig. 11-31).

손목과 손의 굽힘힘줄(flexor tendon)의 손상은 신전건 손상보다 드물다. 굽힘힘줄의 파열이 의심될 때에는 이학적 검사 및 역동적 초음파검사가 진단에 도움이 된다. 심수지굴곡건(깊은손가락굽힘힘줄, flexor digitorum profundus tendon, 이하 FDP힘줄)이 파열되었을 때에는 PIP관절을 능동적으로 굽힐 수 있으나 DIP관절의 굽힘은 제한을 받게 된다. 표재지굴곡건(얕은손가락굽힘힘줄, flexor digitorum superficialis tendon, 이하 FDS힘줄)의 파열이 있을 경우에는 DIP관절은 굽힐 수 있으나 PIP관절을 정상적으로 구부릴 수 없게 된다.[18] 정상적으로 FDP힘줄은 손가락 끝마디뼈의 손바닥쪽 근위부에 부착하는데, 외상에 의해 FDP힘줄이 끝마디뼈 부착부위로부터 견열되는 손상을 'jersey손가락(jersey fin-

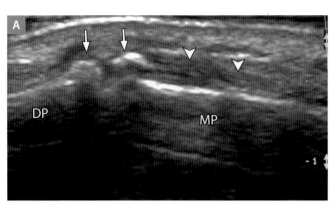

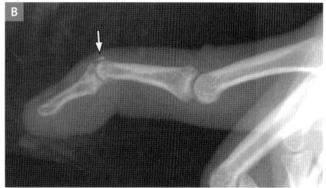

Figure 11-28 **Avulsed fracture at the terminal insertion of the extensor tendon in a patient with mallet finger deformity.** Longitudinal US image (**A**) over the distal interphalangeal joint with radiographic (**B**) correlation shows avulsion of the bone fragments (arrows) from the dorsal base of the distal phalanx (DP). Note that the avulsed bone fragment is connected with hypoechoic extensor tendon (arrowheads). MP, middle phalanx.

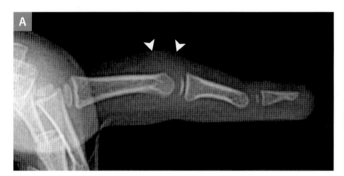

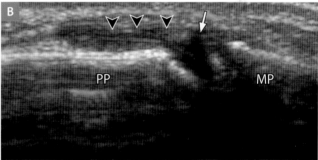

Figure 11-29 **Boutonniere deformity appeared in the 3rd finger following direct trauma.** Radiograph of the hand (**A**) shows the flexion of the proximal and the extension of the distal interphalangeal joints in the 3rd finger. Note the soft tissue swelling in the proximal interphalangeal joint (arrowheads). Longitudinal US image (**B**) over the midline dorsal aspect of the proximal interphalangeal joint shows a tear (arrow) of the central slip of the extensor tendon at the distal insertion to the base of the middle phalanx (MP). Note the thickened and hypoechoic extensor tendon without the proximal retraction (black arrowheads). PP, proximal phalanx.

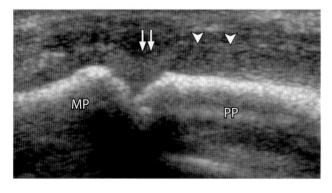

Figure 11-30 **Complete tear of the central slip of the extensor tendon.** Longitudinal US image over the midline dorsal aspect of the proximal interphalangeal joint shows avulsion of the central slip of the extensor tendon from the dorsal base of the middle phalanx (MP) (arrow) with mild proximal retraction of thickened hypoechoic avulsed central slip of extensor tendon (arrowheads). PP, proximal phalanx.

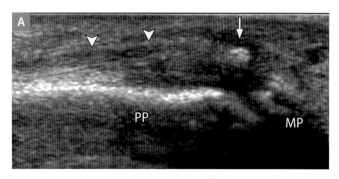
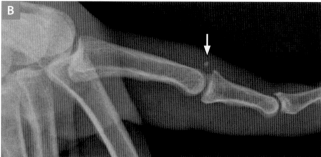

Figure 11-31 **Avulsion fracture at the distal insertion of the central slip.** Longitudinal US image (A) over the dorsal aspect of the proximal interphalangeal joint with radiographic (B) correlation in a patient with Boutonniere deformity of the 3rd finger shows a fragment from the base of the middle phalanx (MP) (arrow). The avulsed bone fragment is connected with hypoechoic central slip of the extensor tendon (arrowheads). PP, proximal phalanx.

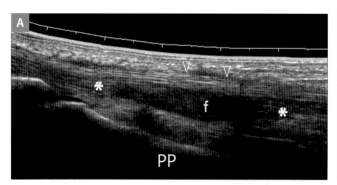
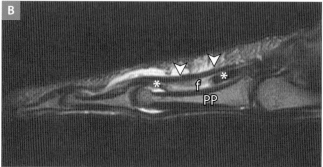

Figure 11-32 **Complete tear of the flexor digitorum profundus in the 3rd finger.** Longitudinal US image (A) with T2-weighted MR imaging (B) correlation demonstrates the distal and proximal ends (asterisks) of the ruptured tendon. The level of the tendon tear is indicated by the hyoechoic fluid (f) between the stumps of torn tendon over the proximal phalanx (PP). Note the proximal migration of the proximal torn tendon to the level of the proximal portion of proximal phalanx (PP) and normal appearance of flexor digitorum superficialis tendon (arrowheads).

ger)'이라고 하며 네 번째 손가락에서 가장 흔하다. 끝마디뼈 손바닥 쪽 근위부의 견열골절을 동반하기도 한다. Jersey손 가락은 럭비, 축구선수 등에서 잘 발생한다. 경기 중에 상대 방 선수의 운동셔츠를 움켜 잡을 때 DIP관절을 능동적으로 굽히는데, 이 때 상대방 선수가 뿌리치면 구부려진 DIP관절 이 강한 힘에 의해 강제적으로 펴지면서 FDP힘줄의 말단 부 착부위가 손상된다. 힘줄이 완전파열되면 힘줄의 뒤당김이 생길 수 있다 (Fig. 11-32). 초음파검사에서 FDP힘줄의 뒤당

김에 대한 관찰이 중요한데, 이는 치료방법을 결정하는 데 중요하다. 뒤당김 정도에 따라 파열을 분류한다 (Fig. 11-33). 파열의 근위부 힘줄이 손바닥까지 뒤당김 되었을 때를 I형, PIP관절까지 뒤당김되었을 때를 II형, 견열골절이 있고 골 절 조각이 커서 A4 활차 또는 FDS힘줄의 교차점(chiasm)에 걸린 경우를 III형, 그리고 III형의 큰 골절 조각으로부터 힘 줄이 다시 견열되어 손바닥까지 뒤당김된 경우가 IV형이다. V형은 FDS힘줄 말단부의 견열골절이 있으면서 끝마디뼈에

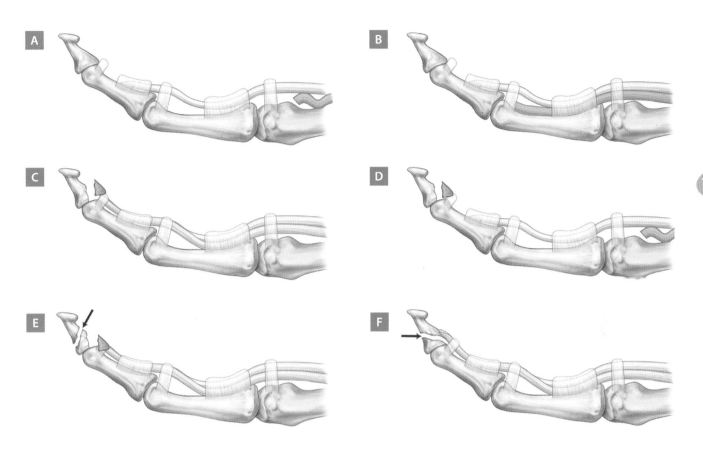

Figure 11-33 **Classification of jersey finger. A.** Type I: the FDP tendon retracts into the palm, rupture of both vinculum longus and brevis. **B.** Type II: the FDP tendon retracts to the PIP level with vinculum longus remaining intact. **C.** Type III: large bony fragment of DP stuck at the level of pulley A5 and preventing tendon retraction. **D.** Type IV: association of avulsion of the distal insertion of the FDP tendon with an articular fracture at the base of DP; the bone fragment is not attached to the avulsed tendon. **E.** Type V: bone avulsion of FDP tendon associated with another fracture of the DP (arrow). **F.** Type VI: insertion remained intact but dorsal aspect of DP was fractured by resisting forces (arrow), producing a "false mallet finger image". FDP, flexor digitorum profundus; DP, distal phalanx.

또 다른 골절이 동반된 경우이고, VI형은 FDS힘줄 말단부의 파열 또는 견열골절은 없으나 저항하는 힘에 의해 끝마디뼈 등쪽에 골절이 생긴 경우이다.[20] 초음파검사에서 소리그림자(acoustic shadowing)을 동반하는 고에코의 골절 조각을 볼 수 있고, 골절 조각의 크기와 위치, 근위 쪽으로 뒤당겨진 힘줄의 위치, 활차와의 관계에 대한 정보를 얻을 수 있다. 건초(힘줄집, tendon sheath) 내에 지굴곡건이 보이지 않고 끝마디뼈의 손바닥 쪽 근위부가 불규칙한 모양을 보이면

jersey손가락을 진단할 수 있다.

지굴곡건의 파열시 손상 위치가 예후를 결정하는 데 중요하다. A1 활차와 중지골 사이, 그리고 아래팔에서 힘줄의 기원부위부터 수근터널(carpal tunnel)의 근위 경계 사이에 손상이 있는 경우 가장 예후가 나쁜데, 이 부위가 힘줄이 움직일 수 있는 연부조직 공간이 좁아 협착이 잘 생기기 때문이다.[18] 초음파검사는 힘줄 파열의 재발(retear) 또는 연부조직의 포착(entrapment)과 같은 수술 후 합병증 평가에도 유

용하다. 봉합 후의 힘줄은 경계가 좋지 않으며 물균실한 에코를 보이고, 봉합실은 고에코로 보이며 반향허상(reverberation artifact)을 동반한다.[17]

2) 인대와 손바닥판 Volar plate 손상

손목과 손의 인대 검사에도 초음파가 유용하다. 인대는 정상에서 힘줄보다 더 치밀한 고에코의 가는섬유다발양상을 보이고, 뼈와 뼈 사이를 연결한다. 부분파열된 인대는 에코가 감소하고 두꺼워지거나 얇아질 수 있다. 완전파열되면 인대가 보이지 않거나, 결손 부위에 무에코 또는 저에코의 액체가 보인다 (Fig. 11-34).[21]

손목의 여러 내인인대들(intrinsic ligaments) 중 손배-반달인대(scapholunate ligament, 이하 SL인대)가 가장 중요한 지지 구조물이다. 인대 손상을 발견하지 못하거나 적절한 치료를 하지 않으면 손목의 불안정(instability)이 생기고 결과적으로 손목의 손배-반달 진행성붕괴(scapholunate advanced collapse, SLAC)가 초래된다.[22] 초음파검사에서 SL인대의 손바닥 쪽과 중간 쪽은 보기가 어렵지만 인대의 등쪽은 정확히 볼 수 있다. SL인대가 파열된 경우에는 주상골(손배뼈, scaphoid)과 월상골(반달뼈, lunate) 사이의 간격이 넓어질 수 있다. SL인대의 파열 진단에서 역동적 검사가 유용한데, 주먹을 꽉 쥔 상태에서 검사하거나, 손목을 척골측 또는 요골

측으로 구부리면 두 뼈 사이의 긴격이 더 벌어진다.[22] 수술이 필요한 경우라면, MRI, MR관절조영술, 또는 CT관절조영술 등의 추가 검사가 필요하다.[22]

손가락 관절의 측부인대의 손상 여부도 초음파로 검사할 수 있다 (Fig. 11-35). 엄지의 중수지관절(metacarpophalangeal joint, 이하 MCP관절)의 척골측측부인대(ulnar collateral ligament, 이하 UCL)는 손상 형태에 따라 수술적 또는 비수술적 치료 방침이 결정되는데, 초음파검사로 엄지 MCP관절의 UCL 손상 형태를 잘 평가할 수 있다.[15] 엄지의 MCP관절에 급성 또는 만성적으로 반복되는 외반힘(valgus stress)이 가해지면 이 관절의 UCL이 손상될 수 있다. 과거에 토끼를 교살하는 사냥꾼에서 많이 발생하였기 때문에 '사냥터지기엄지(gamekeeper thumb)'로 알려져 왔고, 최근에는 스키를 타다가 넘어지는 경우에 손상되는 경우가 많아 '스키엄지(skier thumb)'라고 한다. UCL 파열은 인대의 원위부위에서 더 흔하고, 인대의 부착부인 첫 마디뼈 기저부의 척골측 견열골절을 동반할 수 있다. 다른 인대 손상과 마찬가지로 부분파열된 경우에는 UCL의 에코가 감소하고 두꺼워지거나 국소적으로 얇아질 수 있다 (Fig. 11-36). 완전파열의 경우, 인대가 보이지 않거나, 액체 또는 저에코의 조직 파편이 인대의 전 층을 가로지르고 있는 결손 부위를 볼 수 있다. 급성 손상에서는 색Doppler에서 혈류가 증가된 소견을 보일 수 있다. 초음파검사 중에 MCP관절을 약간 외반해 보면 부분 또

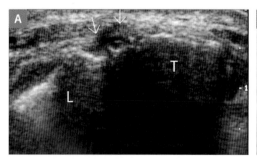
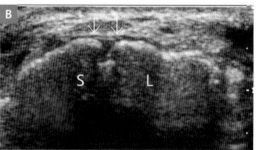
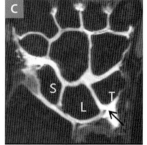

Figure 11-34 **Rupture of the lunotriquetral ligament.** Transverse US images (**A, B**) over the dorsal aspect of the proximal carpal row with coronal T2-weighted MR image (**C**) correlation shows the absence of the lunotriquetral ligament (arrows in **A** and **C**) with respect to the normal scapholunate ligament (arrows in **B**). S, scaphoid; L, lunate; T, triquetrum.

는 완전파열을 진단하는 데 도움이 된다.(15,22) 'Stener병변 (Stener disease)'이란 엄지 MCP관절의 UCL이 원위부에서 완전파열되고, 파열된 근위쪽의 인대가 뒤당겨져 엄지모음널힘줄(adductor pollicis aponeurosis, 이하 AP근막)의 바깥 표면으로 당겨올라간 손상 형태이다.

즉, AP근막이 파열된 근위쪽과 원위쪽의 UCL 사이에 끼어있는 상태를 의미한다. Stener병변은 파열된 UCL이 자연 치유되지 않기 때문에 관절의 만성불안정을 방지하기 위해서 수술이 필요하다. 초음파검사에서 Stener병변은 첫 번째 중

수골(손허리뼈, metacarpal bone) 머리의 척골쪽에 저에코의 구형 덩어리로 보이고 얇은 줄 모양의 AP근막에 의해 남아 있는 원위쪽의 인대와 분리되어 보인다 (Fig. 11-37). 견열골절이 동반된 경우에는 초음파영상에서 소리그림자를 동반한 높은 에코의 골절 조각을 볼 수 있다.(15,22)

아래팔의 요골과 척골 사이의 골간막(뼈사이막, interosseous membrane)에도 손상이 생긴다. 골간막은 주섬유다발(main fiber bundle), 근위-등쪽의 비스듬다발(oblique bundle)과 부속다발들(accessory bundles), 그리고 원위쪽의

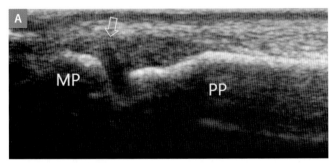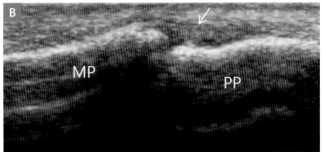

Figure 11-35 **Rupture of the radial collateral ligament of the proximal interphalangeal joint in the 2nd finger.** Longitudinal US image (**A**) over the radial side of the proximal interphalangeal joint shows the disruption of the radial collateral ligament (open arrow). Respect to the normal ulnar collateral ligament (arrow) at the same joint in longitudinal US image (**B**).

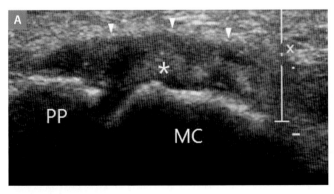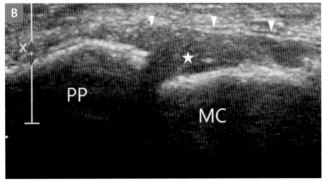

Figure 11-36 **Skier's (Gamekeeper's) thumb: partial ligament tear.** Coronal US image (**A**) obtained over the ulnar aspect of the metacarpopharyngeal joint of the thumb shows the heterogeneously hypoechoic thickening of the ulnar collateral ligament (asterisks) lying deep to the adductor aponeurosis (arrowheads). Respect to the normal ulnar collateral ligament (star) of the thumb in longitudinal US image (**B**) in an asymptomatic patient.

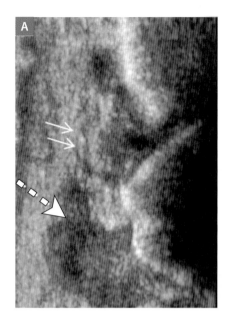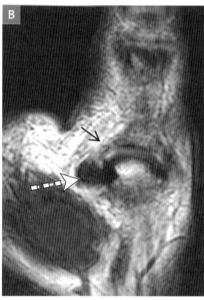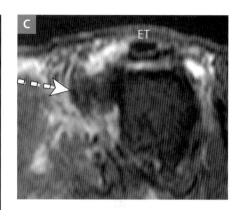

Figure 11-37 Stener lesion. Coronal US image (**A**) obtained over the ulnar aspect of the metacarpopharyngeal joint of the thumb shows the complete tear in the distal ulnar collateral ligament (UCL) with the retraction and displacement of proximal torn UCL to the level of the metacarpal head (dash arrow). Note the adductor pollicis aponeurosis (ADP) (solid arrows) interposition between the torn UCL. Corresponding coronal (**B**) and axial (**C**) MR imaging show the retracted hypointense torn ligament (dash arrow) lying superficial to the ADP (arrow in **B**).

막(membranous portion)으로 구성된다.[23] 골간막의 초음파검사는 아래팔 중간부위의 등쪽에서 횡축영상으로 시작하고, 탐촉자를 척골쪽으로 약간 기울여서 골간막의 섬유방향에 맞춘다. 얇은 고에코의 정상 골간막에 손상이 생기면 에코가 감소하거나 두꺼워지고, 또는 골간막이 보이지 않을 수 있다.[24] Essex-Lopresti손상은 팔꿈치 부위의 요골두(radial head)의 분쇄골절(comminuted fracture)과 관련되어 골간막과 원위요척관절(원위노자관절, distal radioulnar joint)의 손상이 동반되는 경우이다.

손바닥판(volar plate) 손상은 세 번째와 네 번째 손가락의 PIP관절에서 가장 흔하다. 크리켓 또는 야구 선수들에게 잘 발생하며, 관절에 강한 과신전의 힘이 가해지거나 관절의 등쪽 전위(dislocation)가 일어난 경우에 발생한다. 손바닥판 파열은 손바닥판의 원위부에서 더 흔하고, 초음파검사에서 부어있는 손바닥판에 저에코의 단절이 보인다. 원위 부착

부인 중간마디뼈 기저부의 견열골절을 동반할 수 있으며, 단순촬영에서 뼈조각을 볼 수도 있으나, 뼈조각의 크기와 이동정도를 초음파검사에서 더 잘 볼 수 있다 (Fig. 11-38).[22]

3) 힘줄의 불안정을 초래하는 손상

손목과 손에서 힘줄의 지지 구조물로는 지굴곡건의 활차(pulley), MCP관절의 등쪽 부위에 폄덮개(extensor hood)와 세로띠(sagittal band), 손목 신전건 여섯 번째 구획의 하건초(subsheath) 등이 있다. 이러한 구조물들이 손상되면, 각 구조물들이 지지하는 힘줄의 불안정 상태가 초래되며, 진단에 역동적 초음파검사가 중요한 역할을 한다.[18] 지굴곡건의 활차는 힘줄을 지골의 손바닥 쪽에 고정시켜 손가락을 굽힐 때 힘줄이 지골에서 멀어지는 것을 방지한다. 엄지에는 세 개의 고리활차(annular pulley)가 있고, 엄지를 제외한 나

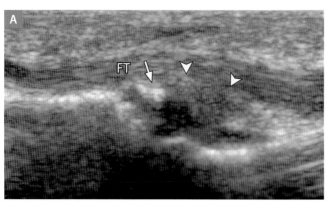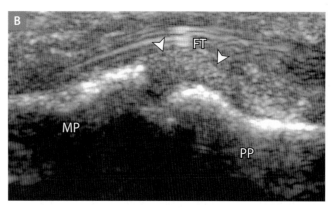

Figure 11-38 **Volar plate injury.** Longitudinal US image (**A**) over the volar aspect of the interphalangeal joint of the 4th finger with respect to the normal volar plate (arrowheads in **B**) shows a hyperechoic avulsed bone fragment (arrow) from the base of middle phalanx at the distal attachment of the volar plate. Note the irregular hypoechoic volar plate (arrowheads in **A**). MP, middle phalanx; PP, proximal phalanx; FT, flexor tendon.

머지 손가락에는 다섯 개의 고리활차(A1~A5)와 세 개의 십자형활차(cruciate pulley, C1~C3)가 손가락의 굴곡건을 지지한다. 이들 중에 첫 마디뼈 부근의 A2와 중간마디뼈 부근의 A4가 가장 두껍고 중요한 역할을 한다. 활차 손상은 암벽 등반가에서 잘 생기며 '등반손가락(climber finger)'이라 한다. 활차 손상은 A2 활차에서 가장 먼저 일어나고, A3 활차, A4 활차 순으로 진행되며, A1 활차 손상도 드물게 생길 수 있다.[25] 활차가 파열되면 손가락을 구부릴 때 지굴곡건이 뼈에서 멀어져서 종축영상에서 힘줄이 활시위 모양을 보이는데 이를 '활시위징후(bowstring sign)'라고 한다 (Fig. 11-39). 이는 활차 손상을 의미하는 특징적 간접 소견이며, 검사자가 환자의 손가락 끝을 누른 상태에서 환자에게 능동적으로 손

가락을 구부리게 하는 역동적 초음파검사가 진단에 도움이 된다. 활시위 모양의 지굴곡건과 지골 사이에 저에코의 액체를 볼 수 있다 (Fig. 11-39).[25] 첫 마디뼈과 지굴곡건 사이의 거리가 3 mm 이상이거나, 역동적 초음파검사에서 5 mm 이상이면 A2 활차 파열을 진단 할 수 있다.[16]

세로띠(sagittal band)의 손상은 급성으로 올 수도 있지만 권투 선수에서 만성적 반복 외상이 가해질 때 주로 생기며 'boxer knuckle'이라고 한다. 세로띠가 손상되면 MCP관절 부위에서 지신전건이 전위된다. 요골쪽에서 손상이 더 자주 일어나는데, 이는 요골쪽 세로띠 섬유가 척골쪽 섬유보다 더 가늘고 길기 때문이다.[26] 요골쪽 세로띠가 파열되면 지신전건이 척골쪽으로 전위되고, MCP관절을 구부리면 전위가

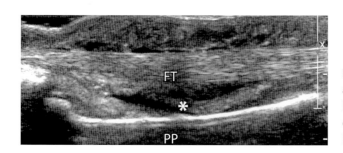

Figure 11-39 **Complete A2 pulley rupture.** Longitudinal US image over the proximal phalanx (PP) in the 2nd finger shows the bowstring and volar displacement of the flexor tendon (FT) secondary to A2 pulley tear. Note the mixed echoic fluid intervening between the flexor tendons and bone (asterisks).

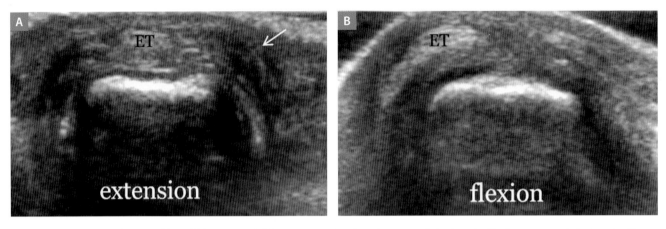

Figure 11-40 **Tear of sagittal band.** Transverse US image over the dorsal aspect of the head of 3rd metacarpal during the finger extension (A) and flexion (B). The radial aspect of the sagittal band is thickened (arrow in A) during the finger extension. Note that subluxation of the extensor tendon (ET) from the midline axis of the metacarpal to the ulnar side during the finger flexion.

더 뚜렷하게 보인다. 손상된 세로띠 주위의 염증반응에 의해 비균질한 저에코를 보이고, Doppler영상에서 혈류가 증가될 수도 있다. MCP관절을 더 굽힐수록 지신전건은 더 많이 전위 되고, 세로띠가 완전파열되면 중수골머리 사이(inter-metacarpal head)에 신전건이 놓이게 된다 (Fig. 11-40). [22] 주먹을 쥔 상태에서 지신전건의 전위 정도에 따라 세로띠 손상은 세 가지 형태로 나눌 수 있다. 1형은 힘줄의 전위를 동반하지 않는 세로띠의 타박상(contusion), 2형은 관절을 굽힐 때 힘줄 퉁김(snapping)을 보이는 세로띠 손상, 3형은 힘줄이 중수골머리 사이까지 완전전위되는 세로띠 파열이다. [22] 척골측수근신전건(자쪽손목폄힘줄, extensor carpi ulnaris tendon, 이하 ECU힘줄)의 불안정은 손목의 여섯 번째 구획의 하건초(subsheath)가 척골 또는 요골 부착부위에서 파열되어 생긴다. 갑작스러운 손목 회외전(supination)을 지속적으로 반복하는 테니스, 골프 선수들에서 잘 생기며, 류마티스 관절염도 하건초 손상의 흔한 원인이다. 손목을 회외전하면 ECU힘줄이 척골의 손바닥 쪽으로 전위된다. 힘줄의 전위가 만성적으로 반복되면 힘줄증 또는 건초염(tenosynovitis)이 초래된다. [18]

4) 혈관손상

손목과 손의 혈관은 표면으로부터 얕게 위치하고 뼈와 가까이 놓여 있기 때문에 외상을 받기 쉽다. 혈관 손상은 깨진 유리조각 등에 의한 급성 외상이 흔하지만, 만성적 반복 외상으로 초래되기도 한다. [16] 혈관벽에 가벼운 외상이 반복적으로 가해지면 혈관내벽에 섬유소가 축적되어 혈전증(thrombosis)이 생길 수 있고, 혈관벽이 약해져 가성동맥류(pseudoaneurysm)가 초래될 수도 있다. 척골동맥(ulnar artery)과 그 분지의 손상이 가장 흔하고, 주로 Guyon관 부근에서 일어난다. 만성적 혈관 손상은 직업적으로 망치 또는 드라이버 같은 진동을 일으키는 도구를 사용하는 사람이나, 자전거나 오토바이 타는 사람의 손에서 발생할 수 있는 손상이며, 이를 '새끼두덩망치증후군(hypothenar hammer syndrome 또는 biker syndrome)'이라고 한다. [22,27] 환자는 새끼두덩(소지융기, hypothenar eminence)에 국소적 통증을 호소한다. 원위 분지동맥에 혈전색전증(thromboembolism) 또는 혈관 수축이 일어나면 네 번째와 다섯 번째 손가락의 허혈(ischemia)을 일으킨다. 초음파검사에서 동맥이 커지고, 맥박이 없거나 감소하고, 동맥 내에 저에코의 혈전을 볼 수 있으며, Doppler검사에서 혈류가 없거나 감소된다 (Fig. 11-

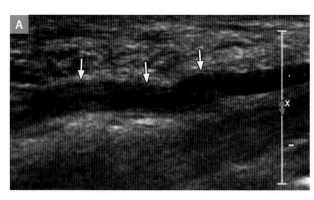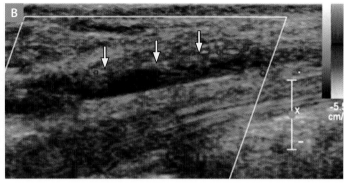

Figure 11-41 **Chronic traumatic thrombosis in the distal ulnar artery at the hypothenar region in a younger badminton player.** Longitudinal gray scale (**A**) and color Doppler (**B**) US images obtained over the hypothenar eminence show the enlarged ulnar artery with the lumen filled with the hypoechoic thrombosis (arrows in **A**), resulting in the absence of the color flow within the arterial lumen on color Doppler (arrows in **B**).

41). 가성동맥류(pseudoaneurysm)가 생겨 인접한 척골신경을 압박하여 신경증이 동반되면, 임상적인 진단이 어려울 수 있다. 가성동맥류는 초음파검사에서 척골동맥과 연결되어 있는 무에코의 낭종처럼 보이거나 불균질한 저에코 종괴로 보이며, Doppler검사에서 특징적인 소용돌이 모양의 혈류가 음양징후(yin-yang sign)를 보이지만, 혈전으로 차면 혈류가 보이지 않는다.[16,22,27]

5) 신경손상 Nerve injury

손목과 손의 신경도 혈관과 마찬가지로 얕게 주행하고 뼈에 가까이 위치하기 때문에 외상을 받기 쉽다.[16] 말초신경 손상은 임상적 소견과 근전도검사(electromyography)로 대략적인 손상 위치와 손상 기간을 알 수 있지만, 손상 정도를 잘 알 수 없는 경우가 많다. 예를 들면, 신경 손상의 급성기에는 신경의 부분 손상과 완전 손상을 구분할 수 없고, 작은 국소적 손상의 경우 정확한 손상 위치를 알기 힘들며, 손상 후 2~3주는 지나야 신경 손상에 대한 정보를 얻을 수 있다. 반면에, 초음파검사는 신경의 손상 위치와 손상 정도에 대한 정보를 조기에 제공한다.[16] 수술을 요하는 신경 손상은 재건 수술을 빨리 할수록 예후가 좋으므로, 빠르고 정확

한 진단이 필수적이다.[28] 초음파에서 정상 신경은 굵은섬유다발양상(fascicular pattern)을 보이며, 저에코의 신경다발들(fascicles)과 이를 둘러 싸는 고에코의 결체조직(connective tissue)으로 구성된다. 신경은 근육보다 높은 에코, 힘줄보다 낮은 에코를 보인다.[16] 신경 손상이 있는 경우, 탐촉자로 압박을 가하면 증상이 유발되는데, 이를 '초음파 Tinel징후(ultrasound Tinel sign)'라고 한다. 부분적으로 절단된 신경은 굵은섬유다발양상이 완전 또는 부분적으로 소실되며, 에코가 낮아지고, 방추형으로 두꺼워 보이며, 신경의 연결성은 유지되어 보인다 (Fig. 11-42, 11-43). 신경이 완전히 절단되면 단절 부위에 초기에는 혈종, 후기에는 흉터조직에 의한 낮은 에코를 보인다. 신경의 절단 부위에 가로절단신경종(transection neuroma)이 생길 수 있다. 가로절단신경종은 진성 종양이 아니고 절단된 신경이 재생하는 과정에서 생기며, 신경섬유와 흉터조직이 섞여 있다. 초음파검사에서 대부분 불균질한 저에코 종괴가 보이며, 말초신경과의 연결을 확인할 수 있고, Doppler검사에서는 다양한 혈류를 보일 수 있다.[1]

사이클 선수, 목발을 오랜 기간 동안 사용한 환자, 망치 등을 반복적으로 사용하는 사람에서, 외부 압력이 손바닥과 손목의 척골측에 만성 반복적으로 가해지면, 유구골

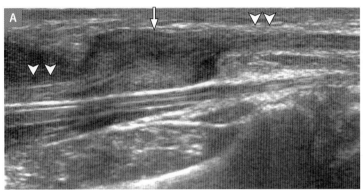
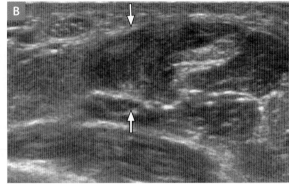

Figure 11-42　Post-traumatic neuroma in the median nerve. Longitudinal (A) and transverse (B) US images obtained in the ventral aspect of distal forearm show a solid hypertrophic post-traumatic neuroma within the median nerve. The neuroma appears as a bulging hypoechoic mass with the relatively well-defined margin (arrows) continuing to the normal proximal and distal nerve (arrowheads).

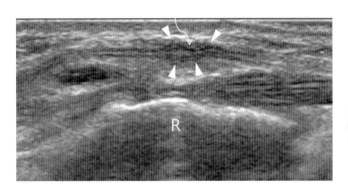

Figure 11-43　Incomplete tear of the superficial peripheral radial nerve. Longitudinal US image obtained over the radial sided wrist show the ill-defined focal hypoechoic swelling (arrowheads) with the preserved hypoechoic fascicular continuities (wavy arrow) of the peripheral superficial branch of the radial nerve. R, distal radius.

(hamate)의 갈고리(hook) 근처에 위치하는 척골신경의 얕은 감각신경(superficial sensory nerve) 또는 깊은운동신경(deep motor nerve)의 신경증이 초래될 수 있다. 신경 주위의 척골 동맥의 만성 손상과 동반되어 발생할 수 있다.

　요골신경의 얕은분지(superficial branch)의 손상은 비교적 흔하며 외상, 삼각섬유연골(traiangular fibrocartilage)의 불안정, 또는 신경이 상완요골근(위팔노근, brachioradialis muscle)과 장요측수근신전근(긴노쪽손목폄근, extensor carti radialis longus) 사이에서 포착되었을 때 생기게 된다. 임상적으로 환자는 엄지와 손등의 요측에 방사신경통(radiating pain)을 호소한다.[28] 초음파에서 요골신경의 얕은분지에 국소적인 저에코 부종을 볼 수 있다 (Fig. 11-44).[1] 증상 부위에 스테로이드 주사가 효과적이며, 포착신경증(entrapment neuropathy)의 경우에는 아래팔의 내회전을 제한하는 것이 도움이 된다.[1]

6) 이물질 Foreign body

이물질에 의해 연부조직의 감염 또는 농양이 생길 수 있다.[16] 초음파검사로 이물질의 정확한 위치와 주위 힘줄, 신경 및 혈관과의 관계를 알 수 있으며, 단순촬영에서 보이지 않는 나무조각 등의 방사선 투과성 이물질의 발견에 특히

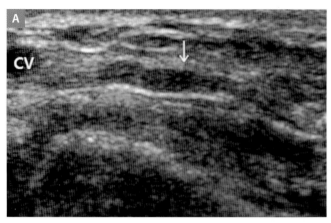
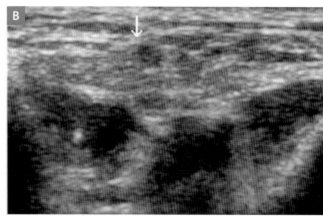

Figure 11-44 Wartenberg's syndrome. Long-axial (**A**) and short-axial (**B**) US images over the radial nerve at the radial-sided distal wrist in a patient with the symptom of superficial radial neuropathy. Distal to the cephalic vein (CV), the fusiform hypoechoic thickening of the superficial branch of radial nerve with loss of the fascicular echotexture (arrow) is seen.

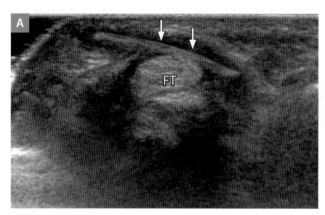
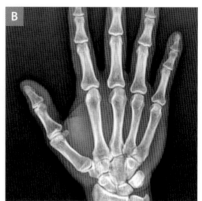

Figure 11-45 Foreign body: radiolucent. Transverse (**A**) US images obtained over the volar aspect of the 2nd metacarpopharyngeal joint (MCP) region following a penetrating wound with a radiograph correlation (**B**) shows a linear hyperechoic structure consistent with a foreign body (arrows), which is located near the flexor tendon (FT). No demonstrable abnormal density in the soft tissue around the MCP region of the 2nd ray on radiograph of the hand.

초음파검사가 유용하다 (Fig. 11-45). [16] 크기가 작은 이물질은 MRI에서 잘 보이지 않는 경우가 많아 초음파검사가 도움이 된다. [18] 이물질은 초음파에서 고에코를 보이며, 대부분 반향허상(reverberation artifact) 또는 소리그림자(acoustic shadowing)를 동반한다. 오래된 이물질 주위에는 이물질 반

응에 의해 저에코 병변을 볼 수 있다 (Fig. 11-46). 건초염과 농양 등의 합병증도 초음파검사로 진단할 수 있다 (Fig. 11-47). [16] 초음파유도하에 이물질을 안전하게 제거할 수도 있다 (Chapter 15 초음파유도 중재 시술 참고).

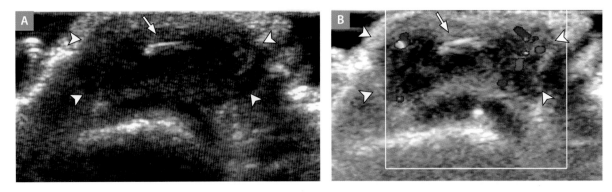

Figure 11-46 **Foreign body: granuloma formation.** Transverse gray scale (**A**) and color Doppler (**B**) US images obtained over the dorsal aspect of the 3rd finger show a short linear hyperechoic foreign body (arrow), surrounded by a thick hypoechoic soft tissue halo showing the color flows consistent with the granulomatous tissue (arrowheads).

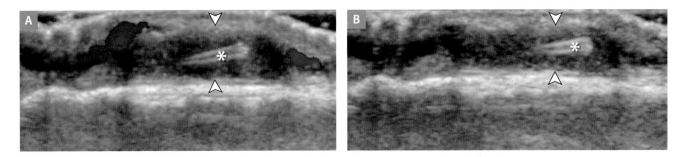

Figure 11-47 **Foreign body: abscess formation.** Non-compressed (**A**) and compressed (**B**) longitudinal color Doppler US images obtained over the dorsal aspect of the middle phalanx of the 3rd finger show a short linear movable hyperechoic foreign body (asterisks) within the surrounding compressible and avascular hypoechoic fluid (arrow heads) consist with abscess.

7) 뼈의 손상

골절은 대개 단순촬영, CT, MRI로 진단하지만, 골절이 골피질(뼈겉질, bony cortex) 표면까지 연장된 경우에는 초음파로도 진단할 수 있다. [29] 초음파에서 골피질의 끊어짐과 계단 모양의 변형, 골절 주위의 출혈, 또는 주위 연부조직에 저에코의 부종과 혈류증가 등을 볼 수 있다. 손과 손목의 골절 중에 주상골(scaphoid)의 골절이 중요하다. 주상골 골절을 적절히 치료하지 않으면 근위 골편에 무혈성괴사(avascular necorosis)가 생길 수 있다. 유구골의 갈고리 골절도 초음파로 진단할 수 있으며, 갈고리 뼈 표면에 골절에 의한 불규칙한 균열을 볼 수 있고 탐촉자로 누르면 통증을 동반한다 (Chapter 03 뼈 질환의 초음파검사). [30]

2. 퇴행성 또는 과사용 Overuse 에 의한 질환

손목과 손에서는 퇴행성 또는 과사용에 의한 힘줄 질환이 흔히 발생한다. 과사용에 의한 반복적 마찰에 의해 무균성 염증이 초래되고, 진행되면 퇴행성 섬유화와 파열을 일으키기도 한다. 힘줄증(tendinosis)은 힘줄의 변성을 말하며 주로 과사용에 의해 생긴다. 초음파검사에서 힘줄 섬유의 단절 없이 에코가 낮아지고, 정상적인 가는섬유다발양상이 부분적 또는 완전 소실되며, 힘줄이 전반적 또는 국소적으로 두꺼워진다.[31] 힘줄의 내부에 칼슘-수산화인회석(calcium hydroxyapatite)이 침착되면, 초음파에서 다양한 정도의 소리그림자를 동반하는 고에코가 보이며, 이를 석회화건염(calcific tendonitis)이라 한다 (Fig. 11-48).[31] 건초염(tenosynovitis)은 윤활막건초(tendon sheath)에 생긴 염증을 말한다. 초음파소견은 비특이적이나, 건초 내에 윤활액이 증가되고, 윤활막건초가 두꺼워져 저에코로 보인다. Doppler검사에서 두

꺼워진 윤활막에 혈류가 증가될 수도 있다. 건초염에서 힘줄은 대부분 정상으로 보이지만, 힘줄증이 동반될 수도 있다.[31] 손목 등쪽에서 신전건의 여섯 구획 중에 첫 번째 구획의 APL힘줄과 EPB힘줄의 지지대 또는 건초에 생긴 만성 무균성 염증을 'de Quervain병(de Quervain disease)'이라 한다 (Fig. 11-49). 초음파에서 윤활막건초가 저에코로 두꺼워지고 윤활액 증가 소견을 보인다. 윤활액 내에 복합에코(complex echo)를 보이면 윤활막증식과의 구별이 필요하다. 탐촉자로 누를 때 압박되거나, 내부 에코가 움직이거나, Doppler검사에서 혈류가 보이지 않으면 복합액체를, 압박되지 않거나 Doppler검사에서 혈류가 보이면 윤활막증식을

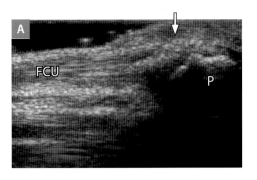
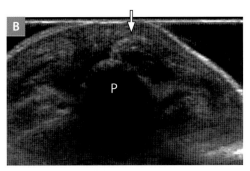
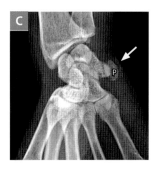

Figure 11-48 **Calcific tendinitis of flexor carpi ulnaris.** Longitudinal (A) and transverse (B) US image over the pisiform (P) in the ulnar sided volar aspect of the wrist with oblique radiograph of the wrist (C) correlation shows the hyperechoic calcium hydroxyapatite deposit (arrow) within the flexor carpi ulnaris tendon (FCU) adjacent to pisiform (P).

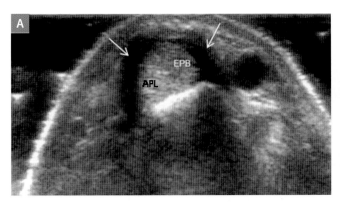
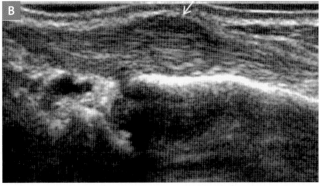

Figure 11-49 **De Quervain disease.** Transverse (A) and longitudinal (B) US image obtained over the radial styloid shows thickening and hypoechoic appearance of the retinaculum of the first compartment (arrow). Inside tunnel, the extensor pollicis brevis (EPB) and abductor pollicis longus (APL) tendons are located. They cannot be distinguished from one another because they are passed within the confined space of the osteofibrous tunnel.

시사하는 소견이다. APL힘줄과 EPB힘줄 시이에 전체 또는 부분적으로 가로지르는 격막(septum devisum)이 있을 수 있고, 이로 인해 첫 번째 구획이 두 개의 소터널(subtunnel)로 나뉘게 된다. 이런 경우, 건초염은 한쪽 또는 양쪽 소터널에 생길 수 있다 (Fig. 11-50).[18] 첫 번째 구획 내의 격막은 수술 또는 초음파유도하의 약물 주사 등의 치료에서 중요한 소견이므로 초음파검사 중에 주의해 살펴야 한다.[1,18]

교차증후군(intersection syndrome)은 원위교차증후군과 구분하기 위해 근위교차증후군(proximal intersection syndrome)으로 불리기도 한다. 아래팔의 원위부에서 첫 번째와 두 번째 구획의 신전건이 서로 교차하는데, 이 부위에서

힘줄들 시이의 빈복적 마칠에 의해 긴초염이 초래된 겅우를 말한다.

아래팔의 원위부에 통증과 부종을 일으키며, 초음파검사 중에 탐촉자로 압박을 하면 압통이 유발된다. 초음파에서 윤활막건초가 저에코로 두꺼워져 보이고, Doppler검사에서 혈류 증가를 볼 수 있으며, 주위 연부조직에 액체를 볼 수도 있다 (Fig. 11-2A, 11-51).[1]

원위교차증후군(distal intersection syndrome)은 비교적 드물다. 두 번째와 세 번째 구획의 힘줄이 Lister결절(Lister tubercle) 보다 더 원위부에서 서로 교차하는데, 이 부위에서 생긴 만성 무균성 건초염을 말한다 (Fig. 11-52).

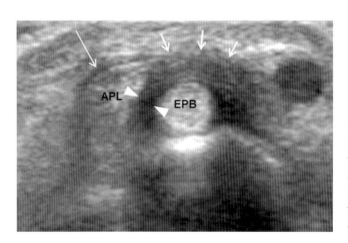

Figure 11-50 **Incomplete de Quervain disease.** Transverse US image obtained over the radial styloid demonstrates selective thickening of the dorsal portion of the retinaculum (short arrows) and vertical septum (arrowhead) eveloping the extensor pollicis brevis (EPB), whereas the more ventral portion of the retinaculum (long arrow) and abductor pollicis longus tendon (APL) remain a normal appearance.

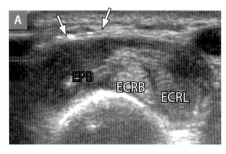
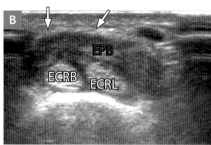
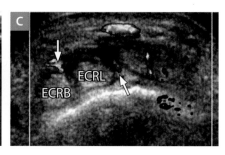

Figure 11-51 **Intersection syndrome.** Serial sequence of transverse US images obtained from cranial (**A**) to caudal (**C**) over the distal forearm demonstrate hypoechoic tenosynovial thickening (arrows) and effusion in the tendon sheath of the extensor carpi radialis longus (ECRL) and brevis (ECRB) in which the tendons are crossed by the tendons of the first compartment, abductor pollicis longus (APL) and extensor pollicis brevis (PEB) tendons. Transverse color Doppler US image (**C**) shows the color signal distributed around thickened tendon sheath due to inflammatory hyperemia (long arrows).

세 번째 구획의 EPL힘줄은 Lister결절(Lister tubercle)의 척골측을 돌아 엄지쪽으로 주행한다. Lister결절과 EPL힘줄의 기계적 마찰로 인해 Lister결절 부위에서 EPL 건초염 또는 파열이 잘 발생한다. EPL힘줄 파열은 요골의 원위부 골절 후에 적절한 치료하지 않은 경우나 류마티스 관절염 등과 관련되어 생기거나, 특발성(idiopathic)으로 생길 수 있다. Lister결절 부위의 EPL힘줄은 혈류 공급의 경계 부위(watershed zone)이므로 적은 혈류량이 파열의 원인 중 하나이다 (Fig. 11-53).[18] EPL 건초내에 윤활액 증가를 보일 수 있으나, 등쪽에 위치하는 신전근지지대(extensor retinaculum)에 의해 공간이 제한되므로 윤활액이 많이 증가된 경우에만 확인할 수 있다.

ECU건초염은, 여섯 번째 구획 하건초(subsheath)의 손상에 의해 힘줄의 불안정이 있을 때 힘줄과 척골 사이의 반복적 마찰로 인해 주로 발생한다. 초음파에서 건초내의 윤활액 증가와 윤활막증식 이외에도 힘줄증, 힘줄의 종축파열(longitudinal split tear), 또는 힘줄 전위 여부를 검사할 수 있다 (Fig. 11-54).[1]

'방아쇠수지(trigger finger)'는 손가락의 과사용에 의한 지굴곡건의 활차(pulley), 건초, 힘줄에 생기는 만성 염증에 의해 손가락 운동이 제한되는 경우이다. 중년 여성에서 잘 생기고, 손가락을 펴거나 구부리려고 할 때 잘 움직여지지 않

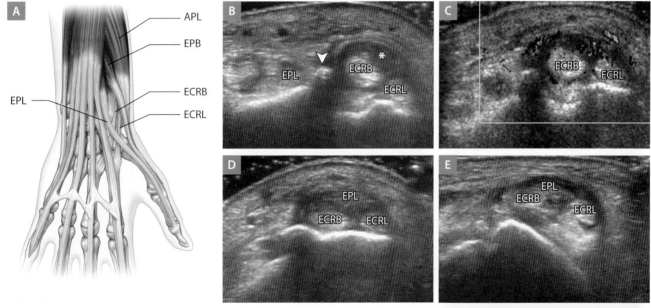

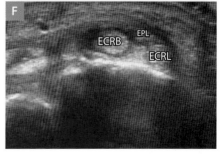

Figure 11-52 **Distal intersection syndrome. A.** An illustration for distal intersection. **B, C.** Transverse US image over the dorsal wrist at the level of Lister's tubercle (arrowhead) shows tenosynovitis (*) of 2nd extensor compartment (extensor carpi radialis longus and brevis, ECRL and ECRB). Color Doppler image shows increased vascularity of tenosynovitis. Inflammatory swelling of adjacent subcutaneous fat layer is noted. Note extensor pollicis longus tendon (EPL) medial to Lister's tubercle. **D, E, F.** Serial transverse images over the dorsal wrist distal to Lister's tubercle show cross-over of EPL over ECRL/ECRB with tenosynovitis. (Courtesy of Sung Moon Lee, Keimyung University)

다가 힘을 주면 퉁김(snapping)을 동반하면서 펴지거나 구부려지고, 통증을 동반한다. A1 활차 부위에 가장 흔히 침범되며, 초음파에서 침범된 활차나 건초가 저에코로 두꺼워지고, 힘줄증 또는 결절종(ganglion)이 동반될 수 있다 (Fig. 11-55, 11-56). [31] 역동적 검사에서 힘줄의 원활한 운동에 제한이 있고, 손가락을 능동적으로 펴거나 구부리면 힘줄의 퉁김(snapping)을 볼 수 있다. [31]

삼각섬유연골복합체(triangular fibrocartilage complex,

TFCC)는 원위 요척골관절과 손목관절에 안정성을 부여하고 척골측으로 가해지는 물리적인 압력을 흡수하는 구조물이며, 초음파검사로 손상을 검사할 수 있다. TFCC의 요골측 부착부위는 초음파에서 잘 보이지 않는 경우가 많아 전체 TFCC 검사에는 한계가 있다. [6,7] 삼각섬유연골이 손상되면 초음파에서 균질한 고에코의 삼각섬유연골 내에 저에코의 틈(cleft)이 보이게 된다 (Fig. 11-57).

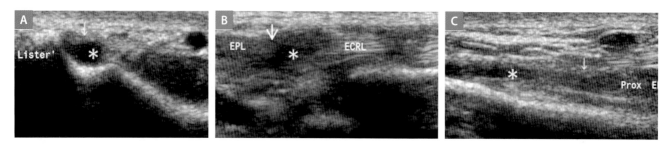

Figure 11-53 **Extensor pollicis longus tendon: complete tear.** Transverse US image (**A**) over the dorsal wrist at the level of Lister's tubercle (Lister's) shows the absence of the extensor pollicis longus (EPL) tendon within the 3rd extensor compartment (arrow). Oblique transverse US image over the dorsal aspect of the hand (**B**) and oblique longitudinal US image over the distal forearm (**C**) show the distal (arrow in **B**) and proximal (arrow in **C**) ends of the retracted torn EPL tendon with the torn gap filled with the anechoic fluid (asterisks). ECRL, extensor carpi radialis longus; ECRB, extensor carpi radialis brevis.

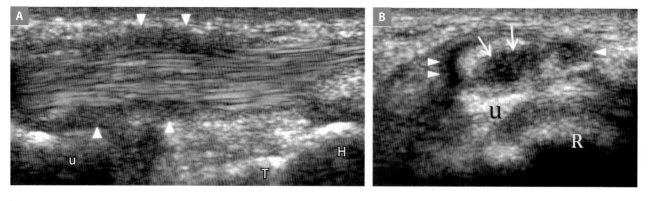

Figure 11-54 **Tenosynovitis with partial tear of the extensor carpi ulnaris tendon.** Longitudinal (**A**) and transverse (**B**) US images over the extensor carpi ulnaris tendon at the wrist show the hypoechoic synovial thickening which cause abnormal distension of the synovial sheath (arrowheads), and associated partial tear of the tendon (arrows). U, ulna; T, triquetrum; H, hamate; R, radius.

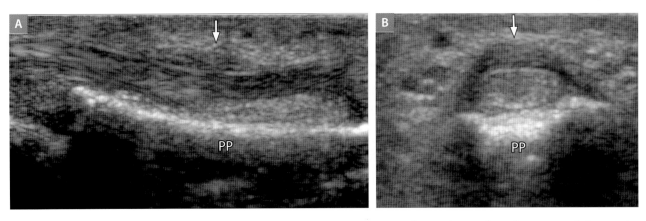

Figure 11-55　Trigger finger. Longitudinal (**A**) and transverse (**B**) US images obtained over the volar aspect of the proximal phalanx of the 3rd finger reveal discrete thickening and a hypoechoic appearance of the A2 pulley (arrows). The flexor tendon has a normal size and echotexture. pp, proximal phalanx.

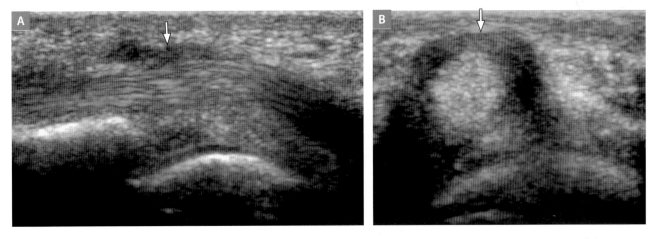

Figure 11-56　Trigger thumb. Longitudinal (**A**) and transverse (**B**) US images obtained over the volar aspects of the metacarpophalangeal joint of the thumb reveal discrete hypoechoic thickening of the A1 pulley (arrows) resulting in the motion limitation of the thumb.

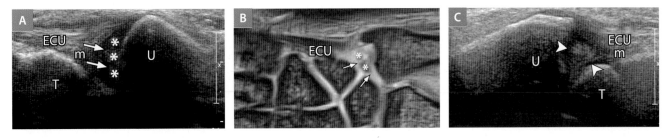

Figure 11-57　Triangular fibrocartilage disc tear. Coronal US image (**A**) over the ulnar aspect of the wrist with coronal gradient MR imaging (**B**) correlation shows the irregular hypoechoic clefts (arrows) within the hyperechoic triangular fibrocartilage disc (*) lying between the triquetrum (T) and the ulna (U) consist with tears. Respect to the normal triangular fibrocartilage disc (arrowheads) of the opposite wrist in coronal US image (**C**). m, meniscus homologus; ECU, extensor carpi ularis tendon.

3. 포착신경증 Entrapment neuropathy

손목에서 포착신경증은 수근관증후군(손목굴증후군, carpal tunnel syndrome)과 Guyon관증후군(Guyon or ulnar canal syndrome, 척골관증후군, 자굴증후군)이 있다. 수근관증후군이 팔의 포착신경증 중에 가장 흔하며, 수근관 내의 정중신경의 포착에 의해 발생한다. 대부분 원인을 알 수 없는 특발성이며, 이 경우에는 주로 양측성이고 여성에서 더 흔하다.[18] 잔류정중동맥(persistent median artery) 또는 덧근육(accessory muscle)과 같은 해부학적 변이, 외상, 종괴, 굴곡건 건초염 등에 의해 수근관내 압력이 증가하거나 수근관의 단면적이 감소하면 정중신경이 압박되어 생길 수도 있으며, 이런 경우에는 대개 편측성이다 (Fig. 11-58). 정중신경이 지배하는 영역에 통증과 감각이상을 초래한다. 근전도검사로 진단을 내릴 수 있지만 침습적이고 검사자 의존성이 높은 단점이 있다. 초음파에서 정중신경이 수근관 내에서 압박되어 납작해지고 근위부 수근관 또는 수근관보다 더 근위부에서 신경의 에코가 감소하고 부종을 동반한다. 손목주름(wrist crease) 부위에서 측정한 정중신경의 단면적이 10 mm^2 이상이면 수근관증후군의 가능성이 높다 (Fig. 11-59).[32] 이차적 초음파소견으로 굽힘근지지띠(flexor retinaculum)가 두꺼워지며 활 모양으로 볼록하게 보일 수 있다 (Fig. 11-59).

Doppler검사에서 정중신경 내에 혈류가 보이면 수근관증후군을 시사하는 소견이다 (Fig. 11-60).[33] 해부학적 변이인 이분정중신경(bifid median nerve)일 경우에 정중동맥이 두 신경 줄기 사이에 남아있을 수 있으며, 이로 인해 수근관증후군이 생길 수 있다.[34,35]

Guyon관증후군(Guyon or ulnar canal syndrome)은 Guyon관 내에서 척골신경이 눌리는 포착신경증이며 비교적 드물다. 결절종과 같은 종괴, 만성 반복적인 외부 압력, Guyon관 내의 척골동맥의 혈전증 또는 동맥류, 유구골의 갈고리 또는 두상골(pisiform)의 골절이나 전위 등이 원인이다 (Fig. 11-61).[32] 요골신경 얕은분지의 포착신경증인 Wartenberg증후군(Wartenberg syndrome)은 아래팔에서 상완요골근(brachioradialis muscle)과 장요측수근신전근(extensor carti radialis longus) 사이에서 신경이 포착됨으로써 발병하며, 아래팔의 반복적 내회전과 관련이 있다. 엄지와 요측 손등 쪽에 감각이상을 보이며, 아래팔을 강하게 내회전할 때 통증을 초래할 수 있다. 반복적으로 손목을 굴곡하거나 척골 쪽으로 편위할 때 증상이 악화된다. 석고붕대, 요골골절, 시계, 팔찌 착용 등이 원인일 수 있다.[32] 초음파검사에서 저에코로 부어 있는 요골신경 얕은분지를 볼 수 있다 (Fig. 11-44) (Chapter 05 상지 신경 참조 바람).[1]

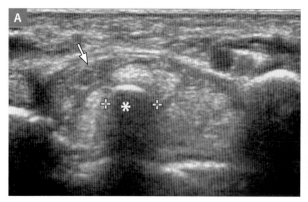
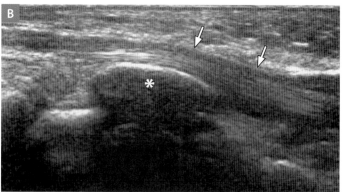

Figure 11-58 **Carpal tunnel syndrome in a calcified space occupying lesion.** Transverse (**A**) and longitudinal (**B**) US image obtained over the middle portion of the carpal tunnel shows an oval calcified mass (asterisks) with posterior acoustic shadowing located in the deep portion of carpal tunnel, causing compression to the median nerve (arrow).

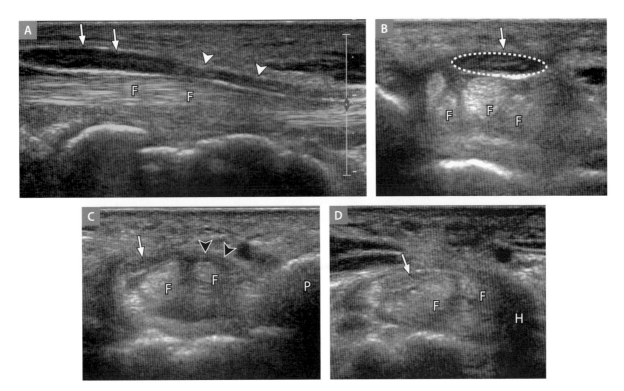

Figure 11-59 Carpal tunnel syndrome. Longitudinal US image (**A**) of the median nerve through the wrist and distal forearm shows the hypoechoic swollen median nerve with absent fascicular pattern as it passes toward the carpal tunnel (arrow). Note the median nerve is flattened and compressed within the carpal tunnel (arrowheads). Serial transverse US images obtained just proximal to the carpal tunnel (**B**), at the proximal tunnel (**C**), and at the distal tunnel (**D**) show the maximum nerve swelling just behind the proximal edge of the transverse carpal ligament (arrow in **B**), and flattened and compressed median nerve within the proximal and distal tunnel (arrow in **C, D**). The cross sectional area of the median nerve measured at the **B** point (circle) is the most reliable diagnostic criteria. Note that the abnormal bulging of the thickened hypoechoic transverse carpal ligament (black arrowheads). F, flexor tendons; P, pisiform; H, hamate hook.

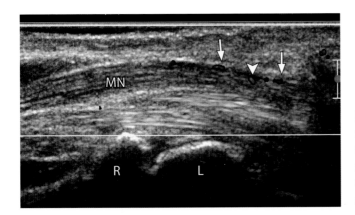

Figure 11-60   Entrapment neuropathy of the median nerve. Longitudinal color Doppler US image of median nerve (MN) in a patient with carpal tunnel syndrome demonstrates subtle flow signals from the longitudinal perineural plexus (arrow) and a series of intraneural branches (arrowhead) among the fascicles. R, radius; L, lunate.

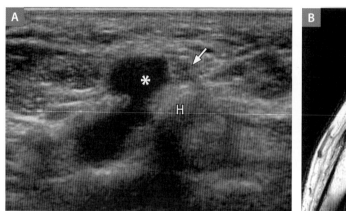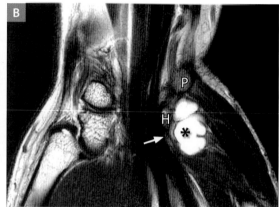

Figure 11-61 **Guyon canal syndrome in a ganglion.** Transverse US images obtained over the distal Guyon canal (**A**) with coronal T2-weighted MR imaging (**B**) correlation shows a lobular anechoic ganglion cyst (asterisks) which compresses the ulnar nerve (arrow) against the hamate hook (H). P, pisiform.

4. 관절염 Arthritis

염증성 관절염(inflammatory arthritis)의 진단과 치료에서 초음파의 역할이 점점 중요해지고 있다. 관절염 초기에는 단순촬영보다 초음파가 더 유용하며, 추적 초음파검사로 염증의 진행 여부와 치료효과를 평가할 수 있다. 병의 진단과 추적검사에는 MRI가 초음파보다 유용할 수 있지만, 소량의 관절액을 찾는 데는 초음파가 더 유용하며, Doppler검사로 윤활막염의 혈류에 대한 정보를 얻을 수 있으며, 초음파 유도하 관절주사도 실시할 수 있다.[36] 초음파로 관절액 증가, 윤활막 증식, 골미란(bone erosion) 소견과 Doppler검사에서 윤활막의 혈류를 평가하여 관절염의 진행 정도를 알수 있다. 관절액이 증가되면 관절강 내에서 무에코 또는 저에코로 보이며, 관절낭(joint capsule)이 팽창되고, 탐촉자로 압박하면 눌려지면서 내부 에코가 움직인다. 윤활막 증식은 관절강 내에서 저에코로 보이고, 압박을 가할 때 잘 눌려지지 않으며, Doppler검사에서 혈류를 보일 수 있다 (Fig. 11-62). Doppler검사에서 윤활막의 신호 증가는 혈류증가나 혹은 혈관신생(angiogenesis)을 의미한다.[37] Doppler검사로 활성 및 비활성 윤활막염을 구분하는 데 도움이 된다 (Fig. 11-63). Power Doppler가 color Doppler보다 혈류에 대한

민감도가 높기 때문에 윤활막염의 활성도를 더 잘 나타내고, 활성 윤활막염의 병리학적 변화를 잘 반영한다고 알려져 있다.[22,37,43] 골미란은 관절강 내에서 적어도 서로 직각인두 영상면에서 뼈 표면이 불규칙하고 불연속성을 보일 때 진단 할 수 있다. 초음파에서 의심되는 골미란이 있을 때, 그주위에 활성 윤활막염이 동반되면 골미란의 가능성이 높다 (Fig. 11-64). 중수골의 원위 등쪽에 정상적으로 보이는 파인부분과 불규칙한 골극(osteophytes)을 골미란으로 오인하지 않도록 주의한다 (Fig. 11-65). 증상이 없는 관절과 비교하거나 단순촬영을 참고하면 도움이 된다.

류마티스관절염(rheumatoid arthritis)은 만성 윤활막염과 파누스(pannus)를 형성하고, 연골미란과 골미란을 일으킨다. 초기 진단과 치료효과의 판단이 중요하다. 단순촬영에서 골미란이 보이면 이미 진행된 관절염이므로 골미란이 나타나기 전에 초기 윤활막염의 진단이 중요한데, 초음파검사가 이런 목적에 유용하다. 골미란은 윤활막염에 의해 두 번째, 세 번째, 다섯 번째 MCP관절에 잘 생긴다.[36] 또 원위요척골관절(distal radioulnar joint), 월상골(lunate)의 등쪽, 척골의 경상돌기(styloid process)에서도 흔하며, ECU건초염과 힘줄증을 동반하기도 한다 (Fig. 11-66).[1] 초음파검사는 골미란을 단순촬영보다 1년 내지 2년 정도 더 빨리 진단할

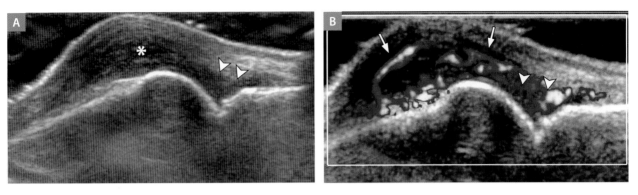

Figure 11-62 Synovitis. Longitudinal gray scale US image (A) in a patient with the early stage of rheumatoid arthritis demonstrates the intraarticular synovitis showing the hypoechoic synovial thickening (arrowheads) and periarticular soft tissue swelling (asterisks) in the 3rd metacarpophalangeal joint. Power Doppler image (B) shows the increased color signals in the thickened hypoechoic synovium (arrowheads) and in the inflamed soft tissues (arrow).

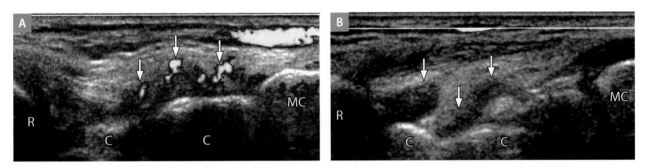

Figure 11-63 Distinguishing active versus inactive rheumatoid pannus. Longitudinal color Doppler US image (A) over the dorsal wrist in a patient rheumatoid arthritis shows active pannus as a marked thickening of the synovium with the hypervascular pattern (arrows). Longitudinal color Doppler US image (B) over the dorsal wrist in a patient with chronic rheumatoid disease reveals hypovascular hypoechoic fibrous pannus (arrowheads). R, radius; C, carpal bone; MC, metacarpal.

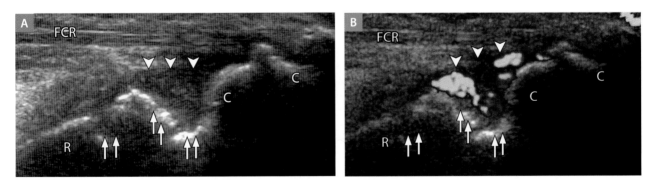

Figure 11-64 Bone erosions in an inflammatory arthritis. Longitudinal gray scale (A) and color Doppler (B) US images over the radial sided ventral wrist in a patient with active inflammatory arthritis show bone erosions as small irregular cortical defects (arrows) in the distal ulna. Note the thickened hyperemic synovium (arrowheads) located inside and around them. FCR, flexor carpi radialis tendon; R, radius; C, carpal bone.

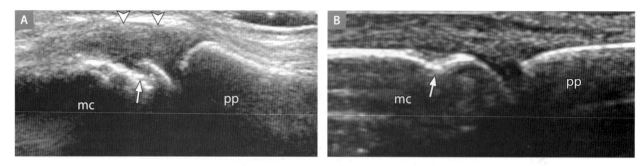

Figure 11-65 Bone erosion in a rheumatoid arthritis: comparison with normal focal notch. Longitudinal US image over the dorsal aspect of the metacarpophalangeal joint of the finger reveals bony erosions (arrows) over the surface of the metacarpal head associated with the distension of the joint capsule (arrowheads) by the thickened synovium. Longitudinal US image (**B**) of the normal finger for the comparison shows normal focal notch (arrow) located on the dorsal aspect of the metacarpal head. pp, proximal phalanx; mc, metacarpal.

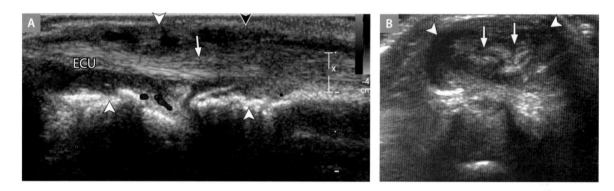

Figure 11-66 Tenosynovitis and tendinosis of extensor carpi ulnaris in rheumatoid arthritis. Longitudinal color Doppler (**A**) and transverse gray scale (**B**) US images over the radial sided dorsal wrist reveal marked irregular hyperemic thickening of the synovial sheath (black arrowhead) of the ECU. Note the thickening of the ECU with longitudinal intratendinous tears (arrows). The bone erosions in the adjacent carpal bones (white arrowheads) are also noted. ECU, extensor carpi ulnaris tendon.

수 있고, 윤활막 두께와 혈류량을 평가하여 병의 진행여부와 치료효과를 판정할 수 있다.[38]

관절 내의 다양한 결정체(crystal) 침착이 급성 또는 만성 관절염을 유발할 수 있으며, 통풍(gout)이 가장 흔하다. 통풍은 요산(monosodium urate) 결정체가 관절 내와 관절 주위에 침착되는 질환이다. 관절 내에서 연골 표면에 요산 결정체가 침착되면 초음파에서 연골 표면을 따라 불규칙한 고에코 띠가 보인다. 이 고에코 띠와 연골하 골피질의 고에코 띠가 함께 보이므로, '이중윤곽징후(double contour sign)'라

고 하며, 통풍 환자의 92%에서 볼 수 있다 (Chapter 13 무릎 및 아래다리 Fig. 13-44 참고).[39] 결절성통풍(tophaceous gout)에서는 초음파에서 연부조직 덩어리를 볼 수 있다 (Fig. 11-67).

그 외 결정체 침착 관절염으로는 칼슘피로인산침착병(calcium pyrophosphate dihydrate deposition disease, CPPD)이 있는데, 가성통풍(pseudogout)이라고도 하며, 결정체가 주로 연골내에 침착하는 질환이다.[39]

감염성 관절염(infectious arthritis)은 초음파검사로 윤활막염과 관절액을 잘 볼 수 있지만, 염증성 관절염과 구분할

CHAPTER

11

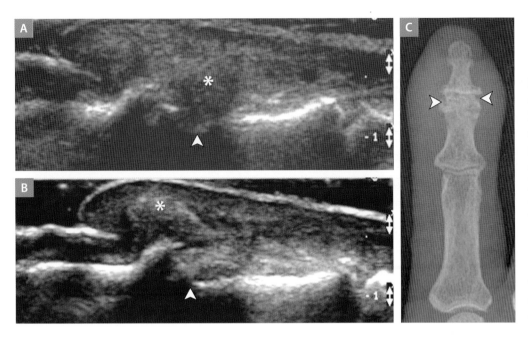

Figure 11-67 **Topha-ceous gout arthropathy.** Longitudinal US images over the radial (**A**) and dorsal (**B**) aspects of the distal interphalangeal joint in the 2nd finger with radiographic (**C**) correlation show the hyperechoic periarticular soft tissue mass lesions consisting with tophi (asterisks) and the adjacent overhanging edged periarticular bone erosions (arrowheads).

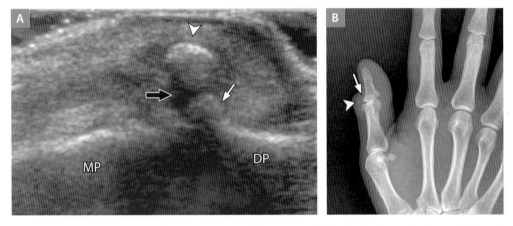

Figure 11-68   **An intra-articular loose body in a patient with osteoarthritis in the interphalangeal joint.** Longitudinal US image (**A**) over the dorsal aspect of the interphalangeal joint of the thumb shows small synovial effusion (thick arrow) and an intraarticular fragment (arrowhead) located inside the distented synovial recess of the joint. Note the abnormal marginal bony projection representing osteophyte (arrow) in the distal phalangeal base. Corresponding lateral radiograph (**B**) confirms the loose body (arrowhead) and the osteophyte (arrow).

수 없는 경우가 많으므로, 증상이 진단에 중요하며 확진을 위해서는 관절액 흡인 및 현미경검사가 필수적이다.

　관절 내의 유리체(loose body)는 퇴행성 관절염과 골연골 (osteochondral) 손상에서 볼 수 있다. 초음파에서 관절 내에 소리그림자를 동반하는 뼈조각이 보이면 진단할 수 있으며,

불규칙한 관절면과 골극 등의 소견을 같이 볼 수 있다. 손바닥 쪽의 유리체는 종자골(sesamoid)과 구별이 필요하며, 유리체는 관절 내에 위치하고 종자골은 관절 바깥쪽에 위치한다 (Fig. 11-68).

5. 감염성 질환 Infection

손목과 손의 감염성 건초염(infectious tenosynovitis)은 포도상구균 등의 화농성 세균에 의한 급성 감염과 결핵균, 비전형적인 결핵균 등에 의한 만성 감염이 있다.[40] 급성 화농성 건초염은 대개 손가락의 관통상으로 생기며, 빠르게 건초 전장으로 파급된다. 초음파에서 피하 연부조직의 부종, 힘줄 주위의 화농성 액체, 힘줄 및 건초의 부종 등을 볼 수 있으며, 화농성 액체는 복합에코로 보인다. Doppler검사에서 두꺼워진 윤활막에 혈류 증가를 볼 수 있다 (Fig. 11-69). 결핵균 또는 비전형적인 결핵균에 의한 만성 감염성 건초염은 육아종성 변화로 인해 윤활막이 상당히 두꺼워지고 Doppler 검사에서 윤활막의 혈류 증가 소견을 보인다 (Fig. 11-70).[1] 이런 초음파소견은 비특이적이므로 확진을 위해 초음파유도하 흡인, 세균검사 또는 윤활막 조직생검이 필요하다.[1]

6. 덧근육 Accessory muscle

덧근육은 해부학적 변이로 우연히 발견되는 경우가 많고, 종괴로 오인할 수 있으며, 신경 등 주위 구조물을 압박할 수 있다. 덧새끼손가락벌림근(accessory abductor digiti minimi)이 손목에서 가장 흔한 덧근육이고, 정상인의 24% 정도에서 볼 수 있으며, 50% 정도에서 양측성이다.[41] 이 덧근육은 손바닥수근인대(volar or palmar carpal ligament)와 장수장건 (긴손바닥힘줄, palmaris longus tendon)에서 기시하여 새끼손가락벌림근(abductor digiti minimi)과 함께 다섯 번째 첫마디뼈의 근위부에 부착하고, Guyon관 내에서 척골동맥과 척골신경 가까이 주행한다. 대부분 증상을 일으키지 않지만 근육이 수축하는 동안 척골신경을 누를 수 있다. 초음파에서 정상 근육과 같은 저에코의 덩어리로 보이며(Fig. 11-71), 눌려있는 척골신경을 확인할 수 있다. 초음파검사 중에 새끼손가락을 외전(abduction)시키면 근육이 두꺼워지면서 척골신경이 압박받는 것을 볼 수 있다.[41] Doppler검사를 하면 척골동맥 질환과 감별할 수 있다.

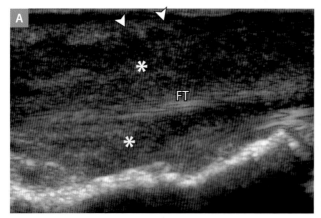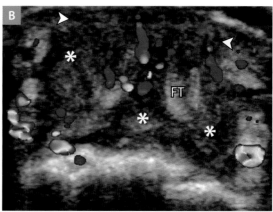

Figure 11-69 **Infectious tenosynovitis of the flexor digitorum tendons in a patient with a previous penetrating injury in the soft tissue of the middle finger.** Longitudinal gray scale (**A**) and transverse color Doppler (**B**) US images over the volar aspect of the finger show a striking echogenic synovial effusion (asterisks) surrounding the thickened flexor tendons (FT). Note that the undefined outer borders of the hyperemic tendon sheath and the superficial soft tissue (arrowheads).

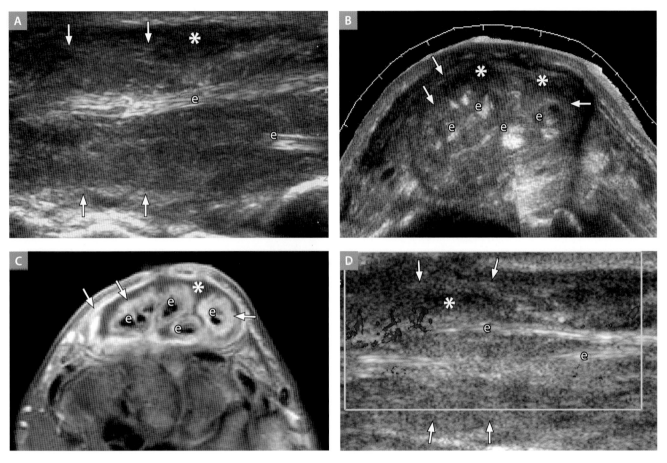

Figure 11-70 **Tuberculous tenosynovitis**. Longitudinal (A) and transverse panoramic (B) US images and corresponding gadolinium enhanced T1-weighted MR imaging (C) obtained over the dorsal aspect of the wrist demonstrate that the synovial membranes of the extensor digitorum tendons (e) are markedly thickened and hypoechoic (arrows), and can be defferenciated from the anechoic effusions (asterisks). Color Doppler US image (D) shows a hyperemia of the synovial membranes.

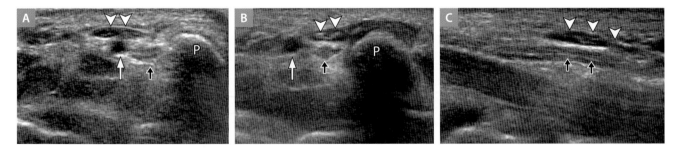

Figure 11-71 **Accessory abductor digiti minimi**. Serial proximal (A) and distal (B) transverse, and longitudinal (C) US images over the Guyon canal in a asymptomatic patient show a thin fusiform hypoechoic belly (arrowheads) adjacent to the ulnar artery (long arrow) and nerve (arrow), but not compress them, consist with accessory abductor digiti minimi. P, pisiform.

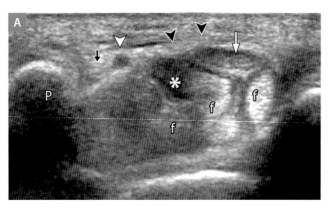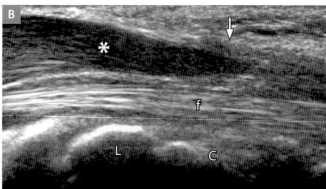

Figure 11-72   Aberrant flexor muscle of the index finger. Transverse US image (**A**) obtained over the proximal carpal tunnel demonstrates an anomalous hypoechoic mass (asterisks) reflecting an aberrant flexor muscle of the index finger among the median nerve (white arrow), the flexor digitorum tendons (f) and the transverse carpal ligament (black arrowheads). Longitudinal US image (**B**) over the anomalous muscle demonstrates that the aberrant flexor muscle of the index finger (asterisks) extends inside the carpal tunnel. P, pisiform; L, lunate; C, capitates. Ulnar artery: black arrowhead, Ulnar nerve: black arrow.

단수지신근(짧은손가락폄근, extensor digitorum brevis manus) 덧근육은 정상인의 1~3%에서 발견된다. 척골 근위부의 등쪽에서 기시하여 두 번째 또는 세 번째 손가락 쪽에 부착된다. 두 번째 손가락의 신전건을 따라 방추형 덩어리로 만져지며, 결절종, 건초염, 연부조직 종괴와의 구분이 필요하다. 초음파에서 근육과 같은 에코를 보이고, 역동적 검사에서 근육을 수축시키면 모양이 변하는 것을 볼 수 있다.[42]

그 외의 변이로는 지굴곡근의 변이, 장수장근의 변이, 비정상적 충양근(벌레근, lumbrical muscle) 등이 있다 (Fig. 11-72).

7. Dupuytren구축 Dupuytren contracture

Dupuytren구축은 수장건막(손바닥널힘줄, palmar aponeurosis)에 섬유성 조직이 증식되는 양성 질환으로 손바닥섬유종증(palmar fibromatosis)이라고도 하며, 원인은 밝혀져 있지 않다. 발생 빈도는 1~2%이며, 환자의 60% 정도에서 양측성을 보인다.[43] 초기에는 수장건막이 결절 또는 방추형으로 두꺼워지고, 더 진행되면 긴 끈 모양으로 두꺼워져 손

가락의 운동제한과 구축을 초래한다. 당뇨병 환자에서 흔하고, 발바닥섬유종증(plantar fibromatosis)과 같은 다른 부위의 섬유종증이 동반될 수 있다. 척골쪽의 수장건막에서 손바닥주름(palmar crease)과 네 번째 손가락의 MCP관절 사이에 가장 흔하다. 진행된 병변은 비교적 쉽게 진단할 수 있으나, 초기 병변은 힘줄활막거대세포종(tenosynovial giant cell tumor) 등의 다른 종괴와의 구분이 쉽지 않다. 초음파에서 손바닥 섬유종증은 손바닥의 피부와 지굴곡건 사이에서 경계가 비교적 좋은 저에코의 병변으로 보인다. Doppler검사에서 병변의 혈류 증가는 보이지 않는다 (Fig. 11-73).[43] 역동적 검사에서 손가락을 움직이면 병변과 손가락굽힘힘줄 사이의 유착 여부를 알 수 있다.[1]

8. 종괴

초음파검사로 낭종과 고형종괴를 잘 구분할 수 있지만, 특징적 영상소견을 보이는 종괴는 흔하지 않으므로 진단을 위해서 조직학적 검사가 필요한 경우가 많다. 그러나 초음파검사로 종괴의 크기, 위치, 수, 그리고 주위 신경, 혈관, 힘줄 등

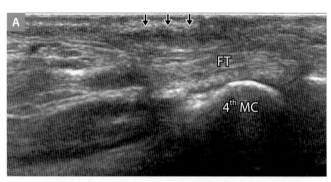

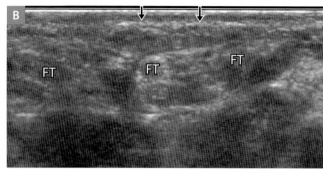

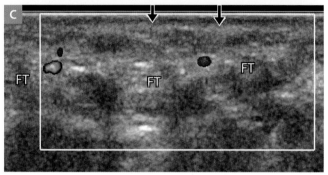

Figure 11-73 Dupuytren disease in a patient with a prominent fibrous cord over the flexor contracture of the 4th ray. Longitudinal (**A**) and transverse (**B**) gray scale and transverse color Doppler (**C**) US images show the fusiform hypoechoic thickening of the palmar aponeurosis (arrows) without the color signals, located between the skin and flexor tendon. FT, Flexor tendon; MC, metacarpal head.

과의 해부학적 관계, 혈류 증가 등의 유용한 정보를 얻을 수 있다. 손과 손목 부위의 종괴 중 결절종(ganglion)이 가장 흔하다.[1] 결절종의 원인은 불확실하지만, 점액 결합조직의 퇴행성 변화와 관련있다고 알려져 있다.[44] 병리학적으로 결절종은 상피벽이 아닌 점액벽을 가진다는 점에서 윤활막낭(synovial cyst)과 다르지만, 초음파에서 두 병변의 구분은 어렵다. 결절종은 관절 가까이에 위치하는 경계가 좋고, 벽이 거의 보이지 않으며, 무에코의 단순 낭종(simple cyst)으로 보이고, 후방음향증가(posterior acoustic enhancement)를 동반한다. 그러나 결절종이 크거나 오래되면 다양한 초음파소견을 보일 수 있다.[45] 오래된 결절종은 격막으로 인한 다방성(multilocular), 두껍고 불규칙한 벽, 저에코 또는 혼합 에코를 보일 수 있다 (Fig. 11-74). 내부의 출혈이 생기거나, 관절과 연결되어 진공 가스(vacuum phenomenon)가 결절종 내에 들어오면 높은 에코를 보이기도 한다. 증상이 있는 결절종은 Doppler검사에서 결절종의 벽에 혈류 증가를 보일 수도 있다. 결절종은 가는 줄기(stalk)에 의해 주위 관절이나

힘줄집과 연결될 수도 있는데, 이런 경우에는 줄기 수술적 절제가 필요하기 때문에 반드시 확인해야 한다 (Fig. 11-75). 증상이 있는 결절종은 초음파유도하 흡인과 스테로이드 주사가 효과적인 치료로 알려져 있다.[46] 결절종의 70%는 손등의 주-월상골인대(scapholunate ligament, 이하 SL인대) 주위에 생긴다. 크기가 작아 만져지지 않을 수 있고, 길고 가는 줄기에 의해 SL인대와 멀리 떨어져 위치하기도 한다. 손등의 결절종 중에 잘 만져지지 않으면서 통증과 운동 장애를 유발하는 경우를 잠재결절종(occult ganglion)이라고 한다.[47] 잠재결절종에 의한 통증은 관절막 내의 결절종에 의한 관절막 또는 SL인대 주위의 후골간신경(posterior interosseous nerve)의 압박과 연관성이 있을 수 있다.[1] 초음파검사에서 1~3 mm 정도 크기의 무에코의 단방성(unilocular) 낭종이 SL인대의 등쪽에 보인다. 초음파검사는 잠재결절종의 진단과, 낭종의 크기와 위치, 그리고 주위 신경, 혈관, 힘줄 등과의 해부학적 연관성을 평가하는 데 매우 유용하다 (Fig. 11-76). 결절종과의 감별을 요하는 손목뼈돌출(carpal boss)은

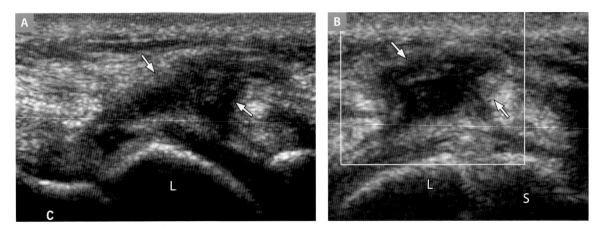

Figure 11-74   Old dorsal ganglion. Longitudinal gray scale (**A**) and transverse color Doppler (**B**) US images obtained over the dorsal aspect of the wrist show a thick walled avascular cystic lesion (arrows) with the internal hypoechoicity, located just dorsal to the lunoscaphoid articulation, the typical site of a dorsal ganglion, consist with the old collapsed ganglion. S, scaphoid; L, lunate; C, capitate.

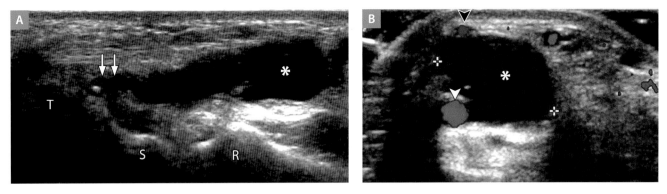

Figure 11-75   Ventral ganglion. Longitudinal gray scale (**A**) and transverse color Doppler (**B**) US images over the palpable mass in the ventral wrist show an anechoic cyst (asterisks) close to the radial vessels (arrowheads). The ganglion communicates with the intercarpal joint through a thin tortuous neck (arrows). R, distal radius; S, scaphoid; T, Trapezium.

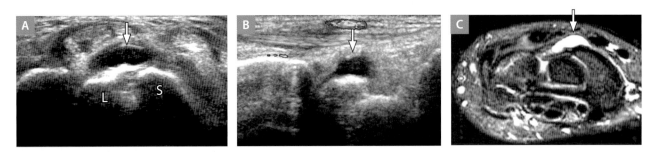

Figure 11-76   Occult dorsal ganglion in a young woman with the dorsal wrist pain. Transverse gray scale (**A**) and longitudinal color Doppler (**B**) US images with axial T2-weighted MR correlation (**C**) show a small deep avascular ganglion cyst (arrow) just dorsal to the lunoscaphoid articulation. S, scaphoid; L, lunate.

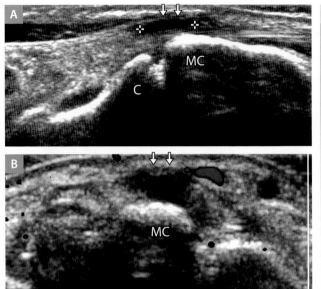

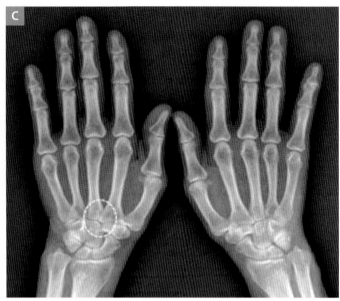

Figure 11-77 **A small dorsal ganglion clinically mimicking carpal boss.** Longitudinal gray scale (A) and transverse color Doppler (B) US images over the dorsal aspect of the 3rd metacarpal base in a patient with a painful stiff dorsal mass show a small ganglion cyst (arrow) just dorsal to the capitato- 3rd metacarpal articulation. Radiograph of the hand (C) confirms the absence of an os styloideum in the capitato- 3rd metacarpal articulation (within dot circle). C, capitate; MC, 3rd metacarpal.

두, 세 번째 중수골과 알머리뼈(capitate), 소능형골(작은마름뼈, trapezoid)이 만나는 부분의 등쪽에 만져지는 뼈융기를 말한다. 해부학적 변이인 부속골편(덧골편, os styloideum)이거나 MCP관절의 퇴행성 변화에 의한 것으로 알려져 있다 (Fig. 11-77). [47] 대부분은 증상이 없지만, 통증과 손의 운동제한을 일으키기도 한다.

결절종의 두 번째 호발 부위는 요골측 손바닥 쪽 손목이다. 손배-큰마름뼈관절(scaphotrapezium joint)에서 생겨서 요골의 원위 골단쪽으로 커지는데, 이 부위에서 요골동맥과 요골신경의 표재감각분지를 전위시키고 압박할 수 있다. [44] 이 부위의 결절종은 가까이 위치하는 요골동맥에 의해 박동이 느껴져서 요골동맥류로 오인할 수 있는데, Doppler검사로 쉽게 구분할 수 있다 (Fig. 11-75). 결절종이 수근관내에 위치하면 잘 만져지지 않으며, 초음파로 결절종의 진단뿐 아니라 주위 신전건과 정중신경의 압박 여부를 알 수 있다.

손가락의 결절종은 관절 가까이에서 굽힘힘줄과 건초 가

까이에 생긴다 (Fig. 11-78). A1와 A2활차 부위에 생기면, 방아쇠수지의 원인이 될 수 있다.

힘줄활막거대세포종(tenosynovial giant cell tumor)은 손과 손목에서 두 번째로 흔한 종괴이며, 관절의 색소융모결절성활액막염(pigmented villonodular synovitis, PVNS)과 동일한 병리학적 소견을 가진다. [1,15,32] 30~50대에 잘 생기며, 손가락의 손바닥 쪽에 잘 생기며, 통증을 잘 동반하지 않는다. 초음파에서 관절 주위에 경계가 저에코의 고형 종괴로 보이며 후방음향증가를 잘 동반하지 않는다. 힘줄집거대세포종은 건초에 인접해있지만 힘줄은 정상으로 보인다. 병변이 커지면 인접한 뼈에 골미란을 일으킬 수 있다 (Fig. 11-79). 초음파에서 결절종처럼 보일 수 있으나, 힘줄집거대세포종은 종괴 내부에 에코가 보이고 후방음향증가가 뚜렷하지 않는 것이 감별점이다. 초음파소견이 비특이적이지만 주위의 힘줄 및 관절과의 관계를 봄으로써 감별진단에 도움이 될 수 있다. [1]

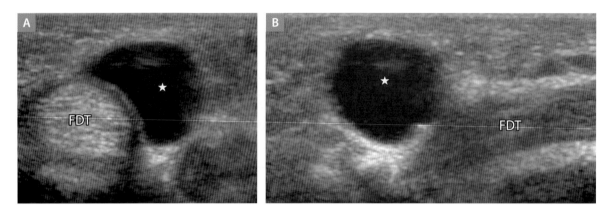

Figure 11-78 **Digital ganglion in a patient with a small painful mass in the 3rd finger.** Transverse (**A**) and longitudinal (**B**) US images over the painful digit mass show a anechoic cyst (star) with posterior acoustic enhancement, which abuts to the tendon sheath for flexor digitorum tendon (FDT), reflecting digit ganglion.

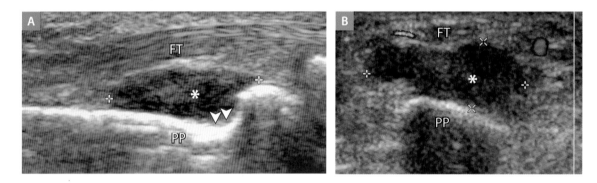

Figure 11-79 **Tenosynivial giant cell tumor.** Longitudinal gray scale (**A**) and transverse color Doppler (**B**) US images over the ventral aspect of the proximal phalanx near the proximal interphalangeal joint show a well-defined lobular hypovascular hypoechoic mass (asterisks) located between the flexor tendon (FT) and phalangeal bone (PP), and eroding the underlying bone (arrowhead).

사구종양(토리종양, glomus tumor)은 신경근동맥 사구소체(neuromyoarterial glomus body)에서 생기는 과오종으로, 대부분 손톱 밑이나 손가락 끝부분에 생기며, 다발성으로 발생하기도 한다. 손톱의 변형과 변색을 보일 수 있으며, 추위에 노출되거나 가벼운 자극에도 심한 통증을 동반한다. 초음파에서 연부조직이 두꺼워져 보이거나, 경계가 뚜렷한 낮은 에코의 종괴까지 다양한 소견을 보일 수 있으므로, 종괴의 과혈관성과 전형적인 위치가 진단에 중요하다 (Fig. 11-80, 11-81).

말초신경집종양(peripheral nerve sheath tumor)에는 신경집종(schwannoma, neurilemmoma)과 신경섬유종(neurofibroma)이 있다. 초음파에서 경계가 좋은 저에코의 방추형 종괴로 보이고 후방음향증가를 동반하기도 한다. 종괴에 연결되어 있는 말초신경을 확인하면 진단할 수 있고, 신경집종에서는 신경이 편심으로(eccentric) 종괴에 붙어 있는 반면에, 신경섬유종에서는 중심성으로 연결되지만, 구분하기 어려울 수 있다. 종괴의 횡축영상에서 과녁징후(target sign)가 보일 수 있는데, 이는 신경섬유종에서 더 흔하다. 신경집

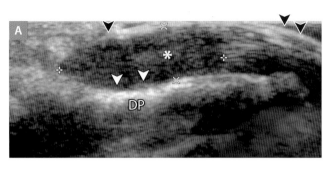

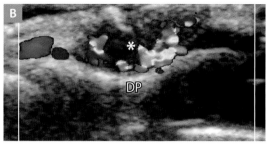

Figure 11-80 **Subungual glomus tumor.** Longitudinal gray scale (**A**) and color Doppler (**B**) US images over the dorsal aspect of 2nd finger show a well-defined hypoechoic solid mass (asterisk) beneath the nail (black arrowheads) causing the pressure erosion (white arrowheads) on the underlying cortex of distal phalanx (DP). Color Doppler image shows marked intratumoral vasculatures related to the high-velocity shunts of the glomus tumor.

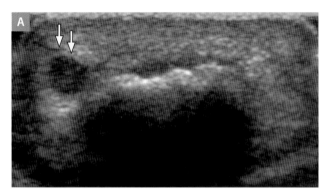

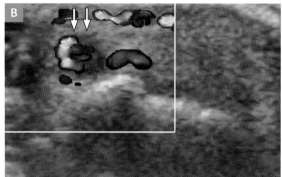

Figure 11-81 **Subcutaneous glomus tumor in the volar tip of the 2nd finger.** Transverse gray scale (**A**) and color Doppler (**B**) on the volar aspect of the 2nd finger's tip show a small well-defined hypervascular hypoechoic nodule (arrows) in the subcutaneous level of the radial sided volar tip of the finger.

종은 종양 내에 무에코의 낭성 부분이 보일 수 있고, 신경섬유종보다 더 많은 내부 혈류를 보이는 경향이 있다 (Fig. 11-82).[46,47] 신경지방종증(nerve lipomatosis)은 신경에 섬유지방조직이 증식되는 병변이다. 정중신경에 호발하고, 신경이 지배하는 부위에 통증과 감각이상을 보인다. 주로 소아에서 생기고, 환자의 2/3 정도에서 두 번째와 세 번째 손가락의 합지증(syndactyly) 및 대지증(macrodactyly)이 동반된다. 초음파에서 침범된 신경이 방추형으로 커지고, 신경 내에 정상 또는 약간 두꺼워진 저에코의 신경다발 사이에 고에코의 지방조직이 증식되어 신경다발들이 서로 벌어져 보인다 (Fig.

11-83).[48]

혈관종(hemangioma)은 손과 손목의 근육 내에 자주 생긴다. 젊은 사람에서 흔하며, 전체 양성 종양의 10%를 차지한다. 초음파소견은 다양하지만, 경계가 좋고 혼합 에코의 덩어리로 주로 보이는데, 이는 확장된 혈관과 지방조직이 섞여 있기 때문이다. 혈관종 내의 혈관 부분은 꾸불꾸불한 모양의 무에코로 보이고, 탐촉자로 압박이 잘 되며, 지방조직은 고에코로 보인다. 소리그림자를 동반하는 고에코의 정맥결석(phlebolith)을 동반할 수 있다. 병변 내에 혈류를 보이지 않는 해면혈관종(carvernous hemangioma) 이외의 혈관종은 Doppler검사에서 특징적으로 느린 혈류를 보이고 동정맥루(arteriovenous shunt)는 보이지 않는다.[49]

손과 손목에서의 악성 병변은 드물며, 연부조직 육종(sarcoma)과 전이성 종괴가 대부분이다. 대부분의 연부조직 육종은 비슷하고 비특이적 소견을 보인다. 연부조직 육종의 일반적인 초음파소견은 경계가 좋지 않고, 불균질한 혼합 에코를 보인다. Doppler검사에서 혈류 증가를 보일 수 있고, 수술 전에 MRI와 조직 검사가 필요하다.[49]

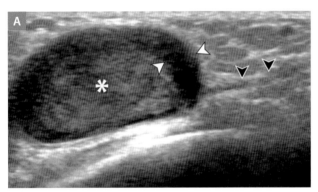
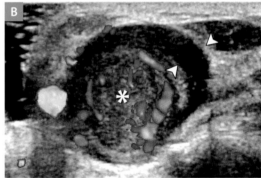

Figure 11-82 **Peripheral nerve sheath tumor.** Longitudinal US image (A) over the proximal volar wrist shows a well-defined hypoechoic mass in eccentric continuity with the nerve (arrowheads). This mass is characterized by concentric hypoechoic (white arrowheads) and hyperechoic (asterisks) layers consistent with the sonographic target sign. Transverse color Doppler image (B) demonstrates the increased vasculature of the mass.

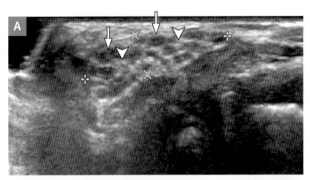
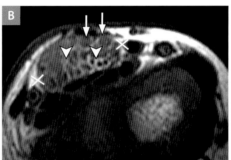
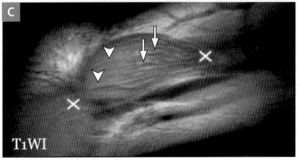

Figure 11-83 **Lipomatosis of the median nerve.** Transverse US image (A) in a young patient with diffuse swelling and tenderness over the ventral wrist with axial (B) and coronal (C) T1-weighted MR imaging correlation shows an abnormal fusiform enlargement of the median nerve (cursers). The nerve thickened hypoechoic fascicles (arrows) surrounded by increased interfascicular fatty tissues (arrowheads).

참고문헌

1. Buabchu S, Martinoli C. In Bianchi S, Martinoli C. Ultrasound of the musculoskeletal system. 1st ed. Berlin, Springer.

2. Choi SJ, Ahn JH, Lee YJ, Ryu DS, Lee JH, Jung SM, et al. de Quervain disease: US identification of anatomic variations in the first extensor compartment with an emphasis on subcompartmentalization. Radiology 2011;260:480–486.

3. Kevin C, Mark HG, Vivek M. Extensors of the Hand. Curr Orthop Pract 2013;24:189–196.

4. Magnussen PA1, Harvey FJ, Tonkin MA. Extensor indicis proprius transfer for rupture of the extensor pollicis longus tendon. J Bone Joint Surg Br 1990;72:881–3.

5. Taljanovic MS1, Goldberg MR, Sheppard JE, Rogers LF. US of the intrinsic and extrinsic wrist ligaments and triangular fibrocartilage complex--normal anatomy and imaging technique. Radiographics 2011;31:e44.

6. Finlay k, Lee R, Friedman L. Ultrasound of intrinsic wrist ligament and triangular fibrocartilage injuries. Skeletal Radiol 2004;33:85–90.

7. Keogh CF, Wong AD, Wells NJ, Barbarie JE, Cooperberg PL. High-resolution US of the triangular fibrocartilage: initial experience and correlation with MR imaging and arthroscopic findings. AJR Am J Roentgenol 2004;182:333–336.

8. Thompson NW, Mockford BJ, Cran GW. Absence of the palmaris longus muscle: a population study. Ulster Med J 2001;70: 22–24.

9. Schön R, Kraus E, Boller O, Kampe A. Anomalous muscle belly of the flexor digitorum superficialis associated with carpal tunnel syndrome: case report. Neurosurgery 1992;31:969–971.

10. De Franco P, Erra C, Granata G, Coraci D, Padua R, Padua L. Sonographic diagnosis of anatomical variations associated with carpal tunnel syndrome. J Clin Ultrasound 2014;42:371–374.

11. Gassner EM, Schocke M, Peer S, Schwabegger A, Jaschke W, Bodner G. Persistent median artery in the carpal tunnel: color Doppler ultrasonographic findings. J Ultrasound Med 2002;21:455–461.

12. Lee FC, Healy FC. Normal sonographic anatomy of the wrist and hand. Radiographics 2005;25:1577–1590.

13. De Maeseneer M, Marcelis S, Jager T, Lenchik L, Pouders C, Van Roy P. Sonography of the finger flexor and extensor system at the hand and wrist level: findings in volunteers and anatomical correlation in cadavers. Eur Radiol 2008;18:600–607.

14. Boutry N, Titécat M, Demondion X, Glaude E, Fontaine C, Cotten A. High-frequency ultrasonographic examination of the finger pulley system. J Ultrasound Med 2005;24:1333–1339.

15. Ebrahim FS, De Maeseneer M, Jager T, Marcelis S, Jamadar DA, Jacobson JA. US diagnosis of UCL tears of the thumb and Stener lesions: technique, pattern–based approach, and differential diagnosis. Radiographics 2006;26:1007–1020.

16. Karabay N. US findings in traumatic wrist and hand injuries. Diagn Interv Radiol 2013;19:320–325.

17. Ellis JRC, Teh JL, Scott PM. Ultrasound of tendons. Imaging 2002;14:223–228.

18. Tsou IYY, Khoo NJ. Ultrasound of the wrist and hand. Ultrasound Clin 2012;7:439–455.

19. Azócar P. Sonography of the hand: tendon pathology, vascular disease, and soft tissue neoplasms. J Clin Ultrasound 2004;32:470–480.

20. Lapegue F, Andre A, Brun C, Bakouche S, Chiavass H, Sans N, Faruch M. Traumatic flexor tendon injuries. Diagn Interv Radiol 2015; 96:1279–1292.

21. Boutry N, Lapegue F, Masi L, et al. Ultrasonographic evaluation of normal intrinsic and extrinsic carpal ligaments:Preliminary experience. Skeletal Radiol 2005;34:513–521.

22. Bianki S. Ultrasound in wrist and hand sport injuries. Aspetar Sports Medicine Journal 2014;2:374–383.

23. McGinley JC, Roach N, Gaughan JP, et al. Forearm interosseous membrane imaging and anatomy. Skeletal Radiol 2004;33:561–568.

24. Failla JM, Jacobson J, van Hosbeek . Ultrasound diagnosis and surgical pathology of the torn interosseous membrane in the forearm fracture/dislocation. J Hand Surg [Am] 1999;24:257–266.

25. Marco RA, Sharkey NA, Smith TS, et al. Pathomechanics of closed rupture of the flexor tendon pulley in rock climbers. J Bone Joint Surg Am 1998;80:1012–1019.

26. Rayan GM, Murray D, Chung KW, et al. The extensor retinacular system at the metacarpophalangeal joint. Anatomical and histological study. J Hand Surg Br 1997;22:585–590.

27. Yuen JC, Wright E, Johnson LA, Culp WC. Hypothenar hammer syndrome: an update with algorithms for diagnosis and treatment. Ann Plast Surg 2011; 67:429–438.

28. Karabay N, Toros T, Ademoglu Y, Ada S. Ultrasonographic evaluation of the iatrogenic peripheral nerve injuries in upper extremity. Eur J Radiol 2010; 73:234–240.

29. Herneth AM, Siegmeth A, Bader TR, et al. Scaphoid fractures: evaluation with high–spatial–resolution US initial results. Radiology 2001;220:231–235.

30. Celi J, de Gautard G, Della Santa JD, Bianchi S. Sonographic diagnosis of a radiographically undiagnosed hook of the hamate fracture. J Ultrasound Med 2008;27:1235–1239.

31. Jacob D, Cohen M, Bianchi S. Ultrasound imaging of non-traumatic lesions of wrist and hand tendons. Eur Radiol

2007;17:2237-2247.

32. Martinoli C, Bianchi S, Gandolfo N, et al. US of nerve entrapments in osteofibrous tunnels of the upper and lower limbs. Radiographics 2000;20:S199-213.

33. Mallouhi A, Pultzl P, Trieb T, et al. Predictors of carpal tunnel syndrome: Accuracy of gray-scale and color Doppler sonography. AJR Am J Roentgenol 2006;186:1240-1245.

34. 박희진, 박노혁, 조준희, 이성문. 손목에서 관찰된 이분정중신경의 초음파소견. 대한초음파의학회지 2009;28:179-183.

35. Propeck T, Quinn TJ, Jacobson JA, et al. Sonography and MR imaging of bfid median nerve with anatomic and histologic correlation. AJR Am J Roentgenol 2000;175:1721-1725.

36. McNally EG. Ultrasound of the small joints of the hands and feet: current status. Skeletal Radiol 2008;37:99-113.

37. Wakefield RJ, Balint PV, Szkudlarek M, et al. Musculoskeletal ultrasound including definitions for ultrasonographic pathology. J Rheumatol 2005;32:2485-2487.

38. Backhaus M, Burmester GR, Sandrock D, et al. Prospective two year follow up study comparing novel and conventional imaging procedures in patients with arthritic finger joints. Ann Rheum Dis 2006;61:895-904.

39. Thiele RG, Schlesinger N. Diagnosis of gout by ultrasound. Rheumatology (Oxford) 2007;46:1116-1121.

40. Neviaser RJ. Acute infections. In : Green DP. ed. Green's operative hand surgery. 4th ed. Philadelphia, PA : Churchill Livingstone. 1999;1033-1047.

41. Harvie P, Patel N, Ostlere SJ. Ulnar nerve compression at Guyon's canal by an anomalous abductor digiti minimi muscle: the role of ultrasound in clinical diagnosis. Hand Surg 2003;8:271-275.

42. Gama C. Extensor digitorum brevis manus: a report on 38 cases and a revies of the literature. J Hand Surg 1983;8:578-582.

43. Robbin MR, Murphey MD, Temple T, et al. imaging of musculoskeletal fibrosis. Radiographics 2001;21:585-600.

44. Urayama H, Ohtake H, Kosugi I, et al. Distortions of radial artery by a mucious cyst. Case report. Scand J Plast Reconstr Surg 1998;32:437-440.

45. Wang G, Jacobson JA, Feng FY, et al. Sonography of wrist ganglion cysts: variable and noncystic appearances. J Ultrasound Med 2007;26:1323-1328.

46. Bianchi S, Santa DD, Glauser T, et al. Sonography of masses of the wrist and hand. AJR Am J Roentgenol 2008;191:1767-1775.

47. Reynolds DL Jr, Jacobson JA, Inampudi P, et al. Sonographic characteristics of peripheral nerve sheath tumors. AJR Am J Roentgenol 2004;182:741-744.

48. Chen P, Massengill A, Maklad A, et al. nerve territory origined macrodactyly: unusual casue of carpal tunnel syndrome. J Ultrasound Med 1996;15:661-664.

49. Hwang S, Adler RS. Sonographic evaluation of the musculoskeletal soft tissue masses. Ultrasound Q 2005; 21:259-270.

03
SECTION

하지

Lower Extremity

고관절 및 허벅지
Hip Joint and Thigh

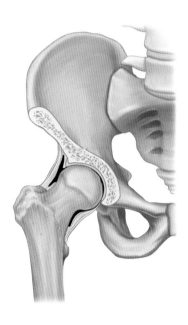

12 CHAPTER

■ 이근영, 정혜원

고관절 및 허벅지

Hip Joint and Thigh

I. 서론

고관절(엉덩관절, hip joint) 및 허벅지(대퇴, thigh) 부위에는 하지의 운동에 관여하는 많은 근육들이 기시(origin) 및 부착(insertion) 한다. 고관절의 관절 질환 외에도 운동 혹은 외상과 관련된 근육, 힘줄 등의 연부조직 손상을 흔히 볼 수 있으며, 외상 시기에 따라 다양한 소견을 보인다. 또한 몸통(body trunk)에서 하지로 주행하는 혈관, 신경, 임파선이 고관절 부위를 지나가며, 이로 인해 몸통의 질환이 고관절 부위로 파급될 수 있다. 고관절 및 허벅지 부위의 병변은 일차적으로 환자의 병력, 증상, 이학적 검사를 통해 진단할 수 있다. 그러나 고관절이 깊이 위치해 있고 또한 허벅지의 부피가 크기 때문에 이학적 검사로 정확한 진단을 하기 힘든 경우가 많아서 영상의학 검사가 많은 도움이 된다.

고관절 초음파는 영아(infant)의 고관절발달이형성증(de-velopmental dysplasia of hip, DDH)의 선별검사에 주로 이용되어 왔고, 기기의 발달로 성인 고관절의 검사에도 많이 이용되고 있으며, 진단뿐만 아니라 초음파유도하 주사, 흡인, 생검 등의 시술에도 이용된다. 고관절 및 허벅지의 초음파검사는 다른 관절부위와 마찬가지로 전방, 내측, 외측, 후방 부위로 나누어 검사하고, 추가적으로 환자가 증상을 호소하는 부위를 좀더 세밀하게 검사한다.[1~3]

II. 고관절 및 대퇴부의 해부학

고관절은 대퇴골두(femoral head)와 비구(acetabulum)로 구성된 전형적인 절구공이관절(ball-and-socket joint)이다. 비구는 세 개의 골반뼈, 즉 장골(ilium), 좌골(ischium), 치골(pubic bone)이 만나서 이루어지며, 비구의 가장자리를 따라 섬유연골성(fibrocartilaginous) 구조물인 비구순(acetabu-lar labrum)이 있다. 대퇴골두의 내상방 중앙 부위에 작게 파인 오목(fovea)이 있고, 이 부위에 원형인대(ligamentum teres)가 부착한다. 이 원형인대는 비구의 안쪽 오목한 부위에 붙는다 (Fig. 12-1). 고관절의 관절막(capsule)은 대퇴경부(femoral neck)까지 덮고 있다.

장요근(엉덩허리근, iliopsoas muscle)과 대퇴경부(femoral neck) 사이에 있는 앞쪽 관절와(joint recess)는 앞쪽과 뒤쪽 두 층(layer)의 관절막 사이의 공간이다. 비구순의 바깥쪽에서 기시한 관절막이 아래쪽으로 내려오면서 앞층을 형성하고 전자사이선(intertrochanteric line)의 골막(periosteum)에 부착한다. 여기에서 관절막이 다시 대퇴경부를 따라 위쪽으로 올라가면서 뒷층을 형성하고 대퇴골두-경부 경계부에 부착한다. 이 앞층과 뒷층 관절막 사이가 앞쪽 관절와이다 (Fig. 12-2).[3] 관절막의 바깥에 장골대퇴인대(iliofemoral liga-ment), 치골대퇴인대(pubofemoral ligament), 좌골대퇴인대

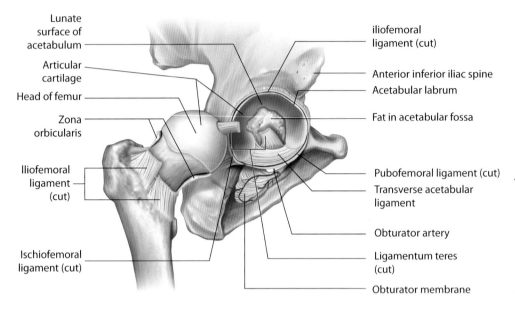

Lunate surface of acetabulum
Articular cartilage
Head of femur
Zona orbicularis
Iliofemoral ligament (cut)
Ischiofemoral ligament (cut)

iliofemoral ligament (cut)
Anterior inferior iliac spine
Acetabular labrum
Fat in acetabular fossa
Pubofemoral ligament (cut)
Transverse acetabular ligament
Obturator artery
Ligamentum teres (cut)
Obturator membrane

Figure 12-1 Normal hip joint. Hip joint is a typical "ball-and-socket" joint, composed of femoral head and acetabulum. Femoral head is covered by hyaline cartilage and fixed to acetabulum by ligamentum teres attached at fovea.

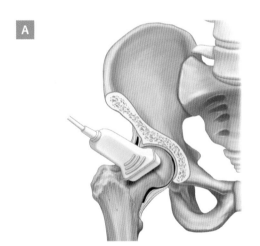

Figure 12-2 Anterior recess of the hip joint space. A. Probe position for evaluation of hip joint capsule – parallel to the femoral neck. **B, C.** Long-axis ultrasonography (**B**) and corresponding drawing (**C**) show joint capsular reflection and anterior recess. The joint capsule inserts at the outer labrum, runs caudally to form the anterior layer (arrowhead), and inserts on the intertrochanteric line; here it blends with the periosteum. And then, many fibers are reflected upward, covering the femoral neck, to form the posterior layer of the joint capsule (arrow). The posterior layer runs upward and ends at the caudal edge of the articular cartilage of the femoral head. Anterior recess of the joint space is between the anterior and posterior layer. AC, acetabulum; FH, femoral head; LB, labrum; IP, iliopsoas muscle.

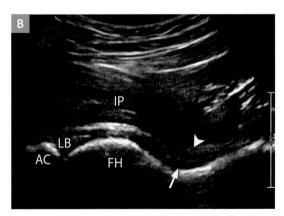

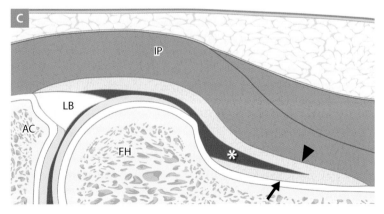

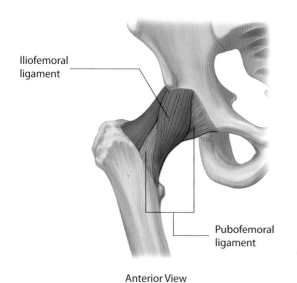

Iliofemoral ligament

Pubofemoral ligament

Ischiofemoral ligament

Anterior View

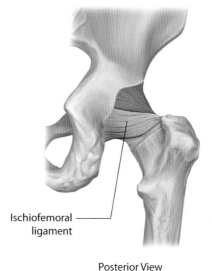

Posterior View

Figure 12-3 **Three extraarticular ligaments around hip joint.** There are three extraarticular ligaments: Iliofemoral, pubofemoral and ischiofemoral ligaments.

(ischiofemoral ligament)가 있으며, 이 인대들이 관절을 보강하는 역할을 한다 (Fig. 12-3).

고관절 주변의 여러 근육을 네 부분으로 나누어 검사한다 (Table 12-1). 이들 중 몇몇 근육들은 힘줄의 기시 혹은 부착부위 손상이 흔하므로, 이를 염두에 두고 검사한다. 전상장골극(anterior superior iliac spine, 이하 ASIS)에서 봉공근(넙다리빗근, sartorius muscle)과 대퇴근막긴장근(tensor fascia lata muscle)이 기시한다. 전하장골극(anterior inferior iliac spine, 이하 AIIS)에서는 대퇴직근(넙다리곧은근, rectus femoris muscle)이 기시한다. 대전자(큰돌기, greater trochanter)의 앞쪽에는 소둔근(작은볼기근, gluteus minimus muscle)이, 대전자의 뒤쪽에는 중둔근(gluteus medius muscle)이 부착한다. 하치골지(inferior pubic ramus)과 치골결합(symphysis pubis)에서 내전근(모음근, adductor muscles)이 기시하고, 좌골결절(ischial tuberosity)에서 대퇴후근(넙다리뒤근육, hamstring muscles)이 기시한다.

장요근(iliopsoas muscle)은 요근(허리근, psoas muscle)과 장근(iliacus muscle)이 합쳐져서 이루어진다. 요근은 12번 흉추에서 5번 요추까지의 척추체와 횡돌기(transverse process)에서 기시한다. 장근은 장골능선(엉덩뼈능선, iliac

crest), 장골와(엉덩뼈오목, iliac fossa), 천골익(sacral ala), 장요인대(iliolumbar ligament)와 전천장인대(앞엉치엉덩인대, anterior sacroiliac ligament)에서 넓게 기시한다. 장요근은 장치골융기(iliopectineal eminence)의 앞쪽을 지나 서혜인대(inguinal ligament) 밑으로 주행하여 소전자(작은돌기, lesser trochanter)에 부착한다 (Fig. 12-4).

장요근의 내측에 대퇴삼각(femoral triangle)이 위치하며, 대퇴삼각 내에 안쪽에서 바깥쪽 순으로 총대퇴정맥 및 동맥(common femoral vein and artery), 그리고 대퇴신경(femoral nerve)이 지나간다. 대퇴삼각은 표층에는 서혜인대, 내측으로 긴모음근(장수내전근, adductor longus), 외측으로 봉공근에 의해서 경계 지어진다 (Fig. 12-5).

대퇴동맥은 표재(superficial) 및 심부(deep) 대퇴동맥으로 나뉘어지고, 심부대퇴동맥에서 내측대퇴휘돌이동맥(안쪽넙다리휘돌이동맥, medial circumflex femoral artery)이 나와 대퇴골두의 주된 혈액공급을 한다 (Chapter 08 하지 혈관 참조 바람).

대퇴신경(femoral nerve)은 요추 2번에서 4번까지의 허리신경얼기(lumbar plexus)에서 기원하여 요근의 안쪽을 지나 아래로 내려간다. 골반강의 장골와(iliac fossa)에서 장근

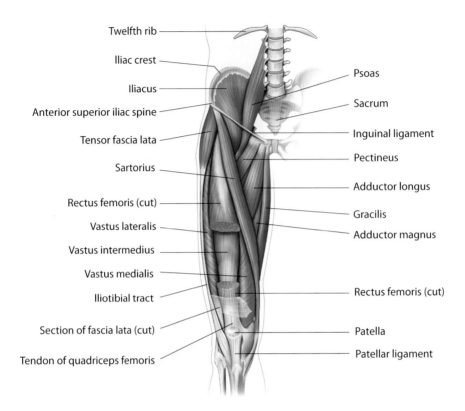

A

Twelfth rib
Iliac crest
Iliacus
Anterior superior iliac spine
Tensor fascia lata
Sartorius
Rectus femoris (cut)
Vastus lateralis
Vastus intermedius
Vastus medialis
Iliotibial tract
Section of fascia lata (cut)
Tendon of quadriceps femoris

Psoas
Sacrum
Inguinal ligament
Pectineus
Adductor longus
Gracilis
Adductor magnus
Rectus femoris (cut)
Patella
Patellar ligament

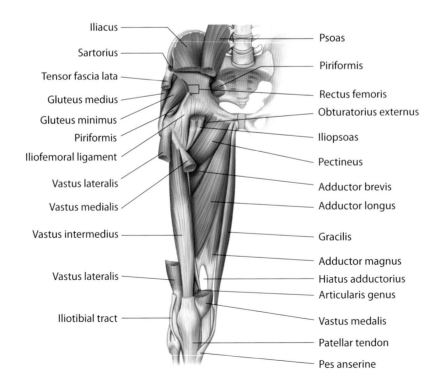

B

Iliacus
Sartorius
Tensor fascia lata
Gluteus medius
Gluteus minimus
Piriformis
Iliofemoral ligament
Vastus lateralis
Vastus medialis
Vastus intermedius
Vastus lateralis
Iliotibial tract

Psoas
Piriformis
Rectus femoris
Obturatorius externus
Iliopsoas
Pectineus
Adductor brevis
Adductor longus
Gracilis
Adductor magnus
Hiatus adductorius
Articularis genus
Vastus medalis
Patellar tendon
Pes anserine

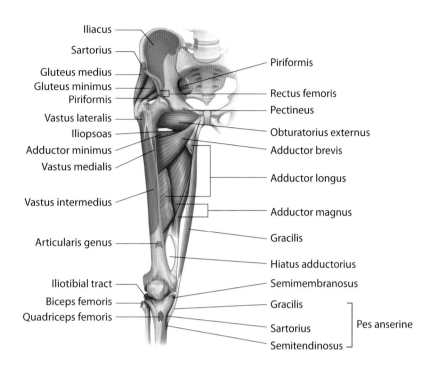

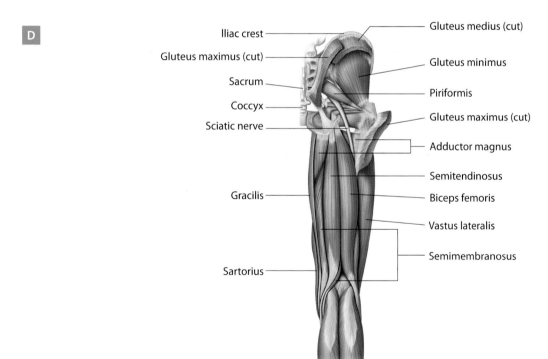

Figure 12-4 **Muscles of hip and thigh**. **A.** Anterior superficial muscles. **B, C.** Deep anterior and medial muscles. **D.** Posterior muscles.

과 요근 사이를 지나 대퇴삼각 내에서 가장 바깥쪽에 위치한 다. 이후 여러 분지를 낸 후 복재신경(두렁신경, saphenous nerve)이 되어 허벅지 안쪽을 따라 내려간다. 외측대퇴피신 경(가쪽넙다리피부신경, lateral femoral cutaneous nerve)은 요추 2번과 3번 신경가지에서 기시한다. 요근의 바깥쪽을 따라 내려와 ASIS 부위에서 서혜인대 바로 밑을 지나 주행하며, 골반 앞쪽 및 바깥쪽의 피부감각을 담당하는 순수 감각 신경이다 (Chapter 06 하지 신경 참조 바람).

대퇴정맥보다 내측에 심부서혜임파절(deep inguinal lymph node)들이 있으며, 이보다 좀더 표층으로 표재대퇴정 맥과 복재정맥을 따라서 서혜인대의 앞쪽에 표재서혜임파절(superficial inguinal lymph node)들이 있다.

고관절 주변에는 여러 윤활낭(bursa)들이 다양한 크기와 빈도로 나타날 수 있다.(4) 장요윤활낭(iliopsoas bursa)은 성 인의 98%에서 보이며, 15~20%에서는 고관절과 연결되어

있다.(5) 장요윤활낭은 장요근 힘줄과 고관절 사이의 공간으로, 활막(synovium)으로 덮여 있다. 정상 장요윤활낭은 초음파로 잘 볼 수 없지만, 가끔 소량의 액체가 보이기도 한다. 대전자 주변의 대둔근전자낭(trochanteric bursa, subgluteal maximus bursa)은 우리 몸에서 가장 큰 윤활낭이고, 윤활막으로 덮여 있다. 이 윤활낭의 바깥쪽으로 대둔근과 대퇴근막긴장근이 있고, 안쪽으로 중둔근과 대전자가 위치한다. 그 외에, 중둔근힘줄과 대전자 사이에 중둔근하윤활낭(subgluteus medius bursa)이 있고, 소둔근힘줄의 안쪽에 소둔근하윤활낭(subgluteus minimus bursa)이 있다. 고관절 뒤쪽에는 좌골결절과 대둔근 사이에 좌골윤활낭(ischiogluteal bursa)이 있다 (Fig. 12-6).

좌골신경(sciatic nerve)은 우리 몸에서 가장 굵은 신경으로 요추 4번-천추 3번 사이의 허리엉치신경얼기(요천추신경 총, lumbosacral plexus)에서 기원하며, 대퇴후근(hamstring

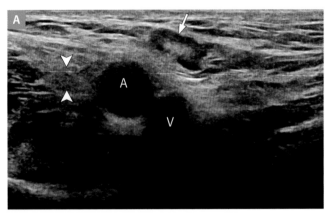

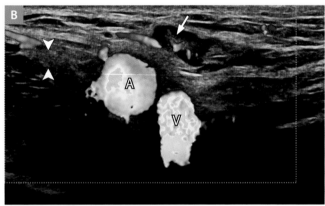

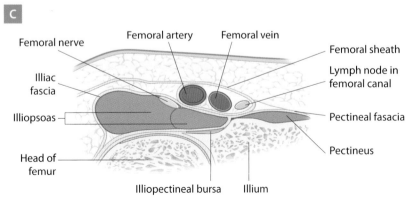

Femoral nerve
Femoral artery
Femoral vein
Illiac fascia
Illiopsoas
Head of femur
Illiopectineal bursa
Illium
Femoral sheath
Lymph node in femoral canal
Pectineal fasacia
Pectineus

Figure 12-5 Normal US findings of femoral triangle, right side. A. On transverse scan, there are femoral nerve (arrowheads), artery (A), and vein (V) in femoral triangle. Normal inguinal lymph node is also seen superficially with normal central fatty hilum (arrow). **B.** On Doppler US, normal central vessels are seen in hilum of lymph node (arrow), as well as flows of femoral artery and vein. **C.** Drawing for femoral nerve, artery, and vein.

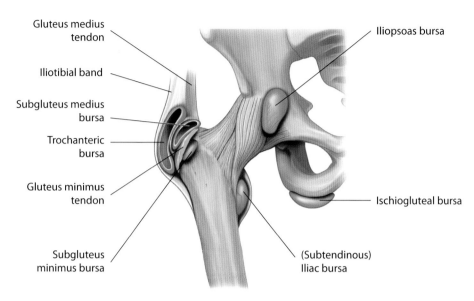

Gluteus medius
tendon

Iliotibial band

Subgluteus medius
bursa

Trochanteric
bursa

Gluteus minimus
tendon

Subgluteus
minimus bursa

Iliopsoas bursa

Ischiogluteal bursa

(Subtendinous)
Iliac bursa

Figure 12-6 **Bursae around hip joint**. Anteriorly, iliopsoas bursa is located between iliopsoas tendon and anterior hip joint, which can communicate with the hip joint cavity. Laterally, trochanteric bursa, the largest bursa in a human body, is located under gluteus maximus and tensor fascia lata. Subgluteus medius bursa beneath gluteus medius tendon and subgluteus minimus bursa beneath gluteus minimus tendon can be seen also. Posteriorly, ischiogluteal bursa is located between gluteus maximus and ischial tuberosity.

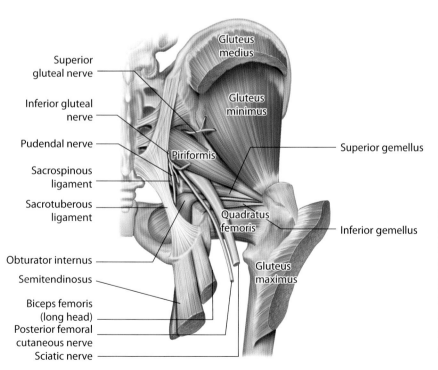

Superior
gluteal nerve

Inferior gluteal
nerve

Pudendal nerve

Sacrospinous
ligament

Sacrotuberous
ligament

Obturator internus

Semitendinosus

Biceps femoris
(long head)

Posterior femoral
cutaneous nerve

Sciatic nerve

Gluteus
medius

Gluteus
minimus

Piriformis

Quadratus
femoris

Gluteus
maximus

Superior gemellus

Inferior gemellus

Figure 12-7 **Anatomy of the sciatic nerve**. The sciatic nerve is the largest one in the human body, which supplies the hamstring muscles. It comes out from pelvic cavity via greater sciatic foramen, inferior to the piriformis muscle. The nerve runs distally superficial to gemelli and obturator internus, and quadratus femoris muscles.

555

muscle)을 지배한다. 골반 뒤쪽에서 대좌골공(greater sciatic foramen)을 통과하여 이상근(piriformis muscle)의 아래쪽으로 나와, 내폐쇄근(obturator internus), 쌍둥이근(gemel-lus muscle), 대퇴방형근(넙다리네모근, quadratus femoris muscles)의 표층으로 주행한다 (Fig. 12-7). 허벅지 뒤쪽을 따라 내려가면서 총비골신경(온종아리신경, common pero-neal nerve), 경골신경(정강신경, tibial nerve)으로 분지한다 (Chapter 06 하지 신경 참조 바람).

III. 초음파검사방법 및 정상 소견

고관절은 깊이 위치하고 허벅지는 연부조직이 두꺼워서, 10~17 MHz의 탐촉자로는 검사에 제한이 있을 수 있으므로 3~7 MHz 탐촉자를 추가적으로 이용한다. 근육의 기시부에서 부착부까지의 긴 범위를 검사하는 경우에는 넓은 부위를 한꺼번에 보여주는 파노라마영상(panoramic view)이 도움이 된다.[6,7]

고관절 및 대퇴부의 초음파검사는 전방, 내측, 외측, 후방의 네 부위로 나누어 검사한다 (Table 12-1).

초음파에서 정상 근육의 근육다발(fascicle)은 저에코로 보이고, 이를 싸고 있는 얇은 섬유지방막(fibroadipose septa) 또는 근다발막(perimysium)이 고에코로 보이므로, 장축영상에서는 깃털양상(feathery or pennate pattern), 단축영상에서는 반점양상(speckled pattern)으로 보인다. 근육의 검사는 기시부와 부착부를 포함하여 검사하는 것이 기본이다 (Chapter 04 관절, 관절연골 및 활막 질환 참조 바람).

고관절의 비구순(절구테두리, acetabular labrum)은 정상적으로 초음파에서 삼각형의 고에코로 보이는데, 때로는 비등방성허상(anisotropic artifact)으로 인해 저에코로 보일 수

있다. 관절연골은 정상에서 저에코로 보이며, 관절액(joint fluid)과의 경계면에서 얇은 고에코의 선이 보인다.[8]

1. 전방 검사

고관절과 대퇴부 전방 검사는 환자가 바로 누운 자세에서 시행한다.

관절삼출액을 검사하기 위해서는 대퇴경부(femur neck)의 장축에 평행하게 탐촉자를 놓고 장축영상을 얻는다. 대퇴경부에서 관절막 앞쪽 경계 사이의 정상 너비는 소아에서는 5 mm 미만이고 성인에서도 7~8 mm를 넘지 않으며, 양쪽을 비교해서 차이가 1 mm 이하이다. 정상에서도 소량의 관절액이 보일 수 있는데, 관절액의 두께가 1.5 mm를 넘지 않는다 (Fig. 12-2C, 12-8).[3,9,10]

대퇴사두근(quadriceps femoris muscle)은 대퇴직근(rectus femoris), 외측광근(바깥넓은근, vastus lateralis), 중간광근(중간넓은근, vastus intermedius), 내측광근(안쪽넓은근, vastus medialis)으로 이루어진다.

대퇴직근(rectus femoris)은 직접 및 간접 갈래(direct and indirect or reflected head) 두 개의 기시부를 가지며, 직접갈래는 AIIS에서 기시하고, 간접갈래는 비구의 전방외측(anterolateral acetabular ridge)에서 기시한다. 근육 안에서 직접갈래는 좀더 앞쪽, 표층에 위치하고, 간접갈래는 중심널힘줄(central tendon, central aponeurosis)을 만든다. 초음파에서 AIIS는 직접갈래를 찾는 뼈표식자(bony landmark)이다. 직접갈래 기시부 바로 아래쪽-내측에서 간접갈래가 저에코로 보이는데, 정상 소견이다. 이는 간접갈래, 즉 중심널힘줄이 비구의 앞쪽-바깥쪽에서 기시하여 비스듬하게 안쪽-아래쪽으로 주행하기 때문이다 (Fig. 12-9).[11~13]

Table 12-1   **Position and main structures for the hip and thigh ultrasonography.**

Location	Position	Structures
Anterior	Supine	Muscles and tendons - Rectus femoris - Vastus muscles - Sartorius - Tensor fascia lata (Iliotibial band) - Iliopsoas - Pectineus Anterior joint recess Femoral vessels and nerve Anterior labrum
Medial	Supine Hip external rotation Knee flexion	Muscles and tendons - Adductor muscles : Longus/brevis/magnus Sartorius - Gracilis - Pectineus - Iliopsoas muscle and tendon
Lateral	Lateral decubitus	Muscles and tendons - Tensor fascia lata - Gluteus maximus/medius/minimus - Obturator internus/externus - Gemellus - Quadratus femoris Greater trochanter Gluteus medius and minimus tendons Superior (Lateral) labrum Trochanteric bursae Iliotibial band (ITB)
Posterior	Prone	Gluteus muscles - Maximus/medius/minimus Hamstring muscles and tendons - Semimembranosus - Semitendinosus - Biceps femoris Ischial tuberosity Sciatic nerve

CHAPTER

12

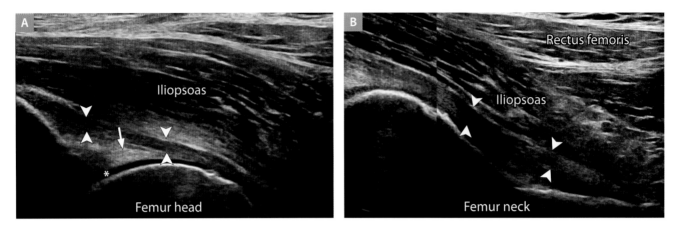

Figure 12-8   Normal US findings of anterior hip joint. A. On longitudinal scan, femur head is covered by a hypoechoic hyaline cartilage (*). Anterior labrum is present as an echogenic triangular structure between acetabulum and femoral head (arrow). Band-like structure under iliopsoas muscle is anterior joint capsule of hip joint (arrowheads). **B.** On longitudinal scan, anterior capsule courses under iliopsoas and attaches femur neck (arrowheads). When there is joint effusion in hip joint, anterior capsule may be bulged out from femur on this longitudinal scan.

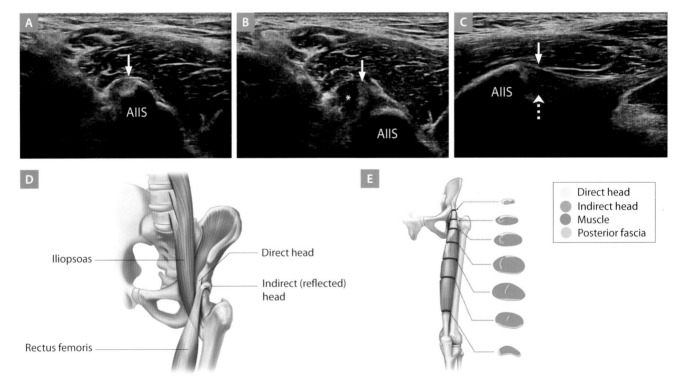

Figure 12-9   Normal US findings of rectus femoris tendon at origin from anterior inferior iliac spine (AIIS), right side. A. On transverse scan, tendon of direct head of rectus femoris shows very echogenic appearance on AIIS (arrow). **B.** Just below insertion site at AIIS, echogenic tendon of direct head of rectus femoris revealed "comma" shape and slight medial deviation (arrow), with muscle fibers laterally (*). **C.** On longitudinal view, tendon of direct head is an echogenic band-like structure, located superficially (white arrow). Tendon of indirect head of rectus femoris is seen as deep-located slightly hypoechoic structure (dashed arrow). **D.** Illustration for the rectus femoris direct and indirect heads. **E.** Illustrations for transverse images of rectus femoris at each level. Note relationship between the direct head, indirect heads, and muscle.

558

2. 내측 검사

내측 검사는 환자가 바로 누운 상태에서 고관절을 외전(abduction), 외회전(external rotation) 및 무릎 관절을 굴곡(flexion)한 개구리다리(frog leg) 자세에서 실시한다. 고관절 내측에 위치하는 모음근(adductor)은 치골 및 좌골에서 기시한다. 박근(두덩정강근, gracilis)은 치골결합(symphysis pubis)의 아래쪽과 치골궁(두덩활, pubic arch)의 위쪽-앞쪽에서 기시하며, 가장 표층에 위치한다. 이보다 안쪽 깊은 곳에 긴모음근(adductor logus), 짧은모음근(adductor brevis), 큰모음근(adductor magnus)들이 앞쪽에서부터 뒤쪽의 순서로 보인다 (Fig. 12-10). 모음근을 따라 상방 내측으로 탐촉자를 이동하면 치골결합, 치골지(pubic rami)에서 이 근육들이 기시하는 것을 확인할 수 있다. 긴모음근의 치골결합 기시부의 바로 외측에서 치골근(두덩근, pectineus)이 기시한다.[14]

폐쇄신경(obturator nerve)의 앞가지와 뒷가지가 각각 짧은모음근의 앞, 뒤로 주행한다. 폐쇄신경은 모음근의 운동과 내측 대퇴부의 감각을 담당한다.

3. 외측 검사

고관절 외측을 검사할 때는 환측이 위로 오도록 옆누운 자세에서 검사한다. 대전자가 중요한 뼈표식자로서, 전방면, 외측면, 외상방면, 후방면(anterior, lateral, superolateral, posterior facet)으로 나눈다. 중둔근과 소둔근은 고관절의 중요한 외전근(abductor)이다. 중둔근힘줄은 대전자의 외측면에 넓게, 외상방면에 좁게 부착한다.[15] 소둔근힘줄은 대전자의 전방면에 부착한다 (Fig. 12-11).

대전자와 장경대(엉덩정강근막띠, iliotibial band) 사이에 대둔근전자낭(trochanteric bursa)이 있는데, 정상에서는 액체저류가 없이, 얇고 균질한 1~2 mm 두께의 저에코로 보인다.[16] 하지만 내부에 소량의 액체가 보이는 것이 반드시 비정상은 아니며, 탐촉자로 압박할 때 통증이 있거나 Doppler에서 증가된 혈류가 보이면 염증의 가능성을 생각한다.[10]

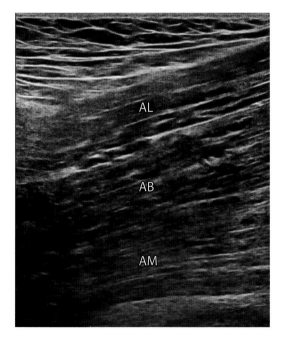

Figure 12-10 **Normal US findings of medial hip and thigh.** During external rotation of hip joint and flexion of knee joint (frog-leg position), medial side hip and proximal thigh can be examined. Three layer of medial adductor muscles are seen, including adductor longus (AL), adductor brevis (AB), and adductor magnus (AM).

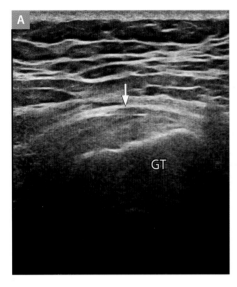
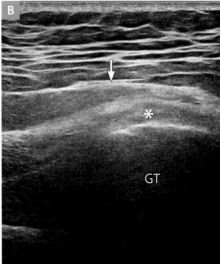

Figure 12-11 **Normal US findings of lateral hip. A.** Long-axis image of the gluteus medius tendon in lateral decubitus position. The gluteus medius tendon (arrow) is seen along lateral facet of the greater trochanter. **B.** Gluteus minimus tendon. With slightly anterior placement of US probe than A, the gluteus minimus tendon (*) is noted at anterior facet of the greater trochanter under the gluteus medius tendon (arrow).

4. 후방 검사

고관절의 후방 검사를 위해서 환자를 엎드리게 한다. 좌골결절(ischial tuberosity)이 뼈표식자이다. 대퇴후근(hamstring muscle)을 이루는 반막형근(반막근, semimembranosus), 반건형근(반힘줄근, semitendinosus), 대퇴이두근(넙다리두갈래근, biceps femoris)이 내측에서 외측의 순으로 좌골결절에서 기시한다. 대퇴이두근의 짧은갈래(short head)는 긴갈래(long head)의 안쪽 깊은 곳에 위치한다 (Fig. 12-12).

좌골신경(sciatic nerve)은 반힘줄근과 대퇴이두근 사이의 깊은 쪽에 보이며, 좌골결절로부터는 2~3 cm 정도 외측에, 피부에서 2~5 cm 깊이에 위치하며, 정상적으로 5~9 mm의 직경을 갖는다 (Fig. 12-13). [14,17]

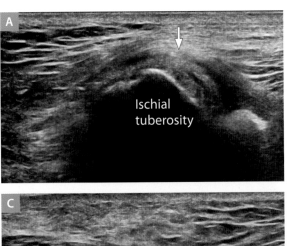

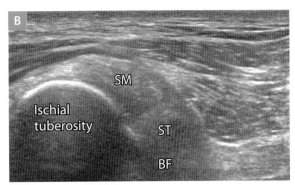

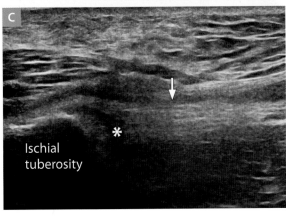

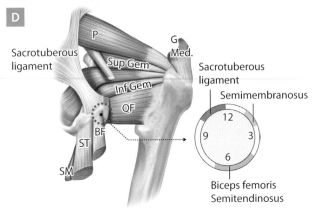

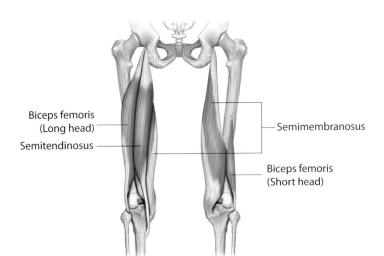

Figure 12-12 **Normal US findings of posterior hip, right in prone position.** **A, B, C.** In prone position, ischial tuberosity is the bony landmark for evaluation of posterior hip. On transverse scan (**A**), echogenic hamstring tendon (arrow) is seen on the ischial tuberosity. Hamstring complex is composed of the semimembranosus (SM), semitendinosus (ST), and biceps femoris (BF), from medial to lateral in order (**B**). On longitudinal view (**C**), thick echogenic hamstring tendon (white arrow) is originated from the ischial tuberosity. Hypoechoic portion can be normally seen at proximal hamstring tendon, which maybe anisotropic effect and should not be confused with tendon abnormality such as tendinosis or tear (*). **D, E.** Illustrations show the relationship between the origin, direction, and insertions of tendons. P, piriformis; QF, quadratus femoris; G Med, gluteus medius.

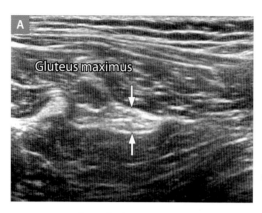 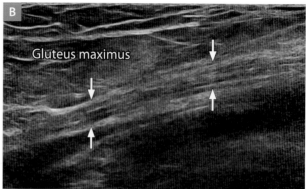

Figure 12-13 Normal US findings of sciatic nerve. On transverse scan in prone position, the sciatic nerve shows echogenic honeycomb appearance (**A**, arrows) under the gluteus maximus. On longitudinal scan, the sciatic nerve is seen as a thick linear structure with typical fascicular pattern (hyper- and hypoechoic lines by turns) (**B**, arrows).

IV. 고관절 및 허벅지의 질환

1. 관절삼출액 및 활막염 Joint effusion and synovitis

고관절삼출액의 원인은 퇴행성관절염, 감염(septic arthritis), 류마티스 관절염이나 강직성척추염 등의 염증성 질환, 대퇴골두의 무혈관성괴사와 관련한 반응성 활막염(reactive synovitis), 골절 등이 있다. 관절삼출액 진단은 고관절 초음파의 가장 흔한 적응증이다.[8,18]

정상 성인에서 키, 체중, 나이에 상관없이 대퇴경부에 평행한 장축영상에서 대퇴경부의 피질골에서 앞쪽의 관절막까지의 거리는 평균 7~8 mm 정도이다.[3,9,10,19,20] 장축영상에서 앞쪽 피질골로부터 전방 관절막까지의 거리가 8 mm 이상으로 두꺼워져 있거나, 반대편과 비교하여 2 mm 이상 차이가 나면 비정상 소견으로 판단한다.[21,22]

관절삼출액은 무에코 혹은 저에코로 보이며, 내부에 고에코의 부스러기(debris)들이 둥둥 떠다니는 양상을 보이기도 한다. 활막 증식(synovial proliferation), 관절막 비후(capsular thickening) 등의 소견이 동반될 수 있으며, Doppler검사에서 증가된 혈류를 보이기도 한다.[9,23]

정상 고관절의 앞쪽 관절막은 편평하거나 오목한 모양을 보이는데, 관절삼출액에 의해 관절막이 팽창되면 불룩한 모양을 보인다. 그러나 성인의 9%에서 뚜렷한 관절삼출액 없이 전방관절막이 불룩해 보일 수 있고, 반면 상당한 관절삼출액이 있는 데도 불구하고 약 6%의 환자에서만 전방관절막이 불룩해진다는 보고도 있다.[21] 따라서 이러한 전방 관절막의 불룩한 모양만으로 비정상적인 관절삼출액이 있다고 진단하는 것은 조심해야 한다.

초음파검사에서 관절삼출액 유무의 진단은 어렵지 않으나, 감염성과 비감염성 관절염의 감별이나, 결핵성(tuberculous)과 화농성(pyogenic) 관절염의 감별은 어렵다. 따라서 확진을 위해서 초음파유도하 세침흡인(fine-needle aspiration) 혹은 활막 조직 검사가 필요하다 (Fig. 12-14).

2. 관절내 유리체 Loose bodies

고관절 내에 유리체는 퇴행성관절염, 윤활막연골종증(synovial chondromatosis), 골연골골절(osteochondral fracture) 등이 흔한 원인이다. 골화(ossification)된 유리체는 초음파에서 소리그림자(acoustic shadowing)를 동반한 고에코의 움직이는 물체로 보이지만, 골화 혹은 석회화가 충분하지 않거나 유리체의 크기가 작으면 소리그림자가 보이지 않을 수 있다.[8]

유리체가 뼈에 붙어 있거나 관절삼출액으로 둘러싸여 있지

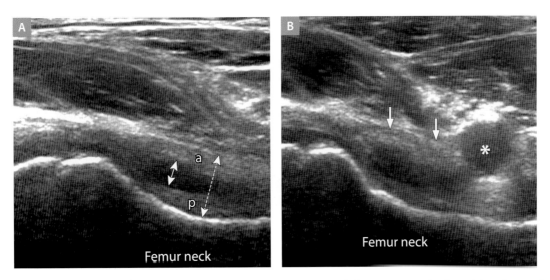

Figure 12-14   Joint effusion of hip joint. A. Anterior recess of the joint capsule between anterior layer (a) and posterior layer (p). There can be small amount of joint effusion in normal. The thickness of joint fluid (double arrow) is lesser than 1.5 mm, and distance between anterior cortex of the femoral neck (dashed double arrow) and anterior margin of joint capsule is lesser than 7 mm in normal. **B.** Anterior capsule is thickened and bulged anteriorly (arrows) with inner anechoic joint effusion on longitudinal scan. There is a diverticular distension of the joint capsule also (*). US-guided aspiration was done and septic hip was confirmed.

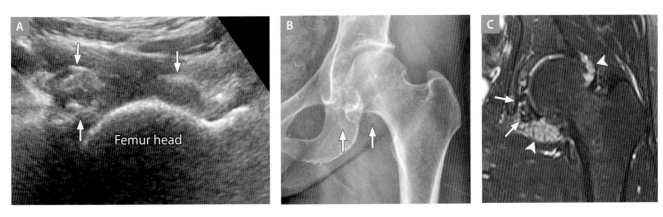

Figure 12-15   Synovial chondromatosis of hip joint with intra-articular loose bodies. A. On long-axis image, irregular echogenic loose bodies (arrows) are seen in the hip joint with joint effusion. **B.** There are ossified loose bodies along medial and inferior side of the hip joint (arrows) on AP view. Osteoarthritic change is also noted. **C.** Fat-suppressed T2-weighted coronal image shows tiny non-ossified intermediate-to-high signal intensity lesions (arrowheads) are seen in inferior recess as well as ossified dark signal intensity foci medially (arrows). (Courtesy of Prof. SM Lee, Keimyoung Univ.)

않으면 골극(osteophyte), 관절막 또는 주변의 석회화, 정상 피질골의 불규칙(irregularity) 등과 감별이 어려울 수 있다. 탐촉자나 손가락으로 누르거나 밀었을 때, 고에코 물체의 위

치가 바뀌거나 움직이면 유리체임을 확인할 수 있다. [24] 드물지만 관절조영술이나 주사 등에 의한 관절 내의 공기방울이 골화된 유리체처럼 보이므로 감별이 필요하다 (Fig. 12-15). [8]

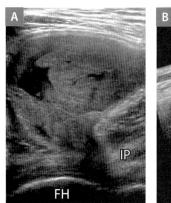
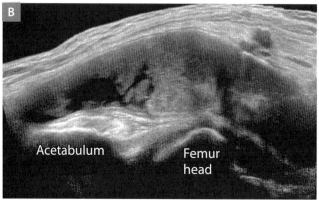
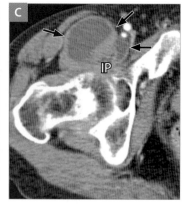

Figure 12-16 **Iliopsoas bursitis in 35-year-old female. A.** Large bulged fluid collection with inner thick synovial proliferation is seen anterior to the hip joint and medial to the iliopsoas muscle on transverse scan. FH, femur head; IP, iliopsoas. **B.** On longitudinal scan using panorama view, extensive fluid collection with inner synovial proliferation is seen anterior to the hip joint also. **C.** There is a bi-lobular fluid collection with thick enhancing wall (arrows) anterior to the hip joint and anteromedial to the iliopsoas tendon (IP) on contrast-enhanced CT.

3. 윤활낭염 Bursitis

윤활낭염에서 윤활낭 내의 액체는 무에코 혹은 저에코로 보이고, 윤활낭의 벽은 두꺼워진다. 또한 윤활낭 내부에 증식된 활막과 더불어 부스러기 등이 떠다니거나 가라앉아 있기도 한다. 탐촉자로 압력을 가하면 윤활낭의 모양이 변하고, 증식된 활막, 격막, 부스러기 등의 움직임을 볼 수 있다.

장요윤활낭(iliopsoas bursa)은 장요근의 내측에 위치하며, 윤활낭염이 생기면 장요근힘줄이 부착하는 소전자 보다 아래쪽까지 늘어날 수도 있고, 골반강 안으로 확장될 수도 있다. 장요윤활낭염이 커지면 인접한 대퇴혈관이나 대퇴신경을 압박할 수도 있다 (Fig. 12-16). [8,25,26]

대둔근전자낭염(trochanteric bursitis)은 대전자와 장경대(iliotibial band) 사이에 발생한다. 역시 탐촉자로 압박하면 모양이 변한다. 액체 저류가 많지 않은 경우 탐촉자로 과도하게 누르면 액체가 이동되어 보이지 않을 수 있다. 따라서 충분한 양의 젤을 바르고 탐촉자를 가볍게 놓고 조심하여 검사한다. [8]

좌골윤활낭염(ischial bursitis)은 직공둔부(Weaver's bottom)로도 알려져 있다. 좌골결절과 주변의 연부조직 사이에

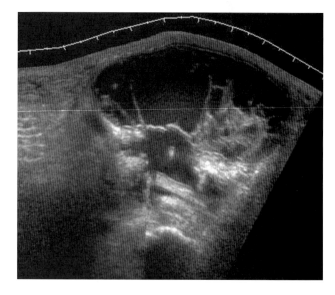

Figure 12-17 **Ischiogluteal bursitis.** Large anechoic fluid collection with inner septation and synovial proliferation is seen superficial to the ischial tuberosity on transverse scan in prone position.

서 마찰과 압력이 지속되면서 발생한다. 인접한 좌골신경을 누르거나 자극하여 통증을 유발하기도 하는데, 이는 요추 추간판탈출증으로 인한 신경근병증(radiculopathy)이나 이상근

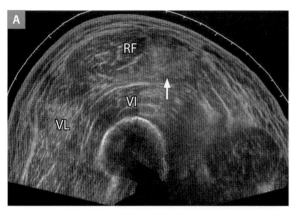
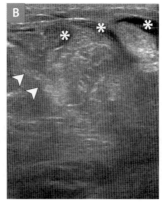
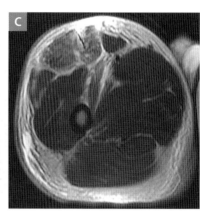

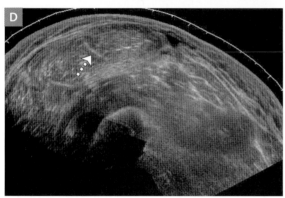

Figure 12-18 **Low grade strain of proximal rectus femoris muscle**. This young man had acute injury during military training. **A, B.** Short-axis panoramic (**A**) and magnified image (**B**) show ill-defined increased echogenicity in medial half of the rectus femoris muscle (arrow in **A**), that surrounds the central tendon. Intramuscular tear with fluid collection (*) is also noted. Central tendon (arrowheads in **B**) shows thickening and blurred margin. **C.** Corresponding T2-weighted axial MRI show similar findings. **D.** Distal to the injury, central tendon (dashed arrow) returns to normal clear and linear appearance on short-axis panoramic image. RF, rectus femoris; VI, vastus intermedius; VL, vastus lateralis.

증후군(piriformis syndrome)의 증상과 유사하므로 감별이 필요하다. 탐촉자로 좌골결절에 압력을 가하면서 좌골윤활낭을 위-아래 방향으로 쓸어 내리듯 누르면서 검사하면 증상이 유발되어 진단에 도움이 된다. 이러한 유발검사(provocation test)는 비슷한 증상을 보이는 다른 질환들과의 감별에 도움이 된다 (Fig. 12-17).[8,27]

4. 근육 및 힘줄의 손상 Muscle and tendon injury

고관절 및 대퇴부에는 하지 운동에 관여하는 많은 근육과 힘줄이 있으므로 운동이나 외상에 의한 손상이 흔하다. 급성 손상에서는 해당 근육과 힘줄의 부분파열이나 완전파열, 혈종(hematoma) 등을 볼 수 있으며, 시간의 경과에 따라 석회화, 흉터(scar) 등의 다양한 소견이 있을 수 있다.

대퇴부 앞쪽의 근육들 중에서 대퇴직근(rectus femoris)의 손상이 가장 흔하며, 긴모음근, 대퇴근막긴장근(tensor fascia lata) 등도 비교적 흔하게 손상된다. 대퇴직근은 편심수축(eccentric contracture)에 주로 기여하는 2형(type 2) 근섬유가 많고, 근육의 기시부와 부착부가 두 관절, 즉 고관절과 무릎관절을 가로지르는 특성 때문에 손상이 잘 생긴다.[13] 대부분 근위부나 원위부의 근-건이행부(musculotendinous junction)에서 파열이 발생하고, 중심힘줄(central tendon)의 손상이 주로 생긴다.[28] 대퇴직근의 중심힘줄은 초음파에서 경계가 좋은 고에코의 선상(linear) 구조물로 보인다. 급성 손상 시 중심힘줄의 경계가 불명확해지거나 두꺼워지고 불균질한 에코를 보인다. 부분파열이 좀 더 흔하며, 완전파열의 경우 중심힘줄의 뒤당김(retraction)을 동반하기도 한다 (Fig. 12-18, 12-19). 중심힘줄 주변의 출혈로 인해 황소눈모양(bull's-eye appearance)을 보이기도 한다. 성인에서는 주로

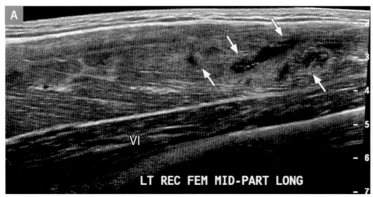

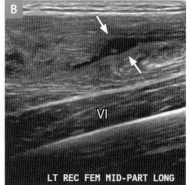

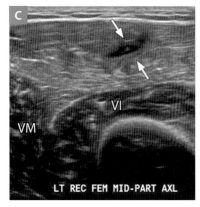

Figure 12-19 Grade 2 strain of the rectus femoris muscle at mid-portion. Panoramic (A), long-axis (B) and short-axis (C) US images show partial tear of the rectus femoris along central tendon with hematoma formation (arrows). When compared with normal vastus intermedius (VI) and vastus medialis (VM) muscles, increased echogenicity of the rectus femoris may be due to diffuse intramuscular hemorrhage also. (Courtesy of Prof. KH Cho, Yeungnam Univ.)

근-건이행부에 파열이 생기지만, 성장판이 닫히지 않은 소아-청소년에서는 대퇴직근이 기시하는 AIIS 부위에서 견열골절(찢김골절, avulsion fracture)이 발생할 수도 있다 (Fig. 12-20).[29]

만성파열에서는 흉터조직으로 인해 에코가 증가되고, 소리그림자를 동반하기도 한다. 이러한 소견은 석회화나 골화 등에 의해 발생하기도 하며, 단순촬영에서 석회화나 골화 등이 보일 수도 있다.[1]

모음근은 고관절의 과도한 외전(abduction) 또는 외회전(external rotation) 시에 손상 받기 쉽다. 하나의 근육만 손상되는 경우가 많고, 주로 긴모음근 혹은 박근(gracilis)에서 발생한다 (Fig. 12-21). 박근은 정상적으로 매우 얇은데, 특히 치골결합 쪽 근위부가 더 얇아서 부분파열로 오인되기 쉽다. 고관절의 내전 시에 통증이 악화되면 박근의 손상을 의심해야 한다. 대부분의 부분파열은 근위부 근-건이행부에서 발생한다.[30] 초음파에서 부분파열은 치골결합에서 모음근힘줄 기시 부위의 경계가 불명확한 저에코로 보이며, 완전파열의 경우 모음근힘줄이 떨어지면서 혈종(hematoma)이 동반되기도 한다.

허벅지 뒤쪽에서는 운동으로 인한 대퇴후근 복합체(ham-

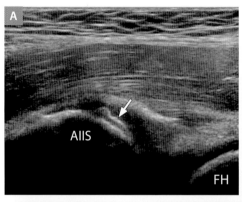 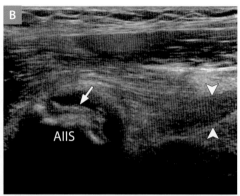

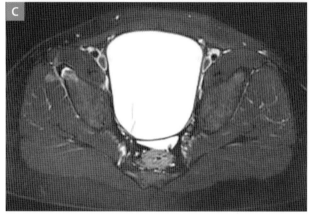 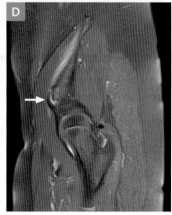

Figure 12-20 Avulsion fracture of AIIS. This 8-year-old boy complained acute pain during soccer. **A, B.** Long-axis ultrasonography at AIIS show irregular echogenic line adjacent to AIIS (arrows), which may represent cortical avulsion. Proximal rectus femoris tendon (arrowheads in **B**) shows diffuse swelling and decreased echogenicity without significant fiber disruption. **C, D.** Corresponding fat-suppressed proton density weighted axial (**C**) and sagittal (**D**) MRI show avulsion of AIIS (arrows). FH, femoral head. (Courtesy of Prof. SM Lee, Keimyoung Univ.)

string muscle complex)의 손상이 가장 흔하다. 만성 반복적 근수축이나 미세손상으로 인해 다양한 정도의 힘줄증(tendinosis), 부분파열, 혹은 완전파열이 좌골결절 기시부에서 잘 생긴다. 반막근보다 대퇴이두근이나 반힘줄근의 기시부 손상이 더 흔하다.[31] 초음파에서 대퇴후근 힘줄이 두꺼워지고 저에코를 보이며, 석회화를 동반할 수도 있고, Doppler 검사에서 증가된 혈류를 보이기도 한다.[32] 급성 혹은 아급성 파열 시 찢어진 힘줄섬유 부위에 틈(gap)이 보일 수 있고, 혈종이 동반될 수도 있다.[10,33]

고관절과 대퇴부의 뒤쪽 부위는 연부조직이 두꺼우므로 초음파검사에 제한이 있을 수 있다.[32] 정상 넙다리근육 자체도 상대적으로 약간 저에코로 보이는 경향이 있으므로, 넙다리근육의 저등급 파열(low-grade tear)에서 액체 저류가 없는 경우에는 이들 간의 구분이 어려울 수 있다.[34] 동반된 혈종 큰 경우에는 좌골결절의 견열골절을 간과할 수 있다. 광범위한 출혈과 혈종 등으로 인해 복합 에코를 보이면 완전파열의 진단도 쉽지 않을 수 있다 (Fig. 12-22, 12-23). [8,33,35,36]

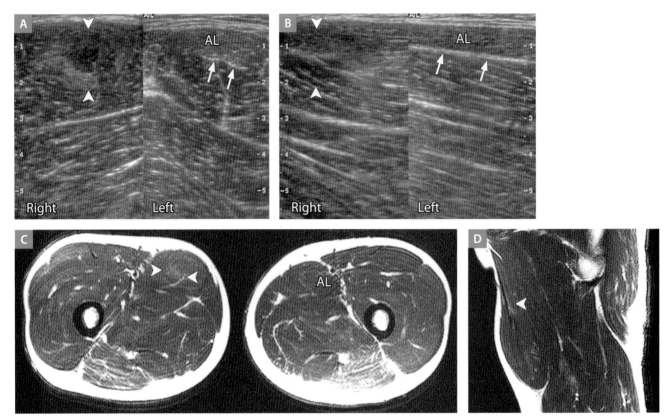

Figure 12-21   Low-grade strain of the adductor longus proximally. This young man had injury during soccer. **A, B.** When compared with left side, short-axis (**A**) and long-axis (**B**) US images of right adductor longus show swelling and intramuscular poorly defined decreased echogenicity around central tendon (arrowheads) involving proximal muscle. Central tendon shows thickening and blurred margin. Note the clear central tendon in left side (arrows). **C, D.** Corresponding T2-weighted axial (**C**) and sagittal (**D**) MRI show swelling of the muscle with increased signal intensity around central tendon (arrowheads).

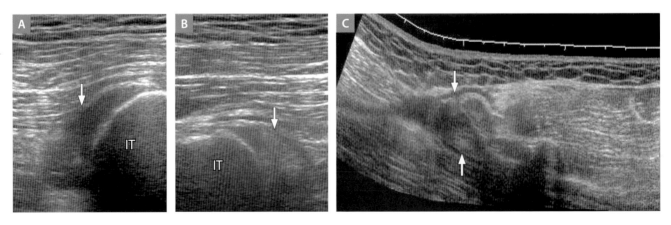

Figure 12-22   Hamstring tendon rupture in 26-year-old wrestling player with acute hip pain and swelling during competition. A. There is a hypoechoic fluid collection (arrow) above ischial tuberosity (IT) without visualization of echogenic hamstring tendon on transverse scan. **B.** On transverse scan of contralateral asymptomatic hip, echogenic round shaped hamstring tendon (arrow) is attached on ischial tuberosity (IT). **C.** On longitudinal panorama view, ruptured hamstring tendon is retracted to upper posterior thigh (arrows).

568

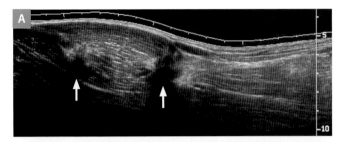

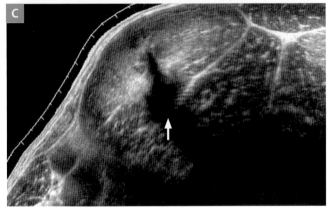

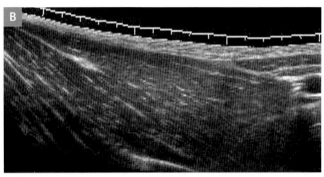

Figure 12-23 **Chronic muscle injury of rectus femoris in 23-year-old male Tae-Kwon-Do player with complain about thigh mass. A.** Hypertrophied round muscle bulk of upper rectus femoris is noted on longitudinal panorama view with low echogenic portions at the margins (arrows). **B.** Contralateral normal rectus femoris muscle shows smooth contour with pennate appearance on longitudinal scan. **C.** On transverse scan, dark star-shaped lesion with posterior echogenic shadowing (arrow) is seen at central tendon of rectus femoris, maybe thick chronic fibrosis related to chronic muscle injury.

5. Morel-Lavallee병변 Morel-Lavallee lesion

Morel-Lavallee병변은 심부피하지방층(deep subcutaneous layer)과 근막(fascia) 사이의 벗겨진손상(degloving injury)에 의한 장액종(post-traumatic seroma)으로 대전자(greater trochanter)와 근위 대퇴부 사이에서 가장 흔하다.[37] 대퇴근막 (fascia lata)을 통과하는 정맥총(venous plexus)의 전단손상(엇갈림손상, shear strain injury)에 의해 출혈이 생기고 근막을 따라 심부피하지방층으로 확장되며, 내부에 림프액, 출혈, 부스러기(debris) 등을 포함한다. 재발이 흔하고, 만성통증이 잘 동반되며, 2차 감염이 생길 수 있다.[38,39]

초음파에서 심부피하지방층과 근막 사이에 무에코 혹은 저에코의 액체 저류로 보인다. 만성 병변의 경우에는 반응성 가막(reactive pseudocapsule)이 형성되고 내부에 격막, 벽 결절(mural nodule), 침전된 부스러기 등을 볼 수 있다 (Fig.

12-24). 급성 병변의 경우에는 가막이 형성되지 않아 압박을 가하면서 검사하면 액체가 밀려나가 병변을 놓칠 수 있으므로 탐촉자를 가볍게 놓고 검사해야 한다.[39,40,41]

6. 발음성고관절증후군 Snapping hip syndrome

발음성고관절이란 고관절을 움직이거나 걸을 때 소리(click or snapping)가 나거나 느껴지면서 통증이 동반되는 것을 말한다. 그 원인이 관절 안(intra-articular) 혹은 관절 바깥 (extra-articular)에 있을 수 있으며, 관절 바깥에 원인이 있는 경우가 대부분이다.[42,43] 관절 바깥에 원인이 있는 경우는 다시 고관절의 외측에서 발생하는 외(external)발음성고관절증후군과 내측에서 발생하는 내(internal)발음성고관절증후군으로 나뉜다.

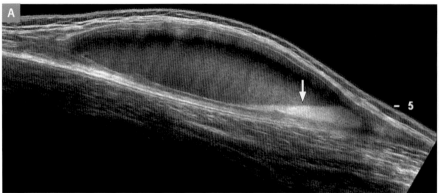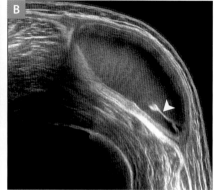

Figure 12-24 **Morel-Lavallee lesion**. This patient complained swelling in lateral aspect of proximal thigh. He had trauma one month ago. Long-axis (A) and short-axis (B) images show fusiform fluid collection between in deep subcutaneous fat layer, superficial to the fascia lata. Fluid-fluid level (arrow in A) due to hemorrhage and septum (arrowhead in B) are seen.

외발음성고관절증후군은 대전자에서 대퇴근막긴장근 (tensor fascia lata), 즉 장경대(iliotibial band) 혹은 대둔근 (gluteus maximus)의 앞쪽 부분이 대전자에 충돌하면서 매끄럽게 움직이지 않으며, 고관절 외측에 통증을 동반할 수도 있다. 환자들은 앉았다 서는 동작 등에서 뭔가 튕기면서 빠져나가는 느낌이나 소리가 난다고 호소한다. 이학적 검사에서 대전자 부위를 촉지할 때 압통을 호소하며, 고관절을 굴곡시켰다가 외전-외회전-신전(abduction-external rotation-extension)하면 딸깍 소리와 함께 대전자 부위에서 연부조직의 순간적인 덜거덕거림을 느낄 수 있다. 초음파에서 대퇴근막긴장근의 뒤쪽 부위나 대둔근의 앞쪽 부위가 두꺼워지거나 저에코로 보일 수 있다. 역동적 검사가 유용하며, 환측이 위로 오도록 옆누운 자세에서 대전자부위에 대퇴근막긴장근이나 대둔근이 보이도록 탐촉자를 횡축으로 놓은 다음, 고관절을 굴곡-외전-외회전-신전시키면 이러한 구조물들의 급작스런 움직임(jerking)을 확인할 수 있다. 주변 연부조직의 부종

이나 대둔근전자낭염(trochanteric bursitis)이 동반될 수 있다 (Fig. 12-25). [44,45]

내발음성고관절증후군에서는 주로 앉았다 일어나는 자세에서 서혜부 통증을 호소하며, 장요근(iliopsoas)과 그 힘줄이 고관절 앞쪽의 장골치골융기(엉덩두덩융기, iliopubic eminence) 앞쪽에서 비정상적인 움직임으로 인해 증상이 생긴다. 드물게 고관절성형술(hip joint prosthesis)이나 비구순 주위낭(paralabral cyst)이 있는 경우에도 증상이 발생할 수 있다. 고관절을 굴곡-외전-외회전 하는 과정에서 장근(iliacus)의 내측다발(medial fascicle)이 장요근힘줄(iliopsoas tendon)과 비구 사이로 끼어들고, 이후 고관절을 신전-내전하면서 중립자세로 되돌리는 과정에서 장요근힘줄이 장근의 앞쪽-안쪽으로 급작스럽게 이동하면서 장골치골융기에 충돌하여 증상이 생긴다 (Fig. 12-26). 이러한 역동적 검사를 시행하면서 환자의 증상과의 연관성을 평가하여야 하며, 장요근 힘줄염 (tendinopathy)이나 윤활낭염의 동반 여부를 확인한다. [46]

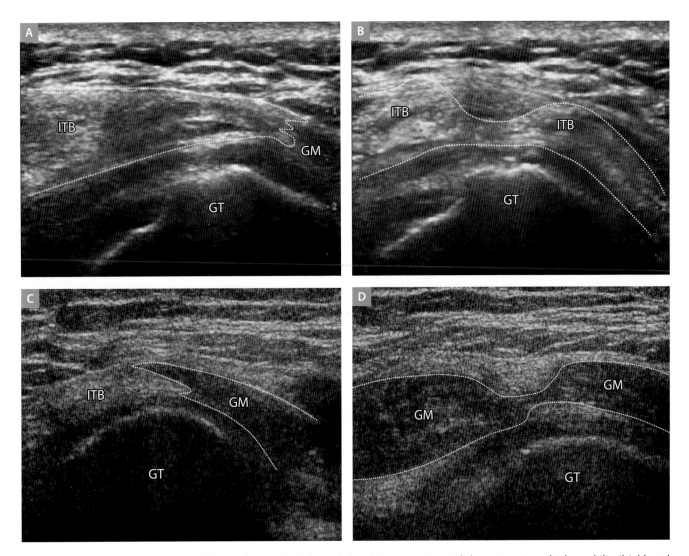

Figure 12-25 **External snapping hip syndrome. A.** In lateral decubitus position with hip extension, thickened iliotibial band covers lateral facet of greater trochanter. ITB, iliotibial band; GM, gluteus maximus; GT, greater trochanter. **B.** Same patient with A. During hip flexion, thickened iliotibial band shows abrupt jerking anterior movement over greater trochanter with clicking sound. **C.** Another patient. During hip extension, the gluteus maximus (GM) overlies greater trochanter (GT), just posterior to iliotibial band (ITB). **D.** Same patient with C. Gluteus maximus shows abrupt anterior movement over greater trochanter during hip flexion.

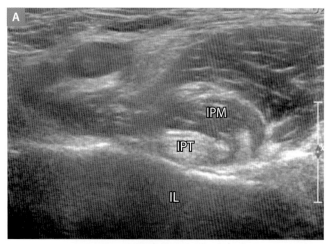

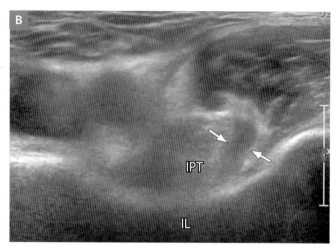

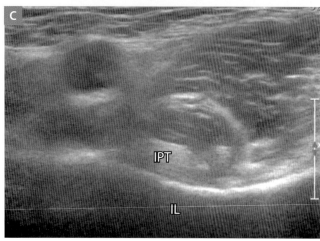

Figure 12-26 **Internal snapping hip syndrome. A.** In neutral position, iliopsoas tendon is just on acetabulum with iliopsoas muscle anteromedially. IL, ilium; IPT, iliopsoas tendon; IPM, iliopsoas muscle. **B.** During hip flexion-abduction-external rotation, medial fascicle of iliopsoas muscle slides between iliopsoas tendon and ilium (arrows). **C.** During back to neutral position, iliopsoas tendon escapes from medial fascicle of iliopsoas muscle rapidly with sliding over iliopectineal eminence, comes back to normal position with clicking sound.

7. 비구순파열 Labral tear 및 비구순주변낭 Paralabral cyst

환자가 바로 누운 상태에서 대퇴경부에 평행하게 탐촉자를 종축으로 놓고 내측 및 외측으로 탐촉자를 움직이면서 전방 비구순을 검사하며, 역동적 검사가 도움이 된다. 비구순열 상은 고관절 통증의 원인이 될 수 있다. 비구이형성(acetabular dysplasia)이나 대퇴비구충돌(femoroacetabular impingement, FAI)증후군, 외상 등과 동반되기도 하지만, 선행원인 없이 특발성(idiopathic)으로도 생긴다. 비구순파열은 조기 퇴행성관절염의 원인이 될 수 있다. 비구순파열은 어느 방향 에서나 생길 수 있지만 대부분 앞쪽과 위쪽(바깥쪽)에 생기

며, 뒤쪽 비구순파열은 고관절 후방탈구나 이형성과 동반되 어 생긴다.

비구순 파열의 초음파소견은 비구순이 보이지 않거나 비 구순의 전위(displacement), 비구순의 기저부(base)를 지나가 는 저에코의 틈(cleft), 비구순 내부의 저에코의 선, 틈, 혹은 낭성 변화 등이다 (Fig. 12-27A). 고관절을 외회전 혹은 내회 전 하면서 역동적 검사를 하면 파열이나 전위를 좀 더 뚜렷 하게 볼 수 있다 (Fig. 12-27C, D). 비구순이 불균질한 저에코 를 보이고 경계가 깨끗하지 않으면 퇴행성 변화로 생각된다. 최근 연구들에서 초음파검사의 비구순 파열의 진단 민감도가 94%라는 보고가 있으나, 비구순 파열의 진단을 위해 초음파 를 많이 사용하고 있지는 않다.[3,47,48]

CHAPTER

12

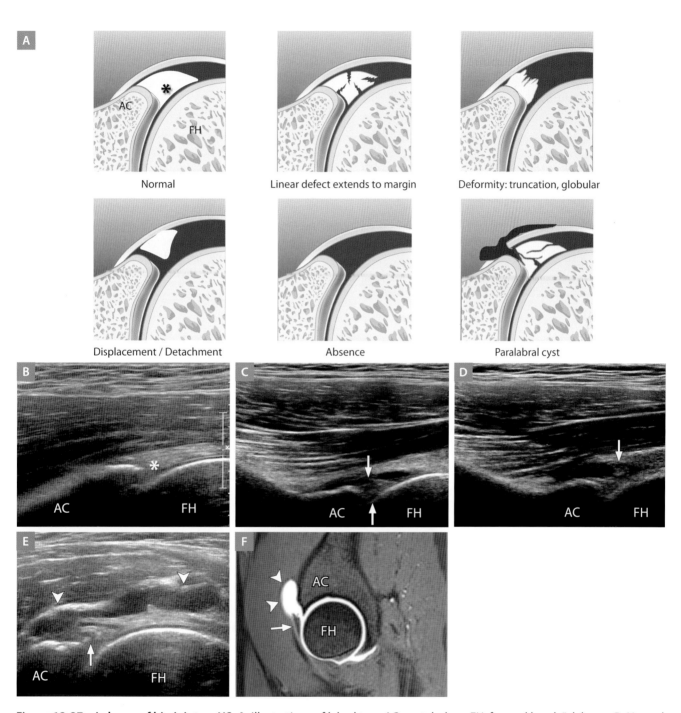

Figure 12-27   Labrum of hip joint on US. A. Illustrations of labral tear. AC, acetabulum; FH, femoral head; *, labrum. **B.** Normal anterior labrum of hip joint is a triangular shaped echogenic structure (white star) under anterior capsule on longitudinal scan. AC, acetabulum; FH, femur head. **C, D.** Subtle hypoechoic lesion is seen in anterior superior labrum in neutral supine position (**C**, arrows). During external rotation of hip (**D**), displaced fragment of labral tear appears, indicative of labral tear in the patient **C. E, F.** Another patient. Long-axis ultrasound image (**E**) shows hypoechoic irregular linear defect in swollen labrum (arrow) with overlying lobulated fluid collection (paralabral cyst, arrowheads). Corresponding sagittal MR arthrography (**F**) shows detached labrum (arrow) and paralabral cyst (arrowheads). (Courtesy of Prof. SM Lee, Keimyoung Univ.)

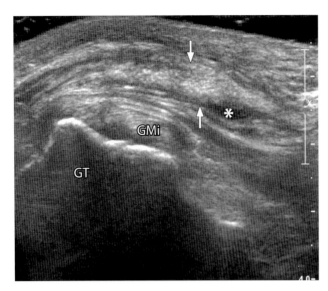

Figure 12-28 **Greater trochanteric pain syndrome.** A 74-year-old female with complaint about right lateral hip pain shows inhomogenous echogenicity and mild swelling of the gluteus minimus tendon on short-axis image. GMi, gluteus minimus tendon; GT, greater trochanter. Thick echogenic structure overlies gluteus minimus tendon is iliotibial band (arrows) with tendinosis. Fluid collection deep to the iliotibial band (*) is trochanteric bursitis.

비구순 파열과 연관되어 비구순주변낭(paralabral cyst)이 형성되기도 하는데, 통증이 있을 수 있고, 종괴로 오인되어 검사하기도 한다. 초음파에서 저에코의 낭성 종괴로 보이고 내부에 격막(septation) 등을 동반하기도 한다. 내부에 점액성 물질로 차 있으므로 탐촉자로 압박을 해도 모양이 잘 변하지 않는다 (Fig. 12-27E, F).

보이며 정상적인 힘줄의 가는섬유다발양상(fibrillar appearance)이 소실된다.[51] 대전자 주위 힘줄 부착부위에 석회화가 보이기도 하며, 힘줄의 부분 또는 완전파열과 함께 혈종이 보이기도 한다. 바깥쪽으로 대전자낭염(trochanteric bursitis, subgluteus maximus bursitis)을 동반할 수도 있다 (Fig. 12-28). 비등방성허상을 힘줄증으로 잘못 진단하지 않도록 주의해야 하며, 반대쪽과 비교하는 것이 도움이 된다.

8. 대전자통증증후군
Greater trochanteric pain syndrome, GTPS

대전자통증증후군은 대전자의 외측이나 뒤쪽에 통증을 호소하며 주로 중년이나 노년 여성에 호발한다. 고관절의 운동장애는 없으나, 대개 압통을 동반하고 환측으로 눕거나 체중부하 시 통증이 심해진다.[49] 정확한 원인은 아직 알려지지 않았지만 대전자 바깥쪽의 대퇴근막긴장근의 반복적 자극에 의해 중둔근과 소둔근 힘줄의 힘줄증 및 미세파열(microtear)이 주된 원인으로 생각된다.[50~52] 소둔근보다는 중둔근힘줄에 주로 발생하고, 힘줄이 두꺼워지고 불균질한 저에코를

9. 운동선수 치골통 Athletic pubalgia, 운동탈장 Sports hernia

운동선수들의 0.5~6.2%에서 서혜부 통증(groin pain)을 보이는데, 허리를 비틀거나, 갑작스러운 속도의 변화, 혹은 방향의 급전환 등이 요구되는 운동과 관련되어 주로 발생한다.[53,54] 운동선수 치골통의 원인은 매우 다양하며 진단하기가 쉽지 않은데, 이는 치골결합(symphysis pubis) 주위의 복잡한 해부학적 구조와 생체역학(biomechanics) 때문이다. 운동선수 치골통 혹은 운동탈장의 손상 기전은 아직까지 잘

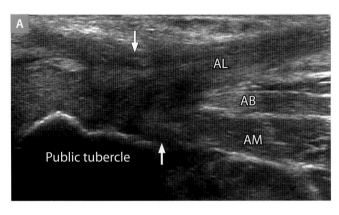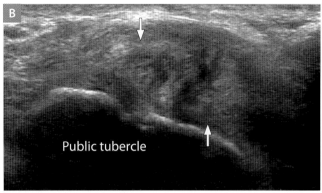

Figure 12-29 **Athletic pubalgia. A.** Irregular hypoechogenicity is noted at insertion site of adductor muscles at pubic tubercle (arrows), especially adductor longus (AL) on longitudinal scan of a 26-year-old professional long jumper with complaint about chronic groin pain. AB, adductor brevis; AM, adductor magnus. **B.** On transverse scan, adductor tendon shows irregular hypoechogenicity with marked swelling near insertion at pubic tubercle (arrows).

알려져 있지 않으나 치골결합 주위의 힘줄, 근막(fascia) 혹은 건막(aponeurosis) 등의 손상과 연관된 일련의 병증(spectrum of pathologic conditions)으로 생각한다.[55]

만성 근-힘줄 염좌(chronic myotendinous strain) 등을 포함한 내전근 장애(adductor muscle dysfunction)가 흔한 원인이며, 특히 박근(gracilis)과 긴모음근(adductor longus) 힘줄이 손상에 취약하다 (Fig. 12-29).[56]

운동탈장(sport hernia, sportsman hernia)은 운동선수에서 설명하기 힘든 서혜부통증으로 나타나며, 서혜관 후벽 결손(posterior inguinal wall deficiency)이 가장 중요한 원인이다. 서혜관 후벽 결손은 배가로근막(복횡근막, transversalis fascia) 혹은 내복사근(internal oblique abdominis)과 배가로근(복횡근, transversus abdominis)의 내측(medial portion)이 만나는 부위인 샅고랑낫힘줄(conjoined tendon)의 손상으로 인해 발생한다. 서혜부 후벽의 약화(weakness) 혹은 결손이 생기면, 복압(abdominal pressure)이 증가할 때 이 부위가 국소적으로 부풀어 오르면서 복직근(rectus abdominis muscle)이 내측-머리쪽으로 당겨지고, 서혜관(inguinal canal)의 상

하직경도 증가한다. 음부대퇴신경(genitofemoral nerve)의 음부가지(genital branch)가 압박되는 것이 통증의 중요 원인으로 설명하고 있다 (Fig. 12-30A, B).[57,58]

서혜관 후벽 결손은 역동적 검사로 확인하는 것이 중요하다. 탐촉자를 치골결절(pubic tubercle)의 바로 외측에 놓고 Valsalva수기(maneuver)를 하면서 표재서혜륜(얕은샅굴구멍, superficial inguinal ring)을 단축영상으로 검사한다. 정상에서는 휴식 상태에서 서혜관 후벽이 뒤쪽으로 오목하게 들어가 보이고(concave anteriorly), Valsalva를 하면 서혜관 후벽이 편평해지면서 서혜관(inguinal canal)의 단면적이 감소한다 (Fig. 12-30C~F). 운동탈장의 경우 압력(stress)을 주면 서혜관 후벽 결손으로 인해 단면적이 오히려 늘어나거나 앞쪽으로 볼록하게 튀어 나오면서(convex anteriorly), 정삭(spermatic cord)이 앞쪽으로 밀리고 상하직경이 증가되는 소견을 보인다. 이러한 후벽 결손은 정계정맥류(덩굴정맥류, varicocele), 정삭 지방종에 의해서도 발생할 수 있다. 그러나 증상이 없는 운동선수들에서도 비슷한 소견이 보일 수 있으므로 증상과 연관성을 확인하는 것이 필요하다.[53,59]

▶ p.578로 이어집니다.

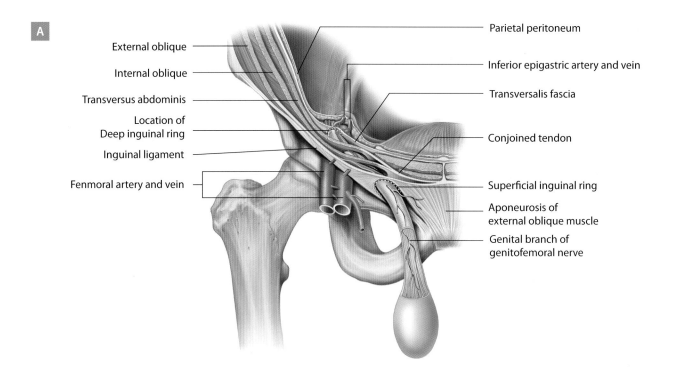

A

External oblique

Internal oblique

Transversus abdominis

Location of
Deep inguinal ring

Inguinal ligament

Fenmoral artery and vein

Parietal peritoneum

Inferior epigastric artery and vein

Transversalis fascia

Conjoined tendon

Superficial inguinal ring

Aponeurosis of
external oblique muscle

Genital branch of
genitofemoral nerve

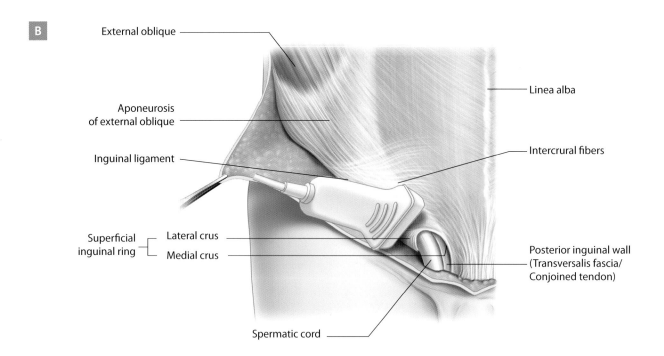

B

External oblique

Aponeurosis
of external oblique

Inguinal ligament

Superficial
inguinal ring

Lateral crus

Medial crus

Spermatic cord

Linea alba

Intercrural fibers

Posterior inguinal wall
(Transversalis fascia/
Conjoined tendon)

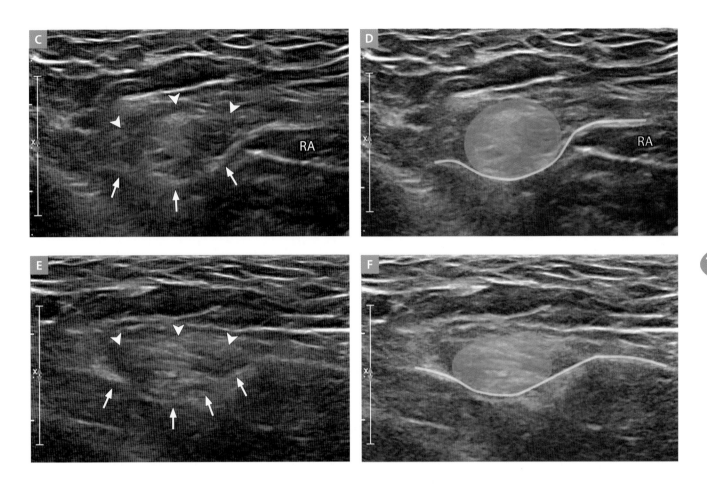

Figure 12-30 **Normal anatomy of the inguinal canal and dynamic ultrasonography. A.** Relationship of the abdominal muscles and their aponeurosis, the transversalis fascia, and the inguinal rings. **B.** More superficial anatomy of superficial inguinal ring and the probe position for short-axis image. **C, D.** Short-axis US image at the level of right superficial inguinal ring (**C**) and corresponding line drawings (**D**) in resting state. The posterior inguinal wall (arrows) is concave anteriorly and the spermatic cord (arrowheads) is ovoid in shape. RA: rectus abdominis. **E, F.** Short-axis US image during Valsalva maneuver (**E**) and corresponding line drawings (**F**) in the same person. The posterior wall (arrows) is flattened and the area of the spermatic cord (arrowheads) is reduced.

10. 석회화힘줄염 Calcific tendinitis

석회화힘줄염은 힘줄의 기시 및 부착부위에 석회화, 즉 힘줄칼슘수산화인회석(Calcium hydroxyapatitie) 침착이 생기는 것으로, 대전자 주위에 흔하며, 주위 윤활낭으로 파급될 수 있다. 대부분 증상이 없지만, 급성증상으로 압통, 부종, 운동장애 등이 올 수 있으며, 감염성 질환 등과의 감별이 필요할 수 있다.[60] 초음파유도하에 석회화를 흡인하고 힘줄 주위에 steroid를 주사하면 증상완화 및 치료에 도움이 된다 (Fig. 12-31).[61]

11. 좌골신경병증 Sciatic neuropathy

좌골신경병증은 대개 고관절의 골절, 탈구, 혹은 관절치환술 등 심한 외상, 좌골결절 부위의 골절 등에 의하여 직접 신경이 눌리거나, 이상근증후군(piriformis syndrome) 등에 의해 생긴다. 또한 대퇴후근힘줄(hamstring tendon) 파열에 의해 좌골신경이 자극되거나, 흉터조직이 좌골신경을 압박하여 증상이 나타날 수 있다. 좌골신경병증의 증상은 대퇴후근과 무릎 이하 근육 마비, 대퇴부 뒤쪽 및 무릎 이하의 감각 소실, 후방 대퇴부의 방사통 등이다. 이러한 증상은 대퇴후근힘줄 손상 자체의 증상과도 비슷하므로, 초음파검사로 두 질환을 감별하거나 서로의 관련성을 확인하는 것이 필

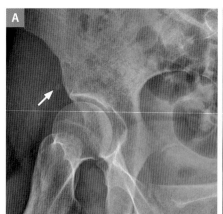
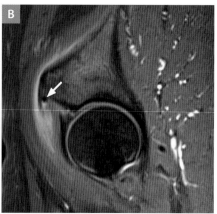
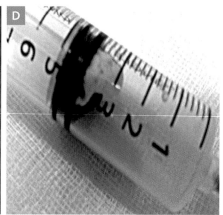
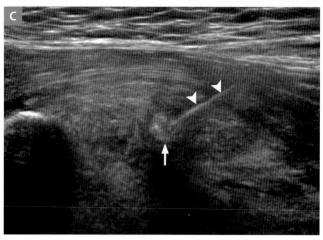

Figure 12-31 **Calcific tendinitis of rectus femoris tendon.** **A.** Increased opacity was seen at right anterior inferior iliac spine (arrow) in a 34-year-old female with right hip pain. **B.** Fat-suppressed proton-density sagittal MRI of right hip showed dark signal intensity lesion with adjacent soft tissue edema along rectus femoris at right anterior inferior iliac spine (arrow). **C.** On US, there was a round echogenic lesion (arrow) at femoris tendon. US-guided steroid injection was done after aspiration. Arrowheads: needle tract. **D.** Toothpaste-like whitish calcifications were aspirated into syringe. (Courtesy of Prof. SM Lee, Keimyoung Univ.)

요하다.[17,32] 좌골신경의 신경성종양(neurogenic tumor), 신경종(neuroma) 등도 발생할 수 있으며, 역시 초음파검사 가 도움이 된다 (Fig. 12-32, 12-33) (Chapter 06 하지 신경 참조 바람).[62]

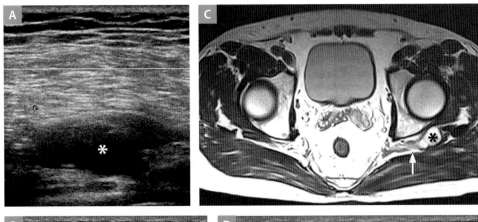
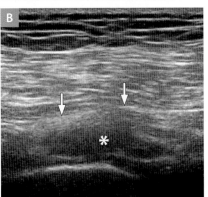
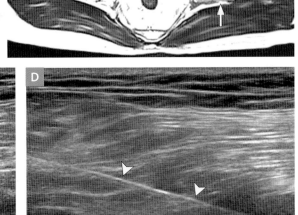

Figure 12-32 **Sciatica due to ganglion. A.** Short-axis ultrasonography shows cystic mass (*) posterior to the acetabulum. **B.** Long-axis image shows the sciatic nerve (arrows) superficial and medial to the cyst. **C.** T2-weighted axial MRI shows cystic lesion (*) posteromedial to the sciatic nerve (arrow). **D.** US-guided aspiration was done and about 4 cc of thick mucoid material was aspirated (not shown). Arrowheads: needle tract.

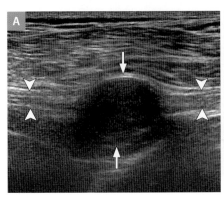
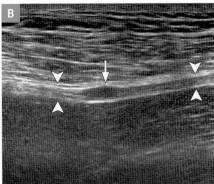
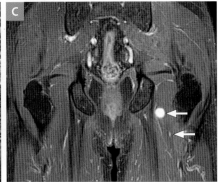

Figure 12-33 **Schwannomas of sciatic nerve. A.** Long-axis ultrasonography shows hypoechoic nodule (arrows), which connected to the sciatic nerve (arrowheads). **B.** More distally, another smaller hypoechoic nodule (arrow) is noted also. **C.** Enhanced coronal MRI shows two enhancing schwannomas (arrows) along the sciatic nerve.

12. 가성동맥류 Arterial pseudoaneurysm

외상, 수술, 도관 삽입 등과 관련하여 가성동맥류가 생길 수 있으며, 총대퇴동맥, 표재대퇴동맥의 근위부에 주로 생긴다. 가성동맥류 내에 혈전(thrombus)이 동반되는 경우가 흔하며, Doppler에서 와류로 인해 적색, 청색이 뒤섞인 음양징후(yin-yang sign)를 보인다. 동맥과 가성동맥류 사이의 연결부위를 초음파에서 확인할 수 있으며, Doppler검사에서 특징적인 전후유동혈류(to-and-fro flow)를 보인다 (Fig. 12-34). 가성동맥류는 대부분 박동성(pulsatility)을 보이는 것이 특징이다. 하지만 박동성이 소실되어 비혈관성 종괴로 오인되기도 하며, 그 이유는 내강(lumen)의 대부분이 혈전으로 차있거나, 인접 동맥과의 연결부위가 너무 좁고 작아서 동맥압력이 전달되지 못하거나, 가성동맥류의 압력이 너무 높아 혈류가 들어오지 못하는 경우 등이다.[63] 반면 서혜부탈장(inguinal hernia), 림프절종대, 활막낭(synovial cyst) 등이 인접 동맥과 매우 가까이 있으면 동맥의 박동성이 전달되어 마치 박동성이 있는 종괴로 오인할 수도 있다.

가성동맥류의 치료 방법중의 하나로 탐촉자로 압박하는 방법이 있으며, 성공률은 75~80%에 이른다.[64] 초음파로 가성동맥류의 경부를 확인한 후 Doppler검사로 혈류를 보면서 연결부위의 혈류가 없어질 때까지 탐촉자로 압박하여 약 15~20분 동안 지속하며, 이 과정을 반복 시행할 수 있다. 이후 대퇴동맥의 혈류가 잘 유지되어 있는지 초음파로 확인하고 24시간 후 가성동맥류 내의 혈류가 완전히 없어졌는지 확인한다. 하지만 하지의 허혈(ischemia), 가성동맥류 바깥쪽 피부의 허혈 또는 감염 등이 있는 경우, 서혜인대보다 가성동맥류가 위쪽에 위치하는 경우, 동맥 내에 혈전이 있는 경우, 심한 혈관부전(vascular insufficiency) 또는 동정맥루(arteriovenous fistula)가 있는 경우, 극심한 압통 또는 신경증상이 있는 경우 등에는 압박 시술을 시행하지 않는 것이 좋다.[65, 66]

가성동맥류 내에 초음파유도하 트롬빈(thrombin)을 주입하여 가성동맥류를 치료하는 방법도 있다 (Chapter 08 하지 혈관 참조 바람).[67~69]

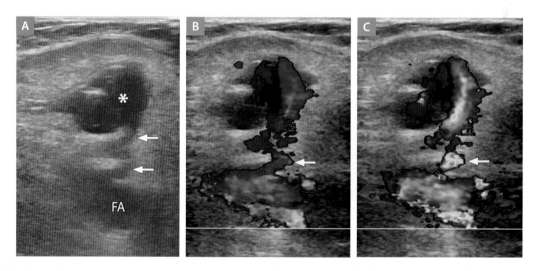

Figure 12-34 **Pseudoaneurysm of common femoral artery after puncture. A.** Gray-scale long-axis image shows partially thrombosed pseudoaneurysm (*) and connecting aneurysmal neck (arrows) to femoral artery (FA). **B, C.** Color Doppler images show yin-yang flow pattern within the pseudoaneurysm and to-and-fro flow pattern (reversed color during systole and diastole) in the neck (arrows).

13. 림프절 종대 Lymphadenopathy

대퇴삼각 내에 서혜부 림프절이 있고 이는 하복부의 감염, 염증, 종양 등이 하지쪽으로 파급되는 통로가 되기도 하며, 주변 고관절이나 골반, 대퇴부의 국소적인 질환으로 인해 서혜 림프절이 커지기도 한다.

염증이나 감염 등 양성 질환에서 반응성으로 커진 림프절과 종양 등의 전이나 림프종에 의한 악성 림프절의 감별에도 초음파검사가 도움이 될 수 있다. 정상 림프절은 대개 장경 1 cm 미만 크기로, 원형 혹은 타원형을 보이고, 가운데에 고에코의 지방성 문(hilum) 혹은 수질(medulla)이 있으며, 이를 둘러싼 피질(cortex)은 저에코를 보인다. 반응성으로 커진 림프절은 대개 좀 더 길쭉한 타원형이며, 내부의 지방성 수

질은 유지되고, Doppler검사상 수질 내에 가느다란 혈류가 보인다. 또한 저에코의 피질이 전체 림프절에 걸쳐 비교적 비슷한 정도의 두께로 보이고, 림프절 바깥 경계도 선명하다 (Fig. 12-5B, 12-35A). 반면 악성림프절은 정상 에코가 소실되어 저에코로 보이고, 타원형 보다는 둥근 모양을 보인다. 가운데에 위치한 정상 수질이 잘 보이지 않거나 피질이 한쪽으로 치우쳐져서 두꺼워진다. 림프절 바깥 경계도 불명확해지면서 피하지방 조직으로 파급되기도 한다. Doppler검사에서 수질의 혈류도 정상과 달라진다. 가느다란 직선으로 보이던 혈류가 휘거나 감아 도는 양상을 보이거나, 비정상적으로 혈류가 증가 되거나, 혈류가 끊어져 보이거나(focal intranodal absence of perfusion), 피질의 피막하부(subcapsular portion)에 비정상적인 혈류 등이 보일 수 있다 (Fig. 12-35B~D).

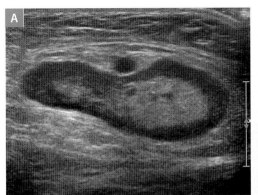
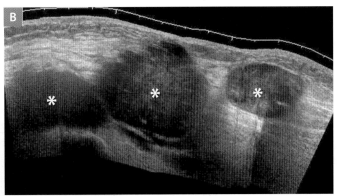
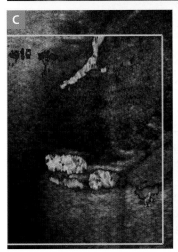
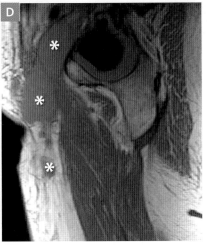

Figure 12-35 **Lymphadenopathy. A.** Benign reactive superficial inguinal lymph node. Although the size is enlarged, the shape is elongated, hilar fat is well preserved, and hypoechoic cortex shows uniform thickness. **B, C.** Superficial and deep inguinal lymph nodes in lymphoma patient (*). Enlarged lymph nodes show round-to-oval shape with irregular margin, heterogeneous decreased echogenicity with loss of hilar fat, and irregular internal tumor vessels. **D.** T1-weighted sagittal MRI shows enlarged lymph nodes (*).

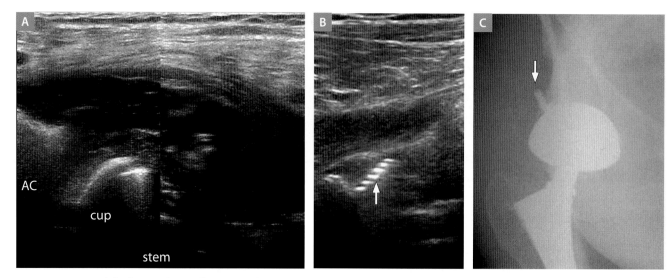

Figure 12-36 US findings of complications after hip arthroplasty. A. Hypoechoic fluid collection with inner multiple floating debris is revealed around hip prosthesis after total hip arthroplasty, which is confirmed as hematoma after US-guided aspiration. AC, acetabulum. **B, C.** In another patient with persistent hip pain after total hip arthroplasty one year ago. Ultrasonography (B) shows a screw that is extruded into posterior soft tissue through iliac bone (arrow). Exposed screw from acetabulum is seen on plain radiograph (C). (Courtesy of Prof. SM Lee, Keimyoung Univ.)

그러나 이러한 소견만으로는 양성 혹은 악성 림프절을 감별하는 것에 제한이 있으므로, 초음파유도하 조직 검사가 필요하다.(70,71)

14. 고관절성형술 Hip joint arthroplasty

고관절성형술은 인구 고령화로 인해 퇴행성관절염이나 골다공증과 관련한 골절 등이 늘어나면서 그 수술 빈도 역시 늘어났다. 비감염성 골흡수(aseptic bone resorption), 인공삽입물의 이완(loosening) 및 감염 등이 흔한 합병증이다. 고관절성형술 환자에서 MRI는 금속허상(metallic artifact)에 의한 영상왜곡이 많으므로 초음파검사가 많이 이용된다. 합병증 발생 시 고관절 주변 가막(pseudocapsule) 안에 관절삼출액이 보이는 경우가 많으며, 대퇴경부에 평행하게 얻은 종축영상에서 3.2 mm 이상 팽창되면 비정상으로 간주한다.(72~74) 그러나 관절성형술 후 관절 주위에는 여러 액체저류들이 발생할 수 있으며, 이들 중 어느 액체저류가 고관절과 연결되어 있는지 초음파로 정확히 구분하기는 쉽지 않다. 감염이 의심되면 관절 주위의 액체저류를 초음파유도하 흡인하여 검사하는 것이 필요하다 (Fig. 12-36, 12-37).

V. 요약

고관절과 허벅지는 관절이 크고 연부조직이 두껍기 때문에 이학적 검사만으로는 진단이 어려운 경우가 많다. 고관절 초음파검사는 과거에는 영아의 고관절 발달이형성증을 검사하거나 관절삼출액의 유무를 확인하는 데 주로 이용되었지만, 최근에는 성인의 고관절과 허벅지 검사에도 많이 이용한다. 관절삼출액, 활액낭염, 힘줄증이나 힘줄의 찢김, 비구순파열 등이 초음파검사의 주 적응증이며, 특히 역동적 검사가 초음파의 큰 장점 중의 하나이다. 또한 초음파유도하 흡인, 생검, 주사 등의 시술도 정확하고 안전하게 할 수 있다.

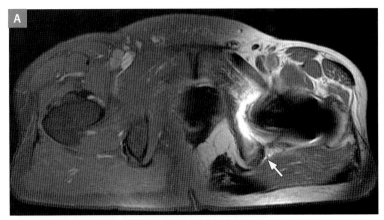

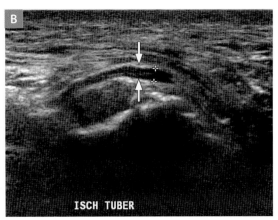

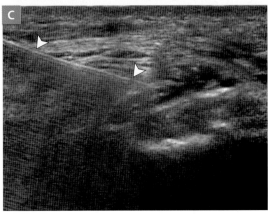

Figure 12-37 **This patient complained left buttock pain after total hip arthroplasty. A.** Fat-suppressed T2-weighted axial MRI shows linear increased signal intensity over left hamstring tendon (arrow). Evaluation of left hip is limited due to metal artifact. **B.** Short-axis ultrasonography over left ischial tuberosity shows small anechoic fluid (between arrows) posterior to hamstring tendon. **C.** US-guided steroid injection was done, and the patient symptoms were improved. Note the entire needle tract (arrowheads). (Courtesy of Prof. KH Cho, Yeungnam Univ.)

참고문헌

1. Lutterbach-Penna RA, Kalume-Brigido M, Morag Y, Boon T, Jacobson JA, Fessell DP. Ultrasound of the thigh: focal, compartmental, or comprehensive examination? AJR Am J Roentgenol 2014;203:1085-1092.

2. Malanga GA, Dentico R, Halperin JS. Ultrasonography of the hip and lower extremity. Phys Med Rehabil Clin N Am 2010;21:533-547.

3. 여수현, 이성문, 조길호. 고관절 통증에서의 초음파검사의 유용성. 대한초음파의학회지 2013;32:1-15.

4. Pfirrmann CW, Chung CB, Theumann NH, Trudell DJ, Resnick D. Greater trochanter of the hip: attachment of the abductor mechanism and a complex of three bursae--MR imaging and MR bursography in cadavers and MR imaging in asymptomatic volunteers. Radiology 2001;221:469-477.

5. Armstrong P, Saxton H. Ilio-psoas bursa. Br J Radiol 1972;45:493-495.

6. Lin EC, Middleton WD, Teefey SA. Extended field of view sonography in musculoskeletal imaging. J Ultrasound Med 1999;18:147-152.

7. Noorkoiv M, Nosaka K, Blazevich AJ. Assessment of quadriceps muscle cross-sectional area by ultrasound extended-field-of-view imaging. Eur J Appl Physiol 2010;109:631-639.

8. Cho KH, Park BH, Yeon KM. Ultrasound of the adult hip. Semin Ultrasound CT MR 2000;21:214-230.

9. Iagnocco A, Filippucci E, Meenagh G, Delle Sedie A, Riente L, Bombardieri S, et al. Ultrasound imaging for the rheumatologist III. Ultrasonography of the hip. Clin Exp Rheumatol 2006;24:229-232.

10. Jacobson J. Fundamentals of musculoskeletal ultrasound. Philadelphia (PA): Saunders Elsevier; 2007.

11. Bianchi S, Martinoli C, Waser NP, Bianchi-Zamorani MP, Federici E, Fasel J. Central aponeurosis tears of the rectus femoris: sonographic findings. Skeletal Radiol 2002;31:581-586.

12. Hasselman CT, Best TM, Hughes C, Martinez S, Garrett WE. An explanation for various rectus femoris strain injuries using previously undescribed muscle architecture. Am J Sports Med 1995;23:493-499.

13. Ouellette H, Thomas BJ, Nelson E, Torriani M. MR imaging of rectus femoris origin injuries. Skeletal Radiol 2006;35:665-672.

14. Ross L, Lamperti E. General anatomy and musculoskeletal system thieme atlas of anatomy. Stuttgart (Germany): Thieme; 2006.

15. Kong A, Van der Vliet A, Zadow S. MRI and US of gluteal tendinopathy in greater trochanteric pain syndrome. Eur Radiol 2007;17:1772-1783.

16. Dunn T, Heller CA, McCarthy SW, Dos Remedios C. Anatomical study of the "trochanteric bursa". Clin Anat 2003;16:233-240.

17. Ahmed R, Nazarian LN. Overview of musculoskeletal sonography. Ultrasound Q 2010;26:27-35.

18. Zieger MM, Dörr U, Schulz RD. Ultrasonography of hip joint effusions. Skeletal Radiol 1987;16:607-11.

19. Sada PN, Rajan P, Jeyaselan L, Washburn MC. Standards for ultrasonographic measurements of the hip joint in Indian adults. Skeletal Radiol 1994;123:111-112.

20. Koshi JM, Anttila PJ, Isomaki HA. Ultrasonography of the adult hip joint. Scand J Rheumatol 1989;18:113-117.

21. Robben SG, Lequin MH, Diepstraten AF, den Hollander JC, Entius CA, Meradji M. Anterior joint capsule of the normal hip and in children with transient synovitis: US study with anatomic and histologic correlation. Radiology 1999;210:499-507.

22. Rohrschneider WK, Fuchs G, Troeger J. Ultrasonographic evaluation of the anterior recess in the normal hip: A prospective study on 166 asymptomatic children. Pediatr Radiol 1996;26:629-634.

23. Walther M, Harms H, Krenn V, Radke S, Kirschner S, Gohlke F. Synovial tissue of the hip at power Doppler US: correlation between vascularity and power Doppler US signal. Radiology 2002;225:225-231.

24. Bianchi S, Martinoli C. Detection of loose bodies in joints. Radiol Clin North Am 1999;37:679-690.

25. Pellman E, Kumari S, Greenwald R. Rheumatoid iliopsoas bursitis presenting as unilateral leg edema. J Rheumatol 1986;13:197-200.

26. Yoon TR, Song EK, Chung JY, Park CH. Femoral neuropathy caused by enlarged iliopsoas bursa associated with osteonecrosis of femoral head--a case report. Acta Orthop Scand 2000;71:322-324.

27. Swartout R, Compere EL. Ischiogluteal bursitis: The pain in the arse. JAMA 1974;227:551-552.

28. Hsu JC, Fischer DA, Wright RW. Proximal rectus femoris avulsions in national football league kickers: a report of 2 cases. Am J Sports Med 2005;33:1085-1087.

29. Douis H, Gillett M, James SL. Imaging in the diagnosis, prognostication, and management of lower limb muscle injury. Semin Musculoskelet Radiol 2011;15:27-41.

30. Pedret C, Balius R, Barcelo P, Miguel M, Lluís A, Valle X, et al. Isolated tears of the gracilis muscle. Am J Sports Med 2011;39:1077-1080.

31. Slavotinek JP, Verrall GM, Fon GT. Hamstring injury in athletes: using MR imaging measurements to compare extent of muscle injury with amount of time lost from competition. AJR Am J Roentgenol 2002;179:1621-1628.

32. Koulouris G, Connell D. Hamstring muscle complex: an imaging review. Radiographics 2005;25:571-586.

33. Davis KW. Imaging of the hamstrings. Semin Musculoskelet Radiol 2008;12:28-41.

34. Connell D, Schneider-Kolsky ME, Hoving JL, Malara F, Buchbinder R, Koulouris G, et al. Longitudinal study comparing sonographic and MRI assessments of acute and healing hamstring injuries. AJR Am J Roentgenol 2004;183:975-984.

35. Koulouris G, Connell D. Evaluation of the hamstring muscle complex following acute injury. Skeletal Radiol 2003;32:582-589.

36. Bencardino JT, Mellado JM. Hamstring injuries of the hip. Magn Reson Imaging Clin N Am 2005;13:677-690.

37. Morel-Lavallee. Decollments traumatiques de la peau et des couches sous-jacentes. Arch Gen Med 1863;1:20-38, 172-200, 300-332.

38. Neal C, Jacobson JA, Brandon C, Kalume-BrigidoM, Morag Y, Girish G. Sonography of Morel-Lavallee lesions. J Ultrasound Med 2008;27:1077-1081.

39. Mellado JM, Pérez del Palomar L, Díaz L, Ramos A, Saurí A. Long-standing Morel-Lavallée lesions of the trochanteric region and proximal thigh: MRI features in five patients. AJR Am J Roentgenol 2004;182:1289-1294.

40. Parra JA, Fernandez MA, Encinas B, Rico M. Morel-Lavallée effusions in the thigh. Skeletal Radiol 1997;26:239-241.

41. Goodman BS, Smith MT, Mallempati S, Nuthakki P. A comparison of ultrasound and magnetic resonance imaging findings of a Morel-Lavallee lesion of the knee. PM R 2013;5:70-73.

42. Anda S, Svenningsen S, Slørdahl J, Benum P. Voluntary hip subluxation examined by computed tomography. Acta Orthop Scand 1986;57:94-95.

43. Janzen DL, Partridge E, Logan PM, Connell DG, Duncan CP. The snapping hip: clinical and imaging findings in transient subluxation of the iliopsoas tendon. Can Assoc Radiol J

1996;47:202-208.

44. Choi YS, Lee SM, Song BY, Paik SH, Yoon YK. Dynamic sonography of external snapping hip syndrome. J Ultrasound Med 2002;21:753-758.

45. Pelsser V, Cardinal E, Hobden R, Aubin B, Lafortune M. Extraarticular snapping hip: sonographic findings. AJR Am J Roentgenol 2001;176:67-73.

46. Deslandes M, Guillin R, Cardinal E, Hobden R, Bureau NJ. The snapping iliopsoas tendon: new mechanisms using dynamic sonography. AJR Am J Roentgenol 2008;190:576-581.

47. Troelsen A, Mechlenburg I, Gelineck J, Bolvig L, Jacobsen S, Søballe K. What is the role of clinical tests and ultrasound in acetabular labral tear diagnostics? Acta Orthop 2009;80:314-318.

48. Troelsen A, Jacobsen S, Bolvig L, Gelineck J, Rømer L, Søballe K. Ultrasound versus magnetic resonance arthrography in acetabular labral tear diagnostics: a prospective comparison in 20 dysplastic hips. Acta Radiol 2007;48:1004-1010.

49. Karpinski MR, Piggott H. Greater trochanteric pain syndrome. A report of 15 cases. J Bone Joint Surg Br 1985;67:762-763.

50. Robertson WJ, Gardner MJ, Barker JU, Boraiah S, Lorich DG, Kelly BT. Anatomy and dimensions of the gluteus medius tendon insertion. Arthroscopy 2008;24:130-136.

51. Connell DA, Bass C, Sykes CA, Young D, Edwards E. Sonographic evaluation of gluteus medius and minimus tendinopathy. Eur Radiol 2003;13:1339-1347.

52. Cvitanic O, Henzie G, Skezas N, Lyons J, Minter J. MRI diagnosis of tears of the hip abductor tendons (gluteus medius and gluteus minimus). AJR Am J Roentgenol 2004;182:137-143.

53. Caudill P, Nyland J, Smith C, Yerasimides J, Lach J. Sports hernias: a systematic literature review. Br J Sports Med 2008;42:954-964.

54. Morelli V, Weaver V. Groin injuries and groin pain in athletes: part 1. Prim Care 2005;32:163-183.

55. Omar IM, Zoga AC, Kavanagh EC, et al. Athletic pubalgia and "sports hernia": Optimal MR imaging technique and findings. Radiographics 2008;28:1415-1438.

56. Robinson P, Barron DA, Parsons W, Grainger AJ, Schilders EM, O'Connor PJ. Adductor-related groin pain in athletes: correlation of MR imaging with clinical findings. Skeletal Radiol 2004;33:451-457.

57. Economopoulus KJ, Milewski MD, Hanks JB, Hart JM, Diduch DR. Sports hernia treatment: Modified Bassini versus minimal repair. Sports Health 2013;5:463-469.

58. Muschaweck U, Berger L. Minimal repair technique of sportsmen's groin: an innovative open-suture repair to treat chronic inguinal pain. Hernia 2010;14:27-33.

59. Orchard JW, Read JW, Neophyton J, Garlick D. Groin pain associated with ultrasound finding of inguinal canal posterior wall deficiency in Australian Rules footballers. Br J Sports Med 1998;32:134-139.

60. Resnick D. Diagnosis of bone and joint disorders. Philadelphia (PA): W.B. Saunders company. 2002;4:1623-1632.

61. Lanza E, Banfi G, Serafini G, Lacelli F, Orlandi D, Bandirali M, et al. Ultrasound-guided percutaneous irrigation in rotator cuff calcific tendinopathy: what is the evidence? A systematic review with proposals for future reporting. Eur Radiol 2015;25:2176-2183.

62. Smith SE, Salanitri J, Lisle D. Ultrasound evaluation of soft tissue masses and fluid collections.Semin Musculoskelet Radiol 2007;11:174-191.

63. Ritchie DA, Hill D, Fullarton GM, Calvert MH. Ultrasonic diagnosis of profunda femoris pseudo-aneurysm following nail-plate fixation of a transcervical femoral fracture. Br J Radiol 1987;160:502-504.

64. Fellmeth BD, Roberts AC, Bookstein JJ, Freischlag JA, Forsythe JR, Buckner NK, et al. Postangiographic femoral artery injuries: nonsurgical repair with US-guided compression. Radiology 1991;178:671-675.

65. Coley BD, Roberts AC, Fellmeth BD, Valji K, Bookstein JJ, Hye RJ. Postangiographic femoral artery pseudoaneurysms: Further experience with US-guided compression repair. Radiology 1995;194:307-311.

66. Eisenberg L, Paulson EK, Kliewer MA, Hudson MP, DeLong DM, Carroll BA. Sonographically guided compression repair of pseudoaneurysm: Further experience from a single institution. AJR Am J Roentgenol 1999;173:1567-1573.

67. Kang SS, Labropoulos N, Mansour MA, Baker WH. Percutaneous ultrasound guided thrombin injection: a new method for treating postcatheterization femoral pseudoaneurysms. J Vasc Surg 1998;27:1032-1038.

68. Paulson EK, Sheafor DH, Kliewer MA, Nelson RC, Eisenberg LB, Sebastian MW, et al. Treatment of iatrogenic femoral arterial pseudoaneurysms: comparison of US-guided thrombin injection with compression repair. Radiology 2000;215:403-408.

69. Paulson EK, Nelson RC, Mayes CE, Sheafor DH, Sketch MH Jr, Kliewer MA. Sonographically guided thrombin injection of iatrogenic femoral pseudoaneurysms: further experience of a single institution. AJR Am J Roentgenol 2001;177:309-316.

70. Ahuja A, Ying M. Sonography of neck lymph nodes. Part II: abnormal lymph nodes. Clin Radiol 2003;58:359-366.

71. Esen G. Ultrasound of superficial lymph nodes. Eur J Radiol 2006;58:345-359.

72. Földes K, Gaal M, Balint P, Nemenyi K, Kiss C, Balint GP,

et al. Ultrasonography after hip arthroplasty. Skeletal Radiol 1992;21:297-299.

73. Földes K, Bálint P, Bálint G, Buchanan WW. Ultrasound-guided aspiration in suspected sepsis of resection arthroplasty of the hip joint. Clin Rheumatol 1995;14:327-329.

74. van Holsbeeck MT, Eyler WR, Sherman LS, Lombardi TJ, Mezger E, Verner JJ, et al. Detection of infection in loosened hip prostheses: efficacy of sonography. AJR Am J Roentgenol 1994;163:381-384.

무릎 및 아래다리
Knee and Lower Leg

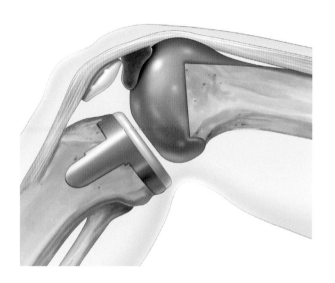

13
CHAPTER

■ 이재혁, 김태은, 이성문

무릎 및 아래다리
Knee and Lower Leg

I. 서론

슬관절은 골관절염(osteoarthritis)이나 관절내장증(internal derangement)과 관련된 구조물의 이상이 매우 흔히 발생하는 관절이다. 관절연골이나 십자인대 등의 심부 구조물들의 상태를 평가하는 데 초음파검사는 제한이 있고, 이에 대한 가장 적절한 영상 진단법은 자기공명영상검사(MRI)이다. 그러나 대부분의 무릎 구조물들은 표재부에 위치하고 있어 초음파검사를 통해서도 진단에 충분한 정보를 얻을 수 있다. 또한 초음파검사는 실시간으로 역동적 검사를 시행할 수 있어, 손상의 정도(grade)를 판단하기 애매한 경우나 퉁김(snapping) 현상과 같이 일련의 동작 과정에만 증상이 발현되는 질환들의 진단에 훨씬 더 유용하다.[1,2] 이 외에도 초음파검사는 MRI와 비교해 상대적으로 저렴한 비용과 검사의 간편성 등 여러 가지 장점들이 있으므로 MRI를 시행할 수 없는 임상적 상황이 있거나 경과 관찰 등을 위한 부가적인 진단법으로서 높은 유용성을 가지며 의심 질환에 따라서는 일차적인 영상 진단법으로 활용될 수 있다.[3] 이 장에서는 슬관절과 장딴지의 기본적인 초음파검사방법과 정상 소견들을 살펴 보고 비교적 흔하게 접할 수 있는 질환들의 초음파소견들을 소개한다.

II. 정상해부학 및 검사방법

무릎에서 기본적으로 확인해야 할 구조물들을 전방, 내측, 외측, 후방의 네 부위로 나누어 기술하였다 (Table 13-1).

1. 무릎의 전방 구조물

기본적으로 검사하는 전방 구조물로는 무릎의 신진(extension)을 담당하는 사두건(quadriceps tendon)과 슬개건(patellar tendon), 슬개-대퇴 관절의 안정성을 유지시키는 슬개-대퇴인대(patellofemoral ligament) 및 지지띠(retinaculm)를 포함한 내외측 지지 구조물(medial and lateral restraints), 슬개상부오목(suprapatellar recess) 및 슬개주위오목(parapatellar recess), 슬개골 전방 피질(anterior cortex of the patella), 슬개골 내측관절면(medial facet of the patella), 대퇴골 활차의 연골(cartilage of the femoral trochlea), 전십자인대(anterior cruciate ligament) 등이 있다.

전방 구조물에 대한 초음파검사는 기본적으로 바로 누운 자세(supine position)에서 베개 등으로 받쳐 무릎을 20~30° 정도 굽힌 상태에서 시행한다. 무릎을 약간 굽히면 신전과

Table 13-1   Checklist for Knee ultrasound

Location	Structures
Anterior	Quadriceps tendon Patellar tendon Patellofemoral ligament and retinaculum Suprapatellar and parapatellar recess Patella: anterior cortex, medial facet Femoral trochlea: cartilage Aanterior cruciate ligament
Medial	Mmedial collateral ligament Medial meniscus Pes anserine complex Saphenous nerve
Lateral	Iliotibial band Lateral collateral ligament Biceps femoris tendon Lateral meniscus Popliteus tendon Common peroneal nerve
Posterior	Popliteal bursa Menisci: posterior horn Posterior zone of the femoral condyle Cruciate ligaments Posterior neurovascular structures

관련된 구조물들이 곧게 펴짐으로써 비등방성허상(aniso-tropic artifact)을 줄일 수 있고, 또 슬개상부오목으로 활액(effusion)이 보다 쉽게 모이게 할 수 있다. 이와 반대로 무릎을 편 상태(extension)에서는 슬개골 내외측의 슬개주위오목에 활액이 더 쉽게 모이므로 필요에 따라 적절한 자세를 취한다.

탐촉자를 시상면으로 슬개골보다 위쪽에 놓고 검사를 시작하면 사두건, 슬개상부 오목, 전대퇴 및 슬개상부 지방체(prefemoral and suprapatellar fat pad)를 관찰할 수 있다 (Fig. 13-1A~C). 사두건은 세 층(layer)으로 보이며, 가장 얕은 층은 대퇴직근(rectus femoris)으로부터 기시된 층이고, 중간 층은 내측광근(vastus medialis) 및 외측광근(vastus lateralis)이 합쳐진 것이며, 가장 깊은 층은 중간광근(vastus interme-dius)으로부터 기시된 섬유다발이 형성한다.

슬개상부오목과 슬개주위오목은 무릎 관절에서 활액의 유무와 활액막의 이상을 관찰하기에 가장 용이한 부위이며, 일반적으로 활액 흡인 및 주사 등의 시술을 시행하는 곳이기도 하다.

사두건의 아래로 슬개골의 앞쪽 피질면을 관찰할 수 있는데(Fig. 13-1D), 정상변이(normal variation)인 이분슬개골(bipartite patella)에서 보이는 선상의 균열을 골절로 오인할 수 있으므로 주의가 필요하다.

슬개골 아래에서는 슬개건(patellar tendon)과 슬개하 점액낭(infrapatellar bursae)을 확인할 수 있다. 슬개건은 사두건과 달리 단일층의 가는섬유다발형태(fibrillar pattern)로 이루어진다 (Fig. 13-1E).

슬개하 윤활낭은 표층 및 심층윤활낭으로 나뉘고, 심층점액낭은 슬개건의 원위부 심부경계면(deep margin)과 경골 골단(tibial epiphysis) 사이에 위치하며, 정상에서도 소량의 액체가 고여 있을 수 있다. 표층윤활낭은 정상에서는 액체가 보이지 않는다.

탐촉자를 횡축(transverse plane)으로 슬개골의 내측 및 외측 부위에서 놓으면 내측 및 외측지지띠(retinaculum)들을 관찰할 수 있는데, 내측지지띠는 경골 부위에서 관절막(cap-sule)과 합쳐지며, 외측지지띠는 장경인대(iliotibial band)와 합쳐진다 (Fig. 13-2A, C). 이 부위에서 슬개골의 내측 관절면(medial facet of the patella)의 일부를 확인할 수 있는데, 이때는 무릎을 완전히 펴고(extension), 반대쪽 손으로 슬개골을 내측 방향으로 밀면서 약간 기울어지게 하면(tilting) 보다 쉽게 관찰할 수 있다 (Fig. 13-2B).

무릎의 관절연골을 가장 잘 확인할 수 있는 부위는 대퇴골활차(trochela of the femur)이다. 무릎을 최대한 굽힌 자세(full flexion)에서 탐촉자를 횡축 및 종축으로 놓고 대퇴골 활차 및 융기간절흔(intercondylar notch)의 관절 연골을 검사한다. 정상적으로 관절 연골은 약 1.2~2 mm 두께의 균질한 저에코 구조물로서(Fig. 13-3A, B), 관절연골보다 깊은 쪽으로 연골하골(subchondral bone)이 보이고, 얕은 쪽에는 관절 내 연부조직이 보인다.[4]

전십자인대(anterior cruciate ligament)의 검사는 무릎을 최대한 굴곡시킨 자세에서 시행하는데, 슬개건 부위에서 탐

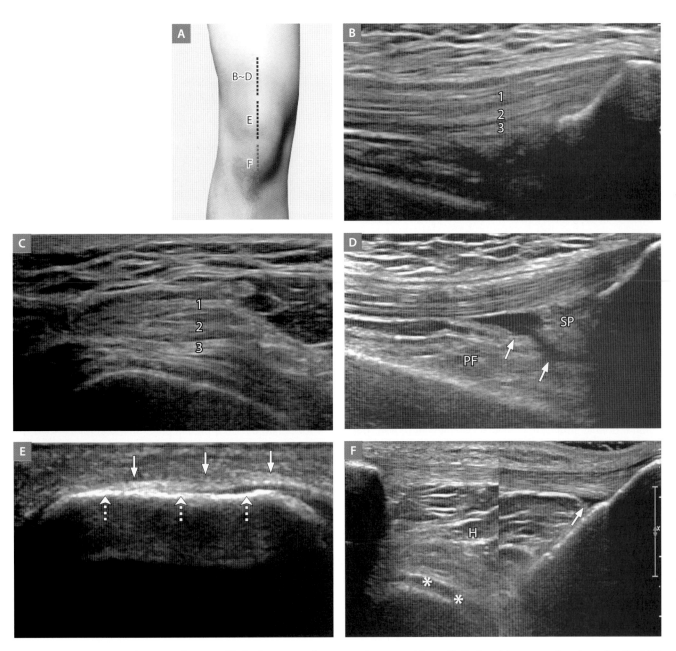

Figure 13-1 **Anterior knee evaluation (I). A.** Corresponding transducer positions. **B, C.** Quadriceps tendon. Longitudinal (**B**) and transverse (**C**) sonograms show characteristic three layered structure of the quadriceps tendon consisting of the superficial layer of the rectus femoris (1), the middle layer of the vastus medialis and lateralis (2), and the deep layer of the vastus interme-dius (3). **D.** Suprapatellar region. Longitudinal sonogram over the quadriceps tendon shows the suprapatellar recess (arrows), prefemoral fat pad (PF), and suprapatellar fat pad (SP). **E.** Anterior aspect of the patella. Longitudinal sonogram over the patella shows the rectus femoris fiber extending from the quadriceps tendon as a hyperechoic fibrillar structure (arrow) overlying a smooth echogenic line of the patellar cortex (dashed arrow). **F.** Patellar tendon. Longitudinal sonogram shows a band-like ap-pearance of the patella tendon with homogenous hyperechoic fibrillar structure. There is a small effusion (arrow) interposing between the deep margin of the patellar tendon and the tibia, representing the deep infrapatellar bursa. Deep to the patellar tendon, the Hoffa's fat pad (H) and the articular cartilage of the femoral trochlea (asterisk) are demonstrated.

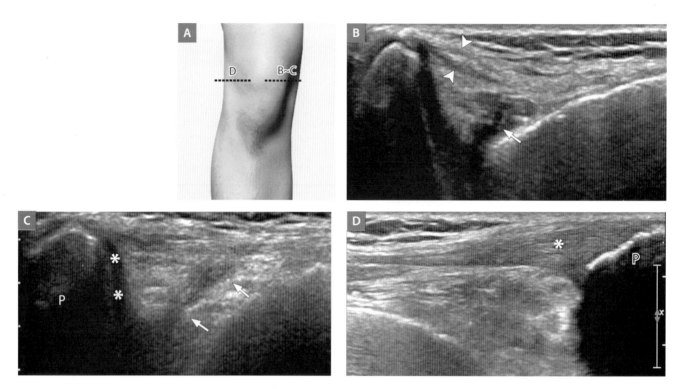

Figure 13-2 **Anterior knee evaluation (II).** **A.** Corresponding transducer positions. **B.** Medial patellar restraints. Transverse sonogram over the medial patella shows the patellar attachment of the medial patellofemoral ligament (arrowheads) as a bilaminar fibrillar structure. **C.** Medial parapatellar region. Transverse sonogram over the medial patellofemoral joint shows the peripheral portion of the articular cartilage (asterisks) of the medial patellar facet and the slightly distended medial parapatellar recess (arrows). **D.** Lateral patellar restraints. Transverse sonogram over the lateral patella shows the lateral retinaculum (asterisk) as a thick band-like structure with relatively variable thickness at the patellar attachment site.

촉자의 위쪽 끝이 약간 외측 방향으로 향하도록 약 30° 정도 기울인 방시상(oblique sagittal) 방향으로 놓고 관찰하는데, 전십자인대의 원위부 일부를 확인할 수 있다 (Fig. 13-3C). 전십자인대는 경골 경계로부터 약 1.0 cm 깊은 쪽에 부착되며, 정상적으로 1.0 cm 미만의 두께를 가지는 저에코의 띠 구조물로 관찰된다.

2. 무릎의 내측 구조물

내측 구조물은 주로 무릎을 외회전(external rotation)시킨 상

태에서 작은 베개를 받친 상태로 검사한다. 주요 구조물로는 내측측부인대(medial collateral ligament, MCL), 내측반달연골의 전각과 몸체(anterior horn and body of the medial meniscus)의 일부, 거위발복합체(pes anserine complex), 그리고 내측 구조물과 관련된 윤활낭(bursa)들이 있다.

내측측부인대 표층(superficial layer of the MCL)은 종축 단면에서 약 1~3 mm의 균질한 두께를 가지는 고에코의 띠(band) 구조물로 관찰되는데 너비가 작아 비등방성 효과가 쉽게 발생되어 주위 지방 조직에 비해 상대적으로 저에코를 보일 수 있다. 원위부의 경골 부착부는 관절에서 약 8 cm 하방까지 내려오는 매우 긴 구조물이므로 전장을 모두 확인할

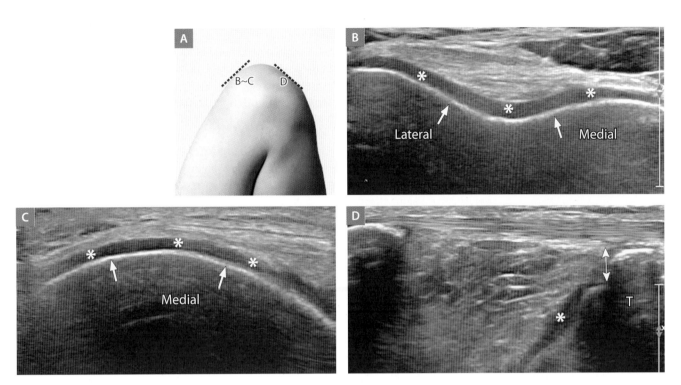

Figure 13-3 Anterior knee evaluation (III). A. Photograph indicates corresponding transducer positioning. **B, C.** Articular cartilage of the femoral trochlea. Transverse (**B**) and longitudinal (**C**) sonograms over the femoral trochlea demonstrate the trochlear cartilage (asterisks) as a homogenous anechoic band with very sharp margin and even thickness. An underlying echogenic line (arrow) represents the interface between cartilage and subchondral bone. **D.** Anterior cruciate ligament (ACL). Longitudinal sonogram over the infrapatellar region demonstrates the distal third of the ACL (asterisk) as a straight, hypoechoic band-like structure. The proximal portion of ACL cannot be visualized due to its deep location. The distal attachment of the ACL on the tibial intercondylar eminence is usually located about 1 cm posterior the tibial plateau.

수 있도록 주의를 기울여야 한다 (Fig. 13-4A). 단축 영상에서는 초승달 모양(crescent shape)의 평평한 띠로 관찰된다 (Fig. 13-4B). 내측측부인대 심층(deep layer of the MCL)은 표층(superficial layer)의 바로 깊은 쪽에 있으며, 근위부의 반월-대퇴인대(meniscofemoral ligament)와 원위부의 반월-경골인대(meniscotibial ligament)로 구성된다. 주위 지방 조직에 비해 상대적으로 약간 낮은 에코의 얇은 선상 구조물로 보이며 정상의 경우 정확한 경계를 확인하기 어려울 수 있다. 표층과 심층 사이에 액체 저류가 있으면 보다 뚜렷하게 확인할 수 있다 (Fig. 13-4C).

　내측반달연골(medial meniscus)은 탐촉자를 세로방향으로 놓으면 특징적인 깊은 쪽으로 뾰족한 삼각형 모양의 고에코 구조물로 보인다 (Fig. 13-4D). 초음파 음속(sound beam)의 감쇄로 인해 첨부(apex)의 형태를 관찰하기가 어려울 수 있다. 외반 스트레스 검사(valgus stress study)를 시행하면 인대와 반달연골의 손상 여부에 대한 보다 정확한 정보를 얻을 수 있는데, 무릎 밑에 베개를 받쳐 종아리를 공중에 띄운 상태에서 탐촉자를 잡지 않은 반대편 손이나 탐촉자를 잡은 쪽 팔꿈치를 이용하여 적절한 외반력을 가하면서 영상을 획득한다 (Fig. 13-4E).

　거위발복합체(pes anserine complex) 힘줄은 봉공근(sartorius), 박근(gracilis), 반건형근(반힘줄근 semitendinosus)의

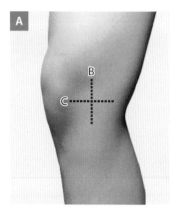

Figure 13-4 **Medial knee evaluation (I). A.** Transducer positions corresponding to **B** and **C**. **B-D.** Medial collateral ligament (MCL). Conjoined image of longitudinal sonogram (**B**) demonstrates the full extent of the superficial layer of the MCL (arrows) as a thick, elongated band. Transverse sonogram (**C**) demonstrates the proximal MCL (arrows) as a flat, crescent-shaped structure located just over the femur. F, femur; T, tibia. **D.** Longitudinal sonogram shows the deep layer of the MCL (arrowheads) as a relatively thin and slightly hypoechoic band connecting the superficial surface of the medial meniscus to the femur and the tibia. The superficial layer of MCL (arrows) is seen over the deep MCL. **E.** Medial meniscus. Longitudinal sonogram shows the normal medial meniscus as a triangular hyperechoic structure located between the articular cartilage (asterisk) of the femur and tibia. **F.** Dynamic sonogram for medial knee. Valgus stress can be applied using contralateral free hand or ipsilateral elbow to the hand holding the probe.

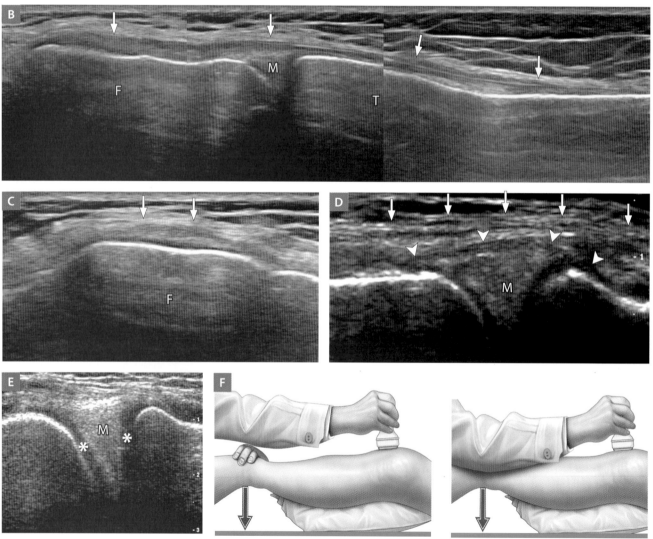

세 힘줄들이 합쳐진 것으로 무릎 관절을 지나서 약 5~6 cm 아래의 경골 전내측에 부착한다. 슬와부에서는 각각의 분리된 건들을 횡축 단면에서 확인할 수 있으며, 경골 부착부위에서는 횡방향으로 평행한 하나의 저에코의 띠로 확인할 수 있다. 거위발윤활낭(pes anserine bursa)은 거위발 힘줄과 경골 사이에 있다. 이 윤활낭은 때로는 거위발힘줄과 내측측부인대 사이, 또는 세 힘줄들 사이에 존재할 수 있으며, 윤활낭이 액체 저류에 의해 확장되면 각각의 힘줄이 분리되므로 쉽게 확인할 수 있다 (Fig. 13-5A~D). 거위발윤활낭은 정상적으로 무릎 관절과 연결되어 있지 않으며, 액체 저류가 있더라도 약 5%에서는 증상이 없다.[5]

내측 무릎에서 복재신경(saphenous nerve)을 확인할 수 있는데, 이는 대퇴신경(femoral nerve)에서 분지되는 감각신경으로서 원위 대퇴부에서 대내전근(adductor magus)의 내측으로 빠져 나와 봉공근(sartorius)의 심부 경계(deep margin)와 인접하여 아래로 주행하는데, 대개 이 지점부터 초음파로 확인이 가능하다. 무릎으로 내려온 복재신경은 봉공근(sartorius muscle)과 박건(gracilis tendon) 사이의 공간을 지나 근막(fascia)을 뚫고 피하층으로 나와 대복재정맥(greater saphenous vein)과 인접하여 주행한다 (Fig. 13-5E, F) (Chapter 06 하지 신경 참조 바람).[6]

3. 무릎의 외측 구조물

외측 구조물은 무릎을 약간 내회전(internal rotation) 및 굴곡(flexion)시킨 상태에서 검사하며, 주요 구조물로는 장경인대(iliotibial band), 외측측부인대(lateral collateral ligament, LCL), 대퇴이두건(biceps femoris tendon), 외측반달연골(lateral meniscus), 슬와건(popliteus tendon) (Fig. 13-6, 13-7) 등이 있다.

종축 단면으로 외측의 앞에서 뒤쪽 순서로 장경인대, 외측측부인대, 대퇴이두건을 관찰할 수 있다. 장경인대(iliotibial band)는 하지의 종축과 거의 평행하게 비교적 균일한

두께의 띠로 보이며, 경골 전외측 골단의 Gerdy결절(Gerdy tubercle)의 부착 지점에서 부채꼴 형태로 약간 두꺼워지는데 초음파검사 시 이를 비정상 소견으로 판단하지 않도록 주의한다 (Fig. 13-6A, B).

외측측부인대(lateral collateral ligament, LCL)는 약 3~4 mm 두께로 장경인대에 비해 훨씬 두꺼운 줄(cord) 형태의 섬유다발 구조물로 보인다. 앞쪽의 장경인대나 뒤쪽의 대퇴이두건과 달리 외측측부인대는 대퇴골 부착부에서 비골두(femoral head) 방향으로 비스듬하게 주행하므로 탐촉자를 이에 맞추어 비스듬히 돌려야 인대의 정확한 장축 영상을 얻을 수 있다 (Fig. 13-6C, D).

대퇴이두건(biceps femoris tendon)은 외측측부인대보다 뒤쪽에 위치한다. 무릎 외측 중앙부(midline of the lateral knee)의 장축영상에서 근육과 확연히 구분되는 높은 에코의 힘줄이 균질한 띠 형태로 보인다 (Fig. 13-6E, F). 대퇴이두건의 원위부는 표재층 및 심부층(superficial and deep layer)의 두 갈래(bifurcation)로 나뉘어져 외측측부인대를 둘러싸면서 비골두에 부착한다. 이로 인해 두 갈래의 대퇴이두건 사이에 위치하는 외측측부인대가 비등방성 효과로 인해 힘줄보다 낮은 에코로 보일 수 있으므로 이를 대퇴이두건의 힘줄증(tendinosis)으로 오인하지 않아야 한다 (Fig. 13-6G~I).[7] 이와 마찬가지로, 외측측부인대의 비골두 부착부 또한 대퇴이두건으로 인해 상당히 두꺼운 부채꼴 형태를 보이기 때문에 비정상 소견으로 오인하지 않도록 주의한다. 또한 대퇴이두건의 비골두 및 경골 부착부는 다양한 해부학적 변이를 가지는데,[8] 특히 대퇴이두건의 변이는 비골두의 비정상적 비후 등과 함께 외측 무릎 퉁김현상(snapping)의 주요 원인이 될 수 있으며 이를 진단하는 데 역동적 초음파검사가 매우 유용하다.[9]

외측반달연골(lateral meniscus)은 정상적으로 내측보다 작은 크기로 관찰된다 (Fig. 13-7A). 내측의 검사와는 반대로 무릎의 내반부하검사(varus stress study)를 시행함으로써 외측측부인대와 외측반달연골의 손상 여부를 보다 정확하게 진단할 수 있다 (Fig. 13-7E).

▶ p.598로 이어집니다.

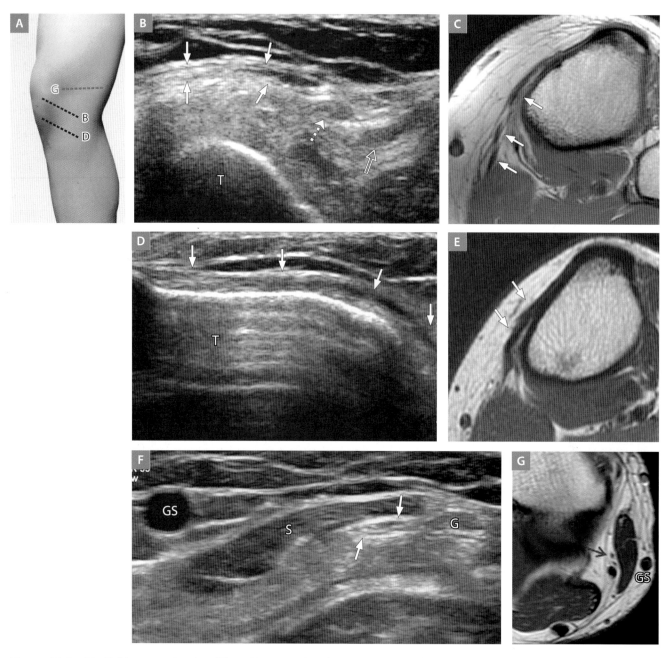

Figure 13-5 Medial knee evaluation (II). A. Photograph indicates corresponding transducer positioning. **B-E.** Pes anserine complex. At the level of the tibial tuberosity, transverse oblique sonogram (**B**) over the anteromedial aspect of the tibia with correlative axial T2-weighted image (**C**) shows the clearly separated three tendons of the Sartorius (arrow), gracilis (dashed arrow), and semitendinosus (open arrow). At the level of the proximal tibial metaphysis, transverse oblique sonogram (**D**) with correlative axial T2-weighted image (**E**) over the pes anserine complex shows a hyperechoic band inserting into the anteromedial aspect of the tibia with a conjoined complex of the three tendons. **F, G.** Saphenous nerve. Transverse sonogram (**F**) over the proximal medial knee joint with corresponding axial T2-weighted image (**G**) shows the saphenous nerve (arrows) as a small, hypoechoic nodular structure located between the sartorius muscle (S) and gracilis tendon (G). GS, greater saphenous vein.

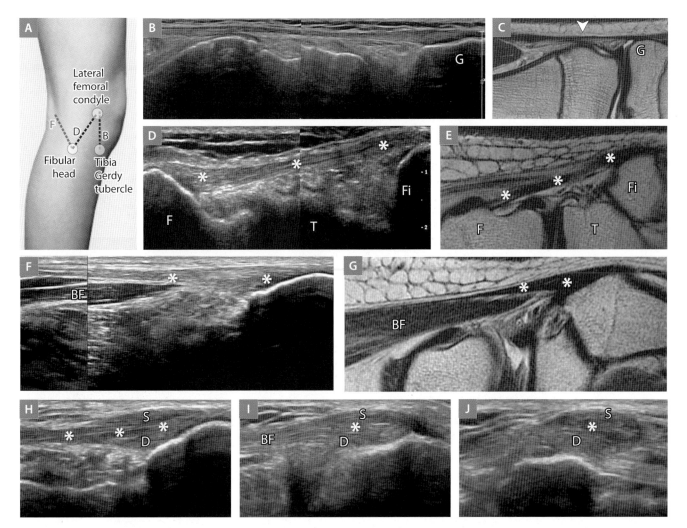

Figure 13-6 Lateral knee evaluation (I). A. Photograph indicates transducer positioning. **B, C.** Iliotibial band (ITB). Longitudinal split-screen sonogram (**B**) over the anterolateral knee with corresponding T2-weighted coronal MRI (**C**) shows the distal segment of the ITB as a hyperechoic band oriented parallel to the major axis of the thigh (arrowheads). Note the normal fan-shaped hypoechoic thickening of the ITB at the site of insertion to Gerdy's tubercle (G) of the tibia. **D, E.** Lateral collateral ligament (LCL). Just posterior to the ITB, longitudinal oblique split-screen sonogram (**D**) with corresponding coronal T2-weighted MR image (**E**) shows the full extent of the LCL as a thick, cord-like structure (asterisks) bridging the lateral femoral condyle (**A**) and the fibular head (Fi). T, tibia. Note the distinct normal thickening of the pre-insertional portion of the LCL and biceps tendon into the fibular head. **F, G.** Biceps femoris (BF) tendon. Just posterior to the LCL, longitudinal split-screen sonogram (**F**) with corresponding coronal T2-weighted MR image (**G**) shows the biceps femoris tendon (asterisks) proximally superficial to the muscle layer (BF), and distally inserting into the fibula head. **H, I.** Fibular insertion of the LCL and BF tendon. Longitudinal (**H**) and transverse (**I**) sonograms over the distal BT tendon shows the bifurcation of the BF tendon into the superficial (S) and deep (D) portion surrounding the LCL just proximal to its fibular insertion. Care should be taken that this normal divergent biceps femoris tendon can simulate the appearance of the pathologic tendinosis due to resultant contour thickening of the tendon and anisotropy. **J.** Longitudinal oblique sonogram over the distal LCL demonstrates the centrally located and relatively more hypoechoic LCL (asterisks) surrounded by the bifurcated BF tendon.

충비골신경(common peroneal nerve)은 원위 내퇴부에서 좌골신경(sciatic nerve)으로부터 기시하여, 대퇴이두근의 내측을 따라 비스듬히 내려온다. 슬관절 부근에서 대퇴이두건과 비복근 외측갈래(lateral head of the gastrocnemius) 사이로 주행한 후, 비골두 후외측에서 전방으로 감싸돌아 내려

산다. 이후 장비골근(peroneus longus muscle)의 심부에서 심비골신경(deep peroneal nerve)과 천비골신경(superficial peroneal nerve)으로 분지된다 (Fig. 13-8) (Chapter 06 하지 신경 참조 바람).

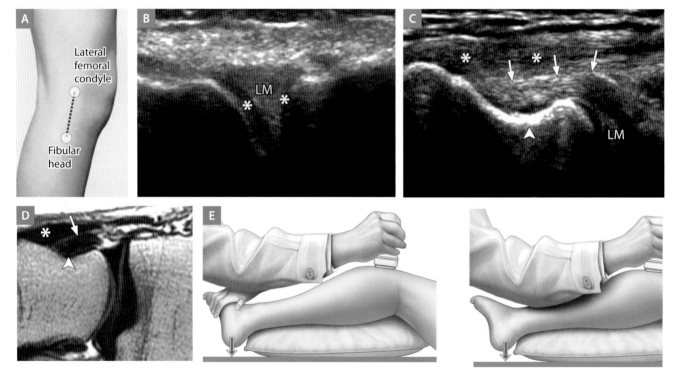

Figure 13-7 **Lateral knee evaluation (II). A.** Photograph with transducer position. **B.** Lateral meniscus. Longitudinal sonogram over the lateral knee shows the lateral meniscus (LM) as a triangular-shaped hyperechoic structure between the articular cartilage (asterisk) of the lateral femoral condyle and the tibial plateau. **C, D.** Popliteus tendon. Longitudinal sonogram (**C**) over the proximal lateral collateral ligament (asterisks) with corresponding coronal T2-weighted MR image (**D**) shows the popliteus tendon (arrows) inserting into the popliteal groove (arrowhead), just superficial and superior to the lateral meniscus (LM). **E.** Varus stress sonogram of the lateral knee can be obtained by applying the varus stress over the lateral knee with the slight flexion using contralateral free hand or ipsilateral elbow to the hand holding the probe.

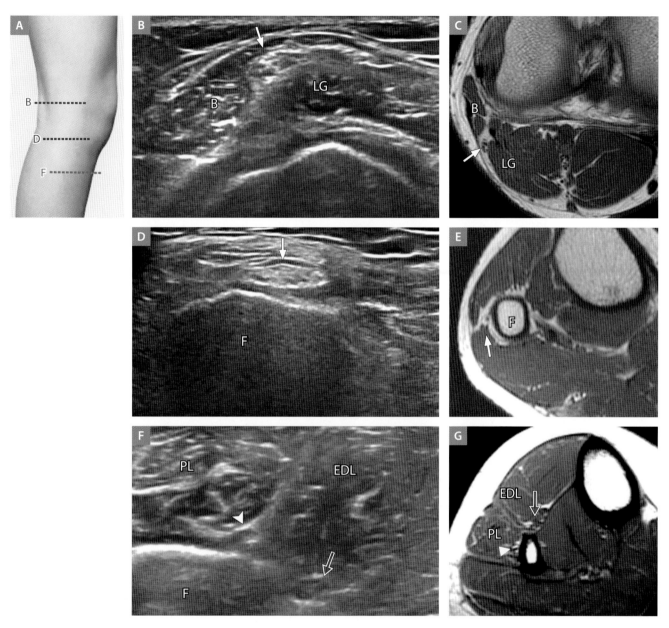

Figure 13-8 Lateral knee evaluation (III). A. Photograph with transducer positioning. **B-G.** Common peroneal nerve. Transverse sonograms over the lateral aspect of the knee with corresponding axial T1-weighted MRI show the common peroneal nerve (arrows) at the level of the knee joint (**B-C**), at the level of the fibular head (**D-E**), and its branches into superficial peroneal nerve (arrowhead) and deep peroneal nerve (open arrow) at the level of the proximal fibula shaft (**F-G**). Note the normal flattening in shape of the common peroneal nerve as it passes over the fibular neck. B, biceps femoris; LG, lateral head of the gastrocnemius; F, fibula; PL, peroneus longus; EDL, extensor digitorum longus.

4. 무릎의 후방 구조물

후방 구조물은 엎드린 자세에서 검사를 시행하는데, 기본적인 구조물로는 슬와윤활낭(popliteal bursa), 반달연골 후각(posterior horn of the menisci), 대퇴골 융기 후면(posterior zone of the femoral condyle), 경골신경(tibial nerve), 슬와동정맥(popliteal artery and vein), 십자인대(cruciate ligaments) 등이 있다.

탐촉자를 무릎 관절의 후방에 횡축으로 놓고 위에서부터 아래로 검사하면, 중앙에 신경혈관다발이 주행하는데, 슬와동정맥보다 표층에 경골신경이 위치한다.

신경혈관다발의 내측에 비복근 내측갈래(medial head of the gastrocnemius), 이보다 더 내측에 반막형근(반막근)과 힘줄(semimembranous muscle and tendon)이 있다. 신경혈관다발의 외측에는 족척근(plantaris muscle), 이보다 더 외측에는 비복근 외측갈래(lateral head of the gastrocnemius)가 보인다 (Fig. 13-9A).

반건형건(semitendinosus tendon)은 반막형근의 바로 표층에 위치하며, 작고 둥근 형태로 내려오다가 반막모양건의 내측을 돌아 전방으로 나오면서 거위발건(pes anserine tendon)을 형성한다.

경골 부위까지 내려오면 신경혈관다발의 심부에 슬와근(popliteus muscle)이 나타나며, 신경다발의 바로 표층에 비골두(fibular head)로부터 넓게 펼쳐지는 가자미근(soleus muscle)이 보인다. 이보다 표층에 비복근 내측 및 외측갈래들이 위치한다.

반막형-비복 윤활낭(semimembranosus-gastrocnemius bursa)은 반막형건(semimembranosus tendon)과 비복근 내

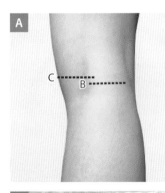

Figure 13-9 **Posterior knee evaluation (I). A.** Photograph with transducer positions. **B.** Posterior neurovascular bundles of the knee. Transverse sonogram over the popliteal fossa shows the popliteal neurovascular bundles with the typical alignment of the tibial nerve (TN), popliteal vein (PV) and popliteal artery (PA) in order from superficial to deep. **C.** Popliteal bursa. Transverse sonogram over the posteromedial knee shows a slit-like anechoic structure (arrows) between the tendons of the semimembranosus (SM) and the medial head of the gastrocnemius (MG) representing the popliteal bursa. LG, lateral gastrocnemius; PL, plantaris; ST, semitendinosus tendon; MC, medial femoral condyle.

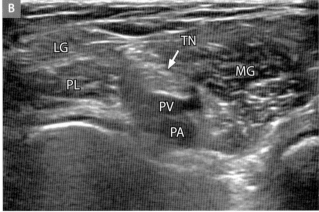

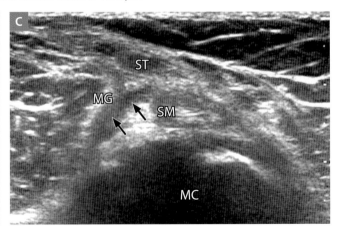

측갈래(medial head of the gastrocnemius) 사이에 위치하며, 이곳에 생기는 윤활낭염(bursitis)을 Baker낭종(Baker cyst) 또는 슬와낭종(popliteal cyst)이라 한다 (Fig. 13-9B). 이는 나이가 들수록 점차 무릎 관절과 연결되는 경향이 높아져 50대 인구의 50% 이상에서 관절 내부와 연결이 있는 것으로 알려져 있으며,[10] 무릎관절의 다양한 활막 질환들이 슬와윤활낭까지 침범한 사례들을 흔히 볼 수 있다. 비복 윤활낭(medial gastrocnemius bursa)과 반막형 윤활낭(semimembranous bursa)은 격막(septa)으로 분리된 경우 독립적인 낭종을 형성할 수도 있다.

탐촉자를 대퇴골 융기(femoral condyle) 후면에 종축 및 횡축으로 두면 관절 연골을 검사할 수 있으며, 이 때 반달연골의 후각(posterior horn of the meniscus)을 함께 검사 할 수 있다 (Fig. 13-10).

탐촉자를 슬와 중앙부에서 시상면으로 놓으면 경골 후면에 부착된 후십자인대(posterior cruciate ligament)를 확인할 수 있다. 일반적으로 후십자인대의 원위 1/3~1/2 정도가 보이며 비등방성 효과로 균질하게 낮은 에코의 띠 모양 구조물이 1 cm 이하의 두께로 관찰되는데, 근위부 검사는 어렵다 (Fig. 13-11A, B).

후십자인대를 확인한 뒤, 탐촉자의 위쪽을 약간 외측으로 비스듬히 돌리면 전십자인대를 볼 수 있는데, 대퇴과간 절흔

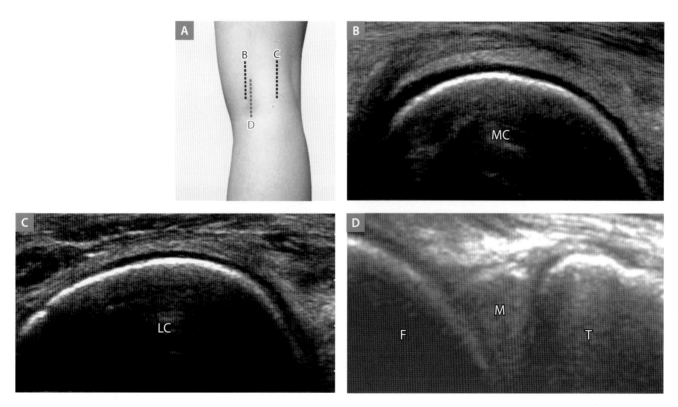

Figure 13-10 Posterior evaluation of the knee (II). A. The inserted photograph indicates transducer positioning. **B-C.** Articular cartilage of the posterior zone of the medial and lateral femoral condyle. Longitudinal sonograms over the posterior medial (**B**) and lateral (**C**) femoral condyle show the homogenous anechoic cartilage overlying the hyper-reflective subchondral bone surface. **D.** Posterior horn of the medial meniscus. Longitudinal sonogram over the medial meniscus shows the posterior horn (M) as a triangular hyperechoic structure located at the medial femoro-tibial joint space. F, femur; T, tibia.

(intercondylar notch of the femur)과 거의 평행하게 판 형태로 놓여있는 저에코의 구조물로 보이며, 대개 대퇴골 부착부를 포함한 근위부 일부만이 확인이 가능하다 (Fig. 13-11C, D). 전십자인대의 경골 부착부를 포함한 원위부는 무릎의 앞쪽 검사에서 설명하였다.

반달연골과 십자인대들은 깊은 위치에 있고 복잡한 경로를 가져 정확한 경계를 확인하는 것이 쉽지 않은 경우가 있으며, 때로는 5~7 MHz 정도의 낮은 주파수의 탐촉자를 이용하기도 한다.

5. 아래다리의 구조물 Structures of the lower leg

아래다리는 기본적으로 경골과 비골을 잇는 골간막(interosseous membrane)에 의해 전외측 및 후측구획으로 나뉜다. 근육간막(intermuscular septum)에 의해 전외측구획은 신전 근육들(extensor muscles)로 이뤄진 전방구획(anterior compartment)과 비골근(peroneus muscle)이 있는 외측구획(lateral compartment)으로 나뉘고, 후측구획은 표층 및 심층구획으로 나뉜다.

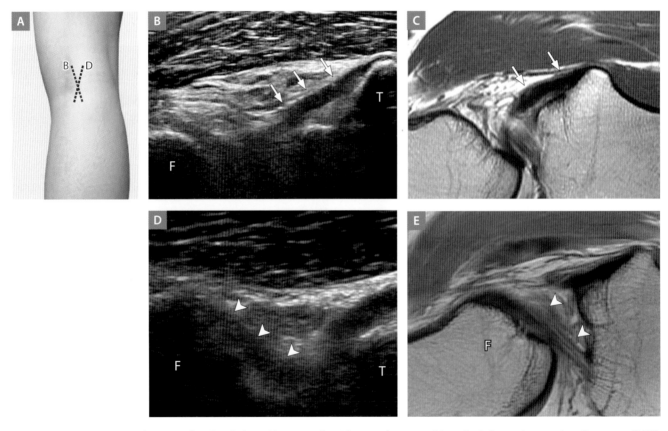

Figure 13-11 Posterior knee evaluation (III). A. Photograph with transducer position. **B, C.** Posterior cruciate ligament (PCL). Longitudinal oblique sonogram (**B**) with corresponding sagittal T2-weighted MR image (**C**) shows the middle and distal portion of the PCL (arrows) as a thick, straight, hypoechoic cord-like structure. F, femur; T, tibia. **D-E.** Anterior cruciate ligament (ACL). Longitudinal oblique sonogram (**D**) over the popliteal fossa with corresponding sagittal T2-weighted MR image (**E**) shows the proximal third of the ACL as a hypoechoic band (arrowheads) with the slope parallel to the intercondylar notch of the femur (F).

1) 전외측구획

전외측구획의 초음파검사는 바로 누운 자세에서 다리를 약간 내회전(internal rotation) 시키거나 옆으로 누운 자세(lateral decubitus position)에서 시행한다. 탐촉자를 경골의 전방 경계(anterior border of tibia)에 걸치게 횡축으로 놓으면 경골과 부착된 전경골근(tibialis anterior, TA)을 볼 수 있고, 그 외측으로 비골에 부착되는 장지신근(extensor digitorum longus, EDL)을 관찰할 수 있다 (Fig. 13-12). 전경골근 내부에는 중심건막(central aponeurosis)이 뚜렷하게 보이며, 근육 탈출(muscle hernia)이 가장 호발하는 근육이므로 근육을 덮고 있는 심부 근막(deep fascia)의 상태 또한 주의 깊게 확인하여야 한다. 근육 탈출이 의심되는 경우 탐촉자로 누르면서 검사하지 않도록 하며, 환자에게 근육을 수축시키게 하거나 일어서도록 하여 근육 내 압력을 증가시킴으로써 탈출의 여부 및 근막 결손(defect) 부위를 보다 더 정확히 확인할 수 있다.

외측 구획은 발목의 발바닥굽힘(plantar flexion)에 기여하는 장비골근(peroneus longus)과 단비골근(peroneus brevis)으로 이루어진다 (Fig. 13-12C). 장비골근은 비골경부에서부터 관찰할 수 있는 반면, 단비골근은 비골 중간지점보다 아래에서부터 확인할 수 있다.

총비골신경(common peroneal nerve)은 장비골근과 비골 사이에서 심부 및 표재비골신경으로 나뉘는데, 표재비골신경(superficial peroneal nerve)은 장비골근과 장지신근 사이로 내려오다가 아래다리의 원위 1/3 지점에서 표층 근막을 뚫고 피하지방층으로 나온 후 발목 앞쪽으로 주행한다.

심부비골신경(deep peroneal nerve)은 총비골신경으로부터 분지된 후 전방 구획 쪽으로 주행하여 장지신근의 심부 경계를 따라 전경골동맥(anterior tibial artery)과 함께 발목의 전족근관(anterior tarsal tunnel) 내에 위치한다.

2) 후측구획 Posterior compartment

후측구획은 근육간 격막인 심부 횡근막(deep transverse fascia)에 의해 표층과 심층으로 나뉘어진다. 심층후측구획(deep posterior compartment)의 근육으로는 내측에서 외측 방향으로 장지굴근(flexor digitorum longus, FDL), 후경골근(tibialis posterior, TP), 장무지굴근(flexor hallucis longus, FHL)이 있다. 표층후측구획(superficial posterior compartment)의 근육은 가자미근(soleus)과 비복근(gastrocnemius)으로 이루어지는데, 가자미근은 비복근보다 깊게 위치해 있다 (Fig. 13-13). 비복근의 두 갈래 가운데 내측 갈래가 더 두

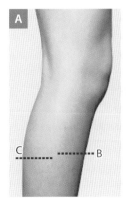
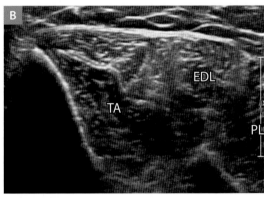
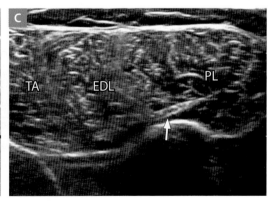

Figure 13-12 Anterolateral compartment of the lower leg. A. Photograph with transducer positions. **B, C.** Transverse sonograms over the anterolateral portion of the proximal lower leg show the tibialis anterior (TA), extensor digitorum longus (EDL), and peroneus longus (PL) muscles in order from medial to lateral. T, tibia; Fi, fibula; arrow: superficial peroneal nerve.

껍고 디 원위부까지 이어진나. 비복근은 근위부에서 표증건막(superficial aponeurosis)에 부착되어 있으며 원위부에서는 심층면(deep surface)이 심부건막(deep aponeurosis)의 표면에 부착된다. 이는 가자미근의 표층 건막(aponeurosis of the soleus)과 합쳐지며, 두 개의 합쳐진 건막들이 Achilles힘줄을 형성한다.

후방구획의 초음파검사는 엎드린 자세에서 검사한다. 비복근과 가자미근 사이의 건막은 두 개의 고에코의 선상 구

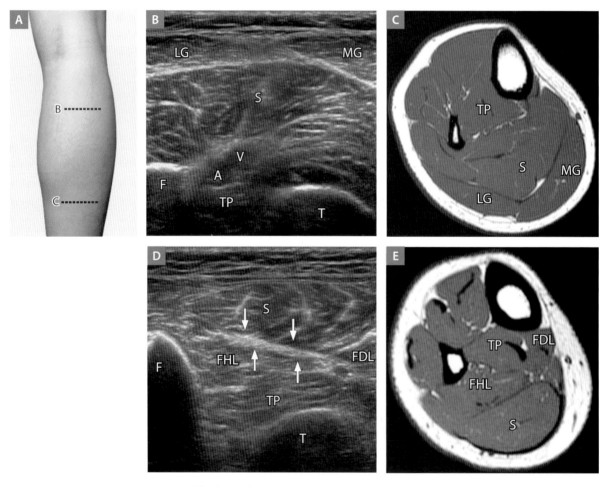

Figure 13-13 **Posterior compartment of the lower leg. A.** Photograph with transducer positions. **B, C.** Transverse sonogram (**B**) over the proximal third of the calf with corresponding axial T1-weighted MRI (**C**) shows the superficial group consisting of the medial (MG) and lateral (LG) heads of the gastrocnemius muscle and the soleus muscle (S). The popliteal vein (V) and artery (A) are located between the superficial soleus and deep tibialis posterior (TP) muscle. **D, E.** Transverse sonogram (**D**) over the distal third of the calf with corresponding axial T1-weighted MRI (**E**) shows the deep muscle group consisting of the tibialis posterior (TP), flexor hallucis longus (FHL) and flexor digitorum longus (FDL) muscles separated from the superficial soleus muscle by the deep transverse fascia (arrows). F, fibula; T, tibia.

조물로 나타난다. 비복근의 근섬유들과 섬유지방격막(fibro-adipose septa)들은 비스듬한 방향으로 평행하게 배열되어 깃털 모양(feather appearance)을 나타내며 심부 건막에 부착된다. 테니스다리손상(Tennis leg)은 내측비복근의 근건접합부(myotendinous junction)에 생기며, 손상 여부와 정도를 파악하는 데는 시상면 영상이 가장 도움이 된다 (Fig. 13-14).

족척근(plantaris muscle)은 외측대퇴골 후면에서 기시하는 약 7~13 cm 길이의 작은 근육으로서, 가자미근의 기시부와 인접한 지점에서 힘줄로 이행된다. 이 힘줄은 비복근의 내측 갈래와 가자미근 사이로 내려와 Achilles 힘줄의 내측

경계에 접하여 종골(calcaneus)에 부착된다. 이 힘줄은 주위에 있는 고에코의 건막과 비교해서 비등방성 효과로 인한 저에코의 작고 얇은 띠로 보이나(Fig. 13-15), 힘줄의 크기가 작아 구분이 어려울 수도 있다.

다리 후방의 감각을 담당하는 비복신경(sural nerve)은 슬와 부위 경골신경에서 분지된 내측비복피신경(medial sural cutaneous nerve)과 총비골신경에서 분지된 외측비복피신경(lateral sural cutaneous nerve)이 합쳐져서 이루어진다. 다리 후방의 피하지방층에서 소복재정맥(lesser saphenous vein)과 함께 주행하며, Achilles힘줄의 외측으로 내려온다.

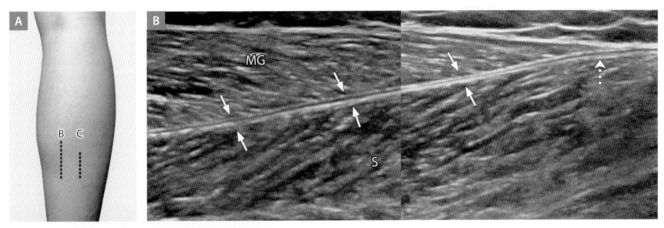

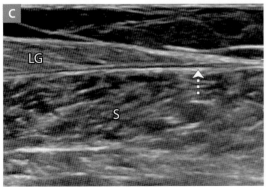

Figure 13-14　**Myotendinous junction of the gastrocnemius. A.** Photograph indicates transducer positioning. **B, C.** Longitudinal sonograms over the medial (**B**) and lateral (**C**) aspect of the distal calf show the relationship between the gastrocnemius muscle and the soleus muscle (**S**) with their aponeurosis (arrows) facing each other. The medial head of the gastrocnemius is larger than the lateral head. Note the sharp margin of the normal myotendinous junctions (dashed arrows) of the gastrocnemius.

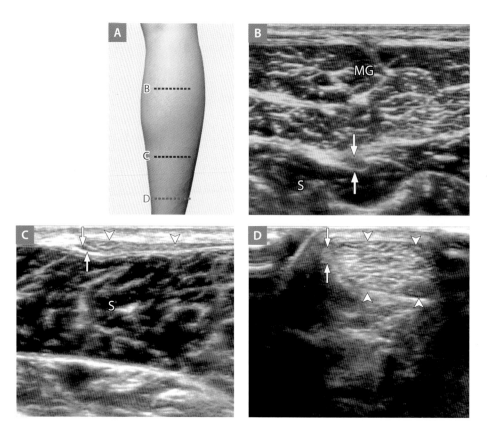

Figure 13-15 Plantaris tendon. A. Photography with transducer positions. **B.** At the middle third of the calf, transverse sonogram shows a small oval, hypoechoic structure representing the plantaris tendon (arrows) located between the medial gastrocnemius (MG) and the soleus (S) muscle. **C, D.** At the lower third of the calf and just above the ankle, transverse sonograms show the plantaris tendon (arrows) located just medial to the Achilles tendon (arrowheads).

III. 무릎의 질환

슬관절은 골관절염(osteoarthritis)과 여러 활액막 질환들이 빈번하게 발생하는 관절이다. 또한 관절 내장증(internal derangement)을 유발하는 여러 구조물들의 다양한 손상이 일어날 수 있으며, 손상의 확인과 정도를 평가하는 데 MRI와 초음파검사가 중요한 역할을 담당한다. 그 밖에도 관절 주변에 점액낭염이나 결절종과 같은 낭성 병변들도 흔하게 볼 수 있다.

1. 활액막 질환 Synovial disease

관절액(joint fluid) 증가와 활액막 증식(synovial proliferation)은 여러 활액막염(synovitis)의 비특이적 소견으로, 슬개상부오목(suprapatellar recess)에서 가장 쉽게 확인할 수 있다. 바로 누운 자세에서 무릎을 약간 구부리면 슬개상부오목에 활액을 모으는 데 보다 용이하고, 신전시키면 양측 슬개주위오목(parapatellar recess)에 활액이 가장 잘 모이므로 검사 목적에 따라 적절한 자세를 취하도록 한다. 활액이 소량인 경우 탐촉자로 병변부위를 압박 하지 않도록 주의해야 한

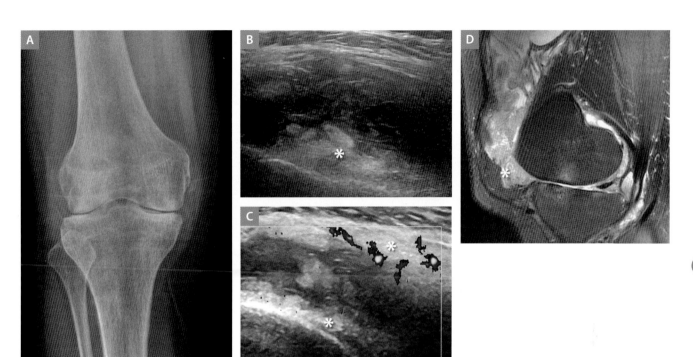

Figure 13-16 **Rheumatoid arthritis of a knee joint.** Anteroposterior radiograph (**A**) demonstrates diffuse narrowing of the joint space and juxta-articular osteopenia. Transverse gray scale (**B**) and color Doppler (**C**) sonograms of the suprapatellar recess show marked synovial proliferation (asterisks) with increased blood flow and irregular septations within the recess. Sagittal fat-suppressed T2-weighted MRI (**D**) confirms the US findings.

다. 활액양의 비정상적인 증가를 판단하는 절대적인 기준은 없지만, 대개 오목에 고인 활액의 두께가 3 mm 이상인 경우, 충분한 압박에도 사라지지 않거나, 활액 내에 떠다니는 부유물(debris), 그리고 활액막의 증식이 동반되어 있는 경우 활액막염 또는 관절병증(arthropathy)의 가능성을 시사한다. 정상 활액막(synovial membrane)은 초음파에서 보이지 않으며, 비정상적으로 증식된 활액막은 관절 오목을 따라 약간 낮은 에코의 연부조직 비후로 보이고, 관절액이 증가되어 있는 경우 압박 시 관절액 내부에서 쉽게 흔들리는 양상을 보인다. 활액막 비후를 보일 수 있는 원인 질환들로는 화농성 및 결핵성관절염 등의 감염성 질환들, 류마티스관절염(Fig. 13-16, 13-17) 및 척추관절염(spondyloarthropathy)을 포함하는 염증성 관절병증, 골관절염, 외상에 의한 반응성 활액막염, 그리고 통풍과 같은 결정침착 질환 등이 비교적 흔하며, 말기 신질환 환자에서 투석 치료와 관련된 아밀로이드 관절병증(amyloid arthropathy)도 원인이 될 수 있다.[11~14] 이 밖에도 과거 색소융모결절성 활액막염(pigmented vilonodular synovitis)으로 불리던 힘줄활막거대세포종(tenosynovial giant cell tumor), 활액막 골연골종증(synovial osteochondromatosis), 수지상 지방종(lipoma arborescens), 활액막 혈관종(synovial hemangioma) 또는 관절내 혈관기형(intraarticular vascular malformation) 등을 포함한 다양한 활액막 질환들에서 매우 현저하면서도 비특이적인 활액막 비후를 보일 수 있다 (Fig. 13-18~13-21).[15~19]

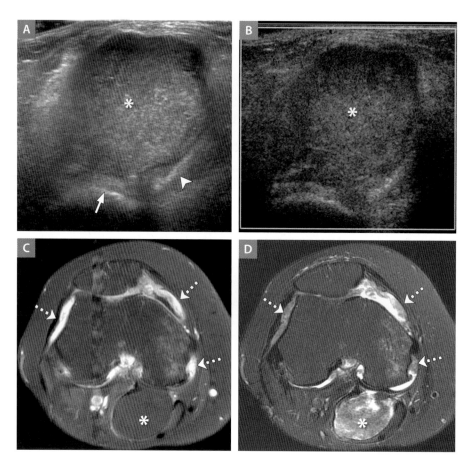

Figure 13-17 **Rice bodies in rheumatoid arthritis filling a popliteal bursa. A, B.** Transverse gray scale (**A**) and color Doppler (**B**) sonograms show heterogeneous soft tissue lesion without evident blood flow filling entire space of the popliteal bursa between the tendon of the medial gastrocnemius (arrow) and the semimembranosus tendon (arrowhead). **C, D.** Axial fat-suppressed T2-weighted MR image (**C**) demonstrates massive soft tissue lesion and hypointense dots (asterisks) within the popliteal bursa showing no enhancement on axial fat-suppressed post-contrast T1-weighted image (**D**). On the other hand, the synovial proliferation (dashed arrows) within the intraarticular recesses of the knee joint depicted on T2-weighted image (**C**) shows marked enhancement on post-contrast MR image (**D**). Rice bodies are related to microinfarction of the hypertrophied and inflamed synovium, and considered as the release of soft fibrinogen-coated infarcted synovial tissue or aggregates of fibrotic components into the joint space.

관절액이 서로 다른 에코의 두 개의 층 또는 여러 층으로 보일 수 있으며, 이는 혈관절증(hemarthrosis) 또는 지방혈관절증(lipohemarthrosis)을 시사한다.

활액의 증가 및 활액막 비후 소견이 비특이적이기 때문에 단순 방사선 촬영 또는 MRI 등의 영상 소견들을 종합하면 보다 효과적인 영상 진단이 가능하다. 흡인 및 병리조직적 검사가 필요한 경우 초음파유도를 통해 효과적으로 시행함으로써 진단의 정확도를 높일 수 있다.

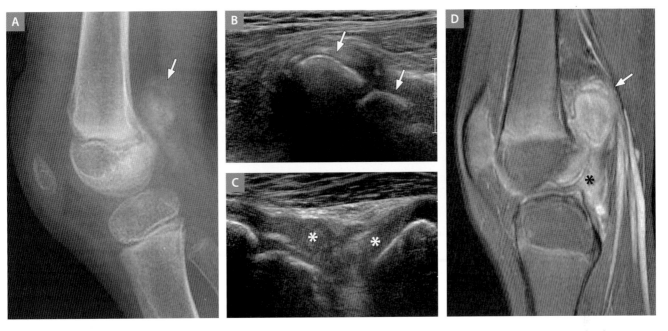

Figure 13-18 **Synovial osteochondromatosis of a knee joint**. Lateral radiograph (**A**) of the knee shows multiple opaque masses (arrows) on the posterior aspect of the femur. Longitudinal sonograms (**B, C**) and correlative sagittal fat-suppressed T2-weighted MR imaging (**D**) reveal massive osteocartilaginous lesions (arrows) and associated diffuse synovial thickening (asterisks) within the posterior aspect of the knee joint.

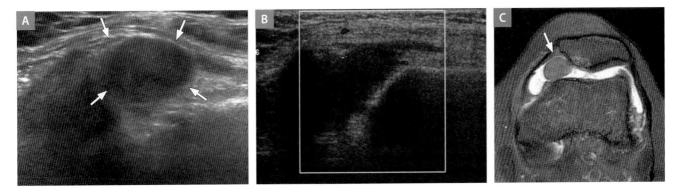

Figure 13-19 **Localized form of intraarticular tenosynovial giant cell tumor of a knee joint**. Transverse gray scale (**A**) and color Doppler (**B**) sonograms show a well-defined, ovoid, hypoechoic nodular lesion with peripheral blood flow within the medial parapatellar recess. Correlative axial fat-suppressed T2-weighted MR image (**C**) demonstrates an intraarticular nodule with intermediate signal intensity and surrounding joint effusion.

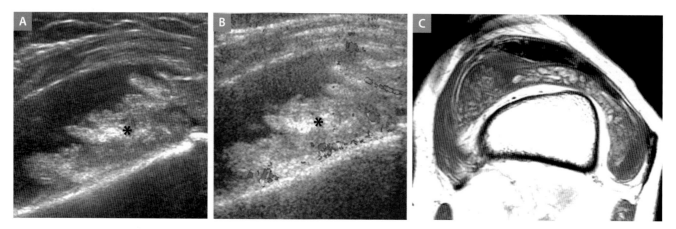

Figure 13-20 Lipoma arborescens of a knee joint. Transverse gray scale (**A**) and color Doppler (**B**) sonograms show hyper-echoic nodular frond-like synovial hypertrophy with blood flow and surrounding effusion within the medial suprapatellar recess. Correlative axial T1-weighted MR image (**C**) confirms villous fatty synovial proliferation.

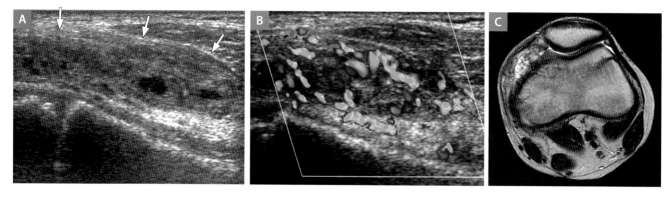

Figure 13-21 Synovial hemangioma. Longitudinal grayscale (**A**) and color Doppler (**B**) sonograms over the superomedial knee show a lobulated intraarticular mass (arrows) within the medial parapatellar recess with marked hypervascularity. Note the signal voids on the correlative axial T2-weighted MRI (**C**) reflecting the vascular structures within the mass.

2. 무릎의 낭성 병변

1) 윤활낭염 Bursitis

무릎 주위의 윤활낭염은 기본적으로 반복적인 외부 자극에 의한 반응성 염증에 의해 발생하나 외상, 감염뿐만 아니라 류마티스관절염이나 통풍과 같은 다양한 활액막 질환들 또한 원인이 될 수 있다. 윤활낭염은 특징적인 해부학적 위치에 발생되므로 다른 낭성 병변과 쉽게 감별할 수 있다. 윤활낭염의 일반적인 초음파영상 소견은 염증의 원인과 시간적 경과에 따라 매우 다양할 수 있는데, 특히 액체의 에코가 일반적인 활액에 비해 높은 경우 내부 출혈 또는 감염 가능성을 의심하여야 한다.

Baker낭종(Baker cyst)의 경우 내측 슬와 영역에서 반막

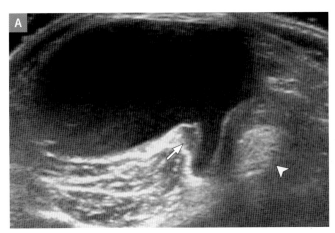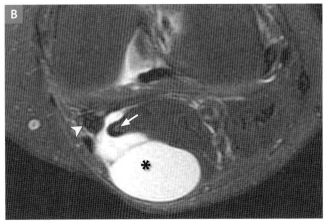

Figure 13-22 **Baker's cyst.** Transverse sonogram (**A**) over the posteromedial knee and corresponding axial fat-suppressed T2-weighted MRI (**B**) show a fluid collection (asterisk) typically located between the medial gastrocnemius tendon (arrow) and the semimembranosus tendon (arrowhead). The medial head of gastrocnemius tendon shows decreased echogenicity due to anisotropy.

형건(semimembranosus tendon)과 내측 비복건 사이에서 눈물모양(tear-drop)의 낭종으로 보이며 다양한 크기와 방향으로 확장될 수 있다 (Fig. 13-22). 두 힘줄 사이의 액체 저류가 작더라도 근위 또는 원위 방향으로 큰 낭종을 형성할 수 있으므로, 두 힘줄 사이의 액체 저류를 확인하는 것이 다른 낭종과 감별하는 데 가장 중요한 소견이다. Baker낭종은 드물게 파열과 같은 합병증이 발생할 수 있다 (Fig. 13-23). 이러한 경우 주위 연부조직으로의 심한 액체 유출 또는 근육 내 박리(intramuscular dissection)를 초래하여 종창과 통증 등의 비특이적 증상을 유발하므로 심부정맥혈전증(deep vein thrombosis)과 유사한 임상 양상을 보일 수 있다. 유출된 활액에 의한 압박으로 구획 증후군(compartment syndrome), 신경혈관다발의 포착(entrapment of the neurovascular bundle) 등과 같은 이차적인 합병증이 실제로 야기될 수도 있다.[20,21] Baker낭종은 성인의 절반 이상에서 관절 내부와의 연결이 있을 수 있어 관절의 활액막 질환이 윤활낭으로 자연스럽게 파급될 수 있다 (Fig. 13-24). 이때 관절액은 일방 밸브 기전(one way valve mechanism)으로 윤활낭 내부로 흘러 들어가 관절액보다 윤활낭액이 더 많아지고 활액막 질환

의 소견이 더 뚜렷할 수 있으므로, 관절보다 윤활낭에 대한 영상 분석 및 흡인 등의 검사가 더 효과적일 수도 있다. 그러나, 관절과는 무관하게 윤활낭에만 독립적으로 활액막 질환이 발생할 수도 있다.

반막형건-내측측부인대 윤활낭염(semimembranosus-MCL bursitis)은 반막형건의 경골 부착부 주위에서 발생한다. Baker낭종보다 깊은 내측에 위치하여 내측 반달연골의 후면과 맞닿아 있으며 대개 반막형건의 골부착부 주위에 생긴 골증식체(osteophyte)에 의한 자극으로 생긴다. MRI에서는 특징적인 거꾸로 된 'U'자 모양(inverted U shape)의 낭성 병변으로 보이고, 초음파 단축 영상에서는 반막형건의 골부착부 주위를 둘러싸는 무에코의 액체 저류로 보인다 (Fig. 13-25).[22]

무릎 전방 영역에는 슬개골의 전방에서 발생하는 전슬개 윤활낭염(prepatellar bursitis) (Fig. 13-26), 슬개건-경골 부착부의 표재부와 심부에서 각각 발생하는 표층 및 심층 슬개하 윤활낭염(infrapatellar bursitis)이 있다. 표층슬개하 점액낭염은 무릎을 꿇는 자세와 같은 지속적인 자극으로 인해 발생되어 '가정부 무릎(housemaid's knee)'으로 불리기도 한다

▶ p.614로 이어집니다.

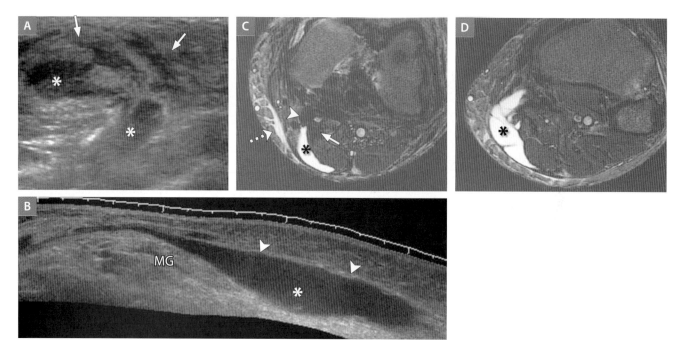

Figure 13-23 Ruptured Baker's cyst. A. Transverse sonogram over the posteromedial aspect of the knee shows ill-defined fluid collection (asterisks) in the popliteal bursa with hypoechoic infiltration and swelling of the adjacent soft tissue reflecting the leakage of fluid. **B.** Longitudinal extended filed-of-view sonogram reveals anechoic fluid collection (asterisk) between the medial head of the gastrocnemius (MG) and superficial fascia (arrowheads). **C-D.** Corresponding series of axial STIR MR images demonstrate typical location of the Baker's cyst (asterisk in **C**) between the tendons of the semimembranosus (arrowhead) and the medial head of the gastrocnemius. Leakage of fluid into the subcutaneous layer (dashed arrow in **C**) and the space between the medial head of the gastrocnemius and the overlying fascia (asterisk in **D**) suggest that the Baker's cyst may have ruptured.

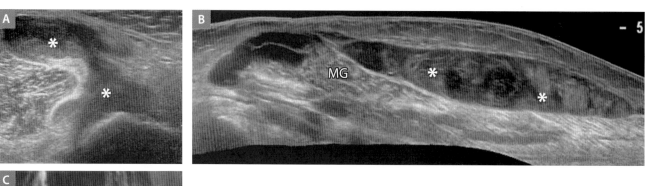

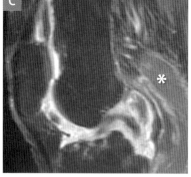

Figure 13-24 Baker's cyst associated with rheumatoid arthritis of a knee joint. **A.** Transverse sonogram shows prominent synovial proliferation within the popliteal bursa (asterisks). **B.** Longitudinal extended field-of-view sonogram over the proximal calf reveals Baker' cyst with severe synovial proliferation (asterisks) within the fluid collection located between the medial head of the gastrocnemius (MG) and the overlying fascia. **C.** Correlative sagittal fat-suppressed post-contrast T1-weighted image demonstrates diffuse synovial hypertrophy with marked enhancement of the knee joint indicating the presence of active synovitis. (Courtesy of Prof. HJ Choo, Inje Univ.)

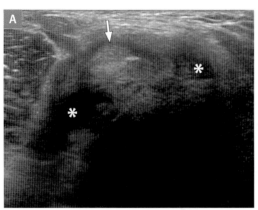

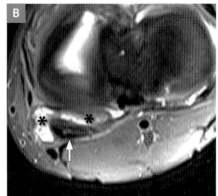

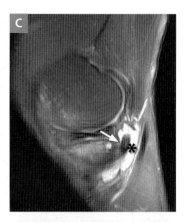

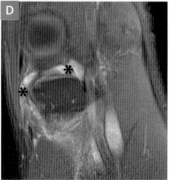

Figure 13-25 **Semimembranosus bursitis**. Transverse sonogram over the posteromedial knee (**A**) shows a fluid collection (asterisks) located in the space between the semimembranosus tendon (arrow) and the posterior capsule of the knee joint. Correlative axial (**B**) and sagittal (**C**) fat-suppressed T2-weighted MRI demonstrate a hyperintense fluid-collection deep and superficial to the semimembranosus tendon. Note the overall inverted U shape of the interconnected fluid on coronal fat-suppressed T2-weighted MRI (**D**).

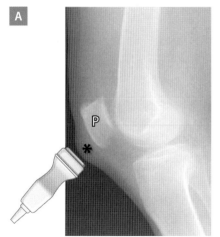

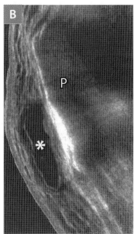

Figure 13-26 **Prepatellar bursitis. A.** Lateral radiograph of the knee joint demonstrates non-specific swelling of the prepatellar soft tissue (asterisk). **B.** Longitudinal sonogram over the patella shows a lobulated cystic lesion (asterisk) with distinct wall within the prepatellar subcutaneous layer, representing the prepatellar bursitis.

(Fig. 13-27).[23] 심층슬개하 윤활낭염은 슬개건의 원위부와 경골 사이에서 발생하는데, 대개 인접한 슬개건 병증과 관련되거나 윤활낭 자체의 미세손상에 의해 야기된다. 정상에서도 이 윤활낭에는 소량의 액체가 보일 수 있으므로 병적 점액낭염의 판단에 주의가 필요하며, 이를 위해 증상을 확인하거나 반대측과 비교해 보는 것이 진단에 도움이 된다.

경골의 전내측에 생기는 거위발윤활낭염(pes anserine bursitis) 또한 초음파검사로 비교적 쉽게 진단이 가능한데, 대개 골관절염을 가진 과체중 여성에서 흔하며, 달리기 등의 스포츠 활동과 관련해서도 발생할 수 있다 (Fig. 13-28).[24]

드물게 내측측부인대의 표층과 심층 사이에 있는 '내측측부인대 윤활낭(medial collateral ligament bursa)'에도 염증과

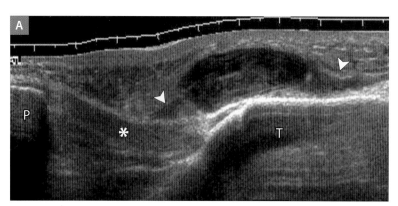
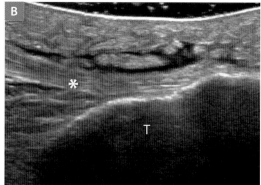

Figure 13-27 **Superficial infrapatellar bursitis (housemaid's knee). A.** Longitudinal sonogram over the anterior aspect of the inferior knee shows a mixed echoic solid mass-like lesion with ill-defined hypoechoic infiltration (arrowheads) around the lesion, which is consistent with chronic superficial infrapatellar bursitis. P, patella; asterisk: patellar tendon; T, tibia. **B.** Longitudinal sonogram over the anterior aspect of the distal patellar tendon reveals ill-defined fluid collection within the thickened subcutaneous tissue, that is compatible with subcutaneous bursitis. asterisk: patellar tendon; T, tibia.

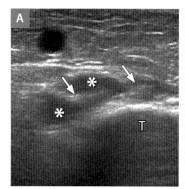
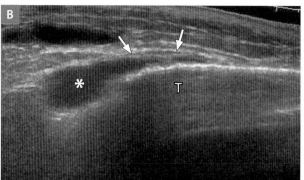
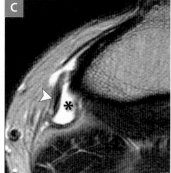

Figure 13-28 **Pes anserine bursitis.** Series of transverse oblique sonograms obtained from cranial (**A**) to caudal (**B**) over the anteromedial aspect of the proximal tibia show peritendinous fluid (asterisk in **A**) that separates each tendons and fluid collection (asterisk in **B**) between the pes anserine complex (arrows in **B**) and tibia. Corresponding axial T2-weighted MR image (**C**) demonstrates the fluid collection within the pes anserine bursa (asterisk) and slight thickening of the pes anserine tendon (arrowhead).

활액 저류가 생길 수 있는데, 승마나 오토바이타기 같이 내측 무릎에 반복적 외부 자극이 가해질 때 발생할 수 있으며, 골관절염의 골극과 같은 관절 질환들도 원인이 될 수 있다. 이 또한 특징적인 위치에 국한된 활액 저류를 초음파나 MRI 영상에서 확인함으로써 진단할 수 있다.[25]

윤활낭염의 비수술적 치료법으로서 초음파유도하 윤활낭내 스테로이드 주사를 시행하기도 한다 (Chapter 15 초음파유도 중재 시술 참조 바람).

2) 결절종 Ganglion

결절종은 관절주위에서 발견되는 흔한 낭성 종괴 중의 하나로서 흔히 윤활낭염과의 감별을 요한다. 결절종은 관절이나 건초의 틈으로부터 유출된 젤(gel) 양상의 액체가 모여 낭성 종괴를 형성하는 것으로 대부분 증상을 일으키지 않는다. 그러나, 윤활낭염에 비해 딱딱하며 종괴 효과로 인해 신경과 같은 주위 구조물들을 압박하여 증상을 유발할 수 있으므로, 검사 시 주위 구조물들과의 관계를 확인하는 것이 중요하다.[26] 초음파영상에서 대개 후방 음향 증강(acoustic enhancement)을 동반하는 난원형(oval) 또는 둥근(round) 모양을 보이는 경우가 많으나, 다방성(multilocular)으로 보일 수도 있고, 때로 관 형태(tubular shape)를 이루어 길다랗게 자라는 경우도 있다 (Fig. 13-29). 영상검사에서 병변이 시작되는 부위를 정확히 찾아내지 못하는 경우도 많지만 관절낭(joint capsule) 내부로 연결되는 지점은 좁은 목(pedicle)의 형태로 관찰될 수 있다.

무릎에서는 대퇴골 원위 골간단(distal metaphysis of the femur)의 후방(posterior aspect)에서 비복근(gastrocnemius muscle) 내외측 갈래의 골부착부 및 슬와건(popliteus tendon)의 대퇴골 부착부와 인접한 위치에서 가장 흔히 발견되는데 대부분 증상을 일으키지 않는다. 그러나, 근위경비관절(proximal tibiofibular joint)로부터 발생한 결절종의 경우, 병변의 크기와 자라는 방향에 따라 인접한 경골 신경(tibial nerve)이나 총비골신경(common peroneal nerve)을 압박하여 신경병증을 초래할 수 있다.[24]

총비골신경은 신경내 결절종(intraneural ganglion)이 생

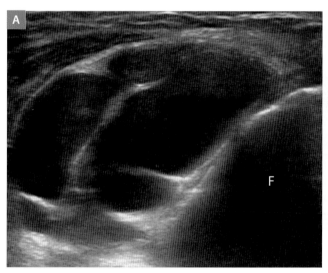
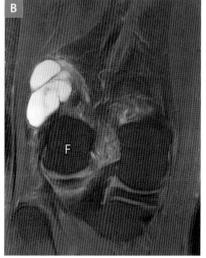

Figure 13-29 **Ganglion cyst**. Transverse sonogram (**A**) over the superolateral knee and coronal fat-suppressed T2-weighted MR image (**B**) reveal a multilocular, well-defined cystic mass close to the femur compatible with a ganglion. F, lateral condyle of femur.

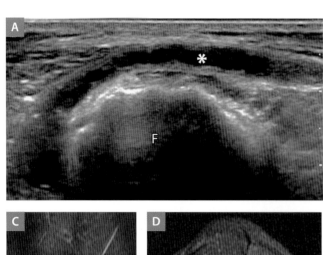

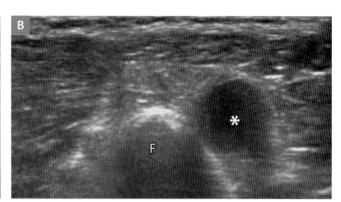

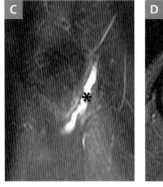

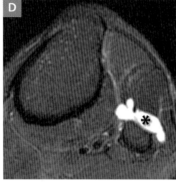

Figure 13-30 **Peroneal intraneural ganglion.** At the level of the fibular head, longitudinal (A) and transverse (B) sonograms show the common peroneal nerve as a long tubular anechoic structure in its entire length reflecting the intraneural cystic lesion. Correlative sagittal (C) and axial (D) fat-suppressed T2-weighted MR images demonstrate the tubular enlargement with fluid-like signal intensity of the common peroneal nerve.

기는 가장 흔한 말초 신경으로서 발생기전에 대해서는 이견이 있지만 근위경비관절 내부에서 나온 유출액이 총비골신경의 관절 분지(articular branch)를 통해 내려와 총비골신경까지 이어지는 것으로 알려져 있다. [27] 초음파영상에서는 특징적으로 총비골신경 내부의 낭성 종괴 형성 및 신경의 방추상 비후(fusiform thickening) 소견을 보이는데, 다른 원인에 의한 압박신경병증과 동일한 임상 양상을 보이므로 초음파검사가 감별 진단에 매우 유용하다 (Fig. 13-30).

3. 인대 손상 Ligament injury

인대 손상은 일반적으로 파열이 뚜렷하지 않은 1도 손상(grade 1 injury), 부분파열(partial tear)이 있는 2도 손상(grade 2 injury), 완전파열(complete tear)은 3도 손상(grade 3 injury)으로 분류한다. 1도 손상의 주된 초음파소견은 인대가 비후되고 비균질 에코를 보이며, 인대의 가는섬유다발 형태(fibrillar pattern)가 소실된다. 그리고 인대 주위 피하지방층을 비롯한 연부조직의 부종이 동반될 수 있다. 2도 손상의 경우 파열된 부위에 액체가 모이면서 1도 손상에 비해 보다 낮은 에코의 불규칙한 영역으로 나타난다. 급성기 완전파열(complete tear)의 경우 인대 연속성의 단절(loss of continuity)과 액체 저류(fluid collection)가 뚜렷하게 나타난다. 만성기의 소견은 주위 연부조직의 이상은 뚜렷하지 않으며 병변부위가 섬유화(fibrosis)나 반흔조직(scar tissue)으로 대체되어 다양한 두께의 저에코 영역으로 관찰되며, 때로는 석회화(calcification)를 동반할 수 있다.

무릎의 내측 및 외측 측부인대는 얕게 위치하므로 초음파검사로 비교적 손쉽게 진단할 수 있으며, 특히 내반(varus) 및 외반(valgus) 스트레스검사를 함께 시행하면 손상 유무 및

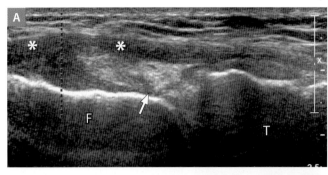

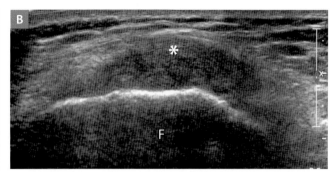

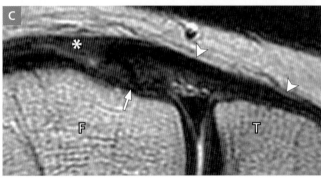

Figure 13-31 **Chronic injury of the medial collateral ligament (MCL). A, B.** Longitudinal (A) and transverse (B, along the dashed line on A) sonogram over the MCL show prominent hypoechoic thickening of the proximal superficial layer of the MCL (asterisks) and separation of the proximal meniscofemoral ligament (the deep layer of the MCL) from the femoral cortex (arrow). **C.** On corresponding coronal T2-weighted MRI, the injured proximal portion (asterisks) appears relatively brighter than the normal middle and distal portion (arrowheads) reflecting the fibrotic change. The meniscofemoral ligament is completely detached (arrow).

정도를 정확하게 평가할 수 있다.[28]

내측측부인대(medial collateral ligament, MCL)는 무릎에서 가장 흔하게 손상 받는 인대로서, 굴곡, 외반, 외회전 상태에서 과도한 외력이 작용해서 초래되며, 축구, 럭비, 스키와 같은 운동중에 많이 발생한다. 대퇴골 부착부의 손상이 좀 더 흔하고, 표층(superficial layer)과 심층(deep layer)의 독립적인 손상(isolated injury)도 발생할 수 있으며, 견열골절(avulsion fracture)이 동반될 수도 있다 (Fig. 13-31). 내측측부인대의 파열과 함께 전십자인대(anterior cruciate ligament), 내측반달연골(medial meniscus) 등의 관절 내 구조물들이 함께 파열되는 심각한 손상이 일어날 수 있으며 이를 'unhappy triad of O'Donoghue'라 한다.

인대 손상의 치유과정에서 석회화 또는 이소성 골화(heterotopic ossification)가 일어날 수 있으며, 내측측부인대 근위부의 손상과 관련된 이러한 병변을 Pellegrini-Stieda병이라 한다.[29]

외측측부인대(lateral collateral ligament)의 단독 손상은 비교적 드물고, 대부분 외측측부인대 복합체(lateral ligamentous complex)의 복합 손상으로 발생하며, 전십자인대 손상 및 Segond골절 등과 함께 발생할 수 있다 (Fig. 13-32).[30~32]

무릎의 내측지지띠(medial retinaculum)와 내측슬개대퇴인대(medial patellofemoral ligament, 이하 MPFL)를 포함한 내측 지지구조물(stabilizer)의 손상을 초래하는 대표적인 질환으로 슬개골 탈구(patellar dislocation)가 있다. 슬개골 탈구는 거의 대부분 저절로 정복(reduction)되기 때문에 일과성 탈구(transient dislocation)로 불린다. 슬개골 탈구는 대부분 외측 방향으로 일어나는데(슬개골 일과성 외측탈구, transient lateral patellar dislocation), 발이 고정되고 무릎이 굴곡된 자세에서 회전 손상(twisting injury)이 가해져 야기되며, 청소년이나 젊은 성인에게 호발한다. 때로는 고위슬개골(patella alta) 또는 대퇴골활차이형성(trochlear dysplasia) 등의 뼈 이

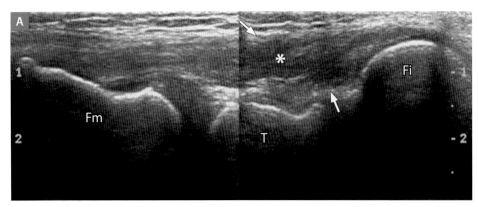

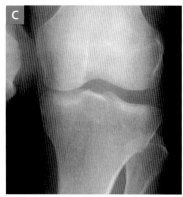

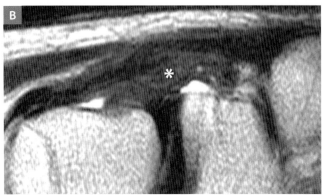

Figure 13-32 Lateral collateral ligament (LCL) injury. **A.** Conjoined image of longitudinal sonograms of the LCL shows severe hypoechoic thickening with the loss of the fibrillar pattern (asterisk) and blurring of the inner and outer margin (arrows) at the distal half of the LCL without the obvious discontinuity. Fi, fibula; Fm, femur; T, tibia. **B.** Corresponding coronal T2-weighted MRI reveals diffuse hypointense thickening and loss of the marginal sharpness with distinct periligamentous (asterisk) and intrasubstance fibrosis at the middle third of the LCL representing the chronic grade III injury. **C.** Varus stress radiograph shows marked widening of the lateral joint space confirming the presence of the instability.

상과 관련되어 발생할 수 있으므로, 슬개골 탈구의 경우 이러한 해부학적 이상에 대해서도 함께 확인해야 한다.[33] 초음파영상에서 관절 내부에 다량의 관절액을 보이고, 내측 지지 구조물 가운데 상방에 위치한 MPFL의 슬개골 부착부 파열, 인접 내측빗광근(vastus medialis oblique, VMO)의 파열과 혈종을 볼 수 있다. 드물게 대퇴 부착부, 즉 모음근결절(adductor tubercle) 부착부에서의 파열도 일어날 수 있으며, 견열골절(avulsion fracture)에 의한 골편이 관찰될 수 있다. 슬개골이 외측으로 탈구될 때, 외측대퇴융기(lateral femoral condyle)와 슬개골 외측 관절면(lateral facet) 변연부의 손상에 의해 관절연골의 국소적 결손 또는 골연골골절편(osteochondral fracture fragment)을 형성할 수 있으며, 슬개골 하극(patella lower pole)에도 감입골절(impacton fracture)이 동반될 수 있다.[34]

슬개-대퇴 통증증후군(patellofemoral pain syndrome)은 관절의 불균형과 과부하를 일으킬 수 있는 구조적 이상, 과사용(overuse), 근육 기능이상 및 외상 등에 의해 슬개골 주위 통증을 일으킬 수 있는 모든 임상적 상황을 통칭한다. 슬개골 이상주행(patellar maltracking), 슬개골 불안정성(patellar hypermobility), 긴장된 외측지지띠 또는 장경인대(tight lateral retinaculum or iliotibial band) 등과 같은 구조적 이상들과 관련이 있으나 이에 대한 초음파영상 소견에 대해서는 대부분 잘 알려져 있지 않다.[35]

십자인대(cruciate ligament)와 같은 심부 구조물의 이상을 진단하는 데는MRI가 최적의 영상진단법이나, 최근 십자인대 손상의 진단에 초음파검사의 유용성이 보고되어 있다.[36] 십자인대 손상의 초음파소견으로는 불균질한 에코, 부종에 의한 두께 증가, 불명확한 후방 경계면 등을 보이며, 손상된 인대 주위로 불규칙한 저에코의 출혈과 염증반응이 동반될 수 있다 (Fig. 13-33, 13-34).[37~40]

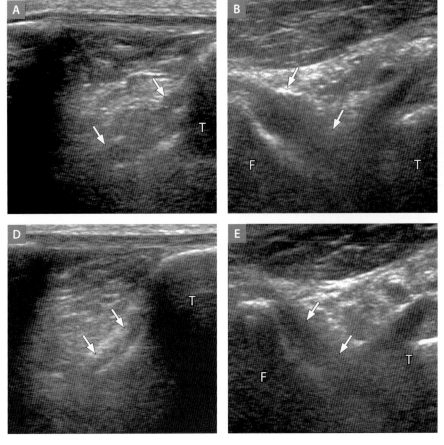

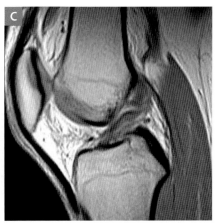

Figure 13-33 Anterior cruciate ligament (ACL) injury. Longitudinal sonograms of the ACL (arrows) through the anterior approach (**A**) and posterior approach (**B**) show marked enlargement with marginal lobulation representing the acutely injured ligament. Correlative Sagittal T2-weighted MRI (**C**) demonstrates the tear at the middle third of the ACL. The lesion can be recognized more easily when compared with asymptomatic contralateral side (**D, E**). F, femur; T, tibia.

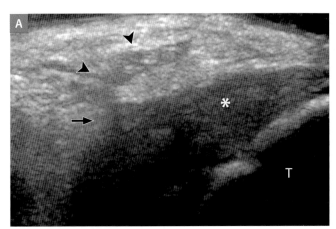

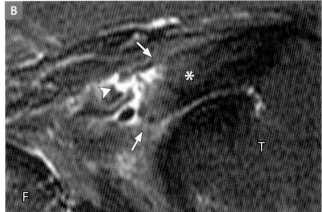

Figure 13-34 Posterior cruciate ligament (PCL) injury. A. Longitudinal sonogram of the PCL shows marked hypoechoic thickening (asterisk) of the ligament with abrupt undulation (arrow) of the posterior margin representing the tear. Coexisting edematous infiltration and fluid (arrowheads) extending into the posterior soft tissue area also noted. **B.** Corresponding sagittal fat-suppressed T2-weighted MRI demonstrates the complete tear (arrows) at the middle third of the PCL and ill-defined fluid collection around the ligament (arrowhead).

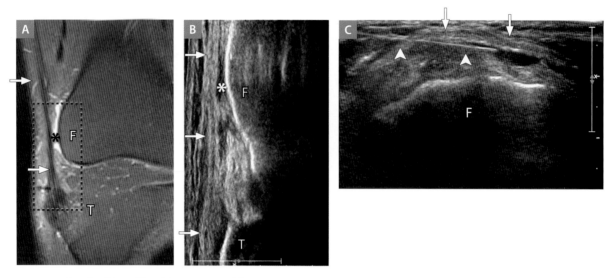

Figure 13-35   Iliotibial band(ITB) friction syndrome. A. Coronal proton density weighted fat suppression MRI shows fluid collection (*) between the ITB (arrows) and the lateral femoral condyle (F). **B.** Long-axis ultrasonography (corresponding to the dashed box in A) shows same finding. **C.** Short-axis ultrasonography. US-guided steroid injection was done and symptoms were improved. T, Tibia; Arrowheads, needle.

장경인대 마찰증후군(iliotibial band friction syndrome)은 장경인대와 외측대퇴골융기(lateral femoral condyle) 사이의 반복적 마찰에 의해 염증이 생기는 질환으로, 이 부위의 장경인대 내측에 부종 및 소량의 액체 저류를 확인할 수 있으며, 장경인대의 형태적 이상이 동반되는 경우는 드물다 (Fig. 13-35).[41]

4. 힘줄 질환 Tendinopathy

무릎의 전방에 위치한 사두건(quadriceps tendon)과 슬개건(patellar tendon)은 무릎의 신전을 담당하는 힘줄이지만 손상의 양상은 서로 다르게 나타난다.

사두건의 손상은 비교적 드물며, 스포츠 손상이 많은 슬개건과 달리 퇴행성 힘줄증 또는 기저 질환에 의해 약화된 힘줄에 주로 손상이 일어나며, 중년이나 노년층에서 흔히 발생한다. 관련 기저 질환으로 통풍, 당뇨, 류마티스 관절염, 루푸스(lupus), 부갑상선호르몬과다증, 만성 신부전 등이 있

다. 이러한 사두건의 손상은 전층파열(full-thickness tear)이 흔하며, 슬개골 부착부에서 위로 1~2 cm 지점에 횡방향(transverse) 파열을 보인다. 전층파열이 생긴 경우 초음파영상에서 사두건 전층의 단절이 있고, 파열된 힘줄은 위쪽으로 퇴축(retraction)되며, 슬개골은 아래쪽으로 전위되어 슬개건은 구겨지는 형태를 보일 수 있다 (Fig. 13-36). 사두건의 부분파열은 전층파열과 동일한 부위에서 호발하지만, 전층파열과는 달리 스포츠 손상과 같은 직접적 외상이 원인인 경우가 훨씬 흔하다.[42] 부분파열은 사두건의 세 층 가운데 표재층이 가장 쉽게 손상되며, 심층의 손상이 가장 드물다. 급성기의 부분파열은 초음파영상에서 병소 부위의 비균질한 에코 감소와 국소적인 부종을 보인다. 표재층의 파열이 있는 경우 힘줄 표면 경계가 불규칙하고 불분명해지며 파열 부위에 생긴 혈종이 힘줄 바깥 부위로 퍼져나가 병소 주위에 경계가 불분명한 연부조직 침윤을 동반할 수 있다.[43] 전층파열은 대개 수술적 치료가 필요하므로 보존적 치료를 시행하는 부분파열과의 구분이 중요한데, 초음파검사 시 무릎을 굴곡 및 신전 시키는 역동적 검사를 함께 시행하면 손상의 정도를 보

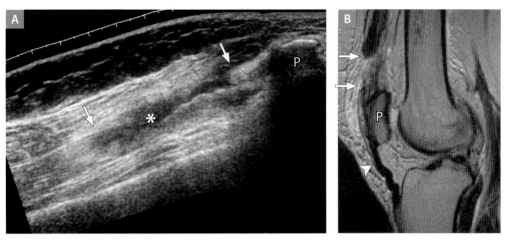

Figure 13-36 **Complete tear of a quadriceps tendon.** Longitudinal extended field-of-view sonogram (**A**) over the suprapatellar region and corresponding sagittal T2-weighed MRI (**B**) show complete irregular disruption and retraction of the quadriceps tendon (arrows) with a fluid collection (asterisk). Note the distal displacement of the patella (P) and the wavy patellar tendon (arrowhead).

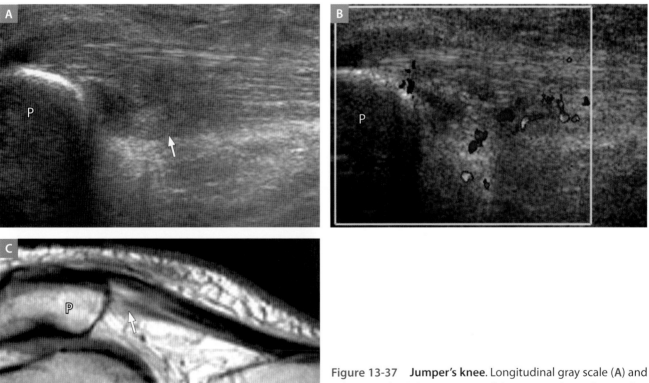

Figure 13-37 **Jumper's knee.** Longitudinal gray scale (**A**) and color Doppler (**B**) sonograms of the proximal patellar tendon show a localized hypoechoic swelling (arrow) with increased vascularity involving the middle and deep aspect of the tendon. Sagittal T2-weighted MRI (**C**) shows increased signal intensity in the corresponding area. P, patella.

슬개건(patellar tendon)의 이상은 사두건 손상과 달리 스포츠 손상이나 과다 사용에 의한 손상이 훨씬 흔하다. 대표적인 슬개건 이상인 도약무릎(jumper's knee)은 반복적인 과다 사용에 의해 슬개건의 골 부착부에 발생하는 힘줄증(tendinosis)이다 (Fig. 13-37). 달리기 또는 점프를 많이 하는 스포츠 활동과 관련되어 생기며, 골성숙(bone maturation)이 완료된 젊은 성인에서 호발한다. 초음파영상에서 슬개건-골 부착부에 인접하여 경계가 뚜렷하지 않은 방추상의 저에코가 주로 힘줄의 심부에 보인다. 부분파열이 동반되면 저에코의 경계가 좀더 뚜렷해지고 파열 부위가 분명하게 보일 수 있다. 급성기 병변의 경우 도플러 영상에서 병소 내부에 혈류의 증가를 보일 수 있다.[44] 만성적인 손상의 경우 힘줄내에 불규칙한 이영양성 석회 또는 골(dystrophic calcification

or ossification) 결절들이 관찰될 수 이다.

슬개건 완전파열은 사두건 파열과는 달리 직접적인 외상에 의한 경우가 훨씬 흔하며, 젊은 연령대에서 호발하는데, 주로 슬개골 부착부 근처에서 발생한다.[45] 초음파영상에서 힘줄의 완전한 단절 및 분리를 보이며 남겨진 부위는 굴곡진 형태(wavy appearance)를 보이며, 슬개골의 위쪽으로 전위(translation)될 수 있다.

골연골증(osteochondrosis)은 성장기의 골단(epiphysis) 또는 견인골단(apophysis)의 허혈성 손상에 의한 골경화, 불규칙한 편평화(flattening) 및 분절화(fragmentation) 등의 형태적 이상이 초래되는 일련의 질환들을 통칭하는데, 무릎에 생기는 대표적인 골연골증으로 Osgood-Schllatter병(이하 OSD)와 Sinding-Larsen · Johanson병(이하 SLJD)이 있다 (Fig. 13-38). 이 두 질환들은 모두 슬개건-골 부착부에 발생

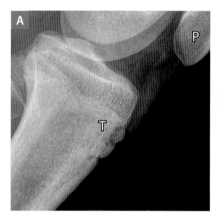
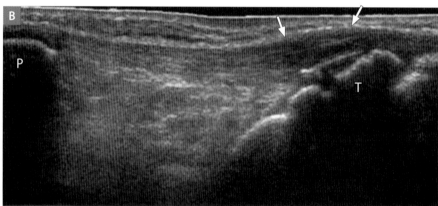
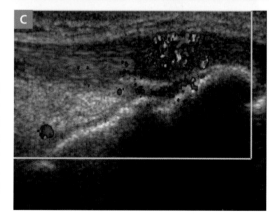

Figure 13-38 Osgood-Schlatter disease. A. Lateral radiograph of the knee shows an irregular fragmented tibial tuberosity. **B, C.** Longitudinal extended field-of-view gray scale (**B**) and color Doppler (**B**) sonograms of the tibial attachment of the patellar tendon reveal an ill-defined hypoechoic swelling of the distal tendon (arrows) with marked intratendinous hypervascularity representing insertional tendinosis with acute inflammation. Fragmented tibial tuberosity (T) is also seen. Note the normal appearance of the proximal and middle thirds of the patellar tendon.

하며, OSD는 경골결절(tibial tuberosity), SLJD는 슬개골 하극(inferior pole)에 발생하는데, 슬개건의 반복적인 견인손상과 관련되어 골성숙이 완전히 이루어지지 않은 청소년기에 발생한다. 초음파영상에서 슬개건이 부착되는 견인골단부의 분리 또는 분절화와 같은 골 변화와 함께 슬개건의 힘줄증과 인접 연부조직의 부종을 관찰할 수 있다. 특히 경골결절의 불규칙한 형태는 증상이 없는 정상인에서도 흔히 나타날 수 있으므로, 슬개건의 힘줄증을 비롯한 연부조직의 이상 여부를 확인하는 것이 OSD의 진단에 있어 매우 중요하다. 초음파검사를 하면서 병소 부위의 국소 통증과 압통 여부를 함께 확인할 수 있으므로 초음파는 유용한 진단법이 될 수 있다.[46]

발음성 무릎(snapping knee)의 원인은 다양한데, 관절 외원인으로 대퇴이두건, 슬와건, 거위발건, 장경인대와 같은 힘줄의 이상이 있으며, 관절 내 원인으로 반달연골, 추벽(plica), 관절내 소체(intraarticular loose body) 등이 있다.[9]

특히, 대퇴이두건(biceps femoris tendon)은 무릎 외측 통김(snapping)의 비교적 흔한 원인으로서 스포츠 활동이 많은 젊은 남성에서 호발하며, 대퇴이두건의 앞가지(anterior arm)와 직접가지(direct arm)의 다양한 해부학적 변이와 관련이 있다. 역동적 초음파검사를 통해 정확한 진단이 가능한데, 측와위 자세(lateral decubitus position)에서 무릎을 90° 이상 굴곡시키고 탐촉자를 비골두와 대퇴이두건에 횡축으로 놓고 무릎을 점차 신전시키면 대퇴이두건의 급격한 전방 이

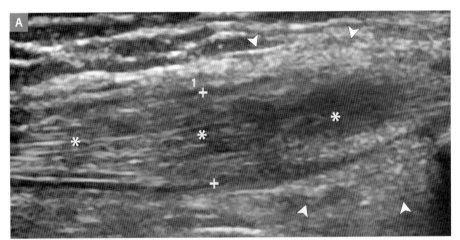

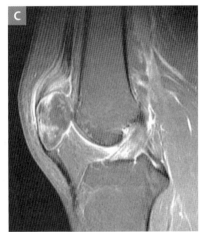

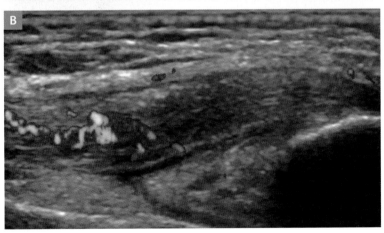

Figure 13-39 **Enthesitis of a quadriceps tendon related to ankylosing spondylitis.** Longitudinal gray scale (**A**) and color Doppler (**B**) sonogram with corresponding sagittal fat-suppressed post-contrast T1-weighted MRI (**C**) show a marked thickening with heterogeneous echotexture (asterisks) and increased vascularity involving the most distal portion of the quadriceps tendon. Note the very ill-defined hyperechoic infiltration (arrowheads in **A**) at the peritendinous soft tissue reflecting associated inflammation.

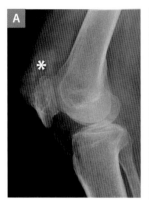 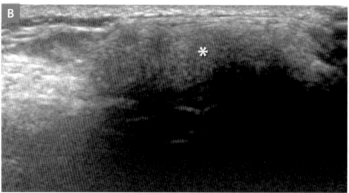 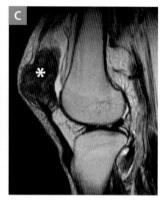

Figure 13-40 **Gout tendinopathy. A.** Simple radiograph of the knee reveals an ill-defined opaque mass (asterisk) with marked soft tissue swelling and irregular erosion with sclerotic margin at the upper pole of the patella. **B.** Longitudinal sonogram over the suprapatellar region shows the ill-defined hyperechoic mass with posterior shadowing (asterisk) within the quadriceps tendon reflecting intratendinous tophus. **C.** Correlative sagittal T2-weighted MRI demonstrates the intratendinous tophus (asterisk) as a global thickening of the quadriceps tendon at the patellar attachment site resulting in marked erosion of the patella. (Courtesy of Prof. IS Lee, Busan Univ.)

동(jerk movement)을 확인할 수 있다.[47]

힘줄의 국소적 이상과 달리 보다 광범위한 영역 또는 힘줄 전반에 걸쳐 이상이 관찰될 때는 척추관절염(spondyloarthropathy)에서의 골부착부염(enthesitis)이나 통풍(gout) 등과 같은 전신 질환과의 관련 가능성을 고려해야 한다 (Fig. 13-39, 13-40). 특히, 통풍의 경우 무릎의 슬개건이나 대퇴사두건을 흔히 침범하는데, 초음파영상에서 일반적인 힘줄증에 비해 보다 넓은 영역에 걸쳐 힘줄의 심한 비후, 비균질한 에코, 내부에 통풍 결절(tophus)에 의한 후방 음영을 동반한 종괴 병변, 그리고 도플러 영상에서 현저한 혈류 증가 등을 보일 수 있다. 때로는 무릎 관절 내의 병변 없이 힘줄 병변만 보일 수도 있다.

5. 뼈와 연골 이상 Bone and cartilage abnormality

초음파검사를 통해 무릎 관절의 연골을 관찰하기에 가장 용이한 곳은 대퇴골 활차(trochlea of the femur)이며, 무릎을 최대한 굴곡시킨 자세에서 잘 보인다. 연골 이상은 가장 흔한 원인인 골관절염(osteoarthritis) 이외에도 염증성 관절염, 외상성 손상, 자발성 골괴사(spontaneous osteonecrosis), 통풍 또는 가성통풍(pseudogout) 등의 결정 침착 질환 등 다양한 질환들에서 보일 수 있다. 연골에 이상이 생기면 초음파영상에서 연골의 비균질한 에코, 거친 연골 표면, 연골과 주위 조직간의 경계면이 불분명해진다. 심한 경우 연골의 결손이나 얇아지는 소견 등으로 병의 상태 및 정도를 파악할 수 있으며, 골극(osteophyte) 형성도 관찰할 수 있다 (Fig. 13-41).[48] 슬개골 내측 관절면(medial facet)의 변연부(peripheral zone)의 관절 연골도 초음파로 검사할 수 있다. 골관절염(osteoarthritis)의 일반적인 초음파소견은 대퇴골 융기의 관절 연골 두께의 감소, 형태와 에코의 변화, 골극 형성, 반응성 활액막염에 의한 활액 저류(effusion)와 활액막의 비후 등이며, 반달연골 파열을 동반할 수 있다 (Fig. 13-42).[49]

연골석회증(chondrocalcinosis)은 관절의 유리연골(hyaline cartilage)이나 섬유연골(fibrocartilage) 내부에 calcium pyrophosphate dihydrate 결정이 침착된 상태이며, 초음파영상에서 관절연골이나 반달연골 내부에 다수의 고에코의 점상 병변(spot)들로 보인다.[50,51]

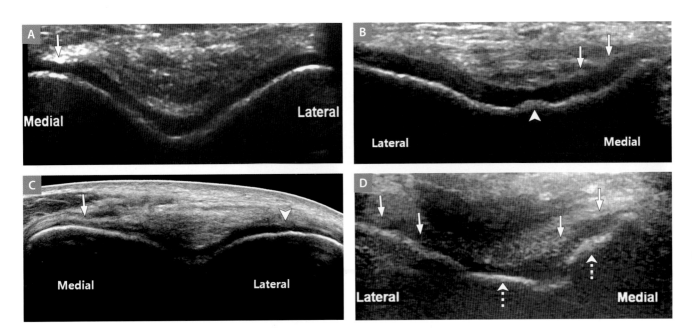

Figure 13-41 Chondromalacia of the trochlear cartilage. A. Transverse sonogram shows shallow thinning (arrow) localized in the medial edge of the cartilage compared with normal cartilage thickness of the lateral aspect. **B.** Transverse sonogram shows diffuse fibrillation (arrows) of the cartilage surface of the medial aspect and small central osteophyte (arrowhead) in the trochlear notch. **C.** Transverse extended field-of-view sonogram shows marked thinning of the cartilage of the medial facet (arrow) and shallow thinning at the lateral facet (arrowhead). **D.** Transverse sonogram shows multifocal and marked thinning (arrows) of the whole trochlear cartilage with reduced sharpness of the cartilage interface. Increased echogenicity between cartilage and bone reflects subchondral bone sclerosis (dashed arrows).

연골 내의 석회결정침착은 calcium pyrophosphate dihydrate crystal deposition disease (CPPD)의 중요한 소견이나, 자체로 임상적 심각성을 의미하지는 않으며 중증 파괴성 관절병증부터 무증상의 경우까지 다양한 임상적 경과를 보일 수 있다 (Fig. 13-43, 13-44E). CPPD는 대개 노화에 따라 발병율이 증가하나 원인을 알 수 없는 경우가 많으며, 부갑상선기능항진증(hyperparathyroidism), 혈색소증(hemochromatosis), 저인산혈증(hypophosphatemia), 저마그네슘혈증(hypomagnesemia), 갑상선기능저하증(hypothyroidism), 신장성골형성장애(renal osteodystrophy) 등과 같은 여러 대사성 질환과 관련되어 발생할 수 있다. 석회 결정이 관절 내 여러 조직에 침착되어 급만성의 다양한 임상 경과를 보이는 경우를 피로인산염관절증(pyrophosphate arthropathy)이라 한

다. 급성 증상이 있는 경우에는 급성기 통풍 등의 급성 관절병증과, 만성적인 경과를 보이는 경우에는 골관절염과의 감별이 어려운 소견을 보일 수 있다.

통풍(gout)에서 요산모노나트륨 결정(monosodium urate crystal)의 연골 침착은 연골석회증과는 달리 관절 표면에 결정이 침착되므로 초음파영상상에서 관절 표면을 덮는 고에코의 선상 음영으로 보인다. 이런 연골표면의 고에코와 연골하 골피질의 고에코 띠가 함께 보이므로, 이를 '이중윤곽징후(double contour sign)'라 하는데(Fig. 13-44), 통풍을 진단할 수 있는 매우 유용한 소견이지만, 높은 특이도에 비해 민감도는 상대적으로 낮은 것으로 알려져 있다.[52,53]

무릎은 관절 내 소체(intraarticular loose body)가 가장 빈번하게 발견되는 관절로, 골관절염이 주 원인이며, 그 밖

▶ p.629로 이어집니다.

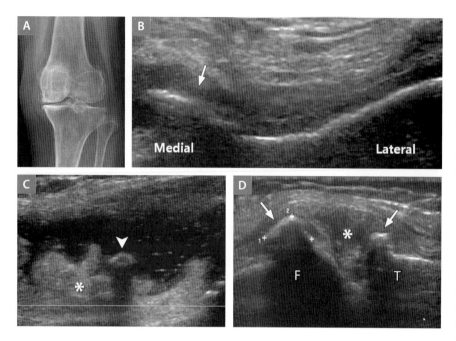

Figure 13-42 **Osteoarthritis of a knee joint**. **A.** Anteroposterior radiograph of the knee joint demonstrates asymmetric profound joint space narrowing of the medial femoro-tibial compartment with osteophyte formation. **B.** Transverse sonogram of the femoral trochlea shows marked thinning and poor surface clarity of the medial trochlear cartilage (arrow) with osteophyte formation. **C.** Longitudinal sonogram of the suprapatellar recess shows joint effusion and marked synovial proliferation (asterisk) and a small intraarticular loose body (arrowhead) with posterior acoustic shadowing. **D.** Longitudinal sonogram obtained over the medial knee shows marginal osteophytes (arrows) of the femur and tibia, and large irregular tear of the medial meniscus (asterisk). F, femur; T, tibia.

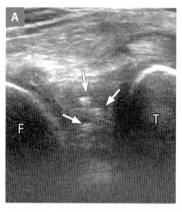

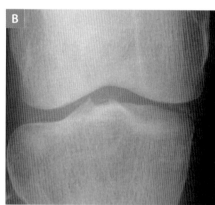

Figure 13-43 **Chondrocalcinosis of a knee joint**. **A, B.** Longitudinal sonogram (A) of the lateral meniscus with anteroposterior radiographic (B) correlation shows diffusely heterogeneous echotexture with multiple fine echogenic spots (arrows) representing meniscal calcifications. **C, D.** Transverse (C) and longitudinal (D) sonograms of the femoral trochlea reveal intracartilaginous hyperechoic spots as a characteristic sonographic finding of chondrocalcinosis indicating the deposition of calcium crystals in the articular cartilage layer.

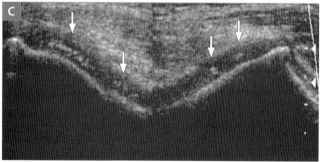

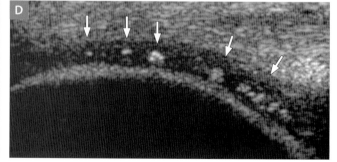

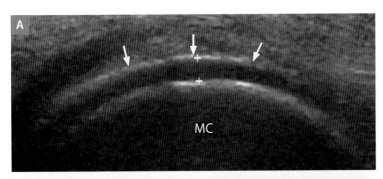

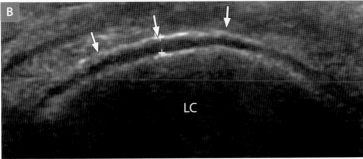

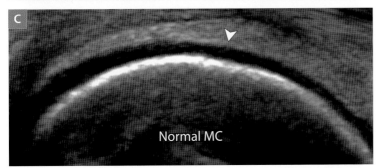

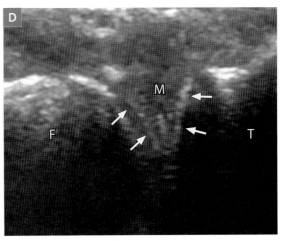

Figure 13-44   Meniscus and articular cartilage abnormality in gout. A-C. Double contour sign. Longitudinal sonograms of the posterior articular cartilage of the medial (**A**) and lateral (**B**) femoral condyle show hyperechoic lines (arrows) on the surface of the articular cartilage paralleling the bony contour. Note the indistinct echogenic chondrosynovial interface (arrowhead) of the normal articular cartilage (**C**). **D.** Longitudinal sonogram of the medial meniscus shows the hyperechoic linear enhancement (arrows) of the surface representing the deposition of monosodium urate crystal on the surface of the meniscus. F, femur; T, tibia. **E.** Drawing for normal, double line in gout, and chondrocalcinosis.

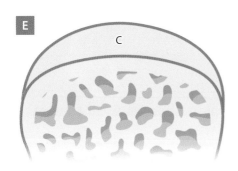

Normal

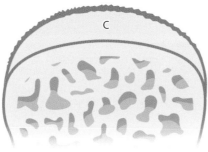

Gout

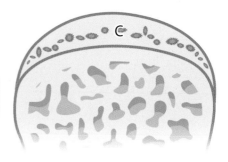

Chondrocalcinosis

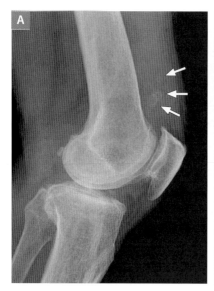
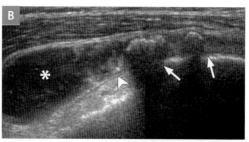
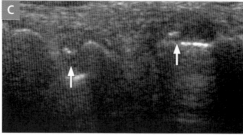

Figure 13-45　Intraarticular loose bodies. A. Lateral radiograph of the knee joint reveals several ovoid mineralized nodules (arrows) at the prefemoral soft tissue. B. Longitudinal sonogram over the suprapatellar region shows multiple calcified nodules (arrows) within the suprapatellar recess and additional findings including a large effusion (asterisk) and synovial hypertrophy (arrowhead). C. Longitudinal sonogram over the medial aspect of the knee shows very small intraarticular loose bodies (arrows). (Courtesy of Dr. KH Jo, Yeungnam Univ.)

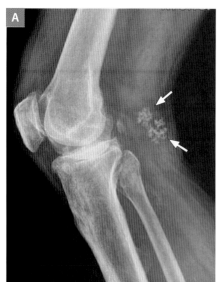
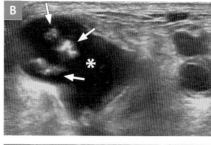
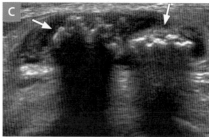
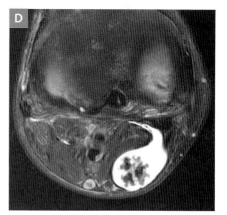

Figure 13-46　Intrabursal loose bodies. Lateral radiograph (A) reveals several mineralized nodular lesions (arrows) at the posterior aspect of the knee joint. Transverse (B) and longitudinal (C) sonograms over the posterior knee with corresponding axial fat-suppressed T2-weighted MRI (D) show the popcorn-ball appearing osteochondral loose bodies (arrows) located within the Baker's cyst (asterisk) with a large fluid-collection. Note the prominent posterior shadowing of the nodules reflecting the intralesional calcification.

에도 파열된 반달연골의 파편, 외상에 의한 연골하 골절 (subchondral fracture) 또는 박리성 골연골염(osteochondritis dissecans) 등에 의해서도 생길 수 있고, 활액막 골연골증 (synovial osteochondromatosis)도 드문 원인 중의 하나이다 (Fig. 13-45, 13-46). 관절 내 소체는 구성 성분에 따라 초음 파영상에서 다양한 소견을 보일 수 있는데, 뼈 성분이 풍부 한 병변의 경우 후방 음영이 뚜렷한 고에코의 결절로 관찰 되며, 순수한 연골로 이루어진 병변은 후방 감쇄가 거의 없 는 저에코의 결절로 보인다. 골연골 분절 병변(osteochondral fragment)은 뼈 부분은 고에코로, 연골 부분은 저에코로 보 인다.(54)

6. 반달연골 이상 Meniscus abnormality

반달연골의 이상은 무릎 관절 내장증(internal derangement) 의 가장 흔한 원인으로, 일반적인 초음파검사에서는 무릎의 외측 및 내측에서 전방부와 몸체의 일부를 관찰할 수 있다. 정상 반달연골은 삼각형 모양의 고에코 구조물로 관찰된다. 비등방성허상(anisotropy artifact)으로 인해 에코가 불균질하 게 감소된 부분을 병변으로 오인할 수 있으므로 주의를 기울 여야 한다.

반달연골에 퇴행성 변화가 생기면 전반적인 부종과 에코 의 불균질한 감소를 보인다 (Fig. 13-47A). 반달연골 돌출(ex-

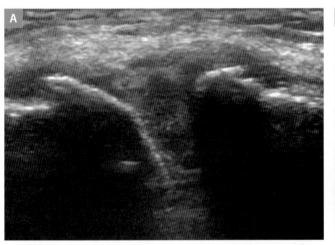

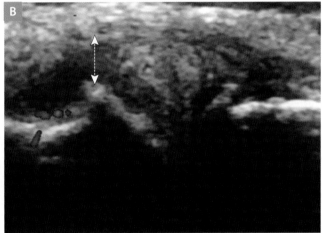

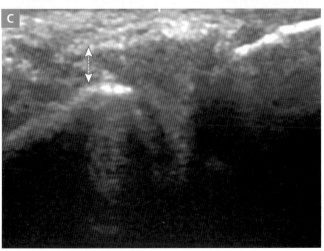

Figure 13-47 **Meniscus degeneration (A) and meniscus extrusion (B, C).** A. Longitudinal sonogram over the medial aspect of the knee joint demonstrates hypoechoic swelling without obvious tear of the body of the medial meniscus indicating intrasubstance degeneration. **B, C.** Longitudinal sonograms in two different cases of meniscal extrusion reveal distinct swelling and bulging of the body of the medial meniscus (B) and mild extrusion with normal appearance of the body of the lateral meniscus (C).

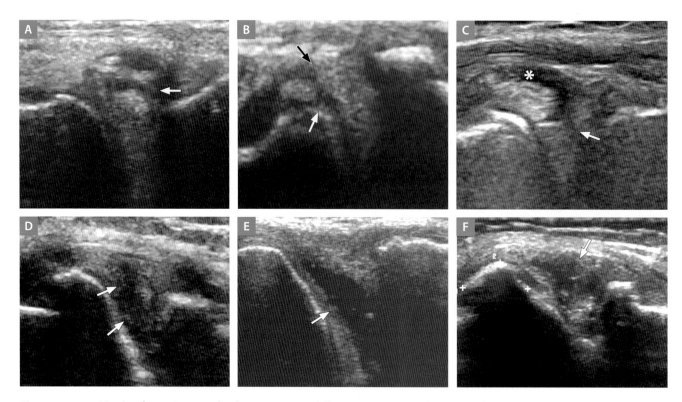

Figure 13-48 **Meniscal tear.** Longitudinal sonograms in different six patients show variable appearances of the meniscal tears (arrows) including vertical linear defect in the extruded meniscus (**A**), splitting of the extruded meniscus by transverse linear defect (**B**), horizontal cleavage forming a small meniscal cyst (asterisk in **C**), irregular band-like cleavage (**D**), large defect within the inner zone of the menisci (**E**), and extensive loss of normal substance with meniscocapsular separation of the degenerative meniscus (**F**).

trusion)은 반달연골의 퇴행과 관련되어 생기며(Fig. 13-47B, C), 탐촉자로 압력을 가해도 압박되지 않을 수 있다. 내측반달연골의 경우 3 mm 이상 돌출되면 비정상으로 간주할 수 있다. 외측반달연골의 경우에는, 이견이 있지만 1 mm 이상 돌출이 보이면 비정상으로 간주되며 반달연골-골 부착부 파열(root tear) 등과 관련이 있을 수 있다.(55,56)

반달연골 파열의 초음파소견은 삼각형 모양이 찌그러지고, 불규칙한 변연(margin) 등의 형태적 이상을 보일 수 있으며, 찢어진 틈새(cleft)가 확연히 나타나는 경우도 있다. 특히 심한 퇴행성 파열의 경우 반달연골의 형태를 거의 찾지 못할 수도 있다 (Fig. 13-48). 내측반달연골 검사에서는 외반력, 외측반달연골은 내반력을 가하는 부하검사를 함께 시행

함으로써 연골 파열에 대한 보다 정확한 정보를 획득할 수 있으며, 때로는 단순 초음파검사에서는 뚜렷이 나타나지 않는 파열을 진단할 수도 있다 (Fig. 13-49).(57) 그러나, 초음파검사로는 관절 속 깊은 부위를 관찰하기 어렵기 때문에 반달연골 전체를 확인할 수는 없으므로 반달연골 파열이 의심되는 경우 MRI가 보다 적합하다.

반달연골 낭종(meniscal cyst)은 주로 퇴행성 파열과 함께 발생하는데, 외측반달연골에서 더 흔하게 생기며, 수평파열(horizontal tear)이나 사파열(oblique tear)에서 좀 더 흔히 발생한다 (Fig. 13-50). 연골 파열부위와 접하여 다방성의 낭종을 형성하는데, 파열부의 틈새와 낭종이 연결되는 소견이 진단에 중요하다. 낭종의 크기는 다양할 수 있고, 때로 상당히

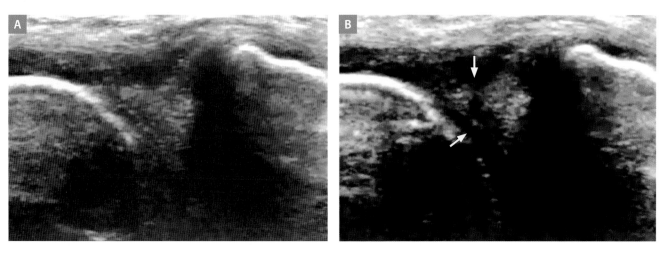

Figure 13-49 Stress sonography of the meniscus. Longitudinal sonogram obtained over the body of the medial meniscus in resting state (**A**) shows no obvious abnormality, whereas sonogram with valgus-stressing on the medial knee (**B**) reveals a small, horizontal linear defect in the peripheral zone of the meniscus. When meniscal tear is not obvious, varus or valgus stress test is helpful in detection of tear.

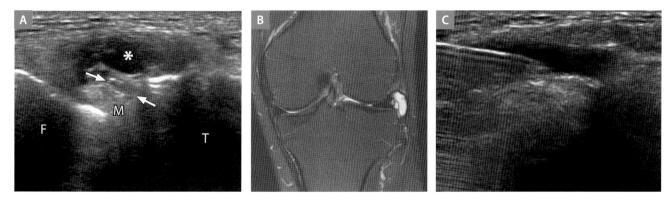

Figure 13-50 Meniscal cyst. A. Longitudinal sonogram over the lateral knee joint shows an oblique hypoechoic band within the peripheral body of the lateral meniscus representing a tear and a coexisting parameniscal cystic lesion (asterisk). **B.** Corresponding coronal fat suppressed T2-weighted image demonstrates a multilocular parameniscal cyst. **C.** Percutaneous needle aspiration was performed under US guidance to relieve the patient's symptom.

큰 낭종을 형성하여 측부인대를 밀면서 주위로 팽창되어 결절종과 감별이 어려울 수 있다.[58] 병변의 위치에 따라 인접한 뼈의 미란(erosion) 등 인접 구조물에 영향을 줄 수 있는데, 특히 외측에서 큰 병변을 형성한 경우 총비골신경을 압박할 수 있다.

섬유연골로 이루어진 반달연골에도 관절의 유리연골과 마찬가지로 연골석회증이 생길 수 있는데, 초음파영상에서 반달연골 내부에 다양한 크기의 고에코의 점(spot)들로 관찰되며, 반달연골 형태의 이상은 초래하지 않는다.

반달연골 소골(meniscal ossicle)은 반달연골 내부에 국한된 고에코의 국소 병변으로 보이며, 연골석회증과는 달리 경계가 매우 분명하고 둥근 모양의 고에코 결절로 관찰된다. 발생 기전은 명확하지 않으며, 내측반달연골 후각(posterior horn)에 주로 생긴다. 증상과 관계없이 우연하게 발견되는 경우가 많으며, 단순방사선촬영에서 관절 내 소체와 오인되기 쉬우나 초음파검사로 쉽게 감별할 수 있다.[59]

IV. 아래다리 질환 Lower leg pathology

아래다리에 발생하는 근골격계 질환의 대부분은 근육의 이상으로 일반적으로 tennis leg으로 대변되는 스포츠활동과 관련된 근육 손상이 가장 큰 비중을 차지한다. 이러한 근육 손상 질환들의 진단과 경과 관찰에 초음파검사가 매우 유용하다.[60]

1. 비복근 내측갈래 손상
Injury of the medial head of the gastrocnemius

일반적으로 'tennis leg'으로 불리는 비복근 내측갈래의 파열은 거의 대부분 원위부 근건접합부(myotendinous junction)에서 발생하며, 원위 건막(distal aponeurosis)과 근섬유 사이에 다양한 정도의 파열을 보인다. 중년에서 호발하며 스포츠활동 중에 주로 발생하지만 계단오르기와 같은 일상의 동작 중에도 갑작스럽게 나타날 수 있다. 발바닥굽힘(plantar flexion) 상태에서 굴곡된 무릎을 갑작스럽게 신전시키면 비복근의 강력한 수축과 과신전(overstretching)이 동시에 일어나면서 근건접합부가 파열된다. 종아리 내측의 심한 통증을 수반하는 종창과 압통을 보이는데, 임상 증상만으로는 Achilles 힘줄 파열, 족척건(plantaris tendon) 파열, 심부정맥혈전증(deep vein thrombosis), 정맥염(throbophlebitis), Baker낭종

파열 등과의 감별이 어려우므로 영상 진단 검사가 필수적이다. Tennis leg손상의 감별 진단에 있어 초음파검사는 혈관 상태를 파악할 수 있으면서 간편한 검사이기 때문에 MRI 보다 유용한 일차적 진단법으로 이용된다.[61]

Tennis leg 손상의 초음파소견은 손상 이후 검사의 시기와 파열의 정도에 따라 다양할 수 있다. 기본적으로 원위 건막(distal aponeurosis)을 중심으로 발생한 근육 손상으로, 깃털 모양의 섬유-지방중격(fibroadipose septa)의 형태가 불분명해지고 출혈성 침윤으로 인해 불균질한 에코를 보이며, 부분파열이 있으면 근건접합부의 파열 부위에 틈이 생기고 소량의 혈종이 동반된다 (Fig. 13-51A, B). 심한 파열의 경우 비복근 내측갈래와 가자미근 사이의 건막간 공간(interaponeurotic space)에 상당한 크기의 혈종을 형성하여 위쪽으로 퍼질 수 있다. 이 혈종은 시간적 경과에 따라 기질화(organization)가 진행되는 과정에서 다양한 초음파소견을 보일 수 있으며, 점차 섬유 조직으로 채워지면서 에코가 증가한다 (Fig. 13-51C, D).

2. 족척건 손상 Injury of the plantaris tendon

족척건 파열은 비복근의 손상과 비슷한 증상을 보일 수 있으며, 때로는 함께 발생할 수도 있다. 달리기나 점프 동작 중에 무릎이 펴진 상태에서 발목에 편향된 하중(eccentric load)이 전달되면서 간접적으로 손상이 발생한다. 이 힘줄의 파열은 주로 종아리 중간 지점에서 발생하지만 근육에 가까운 근위부에서 발생할 수도 있다.[62] 초음파영상에서 족척건이 위치하는 비복근 내측갈래와 가자미근 사이 공간에 관 또는 줄 형태(tubular or cord shape)의 혈종을 확인할 수 있다 (Fig. 13-52). 이 때, 비복근 내측갈래의 근건접합부에 뚜렷한 파열이 보이지 않는다면 간접적으로 족척건의 단독 손상(isolated injury)을 시사하는 소견이 될 수 있다.

632

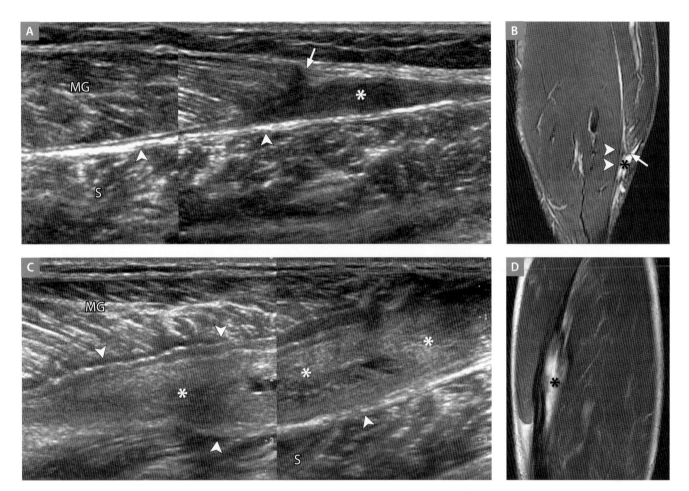

Figure 13-51 **Tennis leg injury. A, B.** Partial tear of the medial head of the gastrocnemius. Longitudinal split-screen sonogram (**A**) with corresponding coronal T2-weighted MRI (**B**) shows the blunted end and slight retraction (arrow) of the medial head of the gastrocnemius muscle and a small fluid collection (asterisk) distal to the disrupted muscle. Note the intact aponeurosis of the soleus (arrowheads). **C, D.** Chronic complete tear of the medial head of the gastrocnemius. Longitudinal split-screen sonogram (**C**) with corresponding coronal T2-weighted MRI (**D**) shows the organizing hematoma (asterisks) appearing a thick, hyperechoic band-like structure with a central small fluid collection between the medial head (MG) and soleus (S). Note the completely separated aponeuroses of the medial head of the gastrocnemius and the soleus (arrowheads).

3. 근육탈출 Muscle hernia

근육탈출의 대부분은 아래다리(lower leg)의 중간 또는 아래쪽 1/3 지점의 전경골근(tibialis anterior)에서 발생하는데, 표층 근막의 결손이나 약화로 초래된다. 외상이나 운동에 의한 손상, 만성구획증후군(chronic compartment syndrome)

등이 원인이며 관통혈관(perforating vessel)이 통과하는 근막의 약화도 원인일 수 있다. 청소년기나 젊은 성인에서 호발하며, 경한 통증이 동반될 수 있으나 주로 통증이 없는 종괴를 호소하며, 종양과의 감별을 위해 초음파검사를 시행한다. 초음파영상에서 표층근막의 명백한 국소 결손과 버섯 모양의 근육탈출이 보일 수 있으나, 뚜렷한 근막 결손 없이 근육과

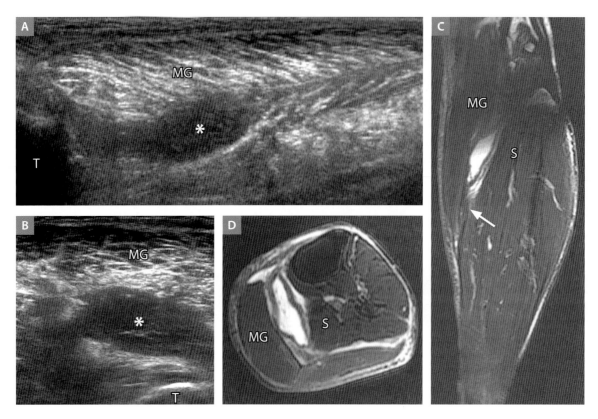

Figure 13-52 **Plantaris tendon tear**. Longitudinal extended field-of-view (**A**) and transverse sonogram (**B**) obtained over the posterior aspect of the proximal lower leg show a well-localized hypoechoic hematoma beneath the medial head of the gastrocnemius. Correlative coronal (**C**) and axial (**D**) T2-weighted MR images reveal a loculated fluid between the medial head of the gastrocnemius and soleus muscle, following the characteristic oblique course of the plantaris tendon. The wavy and fragmented plantaris tendon (arrow) suggests the tear of more proximal site. MG, medial head of gastrocnemius; S, soleus; T, tibia.

근막의 경한 돌출 만 보일 수도 있다 (Fig. 13-53A, B). [63] 탈출된 근육은 주위 정상 근육에 비해 비등방성 효과로 인해 에코가 낮아 보이며, 근육 손상이 지속적으로 동반된 경우 근위축(atrophy)을 보일 수 있다. 간혹 도플러 초음파영상에서 탈출 부위에 국소적으로 동맥 혈류를 볼 수 있는데, 관통 혈관과 관련된 근육 탈출의 가능성을 시사하는 소견이다 (Fig.

13-53C). 임상적으로 근육 탈출이 의심되나 초음파영상에서 뚜렷한 소견을 보이지 않을 때, 환자에게 근육을 수축시키거나 일어서거나 쪼그려 앉는 자세를 취하게 하여 근육 내 압력을 높이면 탈출 여부를 정확하게 진단할 수 있다 (Fig. 13-53D, E).

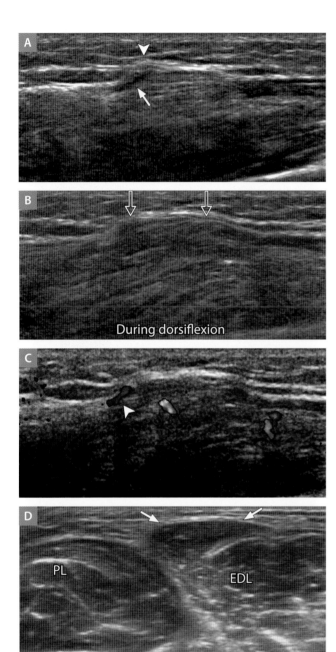

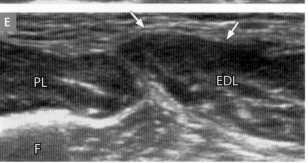

Figure 13-53 Muscle hernia. A-C. Muscle hernia of the peroneus longus muscle. Longitudinal sonogram shows shallow muscle bulging of the peroneus longus muscle with smooth elevation of the fascia (arrowhead in **A**). Dorsiflexion of the ankle results in more pronounced hernia (open arrows in **B**). Color Doppler sonogram (**C**) reveals a vessel (arrowhead) traversing fascia at site of hernia, which seems to be identical to an anechoic linear region within the herniated muscle on the gray scale sonogram (arrow in **A**). **D-E.** Muscle hernia of the extensor digitorum longus (EDL) muscle. Transverse sonogram reveals focal bulging of the EDL muscle (arrows) through the defect of the fascia (**D**). Note the larger hernia (arrows) with contraction of the muscle (**E**). F, fibula; PL, peroneus longus.

V. 무릎의 수술 후 초음파검사
US of post-operative knee

슬관절과 관절주위 질환에 대한 수술적 치료가 계속 증가함에 따라 수술 후 조직의 변화에 대한 새로운 지식과 영상검사의 필요도 증가하고 있다. 치유되고 있는 구조물에 대한 정확한 평가는 환자의 재활과 복귀를 결정하는 데 매우 중요하다.

일반적으로는 MRI가 가장 좋은 검사이지만, 금속 인공물을 사용한 경우 허상으로 인해 검사에 많은 제한이 있다. 초음파검사는 관절 내부의 심부 구조물이나, 석회화 또는 뼈 안의 병변을 볼 수 없다는 단점이 있다. 하지만 술후 관절삼출액, 윤활막 비후, 관절 주위 인대나 건의 변화를 보는 데 매우 효과적이며 금속 인공물의 영향을 받지 않으면서 역동적 검사를 함께 시행할 수 있다는 장점이 있고, 초음파유도하 시술을 하는 데 매우 유용하다.

수술 후의 정확한 평가를 위해서는 수술 방법에 대한 지식과, 술 후 정상적인 조직변화와 해부에 대한 이해가 필수적이며 외과의와 충분한 협의가 필요하다.(64~66)

1. 수술 후 건과 인대의 변화

일반적으로 외상이나 수술로 인한 아교질(collagen) 흉터조직(scar)은 병변이 아닌 정상적인 치유과정이며 흉터의 모양은 건과 인대의 내구성과는 관계없다. 또한 대부분의 흉터조직은 원래의 구조물보다 두꺼워진다.(66)

술 후 3주 정도가 지나면 흉터는 술 전에 비해 두꺼워지며 오래도록 지속되고 변하지 않는다. 흉터는 무질서한 배열을 보이고, 불균질하며, 석회화를 보일 수 있다. 띠 모양의 무에코(anechoic) 부위들이 흉터 안에 흔히 보이는데 이는 재건된(reconstructed) 다발들 사이의 경계부 이거나 재건된 힘줄이 정상 힘줄 방향과는 다르므로 생기는 비등방성 효과(anisotropic effect) 때문이다. 3주까지는 흉터 안에 작고 가는 틈새 모양의 액체가 정상 치유과정에서도 보일 수 있으

며 흉터와 주위 조직에 다양한 정도의 증가된 혈류를 보일 수 있으므로 비정상적인 염증으로 오인하지 말아야 한다. 혈류의 정도와 예후는 상관이 없는 것으로 보고되어 있다. 수술 부위와 인접한 윤활강(synovial space) 내에 액체가 고이거나 윤활막의 비후가 동반될 수도 있으므로 심하지 않으면 정상적인 반응으로 생각할 수 있다. 봉합물질(suture material)을 따라 액체가 고여 있다면 봉합물질에 대한 알레르기 반응(allergic reaction)를 시사할 수 있으므로 주의 깊게 관찰해야 한다.

술후 6주 정도가 되면 콜라겐 형성과 성숙이 진행함에 따라 흉터의 에코가 증가하지만 정상 힘줄이나 건의 에코보다는 낮다. 정상적으로 치유되고 있는 흉터조직은 가늘고 짧은 고에코의 선상 반사영상(linear reflections)을 보이는데 대부분 정상 건이나 인대의 방향과 같은 방향으로 배열된다. 흉터 안에 석회화가 생길 수 있으며 이들은 힘줄이나 건이 뼈에 붙는 부위 가까이에 흔히 생긴다. 흉터 주위 조직의 부종, 윤활강 내의 액체나 윤활막의 비후 등은 시간 경과에 따른 호전을 보이며 다양한 혈류를 보일 수 있다. 이 시기에 흉터 안에 액체의 저류가 있으면 관심을 가지고 추적검사를 해보아야 한다.

술 후 12주 정도가 되면 흉터조직은 에코가 더욱 증가하고 두께는 조금 감소 할 수 있으며 주위 조직의 부종도 감소를 보인다. 증가되었던 혈류는 점진적으로 감소를 보이는데, 이전 검사와 비교해서 혈류의 정도에 변화가 없는 경우 흉터가 고에코를 보이면 큰 의미가 없지만 낮은 에코를 보이면 염증성 반응(inflammatory reaction)을 의심하여야 한다. 주위 윤활강 내에 염증성 반응이 없어야 하며 이 시기에 흉터조직에 액체가 보이면 비정상이다.

2. 슬관절 성형술 Knee arthroplasty

슬관절 성형술 후 3% 정도에서 사두근건이나 슬개건이 파열될 수 있는데, 슬개건의 파열이 더 흔한 것으로 알려져 있으며 동반된 류마티스 관절염 등의 질환이 있거나 수술도중 힘

줄의 혈류 손상 등이 원인이 될 수 있다.[65] 초음파소견은 일반적인 힘줄의 손상과 같고 관절을 굽히거나 펴면서 동적 검사를 하면 부분파열과 뒤당김(retraction)이 없는 전층파열을 감별할 수 있다.

슬개골의 위쪽 끝 부위와 사두건이 만나는 부위에 섬유윤활막증식(fibrosynovial hyperplasia)이 일어나고 이로 인해 슬관절 앞쪽 부위에 동통과 충돌음(clunk)을 초래할 수 있는데, 이는 후방안정-슬관절전성형술(posterior-stabilized total knee arthroplasty, PS-TKA)의 경우에 더 잘 생기는 것으로 되어 있다. 뚜렷이 구별되는 섬유성 결절이 사두건의 깊은 면에 생겨 무릎을 45°정도 굽혔다가 펼 때 이 결절이 대퇴골융기간절흔(femoral intercondylar notch)에 끼었다가 빠지면서 동통과 충돌음을 초래하는 경우를 슬개골 충돌음증후군(patellar clunk syndrome)이라고 한다. 만성적인 자극이 일반적인 원인이며 PS-TKA의 경우 18%까지 발생하는 것으로 보고되어 있다. 초음파검사에서 사두건의 장축방향으로 영상을 얻으면 사두건이 슬개골에 붙는 자리의 깊은 면에 비정상 에코의 결절이 무릎을 굽혔다 펼 때 융기사이부위에서 튀어 나오는 것을 볼 수 있다 (Fig. 13-54). 수술이나 관절경으로 이 결절을 절제하면 증상이 좋아질 수 있다.[9,65,67]

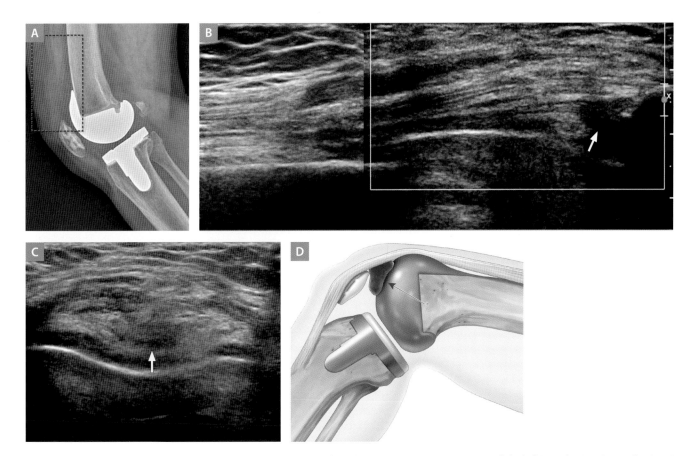

Figure 13-54 **Patella clunk syndrome in a 63-year-old female patient presenting painful clicking during knee flexion/extension.** Plain radiography (**A**) shows thickened quadriceps tendon. Long-axis (**B**, dashed box in **A**) and short-axis (**C**) ultrasonography images show poorly marginated hypoechoic nodule along deep surface of distal quadriceps tendon, just proximal to patellar upper pole (arrows in **B, C, D**).

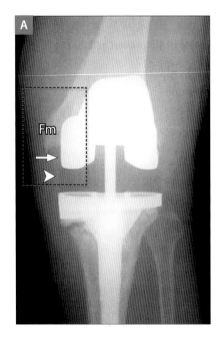
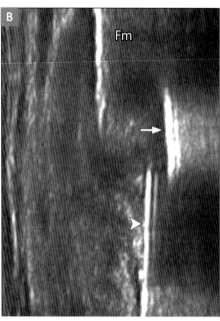

Figure 13-55 **Total knee arthroplasty.** On plain radiography (A), polyethylene (arrowhead) is radiolucent. On ultrasonography coronal image (B), corresponding to dashed box on (A), metal prosthesis (arrow) shows reverberation artifact and polyethylene (arrowhead) shows acoustic shadowing. Fm, Femur medial condyle.

뚜렷한 결절 형성없이 섬유윤활막증식만 있는 환자에서 무릎을 굽혔다 펼 때 충돌음 없이 무릎 앞쪽의 통증과 지속적 마찰 느낌이 있는 경우를 슬개대퇴마찰(patellofemoral crepitus)이라고 한다.[67]

장딴지근머리종자뼈 퉁김(snapping fabella)은 전성형술(total arthroplasty) 후에 슬관절 후외측에 생길 수 있는 퉁김 현상이다. 슬관절 후외측의 부종과 함께 심한 마찰(grinding) 느낌이나 퉁김을 호소한다. 무릎을 굽혔다 펴면서 초음파검사를 하면 후방음영을 보이는 종자뼈가 외측융기 뒷면 위로 급작스럽게 문지르듯 움직이는 것을 볼 수 있다.[9,65]

관절섬유증(arthrofibrosis)은 무릎의 움직임에 제한을 초래하는 심각한 합병증으로 슬관절전성형술(이하 TKA)환자의 1.6% 정도에서 발생하고 환자의 17% 정도에서 재수술이 필요하다. 윤활막의 비후와 흉터조직에 의해 경직이 초래되지만 정확한 원인은 아직 잘 알려져 있지 않다. TKA 이전에 무릎에 다른 수술을 받은 경우나 경직이 있었던 경우, 흉터 생성에 관련된 유전적 혹은 생리학적 소인, 인공물의 위치나 크기가 맞지 않거나 금속에 알레르기가 있는 경우, 경

미한 감염, 잘못된 재활치료 등이 관여하는 것으로 밝혀져 있다. Boldt 등은 관절섬유증 환자에서 초음파검사를 시행하여 관절의 내측, 외측, 슬개골 위쪽에서 윤활막이 유의하게 두꺼워진다고 하였으며 3 mm를 기준으로 하였을 때 민감도 84%, 특이도 82% 정도라고 하였다. 이들은 또 관절섬유증 환자에서 윤활막의 혈류가 유의하게 증가되며 관절삼출액의 정도나 슬개건의 두께는 의미가 없다고 보고하였다.[65,68]

폴리에틸렌 이장재(polyethylene liner, 이하 PL)는 한 조각의 폴리에틸렌으로 되어 있으며 일반적으로 앞쪽과 중심 부분이 조금 더 두껍다. PL의 마모를 진단하는 데는 단순촬영 추적검사가 많이 이용되고 있으며 경골 인공관절면과 인접한 방사선투과성의 구조물로 보이지만 환자의 자세나 촬영 각도에 따라 두께가 다르게 보일 수 있으므로 표준화하기에 어려운 점이 있다. 초음파검사에서도 PL의 두께를 정확하게 측정할 수 있는데 무릎을 완전히 편 상태에서 장축영상을 얻으면 PL은 표면이 고에코의 선상으로 보이면서 후방음영을 보이는 반면, 금속관절면은 선상의 고에코 뒤로 반향허상(reverberation artifact)을 보이므로 구별이 용이하다 (Fig.

13-55).(69) PL이 느슨해지면 발음성무릎(snapping knee)의 원인이 될 수 있는데 이때는 동적 초음파검사로 진단이 가능하다.(70)

VI. 요약

초음파검사는 무릎과 다리의 힘줄, 인대, 근육 등 비교적 표재부에 위치한 구조물들의 이상을 평가하는 데 있어 매우 신뢰할만한 영상검사이다. 골관절염이나 활액막 질환과 같은 다양한 관절 내 이상들을 확인할 수 있고, 관절 주위 연부조직에 발생한 종괴 형성 질환들의 감별에도 유용하다. 또한 초음파유도하 경피적 흡인이나 생검과 같은 침습적 시술을 하는 데 매우 유용하며, 수술 후 경과 관찰에도 활용할 수 있다.

참고문헌

1. Paczesny L, Kruczynski J. Ultrasound of the knee. Semin Ultrasound CT MR 2011;32:114-124.

2. 박재일, 조길호, 김미정. 무릎의 초음파 진단. 대한초음파의학회지 2012;31:127-138.

3. Grobbelaar N, Bouffard JA. Sonography of the knee, a pictorial review. Semin Ultrasound CT MR 2000;21:231-274.

4. Grassi W, Lamanna G, Farina A, Cervini C. Sonographic imaging of normal and osteoarthritic cartilage. Semin Arthritis Rheum 1999;28:398-403.

5. Rennie WJ, Saifuddin A. Pes anserine bursitis: Incidence in symptomatic knees and clinical presentation. Skeletal Radiol 2005;34:395-398.

6. Bianchi S, Martinoli C, Demondion X. Ultrasound of the nerves of the knee region: Technique of examination and normal us appearance. J Ultrasound 2007;10:68-75.

7. Smith J, Sayeed YA, Finnoff JT, Levy BA, Martinoli C. The bifurcating distal biceps femoris tendon: Potential pitfall in musculoskeletal sonography. J Ultrasound Med 2011;30:1162-1166.

8. Tyler P, Datir A, Saifuddin A. Magnetic resonance imaging of anatomical variations in the knee. Part 1: Ligamentous and musculotendinous. Skeletal Radiol 2010;39:1161-1173.

9. Marchand AJ, Proisy M, Ropars M, Cohen M, Duvauferrier R, Guillin R. Snapping knee: Imaging findings with an emphasis on dynamic sonography. AJR Am J Roentgenol 2012;199:142-150.

10. Lindgren PG. Gastrocnemio-semimembranosus bursa and its relation to the knee joint. II. Post mortem radiography. Acta Radiol Diagn 1977;18:698-704.

11. De Backer AI, Vanhoenacker FM, Sanghvi DA. Imaging features of extraaxial musculoskeletal tuberculosis. Indian J Radiol Imaging 2009;19:176-186.

12. Vlad V, Iagnocco A. Ultrasound of the knee in rheumatology. Med Ultrason 2012;14:318-325.

13. Naredo E, Rodriguez M, Campos C, Rodriguez-Heredia JM, Medina JA, Giner E, et al. Validity, reproducibility, and responsiveness of a twelve-joint simplified power doppler ultrasonographic assessment of joint inflammation in rheumatoid arthritis. Arthritis Rheum 2008;59:515-522.

14. McQueen FM, Doyle A, Dalbeth N. Imaging in gout--what can we learn from mri, ct, dect and us? Arthritis Res Ther 2011;13:246.

15. Murphey MD, Vidal JA, Fanburg-Smith JC, Gajewski DA. Imaging of synovial chondromatosis with radiologic-pathologic correlation. Radiographics 2007;27:1465-1488.

16. Murphey MD, Rhee JH, Lewis RB, Fanburg-Smith JC, Flemming DJ, Walker EA. Pigmented villonodular synovitis: Radiologic-pathologic correlation. Radiographics 2008;28:1493-1518.

17. Learch TJ, Braaton M. Lipoma arborescens: High-resolution ultrasonographic findings. J Ultrasound Med 2000;19:385-389.

18. Sheldon PJ, Forrester DM, Learch TJ. Imaging of intraarticular masses. Radiographics 2005;25:105-119.

19. Huang GS, Lee CH, Chan WP, Chen CY, Yu JS, Resnick D. Localized nodular synovitis of the knee: Mr imaging appearance and clinical correlates in 21 patients. AJR Am J Roentgenol 2003;181:539-543.

20. Fang CS, McCarthy CL, McNally EG. Intramuscular dissection of baker's cysts: Report on three cases. Skeletal Radiol 2004;33:367-371.

21. Sanchez JE, Conkling N, Labropoulos N. Compression syndromes of the popliteal neurovascular bundle due to baker cyst. J Vasc Surg 2011;54:1821-1829.

22. Rothstein CP, Laorr A, Helms CA, Tirman PF. Semimembranosus-tibial collateral ligament bursitis: Mr imaging findings. AJR Am J Roentgenol 1996;166:875-877.

23. Razek AA, Fouda NS, Elmetwaley N, Elbogdady E. Sonography of the knee joint. J Ultrasound 2009;12:53-60.

24. Beaman FD, Peterson JJ. Mr imaging of cysts, ganglia, and

bursae about the knee. Radiol Clin North Am 2007;45:969–982.

25. De Maeseneer M, Shahabpour M, Van Roy F, Goossens A, De Ridder F, Clarijs J, et al. Mr imaging of the medial collateral ligament bursa: Findings in patients and anatomic data derived from cadavers. AJR Am J Roentgenol 2001;177:911–917.

26. Kim JY, Jung SA, Sung MS, Park YH, Kang YK. Extra-articular soft tissue ganglion cyst around the knee: Focus on the associated findings. Eur Radiol 2004;14:106–111.

27. Spinner RJ, Luthra G, Desy NM, Anderson ML, Amrami KK. The clock face guide to peroneal intraneural ganglia: Critical "Times" And sites for accurate diagnosis. Skeletal Radiol 2008;37:1091–1099.

28. Lee JI, Song IS, Jung YB, Kim YG, Wang CH, Yu H, et al. Medial collateral ligament injuries of the knee: Ultrasonographic findings. J Ultrasound Med 1996;15:621–625.

29. Phisitkul P, James SL, Wolf BR, Amendola A. Mcl injuries of the knee: Current concepts review. Iowa Orthop J 2006;26:77–90.

30. Swenson DM, Collins CL, Best TM, Flanigan DC, Fields SK, Comstock RD. Epidemiology of knee injuries among u.S. High school athletes, 2005/2006-2010/2011. Med Sci Sports Exerc 2013;45:462–469.

31. Ranawat A, Baker CL, 3rd, Henry S, Harner CD. Posterolateral corner injury of the knee: Evaluation and management. J Am Acad Orthop Surg 2008;16:506–518.

32. Recondo JA, Salvador E, Villanua JA, Barrera MC, Gervas C, Alustiza JM. Lateral stabilizing structures of the knee: Functional anatomy and injuries assessed with mr imaging. Radiographics 2000;20 Spec No:S91–S102.

33. Trikha SP, Acton D, O'Reilly M, Curtis MJ, Bell J. Acute lateral dislocation of the patella: Correlation of ultrasound scanning with operative findings. Injury 2003;34:568–571.

34. O'Reilly MA, O' Reilly PM, Bell J. Sonographic appearances of medial retinacular complex injury in transient patellar dislocation. Clin Radiol 2003;58:636–641.

35. Dixit S, DiFiori JP, Burton M, Mines B. Management of patellofemoral pain syndrome. Am Fam Physician 2007;75:194–202.

36. Suzuki S, Kasahara K, Futami T, Iwasaki R, Ueo T, Yamamuro T. Ultrasound diagnosis of pathology of the anterior and posterior cruciate ligaments of thc knee joint. Arch Orthop Trauma Surg 1991;110:200–203.

37. Fuchs S, Chylarecki C. Sonographic evaluation of acl rupture signs compared to arthroscopic findings in acutely injured knees. Ultrasound Med Biol 2002;28:149–154.

38. Skovgaard Larsen LP, Rasmussen OS. Diagnosis of acute rupture of the anterior cruciate ligament of the knee by sonography. Eur J Ultrasound 2000;12:163–167.

39. Cho KH, Lee DC, Chhem RK, Kim SD, Bouffard JA, Cardinal E, et al. Normal and acutely torn posterior cruciate ligament of the knee at us evaluation: Preliminary experience. Radiology 2001;219:375–380.

40. Miller TT. Sonography of injury of the posterior cruciate ligament of the knee. Skeletal Radiol 2002;31:149–154.

41. Bonaldi VM, Chhem RK, Drolet R, Garcia P, Gallix B, Sarazin L. Iliotibial band friction syndrome: Sonographic findings. J Ultrasound Med 1998;17:257–260.

42. Bianchi S, Zwass A, Abdelwahab IF, Banderali A. Diagnosis of tears of the quadriceps tendon of the knee: Value of sonography. AJR Am J Roentgenol 1994;162:1137–1140.

43. La S, Fessell DP, Femino JE, Jacobson JA, Jamadar D, Hayes C. Sonography of partial-thickness quadriceps tendon tears with surgical correlation. J Ultrasound Med 2003;22:1323–1329; quiz 1330–1321.

44. Carr JC, Hanly S, Griffin J, Gibney R. Sonography of the patellar tendon and adjacent structures in pediatric and adult patients. AJR Am J Roentgenol 2001;176:1535–1539.

45. Warden SJ, Brukner P. Patellar tendinopathy. Clin Sports Med 2003;22:743–759.

46. De Flaviis L, Nessi R, Scaglione P, Balconi G, Albisetti W, Derchi LE. Ultrasonic diagnosis of osgood-schlatter and sinding-larsen · johansson diseases of the knee. Skeletal Radiol 1989;18:193–197.

47. Guillin R, Mendoza-Ruiz JJ, Moser T, Ropars M, Duvauferrier R, Cardinal E. Snapping biceps femoris tendon: A dynamic real-time sonographic evaluation. J Clin Ultrasound 2010;38:435–437.

48. Kazam JK, Nazarian LN, Miller TT, Sofka CM, Parker L, Adler RS. Sonographic evaluation of femoral trochlear cartilage in patients with knee pain. J Ultrasound Med 30:797–802.

49. Keen HI, Conaghan PG. Ultrasonography in osteoarthritis. Radiol Clin North Am 2009;47:581–594.

50. Filippucci E, Riveros MG, Georgescu D, Salaffi F, Grassi W. Hyaline cartilage involvement in patients with gout and calcium pyrophosphate deposition disease. An ultrasound study. Osteoarthritis Cartilage 2009;17:178–181.

51. Coari G, Iagnocco A, Zoppini A. Chondrocalcinosis: Sonographic study of the knee. Clin Rheumatol 1995;14:511–514.

52. Thiele RG, Schlesinger N. Diagnosis of gout by ultrasound. Rheumatology (Oxford) 2007;46:1116–1121.

53. Filippucci E, Scire CA, Delle Sedie A, Iagnocco A, Riente L, Meenagh G, et al. Ultrasound imaging for the rheumatologist. Xxv. Sonographic assessment of the knee in patients with gout and calcium pyrophosphate deposition disease. Clin Exp Rheumatol 2010;28:2–5.

54. Bianchi S, Martinoli C. Detection of loose bodies in joints. Radiol Clin North Am 1999;37:679–690.

55. Costa CR, Morrison WB, Carrino JA. Medial meniscus extrusion on knee mri: Is extent associated with severity of degeneration or type of tear? AJR Am J Roentgenol 2004;183:17–23.

56. Brody JM, Lin HM, Hulstyn MJ, Tung GA. Lateral meniscus root tear and meniscus extrusion with anterior cruciate ligament tear. Radiology 2006;239:805–810.

57. Azzoni R, Cabitza P. Is there a role for sonography in the diagnosis of tears of the knee menisci? J Clin Ultrasound 2002;30:472–476.

58. Rutten MJ, Collins JM, van Kampen A, Jager GJ. Meniscal cysts: Detection with high-resolution sonography. AJR Am J Roentgenol 1998;171:491–496.

59. Martinoli C, Bianchi S, Spadola L, Garcia J. Multimodality imaging assessment of meniscal ossicle. Skeletal Radiol 2000;29:481–484.

60. Bianchi S, Martinoli C, Abdelwahab IF, Derchi LE, Damiani S. Sonographic evaluation of tears of the gastrocnemius medial head ("Tennis leg"). J Ultrasound Med 1998;17:157–162.

61. Jamadar DA, Jacobson JA, Theisen SE, Marcantonio DR, Fessell DP, Patel SV, et al. Sonography of the painful calf: Differential considerations. AJR Am J Roentgenol 2002;179:709–716.

62. Spina AA. The plantaris muscle: Anatomy, injury, imaging, and treatment. J Can Chiropr Assoc 2007;51:158–165.

63. Beggs I. Sonography of muscle hernias. AJR Am J Roentgenol 2003;180:395–399.

64. Sheikh A, Schweitzer M. Imaging in pre- and post-operative assessment in joint preserving and replacing surgery. Radiol Clin North Am 2009;47:761–775.

65. Miller TT. Sonography of joint replacements. Semin Musculoskelet Radiol 2006;10:79–85.

66. Czyrny Z. Us and mr imaging of the postoperative knee. Eur J Radiol 2007;62:44–67.

67. Conrad DN, Dennis DA. Patellofemoral crepitus after total knee arthroplasty: Etiology and preventive measures. Clin Orthop Surg 2014;6:9–19.

68. Boldt JG, Munzinger UK, Zanetti M, Hodler J. Arthrofibrosis associated with total knee arthroplasty: Gray-scale and power doppler sonographic findings. AJR Am J Roentgenol 2004;182:337–340.

69. Sofka CM, Adler RS, Laskin R. Sonography of polyethylene liners used in total knee arthroplasty. AJR Am J Roentgenol 2003;180:1437–1441.

70. Khoury V, Cardinal E, Bureau NJ. Musculoskeletal sonography: A dynamic tool for usual and unusual disorders. AJR Am J Roentgenol 2007;188:W63–73.

CHAPTER

13

발목 및 발

Ankle and Foot

14 CHAPTER

■ 최윤선, 추혜정

발목 및 발

Ankle and Foot

I. 서론

최근 스포츠 손상 및 과다사용(overuse)으로 인한 족관절 및 족부 질환이 많아지고 있다. 초음파는 족관절 및 족부 급성 및 만성 통증을 가진 환자에서 병변을 진단하는 데 빠르고 비교적 쉽게 이용할 수 있다. 증상이 없는 쪽과의 비교가 가능하며 역동적 검사를 시행할 수 있다. 병의 진단과 치료에 필요한 추가 검사 결정을 위한 정보를 얻을 수 있으며, 초음파유도하 시술을 할 수도 있다. 본 장에서는 족관절 및 족부의 기초 초음파 해부학 및 검사방법, 검사 시 주의점, 힘줄 및 인대 손상, Morton 신경종, 족저근막염 등의 질환을 중심으로 기술한다.

II. 해부학 및 검사방법

발목은 네 구획(전방, 외측, 내측, 후방)으로 나누고, 발은 두 구획(발등, 발바닥)으로 나누어 각각의 구획의 해부학과 검사방법에 대해 기술한다 (Fig. 14-1).

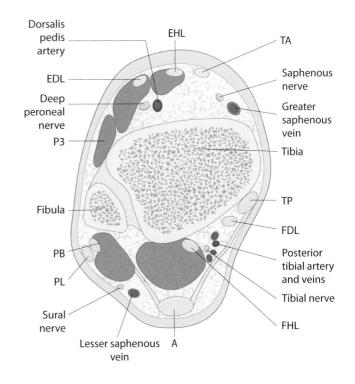

Figure 14-1 **Four groups for ankle evaluation.** A, Achilles tendon; EDL, extensor digitorum longus tendon; EHL, extensor hallucis longus muscle and tendon; FDL, flexor digitorum longus tendon: FHL, flexor hallucis longus muscle and tendon; PB and PL, peroneus brevis and longus; P3, peroneus tertius; TA, tibialis anterior tendon; TP, tibialis posterior tendon.

645

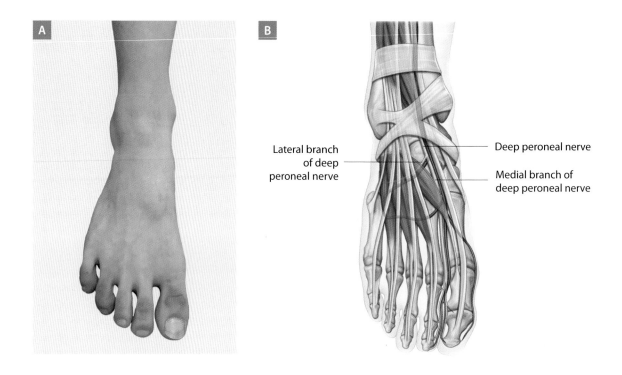

Figure 14-2 **Patient's position (A) and corresponding anatomic illustration (B) for the evaluation of the anterior ankle.** A patient lies supine or seats with the knee flexed and the plantar aspect of the foot lies flat on the examination bed.

1. 전방 발목

【 요약 】

✓ 검사할 주요 구조물 – 전경골건(앞정강건, tibialis anterior tendon; 이하 TA힘줄), 장족무지신건(긴엄지발가락폄건, extensor hallucis longus tendon; 이하 EHL힘줄), 장족지신건(긴발가락폄건, extensor digitorum longus tendon; 이하 EDL힘줄), 심비골신경(깊은종아리신경, deep peroneal nerve)

✓ 환자의 자세 – 눕거나 앉은 자세에서 무릎을 굽혀 발바닥이 검사대 바닥에 닿도록 한다.

✓ 검사방법
  – 힘줄의 초음파검사를 위해서는 근-건이행부(myotendi- nous junction)부터 뼈 부착부위까지 각각의 힘줄을 단축(short axis) 및 장축(long axis) 스캔한다.
  – 심비골신경은 전경골동맥을 기준으로 찾는다. 즉, EHL힘줄과 EDL힘줄의 사이의 뒤, 그리고 경골의 앞에서 박동하는 전경골동맥을 찾으면, 이와 비슷한 깊이에 위치한 심비골신경을 찾는 것이 용이하다.

1) 환자의 자세

눕거나 앉은 자세에서 무릎을 약간 굽혀 발바닥이 검사대 바닥에 닿도록 한다 (Fig. 14-2).

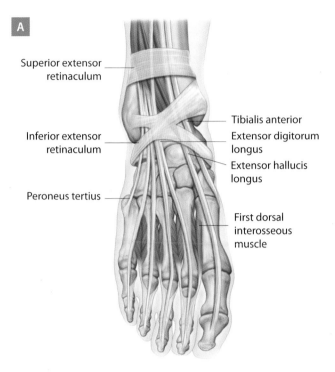

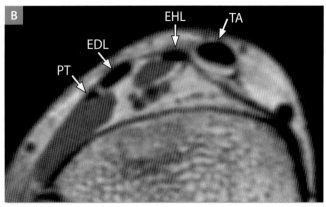

Figure 14-3 **Anatomy of the anterior ankle.** A drawing of the anterior aspect of the ankle (**A**) and T1-weighed MR image at the level of the distal tibia (**B**) show the tibialis anterior tendon, extensor hallucis longus tendon, extensor digitorum longus tendon and peroneus tertius tendon under the extensor retinaculum in a mediolateral direction. The superior extensor retinaculum is rectangular and the inferior extensor retinaculum is Y-shaped (**A**). TA, tibialis anterior tendon; EHL, extensor hallucis longus tendon; EDL, extensor digitorum longus tendon; PT, peroneus tertius tendon.

2) 해부학 및 검사방법

(1) 신전건 Extensor tendon 및 신근지지대
폄근지지띠, Extensor retinaculum

발목의 전방에는 안쪽에서 바깥쪽 순서로 TA힘줄, EHL힘줄, EDL힘줄, 제삼비골건(셋째종아리건, peroneus tertius tendon)이 있다 (Fig. 14-3). [1]

전경골근(TA근육)은 경골(정강뼈, tibia) 근위부의 외측, 골간막(뼈사이막, interosseous membrane), 근간중격(근육사이막, intermuscular septum)에서 기원하여, 내측 설상골(쐐기뼈, cuneiform)의 안쪽면과 제1중족골(metatarsal bone)의 발바닥 쪽에 부착한다. 발의 발등굽힘(배굴, dorsiflexion)과 내번(inversion)에 관여한다.

장족무지신근(EHL근육)은 비골(종아리뼈, fibula) 중간의 전면부와 골간막에서 기원하여 제1원위지골(끝마디뼈, distal phalanx)의 기저부에 부착한다. 제1원위지골을 신전시키는 역할을 한다.

장족지신근(EDL근육)은 경골의 외측 관절융기(lateral condyle), 비골 전면부, 골간막, 그리고 근간중격에서 기원하여 신근지지대의 아래를 지나고, 이후 네 개의 힘줄로 분리되어 중지골(중간마디뼈, middle phalanx)의 기저부와 원위지골의 기저부에 부착한다. 발가락의 신전 운동과 발의 발등굽힘 운동에 관여한다. [1]

신전건을 검사하기 위해서는 먼저 발목관절의 앞에 탐촉자를 횡으로 놓는다. 그러면 안쪽에서 바깥쪽 순서로 TA힘줄, EHL힘줄, EDL힘줄을 확인할 수 있다. 이후 탐촉자를 아래위로 이동하면서 각각의 신전건의 근-건이행부에서 골부착부위까지 검사한다. 또한 탐촉자를 힘줄의 주행방향과 평행하게 놓아 각각의 힘줄에 대한 종축스캔을 한다. 신전건 중에서 TA힘줄의 단면적이 가장 크며, 정상적으로 신전건의

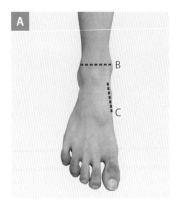

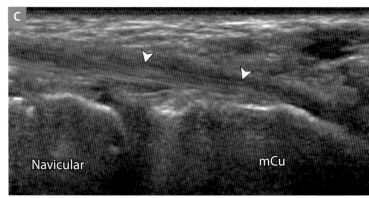

Figure 14-4 **Scanning of the anterior ankle.** When placing the transducer at the anterior aspect of the distal tibia transversely, the tibialis anterior tendon, extensor hallucis longus tendon, extensor digitorum longus tendon are detected under the superior extensor retinaculum (arrowheads) (**A**, **B**). When placing the transducer along the long-axis of the tibialis anterior tendon at the dorsomedial aspect around the midfoot, the tendon (arrowheads) inserts into the medial surface of the medial cuneiform bone (**A**, **C**). mCu, medial cuneiform.

건초(힘줄집, tendon sheath) 내에 액체는 보이지 않는다 (Fig. 14-4).

신근지지대는 상- 및 하-신근지지대(superior and inferior extensor retinaculum)로 구성되며, 지지대의 심부로 발목 신전건들이 주행한다. 상신근지지대는 가로로 긴 사각형 모양이며 원위경비관절(먼쪽정강종아리관절, distal tibiofibular joint)로부터 약 6~9 mm 상방에 위치한다. 비골 하방의 외측능(lateral crest)과 외측과(바깥쪽복사뼈, lateral malleolus)의 바깥면에서 시작하여 경골의 전방능(anterior crest)와 내측과(안쪽복사뼈, medial malleolus)에 부착한다 (Fig. 14-3A).[2] 약 25%에서 TA힘줄을 둘러싸는 분리된 터널이 있다.[3] 하신근지지대는 Y자 모양으로 줄기(stem) 부분은 종골(calcaneus)의 전외측에 부착하고, 위쪽 분지는 내측과에, 아래쪽 분지는 족저근막(plantar fascia)의 내측에 부착한다.[2] 횡축

영상에서 신근지지대는 신전근의 바깥쪽으로 얇은 고에코의 판으로 보인다 (Fig. 14-4B).

(2) 혈관 및 신경

심비골신경(deep peroneal nerve)은 발과 발목의 모든 신전근의 운동신경이다. EDL근육과 EHL근육 사이에서, 전경골동맥(anterior tibial artery)과 함께 주행하고, 발목관절의 약 1.5 cm 상방에서 내측 및 외측분지로 나뉜다. 내측분지는 외측분지에 비해 좀 더 크고, 족배동맥(발등동맥, dorsalis pedis artery)의 내측, EHL힘줄과 단족무지신근(extensor hallucis brevis muscle) 사이로 주행하며, 첫 번째와 두 번째 발가락 사이 의 감각을 담당한다. 외측분지는 단지신근(짧은발가락폄근, extensor digitorum brevis muscle)으로 향하여 이 근육의 운동을 담당한다 (Fig. 14-5A).[4] 초음파검사시, 발목

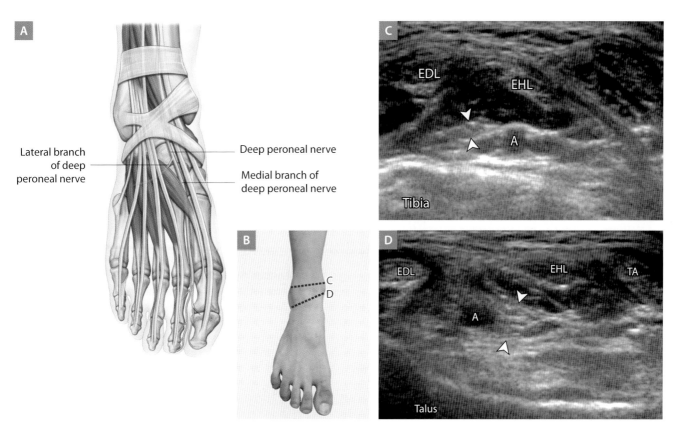

Figure 14-5 **Anatomy and scanning of the deep peroneal nerve.** A drawing for the deep peroneal nerve shows that the nerve courses under the superior and inferior peroneal retinacula and is divided into the lateral and medial branches. The lateral branch is approaching the extensor digitorum brevis muscle and the medial branch is approaching the first webspace (**A**). When placing the transducer at the anterior aspect of the distal tibia transversely, the deep peroneal nerve (arrowheads) is located laterally to the anterior tibial artery which is present posterior to the space between the extensor hallucis longus tendon and extensor digitorum longus tendon (**B, C**). When moving the transducer distally to the level of the talus, the deep peroneal nerve (arrowheads) is crossing over the anterior tibial artery and locating medially to the anterior tibial artery (**B, D**). TA, tibialis anterior tendon; EHL, extensor hallucis longus tendon; EDL, extensor digitorum longus tendon; A, anterior tibial artery.

관절의 횡축영상에서 EHL힘줄과 EDL힘줄 사이의 뒤, 그리고 경골의 앞에서 박동하고 있는 전경골동맥을 먼저 찾으면, 이것과 같은 깊이에 위치한 심비골신경을 비교적 쉽게 찾을 수 있다. 심비골신경은 크기가 작아 신경의 특징적 다발모양 (fascicular appearance)이 잘 보이지 않고, 고에코의 지방으로 둘러싸인 저에코의 작은 구조물로 보인다. 발목관절보다 약간 위로 탐촉자를 옮기면 전경골동맥의 외측에 심비골신경이 위치하고, 탐촉자를 아래로 내리면 심비골신경이 전경골

동맥의 앞을 지나서 전경골동맥의 내측에 위치하는 경향을 보인다 (Fig. 14-5B~E).

2. 외측 발목

【 요약 】

✓ 검사할 주요 구조물 − 전거비인대(anterior talofibular

ligament; 이하 ATF인대), 종비인대(calcaneofibular liga-ment; 이하 CF인대), 전하경비인대(anterior inferior tib-iofibular ligament; 이하 AITF인대), 단비골건(peroneus brevis tendon), 장비골건(peroneus longus tendon), 비골근지지대(peroneal retinaculum)

✓ **환자의 자세** – 앉은 자세에서 무릎을 약간 굽혀 발바닥이 검사대 바닥에 닿게 하고 전족부(앞발, forefoot)를 약간 내전(internal rotation)시킨다. 단, CF인대의 검사를 위해서는 발을 발등굽힘 시킨다.

✓ **검사방법** – 인대는 주행방향에 탐촉자를 맞추어 장축영상을 얻는다. 힘줄은 힘줄의 주행방향과 평행한 장축영상과 힘줄의 주행방향에 수직인 단축영상을 얻는다.

1) 환자의 자세

앉은 자세에서 무릎을 약간 굽혀 발바닥이 검사대 바닥에 닿게 하고 전족부(앞발, forefoot)를 약간 내전(internal rota-tion)시켜 외측부에 있는 구조물들이 팽팽해지도록 한다 (Fig. 14-6). 또는, 옆으로 돌아 누운 자세에서 무릎을 굽혀서, 발의 외측면이 위쪽으로 향하도록 한다.

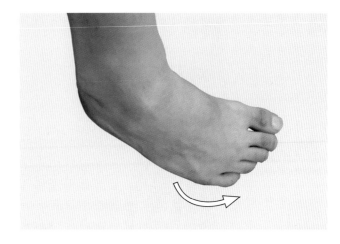

Figure 14-6 **Patient's position for the evaluation of the lateral ankle.** A patient lies supine or seats with the knee flexed and rotates the forefoot internally to stretch the lateral ligament complex.

2) 해부학 및 검사방법

(1) 인대

발목관절의 외측측부인대(lateral collateral ligament)는 전거비인대(ATF인대), 종비인대(CF인대), 그리고 후거비인대(뒤목말종아리인대, posterior talofibular ligament; 이하 PTF인대)로 구성된다. ATF인대는 외측과(lateral malleolus)에

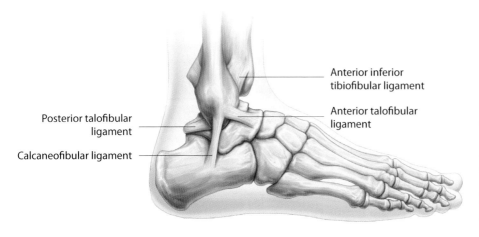

Posterior talofibular ligament

Calcaneofibular ligament

Anterior inferior tibiofibular ligament

Anterior talofibular ligament

Figure 14-7 **Anatomy of the lateral ligaments at the ankle.** A drawing of the lateral aspect of the ankle shows the anterior talofibular ligament, calcaneofibular ligament and posterior talofibular ligament for the stability of the talocrural joint and the anterior inferior tibiofibular ligament for the distal tibiofibular joint.

서 앞으로 주행하여 거골 경부(talar neck)의 외측면에 부착한다. 발목의 내번(inversion) 손상에 가장 취약한 인대이다 (Fig. 14-7). 탐촉자의 한쪽 끝을 외측과의 원위부에 두고 반대쪽 끝을 거골 경부 방향으로 놓으면, ATF인대가 고에코의 팽팽한 실다발 모양으로 보인다 (Fig. 14-8). CF인대는 외측과에서 아래로 주행하여 종골(calcaneus)의 후외측면에 부착한다. 탐촉자의 한쪽을 외측과의 원위부에 두고 반대쪽을 종골 후외측 방향으로 놓으면 고에코의 실다발 모양의 CF인대가 보인다. 인대의 표재부에서 비골건(종아리건, peroneal tendon)을 확인할 수 있다. 그러나, CF인대의 근위부, 즉 외

측과로의 부착부위는 상당히 오목한 주행을 하고 있어 비등방성허상(anisotropic artifact) 때문에 에코가 낮다 (Fig. 14-9). 이 때 발을 발등굽힘 하면 CF인대 근위부가 팽팽해져 보다 정확히 검사할 수 있다 (Fig. 14-10).

PTF인대는 외측과의 뒷면에서 기원하여 후방거골돌기(posterior talar process)의 외측결절(lateral tubercle)의 후면에 부착하며, 외측측부인대 중에서 가장 강하다. 그러나, 깊은 곳에 위치하여 초음파검사가 용이하지 않다.[5,6]

원위경비관절(distal tibiofibular joint)은 경비인대결합(syndesmosis)라고도 하며, AITF인대, 후하경비인대(뒤아래

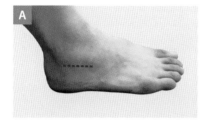

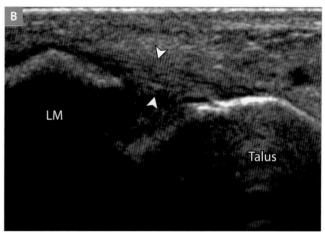

Figure 14-8 **Scanning of the anterior talofibular ligament.** When placing the transducer anterior to the lateral malleolus transversely, the straight and striated anterior talofibular ligament (arrowheads) is identified between the lateral malleolus and the talus (**A, B**). LM, lateral malleolus.

Figure 14-9 **Curved course of the calcaneofibular ligament.** Serial coronal MR images in a posterior-medial direction demonstrate the curved course of the calcaneofibular ligament (arrowheads), particularly at its fibular insertion site.

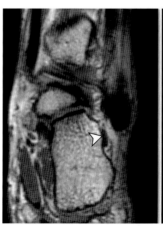
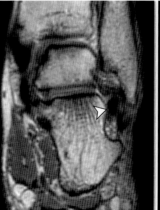
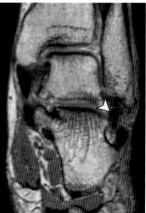

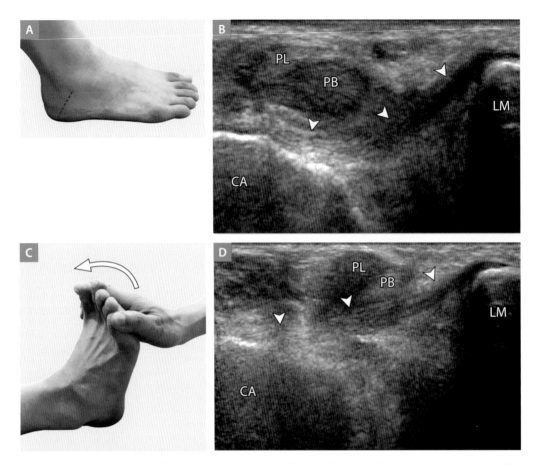

Figure 14-10 **Scanning of the calcaneofibular ligament.** When placing the transducer inferior to the tip of lateral malleolus longitudinally in the neutral position of the foot, the calcaneofibular ligament (arrowheads) shows a curved course with hypoechogenicity of its proximal portion due to anisotropic artifact (**A, B**). When scanning the calcaneofibular ligament in the dorsiflexion of the foot, the calcaneofibular ligament (arrowheads) becomes straight and its proximal portion becomes echogenic (**C, D**). Outer to the calcaneofibular ligament, the peroneus longus and previous tendons are also identified (**B, D**). PL, peroneus longus; PB, peroneus brevis; LM, lateral malleolus; CA, calcaneus.

정강종아리인대, posterior inferior tibiofibular ligament), 하횡인대(아래가로인대, inferior transverse ligament) 그리고, 골간인대(뼈사이인대, interosseous ligament) 등 네 개의 인대로 구성되어 있다. AITF인대는 경골에서 원위부로 비스듬히 내려와 비골에 붙는 마름모 모양의 인대로, 여러 개의 띠로 이루어져 있다 (Fig. 14-11A). 이중에서 가장 원위부에 위치한 띠를 Bassett인대라고 부르며, 위쪽의 인대 다발로부터 지방에 의해 분리되어 보일 수 있다. 이 Bassett인대가 발목

관절의 바깥 모서리를 가로지르는 경우에 거골의 지붕(talar dome)과 충돌하여 증상을 유발할 수 있다.[7,8] AITF인대는 위아래로 상당히 비스듬히 놓여 있으므로, 인대의 주행 방향에 맞추어 탐촉자의 한쪽 끝을 외측과에 두고 반대쪽 끝을 경골 원위부의 외측으로 비스듬히 기울여 놓아야 한다. 그러면, 고에코의 실다발 양상의 AITF인대를 확인할 수 있다 (Fig. 14-11B, C).

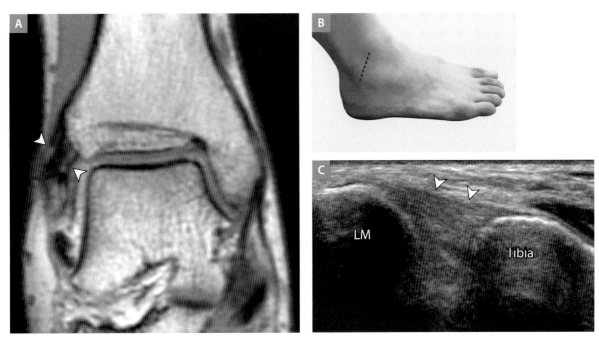

Figure 14-11 **Scanning of the anterior inferior tibiofibular ligament.** The anterior inferior tibiofibular ligament (arrowheads) lies quite obliquely on coronal MR image (**A**). Thus, when keeping the posterior edge of the transducer on the lateral malleolus and tilting its anterior edge upwards to the distal tibia, the straight and striated anterior inferior tibiofibular ligament (arrowheads) is identified (**B, C**). LM, lateral malleolus.

(2) 비골건 Peroneal tendons 및 비골근지지대
종아리근지지띠, Peroneal retinaculum

단비골근(짧은종아리근, peroneus brevis muscle)은 비골의 외측 원위부와 근간중격(intermuscular septum)에서 시작하여 외측과의 뒤, 비골지지대의 심부를 지나서, 종골의 외측면을 따라 발가락쪽으로 주행하여 다섯 번째 중족골 기저부에 부착한다. 장비골근(긴종아리근, peroneus longus muscle)은 비골의 외측 근위부, 근간중격, 경골의 외측 근위부에서 기원하여, 외측과의 뒤쪽을 지나 종골의 외측면을 따라 비스듬히 주행하여, 입방골구(cuboid groove)를 통해 발바닥 쪽으로 꺾여 들어간다. 발바닥에서 장비골건은 비스듬히 전방 내측으로 주행하여 내측 설상골과 제1중족골 기저부에 부착한다 (Fig. 14-12). 발의 발바닥굽힘(저굴, plantar flexion)과 외번(eversion) 운동에 관여하며, 족저궁(plantar arch)을 유지

하는 역할을 한다. 외측과 뒤에서는 단-, 및 장-비골건은 하나의 건초(힘줄집, tendon sheath)에 싸여 있고, 외측과보다 아래에서는 각각의 건초를 가진다. 비골건의 단축영상을 얻기 위해서는 탐촉자의 한쪽을 외측과에, 반대쪽을 외측과의 뒤에 횡으로 놓는다. 그리고 비골건의 주행방향에 맞추어 탐촉자를 아래위로 이동하면서 비골건을 단축스캔 한다. 이때 비등방성허상이 발생하지 않도록, 힘줄의 주행방향과 수직으로 탐촉자를 놓아야 한다. 특히, 과후부(retromalleolar)에서 과하부(inframalleolar)로의 이행부위에서의 비골건은 외측과 뒤를 감싸면서 주행방향을 급속히 바꾸기 때문에 각별한 주의가 필요하다. 과후부에서의 단비골건은 장비골건에 비해 내측, 전방에 위치하며, 과하부에서는 장비골건보다 상방에 위치한다. 종골의 외측면에 비골결절(peroneal tubercle)이 있는 경우, 비골결절의 상방으로는 단비골건이, 이

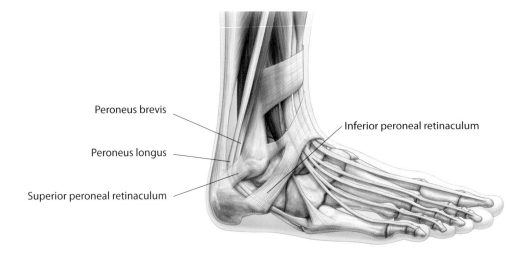

Peroneus brevis

Peroneus longus

Superior peroneal retinaculum

Inferior peroneal retinaculum

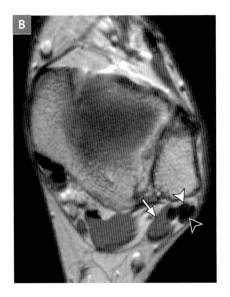

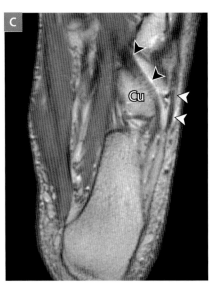

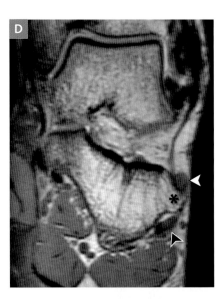

Figure 14-12 **Anatomy of the peroneus longus and brevis tendons**. A drawing of the lateral aspect of the ankle shows peroneus longus and brevis tendons under the superior and inferior peroneal retinacula (**A**). An axial MR image at the retromalleolar level shows the peroneus brevis tendon (white arrowhead) and peroneus longus tendon (black arrowhead). The muscle of peroneus brevis (arrow) is also identified (**B**). On an axial MR image of the plantar surface of the foot, the peroneus brevis tendon (closed arrowheads) is inserting to the 5th metatarsal base and the peroneus longus tendon (black arrowheads) is passing the cuboid groove (**C**). A coronal MR image shows the peroneal tubercle at the lateral surface of the calcaneus. The peroneus longus tendon (open arrowhead) is below the peroneal tubercle and the peroneus brevis tendon (white arrowhead) is above it (**D**). Cu, cuboid fossa. *, peroneal tubercle.

것의 하방으로는 장비골건이 지나간다. 정상적으로 비골건의 건초 내에는 약간의 액체가 있을 수 있다 (Fig. 14-13, 14-14). 비골근지지대는 상- 및 하-비골근지지대(superior and inferior peroneal retinaculum)로 구성된다 (Fig. 14-12A). 상비골근지지대는 비골근의 탈구를 방지하는 일차적인 중요 구조물로 가로로 긴 사각형 모양을 하고 있고, 외측과에서 기원하여 종골의 외측면에 부착하고 다리의 후방근막(posterior muscle fascia)과 연결되어 있다.(2) 상비골근지지대가 비골에 부착하는 부위에 삼각형모양의 섬유연골(fibrocartilage)이

있다. 이 섬유연골은 관절순과 같은 역할을 하여 과후부(ret-romalleolar)의 고랑(groove)을 깊고 넓게 만들어 준다. 외측과의 뒤에 횡으로 탐촉자를 놓으면, 상비골근지지대는 비골건의 바깥을 감싸는 얇은 막처럼 보인다. 섬유연골은 비골근지지대의 외측과(lateral malleolus) 부착부위에서 낮은 에코로 두껍게 보인다 (Fig. 14-13A, B). 하비골근지지대는 비스듬한 사각형 모양을 하고 있고, 족근동(발목뼈굴, tarsal sinus) 외측경계의 후방에서 기원하고, 아래로 내려와 비골결절의 후하방에 부착한다.

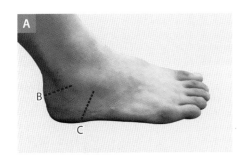

Figure 14-13 Short-axis scanning of the peroneus longus and brevis tendons. When placing the transducer posterior to the lateral malleolus transversely, the peroneus longus tendon and peroneus brevis tendon are identified under the superior peroneal retinaculum (arrowheads). The lateral malleolar insertion site of the superior peroneal retinaculum is thick due to the triangular fibrocartilagenous structure (**A, B**). When tracing the peroneus tendons to the inframalleolar level by the transducer, the peroneus longus tendon is passing under the peroneal tubercle and the peroneus brevis tendon is above the peroneal tubercle (**A, C**). PL, peroneus longus tendon; PB, peroneus brevis tendon; PT, peroneal tubercle; LM, lateral malleolus; *, triangular fibrocartilage structure.

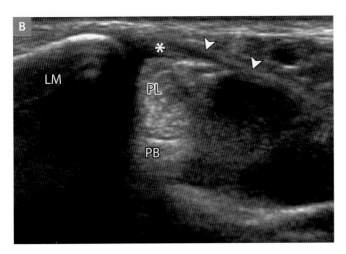

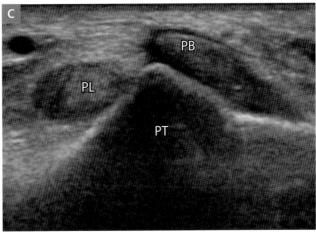

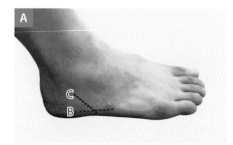

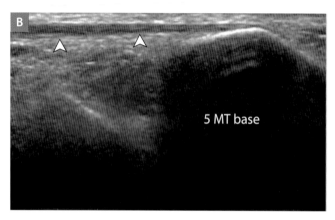

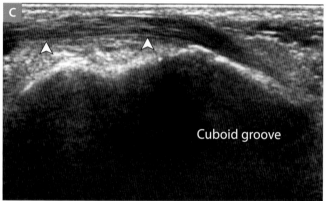

Figure 14-14 Long-axis scanning of the peroneus longus and brevis tendons. When placing the transducer around the 5th metatarsal base horizontally to the exam table, the peroneus brevis tendon (arrowheads) is inserting into the 5th metatarsal base (**A, B**). When titling the anterior edge of the transducer inferiorly, the peroneus long tendon (arrowheads) entering the cuboid groove is identified (**A, C**). 5MT base, 5th metatarsal base.

3. 내측 발목

【 요약 】

✓ 검사할 주요 구조물 – 후경거인대(posterior tibiotalar ligament ; 이하 PTT인대), 경종인대(tibiocalcaneal ligament ; 이하 TC인대), 상내측 스프링인대(superomedial spring ligament), 후경골건(posterior tibialis tendon ; 이하 PT힘줄), 장지굴건(flexor digitorum longus tendon ; 이하 FDL힘줄), 장족무지굴건(flexor hallucis longus tendon ; 이하 FHL힘줄), 굴근지지대(flexor retinaculum), 족근관(tarsal tunnel), 경골신경(tibial nerve), 내측족저신경(medial plantar nerve), 외측족저신경(lateral plantar nerve)

✓ 환자의 자세 – 눕거나 앉은 상태에서 고관절을 외전, 무릎을 굽히고, 발의 외측면이 검사대 바닥에 닿도록 한 자세,

즉 개구리다리 자세를 취하게 한다. PTT인대를 검사할 때 발등굽힘 자세가 도움이 된다.

✓ 검사방법

– 인대는 주행방향에 탐촉자를 맞추어 장축영상을 얻는다. 힘줄은 힘줄의 주행방향과 평행한 장축영상과 힘줄의 주행방향에 수직인 단축영상을 얻는다.

– PT힘줄이 주상골 결절(navicular tubercle)에 부착하는 부위는 부채처럼 펼쳐진 비균질한 저에코로 보이므로 탐촉자로 주상골 부착부위에 압력을 가하여 증상 발생 여부를 확인하는 것이 질환과의 감별에 도움이 된다.

– FHL힘줄은 후방거골돌기(posterior talar process)의 외측결절과 내측결절 사이를 지나가므로 후방거골돌기를 기준으로 이용하는 것이 FHL힘줄을 찾는 데 도움이 된다.

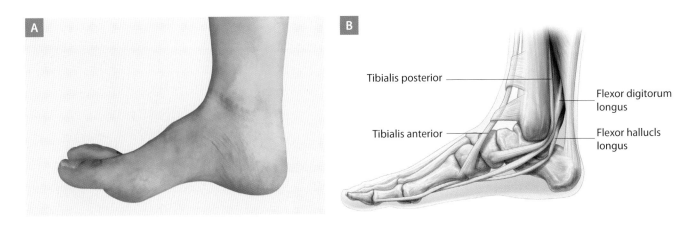

Figure 14-15 Patient's position (A) and corresponding anatomical illustration (B) for the evaluation of the medial ankle. A patient lies supine or seats with the knee flexed and rolls the plantar surface of the foot internally or in a "frog-leg" position.

1) 환자의 자세

눕거나 앉은 상태에서 고관절은 외전, 무릎은 굽히고, 발의 외측면은 검사대 바닥에 닿도록 한 자세, 즉 개구리다리 자세를 취하게 한다 (Fig. 14-15).

2) 해부학 및 검사방법

(1) 인대

내측측부인대(medial collateral ligament)는 삼각인대(deltoid ligament)라고 불리며, 심부층(deep layer)과 표재층(superficial layer)으로 나뉜다. 심부층에는 전경거인대(앞정강목말인대, anterior tibiotalar ligament; 이하 ATT인대)와 PTT인대(posterior tibiotalar ligament)가 있다. ATT인대는 내측과(medial malleolus)의 전둔덕(anterior colliculus)의 전면에서 기시하여 거골의 내측면에 부착한다. PTT인대는 전둔덕의 뒷면, 둔덕간구(intercollicular groove) 및 후둔덕(posterior colliculus)에서 기원하여 거골의 내측면에 부착한다. 표재층에는 경주상인대(정강발배인대, tibionavicular ligament), 경스프링인대(정강스프링인대, tibiospring ligament), TC인대

가 있다. 이들은 따로 분리된 것이 아닌 서로 연결된 연속적 구조물로, 내측과의 전둔덕과 둔덕간구에서 기원하여 주상골(발배뼈, navicular), 상내측 스프링인대(superomedial spring ligament)의 위쪽 경계, 종골 재거돌기(목말받침돌기, sustentaculum tali)의 내측 경계에 부착한다 (Fig. 14-16). 내측측부인대 중에서 PTT인대가 가장 두껍고, 경스프링인대는 두 번째로 두껍다.[9] PTT인대를 초음파검사하기 위해서는, PTT인대의 주행 방향에 맞추어 탐촉자의 한쪽 끝을 내측과에 두고 반대편 끝을 직하방보다 약간 뒤 즉, 비스듬한 종축(longitudinal) 방향으로 놓으면, 줄무늬 형태(striated pattern)의 PTT인대를 확인할 수 있다 (Fig. 14-17A, B). 주의할 것은 발의 발바닥굽힘 상태에서는 PTT인대가 느슨해져 에코가 감소되어 병변으로 오인할 수 있으므로, 발을 발등굽힘 하여 PTT인대를 팽팽하게 만든 상태에서 검사해야 한다 (Fig. 14-17C). 이 상태에서 탐촉자의 아래쪽 끝을 종골의 재거돌기로 향하게 하면, 상대적으로 얇고 긴 TC인대를 확인할 수 있다 (Fig. 14-17D).

족저종주인대(발바닥발꿈치발배인대, plantar calcaneonavicular ligament)라고도 불리는, 스프링인대(spring ligament)는 종골과 주상골의 발바닥쪽을 연결하는 넓고 두꺼

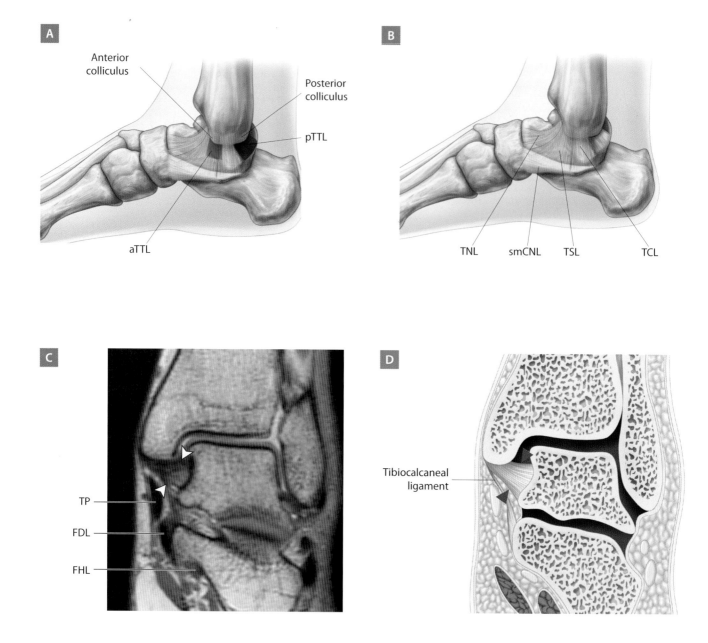

Figure 14-16 Anatomy of the medial ligament complex at the ankle. In a drawing of the medial aspect of the ankle, the medial ligament complex consists of the deep and superficial layers. The deep layer (**A**) consists of the anterior (aTTL) and posterior tibiotalar ligaments (pTTL). The superficial layer (**B**) consists of the tibionavicular ligament (TNL), tibiospring ligament (TSL), and tibiocalcaneal ligament (TCL) in an anteroposterior direction. On a coronal MR image (**C**) and corresponding drawing (**D**), the posterior tibiotalar ligament (arrowheads) looks thick and striated. smCNL: Superomedial calcaneonavicular ligament of spring ligament. TP, tibialis posterior tendon; FDL, flexor digitorum longus tendon; FHL, flexor hallucis longus tendon.

운 인대로, 발의 종축궁(longitudinal arch)를 유지하는 역할을 한다. 스프링인대는 상내측(superomedial), 내족저경사(medioplantar oblique), 그리고 하족저종단(inferoplantar longitudinal)인대로 구성된다. 상내측인대는 재거돌기의 내측에 넓게 부착하여 주상골의 상내측과 연결된다. 내족저경사인대는 종골의 중간 관절면(middle facet)의 경계와 종골의 구돌와(갈고리오목, coronoid fossa)에서 비스듬히 앞으로 주행하여 주상골의 내족저 부분에 부착한다. 하족저종단인대

는 짧고 굵은 인대로 종골의 구돌와에서 앞으로 주행하여 주상골의 아래쪽 부리(inferior beak)에 부착한다 (Fig. 14-18). [10] 스프링인대 중 상내측인대는 비교적 표면에 위치하여 초음파검사가 가능하다. 탐촉자의 한쪽 끝을 재거돌기에 두고 반대쪽 끝을 주상골의 상내측을 향하도록 하면, 고에코의 실다발 모양의 상내측인대를 PT힘줄과 거골두(talar head) 사이에서 확인할 수 있다 (Fig. 14-19). [11,12]

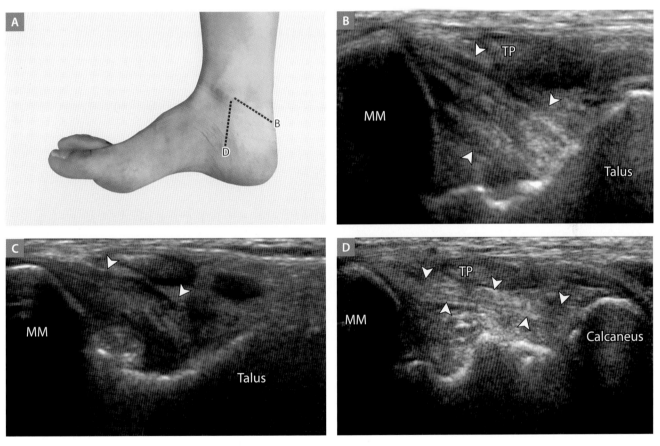

Figure 14-17 **Scanning of the posterior tibiotalar ligament and tibiocalcaneal ligament**. For the evaluation of the posterior tibiotalar ligament, the transducer is placed longitudinally, keeping its superior edge at the tip of the medial malleolus and slightly tilting its inferior edge posteriorly. And then, the thick and striated posterior tibiotalar ligament (arrowheads) is identified (**A, B**). During scanning the posterior tibiotalar ligament, the foot should be dorsiflexed, because the posterior tibiotalar ligament becomes wavy and mimics the ligament tear in the position of the plantar flexion (**C**). External to the posterior tibiotalar ligament, the tibialis posterior tendon is identified. When moving the transducer slightly anteriorly, the superficially located thin tibiocalcaneal ligament (arrowheads) is identified (**A, D**). MM, medial malleolus; TP, tibialis posterior tendon.

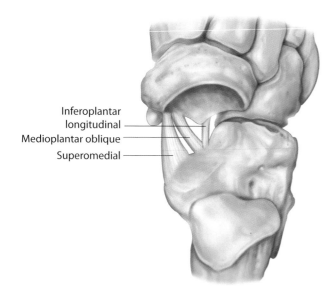

Figure 14-18 Anatomy of the spring ligament. The spring ligament indicates the ligaments between the calcaneus and navicular bone at the superomedial to inferoplantar aspect of the foot, named as the superomedial, medioplantar oblique and inferoplantar longitudinal calcaneonavicular ligaments. The superomedial calcaneonavicular ligament is triangular shaped with a broad attachment at the anteromedial border of the middle facet of the calcaneus, coursing distally, upward and medially to the superomedial aspect of the navicular bone. The medioplantar oblique calcaneonavicular ligament is rectangular. It is originated from the coronoid fossa, coursed obliquely in an anteromedial direction and attaches into the navicular tuberosity. The inferoplantar longitudinal calcaneonavicular ligament is rectangular and it arises from the coronoid fossa and attaches to the navicular beak on the plantar and lateral aspects of the navicular bone.

Inferoplantar longitudinal
Medioplantar oblique
Superomedial

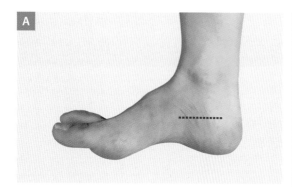
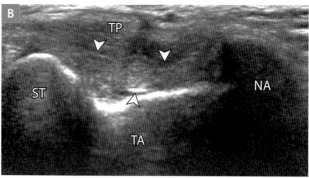

Figure 14-19 Scanning of the superomedial spring ligament. When placing the transducer anterior to the sustentaculum tali with a slight dorsal angulation, the echogenic superomedial spring ligament (arrowheads) is identified under the tibialis posterior tendon and over the talar head. TP, tibialis posterior tendon; ST, sustentaculum tali; TA, talar head; NA, navicular bone.

(2) 굴건 Flexor tendons

발목의 내측에는 앞에서 뒤의 순서로 PT힘줄, 장족지굴건 (긴발가락굽힘건, flexor digitorum longus tendon; 이하 FDL 힘줄), 그리고 FHL힘줄이 있다. 모두 경골신경(정강이신경, tibial nerve)의 지배를 받는다.[1]

PT힘줄은 경골의 외측, 비골의 내측, 골간막, 그리고 근 간중격에서 기원하여, 주상골 결절, 종골의 재거돌기, 설상 골의 발바닥면, 그리고 두 번째에서 네 번째 중족골의 기저 부에 부착한다. 발의 발바닥굽힘과 내번 운동에 관여한다.

장족지굴근(FDL근육)은 경골 뒷면에서 기원하여 내측과 의 뒤, 삼각인대의 외측을 차례로 지나, 발바닥으로 내려 온 후 FHL힘줄(긴엄지발가락굽힘건, flexor hallucis longus tendon)의 표층으로 교차하여 주행한다. 이곳에서 FDL힘줄 과 FHL힘줄은 힘줄과 유사한 조직(tendinous slip)으로 서로 연결되어 있고, 이것을 Henry매듭(knot of Henry)이라고 부 른다. 이후 FDL힘줄은 족저방형근(발바닥네모근, quadratus plantae muscle)과 합쳐져 두 번째에서 다섯 번째 원위지골의 기저부에 부착한다. 발가락의 굴곡 운동에 관여한다.

장족무지굴근(FHL근육)은 비골 뒷면, 골간막, 그리고 근 간중격에서 기원하여 아래로 내려와 후방거골돌기의 외측결 절과 내측결절의 사이, 재거돌기의 아래를 차례로 지난다. 발바닥으로 내려온 FHL힘줄은 엄지발가락쪽으로 주행하여 단족무지굴근(짧은엄지굽힘근, flexor hallucis brevis muscle) 의 내측머리와 외측머리 사이, 내측 및 외측 종자골(종자뼈, sesamoid) 사이를 지나 제1원위지골의 기저부에 부착한다. 엄지발가락의 굴곡운동에 관여한다 (Fig. 14-20, 14-21).

굴건을 초음파검사하기 위해서는, 내측과 뒤에 힘줄의 주행방향에 수직이 되도록 횡으로 탐촉자를 놓고 아래로 이 동하면서 검사한다. 비골건과 마찬가지로, 굴건도 내측과 를 감싸며 돌아 내려오기 때문에, 내측과의 바로 아래 부분 을 검사할 때 비등방성허상(anisotropic artifact)이 발생하지 않도록 주의해야 한다. 내측과의 뒤에서 얻은 단축영상에서 PT힘줄의 후외측에 FDL힘줄이 있으며, PT힘줄의 단면적은 FDL힘줄에 비해 2배 이상 크다.

정상적으로 굴건의 건초(tendon sheath)에는 소량의 액 체가 있을 수 있다. PT힘줄이 주상골 결절에 부착하는 부위 는 부채처럼 펼쳐지고 비균질한 저에코를 보이므로, 질환과 의 감별이 어렵다. 따라서 탐촉자로 주상골 부착부위에 압력 을 가하여 증상 발생 여부를 확인하는 것이 도움이 된다 (Fig. 14-22A~D).

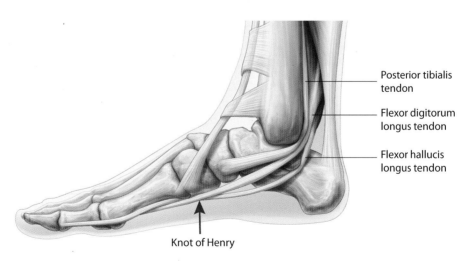

Posterior tibialis tendon

Flexor digitorum longus tendon

Flexor hallucis longus tendon

Knot of Henry

Figure 14-20 **Anatomy of the flexor tendons at the medial ankle.** A drawing of the medial aspect of the ankle shows the tibialis posterior tendon, flexor digitorum longus tendon and flexor hallucis longus tendon in an anteroposterior direction. The tibialis posterior tendon is inserted into the navicular tubercle. At the midfoot level, the flexor digitorum tendon is crossing the flexor hallucis longus tendon, and here is called as Henry knot (arrow).

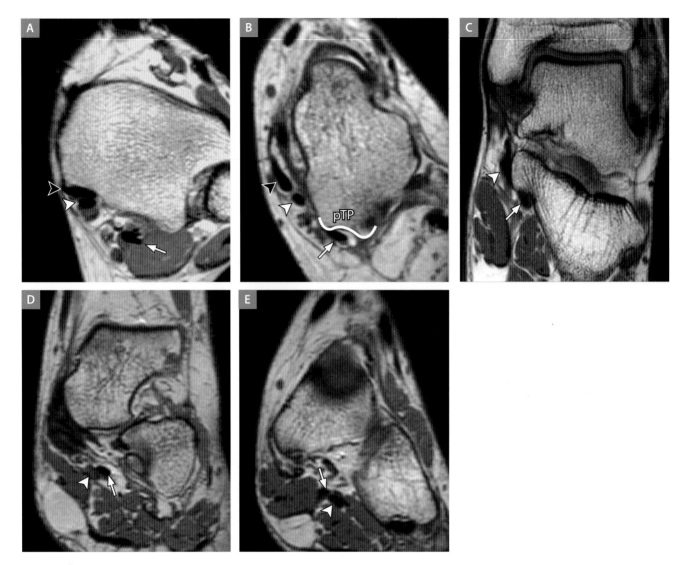

Figure 14-21 MR images of the flexor tendons at the medial ankle. On the axial MR images at the levels of the distal tibia (**A**) and talus (**B**), the tibialis posterior tendon (black arrowhead), flexor digitorum longus tendon (white arrowhead) and flexor hallucis longus tendon (arrow) are present in an anteroposterior direction. Note that the flexor hallucis longus tendon is passing between the medial and lateral tubercles of the posterior talar process (white line) (**B**). On the serial coronal MR images in a posteroanterior direction, the flexor hallucis longus tendon (arrow) is passing under the sustentaculum tali and crossing the flexor digitorum longus tendon (closed arrowhead) (**C-E**). pTP, posterior talar process.

FHL힘줄은 비교적 깊은 곳에 위치하므로, 초음파검사로 FHL힘줄을 찾는 데 어려움이 있을 수 있다. 이때는 후방종골돌기를 기준으로 이용하거나 엄지발가락을 움직이도록 하는 것이 도움이 된다. 즉, FHL힘줄은 후방종골돌기의 외측결절과 내측결절 사이를 지나가므로, 탐촉자를 내측과의 후하방에 횡으로 놓아 외측 및 내측 후방거골결절을 먼저 찾으

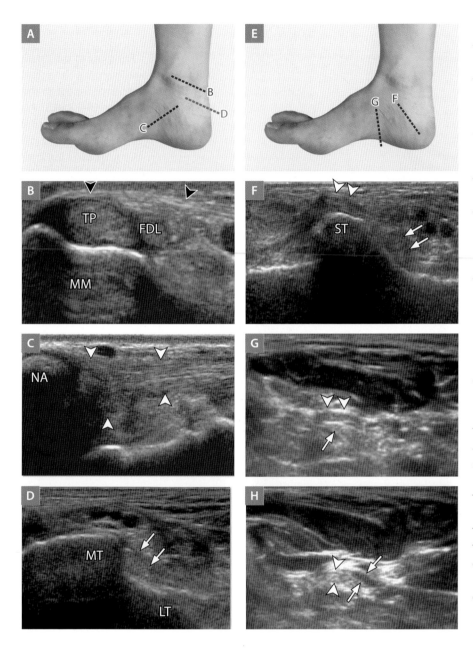

Figure 14-22 **Scanning of the flexor tendons at the medial ankle**. When placing the transducer posterior to the medial malleolus transversely, the large posterior tibialis tendon and small flexor digitorum longus tendon are detected under the flexor retinaculum (arrowheads) (**A, B**). When placing the transducer at the navicular tuberosity parallel to the long-axis of the tibialis posterior tendon, the tibialis posterior tendon (arrowheads) becomes hypoechoic (**A, C**). To find out the flexor hallucis longus tendon using the posterior talar process, the transducer is placed inferiorly and posteriorly to the medial malleolus (**A**). The flexor hallucis longus tendon (arrows) lies between the medial and lateral tubercles of the posterior talar process (**D**). When moving the transducer more distally, the flexor hallucis longus tendon (arrows) is passing under the sustentaculum tali and the flexor digitorum longus tendon (closed arrowheads) is located medial to the sustentaculum tali (**E, F**). When moving the transducer more distally, the flexor hallucis longus tendon (arrows) is crossing the flexor digitorum longus tendon (closed arrowheads) (**E-H**). TP, tibialis posterior tendon; FDL, flexor digitorum longus tendon; MM, medial malleolus; NA, navicular bone; MT, medial posterior talar tubercle; LT, lateral posterior talar tubercle; ST, sustentaculum tali.

면, 그 사이에서 FHL힘줄이 보인다. 여기에서 FHL힘줄의 주행방향을 따라 탐촉자를 아래로 이동하면, FHL힘줄이 재거돌기의 아래를 지나 발바닥에서 FDL힘줄과 교차하는 것,

그리고 좀더 발가락쪽으로 탐촉자를 이동하면, 내측 및 외측 종자골 사이를 지나 제1원위지골의 기저부에 부착하는 FHL 힘줄을 관찰할 수 있다 (Fig. 14-22E~H).

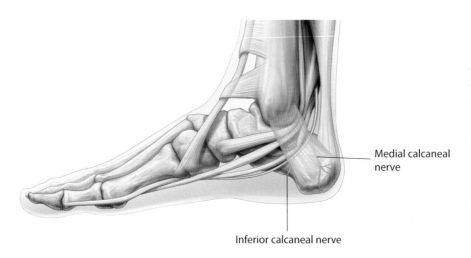

Medial calcaneal nerve

Inferior calcaneal nerve

Figure 14-23 Anatomy of the tarsal tunnel. A drawing shows the tarsal tunnel. At the proximal aspect to the tarsal tunnel, the medial calcaneal nerve is branched from the tibial nerve. At the tarsal tunnel, the posterior tibia nerve is divided into the medial and lateral plantar nerves. The inferior calcaneal nerve, supplying the first layer of the plantar intrinsic muscle is the first branch of the lateral plantar nerve.

(3) 굴근지지대 굽힘근지지띠, Flexor retinaculum, 족근관 발목굴, Tarsal tunnel 및 신경

굴근지지대는 내측과에서 후하방으로 주행하여 종골의 후상방에 부착하고 다리 후방근막과 연결된다.[2] 굴근지지대의 안쪽 공간을 족근관이라 하며, 발목의 굴건(PT힘줄, FDL힘줄, FHL힘줄), 경골신경, 후경골동정맥(posterior tibial artery and veins)이 지나간다. 경골신경은 족근관 상방에서 발꿈치 내측의 감각을 담당하는 내측종골신경(안쪽발꿈치신경, medial calcaneal nerve)을 분지하고, 족근관 안에서 내측 및 외측족저신경(medial and lateral plantar nerves)으로 이분된다. 약 10%에서는 족근관의 근위부에서 내측 및 외측족저신경으로 이분되기도 한다. 외측족저신경에서 나오는 첫 번째 분지가 하종골신경(아래발꿈치신경, inferior calcaneal nerve; Baxter신경)이며, 족저방형근, 무지외전근(엄지벌림근, abductor hallucis muscle), 단지굴근(짧은발가락굽힘근, flexor digitorum brevis muscle), 소지외전근(새끼벌림근, abductor digiti minimi muscle)의 운동을 지배한다 (Fig. 14-23). 내측족저신경은 발바닥의 내측 감각과 단지굴근(flexor digitorum brevis muscle), 무지내전근(adductor hallucis muscle), 단족무지굴근(flexor hallucis brevis muscle), 그리고 첫 번째 충양근(lumbrical muscle)의 운동을 지배한다. 외측족저신경은 발바닥의 외측 감각과 나머지 발근육 운동에 관여한다.[4] 내측과의 뒤쪽에 횡으로 탐촉자를 놓으면, 내측과에서 기시하여 굴근, 경골신경과 후경골동정맥을 감싸는 얇은 막으로 보이는 굴근지지대를 확인할 수 있다. 경골신경은 FDL힘줄과 FHL힘줄 사이에 위치하고, 힘줄의 단면과 구별되는 굵은섬유다발양상(fascicular pattern)으로 나타난다. 탐촉자를 아래로 내리면, 내측족저신경과 외측족저신경을 관찰할 수 있다. 내측족저신경은 외측족저신경보다 전방-내측에 위치한다 (Fig. 14-24) (Chapter 06 하지 신경 참조 바람).

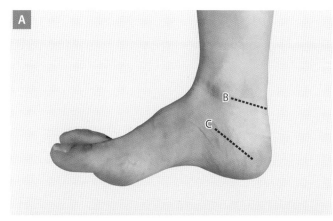

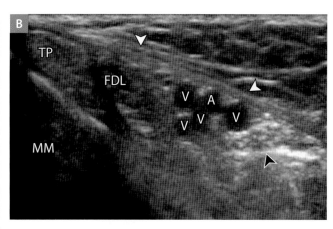

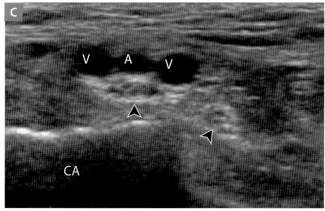

Figure 14-24 **Scanning of the tarsal tunnel.** When placing the transducer posterior to the medial malleolus transversely, the proximal level of the tarsal tunnel can be evaluated. At this level, the tibialis posterior tendon, flexor digitorum longus tendon, posterior tibial artery and veins and tibial nerve (black arrowheads) are detected under the flexor retinaculum (white arrowheads) (**A, B**) When moving the transducer more distally, the tibial nerve is divided into the medial and lateral plantar nerves (black arrowheads) (**A, C**). TP, tibialis posterior tendon; FDL, flexor digitorum longus tendon; A, posterior tibial artery; V, posterior tibial vein; CA, calcaneus; MM, medial malleolus.

4. 후방 발목

【 요약 】

✓ 검사할 주요 구조물 – Achilles힘줄, 족척건(plantaris tendon)

✓ 환자의 자세 – 엎드린 자세에서 발을 침대 밖 혹은 침대 위에 놓고 발을 발등굽힘 한다.

✓ 검사방법 – Achilles힘줄의 초음파검사는 근–건이행부로부터 종골 부착부위까지 단축 및 장축영상을 얻는다. 단축영상에서 Achilles힘줄의 내측에 작은 족척건을 확인할 수 있다.

1) 환자의 자세

엎드린 자세에서 발을 침대 밖으로 혹은 침대 위에 놓고 발을 발등굽힘 한다 (Fig. 14-25).

2) 검사방법

(1) 힘줄

Achilles힘줄은 비복근(장딴지근, gastrocnemius muscle)과 가자미근(soleus muscle)에서 기원한 연합건(conjoined tendon)으로 상방종골융기(superior calcaneal tuberosity)에 부착한다. 인체에서 가장 길고 튼튼한 힘줄이다. Achilles힘줄은 아래로 내려오면서 약 90° 정도 회전하는데, 내측 섬유는 뒤

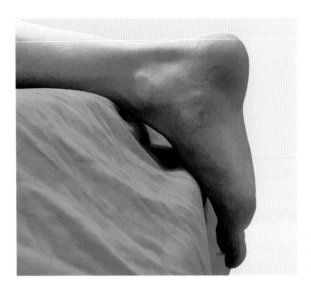

Figure 14-25 Patient's position for the evaluation of the Achilles tendon. A patient is prone with the foot hanging out over the end of the table.

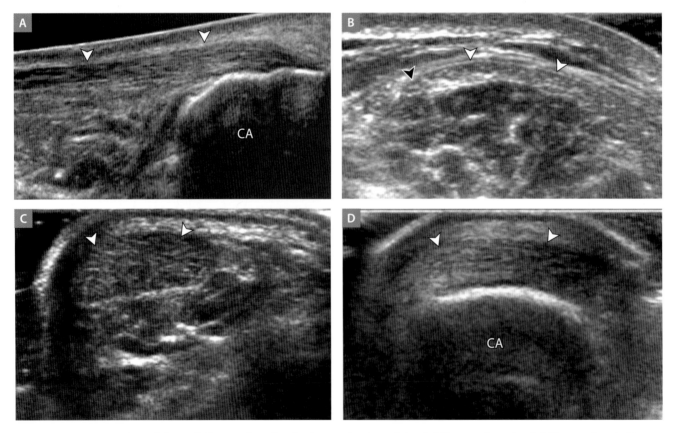

Figure 14-26 Scanning of the Achilles tendon. On the long-axis view of the Achilles tendon, the Achilles tendon (white arrowheads) looks striated and echogenic (**A**). On the serial short-axis views, the Achilles tendon (white arrowheads) appears as the elongated and crescent shape at the level of myotendinous junction (**B**) and flat and crescent shape at the levels of the middle-third portion and the calcaneal insertion of the Achilles tendon (**C, D**). The plantaris tendon (closed arrowhead) lies at the medial aspect of the Achilles tendon (**B**). CA, calcaneus.

로 돌고 후방 섬유는 외측으로 돈다. 다른 힘줄들과 달리 윤활막이 아닌 힘줄주위조직(paratenon 혹은 paratendon)이라고 불리는 두 겹의 결체조직막(connective tissue membrane)으로 싸여 있으며, 여기에서 혈류공급을 받는다. Achilles힘줄의 앞쪽에는 Kager지방체(Kager fat pad)가 있는데, Achilles힘줄이나 FHL힘줄에 이상이 있을 경우 이곳에 부종이 생긴다.[13] Achilles힘줄의 초음파검사를 위해서는 근-건이행부부터 종골 부착부위까지 Achilles힘줄의 단축 및 장축 영상을 얻는다. 장축영상에서 Achilles힘줄은 팽팽한 섬유다발 양상의 고에코를 보인다. 단, Achilles힘줄의 종골 부착부위는 힘줄의 주행방향이 급속히 변하므로, 비등방성허상에 의한 저에코를 보일 수 있다. 특히, 이 부위는 부착부병증(enthesopathy) 등의 질환이 발생하는 곳이므로, 탐촉자를 힘줄의 주행방향에 대해 수직으로 놓아 비등방성허상이 생기지 않도록 주의해야 한다. 단축영상에서 Achilles힘줄은 편평하거나 반월상(crescent form)을 보인다 (Fig. 14-26). 족척근(장딴지빗근, plantaris muscle)은 대퇴골(넓적다리뼈, femur)의 외측 관절융기위능선(supracondylar ridge)의 가장 아래 부분에서 기원한다. 비복근과 가자미근 사이를 지나 Achilles힘줄의 내측을 따라 내려오다가 상방종골융기의 내측, 전방 혹은 후방에 부착하거나, Achilles힘줄과 합쳐져 종골에 부착한다. 발의 발바닥굽힘과 무릎의 굴곡운동에 관여하며, 경골신경의 지배를 받는다. 약 7~10%에서는 족척근이 존재하지 않는다.[13] 족척건은 초음파 단축영상에서 Achilles힘줄의 내측에 보이며, 주위에 있는 고에코의 건막과 비교해서 비등방효과 때문에 저에코로 보일 수 있다 (Fig. 14-26B). Achilles힘줄은 완전히 파열되었으나 족척건이 정상인 경우, 족척건을 남아있는 Achilles힘줄로 오인할 수 있으므로 주의한다.

5. 발바닥

【 요약 】

✓ 검사할 주요 구조물 – 족저근막(plantar fascia), 족저판 (plantar plate)

✓ 환자의 자세 – 족저근막을 검사하기 위해서는 엎드린 자세에서 발을 발등굽힘 한다. 족저판 검사를 위해서는 바로 눕거나 앉은 자세에서 무릎을 펴고 발을 발등굽힘 한다.

✓ 검사방법 – 족저근막의 주행방향에 맞추어 단축 혹은 장축영상을 얻는다. 족저판 검사를 위해서는 중족지관절(발허리발가락관절, metatarsophalangeal joint; 이하 MTP 관절)의 발바닥쪽에 탐촉자를 종축으로 놓고 검사한다.

1) 환자의 자세

족저근막을 검사하기 위해서는 엎드린 자세에서 발을 발등굽힘 한다 (Fig. 14-27). 족저판을 검사하기 위해서는 바로 눕거나 앉은 자세에서 무릎을 펴고 발을 발등굽힘 한다.

2) 해부학 및 검사방법

(1) 족저근막 Plantar fascia

족저근막은 발바닥에 있는 두꺼운 결체조직으로, 족저궁(plantar arch)을 유지하는 역할을 한다. 족저근막은 내측띠(medial cord), 중앙띠(middle, or central cord), 그리고 외측띠(lateral cord)로 이루어져 있다. 중앙띠는 단지굴근(flexor digitorum brevis)의 근막이 두꺼워진 것으로 내측종골융기에서 시작하여 중족골 중간부분에서 다섯 가닥으로 나뉘어진다. 외측띠는 소지외전근(abductor digiti minimi)의 근막이 두꺼워진 것으로 내측종골융기의 외측 경계면에서 시작한다. 내측띠는 무지외전근(abductor hallucis muscle)의 근막이 두꺼워진 것으로 발바닥의 내측 원위부에서 기원한다 (Fig. 14-28). 중앙띠가 가장 두껍고, 내측띠가 가장 얇다.[14] 탐촉자의 한쪽 끝을 발바닥 뒤꿈치에 두고, 반대쪽 끝을 발가락 방향으로 탐촉자를 놓으면(즉, 종축스캔을 하면), 족저근막은 종골에서 시작하는 팽팽한 고에코의 섬유다발 양상으로 보인다. 탐촉자를 발가락쪽으로 이동하면 족저근막은 피부와 가까워지고 두께는 얇아진다. 단축영상은 족저근막의 중심띠와 외측띠를 구별하는 데 도움이 된다. 중심띠의 정상두께는 종골부착부위에서 3~4 mm 정도이다. 초음파의 초점

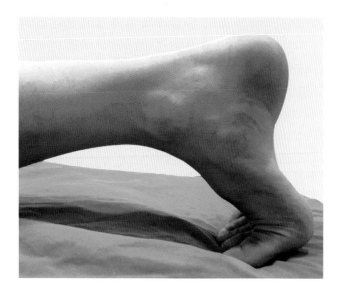

Figure 14-27 **Patient's position for the evaluation of the plantar fascia**. A patient is prone with the foot dorsiflexed on the table.

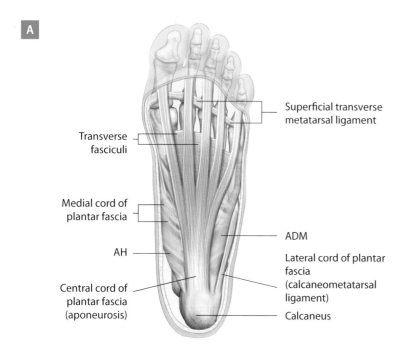

Superficial transverse metatarsal ligament

Transverse fasciculi

Medial cord of plantar fascia

ADM

AH

Lateral cord of plantar fascia (calcaneometatarsal ligament)

Central cord of plantar fascia (aponeurosis)

Calcaneus

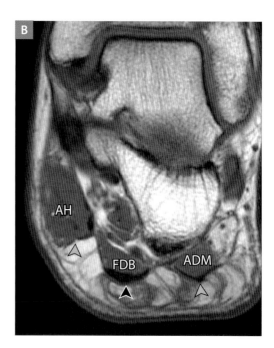

Figure 14-28 **Anatomy of the plantar fascia**. The plantar fascia consists of the medial, central and lateral cords (**A**). A coronal MR image shows the abductor hallucis brevis, flexor digitorum brevis and abductor digiti minimi muscles, of which thick fasciae represent the medial, central and lateral cords of the plantar fascia (arrowheads), respectively (**B**). The central cord (black arrowhead) is thickest. ADM, aductor digiti minimi; FDB, flexor digitorum brevis; AH, abductor hallucis.

영역(focal zone)을 심부에 적절하게 맞추면, 족저근막 심부에 있는 발바닥 내재근(intrinsic muscle)을 좀더 잘 볼 수 있다 (Fig. 14-29).

(2) 족저판 Plantar plate

MTP관절의 족저판은 중족골두(metatarsal head)의 발바닥 면에 있는 섬유연골로, 중족골두로 오는 압력을 지탱하고 MTP관절이 과신전되는 것을 막는 역할을 한다. 족저판은 근위지골(proximal phalanx) 기저부의 골피질(bony cortex)에는 단단히 부착하고, 중족골 골간단(metaphysis)의 골막(뼈막, periosteum)에는 느슨하게 부착한다 (Fig. 14-30). [15] 족저판은 탐촉자를 해당 관절의 발바닥쪽에 두고 얻은 종축

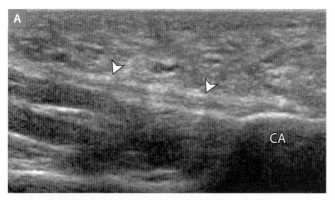

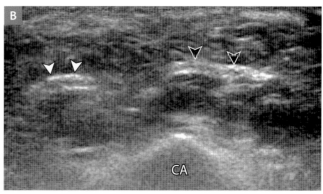

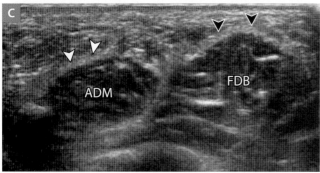

Figure 14-29 Scanning of the plantar fascia. When placing the transducer at the plantar aspect of the hindfoot longitudinally, the striate and echogenic plantar fascia (arrowheads) is noted (**A**). On the transverse scanning, the both central (black arrowheads) and lateral cords (closed arrowheads) of the plantar fascia are detected (**B**). When placing the transducer more distally, the plantar intrinsic muscles beneath the central and lateral cords are also identified (**C**). CA, calcaneus; FDB, flexor digitorum brevis; ADM, abductor digiti minimi.

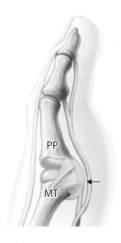

Figure 14-30 Anatomy of the plantar plate at the metatarsophalangeal joint. A drawing of the lateral aspect of the toe shows the curvilinear plantar plate abutting the plantar aspect of the metatarsal head. Proximally the plantar plate attaches loosely to the periosteum of the metatarsal shaft, whereas distally it inserts firmly into the plantar surface of the proximal phalangeal base. PP, proximal phalanx; MT, metatarsal head.

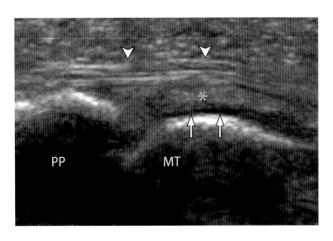

Figure 14-31 **Scanning of the plantar plate at the metatarsophalangeal joint.** When placing the transducer longitudinally at the plantar surface of the metatarsophalangeal joint, the homogenous and echogenic plantar plate is detected. The flexor digitorum tendon (arrowheads) is passing over the plantar plate and the thin hypoechoic cartilaginous layer (arrows) of the metatarsal head is beneath the plantar plate. PP, proximal phalanx; MT, metatarsal head; *, plantar plate.

영상에서 균질한 에코를 보이며, 족저판보다 표재부로 굴건 (flexor tendon)이 지나고, 심부로 중족골두의 유리연골(hyaline cartilage)이 얇은 저에코로 보인다 (Fig. 14-31). [15,16]

6. 발등

【 요약 】

✓ 검사할 구조물 – Lisfranc인대

✓ 환자의 자세 – 눕거나 앉은 자세에서 무릎을 약간 굽혀 발 바닥이 검사대 바닥에 닿도록 한다.

✓ 검사방법 – 횡축스캔으로 첫 번째와 두 번째 중족골을 찾 은 후, 탐촉자를 근위부로 이동하여 내측 설상골과 두 번째 중족골이 만나는 곳에서 Lisfranc인대를 찾는다.

1) 환자의 자세

눕거나 앉은 자세에서 무릎을 약간 굽혀 발바닥이 검사대 바 닥에 닿도록 한다.

2) 해부학 및 검사방법

(1) 인대

중족골간인대(발허리사이인대, intermetatarsal ligament)는 중족골의 기저부(metatarsal base) 사이를 연결하는 인대이 다. 설상골 및 입방골(cuboid bone)과 중족골 사이의 족근중 족관절(발목-발허리관절, tarsometatarsal joint), 즉 Lisfranc 관절의 안정화에 기여한다. 그러나, 첫 번째와 두 번째의 중 족골의 기저부 사이에는 중족골간인대가 없으며, 대신 내측 설상골의 외측면과 두 번째 중족골 내측면을 연결하는 Lisfranc인대가 존재한다 (Fig. 14-32A). Lisfranc인대는 발등 (dorsal), 족저(plantar), 그리고 골간(interosseous)인대로 구 성되며, 골간Lisfranc인대가 가장 크다 (Fig. 14-32B). [17] 초 음파검사를 통해 가장 바깥쪽에 위치한 발등Lisfranc인대를 확인할 수 있다. 이를 위해서는 먼저, 횡축 영상에서 첫 번 째와 두 번째 중족골을 찾고, 탐촉자를 발목 쪽으로 이동하 면 첫 번째 족근중족관절을 지나 내측 설상골과 두 번째 중 족골이 만나는 곳에서 고에코의 가는섬유다발 양상의 발등 Lisfranc인대를 찾을 수 있다 (Fig. 14-32C). [18]

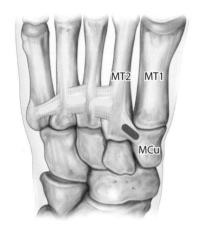

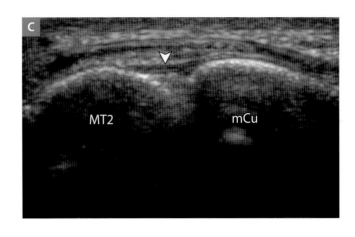

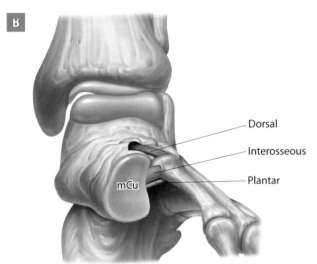

Dorsal

Interosseous

Plantar

mCu

Figure 14-32 **Anatomy and scanning of Lisfranc ligament.** A drawing shows the dorsal intermetatarsal ligament (yellow bars) and Lisfranc ligament (red bar) which is connecting the medial cuneiform and the 2nd metatarsal bone (**A**). The Lisfranc ligament can be divided into dorsal, interosseous, and plantar segments (**B**). When placing the transducer at the medial cunei-form and 2nd metatarsal base transversely, the thin hypoechoic dorsal Lisfranc ligament (arrowhead) is visualized (**C**). mCu, me-dial cuneiform; MT1, 1st metatarsal; MT2, 2nd metatarsal.

III. 힘줄 이상

【 요약 】

✓ 흔하게 손상을 받는 힘줄은 Achilles힘줄, PT힘줄, 비골건이다.

✓ Achilles힘줄증은 두 곳―종골 부착부와 부착부 상부―에 생긴다. 부착부 상부의 힘줄증은 혈관분포가 적은 종골 부착 2~6 cm 상방에서 일어난다. 부착부위의 힘줄증은 Haglund증후군, 만성 견인손상, 척추관절병(spondyloar-thropathy) 등에서 볼 수 있다.

✓ 증상이 없는 쪽과 비교하는 것이 도움이 되며, 힘줄의 완전

파열, 아탈구 혹은 탈구가 의심될 때는 역동적 검사를 시행한다.

✓ PT힘줄은 만성파열이 흔하고, 편평족(flat foot)을 가진 중년 여성에서 자주 발견된다.

✓ 비골건 파열은 대개 종축 방향으로 발생하며 단비골건에서 흔하다. 단비골건 분열은 외측과 말단 끝 근처의 비골구 부위에서 힘줄이 두 개의 힘줄 가닥으로 나누어지고 C-자 형태를 보이며, 일부분은 장비골건을 감싼다.

✓ 관절의 전방와(전방오목, anterior recess)의 팽창 없이 내측 발목의 건초가 심하게 팽창되는 것은 관절의 삼출액 때문이라기 보다는 건초염을 시사한다.

족관절 및 족부의 힘줄 이상은 비교적 흔히 볼 수 있다. 표재성 힘줄 및 주위 조직의 병변을 검사하는 데 초음파가 많이 이용되며, 힘줄 병변의 위치, 손상 범위와 정도, 동반된 골편의 존재 유무 등을 확인한다.

1. 힘줄증 Tendinosis / 힘줄염 Tendinitis / 힘줄병증 Tendinopathy

힘줄증은 힘줄 내의 변성(degeneration)을 의미한다. 힘줄증은 염증성 변화가 아니기 때문에 힘줄염보다는 힘줄증이라는 용어를 사용한다. 통증, 종창 등의 염증소견이 있으면서 힘줄의 과다사용과 관련된 병변이 있을 때 임상적으로 힘줄병증이란 용어가 사용되고 있다. 힘줄증은 초음파에서 힘줄이 방추상(fusiform) 혹은 미만성(diffuse)으로 굵어지고 에코가 감소하며, 힘줄 섬유의 끊어짐은 없고 간혹, 힘줄 내에 비정상조직석회화(이영양성석회화, dystrophic calcification)를 볼 수 있다. Color 또는 power Doppler에서 신생혈관(neovascularity)에 의하여 혈류 증가를 보이기도 한다 (Fig. 14-33).
[19,20]

Achilles힘줄증은 두 곳 – 종골 부착부와 부착부 상부 – 에 생긴다. 부착부 상부의 힘줄증은 혈관분포가 적은 종골 부착 2~6 cm 상방에서 일어난다. 부착부위의 힘줄증은 Haglund 증후군, 만성 견인손상, 척추관절병(spondyloarthropathy) 등에서 볼 수 있다 (Fig. 14-33A, 14-33C). Haglund증후군(Haglund syndrome, Haglund triad)은 부착부 Achilles힘

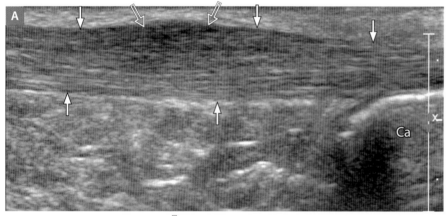

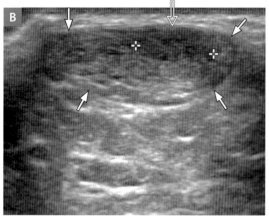

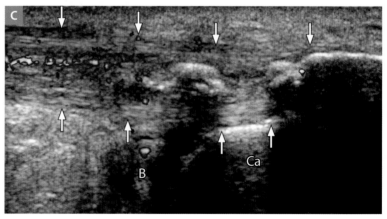

Figure 14-33 **Achilles tendinosis**. Long axis (**A**) and short axis (**B**) US images of the Achilles tendon (arrows) show hypoechoic swelling (open arrows) of the posterior aspect of the Achilles tendon without tendon fiber discontinuity. In another patient, power Doppler image (**C**) shows increased blood flow representing neovascularity, and calcification in the insertional tendon (arrows). Ca, calcaneus; B, retrocalcaneal bursitis.

줄 이상, 인접한 종골후윤활낭염(retrocalcaneal bursitis)과 Achilles힘줄뒤윤활낭염(retro-Achilles bursitis), 그리고 종골 후상방의 모서리에 뼈돌출이 있을 때 진단한다 (Fig. 14-34). 초음파검사로 힘줄병증과 윤활낭염을 감별할 수 있고, 윤활 낭염의 치료를 위해 초음파유도하 스테로이드를 주사하면 힘 줄에 영향을 주지 않고 윤활낭에 주사할 수 있다. 만성 견인 손상은 반복적 손상에 의하며 주로 운동선수, 특히 달리기선 수에서 볼 수 있으며 Achilles힘줄 부착부에 국소적 힘줄 병 변과 부착부골극(enthesophyte)이 있다. 부착부골극, Achilles힘줄에 이상이 있고 종골후윤활낭염(윤활낭이 3 mm 이 상 확장)이 동반되면 혈청반응음성적추관설병(sero-negative spondyloarthropathy)의 가능성을 고려해야 한다. 염증성 부 착부골극은 경계가 명확하지 않고 혈류증가, 골미란(bone erosion) 등을 보인다.[20,21]

이종접합 가족성 고콜레스테롤혈증(heterozygous familial hypercholesterolemia) 환자에서 Achilles힘줄이 두꺼워지는 황색종(xanthoma)을 볼 수 있는데 Achilles힘줄증으로 오인 할 수 있다. 이는 황색종세포, 세포외 콜레스테롤, 거대세 포, 그리고 염증 세포의 침윤으로, 초음파에서 Achilles힘 줄 내에 작은 저에코의 결절로 보이거나 Achilles힘줄이 불 균질한 저에코로 심하게 비대 되어 보이는 등 다양한 소견 을 보인다 (Fig. 14-35). 초음파는 임상적으로 분명하지 않은

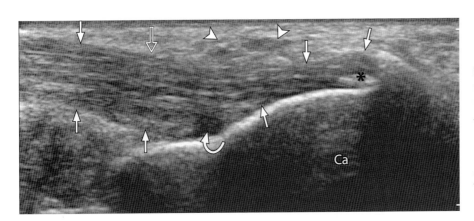

Figure 14-34 Haglund syndrome. Long axis US image of the distal Achilles tendon (arrows) shows hypoechoic fluid in the retrocalcaneal bursa (curved arrow), the retro-Achilles bursa (arrowheads), and hypoechoic area (open arrow) within the tendon. There is also calcified insertion enthesophyte (*). Ca, calcaneus.

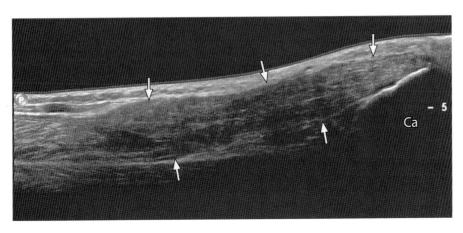

Figure 14-35 Achilles tendon xanthoma. Long axis extended field-of-view US image of the Achilles tendon shows diffusely enlarged, heterogeneously hypoechoic tendon (arrows). Ca, calcaneus.

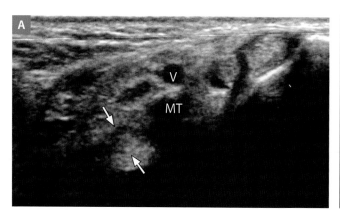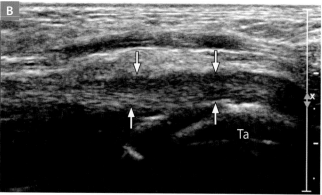

Figure 14-36　Flexor hallucis longus (FHL) tendinopathy in a ballet dancer. Short axis (A) and long axis (B) US images of the FHL tendon at the tiobiotalar joint level show a hypoechoic thickened tendon (arrows). MT, medial tubercle of the talus; Ta, talus; V, vein.

Achilles힘줄 황색종을 조기 진단하는 데 유용하다.[22]

　FHL힘줄증은 발레댄서, 축구선수나 농구선수 등에서 흔하며, FHL힘줄이 두꺼워지고 건초 내에 액체가 보이기도 한다 (Fig. 14-36). 엄지 발가락을 움직이면서 검사하면 FHL힘줄을 확인하는 데 도움이 되고, 이 때 환자가 통증을 호소하기도 한다.

2. 힘줄 파열 Tear

흔하게 손상을 받는 힘줄은 Achilles힘줄, PT힘줄, 비골건이다. 힘줄 파열(tendon tear)은 완전파열과 부분파열로 분류하며 부분파열은 주로 힘줄증이 있는 힘줄에서 생기며, 초기에는 힘줄 섬유의 부분 단절에 의해 힘줄 내에 경계가 명확한 무에코 또는 저에코의 병변 또는 틈새(cleft)로 보인다.[23] 심한 힘줄증과 간질파열(interstitial tear)을 구분하는 것은 어려우며, 경계가 분명한 무에코 병변이 보이면 간질파열의 가능성이 높다. 종축분리파열(longitudinal split tear)은 힘줄의 한쪽 혹은 양쪽 가장자리까지 파열이 연장되어 보이며 단축 영상에서 가장 잘 볼 수 있고 무에코 또는 저에코 액체, 출혈 등에 의해 힘줄이 두 가닥으로 분리된다.[24]

1) Achilles힘줄

Achilles힘줄은 무혈관 부위인 종골 부착부위 2~6 cm 상방에서 가장 잘 손상 받는다. Achilles힘줄이 1 cm 이상으로 두꺼워지거나 힘줄 내부의 이상은 부분파열을 나타낸다.[25] 급성파열 시에 힘줄 내부에 무에코의 액체 또는 혈액으로 찬 결손이 있고 원위부 및 근위부 절단단(stump)의 뒤당김(retraction)과 종창, 불규칙한 변연, 인접한 연조직 안에 음향 음영(acoustic shadow)을 볼 수 있다. 완전파열인 경우 Kager 고에코 지방 패드가 결손 부위로 탈출한다 (Fig. 14-37). 발의 중립 상태 및 발바닥굽힘 상태에서 힘줄의 결손 길이를 측정하는데, 이 결과에 따라 보존적 치료를 할 수도 있다. Achilles힘줄의 완전파열이 의심될 때 역동적 검사를 시행하는 것이 필요하다. 발을 수동적으로 움직이면서 검사하면 힘줄의 뒤당김(retraction)을 더 분명하게 확인할 수 있다. 이런 역동적 검사는 아급성이나 만성 힘줄 파열을 진단하는 데 중요하다. 출혈과 흉터조직이 힘줄 섬유처럼 보일 수 있으며, 실제로 부분적으로 치유된 힘줄 조직일 수도 있다. 완전파열 시 정상적으로 존재하는 족척건(plantaris tendon)을 Achilles힘줄의 부분파열로 오인할 수 있으므로 주의해야 한다 (Fig. 14-37B). 초음파는 Achilles힘줄의 완전파열, 부분파열 혹은 힘

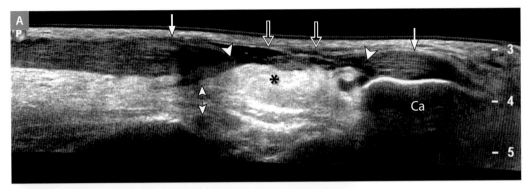

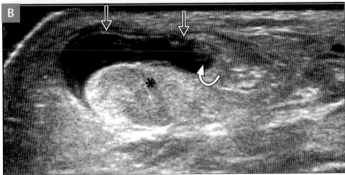

Figure 14-37 **Full thickness tear of the Achilles tendon.** Long axis (**A**) and short axis (**B**) US images of the Achilles tendon (arrows) show a complete disruption of the tendon fibers (open arrows) and variable hypoechoic hemorrhage. The two tendon stumps (arrowheads) are irregular and retracted. Kager's fat (*) is herniated. Note posterior acoustic shadowing (double arrows) deep to the tendon stumps. There is an intact plantaris tendon (curved arrow) at the medial aspect of the tendon tear. Ca, calcaneus.

줄증을 구별하는 데 100% 민감도, 83% 특이도, 92% 정확도를 보인다.[26] 수술 후 Achilles힘줄은 불균질한 저에코로 보이며, 힘줄 섬유의 연속성과 함께 고에코의 봉합물질이 보일 수 있다.

2) 후경골건 Tibialis posterior tendon, PT힘줄

PT힘줄은 발목 내측후방 힘줄 중 가장 강하며 발의 종축을 지지한다. PT힘줄의 급성파열은 드물며 만성파열이 흔하고 편평족을 가진 중년여인에게서 자주 발견된다. 만성파열은 주로 내측과 후방에서 일어나며 간혹 초음파에서 동반된 원위 경골의 골극이 보일 수 있다 (Fig. 14-38). PT힘줄이 내측과 부위에서 완전파열 되어 뒤당김 되었을 때 단축영상에서 FDL힘줄을 PT힘줄로 오인할 수 있다 (Fig. 14-39). 급성파열은 PT힘줄 원위부, 주상골 삽입 부위에 생기고, 젊은 운동선수에서 일어나며 주상골의 견열골절(찢김골절, avulsion fracture)이 동반될 수 있다. 드물지만 PT힘줄이 탈구될 수

있으며, 심한 발등굽힘 시에 굴근지지대가 파열되고 PT힘줄이 탈구된다. PT힘줄의 아탈구(subluxation) 혹은 탈구(dislocation)가 발목을 움직이는 동안에만 보일 수 있기 때문에 역동적 검사를 실시하여 이를 확인하는 것이 필요하다.[23]

3) 비골건 Peroneus tendon

비골건 파열은 대개 종축 방향으로 발생하며 단비골건(peroneus brevis tendon)에서 흔하다. 단비골건 분열(splitting)은 외측과 말단 끝 근처의 비골구 부위에서 힘줄이 두 개의 힘줄 가닥(subtendon)으로 나누어지고, C-자 또는 부메랑 형태를 보이며, 일부분은 장비골(peroneus longus)건을 감싼다 (Fig. 14-40). 초음파는 비골건 파열의 진단 시에 100% 민감도와 90% 정확도를 보인다.[27] 비골건 종축파열은 발목의 외측측부인대 염좌 시에 자주 발생한다. 비골건 탈구는 지지대 파열, 비골 부착부위에서 피질골 견열 또는 골막 박리(periosteal stripping)에 부가적으로 일어난다.[28] 상비골

지지대(superior peroneal retinaculum) 손상은 네 가지 유형 (Fig. 14-41)으로 분류되며 비골 부착부위에서 부분적으로 분리되어 벗겨지는 것을 Oden 분류 제1형 손상(type 1 injury)이라 하며 가장 흔하다. [29] 비골건이 탈구 또는 아탈구 되

면 외측과의 전방에 위치하거나 외측에 위치하게 된다. 발을 발등굽힘, 외전 상태에서 외측과 후방에서 역동적 검사를 시행하면 비골건 탈구나 아탈구를 진단할 수 있다 (Fig. 14-42). '건초내 비골건 아탈구(intrasheath subluxation of peroneal

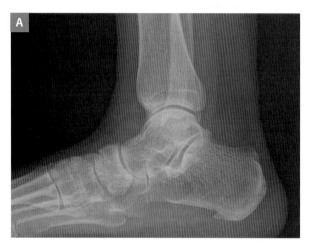
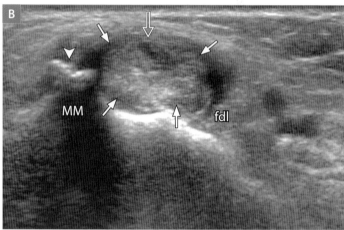

Figure 14-38 **A female patient with flat foot and partial thickness tear of the tibialis posterior tendon.** Weight bearing lateral radiograph (**A**) shows decreased calcaneal pitch angle. Short axis US image (**B**) at the medial malleolar region shows a hypoechoic cleft (open arrow) that involves one surface of the tendon (arrows) and represents a longitudinal split tear. Note a retromalleolar spur (arrowhead). MM, medial malleolus; fdl, flexor digitorum longus tendon.

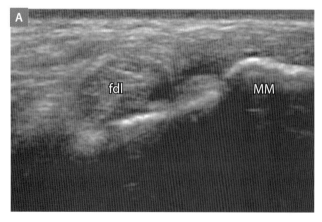
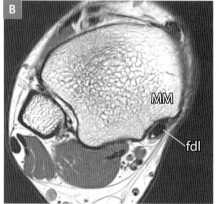

Figure 14-39 **Full thickness tear and retraction of the tibialis posterior tendon.** Short axis US image (**A**) at the medial malleolar region shows the retomalleolar groove occupied by only one tendon, the flexor digitorum longus. In the same patient, axial PD-weighted FSE MR image (**B**) shows the same findings. Note the more anterior position of the flexor digitorum longus tendon relative to the tip of the medial malleolus. MM, medial malleolus; fdl, flexor digitorum longus tendon.

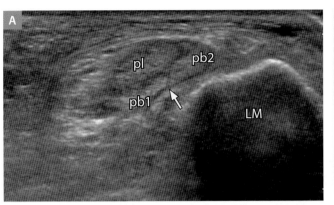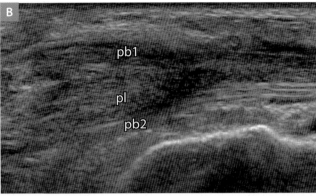

Figure 14-40   Longitudinal split of the peroneus brevis tendon. On short axis (**A**) and long axis (**B**) US images obtained over the lateral malleolar region, the peroneus brevis is bisected (arrow) and divided into two separate bundles of fibers (pb1, pb2). The peroneus longus insinuates within a longitudinal split of the peroneous brevis tendon. LM, lateral malleolus; pb, peroneus brevis tendon; pl, peroneus longus tendon.

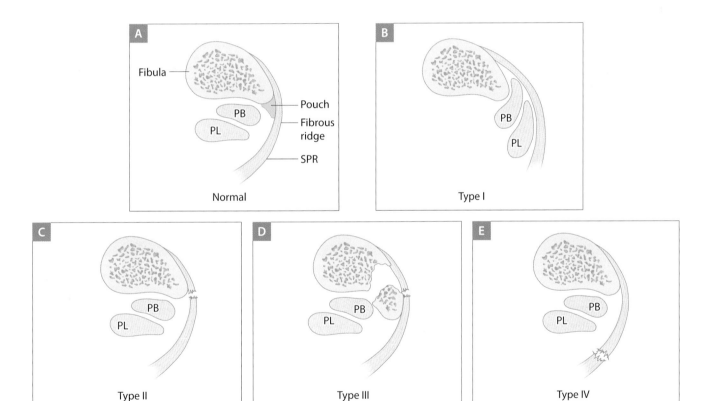

Figure 14-41   Oden's surgical classification system for superior peroneal retinaculum (SPR) injuries. Normal SPR originates from the distal fibula (**A**). A small fibrous ridge may be found at the attachment site. In type I injury (**B**), the SPR is stripped off the distal fibula, forming a pouch into which the peroneal tendons can dislocate. Type II injury (**C**) is a tear of the SPR at its attachment to the distal fibula. Type III injury (**D**) is an avulsion fracture of the SPR at its attachment to the distal fibula. Type IV injury (**E**) is a tear of the SPR at its posterior attachment. PB, peroneus brevis tendon; PL, peroneus longus tendon.

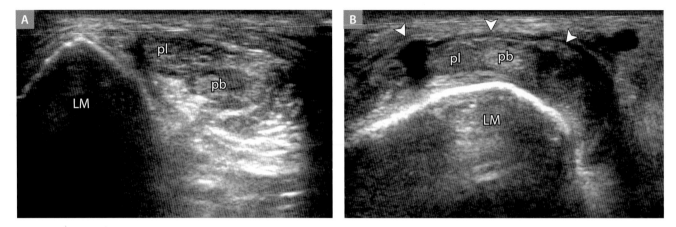

Figure 14-42 **Dynamic ultrasound of the peroneal tendon subluxation.** Short axis US images over the lateral malleolus obtained at rest (**A**) and during forced eversion and dorsiflexion of the foot (**B**). In A, the peroneus longus and peroneus brevis tendons lie posterior to the tip of the malleolus. In B, peroneal tendons tendon are seen while subluxing over the lateral malleolus. The superior peroneal retinaculum (arrowheads) is stripped off the distal fibula (type I injury). LM, lateral malleolus; pb , peroneus brevis tendon; pl, peroneus longus tendon.

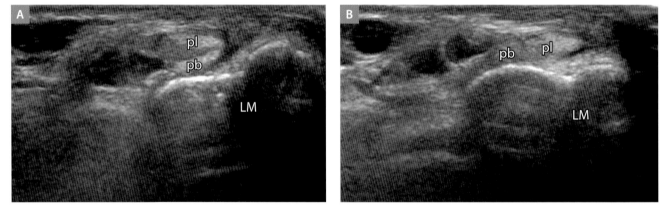

Figure 14-43 **Dynamic ultrasound of the intrasheath peroneal subluxation (Raikin type A).** Short axis US images over the lateral malleolus obtained at rest (**A**) and during dorsiflexion and eversion of the foot (**B**). In A, the peroneus brevis and peroneus longus tendons lie posterior to the tip of the malleolus. In B, the peroneus longus and peroneus brevis tendons are seen to switch their relative positions (the peroneus longus tendon immediately adjacent to the fibula cortex). LM, lateral malleolus; pb, peroneus brevis tendon; pl, peroneus longus tendon. (Courtesy of Prof. Sung-Moon Lee M.D. Keimyung University)

tendons)'도 역동적 검사에서 진단될 수 있으며(Fig. 14-43), 이는 비골의 후방 골피질이 비정상적으로 볼록하거나, 아래까지 내려오는 단비골근(low-lying peroneus muscle), 제4비골근(peroneus quartus muscle), 또는 힘줄 파열과 관련이 있다.[30~32] 입방골 부위에서 장비골건(peroneus longus tendon) 파열이 힘줄 내의 정상 부골인 os peroneum 골절과 관련되어 생길 수도 있다. Os peroneum의 뼈조각이 6 mm 이상 벌어지면 장비골건의 완전파열을 시사한다.[33]

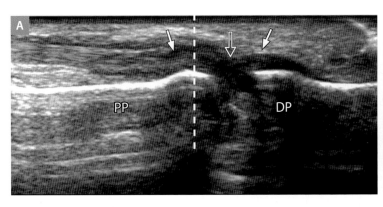 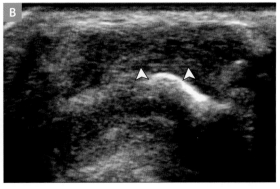

Figure 14-44 **Complete tear of the extensor hallucis longus (EHL) tendon.** Long axis US image (A) at the interphalangeal joint of great toe shows a chronically torn EHL tendon (arrows). Note empty tendinous bed (open arrow). Short axis US image (B) at the proximal phalangeal head level (vertical dotted line) shows the retracted stump (arrowheads) of the proximal tendon within the thickened synovial sheath. PP, proximal phalanx; DP, distal phalanx.

4) 신전건 및 TA힘줄

신전건이나 TA힘줄의 손상은 드물다. 그 이유는 이 부위에 혈관이 풍부하고 힘줄 주위에 손상 과정에서 받침 점 역할을 하는 뼈 구조물이 없기 때문이다. TA힘줄 파열은 신근지지 대와 부착부위인 내측 설상골이나 제1중족골 기저 사이에 호발하며, 진행되면 발의 발등굽힘이 잘 되지 않는다. EHL힘줄 손상은 드물지만 과도한 발바닥굽힘 상태에서 맨발로 차는 운동을 하는 태권도선수 등에서 발생하며 직접 외상에 의해서도 올 수 있다 (Fig. 14-44).[34]

3. 건초염 힘줄윤활막염, Tenosynovitis

건초염은 과다사용, 마찰 등 기계적인 원인과 외상, 혈청반응음성척추관절병 및 류마티스관절염(rheumatoid arthritis)과 같은 전신성 관절염과 관련된 염증에 의하여 야기된다. 드물지만 인접한 연조직 혹은 뼈의 감염이 건초 내로 파급될 수 있다. 건초염에서는 특징적으로 무에코의 단순액체(simple fluid)가 건초 내에 고이면서 건초가 팽창된다.[35]

단축영상에서 '과녁 징후(target sign)'로 보이고 종축에서 '궤도(rail track)' 형태로 보인다. 건초염이 있을 때에 힘줄 주위 연조직의 혈류증가가 color 및 power Doppler에서 보일 수 있다 (Fig. 14-45). 힘줄을 둘러싸는 건초는 힘줄보다 저에코로 보이지만, 때로는 힘줄과 비슷하거나 높은 에코로 보일 수 있다.[23,24] 류마티스관절염 등에 의한 건초염이 있으면 유착성의 저에코 파누스(pannus)에 의하여 힘줄의 경계가 불규칙하며 비균질 에코로 보인다 (Fig. 14-46).

삼각골증후군(세모종자증후군, os trigonum syndrome)에서, 거골 뒤에 있는 삼각골 위치에서 장족무지굴건초(flexor hallucis longus tendon sheath)의 국소 팽창이 올 수 있다. 정상인의 족관절은 내측 발목의 건초, 특히 장족무지굴건초와 서로 통한다. 내측과 위치에서 정상적으로 후경골건초(posterior tibial tendon sheath)에는 최대 4 mm 두께의 액체를 보일 수 있다. 관절의 전방와(전방오목, anterior recess)의 팽창 없이 내측 발목의 건초가 심하게 팽창되는 것은 관절의 삼출액 때문이라기 보다는 건초염을 시사한다. 내측 발목의 건초보다는 덜 흔하지만, 비골건초는 정상적으로 3.1 mm 이상 팽창될 수 있고, 보통은 외측과 바로 아래에서 볼 수 있다. 이런 건초내의 정상 액체는 비대칭적일 수 있고, 탐촉자

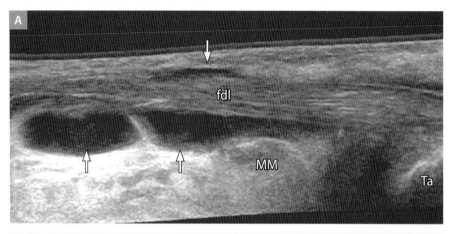

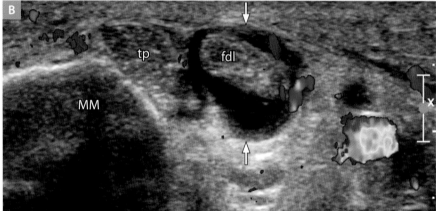

Figure 14-45 Tenosynovitis of the flexor digitorum longus (FDL) tendon. Long axis (A) and short axis (B) US images of the FDL tendon show anechoic distention of the tendon sheath (arrows) with increased flow on color Doppler imaging (B). fdl, flexor digitorum longus tendon; tp, tibialis posterior tendon; MM, medial malleolus; Ta, Talus.

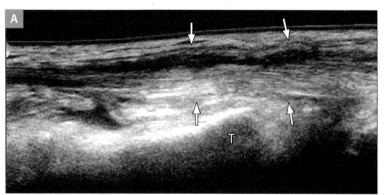

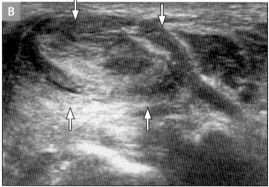

Figure 14-46 Tenosynovitis of the tibialis posterior (TP) tendon in a patient with rheumatoid arthritis. Long axis (A) and short axis (B) US images of the TP tendon show the mixed hypoechoic and isoechoic synovial hypertrophy (arrows) at the vicinity of the TP tendon. T, tibia.

로 압력을 가할 때에 증상이 없고, color Doppler 영상에서 혈류를 보이지 않는다.[36]

4. 힘줄주위염 Paratendinitis, paratendinitis

힘줄주위염은 힘줄주위조직(paratenon 혹은 paratendon) 조직의 염증으로 건초가 없는 Achilles힘줄에서 볼 수 있다. 힘줄옆조직이 저에코로 두꺼워지고 급성기에는 Achilles힘줄 주위로 물이 있으며 color 또는 power Doppler에서 혈류 증가를 보이기도 한다.[20]

IV. 인대 손상 Ligament injury, 염좌 Sprain

【 요약 】

✓ 발목인대 중 외측측부인대의 손상이 가장 흔하며 가장 약한 ATF인대가 가장 먼저 손상되고 다음은 CF인대, PTF인대의 순으로 손상 받는다.

✓ 초음파검사는 ATF인대 파열을 검사하는 데 효과적이며 역동적 검사가 도움이 된다.

✓ 초음파검사로 내측측부인대 파열을 진단하는 것은 외측측부인대나 원위경비인대결합 보다 어렵다.

✓ 급성 인대 손상의 경우 정상 인대와 비교하여 두꺼워지거나 에코가 감소한다. 부분파열이 있으면 인대가 저에코로 비후되고, 인대섬유의 일부는 연결되어 보인다. 완전파열이면 인대가 불연속적이거나 보이지 않고, 찢어진 인대 부위에 출혈 등에 의한 저에코 또는 불균질한 조직으로 차게 된다. 견열(avulsion)된 뼈조각이 보이는 경우도 있다.

인대손상은 아주 흔하게 발생하며 대부분 임상적으로 진단이 가능하다. 발목의 외측 및 내측측부인대가 얕게 위치해 있기 때문에 임상적으로 진단이 불확실한 경우나 동통이 지속되는 만성 인대 손상의 경우 초음파검사가 도움이 된다.

급성 인대 손상은 정상 측보다 두꺼워지거나 에코가 감소한다 (Fig. 14-47A). 부분파열이 있으면 인대가 저에코로 비후되고, 인대섬유의 일부는 연결되어 보이며 역동적 초음파검사에서 정상 직선 형태가 소실되어 보인다. 완전파열이 있으면 인대가 불연속적이거나 보이지 않고, 찢어진 인대 부위에 출혈 등에 의한 저에코 또는 불균질한 조직으로 차게 된다.[37] 견열된 뼈가 있으면, 인대에 부착된 뼈조각이 높은 에코와 후방소리그림자를 보인다. 만성파열의 경우에 인대 손상의 정도에 따라 인대가 보이지 않거나 두꺼워지고 불규칙하며 골화(ossification)를 볼 수 있다 (Fig. 14-47B, C). 또한 뼈조각이 남아 있을 수 있는데 탐촉자로 압력을 가했을 때 통증이 없으면 오래된 손상으로 간주한다.

발목인대 중 외측측부인대의 손상이 가장 흔하다. 외측측부인대의 손상기전은 내번(inversion)이며, 가장 약한 ATF인대(anterior talofibular ligament)가 가장 먼저 손상되고, CF인대(calcaneofibular ligament), PTF인대(posterior talofibular ligament)의 순으로 손상 받는다. ATF인대 손상은 단독 혹은 CF인대 손상과 동반하여 발생한다. CF인대의 단독 파열은 흔하지 않으며 PTF인대의 단독 파열은 매우 드물다.[37] 초음파검사는 ATF인대 파열을 검사하는 데 효과적이며, 애매한 경우에는 전방전위(anterior translation) 및 내번부하(inversion stress)를 이용한 역동적 검사가 도움이 된다.[38,39] 엎드린 자세에서 탐촉자를 ATF인대에 장축으로 놓고 손으로 발꿈치를 앞쪽으로 밀면 거골이 종골에 대하여 비대칭으로 앞쪽으로 움직이는 것을 볼 수 있다. CF인대 파열 시 종골 부위에서 인대와 비골건이 가까이 있어 비골건초 내에 물이 보일 수 있다.

원위경비인대결합(distal tibiofibular syndesmosis) 손상의 소견은 다른 인대손상과 비슷하다 (Fig. 14-48).[37] AITF(anteroinferior tibiofublar)인대 손상이 있으면 발을 배굴(dorsiflexion)-외번(eversion)시키면 경골과 비골 사이가 벌어진다.[40]

내측측부인대는 여러 개의 인대가 겹쳐서 구성되기 때문에 내측측부인대 파열을 진단하는 것은 외측측부인대 보다 어렵다.[9] 손상된 내측측부인대는 미만성 혹은 국소적으로

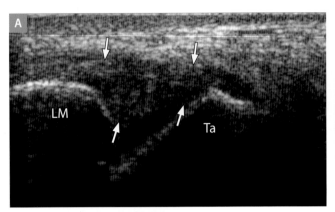

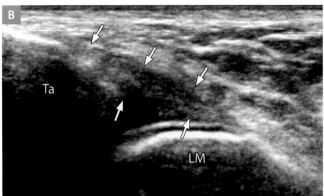

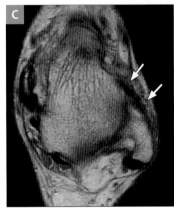

Figure 14-47 **Injuries of the anterior talofibular ligament.** Long axis US images (A, B) over the anterior talofibular ligament in two different patients. In a soccer with inversion injury (A), the ligament (arrows) appears thickened and hypoechoic. This finding reveals a partial tear. In another patient (B) with lateral ankle pain and chronic partial tear, the ligament (arrows) appears thickened and irregular (B). In the same patient B, axial PD-weighted FSE MR image (C) also shows the irregular thickened anterior talofibular ligament (arrows). LM, lateral malleolus; Ta, talus.

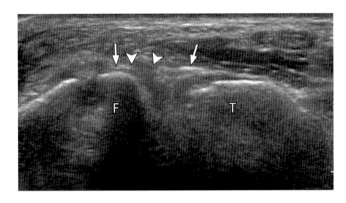

Figure 14-48 **Anterior inferior tibiofibular ligament tear.** Long axis US image over the anterior inferior tibiofibular ligament (arrows) after acute injury shows hypoechoic discontinuity (arrowheads) of the ligament. F, fibula; T, tibia.

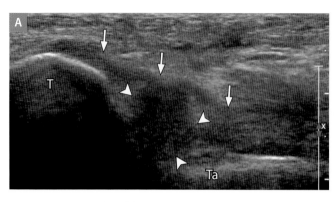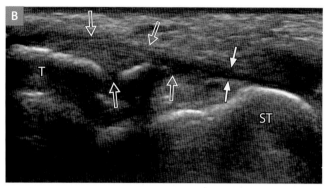

Figure 14-49 Deltoid ligament tear. Longitudinal US images (**A, B**) at the medial malleolus in the coronal plane. In a patient with recent injury (**A**), the deep posterior tibiotalar portion (arrowheads) of the deltoid ligament appears hypoechoic with discontinuous fibers. The superficial portion (arrows) of the ligament appears swollen and redundant suggesting a full thickness tear. In another patient presenting with chronic pain (**B**), there is hypoechoic thickening and ossification of the cranial portion of the tibiocalcaneal ligament. Note the discrepant thickness between injured (open arrows) and the intact (arrows) portions of the ligament. T, tibia; Ta, talus; ST, sustentaculum tali.

저에코로 부어 있거나 불연속적으로 보이며, 견열골절에 의한 뼈조각이 보일 수 있고, 관절액의 유출(extravasation)을 볼 수 있다 (Fig. 14-49A).[37,41] 내측측부인대 위에 탐촉자로 직접 압력을 가할 때 통증이 있으면 급성 손상을 의미한다. 만성손상의 경우에는 섬유증식 혹은 흉터조직, 인대의 골화를 볼 수 있다 (Fig. 14-49B).[42] 스프링인대가 손상되면 인대의 상내측부가 저에코로 두꺼워 보이며, 인접한 PT힘줄 이상이 잘 동반된다.[12]

V. 말초신경 이상

1. Morton신경종

【 요약 】

✓ 정의 – Morton신경종은 총측지신경(온발가락신경, common digital nerve)의 반복적인 손상으로 생긴 가성종양

(pseudotumor)이다.

✓ **환자의 자세** – 바로 눕거나 앉은 자세에서 무릎을 펴고 발목을 중립자세로 놓게 한다.

✓ **검사방법**
  – 중족골두 사이의 발등 또는 발바닥 쪽에 탐촉자를 놓고, 횡축스캔한다.
  – 횡축영상에서의 Morton신경종은 종족골두 사이에 저에코의 종괴로 보인다.
  – 초음파 Mulder검사(sonographic Mulder test)가 도움이 된다.

Morton신경종(Morton neuroma)은 심부횡종족골간인대 (deep transverse intermetatarsal ligament)와 중족골두(metatarsal head) 사이의 좁은 공간에서 총측지신경(온발가락신경, common digital nerve)이 반복적인 손상을 받아 부종과 신경주위 섬유화(perineural fibrosis)가 생기고, 이로 인해 종괴처럼 커진 가성종양이다 (Fig. 14-50). 발볼이 좁고 굽이 높은 신발을 신는 여성에서 세 번째와 두 번째 지간(web space)에

서 주로 발생한다. 지간에서 발가락 끝으로 방사되는 통증과 저린감이 주된 증상이다. 지름이 5 mm 이상이면 증상이 나타나는 것으로 알려져 있지만, 반드시 크기와 증상이 일치하는 것은 아니다.[42]

Morton신경종을 검사하기 위해서는 환자는 바로 눕거나 앉은 자세에서 무릎을 펴고 발목을 중립자세로 한다 (Fig. 14-51A). 중족골두 사이의 발등 또는 발바닥 쪽에 탐촉자를 놓고 검사한다. 발등쪽 검사는 발등의 피부와 피하지방층이 발바닥 보다 얇아 초음파의 감쇄가 덜 일어난다는 장점이 있고, 발바닥쪽 검사는 총측지신경이 발바닥 쪽에 더 가까이 위치하고 있기 때문에 신경이 좀 더 잘 보일 수 있다는 장점이 있다. 횡축영상에서 Morton신경종은 종족골두 사이에 저에코 종괴로 보인다. 이를 종축스캔을 하면, 총측지신경과의 관계를 볼 수 있다 (Fig. 14-51B, C). 중족골두 사이에 생기는 유피낭종(epidermal cyst), 결절종(ganglion cyst), 섬유종(fibroma) 등과의 감별이 필요하다. 발바닥쪽에서 검사하였을 때, 주변구조물에 의해 눌려져 종괴의 깊은쪽 양면이 오목한 "은행잎징후(ginkgo-leaf sign)"가 보이면 Morton신경종으로 진단하는 데 도움이 된다.[43] Morton신경종 진단에서 초음파검사의 민감도는 85~100%, 특이도는 87%, 가양성율은 11%이며, 자기공명영상의 민감도는 87%, 특이도는 100%이다.[42,44] Morton신경종 진단에 초음파 Mulder 검사(sonographic Mulder test)가 도움이 된다. 이는 탐촉자를 발바닥에 횡축으로 두고 검사자의 손으로 환자의 중족골두(metatarsal heads) 부위 양쪽 옆을 움켜쥐고 압박하면서 검사하는 것이다. Morton신경종이 있는 경우, 이 검사를 하면 중족골간공간(intermetatarsal space)이 좁아지면서 퉁김(click)과 함께 발바닥 쪽으로 튀어나오는 저에코의 종괴를 확인할 수 있다. 단, 발바닥쪽을 탐촉자로 너무 강하게 누르면 종괴가 튀어나오는 것을 방해할 수 있으므로 주의한다 (Fig. 14-52).[45] Morton신경종이 있을 때 인접한 중족골간윤활낭(intermetatarsal bursa) 팽창(횡경 3 mm 이상)이 동반되는 경우가 흔하며, 팽창된 윤활낭은 무에코 액체 또는 복합에코를 보이는 큰 종괴로 보일 수도 있다 (Fig. 14-53) (Chapter 06 하지 신경 참조 바람).[44]

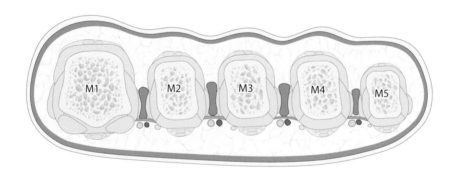

Figure 14-50 **Anatomy of the common digital nerve.** A drawing shows the cross-sectional image of the metatarsophalangeal joints and nearby structures in coronal plane. The common digital nerve (yellow) is superficially located in relation to the deep transverse intermetatarsal ligament (green) along with vessels (red), where as the intermetatarsal bursa (blue) is deeply located to the deep transverse intermetatarsal ligament.

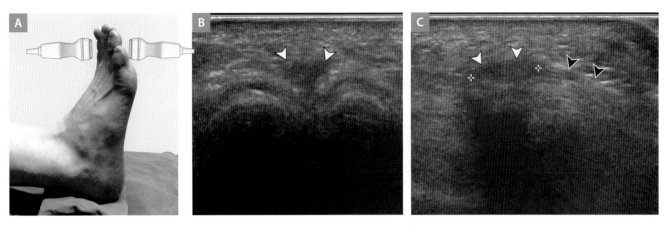

Figure 14-51 **Scanning of Morton neuroma**. A patient is supine with the knee extended and the foot dorsiflexed. Either a dorsal or plantar approach can be used (A). For the plantar approach, the transducer is placed transversely on the plantar aspect of the webspace of the foot. Morton neuroma (white arrowheads) appears as a hypoechoic nodule at the intermetatarsal space (B). When placing the transducer longitudinally, we can make sure that the hypoechoic lesion (white arrowheads) is originated from the common digital nerve (black arrowheads) (C).

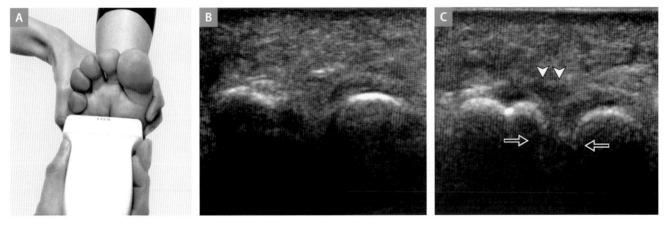

Figure 14-52 **Sonographic Mulder test**. In the case that the hypoechoic lesion at the webspace of the foot is not found, squeezing the forefoot by the sonographer's nonimaging hand with relieving pressure on the transducer may be helpful (A). No lesion is detected at the intermetatarsal space before sonographic Mulder test (B), whereas during squeezing the forefoot, a hypoechoic lesion (arrowheads) is popped up from the intermetatarsal space (C).

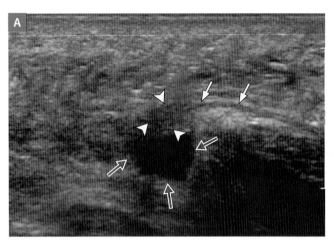 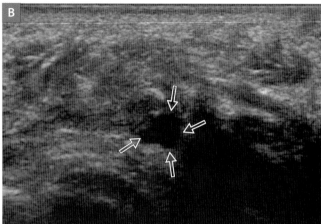

Figure 14-53 **Morton's neuroma and intermetatarsal bursa distention.** Longitudinal US image (**A**) shows a hypoechoic neuroma (arrowheads) continuous with the common plantar digital nerve (arrows) and associated the hypoechoic intermetatarsal bursitis (open arrows). Compression can displace the bursal fluid (open arrows) (**B**).

2. 족근관증후군 Tarsal tunnel syndrome

【 요약 】

✓ 족근관에서의 신경포착을 족근관증후군이라고 하며, 원인에 관계없이 증상이 동일하다.

✓ 족근관 내의 종괴의 유무나 외상성 손상 등을 평가할 수 있다.

✓ 침범된 신경은 국소적 혹은 미만성으로 크기 변화가 있고, 굵은섬유다발양상(fascicular pattern)의 소실을 보인다.

족근관은 경골의 뒤쪽 공간으로, 굴근지지대에 의해서 경계가 지워진다. 내부에는 경골건, 혈관, 경골신경과 그 분지인 내측 및 외측 족저신경, 종골신경 등이 있다. 이 부위에서의 신경포착을 족근관증후군(tarsal tunnel syndrome)이라고 하며, 원인에 관계 없이 동일한 증상이 생긴다.[4,46,47] 임상적으로 서서히 진행되는 발과 발목의 통증, 발바닥의 감각이상을 호소한다. 압박 부위의 위치에 따라 근위부와 원위부로 분류하고 근위부는 후과(posterior malleolus) 부위에서 경골신경이 포착되는 것이고 원위부는 경골신경 분지가 포착되는 것이다. 초음파로 족근관내의 종괴 유무나 신경의 손상 등을 검사할 수 있다. 종괴로는 건초염, 결절종, 지방종, 후경골정맥의 충혈, 힘줄이나 근육의 변이(anomaly) 등이 있다 (Fig. 14-54). 침범된 신경은 굵은섬유다발양상(fascicular pattern)이 소실되고, 방추상으로 커지거나 종괴에 의해 압박되는 소견을 보인다. 족근관증후군은 거종골융합(talocalcaneal coalition)과 관련되어 나타나기도 한다.[46] 족저근막은 내측종골신경과 외측족저신경의 첫 번째 분지에 의해 분포되기 때문에, 신경포착으로 인한 증상이 족저근막 병변에 의한 증상으로 오인될 수 있다. Baxter신경병증(Baxter neuropathy)은 외측족저신경의 첫 번째 분지인 하종골신경(inferior calcaneal nerve)이 족저방형근(발바닥네모근, quadratus plantae muscle)과 무지내전근(adductor hallucis muscle) 사이에서 포착되어 이 부위에서 Tinel징후 양성을 보이고, 신경의 감각 분포에 통증이 있거나 감각이상을 야기하는 것이다. 신경병증이 있을 때 근육의 지방 위축을 동반할 수 있다.

그 외 압박되기 쉬운 다른 부위의 신경은 표재비골신경(superficial peroneal nerve)으로 외측과(lateral malleolus)의

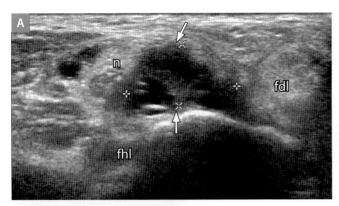

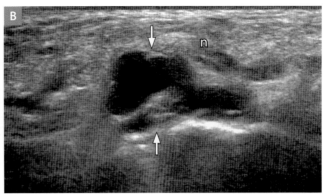

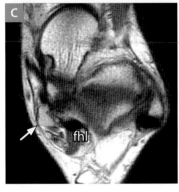

Figure 14-54 **Tarsal tunnel syndrome.** Transverse (**A**) and longitudinal (**B**) US images over the posteromedial ankle shows displacement and compression of the plantar nerve (n) by a cyst (arrows) in the tarsal tunnel. When correlated with MR image (**C**), a lobulated ganglionic cyst (arrow) within the tarsal tunnel with compression of a medial plantar nerve is demonstrated. fdl, flexor digitorum longus tendon; fhl, flexor hallucis longus tendon.

상방 9 cm 부위에서 종아리근막(crural fascia)을 관통하여 피하지방층으로 나온다. 이 위치에서 신경종이 생길 수 있으며, 이는 견인손상, 두꺼워진 근막, 혹은 근육탈장 때문에 생긴다.[48]

VI. 족저근막 이상

【 요약 】

✓ 족저근막은 표재 구조물이므로 초음파가 자기공명영상에 비해 빠르고 쉽게 검사할 수 있다.

✓ 족저근막염의 초음파소견은 종골 부착부위에서 근막의 두께가 4 mm보다 두껍고 근막의 에코가 감소하며 근막 주위의 액체나 근막 내 석회화, 종골극 등이다.

✓ 족저근막염의 병적 변화가 있는 부위는 내측 종골 융기의 부착부이며, 족저근막의 뒤쪽 부위만 침범하거나 중간 부위로 앞쪽으로 확장되기도 한다.

✓ 족저근막 파열은 강요된 발바닥굽힘 시에 발생하며, 초음파에서 족저근막염과 유사하게 보이며 저에코로 국소적으로 종창되고 근막 말단은 느슨하다.

✓ 족저섬유종증은 족저근막염과 달리 종골 부착부보다는 중간 및 앞쪽 족저건막을 침범한다.

✓ 족저판 내에 저에코 또는 불균질 부위가 보이면 족저판 파열로 진단하고 제2 MTP관절에 호발한다.

1. 족저근막염 Plantar fasciitis

족저근막염은 반복적 외상에 의한 족저근막과 주변 구조물의 염증으로, 발뒤꿈치 통증의 가장 흔한 원인이다. 증상은 아침에 심하고 가벼운 활동 후 증상이 경감하지만, 스포츠 등

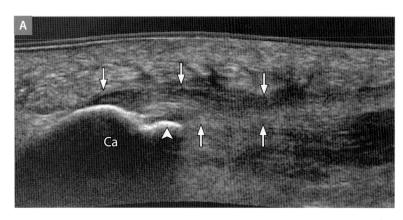 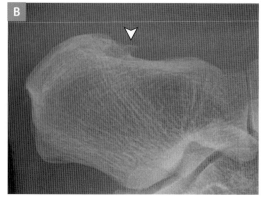

Figure 14-55 Plantar fasciitis. Long axis US image (**A**) over the central band of the plantar fascia shows hypoechoic thickening (arrows) of the fascia with perifascial fluid, and a calcaneal spur (arrowhead). Lateral radiograph (**B**) shows a spur (arrowhead) arising from the inferior aspect of the medial tubercle. Ca, calcaneus.

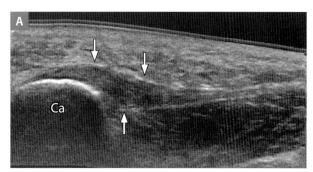 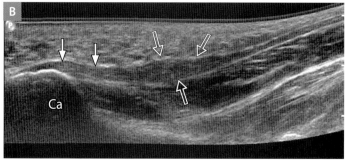

Figure 14-56 Plantar fasciitis. Long axis US images (**A, B**) over the central band of the plantar fascia in two patients. In **A**, the posterior third (arrows) of the fascia is selectively affected. In **B**, the fascia shows a fusiform elongated hypoechoic swelling of its middle third (open arrows), whereas the posterior part of the fascia (arrows) retains a normal appearance. Ca, calcaneus.

심한 활동 후에는 악화된다. 족저근막은 자기공명영상보다는 초음파검사로 빠르고 쉽게 검사할 수 있다. 족저근막염의 초음파소견은 종골 부착부위에서 근막의 두께가 4 mm보다 두꺼워지고 근막의 에코가 감소하며, 근막 주위의 액체나 근막 내 석회화, 종골의 골극(osteophyte)이 보일 수 있다 (Fig. 14-55).[49] 병변은 주로 내측 부착부에 생기며, 원위부로 확장되기도 한다 (Fig. 14-56A, B). 급성 근막염의 40% 정도에서 Doppler 초음파상 근막 및 주변 연조직에 혈류가 증가

된다. 족저근막염은 종종 혈청반응음성척추관절병에서 보는 부착부병증(enthesopathy) 혹은 류마티스관절염과 관련 있을 수 있다. 족저근막 부착부위에 골 변화가 있을 때에는 Achilles힘줄 부착부도 살펴야 한다.[50]

감별진단으로 족저근막의 파열, 족저섬유종증(plantar fibromatosis), Achilles힘줄 병변, 신경압박, 종골의 피로골절 등이 있다. 족저근막 파열은 지속적인 강한 발바닥굽힘 시에 발생한다. 족저근막염과 유사하게 저에코의 국소적 종창을

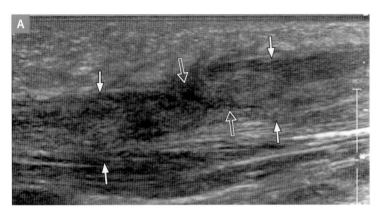

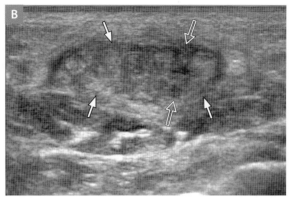

Figure 14-57 **Plantar fascia tear.** Long axis (**A**) and short axis (**B**) US images at the middle third of the plantar fascia (arrows) show abnormal hypoechoic thickening of the fascia with internal cleft (open arrows).

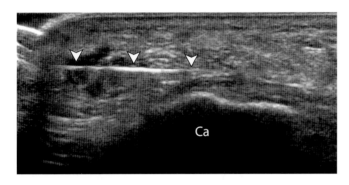

Figure 14-58 **US-guided local injection of steroids.** Long axis US image over the posterior insertion of the plantar fascia. Needle (arrowheads) is inserted from the posterior edge of the transducer and directed toward the thickened origin of the fascia. Ca, calcaneus.

보인다 (Fig. 14-57). 완전파열의 경우에는 불균질한 출혈과 함께 근막 전체층이 끊어진 것을 볼 수 있다.

두꺼워진 족저근막 기시부 주위로 초음파유도하 스테로이드나 알코올을 주사하기도 한다 (Fig. 14-58). 근막절개술 후에 초음파검사 시 족저근막염과 유사한 소견을 보이는데, 족저근막은 두껍고 경계가 불명확하며 석회화가 보일 수 있고 이는 족저근막 주위의 섬유화와 관련 있다. [50]

2. 족저섬유종증 Plantar fibromatosis

족저섬유종증은 섬유조직이 국소적으로 증식하여 족저근막에 결절을 형성하는 것이다. 원인은 불확실하며 다양한 연령층에서 생긴다. 발가락을 수동적으로 배굴(dorsiflexion)시키면 족저근막이 팽팽해지고 통증을 일으킨다. 병변이 큰 경우 내측족저신경을 직접 압박하여 통증을 일으키게 된다. 초음파에서 족저근막 내에 저에코 또는 등에코의 방추상 종괴로 보이며, 족저근막염과 달리 종골 부착부 보다는 중간 및 원위 족저근막을 침범한다 (Fig. 14-59). 심한 혈류 증가를 보일 수도 있다. 초음파소견이 비특이적이지만 다발성 혹은 양측

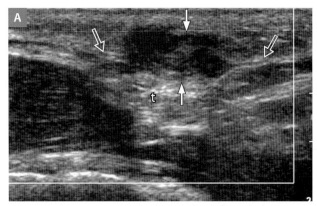

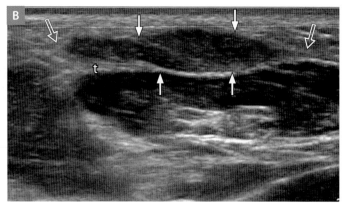

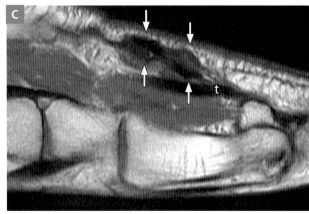

Figure 14-59 **Plantar fibroma.** Transverse (**A**) and longitudinal (**B**) US images over the middle third of the plantar fascia show a well-defined hypoechoic mass (arrows) within the aponeurosis (open arrows). MRI (**C**) correlation demonstrates a lobulated low signal mass (arrows) on T2-weighted FSE image. t, flexor tendon.

성이면 족저섬유종증의 가능성이 높다.[51]

VII. 족저판 손상 Plantar plate injury

MTP(metatarsophalangeal)관절의 족저판은 관절을 안정시키는 역할을 하며 발의 과도한 사용 시 장애를 초래한다. 종축영상에서 중족골 두부의 유리연골과 굴건 사이에 위치하고 중족골 경부에서 근위지골(proximal phalanx) 기저로 연결되며, 균질한 약간 고에코로 보인다. 파열은 족저판의 크기가 가장 큰 제2 MTP관절에 호발하며 다른 부위에도 생길 수 있다. 초음파에서 족저판에 저에코 또는 불균질 부위가 보이면 파열로 진단할 수 있다 (Fig. 14-60). 근위지골 부착부에서 파

열될 수도 있고, 완전파열 시에 굴건과 중족골 두부 사이의 거리가 가까워진다. 동반된 출혈, 활막염, 굴건 내의 액체, 종자골 골절 등이 보일 수도 있다.[52] 제2 MTP관절의 족저판 파열 진단에서 초음파는 자기공명영상과 비슷한 정도의 민감도를 보인다.[53]

VIII. 방사선투과성 이물질
Radiolucent foreign body

초음파가 컴퓨터단층촬영(CT)이나 자기공명영상보다 연조직 내의 나무, 플라스틱, 유리 등 방사선투과성 이물질을 찾는 데 도움이 된다. 이물질은 종류에 관계없이 고에코 병

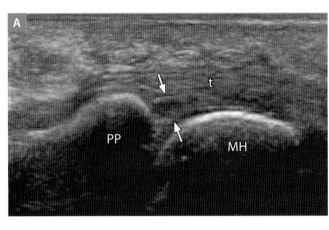
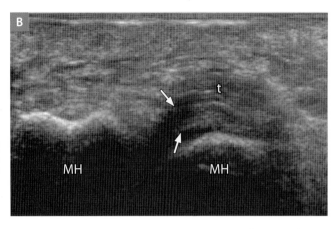

Figure 14-60 **Plantar plate injury**. Longitudinal (A) and transverse (B) US images over the 2nd metatarsophalangeal joint show the hypoechoic cleft (arrows) at the proximal phalangeal attachment site of the plantar plate. t, flexor tendon; MH, metatarsal head; PP, proximal phalanx.

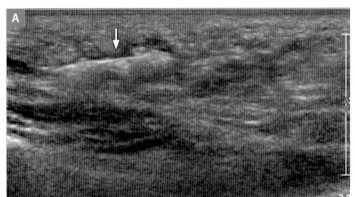
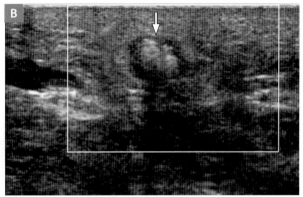
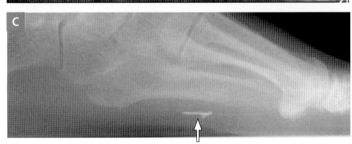

Figure 14-61 **48-year-old male with forefoot pain for two years**. Longitudinal (A) and transverse (B) US images over the sole show a linear hyperechoic structure (arrows) with posterior reverberation artifact, surrounded by a hypoechoic halo. Lateral radiograph (C) and subsequent surgical removal confirmed the presence of a needle (arrow) fixed in the fat pad.

변으로 보이며, 아급성 및 만성 시기에는 이물질 주위에 저에코 테두리가 보인다 (Fig. 14-61).[54] 초음파검사의 연조직 이물질에 대한 진단의 민감도와 정확도는 90% 이상이

다.[54] 이물질이 발견되면 크기, 범위, 주변 혈관, 신경, 힘줄 등과의 관계를 확인해야 한다. 초음파로 검사하면서 이물질의 위치를 피부에 표시하면 수술에 도움이 되며, 초음파

유도하 이물질 제거 시에는 주변 주요 구조물을 피해 안전하게 시술할 수 있는 장점이 있다.[55]

IX. 기타 Miscellaneous

족관절 및 족부에서도 염증, 감염, 외상, 출혈 등 다양한 원인에 의하여 관절액(joint fluid)이 생긴다. 관절질환 검사는 삼출액과 윤활막 비후를 볼 수 있는 관절와(joint recess)에 초점을 둔다. 정상적으로 적은 양의 관절액이 족관절의 전방와(anterior recess)에 보일 수 있으며 전후 두께가 1.8 mm 이하이다 (Fig. 14-62). 족관절의 후방와(posterior recess)와 거

골하관절(subtalar joint)에도 정상적으로 관절액이 존재한다.[56] 관절액이 비균질하여 감염이 의심되면 초음파유도하에 관절액을 흡인하여 성분을 분석해야 한다. 활막염이 있거나 급성 염증이 의심될 때 Doppler검사에서 혈류의 증가를 보이면 활동성 병변으로 생각할 수 있다. 전외측충돌증후군(anterolateral impingement syndrome)에서 전외측고랑(anterolateral gutter)에 10 mm 이상의 윤활막 비후와 동반된 인대손상이 보일 수 있다.[57] 초음파는 그 외 관절 내 유리체의 존재 유무를 진단할 수 있으며, 관절을 움직이면서 검사 하여 고에코의 물질이 관절 안에서 이동하면 진단이 가능하다.

족관절 및 족부 연조직 종괴의 초음파소견은 비특이적이다. 만성적으로 비정상 압력이 가해지는 부위에 생기는 윤

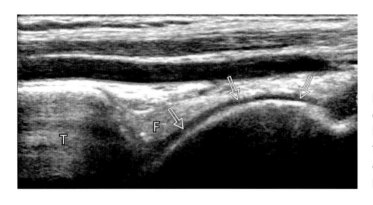

Figure 14-62 Anterior recess of ankle joint. Longitudinal US image over the ankle joint shows the normal hyperechoic anterior fat pad (F) between the tibia and talus. Note hypoechoic hyaline articular cartilage (open arrows). Bone cortex appears hyperechoic when imaged perpendicular to ultrasound beam. T, tibia; Ta, talus.

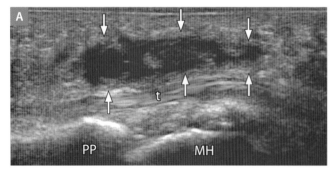
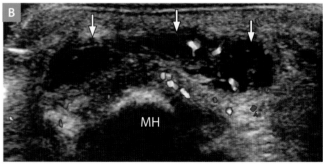

Figure 14-63 Adventitious bursa. Longitudinal (**A**) and transverse (**B**) US images over the plantar aspect of the 1st metatarsophalangeal joint show heterogeneous but predominantly hypoechoic adventitious bursa (arrows), which can be collapsible with transducer pressure. MH, metatarsal head; PP, proximal phalanx; t, flexor tendon.

Table 14-1 Pitfalls in sonography of the foot and ankle

- Normal fluid around tendons and joints
- Accessory muscle and tendon
  - peroneus quartus, accessory soleus, accessory flexor digitorum longus muscles
- Low-lying peroneus brevis muscle
- Accessory ossicles and sesamoid bones
- Navicular insertion of the posterior tibial tendon: inhomogeneous echogenicity

활낭을 외막윤활낭(adventitious bursa) (Fig. 14-63)이라 하며 결절종으로 오인해서는 안 된다. 족부에는 종자골이나 부골이 흔하므로 이들을 힘줄 또는 건초의 석회화나 견열골절(avulsion fracture)과 혼동하지 말아야 한다. 정상 구조물들은 경계가 부드럽고 부종이 동반되어 있지 않으며, 단순촬영이 도움이 된다.

X. 요약

족관절 및 족부는 해부학적 구조가 복잡하고 구조물들이 작으며 정상변이와 함정(pitfalls)이 많으므로(Table 14-1), 정확한 해부학적 지식을 가지고 초음파검사를 시행하는 것이 필요하다.[58] 다양한 질환에 대한 초음파소견을 이해하는 것이 병의 진단과 치료 방침을 결정하는 데 영향을 주며, 또한 초음파유도하 중재적시술을 하는데도 도움이 된다.

참고문헌

1. Choplin RH, Buckwalter KA, Rydberg J, Farber JM. CT with 3D rendering of the tendons of the foot and ankle: technique, normal anatomy, and disease. Radiographics 2004;24:343–356.
2. Numkarunarunrote N, Malik A, Aguiar RO, Trudell DJ, Resnick D. Retinacula of the foot and ankle: MRI with anatomic correlation in cadavers. AJR Am J Roentgenol 2007;188:W348–W354.
3. Sarrafian S. Anatomy of the foot and ankle: descriptive, topographic, functional, 2nd ed. Philadelphia: Lippincott Williams & Wilkins, 2011.
4. Donovan A, Rosenberg ZS, Cavalcanti CF. MR imaging of entrapment neuropathies of the lower extremity. Part 2. The knee, leg, ankle, and foot. Radiographics 2010;30:1001–1019.
5. Boonthathip M, Chen L, Trudell D, Resnick D. Lateral ankle ligaments: MR arthrography with anatomic correlation in cadavers. Clin Imaging 2011;35:42–48.
6. Golanó P, Vega J, de Leeuw PA, Malagelada F, Manzanares MC, Götzens V, et al. Anatomy of the ankle ligaments: a pictorial essay. Knee Surg Sports Traumatol Arthrosc 2010;18:557–569.
7. van den Bekerom MP, Raven EE. The distal fascicle of the anterior inferior tibiofibular ligament as a cause of tibiotalar impingement syndrome: a current concepts review. Knee Surg Sports Traumatol Arthrosc 2007;15:465–471
8. Boonthathip M, Chen L, Trudell DJ, Resnick DL. Tibiofibular syndesmotic ligaments: MR arthrography in cadavers with anatomic correlation. Radiology 2010;254:827–836.
9. Mengiardi B, Pfirrmann CW, Vienne P, Hodler J, Zanetti M. Medial collateral ligament complex of the ankle: MR appearance in asymptomatic subjects. Radiology 2007;242:817–824.
10. Melão L, Canella C, Weber M, Negrão P, Trudell D, Resnick D. Ligaments of the transverse tarsal joint complex: MRI–anatomic correlation in cadavers. AJR Am J Roentgenol 2009;193:662–671.
11. Harish S, Jan E, Finlay K, Petrisor B, Popowich T, Friedman L, et al. Sonography of the superomedial part of the spring ligament complex of the foot: a study of cadavers and asymptomatic volunteers. Skeletal Radiol 2007;36:221–228.
12. Mansour R, Teh J, Sharp RJ, Ostlere S. Ultrasound assessment of the spring ligament complex. Eur Radiol 2008;18:2670–2675.
13. Pierre-Jerome C, Moncayo V, Terk MR. MRI of the Achilles tendon: a comprehensive review of the anatomy, biomechanics, and imaging of overuse tendinopathies. Acta Radiol 2010;51:438–454.
14. Ehrmann C, Maier M, Mengiardi B, Pfirrmann CW, Sutter R. Calcaneal attachment of the plantar fascia: MR findings in asymptomatic volunteers. Radiology 2014;272:807–814.
15. Gregg JM, Silberstein M, Schneider T, Kerr JB, Marks P. Sonography of plantar plates in cadavers: correlation with MRI and histology. AJR Am J Roentgenol 2006;186:948–955.
16. Gregg J, Silberstein M, Schneider T, Marks P. Sonographic and MRI evaluation of the plantar plate: A prospective study. Eur Radiol 2006;16:2661–2669.
17. Castro M, Melão L, Canella C, Weber M, Negrão P, Trudell D, et al. Lisfranc joint ligamentous complex: MRI with anatomic correlation in cadavers. AJR Am J Roentgenol 2010;195:W447–

W455.

18. Woodward S, Jacobson JA, Femino JE, Morag Y, Fessell DP, Dong Q. Sonographic evaluation of Lisfranc ligament injuries. J Ultrasound Med 2009;28:351-357.

19. Premkumar A, Perry MB, Dwyer AJ, Gerber LH, Johnson D, Venzon D, et al. Sonography and MR imaging of posterior tibial tendinopathy. AJR Am J Roentgenol 2002;178:223-232.

20. Calleja M, Connell DA. The Achilles tendon. Semin Musculo-skelet Radiol 2010;14:307-322.

21. Filippucci E, Aydin SZ, Karadag O, Salaffi F, Gutierrez M, Direskeneli H, et al. Reliability of high-resolution ultrasonography in the assessment of Achilles tendon enthesopathy in seronegative spondyloarthropathies. Ann Rheum Dis 2009;68:1850-1855.

22. Bureau NJ, Roederer G. Sonography of Achilles tendon xanthomas in patients with heterozygous familial hypercholesterolemia. AJR Am J Roentgenol 1998;171:745-749.

23. Kong A, Van Der Vliet A. Imaging of tibialis posterior dysfunction. Br J Radiol 2008;81:826-836.

24. Miller SD, Van Holsbeeck M, Boruta PM, Wu KK, Katcherian DA. Ultrasound in the diagnosis of posterior tibial tendon pathology. Foot Ankle Int 1996;17:555-558.

25. Astrom M, Gentz CF, Nilsson P, Rausing A, Sj berg S, Westlin N. Imaging in chronic Achilles tendinopathy: a comparison of ultrasonography, magnetic resonance imaging and surgical findings in 27 histologically verified cases. Skeletal Radiol 1996;25:615-620.

26. Hartgerink P, Fessell DP, Jacobson JA, van Holsbeeck MT. Full- versus partial-thickness Achilles tendon tears: sonographic accuracy and characterization in 26 cases with surgical correlation. Radiology 2001;220:406-412.

27. Grant TH, Kelikian AS, Jereb SE, McCarthy RJ. Ultrasound diagnosis of peroneal tendon tears: a surgical correlation. J Bone Joint Surg Am 2005;87:1788-1794.

28. Demondion X, Canella C, Moraux A, Cohen M, Bry R, Cotten A. Retinacular disorders of the ankle and foot. Semin Musculoskelet Radiol 2010;14:281-291.

29. Wang XT, Rosenberg ZS, Mechlin MB, Schweitzer ME. Normal variants and disease of the peroneal tendons and superior retinaculum. Radiographics 2005;25:587-602.

30. Neustadter J, Raikin SM, Nazarian LN. Dynamic sonographic evaluation of peroneal tendon subluxation. AJR Am J Roentgenol 2004;183:985-988.

31. Raikin SM, Elias I, Nazarian LN. Intrasheath subluxation of the peroneal tendons. J Bone Joint Surg Am 2008;90:992-999.

32. Lee SJ, Jacobson JA, Kim SM, Fessell D, Jiang Y, Dong Q, et al. Ultrasound and MRI of the peroneal tendons and associated pathology. Skeletal Radiol 2013;42:1191-1200.

33. Brigido MK, Fessell DP, Jacobson JA, Widman DS, Craig JG, Jamadar DA, et al. Radiography and US of os peroneum fractures and associated peroneal tendon injuries: initial experience. Radiology 2005;237:235-241.

34. Lee KT, Choi YS, Lee YK, Lee JP, Young KW, Park SY. Extensor hallucis longus tendon injury in taekwondo athletes. Phys Ther Sport 2009;10:101-104.

35. Bianchi S, Poletti PA, Martinoli C, Abdelwahab IF. Ultrasound appearance of tendon tears. Part 2: lower extremity and myotendinous tears. Skeletal Radiol 2006;35:63-77.

36. Nazarian LN, Rawool NM, Martin CE, Schweitzer ME. Synovial fluid in the hindfoot and ankle: detection of amount and distribution with US. Radiology 1995;197:275-278.

37. Peetrons P, Creteur V, Bacq C. Sonography of ankle ligaments. J Clin Ultrasound 2004;32:491-499.

38. Oae K, Takao M, Uchio Y, Ochi M. Evaluation of anterior talofibular ligament injury with stress radiography, ultrasonography and MR imaging. Skeletal Radiol 2010;39:41-47.

39. Campbell DG, Menz A, Isaacs J. Dynamic ankle ultrasonography: a new imaging technique for acute ankle ligament injuries. Am J Sports Med 1994;22:855-858.

40. Mei-Dan O, Kots E, Barchilon V, Massarwe S, Nyska M, Mann G. A dynamic ultrasound examination for the diagnosis of ankle syndesmotic injury in professional athletes: a preliminary study. Am J Sports Med 2009;37:1009-1016.

41. Bianchi S, Martinoli C. Ultrasound of the musculoskeletal system. New York: Springer, 2007:773-890.

42. 대한근골격영상의학회, 강흥식, 홍성환, 강창호. 근골격영상의학 Musculoskeletal Radiology 서울: (주)범문에듀케이션, 2013:745-798.

43. Park HJ, Kim SS, Rho MH, Hong HP, Lee SY. Sonographic appearances of Morton's neuroma: differences from other interdigital soft tissue masses. Ultrasound Med Biol 2011;37:1204-1209.

44. Quinn TJ, Jacobson JA, Craig JG, van Holsbeeck MT. Sonography of Morton's neuromas. AJR Am J Roentgenol 2000;174:1723-1728.

45. Torriani M, Kattapuram SV. Dynamic sonography of the forefoot: the sonographic Mulder sign. AJR Am J Roentgenol 2003;180:1121-1123.

46. Nagaoka M, Matsuzaki H. Ultrasonography in tarsal tunnel syndrome. J Ultrasound Med 2005;24:1035-1040.

47. Beltran LS, Bencardino J, Ghazikhanian V, Beltran J. Entrapment neuropathies III: lower limb. Semin Musculoskelet Radiol 2010;14:501-511.

48. Canella C, Demondion X, Guillin R, Boutry N, Peltier J, Cotten A.

Anatomic study of the superficial peroneal nerve using sonography. AJR Am J Roentgenol 2009;193:174–179.

49. Cheng JW, Tsai WC, Yu TY, Huang KY. Reproducibility of sonographic measurement of thickness and echogenicity of the plantar fascia. J Clin Ultrasound 2012;40:14–19.

50. McNally EG, Shetty S. Plantar fascia: imaging diagnosis and guided treatment. Semin Musculoskelet Radiol 2010;14:334–343.

51. Bedi DG, Davidson DM. Plantar fibromatosis: most common sonographic appearance and variations. J Clin Ultrasound 2001;29:499–505.

52. Khoury V, Guillin R, Dhanju J, Cardinal E. Ultrasound of ankle and foot: overuse and sports injuries. Semin Musculoskelet Radiol 2007;11:149–161.

53. Carlson RM, Dux K, Stuck RM. Ultrasound imaging for diagnosis of plantar plate ruptures of the lesser metatarsophalangeal joints: a retrospective case series. J Foot Ankle Surg 2013;52:786–788.

54. Boyse TD, Fessell DP, Jacobson JA, Lin J, van Holsbeeck MT, Hayes CW. US of soft-tissue foreign bodies and associated complications with surgical correlation. Radiographics 2001;21:1251–1256.

55. Tahmasebi M, Zareizadeh H, Motamedfar A. Accuracy of ultrasonography in detecting radiolucent soft-tissue foreign bodies. Indian J Radiol Imaging 2014;24:196–200.

56. Cho KH, Wansaicheong GK. Ultraound of the foot and ankle. Ultrasound Clin 2012;7:487–503.

57. McCarthy CL, Wilson DJ, Coltman TP. Anterolateral ankle impingement: findings and diagnostic accuracy with ultrasound imaging. Skeletal Radiol 2008;37:209–216.

58. Patel S, Fessel DP, Jacobson JA, Hayes CW, van Holsbeeck MT. Artifacts, anatomic variants, and pitfalls in sonography of the foot and ankle. AJR Am J Roentgenol 2002;178:1247–1254.

CHAPTER

14

04
SECTION

기타

Miscellaneous

초음파유도 중재 시술

Ultrasonography-guided Interventional Procedure

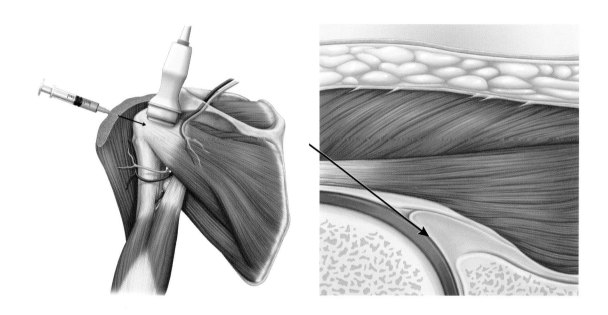

초음파유도 중재 시술

Ultrasonography-guided Interventional Procedure

I. 초음파유도 시술 US-guided procedures

1. 서론

1) 초음파유도 시술의 장점

초음파는 다양한 방향의 단면영상을 실시간으로 얻을 수 있으며, 기계의 이동이 용이하여 이동이 어려운 중환자실 환자나 수술 직후 환자의 검사와 시술을 병실에서도 할 수 있는 장점이 있다.[1] 이러한 초음파의 장점을 이용하여 혈종, 농양, 관절액 등의 진단 또는 치료 목적의 흡인(aspiration), 조직 생검(biopsy), 이물질의 제거, 도관 삽입 등에 유용하다.

2) 초음파유도 시술의 금기

절대적 금기증은 없으나, 병변에 이르는 접근 경로가 보이지 않거나, 환자의 협조가 잘 이루어지지 않거나, 출혈성 소인이 있으면 상대적 금기증에 해당한다.[1]

3) 초음파유도 시술의 원칙

근골격계의 초음파유도 시술에는 보통 7 MHz 이상의 선형 탐촉자를 주로 사용하지만, 체구가 큰 환자나 깊은 위치의 병변에는 볼록(convex) 탐촉자를 사용하기도 한다.[2] 중재적 시술을 하기 전에 반드시 표적 병변(target)에 대한 초음파검사를 시행하여 미리 시술 계획을 세운다.[3] 시술 후에 시술 부위에 대한 초음파검사를 실시하여 출혈 등 시술과 관련된 합병증 여부를 확인한다.

2. 흡인술 Aspiration

1) 연부조직의 흡인

(1) 혈종 Hematoma

혈종은 피하층(subcutaneous), 근육 내(intramuscular), 골막하(subperiosteal) 등 다양한 위치에서 생길 수 있다. 흔히 복합에코(mixed echo)를 보이지만, 액화(liquefaction)가 진행되면 무에코(anechoic)로 보이기도 한다 (Fig. 15-1A, B). 구획증후군(compartment syndrome)이 나타나거나, 심한 통증, 발열 등이 동반될 때 흡인술을 시행할 수 있고,[2] 악성종양에 의한 출혈이나 출혈성 소인에 의한 혈종은 금기증에 해당한다. 대부분 시술 전 처치는 필요하지 않으나, 금식이 필요하다. 피부 멸균처리를 한 후 1~2%의 lidocaine으로 국

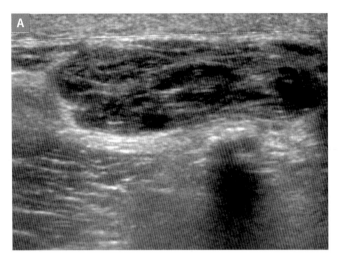

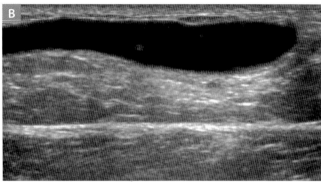

Figure 15-1 **Hematoma**. Hematoma is usually complex echogenic (A), but liquefied hematoma is anechoic as other cystic lesion (B).

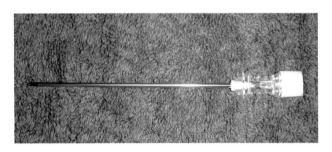

Figure 15-2 16 gauge spinal needle.

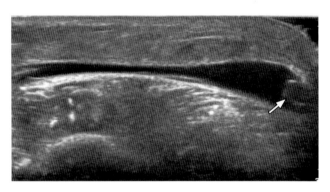

Figure 15-3 **Seroma**. Seroma shows lower echogenicity than hematoma but has no membrane or septa. In some cases, floating fat lobules can be seen (arrow).

소마취를 하고 표적 병변을 다시 확인한다. 천자 위치는 병변이 잘 보이면서 가능한 한 병변과의 거리가 짧은 곳을 선택하며, 동맥, 신경, 힘줄 등 주요 구조물을 피한다. 사용하는 바늘은 16G (gauge) 이상의 굵은 바늘이 좋다 (Fig. 15-2). 배액관(drain catheter)은 감염의 위험 때문에 사용하지 않는 것이 원칙이며, 필요에 따라 반복적인 흡인술을 시행할 수 있다.[2] 초음파유도 방법은 유도 기구(guiding device)를 이용하는 방법과 자유손 기법(free hand technique)이 있다. 자유손 기법은 특별한 유도기구 없이 바늘 끝을 초음파로 보면서 목표 지점까지 바늘을 접근시키는 방법이며, 시술을 위한 공간이 잘 확보되고 번거롭지 않은 장점이 있다. 시술 중에 화면에서 바늘의 끝을 놓치지 않는 것이 중요하며, 바늘 끝을 놓치면 탐촉자나 바늘을 조금씩 움직여 바늘 끝을 다시 찾아 표적 병변과 바늘의 방향을 다시 맞춘다.[1]

(2) 장액종 Seroma

장액종은 혈종보다 저에코로 보이고 대개 중격(septum)이나 벽(wall)이 없으며, 내부에 떠 다니는 지방 덩어리가 있을 수도 있다 (Fig. 15-3).[2] 흡인 방법은 혈종과 동일하며, 더 가는 바늘을 사용해도 흡인이 가능하고, 점도가 낮은 황색의

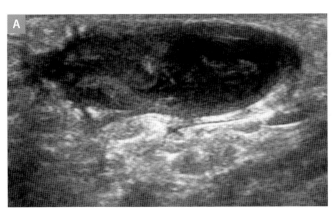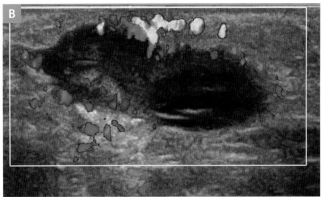

Figure 15-4 **Abscess**. A. Abscess show denser echogenicity than seroma and mainly shows mixed echogenicity. Wall is thick and shows higher echogenicity than internal echoes. B. Sometimes inner materials of the abscess appear as solid mass. In such cases, color Doppler US can be helpful to differentiate inner material fromadjacent granulation tissue. You can see blood flow in the abscess wall and granulation tissue but not in the pus itself.

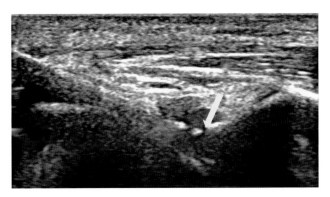

Figure 15-5 **Aspiration of ankle joint**. Aspiration should be performed through largest pocket or through nearest point from the skin. Aspiration technique is similar to the case of the hematoma.

액체를 확인할 수 있다.

(3) 농양 Abscess

농양은 혈종처럼 복합에코를 보이지만, 고에코의 두꺼운 벽을 가질 수 있다 (Fig. 15-4A). 농양이 고형종괴처럼 보일 수 있는데, Doppler검사에서 농양의 벽이나 육아조직에는 혈류가 관찰되지만 농(pus)에서는 혈류가 보이지 않으므로 감별에 도움이 된다 (Fig. 15-4B). [3] 바늘은 16G 이상의 굵은 바늘을 주로 사용하며, 경피적(percutaneous) 배액관을 삽입하여 지속적으로 농이 배출되도록 할 수도 있다.

2) 관절액 Joint effusion

정상 윤활관절 내에는 대부분 미량의 관절액이 있다. [2] 관절액의 증가를 보이는 여러 관절질환에서 초음파유도 흡인을 실시할 수 있지만, 만성이나 아급성기(subacute stage)에는 유착(adhesion)이 동반되어 흡인이 어려울 수 있다. [4] 시술 전에 반드시 초음파검사를 통해 관절액 증가 유무와 정확한 위치를 파악하여, 시술 계획을 수립한다. 관절액이 가장 많이 고인 부위나 접근이 쉬운 곳을 선택하여 천자한다 (Fig. 15-5). [2] 고관절과 같이 깊은 곳에 위치한 관절은 7.5 cm

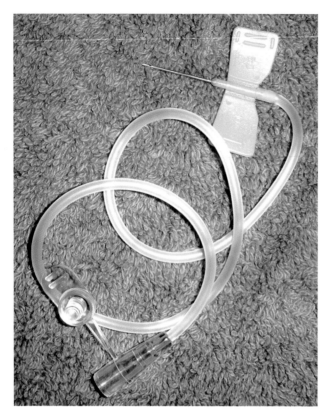

Figure 15-6   21 gauge butterfly needle.

길이의 18G척추바늘(spinal needle)을 주로 사용하며, 손목, 발목관절, 또는 주관절 등에는 21G 짧은 바늘을 사용할 수 있다 (Fig. 15-6).[2] 소아의 일과성 고관절 활액막염(transient hip synovitis)에서 관절삼출액 흡인을 실시하면 화농성 관절염과의 감별 및 증상의 호전과 치료에 도움이 된다 (Fig. 15-7).[2] 고관절 수술 후 액체 저류가 보일 때 초음파유도 흡인술을 실시하면 금속고정물의 이완(loosening)과 동반된 감염의 감별에 도움이 된다.[4]

3. 생검 Biopsy

1) 연부조직의 생검

수술적 생검은 창상 감염, 심한 통증, 출혈, 흉터종(keloid), 마취와 관련된 문제 등이 있다.[5] 이런 문제들은 초음파유도 시술에서는 잘 생기지 않으며, 초음파유도 시술의 합병증 발생률은 0.5% 정도로 보고되어 있고,[3,6,7] 초음파유도 생검은 외래에서도 시행이 가능하므로 불필요한 입원을 줄일

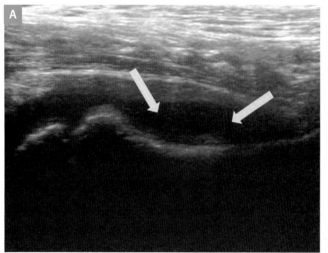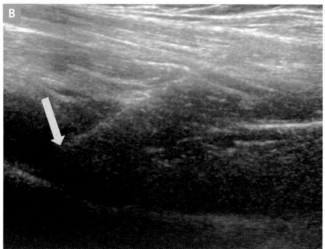

Figure 15-7   **Aspiration of the fluid from the hip joint**. If transient synovitis (arrow) exists in the pediatric hip joint (**A**), US-guided aspiration (**B**) can decrease the size of the lesion and resolute clinical symptoms.

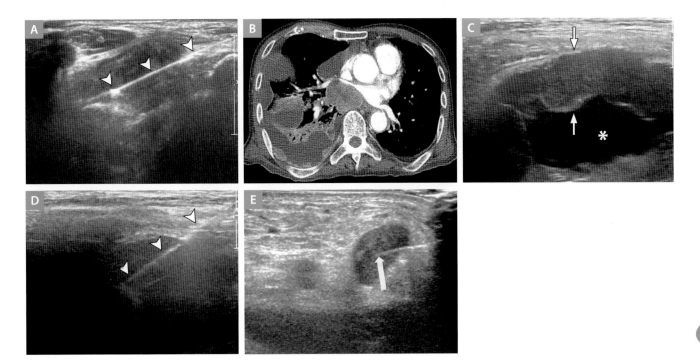

Figure 15-8 **Core needle biopsies of the soft tissue. A.** Biopsy for ankle joint lesion. **B-D.** Biopsy for pleural lesion. Axial CT image (**B**) shows large amount of pleural effusion and multiple pleural mass-like lesions. Ultrasonography (**C**) also shows pleural thickening (between arrows) and effusion (*). US-guided biopsy (**D**) was done through intercostal approach and small cell carcinoma was confirmed. Note the entire needle (arrowheads). (Courtesy of Prof. SM Lee, Keimyung Univ.) **E.** Biopsy for inguinal LN (arrow). When the target lesion is small (lesser than 1 cm), caution is needed because the needle can extend beyond the lesion margin.

수 있다.[5] 또한 실시간으로 생검 바늘의 진행방향과 바늘 끝의 위치 확인이 가능하고, Doppler검사를 이용해 괴사조직을 피해 정확하게 조직을 획득할 수 있고, 혈관을 확인하여 안전하게 시술할 수 있다 (Fig. 15-8A~D). 표적 병변이 작은 경우에는 바늘이 병변을 통과하여 주위 정상 조직에 손상을 초래할 수 있으므로 주의가 필요하다 (Fig. 15-8E).[6] 반드시 굵은 바늘을 사용해야만 정확한 결과가 나오는 것은 아니므로 바늘의 굵기는 상황에 따라서 판단한다.[8]

2) 골조직의 생검

골피질 결손이 동반된 병변이거나 골 표면 또는 골막하에서 발생한 골 병변에 대해서는 초음파유도 생검이 가능하다 (Fig. 15-9, 15-10).[2] 초음파에서 생검이 가능한 병변이면 CT유도 보다 초음파유도 생검이 방사선 노출을 피하고, 환자나 시술자에게 더 편하고 정확한 검사가 될 수 있다.[2]

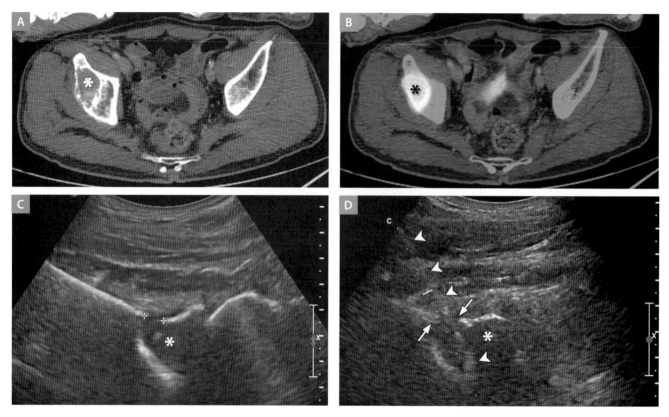

Figure 15-9 **Core needle biopsy of the bone lesion.** Known lung cancer. **A.** Axial CT image shows large osteolytic lesion in right acetabulum (*) without significant soft tissue mass. **B.** CT-PET image shows increased metabolism of the lesion (*). **C.** Long-axis ultrasonography with 5 MHz convex probe shows focal bony defect of the lesion (between curses). **D.** US-guided core needle biopsy was done through the cortical defect (between arrows), and metastasis was confirmed. Entire needle path is well identified also (arrowheads). (Courtesy of Prof. KH Cho, Yeungnam Univ.)

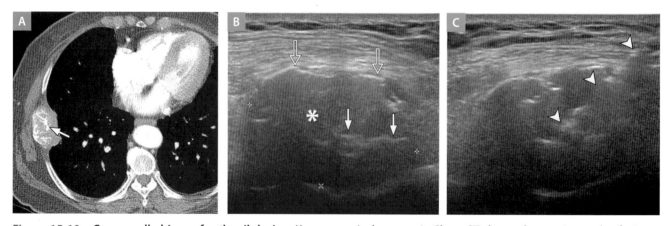

Figure 15-10 **Core needle biopsy for the rib lesion.** Known cervical cancer. **A.** Chest CT shows destruction and soft tissue mass formation involving right rib. **B.** US shows hypoechoic mass (*) with irregular cortical thinning and ballooning (open arrows). Intra-tumoral calcifications (or bone fragments, arrows in **A** and **B**) are also noted. **C.** US-guided biopsy was done through the cortical defect, and metastasis was confirmed. The needle (arrowheads) is well identified even in the intraosseous lesion.

4. 이물질의 제거 Removal of foreign body

1) 이물질 제거의 적응증

금속재질, 플라스틱, 유리 등의 이물질을 초음파유도로 제거 할 수 있다. 나무 재질 등은 수상 직후에는 가능하지만, 이물질 주위에 육아조직(granulation tissue)이 형성된 후에는 한 번에 다 제거하기 어려울 수 있다.[2]

2) 시술방법

겸자(forceps) 등의 수술용 기구가 필요한데, 작은지혈집게(mosquito forceps)처럼 가늘고 곧은(straight) 겸자가 시술에 유리하다. 시술 전 초음파를 시행하여 이물질의 정확한 위치와 수를 파악한 후, 이물질의 끝 부분에 접근하여 쉽게 제거할 수 있는 경로를 설정하고 천자 위치를 피부에 표시한다. 천자 부위 피부와 이물질 주위에 국소마취제를 주입한 후, 수술 기구가 들어갈 정도로 피부 절개를 하고, 초음파유도하

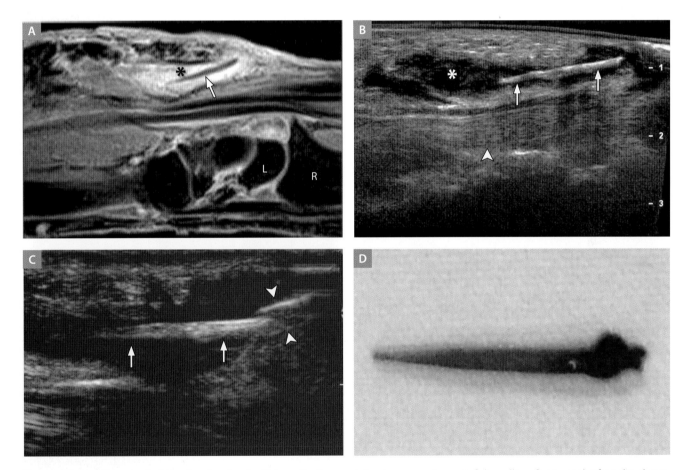

Figure 15-11 **Removal of the foreign body.** This patient complained progressive painful swelling for 1 week after slip down. **A.** Enhanced fat-suppressed sagittal MRI shows low signal intensity linear structure (arrow) surrounded by enhancing soft tissue (*) superficial to flexor tendons. R, radius; L, lunate. **B.** Long-axis ultrasonography shows echogenic foreign body (arrows) surrounded by hypoechoic granulation tissue (*) superficial to flexor tendons (arrowhead). **C.** Straight forceps (arrowheads) was introduces under US guidance, and the foreign body (arrows) was removed. **D.** Removed wood foreign body. (Courtesy of Prof. SM Lee, Keimyung Univ.)

에 설정한 경로를 따라 겸자를 삽입한다. 이물질을 겸자로 잡고 제거한다. 시술 후에 다시 초음파검사를 하여 남아있는 이물질이나 출혈 여부를 확인한다 (Fig. 15-11).[9]

5. 경피적 배액술 Percutaneous drainage, PCD

1) 초음파유도 경피적 배액술 장점과 금기증

수술적 배액술 보다 초음파유도 경피적 배액술은 시술이 빠르고 전신마취가 필요 없다. 또한 초음파유도는 CT유도보다 간편하고 실시간으로 병변의 위치를 확인할 수 있으며, 시술 후 검사에도 편리하며, 병변까지의 안전한 접근 경로를 확보하는 데도 유리하다. 근골격계에서는 주로 요근(psoas muscle)을 포함한 근육내 농양과 골반벽 농양(pelvic wall abscess)에 대한 PCD가 주로 시행된다.[10] 절대적 금기증은

없으며 출혈성 소인이 있는 경우나 안전한 접근 경로가 없을 때가 상대적 금기증이다.[11]

2) 시술방법

갑작스런 환자 상태의 변화에 대처하기 위해 시술 전에 수액 공급을 위한 정맥을 확보한다. 시술 전후에 항생제를 투여하고, 시술 중 상황에 따라 진통제를 투여 할 수 있다. 시술 도중 환자의 생체 징후(vital sign)를 지속적으로 확인해야 한다.

경피적 배액술은 투시검사(fluoroscopy)와 초음파유도를 병행하여 실시하면 편리하며, 시술은 Seldinger기법을 이용한다. 시술 전 초음파를 이용하여 도관(catheter)을 삽입할 피부 위치와 병변까지의 접근 경로를 확인한 후, 초음파유도 하에 천자한다 (Fig. 15-12A, B). 초음파에서 바늘 끝을 확인해야 하며, 잘 보이지 않는 경우에는 바늘을 가볍게 움직여 보거나 약간의 공기 또는 생리식염수를 주입해 본다. 바늘의

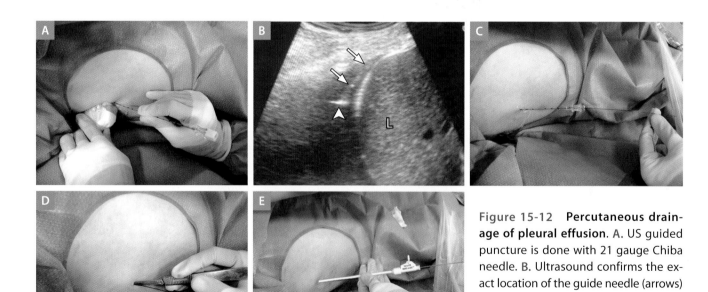

Figure 15-12 **Percutaneous drainage of pleural effusion. A.** US guided puncture is done with 21 gauge Chiba needle. **B.** Ultrasound confirms the exact location of the guide needle (arrows) and tip (arrowhead). L, liver. **C.** Then introduce 0.018 inch guide wire. **D.** Small skin incision is made. **E.** 12 Fr drainage catheter is inserted.

위치를 명확히 하기 위해 투시하에 조영제를 소량 주사하여 바늘의 끝이 병변 내에 있는지를 확인한다. 이후 천자 바늘을 통해 가는 유도선(0.018인치 guide wire)을 삽입하고(Fig. 15-12C) 약간의 피부 절개를 한다 (Fig. 15-12D). 유도철사를 따라서 유도침을 삽입한 후, 유도선을 제거하고 0.035인치의 유도선으로 교체한다. 이 유도선을 따라 확장기(dilator)를 삽입하여 경로를 넓힌 뒤, 마지막으로 유도선을 따라 적당한 굵기의 배액관(drainage tube)을 삽입한다 (Fig. 15-12E). 최소 8 Fr (French) 이상의 배액관을 사용하고 보통은 10~12 Fr를 사용한다.

3) 시술후 관리

보통 비닐주머니를 연결하여 배액하지만, 음압배액용기를 이용할 수도 있다. 하루 배액량이 10 cc 이하이거나, 추적 초음파나 관조영술(tubography)에서 남아 있는 공간이 거의 없을 때, 혹은 배액 내용물에서 농양 성분이 거의 없을 때 배액관을 제거할 수 있다.[11]

6. 요약

초음파는 여러 방향의 단면영상을 실시간으로 얻을 수 있으며, 기계의 이동이 용이하여 여러 시술의 유도 목적으로 흔히 쓰인다. 특히 환자의 이동이 어려운 중환자실 입원 환자나 수술 직 후의 환자에서의 시술에 유용하다. 초음파유도는 혈종, 농양, 관절액 등의 진단과 치료적 흡인, 종괴의 생검, 이물질의 제거, 도관 삽입을 위한 유도 등에 폭넓게 사용되고 있다. 초음파에서 안전한 접근 경로가 확보되지 않거나 출혈성 소인이 있는 환자의 경우에는 시술에 제한이 있을 수 있다. 시술 전에 병변에 대한 초음파를 실시하여 시술 계획을 미리 세워야 하며, 시술 후에는 시술 부위를 다시 검사하여 합병증 유무를 확인한다.

II. 초음파유도 근골격계 통증 시술
US-guided musculoskeletal pain control

1. 서론

근골격계 질환의 진단과 치료에 있어서 관절 흡인과 주사는 1930년대에 처음으로 기술되었지만, 그 임상적인 효과는 1950년대에 Hollander 등이 4,000명의 환자에서 100,000건 이상의 관절 내 스테로이드 주사(steroid injection) 증례에서 처음 입증되었다.[12] 이후 관절 내 스테로이드 주사는 관절과 그 주위에 발생하는 염증성 질환 또는 통증 치료의 중요한 부분이 되었으며, 국소적이고 즉각적인 소염 작용과 통증 경감 효과는 물론 전신적인 약물치료의 보조 치료로 사용되어 왔다.[12] 초기에 관절 내 또는 연부조직 스테로이드 주사는 모두 촉진(palpation)에 의해 시행하였으며, 1995년 Brophy 등이 발뒤꿈치 통증 환자에서 종골후낭(retrocalcaneal bursa)과 후경골건초(뒤정강힘줄집, posterior tibialis tendon sheath)에 시행한 스테로이드 주사에 대한 증례가 초음파유도 스테로이드 주사의 최초 보고이다.[13] 아직까지 많은 수의 임상의들은 초음파유도 없이 촉진에 의존하여 관절이나 연부조직 흡인 또는 주사를 시행하고 있지만, 초음파유도 스테로이드 주사가 정확도나 시술 성공률이 더 높다.[14] 관절 통증에 대한 촉진에 의존한 스테로이드 주사 시술과 초음파유도하 주사 시술을 비교한 보고에 따르면 초음파유도 주사에서 시술 관련 통증이 43% 더 감소하였고, 주사 2주 후 통증 점수도 58% 더 감소하였으며, 시술에 대한 반응률이 25% 증가하였고 무반응률은 65% 감소하였다. 또한 초음파를 사용하면 관절액 발견율이 200% 증가하고, 흡인한 관절액 양이 337% 증가하였다.[14,15] 따라서 통증 부위에 대한 정확한 이해와 적절한 초음파유도 시술이 권장되어야 한다. 초음파유도 시술의 시작은 대상 부위에 대한 철저한 초음파검사이며, 이를 바탕으로 시술 시행 여부, 시술의 종류, 시술 경로 등을 결정한다.

Table 15-1 **Types and Characteristics of Steroids**

스테로이드	상용용량 (mg/mL)	등가용량*(mg)	작용시간(days)	적응증	부작용
Methylprednisolone acetate (Depo-Medrol)	40 or 80	40	8	연부조직, 인대, 소관절	전신적 흡수
Triamcinolone acetonide (Kenalog)	10 or 40	40	14	중, 대관절 연부조직	피부 위축
Triamcinolone hexacetonide (aristospan)	20	40	21	중, 대관절 연부조직	피부위축
Betamethasone sodium phosphate / acetate	3	6	중간 / 길다	연부조직, 소, 중, 대관절	
Dexamethasone acetate / sodium	8 / 4	8 / 8	8 / 6	소, 중, 대관절	

*- Methyl prednisolone 40 mg에 대한 등가 용량

2. 약물 Drugs

근골격계 통증 주사는 일반적으로 즉각적인 진통 효과를 가지는 국소마취제(local anesthetics)와 지속적인 진통 효과를 가지는 스테로이드(steroid) 제재를 혼합하여 사용한다.[16] 여러 종류의 스테로이드 제재가 사용되며, 스테로이드의 효과지속시간은 약제의 용해도(solubility)에 따라 달라지며, 용해도가 낮을수록 작용시간이 길어지고, 작용시간이 긴 제재일수록 인대파열, 조직위축 등의 부작용의 위험이 크다.[12,16,17] Triamcinolone hexacetonide는 용해도가 가장 낮고 지속시간이 가장 길어 일반적으로 큰 관절 주사에 많이 쓰이고, betamethasone acetate는 상대적으로 용해도가 높고 지속시간이 짧아 연부조직 주사에 많이 사용된다. 스테로이드 제재 별 용해도, 등가용량(equivalent dosage), 작용시간(effective time), 적응증 등은 Table 15-1에 정리되어 있다.

스테로이드제와 혼합하여 사용하는 국소마취제는 즉각적인 통증 경감효과를 보여 국소통과 방사통을 구분할 수 있는 진단적 가치도 있다.[17] 또한 주사제의 전체 양이 증가하므로 관절강 내에 주사제가 골고루 퍼지는 데에도 도움을 준다. 근골격계 통증 주사에 주로 사용하는 제재는 bupivacaine이나 lidocaine 등의 단기작용 제재이며, 용량과 특징

Table 15-2 **Types and characteristics of local anesthetics for musculoskeletal injections**

국소마취제	작용시작 시간(min)	작용지속 시간(hours)	최대주 사용량(mL)
0.25% Bupivacaine	30	8	60
0.5% Bupivacaine	30	8	30
1% Lidocaine	1~2	1	20
2% Lidocaine	1~2	1	10

Table 15-3 **Dosages and needles for each joint**

관절	스테로이드 용량*(mg)	국소마취제 용량†(mL)	바늘 굵기 (gauge)
어깨	20~40	5	22
팔꿈치	20	3	23
손목	20~40	3	23 또는 25
무릎	20~80	5	22
발목	20~40	3~5	23

*- Methyl prednisolone 용량 기준
†-1% Lidocaine 용량 기준

은 Table 15-2와 같다. 스테로이드제와 국소마취제의 관절별 권장 용량은 Table 15-3과 같다.

스테로이드 제재의 부작용은 피부 위축, 지방 괴사, 피부 색소침착 등이다. Methyl prednisolone이 triamcinolone 제재보다 이러한 부작용 발생 위험이 적으며, 따라서 피부에 가까운 연부조직 주사에 methyl prednisolone 제재 사용을 권장한다.[17] 또한 스테로이드는 육아조직과 결합조직 형성을 방해하여 인대 파열의 위험이 있으므로 인대 내 주사는 피해야 한다. 관절 내 스테로이드는 특히 체중 부하 관절에서 연골에 낭성 결손과 괴사, 연골 탄성 저하 등을 유발하여 연골 파괴를 촉진한다고 알려져 있다. 따라서 말기 퇴행성 관절 이외에는 되도록이면 관절 내 주사는 피해야 한다.[17] 주사 후 2주간 휴식을 취하고 6주간은 힘든 일을 피하도록 하며, 적어도 6주의 간격을 두고 다음 스테로이드 주사를 시행한다. 두 번의 주사 후 4주가 지나도 증상 호전이 없으면 더 이상의 반복 주사는 시행하지 않도록 한다.

3. 관절 내 주사 Intraarticular injection

치료 목적의 관절 내 스테로이드나 hyaluronic acid 주사는 퇴행성관절염 치료에 효과적이다. Hyaluronic acid 제재의 관절 내 주사의 목적은 관절 윤활의 중요한 역할을 한다고 알려진 hyaluronic acid를 공급하는 것이며, 그 작용기전은 확실히 밝혀지지 않았지만 소염 진통 작용도 있는 것으로 보고되어 있다.[17] 이 장에서는 가장 흔히 주사를 시행하는 관절들 위주로 관절 별 주사 경로와 주의점을 기술한다.

1) 어깨관절 Shoulder injection

어깨관절 내 주사의 중요한 적응증은 퇴행성관절염, 유착관절낭염(adhesive capsulitis), 류마티스관절염 등이다.[18] 상완골두에 무혈성 괴사나 최근에 발생한 회전근개파열이 있는 경우는 상대적 금기증이다. 시술은 환자가 앉은 자세 또는 옆으로 눕거나 엎드린 자세에서 시행할 수 있다.[17~19] 상

완와관절(glenohumeral joint)은 전후방 모두에서 접근이 가능하지만, 후방 접근은 회전근개사이(rotator cuff interval)나 전방관절순으로의 주사를 피할 수 있고, 대개 관절액이 후방관절강에 더 먼저 차기 때문에 좀 더 선호된다.[18] 환자의 손을 반대편 어깨에 올리고 극하근(infraspinatus) 부위에서 상완와관절 후면의 횡축영상을 얻으면, 기준점인 삼각형 모양의 후방관절순, 상완골두, 관절막이 보인다. 바늘을 탐촉자와 평행하게 하여 외측에서 내측으로 비스듬히 삽입하고, 바늘 끝이 상완골두와 후방관절순 사이에 놓이게 한다 (Fig. 15-13). 이때 관절순이나 연골이 손상되지 않게 주의하며, 특히 관절액이 없거나 소량인 경우에는 손상 위험이 커지므로 주의해야 한다. 바늘 끝이 상완골두에 닿는 것을 느끼면, 소량의 국소마취제를 시험주사(test injection) 하여 주사제가 관절강 내로 저항 없이 주입되는 것을 확인한다. 이때 저항이 느껴지면 조심스럽게 바늘 끝을 돌리거나 뒤로 약 1~2 mm 정도 빼면서 저항이 사라지는 순간을 포착한다. 바늘 끝이 관절강 내에 위치한 것이 확인되면 준비한 주사제를 천천히 주입한다. 관절액이 많은 경우에는 관절액 흡인을 먼저 시행한 후 주사제를 주입한다. 관절액 흡인과 주사를 병행할 때에는 좀 더 굵은 바늘(18-22G)을 사용하고, 주사만 시행할 때에는 가는 바늘(22-25G)을 사용한다.[18]

2) 팔꿈치관절 Elbow injection

환자는 앉거나 누운 자세에서, 팔꿈치를 가슴 앞에 편하게 굽힌 자세를 취한다. 관절액이 많을 때에는 삼두근힘줄(triceps brachii tendon)의 양측을 통해 팔꿈치오목(olecranon fossa)으로 바늘을 삽입하는 후방 접근이 가능하며, 다른 접근 경로로 요골-상완골소두(radiocapitular) 관절에 바늘을 삽입하는 전외방 접근이 있다 (Fig. 15-14).[17,18] 후방 접근의 기준점은 상완골 팔꿈치오목, 후지방패드(posterior fat pad), 팔꿈치머리(olecranon)이며, 삼두근 힘줄의 바로 외측을 따라 바늘을 삽입한다.[17]

3) 손목관절 Wrist injection

요골-수근골 관절은 류마티스관절염이 가장 많이 생기는 관절 중의 하나이다. 주로 손등쪽에서 Lister돌기(Lister tubercle)로부터 1~2 cm 원위부가 주사 지점이며, 이 곳은 2번째~3번째 또는 3번째~4번째 신근구획(extensor compartment) 사이 공간이다. 이때 건막(tendon sheath)이나 소혈관 손상을 피하여 바늘을 삽입한다. 한 번의 주사로 전체 관절 구획에 약물을 주입할 수 없는 경우에는 여러 번 나누어 주사할 수 있으며, 원위부 요척골 관절에는 추가 주사가 필요하다.[18]

4) 고관절 Hip injection

고관절 시술은 감염성관절염과 퇴행성관절염 등에 의한 관절액 저류, 소아의 일과성윤활막염, 수술 후 통증 등에서 시행된다. 환자가 바로 누운 상태에서 서혜인대 원위부에서 대퇴경부와 평행하게 탐촉자를 놓고, 대퇴골두와 경부(neck) 경

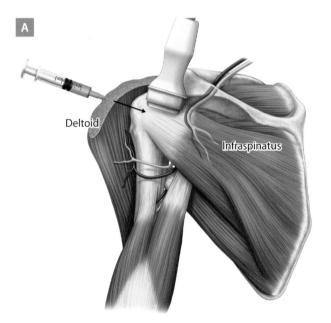

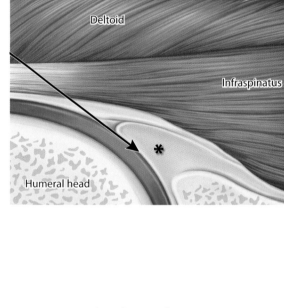

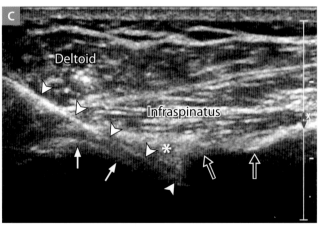

Figure 15-13 **Glenohumeral joint injection, posterior approach. A, B.** Illustrations for the probe position and the needle direction (arrows) in posterior approach. **C.** A needle is inserted in transverse plane from lateral to medial direction (arrowheads) into the posterior glenohumeral joint space between echogenic posterior labrum (asterisk) and posterior humeral head (arrows). Open arrows: bony glenoid. (Courtesy of Dr. Hee Sun Jeong, Wiltse Memorial Hospital)

계 부위의 전방관절와(anterior recess)를 목표로 바늘을 삽입한다 (Fig. 15-15) (Chapter 12 고관절 및 허벅지 Fig. 12-2 참조 바람). 바늘이 장골대퇴인대(iliofemoral ligament)를 통과할 때 저항이 느껴지며, 좀 더 전진하면 인대를 통과하면서 탁 터지는 느낌(popping sensation)과 함께 바늘 끝이 관절강 내로 들어간다. 이때, 인대 내 주사 또는 주위 혈관 및 신경 손상에 주의한다. 관절액이 없거나 마른 환자에게 시행할 때에는 탐촉자를 가로방향으로 돌리고 전외방 접근으로 관절순과 대퇴골두 사이로 바늘을 삽입하기도 한다 (Fig. 15-15D).[17]

5) 무릎관절 Knee injection

퇴행성관절염 또는 염증성관절염 환자에서 무릎 관절액이 증가되어 있을 때, 환자가 바로 누워 무릎을 약간 구부린 자세에서 슬개상낭(suprapatellar bursa)에 흡인과 주사를 할 수 있다. 무릎관절은 초음파유도 없이도 비교적 쉽고 정확하게 시행할 수 있는 부위이지만, 비만 환자나 관절강 내 격막이 있는 만성관절염 또는 관절액이 소량일 때 초음파유도가 필요하다.[18] 전방에서 시상옆(parasagittal) 종축방향 접근을 많이 이용한다. 탐촉자를 대퇴사두건(넙다리네갈래근힘

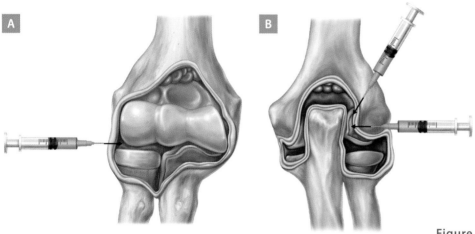

Anterolateral approach

Posterior approach

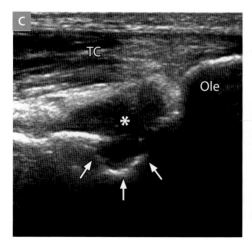

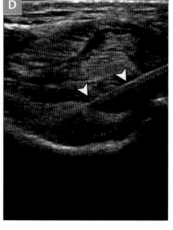

Figure 15-14 **US-guided aspiration/ injection of elbow joint. A.** Drawing for anterolateral approach and the target is radiocapitellar joint. **B.** Drawing for posterior approach for elbow joint. The needle can be inserted along medial or lateral margin of the triceps tendon, and the target site is olecranon fossa. **C.** Long-axis US image in posterior elbow shows joint effusion (*) in olecranon fossa. Posterior humeral cortex shows erosive change (arrows). TC, triceps tendon; Ole, olecranon process of ulna. **D.** US-guided aspiration was done in transverse scan of posterior approach, and pyogenic arthritis was confirmed. Arrowheads: needle. (Courtesy of Prof. SM Lee, Keimyung Univ.)

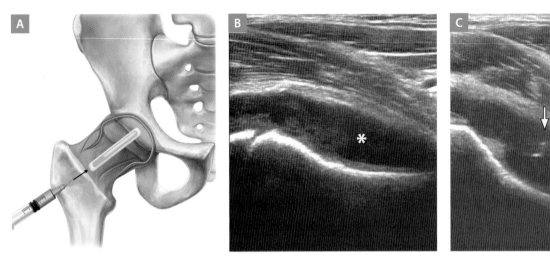

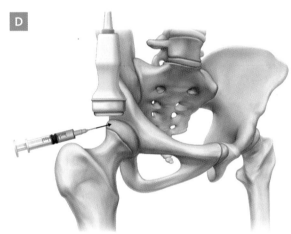

Figure 15-15 **US-guided aspiration/injection of hip joint.** A 12-year-old male patient confirmed as transient synovitis. **A.** Drawing for the probe position and the needle direction. **B.** Anterior longitudinal scan of right hip joint shows distended anterior joint capsule by anechoic joint fluid anterior to femoral neck (asterisk). **C.** Linear echogenic needle is inserted into the distended anterior recess in the craniocaudal direction (arrows). **D.** Drawing for the transverse approach of hip joint injection.

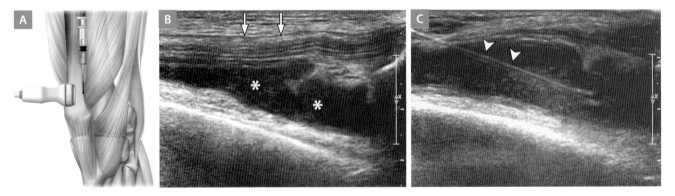

Figure 15-16 **US-guided aspiration/injection of knee joint.** A 69-year-old male patient with long-standing rheumatoid arthritis. **A.** Drawing for the probe position and the needle direction. **B.** Anterior midline longitudinal scan shows quadriceps tendon (arrows) and large amount of joint effusion (asterisks) with echogenic debris in distended suprapatellar pouch. **C.** In lateral parasagittal longitudinal scan, the needle is inserted into the suprapatellar pouch in the craniocaudal direction (arrowheads).

714

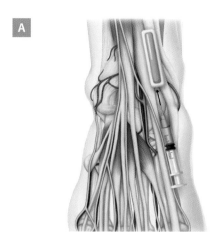

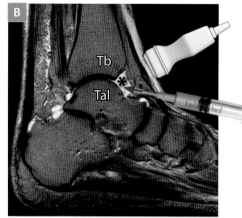

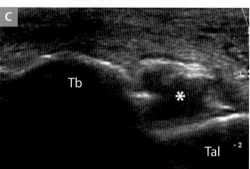

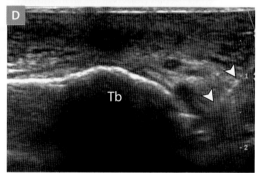

Figure 15-17 **US-guided aspiration/injection of ankle joint. A.** Drawing for the probe position and the needle direction. The tendons and vessels should be avoided during procedure. **B, C.** Fat-suppressed proton-density weighted sagittal MRI (**B**) and long-axis gray scale US show ankle joint effusion (*). Tb, tibia; Tal, talus. **D.** US-guided aspiration was done, and gout was confirmed. Note the probe position and the needle direction on **B**. Arrow heads: needle. (Courtesy of Prof. SM Lee, Keimyung Univ.)

줄, quadriceps femoris tendon)과 평행하게 놓은 후, 내측이나 외측으로 약간 움직여 대퇴사두건 바로 옆 부분 슬개상낭을 확인하고, 바늘을 머리-발(craniocaudal) 방향으로 삽입한다 (Fig. 15-16). 관절액이 없을 때에는 내측 슬개-대퇴 관절면에서 탐촉자를 종축방향으로 놓고 바늘을 위나 아래 방향으로 비스듬히 삽입하는데, 이때 바늘 끝이 보이지 않으므로 바늘 끝의 관절강 내 위치를 확인하기 위하여 소량의 공기나 생리식염수를 주입하기도 한다. (17,18)

6) 발목관절 Ankle injection

발목관절에서는 환자가 바로 누운 자세에서 전방 종축방향 접근을 하는데 반드시 전경골동맥(anterior tibial artery)과 신건(폄힘줄, extensor tendon)을 피하여 바늘을 세로방향으로 아래 쪽에서 삽입한다 (Fig. 15-17). (17)

4. 윤활낭 Bursa, 건초 힘줄집, Tendon sheath, 결절종 Ganglion cyst 주사

대부분의 근골격계 낭성 병변의 시술에 있어서 초음파는 가장 이상적인 영상기법이다. 작은 양의 액체 저류도 주위 중요한 구조물들과 쉽게 구분할 수 있으며, 시술 중에 실시간 감시가 가능하다. (17)

1) 윤활낭

윤활낭염(bursitis)은 반복적인 사용, 감염, 전신성 염증 질환 등에서 발생할 수 있으며, 감염이외의 윤활낭염에는 흡인과 스테로이드 주사를 할 수 있다. 관절과 연결된 윤활낭에 스테로이드를 주사할 때는 연골 손상을 주의해야 하며, 특히 견봉하낭(subacromial bursa)에 주사를 할 때는 회전근개 전

715

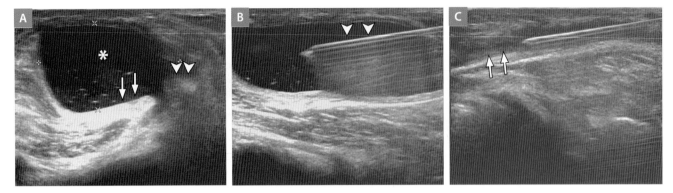

Figure 15-18 **A 69-year-old female patient with right knee pain confirmed as Baker's cyst. A.** In posterior transverse scan, anechoic cystic lesion (asterisk) is seen in medial popliteal fossa, insinuating between medial gastrocnemius head (arrows) and semimembranosus tendon (arrowheads). **B.** Needle is inserted into the cystic lesion in transverse plane (arrowheads). **C.** After aspiration, the cystic lesion shows almost collapsed appearance (arrows) and then steroid injection was performed via the same needle inserted.

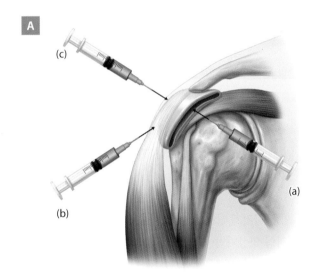

Figure 15-19 **US-guided injection of subacromial bursa.** A 41-year-old female patient with right shoulder pain. **A.** Drawing for the probe position and the needle directions – anterior (a), lateral (b), and posterolateral (c). **B.** Needle (arrowheads) is inserted in the mildly distended subacromial-subdeltoid bursa (arrows) in posterolateral approach. An echogenic calcific deposit is seen in the supraspinatus tendon (asterisks in **B** and **C**). **C.** Echogenic injectate is seen distending the subacromial-subdeltoid bursa (open arrows).

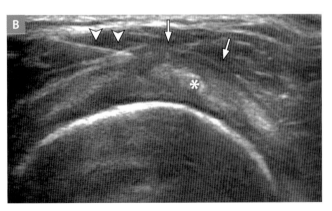

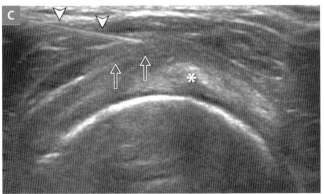

층파열을 확인해야 한다. Baker낭종의 치료로 물리치료, 흡인술, 스테로이드 주사 등이 있고(Fig. 15-18), 이 낭종은 무릎관절과 연결되어 있으므로 관절 내 주사가 낭종 치료에 효과적일 수 있다.[16]

견봉하낭(subacromial bursa) 주사는 회전근개 병변이나 회전근개 충돌증후군에 의한 어깨 통증이나 기능이상이 있는 환자에서 많이 시행되며, 통증의 원인 진단과 함께 통증 경감 및 관절 운동 범위(range of motion) 증가 등의 치료효과를 얻을 수 있는 이점이 있다.[19] 촉진에 의존한 시술의 실패율이 13~71% 정도로 보고되어, 초음파유도 주사가 권장

되는 부위이다.[18] 환자가 앉거나 누운 자세에서 전방, 외방, 후외방으로 접근한다 (Fig. 15-19).

대둔근전자낭(trochanteric bursa) 주사도 초음파유도 시술이 유용하며, 환자가 옆으로 누운 상태에서 시행한다. 허리나 고관절 질환과 연관된 방사통을 배제한 후, 대퇴전자 부위에 국한된 통증과 압통을 호소하면 대둔근전자낭염으로 진단할 수 있다 (Fig. 15-20).[18] 대둔근전자낭염은 엉덩이나 대퇴전방 부위로 방사통을 동반할 수 있으며, 고관절 병변은 주로 서혜부에 방사통을 동반한다.[16]

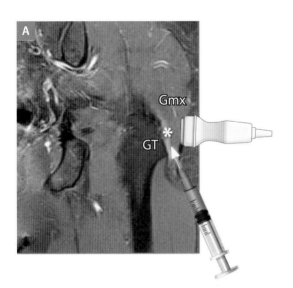

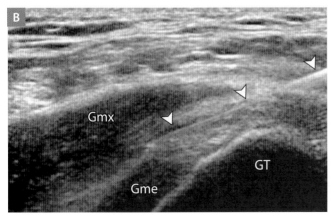

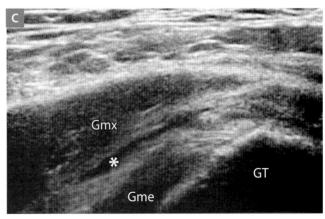

Figure 15-20   US-guided injection for trochanteric bursitis. A. Fat-suppressed proton-density weighted coronal MRI shows increased signal intensity (*) between the greater trochanter (GT) and the gluteus maximus muscle (Gmx). **B.** US-guided injection was done in right decubitus position. Note the probe position and the needle direction in **A.** Long-axis image shows the 23G needle (arrowheads) between the gluteus maximus muscle (Gmx) and the gluteus medius tendon (Gme). GT, greater trochanter. **C.** Post-injection image shows injected steroid (*) without significant complication. (Courtesy of Prof. SM Lee, Keimyung Univ.)

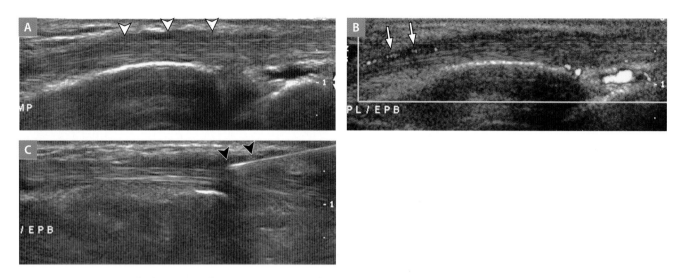

Figure 15-21 **US-guided injection for De Quervain's disease**. A 56-year-old female patient with right wrist pain. **A.** In longitudinal scan of right wrist dorsoradial side, the tendon sheath of the 1st extensor compartment shows segmental thickening (arrowheads), compatible finding to De Quervain's disease. **B.** In power Doppler examination, increased vascularity is detected in the thickened tendon sheath (arrows). **C.** In the same longitudinal direction, needle is inserted into the thickened tendon sheath without encroaching the tendon itself (black arrowheads), and then steroid mixture was injected under real time US-guidance.

2) 건초 힘줄집, Tendon sheath

De Quervain병(De Quervain tenosynovitis)은 중년 여성에 많이 발생하며, 과사용(overuse)에 의한 장무지외전건(ab-ductor pollicis longus tendon)과 단무지신건(extensor pollicis brevis tendon)의 지지대 또는 건초에 생긴 만성 무균성 염증이다. 스테로이드 주사가 부목고정, 비스테로이드성 소염제 치료 등에 비해 효과적인 치료법으로 알려져 있다.[17] 약 83%의 환자에서 한번의 스테로이드 주사로 치료되었다는 보고가 있으며,[17] 초음파유도 시술을 하면 힘줄 내 스테로이드 주사나 국소적 지방 위축 등의 부작용을 최소화 할 수 있다 (Fig. 15-21).[20]

3) 결절종 Ganglion cyst

결절종은 원위부 상지에 주로 발생하며, 원인은 아직 분명치 않지만 외상이나 조직 자극(irritation)의 결과로 생기는 것으로 알려져 있다. 대부분 증상이 없고 치료가 필요하지 않으며, 40~60%의 환자에서는 저절로 호전된다.[17] 하지만 종괴효과(mass effect) 등에 의한 증상으로 치료가 필요한 경우가 있으며, 운동범위 감소, 통증, 감각저하, 위약감 등을 호소할 수 있다. 일부에서 흡인술만 시행한 환자군과 흡인과 스테로이드 주사를 병용한 환자군 사이에 유의한 차이가 없는 것으로 보고되어, 결절종에 대한 스테로이드 주사는 아직 그 치료효과가 불분명하다.[17] 결절종의 내용물은 끈적하고 점성이 높기 때문에 초음파유도 시술에서 18G 이상의 굵은 바늘을 사용할 것을 권장하며, 대개 한 차례의 시술로 재발 없이 치료된다 (Fig. 15-22, 15-23).

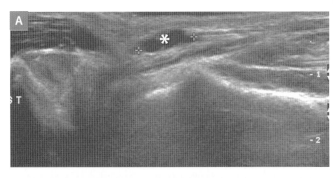

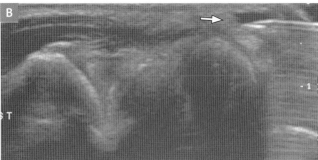

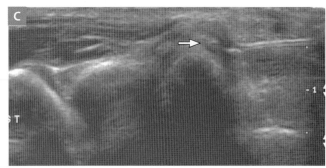

Figure 15-22　A 21-year-old female patient with a ganglion cyst in her left wrist. In longitudinal scan in the wrist volar side (**A**), an about 8 mm-sized cystic lesion (asterisk) is seen over the ulnar head. In transverse scans, an 18 gauge needle is inserted into the cyst (**B**), and the cyst is collapsed after aspiration (**C**) (arrows).

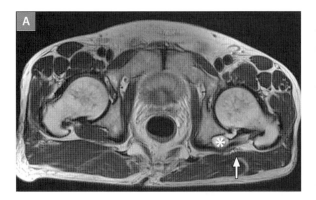

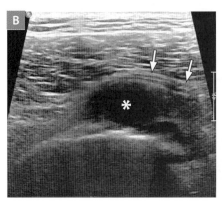

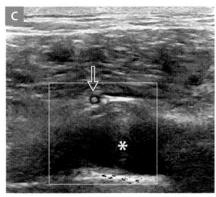

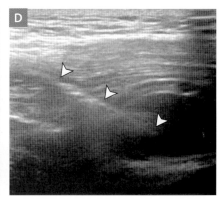

Figure 15-23　US-guided aspiration/injection for ganglion cyst. This patient complained left hip pain for several months. **A.** T2-weighted axial MRI shows cystic lesion (*) posterior to left acetabulum, that seems to be a ganglion originated from hip joint. The sciatic nerve (arrow) is superficial to the cyst. **B, C.** Short-axis gray scale (**B**) and color Doppler (**C**) images show ganglion (*) posterior to the acetabulum, that displaces the sciatic nerve (arrows) and the gluteal artery (open arrow). **D.** 18G spinal needle (arrow heads) was inserted into the ganglion, and about 5 cc of thick mucoid material was aspirated. The sciatic nerve and the gluteal artery can be avoided safely with ultrasound guidance. (Courtesy of Prof. SM Lee, Keimyung Univ.)

CHAPTER

15

5. 신경주위 스테로이드 주사
Perineural steroid injection

신경주위 스테로이드 주사는 대개 말초신경 포획증후군(en-trapment syndrome)이나 말초 신경종(neuroma) 등에서 시행한다. 초음파검사는 신경 압박의 원인이 되는 결절종, 건초염, 종괴 등의 신경 주위 병변을 찾는 데 중요한 역할을 한다. 신경 주위 스테로이드 주사를 시행할 때 초음파유도는 신경 내 주사나 주위 혈관, 힘줄 손상 등을 피하여 안전하게 시술하는 데 도움이 된다.[18]

수근관증후군(carpal tunnel syndrome) 환자에서 국소적 스테로이드 주사는 많이 시행되는 시술 중 하나이며, 1963년에 처음 보고된 후 1980년대에 대중적으로 시행되었고, 1998년에 처음으로 초음파유도하 스테로이드 주사가 보고되었다.[21] 신경 주위에 스테로이드를 주사하였을 때 통증이 감소되는 기전으로 스테로이드 제재의 항염증 효과와 함께 스테로이드가 허혈성 신경섬유에서 발생하는 전기연접전달(ephaptic transmission, cross-talk)을 제한하여 신경막 안정 작용에 직접적으로 기여하고, 또한 말초 통각수용기(pain receptor) 변형을 통하여 이루어 진다는 가설 등이 알려져 있다.[22] 수근관증후군에서의 국소 스테로이드 주사는 단기 효과만 입증되어 주사 후 1개월 간은 확실히 증상이 호전되지만, 그 이후에는 위약(placebo), 부목고정, 스테로이드제재 복용 등 다른 치료법에 비해 더 우월한 효과는 입증되지 않았다. 또한 2회의 반복적인 스테로이드 주사가 일회 단발성 주사에 비해 부가적인 치료효과가 있다는 것도 아직 입증되지 않았다.[23] 초음파유도 시술 방법은 촉진에 의존한 주사 방법과 유사하며, 종축방향으로 정중신경을 확인한 후 손

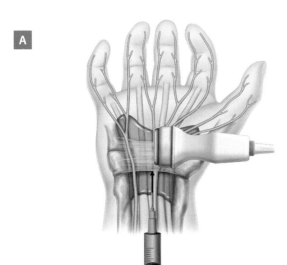

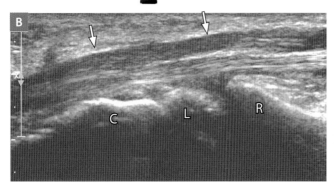

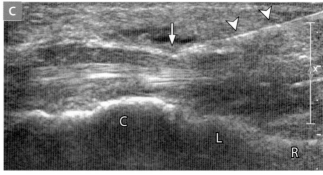

Figure 15-24 **Longitudinal approach for a 61-year-old female patient with carpal tunnel syndrome. A.** Drawing for the probe position and the needle direction in longitudinal approach. **B.** Left median nerve shows segmental swollen appearance with decreased echogenicity and loss of normal fascicular pattern compatible to the carpal tunnel syndrome (arrows). R, radius; L, lunate; C, capitate. **C.** Echogenic needle (arrowheads) is inserted in proximal-to-distal direction and the needle tip (arrow) is locating in the epineural layer of the median nerve. R, radius; L, lunate; C, capitate.

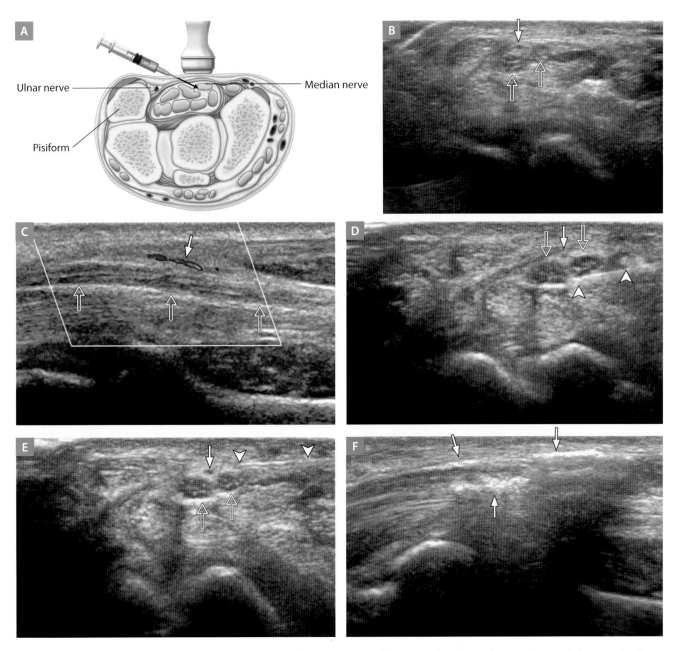

Figure 15-25 **Transverse approach for carpal tunnel syndrome. A.** Illustration for the probe position and the needle direction from medial to lateral (arrow). **B.** Gray-scale short-axis image at proximal carpal tunnel level shows bifid median nerve (open arrows) and persistent median artery (arrow). **C.** Long-axis color Doppler image shows arterial flow in the persistent median artery (arrow). Open arrows: median nerve. **D.** The needle (arrowheads) was inserted from ulnar side, and located deep to the bifid median nerve (open arrows). Arrow: median artery. **E.** After injection deep to the nerves, the needle (arrowheads) was located superficial to the nerves (open arrows) and injection was done again. With ultrasound guidance, possible injury of the median artery in blind-approach can be avoided safely. Arrow: median artery. **F.** Post-injection long-axis image shows increased linear echogenicity (arrows) along the superficial and deep margin of the median nerve due to injection. (Courtesy of Prof. SM Lee, Keimyung Univ.)

목 주름 상방 0~4 cm 부위 또는 수근관 출구의 바로 원위부에서 바늘을 삽입하는데, 긴손바닥근(palmaris longus)과 요측수근굴근(flexor carpi radialis) 힘줄보다 척골 쪽에서 삽입한다 (Fig. 15-24). 가로방향 접근도 가능한데, 근위부 손목 주름 부위의 척골 쪽에서 바늘을 삽입한다.[24] 바늘 끝이 정중신경 내로 들어가지 않게 주의하여 신경외막에 위치시킨 후, 실시간으로 초음파를 보면서 신경외막을 따라 주사제가 퍼지는 것을 확인하면서 약제를 주입한다 (Fig. 15-25).

그 외에도 팔꿉굴증후군(cubital tiunnel syndrome)과 같은 다른 말초신경포획증후군, 대퇴감각이상증(meralgia paresthetica) 등에서도 초음파유도 신경 주위 스테로이드 주사가 보고 되어 있다.[25,26]

6. 회전근개 석회화건염의 초음파유도 경피적 치료
US-guided percutaneous treatment for rotator cuff calcific tendinitis

회전근개 석회화건염은 대개 자연적으로 석회화가 흡수되는 자기제한적(self-limiting) 질환이다. 증상이 없는 환자는 치료가 필요하지 않고, 경도의 증상이 있는 환자는 경구 소염진통제, 물리치료, 초음파치료(ultrasound therapy) 등의 보존적(conservative) 치료가 도움이 된다. 체외충격파치료(extracorporeal shock-wave therapy)로 환자의 약 60%에서 석회화가 부분적으로 혹은 완전히 없어질 수 있고, 증상이 호전될 수 있다. 그러나, 체외충격파치료는 보통 2~4주 간격으로 최소한 3회에 걸쳐 시술해야 하고, 비교적 비용이 많이 들며, 급성통증기(acute pain attack)에 시술하면 심한 통증이 동반될 수 있다. 관절경수술을 시행하면 환자의 약 80~100%에서 증상이 호전될 수 있으나, 입원과 긴 기간의 재활이 필요하고 힘줄파열(tendon rupture)이나 교감반사신경이상증(reflex sympathetic dystrophy)과 같은 합병증이 가끔 발생할 수 있다. 수술보다 다른 여러 치료방법을 먼저 고려하는 것이 최근의 경향이다.[27,28]

영상 유도 시술은 회전근개 석회화건염의 효과적인 치료 방법이다. 투시유도(fluoroscopic guidance)를 이용한 석회 침착(calcific deposit)의 바늘흡인세척(needle aspiration and lavage)이 1978년에 최초로 소개되었으며,[28] 1995년에 초음파유도 경피적 바늘흡인세척 방법이 보고되었다.[29] 초음파유도 시술은 이온화 방사선(ionizing radiation)에 대한 노출이 없고, 석회화의 크기와 위치를 정확하게 알 수 있으며, 시술 과정을 실시간으로 확인할 수 있는 장점이 있다. 또한, 석회화가 비교적 얕게 위치하여 초음파유도 시술을 하기에 용이하며, 대개 10~20분 정도의 짧은 시간 내에 시술을 마칠 수 있다. 여러 가지 초음파유도 시술 수기(technique)가 보고되어있으나, 아직까지 표준 방법은 정해져 있지 않다.[27,30]

바늘의 굵기는 시술하고자 하는 부위, 목적, 시술방법에 따라 다르게 선택한다. 단순한 약물주사(drug injection)를 할 때에는 22~25G의 비교적 가는 바늘을 이용하고, 석회화를 수액흡인(fluid aspiration)할 때에는 16~20G의 비교적 굵은 바늘을 사용하는데, 석회침착을 최대한 많이 제거하고 석회에 의해 바늘 내강이 막히는 것을 피하기 위함이다.[27]

석회화건염의 안정기(resting phase)에는 석회화가 단순촬영에서 경계가 뚜렷한 높은 음영으로 보이며, 초음파에서는 고에코와 함께 뚜렷한 소리그림자(acoustic shadowing)를 동반한다. 안정기는 대개 1~2년 동안 지속되고, 간헐적 또는 지속적인 다양한 통증이 생길 수도 있다. 석회화건염의 흡수기(resorptive phase)에는 석회화가 단순촬영에서 경계가 불분명해지고 초음파에서 소리그림자가 뚜렷하지 않으며, 초음파유도 흡인에서 치약 같은 물질이 흡인된다. 흡수기에는 심한 통증과 운동범위의 제한을 보이는데, 석회화가 주위 견봉하-삼각근하윤활낭(subacromial-subdeltoid bursa, 이하 SASD), 회전근개 내부, 또는 인접한 뼈에 침범함으로써 유발된다. 이러한 증상들은 전형적으로 약 2주 동안 지속된다.[30,31]

회전근개 석회화건염에 대한 초음파유도 경피적 시술 방법의 선택은 석회화의 양상과 시술자의 선호도에 따라 달라

Table 15-4 **Comparison of US-guided techniques for percutaneous treatment of rotator cuff calcific tendinitis**

	Needle aspiration and lavage		Dry needling without calcium extraction
	Double needle technique	Single needle technique	
Calcification consistency	Soft	Soft	Hard or soft
Needle gauge used	16-20(thick)	16-20(thick)	22-25(thin)
Needle number used	2	1	1
Fluid injection into calcific deposit	+	+	–
Calcium extraction	+	+	–
Steroid injection into SASD bursa	+	+	+
Effect	Direct removal of calcific deposit		Decreased pressure and acceleration of resorption of calcific deposit

질 수 있다. 만일 석회화의 경계가 불분명하고 초음파에서 소리그림자가 뚜렷하지 않으면, 한 개 또는 두 개의 바늘을 이용한 바늘흡인세척(needle aspiration and lavage)을 많이 시행하며, 석회화의 음영이 높고 소리그림자가 뚜렷하면, 수액주입 및 석회추출이 없는 바늘천자(dry needling without calcium extraction)가 추천된다 (Table 15-4). [27~34]

초음파유도 흡인시술은 일반적으로 다음의 순서로 진행한다.

① 시술 전에 초음파로 회전근개 파열, 윤활낭염, 그 밖의 연관된 병변을 확인한다.
② 시술 도중 환자가 움직이거나 미주신경반응(vagal reaction)이 발생하는 것을 방지하기 위해, 환자는 바로 누운 자세를 취한다. 환측 어깨의 팔을 몸통을 따라 신전(extension)시키고, 극상건(supraspinatus tendon)과 극하건(infraspinatus tendon)에 위치한 경우에는 팔을 내회전(internal rotation) 시키고, 견갑하건(subscapularis tendon)에 위치한 경우에는 팔을 외회전(external rotation)한다.
③ 피부를 소독하고 소독포를 덮는다.
④ 리도카인(lidocaine)을 주입하여 국소마취를 유도한다. 국소마취제의 약 2/3는 SASD 내에 주입을 하고, 나머지는 피하조직(subcutaneous tissue)에 주입을 한다.
⑤ 전체 시술이 끝난 후 약 10~20분 동안 환자를 관찰하며, 어깨통증에 대비하여 경구용 소염진통제을 처방한다.

1) 두 개의 바늘을 이용한 흡인세척
Double needle aspiration and lavage

비교적 굵은(16~20G) 두 개의 바늘을 초음파유도하에 석회화 내에 삽입하며, 석회화의 위치, 크기, 접근성에 따라 바늘 삽입 방법이 달라진다. 하나의 바늘에 생리식염수로 채워진 20 mL 주사기를 연결하여 생리식염수를 석회화 내부로 주입하면, 석회화가 용해되면서 다른 바늘을 통해 흡인된다. 이러한 과정을 여러 번 반복하여 흡인된 액체 내에 석회가 보이지 않고 맑아질 때까지 시행한다. 이후 삽입되어 있는 두 개의 바늘 중 하나를 제거한다. 남아있는 바늘을 살짝 잡아당겨서 바늘의 끝을 SASD 내에 위치시킨 후, 시술관련 윤활낭염(postprocedural bursitis)을 예방하기 위해 스테로이드 제재를 (주로 triamcinolone) 주입하고 바늘을 제거한다 (Fig. 15-26). [27] 석회화를 완전하게 제거하지 못한 경우라도 남아있는 석회화는 일반적으로 자연흡수가 유발된다. [31]

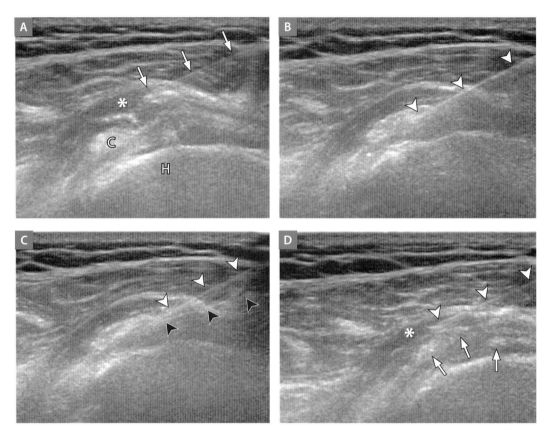

Figure 15-26 **US scans of the posterosuperior rotator cuff show steps of US-guided needle aspiration and lavage of rotator cuff calcific tendinitis using double needle technique. A.** The tip of a thin needle (white arrows) is positioned next to a calcific deposit located at the confluence of the supraspinatus and infraspinatus tendons for anesthesia of the subacromial-subdeltoid bursa, which is distended with lidocaine (*). The calcific deposit is almost isoechoic without posterior acoustic shadowing. This appearance suggests that the calcification has entered the resorptive phase. C, calcific deposit; H, humeral head. **B.** The first thick needle (white arrowheads) is inserted into calcification. The needle must be inserted as perpendicular to ultrasound beam as possible. **C.** The second thick needle (black arrowheads) is inserted into calcification in the same plane as the first needle (white arrowheads) so that their tips can be very close to each other. **D.** Needle aspiration and lavage of the calcium has created a cavity inside the calcification, leaving an irregular hyperechoic calcific rim (black arrows). One needle (white arrowheads) is partly withdrawn and positioned into the subacromial-subdeltoid bursa, and then triamcinolone (*) is injected.

2) 한 개의 바늘을 이용한 바늘흡인세척

Single needle aspiration and lavage

한 개의 굵은(16~20G) 바늘을 초음파유도로 석회화 내부에 삽입하여, 생리식염수로 채워진 20 mL 주사기를 연결한다. 초음파에서 수액이 석회화 내부로 침투하는 것이 보일

때까지 적당량의 수액 주입 후 흡인하면, 하얗고 뿌연 성분의 액체가 석회와 함께 주사기안으로 흘러나온다. 생리식염수로 채워진 새로운 주사기로 바꾸면서 석회화가 사라지고 흡인된 수액이 투명해질 때까지 시술을 반복한다. 이후 바늘 끝을 SASD 내에 위치시킨 후 스테로이드 제재를 주입한다.[30~32]

3) 수액주입 및 석회추출이 없는 바늘천자
Dry needling without calcium extraction

한 개의 비교적 가는(22~25G) 바늘을 초음파로 관찰하면서 석회화 내부에 삽입하고, 바늘을 여러 번 앞 뒤로 움직이고 회전시키면서 석회화를 부순다. 이러한 과정이 끝나면, 바늘의 끝을 살짝 잡아 당겨 스테로이드 제재를 SASD 내에 주입한다.[31,33,34]

이러한 바늘천자는 석회화를 분해(disruption)하여 석회화 내의 압력이 낮아지고, 국소적인 출혈과 염증반응을 유발하여 석회화의 흡수를 촉진하는 것으로 알려져 있다.[31,32]

7. 초음파유도 통증유발점 주사
US-guided trigger point injection

1) 정의

근근막 통증유발점(myofascial trigger point)이란 골격근(skeletal muscle) 또는 근막(muscle fascia)의 긴장대(taut band) 내의 통증에 민감한 곳(hyperirritable spot)을 말하며, 압박할 때 통증이 있고, 특징적인 연관통(referred pain), 운동기능이상(motor dysfunction), 그리고 자율신경계 증상(autonomic phenomenon)을 유발한다.[35]

근근막통증증후군(myofascial pain syndrome)은 근근막 통증유발점에 의해 유발되는 감각증상, 운동증상, 그리고 자율신경계 증상이라고 정의된다. 감각증상에는 이상감각(dysesthesia), 통각과민(hyperalgesia), 연관통 등이 있고, 자율신경계 증상에는 콧물흘림(coryza), 눈물흘림(lacrimation), 타액분비(salivation), 피부온도 변화, 발한(sweating), 털세움(piloerection), 고유감각장애(proprioceptive disturbance), 피부홍반(erythema) 등이 있다.[36]

2) 병태생리

국소연축반응(local twitch response)은 촉진에서 퉁김(snapping)을 느낄 수 있거나, 근근막 통증유발점에 바늘을 빠르게 삽입(rapid insertion)할 때 긴장대 안이나 주위 근육의 순간적 수축(momentary contraction)을 말한다. 이 반응이 발견되는 부위를 민감성 장소(sensitive locus)라 한다. 자발적 전기활성(spontaneous electrical activity)은 근근막 통증유발점 부위에서 나타나며 주위의 비압통 부위(nontender site)에서는 보이지 않는다. 자발적전기활성이 검출기에 기록되는 부위를 활동성 장소(active locus)라고 한다. 자발적전기활성은 종판전위(endplate potential)의 한 유형일 수 있고, 활동성 장소는 운동종판(motor endplate)과 밀접하게 연관이 있다. 근근막 통증유발점은 민감성 장소, 통각수용기(nociceptor), 활동성 장소가 동시에 일어날 때 형성될 수 있다.[36]

3) 진단

근근막통증증후군의 진단은 보통 환자의 주관적 증상과 근근막 통증유발점의 존재를 기초로 하며, 근근막 통증유발점과 연관 있는 근육에서 만져지는 긴장대, 근근막 통증유발점의 기계적 자극에 의한 연관통의 재생(reproduction), 촉진에서의 퉁김, 국소연축반응, 신장(stretching)에 대한 증가된 민감도(sensitivity)로 인한 운동범위제한 등의 특징을 가진다(Table 15-5).[36,37] 긴장대와 국소연축반응은 얕게 위치한

Table 15-5 Clinical characteristics of myofascial pain syndrome

1. palpable taut bands of muscle correlating with the patient's myofascial trigger point
2. reproduction of the referred pain with mechanical stimulation of the myofascial trigger point
3. local twitch response elicited by snapping palpation or rapid insertion of a needle
4. restricted range of motion with increased sensitivity to stretching

근육에서는 시진 또는 촉진으로 확인 가능하지만, 깊게 위치한 근육에서는 시진 또는 촉진만으로는 놓칠 수 있다.[37] 근근막 통증유발점부위를 초음파를 이용하여 진단하려는 시도가 있었으나, 초음파상 근근막 통증유발점 부위에 특별한 연부조직 변화를 관찰할 수 없었다는 보고도 있다.[38]

4) 근근막 통증유발점 주사의 일반적 수기

분무(spray)와 신장(stretch), 물리치료, 경피적 전기 자극(transcutaneous electrical stimulation), 초음파, 마사지(massage), 또는 허혈성 압박치료(ischemic compression therapy) 등의 비침습적 방법이 효과가 없을 때 근근막 통증유발점 주사를 시행할 수 있다. 주사제로는 국소마취제, 스테로이드, 보툴리눔(botulinum), 생리식염수 등이 있으며, 주사제를 주입하지 않는 바늘천자(dry needling)만으로도 효과가 있다.[36]

환자는 이완을 위해 편한 자세를 취하게 한다. 긴장대를 촉진하여 근근막 통증유발점을 확인한다. 22G 이하의 바늘을 근근막 통증유발점에 삽입한다. 신속하게 바늘을 넣고 빼는 기법(fast-in, fast-out technique)을 사용하여 국소연축반응을 확인한 후, 소량의 주사제를 주입한다. 바늘 끝을 피부 내에 위치하면서 근근막 통증유발점을 향해 방향을 바꾸면서 시술을 반복한다.[36]

바늘천자치료의 가장 큰 특징은 표적(target)으로 하는 근육에서의 국소연축반응 생성이다. 바늘은 골격근 운동신경원(motor neuron)의 운동종판의 기능장애성(dysfunctional) 활성을 멈추게 한다. 이런 이유로, 국소연축반응은 근근막 통증유발점의 비활성화(inactivation)와 관계가 있고, 근근막 통증유발점 주사의 효과를 예측하는 데 중요하다. 근근막 통증유발점 주사 후에는 주사가 시행된 근육을 최대한 능동적으로 신장(full active stretch)해야 한다.

5) 초음파유도 근근막 통증유발점 주사의 장점
Advantages of US-guided trigger point injection

영상 유도 없이 시행하는 근근막 통증유발점 주사는 몇 가지 문제점이 있다. 첫째, 아래 허리(low back) 근육 또는 이상근(piriformis muscle) 등과 같이 깊게 위치한 근육에서는 바늘 끝이 표적 근육 내에 적절하게 위치하는지 확인하기가 어렵다. 둘째, 비만환자에서는 근근막 통증유발점을 촉진하기가 어렵고 바늘의 끝이 근육 내에 위치하는지 확인하기 어렵다. 바늘이 근육 내에 위치하지 않으면, 주사치료가 근근막 통증유발점에 관련된 증상을 완화시키지 못한다. 마지막으로, 경부 또는 흉부 근육(cervicothoracic musculature)에서의 근근막 통증유발점 주사에서는 기흉(pneumothorax)이 생길 수 있다. 근근막 통증유발점주사는 늑간신경차단술(intercostal nerve block) 다음으로 기흉의 두 번째로 흔한 원인으로 보고되어 있으며, 드물게 경막 내(intrathecal)에 주사할 수도 있다.[37,39]

초음파유도를 이용하면 깊게 위치한 근육 내에 바늘이 정확하게 위치하는지 확인할 수 있고 (Fig. 15-27), 비만환자에서 지방조직에 주사하는 것을 피하고, 기흉 또는 경막 내 주사 등의 합병증을 피하는 데 도움이 된다 (Fig. 15-28). 또한 초음파는 시진 또는 촉진으로 확인될 수 없는 깊게 위치한 근육의 국소연축반응을 발견하는 데 도움이 된다 (Table 15-6).[37,39]

Table 15-6 **Advantages of US-guided trigger point injection over blind injection**

1. Accurate placement of the needle within the deep located muscles
2. The avoidance of injection into the adipose tissue in obese patients
3. Prevention of potential complications of pneumothorax or intrathecal injection in the cervicothoracic musculature region
4. Detection of local twitch responses in the deep located muscles

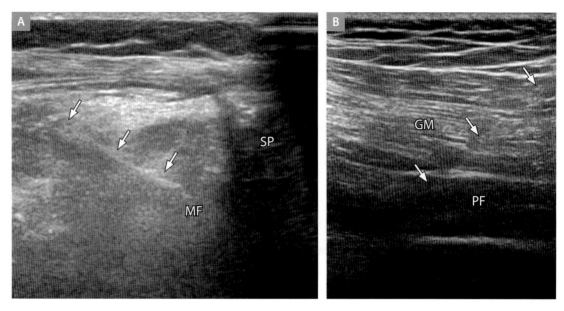

Figure 15-27 **US-guided trigger point injection of the deep located muscles**. US guidance helps accurate placement of the needle tip within the deep located muscles. **A.** A 63-year-old woman with left-sided low back pain. The patient is placed in the prone position. The transducer is applied in the transverse plane in the left sided low back region. Axial US image of the left sided paraspinal muscle of the lumbar region acquired during the procedure shows that the needle (black arrows) is inserted into the multifidus (MF) muscle that is located in the deep portion of the paraspinal muscle. The spinous process (SP) is seen just medial to the multifidus muscle. **B.** A 45-year-old man with right-sided gluteal pain. The patient is placed in the prone position. The probe is applied in the direction of long-axis of the right sided piriformis (PF) muscle. US image of the right sided piriformis muscle acquired during the procedure shows that the needle (white arrows) is inserted into the piriformis muscle. The gluteus maximus (GM) muscle is located just superficial to the piriformis muscle.

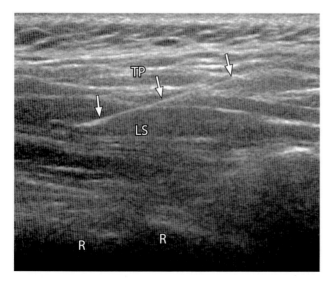

Figure 15-28 **US-guided trigger point injection of the cervicothoracic musculature**. US guidance helps prevention of pneumothorax caused by inadvertent needle penetration of the pleura in the cervicothoracic musculature region. A 27-year-old woman with right-sided neck and shoulder pain. The transducer is applied in the direction of long-axis of the right sided levator scapulae (LS) muscle. US image of the right sided levator scapulae muscle acquired during the procedure shows that the needle (white arrows) is inserted into the levator scapulae muscle. The trapezius (TP) muscle is located just superficial to the levator scapulae muscle, and the ribs (R) are seen deep to the levator scapulae muscle.

8. 초음파유도 척추 주사 US-guided spine injection

경부 통증, 요통, 신경근병증(radiculopathy) 등의 증상이 경구 소염진통제 또는 물리치료 등의 보존적 치료에 효과가 없을 때, 척추의 스테로이드 주사를 실시할 수 있다. 척추 주사는 최소 침습적(minimally invasive)이고, 효과적이며, 수술의 필요성을 감소시킨다.[40~42]

척추 주사는 주사제를 염증부위에 직접 전달하기 위해 투시 또는 CT 유도하에 시행하는 것을 선호한다. 투시가 가장 흔하게 사용되며, 합병증을 피하기 위해 CT 사용빈도가 증가하고 있다.[43,44]

초음파는 뼈의 표면을 잘 볼 수 있기 때문에 경추신경근(cervical nerve root), 후관절(facet joint), 천장관절(sacroiliac joint) 등과 같이 얕은 부위의 척추주사(superficial spine injection)에 유용하다. 특히, 경추 부위 주사에 많이 이용되는데, 구조물들이 얕게 위치하고 한정된 부위에 밀집되어 있기 때문이다.[45] 반면에, 성인의 흉추 또는 요추 부위 주사에서는 초음파의 유용성이 떨어지는데, 구조물의 위치가 깊어서 해상도가 제한되고, 표적 구조물의 확인이 어렵기 때문이다 (Table 15-7).[46]

여러 가지 초음파유도 척추 주사 중에서 시행하기 용이하고 비교적 안전한 경추 신경근 주사를 소개한다.

Table 15-7 Spine injections that are feasible under US guidance

1. Cervical nerve root injection
2. Cervical facet intra-articular injection
3. Cervical medial branch nerve block
4. Thoracic paravertebral block
5. Lumbar periradicular injection
6. Lumbar facet intra-articular injection
7. Lumbar medial branch nerve block
8. Sacroiliac joint injection

1) 초음파유도 경추 신경근 주사
US-guided cervical nerve root injection

(1) 적응증
경추 신경근병증(cervical radiculopathy)은 추간판탈출증 혹은 퇴행성 신경공협착(foraminal stenosis)으로 인해 운동 또는 감각결손이 동반되는 신경근 통증(radicular pain) 증후군이다.[47] 경추 신경근 주사의 적응증은 보존적 치료에 반응하지 않는 경추 신경근병증이다.

(2) 초음파유도 경추신경근 주사를 위한 해부학과 수기
표적 신경근의 위치(level)를 결정하기 위해서 환자의 영상과 병력을 검토한다. 시술은 선형 탐촉자를 사용한다. 환자는 바로 누운 자세에서 머리를 증상이 있는 쪽의 반대 방향으로 돌린다. 머리를 돌리면 경동맥공간(carotid space)이 바늘로부터 멀어지게 된다. 피부를 소독하고, 소독포를 덮은 후, 국소마취를 한다. 경부의 전외측(anterolateral) 부위에서 횡축영상을 얻는다.

전방 및 후방 결절(tubercle)을 가지는 경추 횡돌기(transverse process)는 낙타의 등에 있는 두 개의 혹처럼 보이는(two-humped camel) 고에코 구조물로 보이고, 두 개의 혹 사이에 신경근이 저에코 원형 또는 타원형 구조물로 보인다. 경추 위치의 확인은 횡돌기의 특징적인 모양으로 확인할 수 있다. 제7번 경추의 횡돌기는 흔적성의(rudimentary) 전방결절과 뚜렷한 후방결절을 가진다. 탐촉자를 환자의 머리방향으로 이동시키면, 뚜렷한 전방결절을 가진 제6번 경추의 횡돌기가 보이고, 전방결절과 후방결절 사이의 신경고랑(intertubercular neural groove)은 V자 모양을 보인다. 제5번 경추의 횡돌기는 작은 전방결절을 가지고 있고, 전방결절과 후방결절 사이의 신경고랑은 U자 모양이다 (Fig. 15-29) (Chapter 05 상지 신경 참조 바람).[45]

바늘 끝이 동맥 내로 침범되는 것을 예방하기 위하여, Doppler를 이용하여 척추동맥과 신경근동맥(radicular arteries)을 확인한다. 신경근동맥이 항상 보이는 것은 아니며, 특히 비만환자에서는 신경근동맥을 확인하기 어려울 수 있다.

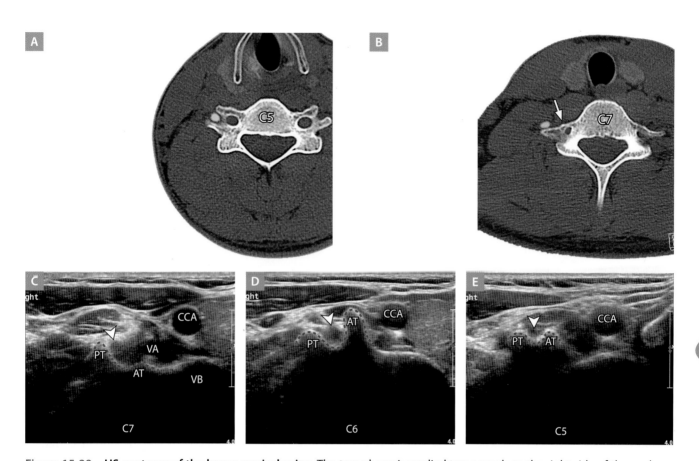

Figure 15-29 **US anatomy of the lower cervical spine.** The transducer is applied transversely to the right side of the neck using an anterolateral approach, with the head rotated away from the right side. AT, anterior tubercle; PT, posterior tubercle; VA, vertebral artery; CCA, common carotid artery; VB, vertebral body; Arrowehads: nerve root. **A, B.** Reference axial CT images for the transverse process of C5 (**A**) and C7 (**B**). Note the rudimentary anterior tubercle of C7 transverse process (white arrow). Red dot: vertebral artery, Yellow dot: nerve root. **C.** Axial US image at the C7 level shows a rudimentary anterior tubercle (dotted white curve) and a prominent posterior tubercle (dotted white curve) of the C7 transverse process. **D.** Axial US image at the C6 level shows a prominent anterior tubercle (dotted white curve) of the C6 transverse process. Note that the relation between the anterior and posterior tubercles (dotted white curve) is V-shaped. **E.** Axial US image at the C5 level shows a small anterior tubercle (dotted white curve) of the C5 transverse process. Note that the relation between the anterior and posterior tubercles (dotted white curve) is U-shaped.

경추 위치가 결정되면, 22G 이하의 바늘을 탐촉자의 바로 외측에서 삽입한다. 면내접근법(in-plane approach)으로 바늘의 위치를 확인하면서, 횡돌기의 결절사이신경고랑에 놓인 신경근을 표적으로 전진시켜 바늘 끝을 신경근의 바로 뒤에 놓는다. 흡인을 했을 때 혈액이 보이지 않으면 주사제를 (주로 dexamethasone) 천천히 주입한다 (Fig. 15-30).

Triamcinolone과 같은 입자성(particulate) 스테로이드 제재는 색전성 경색(embolic infarct)의 위험이 있으므로, 신경근 주사에는 dexamethasone과 같은 비입자성(non-particulate) 스테로이드 제재의 사용을 권장한다. 비입자성 스테로이드 제재는 용액에서 응집(aggregation)하지 않으면서 입자성 스테로이드 제재와 비슷한 치료효과를 가지는 장

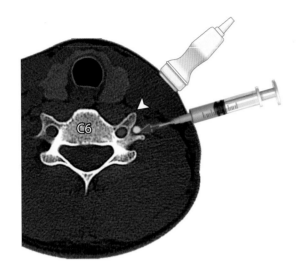
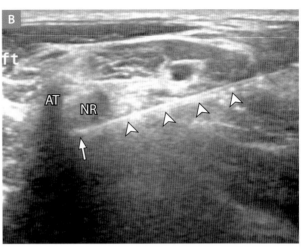

Figure 15-30 **A 56-year-old man with left-sided cervical radicular pain who undergo US-guided cervical nerve root injection of the left C6 nerve root. A.** Reference axial CT image at C6 level for the probe position and the needle direction (red arrow). Note relatively prominent anterior tubercle of the transverse process of C6 (arrowhead). Red dot: vertebral artery, Yellow dot: C6 nerve root. **B.** Axial US image of the left C6 transverse process acquired during the procedure shows that the needle tip (white arrow) is just deep to the left C6 nerve root lying in intertubercular nerural groove. The needle shaft (black arrowheads) is seen clearly. NR, nerve root; AT, anterior tubercle.

점이 있다.[48]

시술 후 합병증 여부를 확인하기 위해서 약 10~20분 환자를 잘 관찰한다.

는 경추신경근 주사, 후관절내 주사, 천장관절내 주사 등과 같은 얕은 부위에 유용하다.

초음파유도 시술은 해부학을 잘 숙지하고 바늘의 조작에 주의를 기울이면 쉽고 안전하다.

9. 요약

근골격계 주사는 일반적으로 지속적인 소염진통 효과를 가지는 스테로이드 제재와 즉각적인 진통 효과를 가지는 국소 마취제를 혼합하여 사용한다. 근골격계 주사에 있어서 시술자가 알아야 할 스테로이드 제재의 부작용으로 인대파열, 피부위축, 연골 파괴 촉진 등이 있다. 관절 및 윤활낭 주사의 중요한 적응증은 퇴행성관절염, 유착관절낭염, 류마티스관절염 등이다. 신경주위 스테로이드 주사는 말초신경포획증후군이나 말초 신경종 등에서 시행한다. 석회화건염, 근근막통증유발점 주사 등에서 초음파유도를 이용하면 바늘의 끝을 정확하게 확인할 수 있고 합병증을 예방할 수 있다. 초음파

참고문헌

1. 최병인 편저. 상복부 초음파 진단학. 일조각. 1997:252-262.
2. van Holsbeeck M, Introcaso JH. Musculoskeletal ultrasonography, 2nd ed. Mosby 2001:427-461.
3. Rubens DJ, Fultz PJ, Gottlieb RH, et al. Effective ultrasonographically guided intervention for diagnosis of musculoskeletal lesions. J Ultrasound Med 1997;16:831-842.
4. van Holsbeeck MT1, Eyler WR, Sherman LS, et al. Detection of infection in loosened hip prostheses: efficacy of sonography. Am J Roentgenol 1994;163:381-384.
5. Soudack M1, Nachtigal A, Vladovski E, Brook O, Gaitini D. Sonographically guided percutaneous needle biopsy of soft tissue masses with histopathologic correlation. J Ultrasound Med 2006;25:1271-1277.

6. Konermann W, Wuisman P, Ellermann A, Gruber G. Ultrasonographically guided needle biopsy of benign and malignant soft tissue and bone tumors. J Ultrasound Med 2000;19:465-471.

7. Sofka CM, Collins AJ, Adler RS. Use of ultrasonographic guidance in interventional musculoskeletal procedures: a review from a single institution. J Ultrasound Med 2001;20:21-26.

8. Liu JC, Chiou HJ, Chen WM. Sonographically guided core needle biopsy of soft tissue neoplasms. J Clin Ultrasound 2004;32:294-298.

9. HJ Park, SM Lee, SY Lee, ES son, et al. Ultrasound-guided percutaneous removal of wooden foreign bodies in the extremities with hydro-dissection technique. Korean J Radiol 2015;16:1326-1331.

10. Hansford BG, Stacy GS. Musculoskeletal aspiration procedures. Semin Intervent Radiol 2012;29:270-285.

11. Non-vascular intervention. 인터벤션 영상의학 연수강좌 2009.

12. Garg N, Perry L, Deodhar A. Intra-articular and soft tissue injections, a systematic review of relative efficacy of various corticosteroids. Clin Rheumatol 2014;33:1695-1706.

13. Brophy DP, Cunnane G, Fitzgerald O, Gibney RG. Technical report: ultrasound guidance for injection of soft tissue lesions around the heel in chronic inflammatory arthritis. Clin Radiol 1995;50:120-2.

14. Koski JM, Hammer HB. Ultrasound-guided procedures: techniques and usefulness in controlling inflammation and disease progression. Rheumatology (Oxford) 2012;51 Suppl 7:vii31-5.

15. Sibbitt WL Jr, Peisajovich A, Michael AA, Park KS, Sibbitt RR, Band PA, Bankhurst AD. Dose sonographic needle guidance affect the clinical outcome of intraarticular injections? J Rheumatol 2009;36:1892-1902.

16. Wittich CM, Ficalora RD, Mason TG, Beckman TJ. Musculoskeletal injection. Mayo Clin Proc 2009;84:831-6; quiz 837.

17. Louis LJ. Musculoskeletal ultrasound intervention: principles and advances. Radiol Clin North Am 2008;46:515-33. Review.

18. De Zordo T, Mur E, Bellmann-Weiler R, Sailer-Höck M, Chhem R, Feuchtner GM, Jaschke W, Klauser AS. US guided injections in arthritis. Eur J Radiol 2009;71:197-203.

19. Cheng PH, Modir JG, Kim HJ, Narouze S. Ultrasound-guided shoulder joint injections. Techniques in Regional Anesthesia Pain Management 2009;13:184-190.

20. Jeyapalan K, Choudhary S. Ultrasound-guided injection of triamcinolone and bupivacaine in the management of de Quervain's disease. Skeletal Radiol 2009;38:1099-1103.

21. Van Vugt RM, van Dalen A, Bijlsma JW. The current role of high-resolution ultrasonography of the hand and wrist in rheumatic diseases. Clin Exp Rheumatol 1998;16:454-458.

22. O'Gradaigh D, Merry P. Corticosteroid injection for the treatment of carpal tunnel syndrome. Ann Rheum Dis 2000;59:918-919.

23. Stark H, Amirfeyz R. Cochrane corner: local corticosteroid injection for carpal tunnel syndrome. J Hand Surg Eur 2013;38:911-914.

24. Smith J, Wisniewski SJ, Finnoff JT, Payne JM. Sonographically guided carpal tunnel injections: the ulnar approach. J Ultrasound Med 2008;27:1485-1490.

25. Alblas CL, van Kasteel V, Jellema K. Injection with corticosteroids (ultrasound guided) in patients with an ulnar neuropathy at the elbow: feasibility study. Eur J Neurol 2012;19:1582-1584.

26. Hurdle MF, Weingarten TN, Crisostomo RA, Psimos C, Smith J. Ultrasound-guided blockade of the lateral femoral cutaneous nerve: technical description and review of 10 cases. Arch Phys Med Rehabil 2007;88:1362-1364.

27. Sconfienza LM, Vigano S, Martini C, et al. Double-needle ultrasound-guided percutaneous treatment of rotator cuff calcific tendinitis: tips & tricks. Skeletal Radiol 2013;42:19-24.

28. Comfort TH, Arafiles RP. Barbotage of the shoulder with image-intensified fluoroscopic control of needle placement for calcific tendinitis. Clin Orthop Relat Res 1978;135:171-178.

29. Farin PU, Rasanen H, Jaroma H, Harju A. Rotator cuff calcifications: treatment with ultrasound-guided percutaneous needle aspiration and lavage. Skeletal Radiol 1996;25:551-554.

30. Bureau NJ. Calcific tendinopathy of the shoulder. Semin Musculoskelet Radiol 2013;17:80-84.

31. Aina R, Cardinal E, Bureau NJ, Aubin B, Brassard P. Calcific shoulder tendinitis: treatment with modified US-guided fine-needle technique. Radiology 2001;221:455-461.

32. del Cura JL, Torre I, Zabala R, Legorburu A. Sonographically guided percutaneous needle lavage in calcific tendinitis of the shoulder: short- and long-term results. Am J Roentgenol 2007;189:128-134.

33. Krasny C, Enenkel M, Aigner N, Wlk M, Landsiedl F. Ultrasound-guided needling combined with shock-wave therapy for the treatment of calcifying tendonitis of the shoulder. J Bone Joint Surg Br 2005;87:501-507.

34. Vuillemin V, Guerini H, Morvan G. Musculoskeletal interventional ultrasonography: the upper limb. Diagn Interv Imaging 2012;93:665-673.

35. Travell JG, Simons DG. Myofascial pain and dysfunction: the trigger point manual. Baltimore(MD): Williams and Wilkins;1983.

36. 36. Lavelle ED, Lavelle W, Smith HS. Myofascial trigger points. Anesthesiol Clin 2007;25:841-851.

37. Rha DW, Shin JC, Kim YK, et al. Detecting local twitch responses of myofascial trigger points in the lower-back muscles using ultrasonography. Arch Phys Med Rehabil 2011;92:1576-

CHAPTER

15

1580.

38. Lewis J, Tehan P. A blinded pilot study investigating the use of diagnostic ultrasound for detecting active myofascial trigger points. Pain 1999;79:39-44.

39. Botwin KP, Sharma K, Saliba R, Patel BC. Ultrasound-guided trigger point injections in the cervicothoracic musculature: a new and unreported technique. Pain Physician 2008;11:885-889.

40. Slipman CW, Lipetz JS, Jackson HB, et al. Therapeutic selective nerve root block in the nonsurgical treatment of atraumatic cervical spondylotic radicular pain: a retrospective analysis with independent clinical review. Arch Phys Med Rehabil 2000;81:741-746.

41. Vallée JN, Feydy A, Carlier RY, Mutschler C, Mompoint D, Vallée CA. Chronic cervical radiculopathy: lateral-approach periradicular corticosteroid injection. Radiology 2001;218:886-892.

42. Rathmell JP, Aprill C, Bogduk N. Cervical transforaminal injection of steroids. Anesthesiology 2004;100:1595-1600.

43. Hoang JK, Apostol MA, Kranz RK, et al. CT fluoroscopy-assisted cervical transforaminal steroid injection: tips, traps, and use of contrast material. Am J Roentgenol 2010;195:888-894.

44. Silbergleit R, Mehta BA, Sanders WP, Talati SF. Imaging-guided injection techniques with fluoroscopy and CT for spinal pain management. Radiographics 2001;21:927-942.

45. Narouze S, Peng PW. Ultrasound-guided interventional procedures in pain medicine: a review of anatomy, sonoanatomy, and procedures. Part II: axial structures. Reg Anesth Pain Med 2010;35:386-396.

46. Loizides A, Gruber H, Peer S, Galiano K, Bale R, Obernauer J. Ultrasound guided versus CT-controlled pararadicular injections in the lumbar spine: a prospective randomized clinical trial. Am J Neuroradiol 2013;34:466-470.

47. Radhakrishnan K, Litchy WJ, O'Fallon WM, Kurland LT. Epidemiology of cervical radioculopathy. A population-based study from Rochester, Minnesota, 1976 through 1990. Brain 1994;117:325-335.

48. Lee JW, Park KW, Chung SK, et al. Cervical transforaminal epidural steroid injection for the management of cervical radiculopathy: a comparative study of particulate versus non-particulate steroids. Skeletal Radiol 2009;38:1077-1082.

수술 후 초음파
Post-Operative Ultrasonography

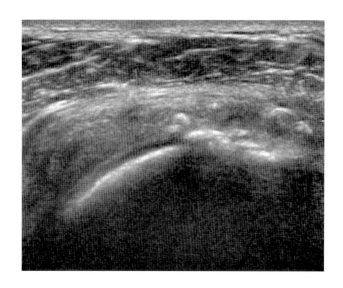

16 CHAPTER

■ 천경아, 조길호

수술 후 초음파
Post-Operative Ultrasonography

I. 서론

근골격계 수술 후 초음파는 매우 중요한 역할을 하는데, 가장 큰 장점은 금속에 의한 허상(인공음영, artifact)의 방해없이 연부조직을 검사할 수 있다는 것이다. 금속을 사용한 수술을 하면 자기공명영상(MRI)에서는 강자성(ferromagnetic) 물질에 의한 허상이 심하게 생기지만, 초음파에서는 이러한 허상이 거의 없다. 또한 검사 부위를 움직이면서 역동적(dynamic) 검사가 가능하다는 것이 장점이다.[1,2] 힘줄(tendon) 파열이나 건초염(tenosynovitis), 관절액(joint effusion), 연부조직 감염 등과 같은 이상소견을 정확히 판단할 수 있고, 연부조직 종양의 재발이나 골 치유과정 및 사지절단 후 생기는 합병증을 파악하는 데 중요한 역할을 한다.[3] 이 장에서는 수술 후 일어날 수 있는 다양한 상황에서 초음파가 어떤 역할을 하는지 살펴보고 각 병변의 초음파소견과 함께 초음파검사 지침을 제시하고, 검사도중 병변과 혼동하기 쉬운 함정(pitfall)에 관하여 알아보고자 한다.

II. 정형외과 장치 Orthopedic hardware 근처 연부조직 초음파

수술 후에는 기계 장치나 기구 옆 연부조직을 검사해야 할 필요가 종종 생긴다. 컴퓨터단층촬영(CT)이나 MRI의 경우, 금속때문에 생기는 허상으로 인하여 주변 연부조직이 가려져 명확하게 보이지 않을 경우가 많다. 따라서 초음파검사는 이런 환경에서 수술 후 발생할 수 있는 관절삼출액, 연부조직 감염 (Fig. 16-1), 혈종 (Fig. 16-2), 윤활낭염 등을 알아낼 수 있는 이상적인 검사이다.[1~5] 힘줄이나 인대(ligament)의 상태도 초음파로 쉽게 진단할 수 있는데, 힘줄이나 인대가 금속장치에 닿아 있는 소견이 보이면 힘줄파열이나 건초염 (Fig. 16-3) 등으로 발전할 수 있음을 염두에 두어야 한다. 또한 금속장치에 의한 자극으로 가성윤활낭(pseudobursa)이 생길 수도 있다 (Fig. 16-4). 이런 경우 역동적 검사를 함으로써 증상을 유발하는 힘줄의 충돌 유무를 정확히 평가할 수 있다.

초음파로 관절삼출액 역시 비교적 정확히 파악할 수 있다. 특히 표면에 위치한 주관절(elbow), 족관절(ankle), 손목관절(wrist) 등의 경우 매우 수월하게 진단할 수 있는데, 각 관절와(joint recess)가 팽창되면서 무에코 혹은 저에코의 액

▶ p.738로 이어집니다.

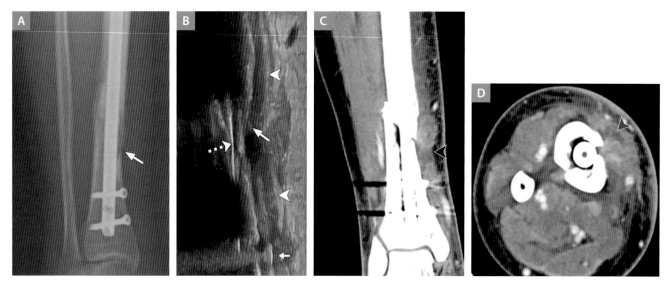

Figure 16-1 **Postoperative infection after intramedullary nailing in a 32-year-old woman.** **A.** Oblique radiograph shows cortical lucency (arrow) along the medial aspect of distal tibia. **B.** Longitudinal sonography at the distal tibia shows cortical discontinuity (arrow) subperiosteal anechoic abscesses (arrowheads) with hyperechoic intra-medullary nail (dashed arrow) and screwhead (small arrow). **C.** Post-contrast CT (of both reformatted coronal and axial images) shows irregular non-enhanced hypodense soft tissue lesions with subcutaneous edema (arrowheads) just medial to the broken tibia.

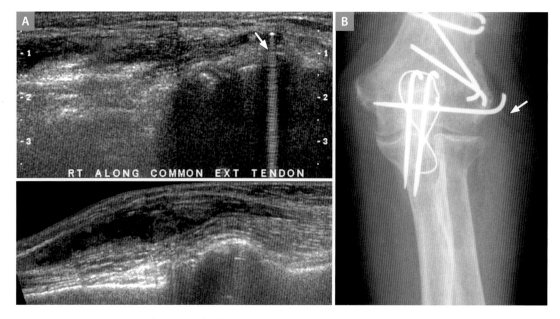

Figure 16-2 **Previous comminuted fracture of elbow treated with surgical pins in a 66-year-old woman.** Postoperative sonography (**A**) shows a large elongated hypoechoic lesion adjacent to distal humerus with a hyperechoic pin (arrow) and reverberation artifact, suggesting hematoma due to orthopedic K-wire (arrow) noted on radiograph (**B**).

736

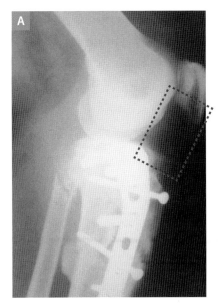

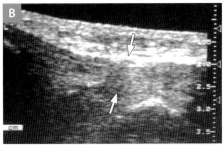

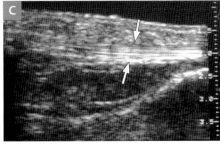

Figure 16-3 **Patient with anterior knee pain after metallic orthopedic devices in the proximal tibia. A.** Lateral radiograph shows no visualization of patellar tendon due to air density (dotted box). **B.** Of the knee with metal apparatus, thick patellar tendon with loss of fibrillar pattern represents of patellar tendinitis. The patient complained of tenderness on compression with transducer at the area. **C.** Sonogrpahy of contralateral normal patellar tendon shows typical parallel fibrillar pattern.

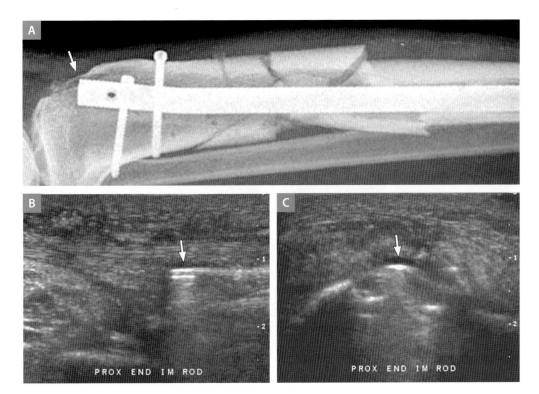

Figure 16-4 **A 53-year-old man with knee pain for 6 weeks after surgery. A.** Lateral radiograph shows intramedullary nail of tibial shaft with healing process of fracture. **B.** Sonography at the input site of IM nail, however, revealed a focal anechoic fluid collection (arrows) just posterior to patellar tendon, suggesting pseudobursa formation.

체로 차 있는 것을 볼 수 있다. 반면 어깨관절이나 고관절과 같은 깊이 위치한 큰 관절은 탐촉자와 관절의 거리가 증가하므로 진단이 조금 어려울 수 있고, 수술 후에는 정상 구조물의 위치와 에코가 변하여 어려움을 가중시킨다. 또한 고관절 성형술 후에는 가성관절막(pseudocapsule)과 저에코로 보이는 수술 후 연부조직이 대퇴경(femur neck)을 따라 있는 경

우 관절삼출액으로 오인할 수 있다.(5,6) 일반적으로 많은 양의 관절삼출액이 있고, 가성관절막의 불규칙한 팽창과 함께 관절 바깥쪽(extra-articular) 액체나 농양이 보이면 관절 감염으로 진단한다 (Fig. 16-5). 필요할 경우 초음파나 투시 (fluoroscopy) 유도하에 관절 흡인을 시도할 수도 있다.

초음파는 연부조직 농양이나 윤활낭염(bursitis) 등과 같은

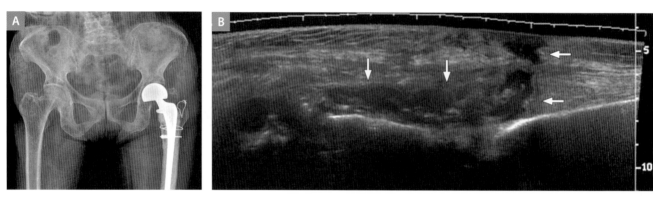

Figure 16-5 **Infection 10 months after hemiarthroplasty in a 74-year-old woman.** **A.** Hip radiograph shows hemiarthroplasty of left hip with soft tissue swelling. **B.** Sonography of the proximal femur shows subperiosteal hypoechoic lesion and anechoic abscess containing debris (arrows).

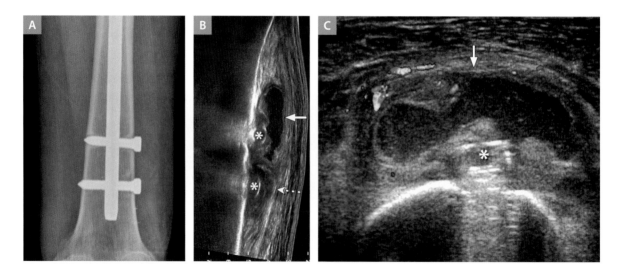

Figure 16-6 **A 72-year-old man with pain for 15 days.** **A.** AP radiograph shows internal fixation along the left femur and soft tissue swelling of distal thigh. **B.** Long-axis sonography of distal lateral thigh shows hyperechoic screws (asterisks) of distal femur. The fluid-filled anechoic lesion (arrow) with thick wall, representing abscess is next to the proximal screw head. The hypoechoic soft tissue lesion (dashed arrow) next to the distal screw head is fibrous scar. **C.** Color Doppler short-axis image at the anechoic lesion shows perilesional increased vascular flow, which was confirmed as abscess (*Staphylococcus aureus*) by surgery and bacteriologic examination.

병변을 진단하는 데도 유용한데, 관절과 교통이 없을 경우 투시검사하에 이루어지는 관절조영술로는 알기가 어렵다. 투시유도하 흡인을 시도하기 전에 반드시 초음파로 관절 주변의 연부조직농양을 확인하여 불필요한 감염의 확산을 사전에 방지해야 한다.

초음파는 관절 밖에 있는 기구(device) 주위의 연부조직 이상을 평가할 수 있다. 연부조직에 액체저류가 있거나 금속 기구 주위에 혈류증가 소견이 보이면 감염을 의심해야 한다 (Fig. 16-6). 간혹 인공삽입물주위 부종이 수술 바로 직후에는 저에코로 나타나 감염과 비슷하게 보일 수 있으므로 주의해야 한다. 환자의 증상과 병력을 잘 살피고 조음파 추적검사를 하면 감별이 가능하고, 필요하면 초음파유도하 흡인도 시도해 볼 수 있다.[7]

관절성형술 Arthroplasty 후 초음파

초음파는 관절성형술 후 관절삼출액, 윤활막 비후뿐만 아니라 관절 주변의 윤활낭염 및 인대와 힘줄을 평가하기 위한 이상적인 검사이다. 관절 안쪽의 깊은 구조물이나 인공관절을 둘러싼 뼈를 완벽하게 볼 수는 없지만 역동적 검사를 병행함으로 관절운동을 평가하고 중재적 시술을 유도할 수 있다.

어깨관절성형술 후 초음파를 하는 가장 흔한 이유는 수술 후 어깨 통증, 근력 감소, 운동장애 등이 있는 환자의 회전근개의 상태를 알아보기 위한 것이다. 회전근개보다 깊은 곳에 인공금속으로 된 골두가 반향허상(reverberation artifact)을 동반한 고에코의 표면으로 보인다. 힘줄 파열의 초음파소견은 정상 어깨관절에서의 진단 기준과 동일하다. 동반된 근위축도 초음파로 볼 수 있는데 근육의 크기가 감소하고 지방침윤으로 인하여 근육 에코가 증가한다.[4,8]

고관절성형술 후 통증이 있으면 먼저 초음파로 관절삼출액 유무를 확인하여 초음파유도하 흡인을 통해 감염 여부를 진단하고, 엉덩허리건(iliopsoas tendon)의 상태를 알아본다.

또 인공관절주위 혈종, 기구에 의하여 눌린 방광, 윤활낭염 (Fig. 16-7) 등을 확인한다.[6]

무릎관절성형술 후 무릎전방통증이 흔한데 신전(extension)에 관여하는 구조물의 이상일 경우가 많으며, 사두건 (넙다리네갈래힘줄, quadriceps tendon)이나 슬개건(무릎뼈힘줄, patellar tendon)의 파열이 성형술을 받은 환자의 약 3%에서 발생하고 슬개건의 침범이 더 흔하다. 초음파는 이런 힘줄의 이상을 금속에 의한 허상에 영향을 받지 않고 검사할 수 있고, 검사 중간에 신전 및 굴곡 운동을 하여 부분파열이나 퇴축(뒤당김, retraction)이 동반되지 않은 완전파열을 구별할 수 있다. 신전기능장애의 흔한 형태는 아니지만, 관절융기(condylar)나 슬개골과 맞닿은 사두건 심부표면 사이의 충돌로 인해 원위부 사두건의 안쪽 면을 따라 섬유성 결절이 생길 수 있다. 무릎을 굽히면 결절이 대퇴골 융기간절흔 (femoral intercondylar notch)의 전방에 끼었다가, 무릎을 펴면 덜컹하는 소리와 함께 움직이면서 통증을 동반하는데, 이를 슬개골충돌음증후군(patellar clunk syndrome)이라 한다. 초음파에서 사두건이 슬개골에 붙는 자리의 깊은 면에 비정상 에코의 결절을 볼 수 있으며, 내부에 혈류가 관찰되기도 한다. 역동적 검사를 하면 결절의 움직임을 확인할 수 있다 (Chapter 13 무릎 및 아래다리 참조 바람). 관절성형술 후 발생한 강직의 원인이 될 수 있는 관절낭 비후를 초음파로 확인할 수도 있다. 무릎관절성형술 후 관절강(joint space) 협착은 폴리에틸렌(polyethylene) 마모로 인한 것인데, 방사선 사진 추적검사로 발견할 수 있지만, 초음파로도 진단이 가능하다. 장축영상(longitudinal image)에서 금속으로 된 경골판(metal tibial tray)은 반향허상을 가진 고에코 표면으로 보이고, 폴리에틸렌은 후방소리그림자(posterior acoustic shadowing)를 보이는 고에코 표면으로 나타나다. 비균질한 부스러기가 있는 삼출액이 보이면 어깨나 고관절에서와 마찬가지로 육아종증(granulomatosis; histiocytic response)을 의심할 수 있다.[7,8]

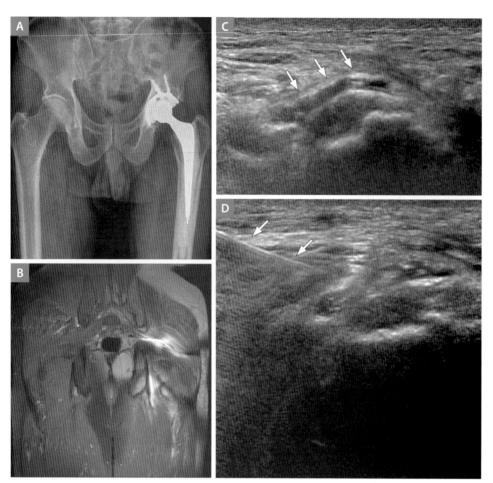

Figure 16-7 **A 69-year-old man with left buttock pain after total hip arthroplasty.** A. Hip radiograph shows total hip arthoplasty with no definite abnormality. B. MRI shows poor delineation of structures due to artifact. C. Sonography shows anechoic fluid collection (arrows) just posterior to ischial tuberosity, suggesting ischiogluteal bursitis. D. Sonographic-guided steroid injection into the bursa was done. Arrows: inserted needle.

III. 건 힘줄, Tendon 수술 후 초음파

수술 전 힘줄 파열의 초음파소견에 대한 연구는 많은데, 상대적으로 수술 후 힘줄에 관한 연구는 적다. 일반적으로 재건(reconstruction)한 힘줄의 경우 힘줄의 초음파 에코가 고에코부터 저에코까지 매우 다양하며, 윤활낭주위(peribursal) 연부조직의 비후가 동반될 수 있다. 힘줄의 섬유성 구조가 소실되어 고에코 또는 저에코로 보일 수 있는데 치유 과정 중 생긴 육아조직(granulation tissue) 또는 반흔 재형성(scar remodeling)을 의미한다. 또한 정상적인 가는섬유성다발양상(fibrillary pattern)이 유지되기도 하고 때로는 완전히 없어지기도 한다. 힘줄의 두께 역시 증가할 수도 있고 감소할 수도 있다. 따라서 비정상적인 저에코 음영, 섬유성 에코결의 소실, 힘줄 두께의 감소 등과 같은 수술 전 힘줄파열의 초음파소견을 수술 후 힘줄을 평가하는데 그대로 적용하기에는 다소 무리가 있다.

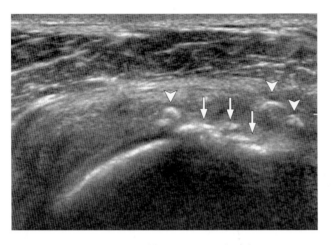

Figure 16-8 **A 54-year-old man 6months after supraspinatus repair**. Sonography shows heterogeneous echotexture in the repaired tendon. Also noted surface irregularity and small curvilinear echogenicity (arrows) along anchor of the greater tuberosity with suture material (arrowheads) within tendon.

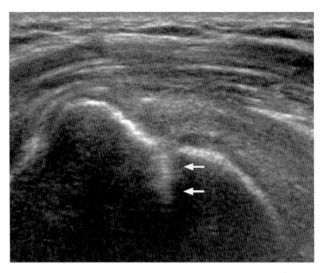

Figure 16-9 **A 51-year-old woman 6months after supraspinatus repair**. Sonography shows normal fibrillar pattern of the repaired tendon and anchor with reverberation artifact (arrows).

1. 회전근개 Rotator cuff 수술 후 초음파소견

수술 후 힘줄에 관한 대부분의 연구는 회전근개힘줄에 관한 것이다. 재건된 회전근개는 보통 얇고 불균질한 에코로 보인다. 윤활낭주위(peribursal) 연부조직의 비후가 동반될 수 있다. 힘줄의 가는 섬유다발양상이 소실되어 고에코 또는 저에코로 보일 수 있는데, 치유과정 중 생긴 육아조직 또는 반흔 재형성(scar remodeling)을 의미한다. 고에코의 봉합 물질이 힘줄 내부에 있을 수 있고, 골피질은 고에코의 봉합지주(suture anchor)로 인하여 대결절(greater tuberosity) 피질이 불규칙한 불연속성을 보인다. 봉합물질과 봉합지주는 모두 소리그림자(posterior acoustic shadowing)와 반향허상(reverberation artifact)을 동반할 수 있는데, 후자의 경우 매끈하고 평평한 표면이 초음파 음속(beam)과 수직을 이루면 볼 수 있다 (Fig. 16-8, 16-9, 16-10). 상완골두 대결절의 삽입물도 잘 볼 수 있다. 견봉하-삼각근하 윤활낭을 수술 도중 절제했다

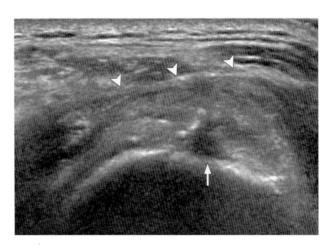

Figure 16-10 **A 51-year-old man 6 months after supraspinatus repair**. Sonography shows heterogeneous echogenicity without fibrillar pattern along the repaired tendon and a small focal low echogenic area (arrow) representing granulation tissue. Peribursal thickening is also seen (arrowheads).

면, 극상건(supraspinatus tendon)의 표층에서 정상적으로 보
이는 선상의 고에코 음영이 보이지 않는다. 재건한 힘줄 내
부에 저에코의 결손이 수년간 보일 수 있는데 재파열(retear)
보다는 육아조직을 의미한다. Doppler에서 결손부 내의 혈
류를 확인하는 것이 감별진단에 도움이 된다.[9] 재건한 힘
줄의 결손 부위에 저에코 또는 무에코의 액체가 뚜렷이 보이
고 탐촉자로 압박을 하여 액체가 재분배(redistribution)되면
재파열로 판정한다 (Fig. 16-11). 재파열의 다른 소견으로는
제 위치를 벗어난 봉합 지주, 끊어진 봉합 물질, 심하게 불
규칙한 힘줄의 끝 등이다. 재파열된 부위가 크면 힘줄이 보
이지 않을 수도 있다 (Fig. 16-12). 다량의 관절액과 윤활낭
주위 삼출액이 동반되면서 염증반응을 보이기도 한다. 수술
후에는 검사에 중요한 지표가 되는 구조물이 변형된다는 것
을 염두에 두어야 하며, 역동적 검사를 통해 구조물의 움직
임을 파악하면 진단에 도움이 된다.[10]

　견봉성형술을 함께 시행한 경우 견봉의 외측연(lateral
margin)이 왜곡되거나 각변형(angular deformity)을 보이고
견봉이 내측으로 전위된다. 반대쪽 정상 어깨와 비교하여 검

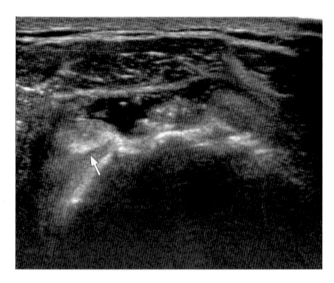

Figure 16-11 **Recurrent tear of the repaired tendon in a 73-year-old man.** Sonography shows a large irregular defect with anechoic fluid collection in the repaired tendon, and broken suture (arrow).

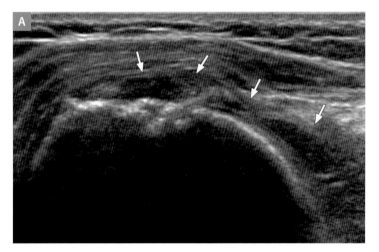
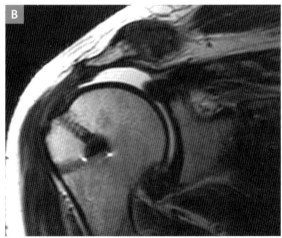

Figure 16-12 **Massive re-tear of the repaired tendon. A.** Sonography show absence of the repaired tendon with extensive anechoic fluid collection (arrows). **B.** Corresponding T2-weighted MR image shows absence of the repaired tendon with hyperintense fluid collection.

사하면 비교적 쉽게 알 수 있다 (Chapter 09 어깨 참조 바람).

2. Achilles힘줄 재건술 후 초음파소견

Achilles힘줄은 우리 몸에서 가장 크고 강한 힘줄로서 대부분 스포츠와 관련된 손상이 많다. 재건술을 받은 Achilles힘줄은 정상 힘줄과 비교하여 적어도 2년 이상 두께가 증가하고 에코는 감소하는데 재파열 없이도 국소적으로 저에코 부위가 보일 수 있다 (Fig. 16-13). 재건한 Achilles힘줄의 조직을 보면 정상 섬유성 구조의 변화와 더불어 콜라겐(collagen)이 감소, 비콜라겐 세포외 기질이 증가하고 세포충실성의 변화가 초래된다. 일반적으로 힘줄내 혈류는 증가되지 않지만 초기 치유과정 중에는 혈류가 증가할 수 있다. 하지만 완전히 치유가 되면 무혈성 반흔이 형성된다.[11,12] 수술 후 2년 이상 지난 상태에서 혈류증가가 보이면 재손상을 의심해야 한다. 재파열 부위는 일반적으로 무에코 혹은 저에코의 결손으로 나타난다. 수술 후 합병증으로는 감염, 힘줄내 골화(ossification), 봉합 육아종(suture granuloma), 힘줄 주위 유착(peritendinous adhesion) 등이 있다. 감염이 생기면 힘줄

내부에 무에코의 농양이 보이고 농양주변으로 혈류가 증가한다. 골화는 소리그림자(acoustic shadowing)를 동반한 고에코로 보인다. 봉합 육아종은 저에코로 보이는데 때로 작은 농양과 구별이 힘들 수 있다. 힘줄 주위 유착은 반흔이 힘줄 주변까지 심하게 일어나는 것으로 힘줄의 경계가 불분명하고 힘줄 주변으로 저에코의 부위가 있으면서 힘줄이 매끄럽게 잘 움직이지 않는다. 힘줄의 움직임은 역동적 검사로 평가할 수 있다.[13]

3. 기타 힘줄

손, 손목, 발목 등에 있는 다른 힘줄들도 수술 후 초음파검사를 해 보면 정상 에코부터 저에코까지 다양하며 힘줄 내부에 고에코의 봉합 물질이 보이기도 한다. 힘줄과 더불어 건초염과 같은 다른 비정상 소견도 있는지 함께 평가해야 한다. 전층파열이 재발하면 초음파검사 중에 사지를 움직이거나 근육을 만져가면서 힘줄의 움직임을 평가하면 부분층파열과 감별이 가능한데, 재건한 부위를 가로질러 힘줄의 움직임(tendon translation)이 없고 힘줄의 퇴축(retraction)이

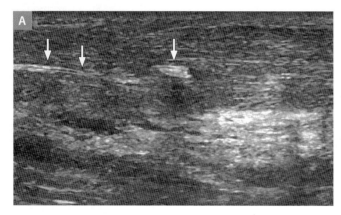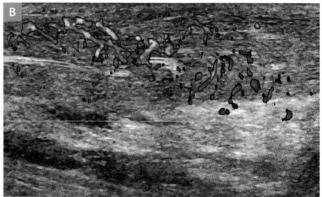

Figure 16-13 **Achilles tendon 6 months after repair. A.** Sonography shows thickening of repaired tendon with hyperechoic suture material (arrows). **B.** Color Doppler image shows increased vascular flow along the repaired tendon with thickening.

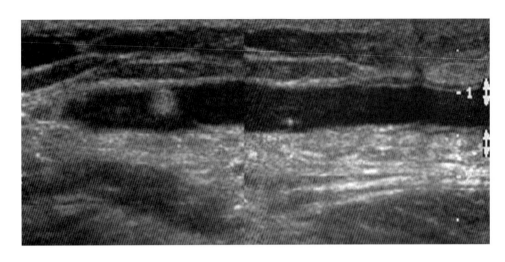

Figure 16-14 **Postoperative mass palpated in the area of surgery after resection**. Sonography shows an anechoic fluid collection along the muscle fascia, suggesting seroma.

함께 보이면 전층파열로 진단할 수 있다. 이런 역동적 검사는 Achilles힘줄과 같은 단독으로 있는 힘줄 검사에 유용하다. 반면 회전근개처럼 여러 개의 힘줄로 이루어져 상완골두의 결절을 덮는 구조물일 경우 다소 제한이 있다. 힘줄 이식(tendon graft)에 이용된 공여(donor)힘줄의 검사에서는 힘줄의 간격이 보일 수도 있다. 전방십자인대 재건에는 슬개건을, 발목의 외측 인대 재건술에는 단비골근힘줄(peroneus brevis tendon)을 흔히 사용하는데, 인대재건술 후 힘줄의 위치가 달라지므로 유의해야 한다.[14]

IV. 근골격 연부조직 종양의 재발

연부조직 종양 치료 후 재발 혹은 남아있는 종양을 확인하기 위하여 초음파검사를 이용하기도 한다.[15,16] 고형 연부조직 종양은 일반적으로 경계가 뚜렷한 저에코 음영인 반면, 수술 후 발생한 액체저류(fluid collection)는 무에코로 불규칙한 모양과 불분명한 경계를 보인다 (Fig. 16-14). 액체저류가 둥글고 종괴처럼 보일 수 있으나 소리그림자를 동반하고, 탐촉자로 압박을 하여 잘 눌러지면 고형 종양보다는 액체저류로 판단한다. 그러나 연부조직종양이 괴사하거나 출혈을 일

으켜서 고형성분과 함께 내부 낭성(cystic) 부위를 함께 보이기도 하는데, 감별이 어려운 경우 초음파유도하 흡인이나 조직 검사를 하도록 한다. 종양 재발을 알아내는 데 초음파는 CT를 능가하며 MRI와 대등하다고 보고되어 있다.[17,18] 하지만 수술 초기에 초음파로 진단이 어려울 경우에는 추가적인 MRI가 필요하다.

V. 골 치유 평가

골수내 못고정(intramedullary nail) 후 불유합(nonunion)을 평가하는 데 초음파검사를 이용할 수 있다. 시상면, 관상면, 횡단면 영상 모두에서 골수내못이 보이지 않으며 매끈하고 연속적인 고에코의 가골(callus)이 보이면 골유합이 잘 된 상태이다. 반면 골절부위에 후방반향 허상과 함께 고에코 골수내못이 보이면 불유합으로 진단할 수 있다.[19]

또한 초음파로 Ilizarov 다리연장술 후 신생골 형성을 평가할 수 있는데, 초음파검사는 방사선영상에 나타나기 전에 유합 상태를 먼저 파악할 수 있다. 절골술 부위에 낭종 혹은 액체저류는 가골 형성을 방해하므로 초음파유도하 흡인을 하여 제거한다 (Fig. 16-15).

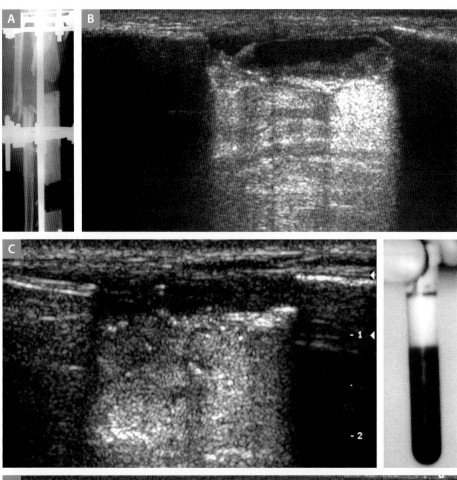

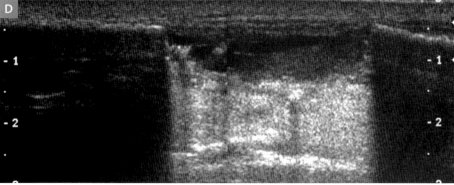

Figure 16-15 **Bone lengthening following Ilizarov procedure**. A. AP radiograph shows multiple bone defects with Ilizarov external fixator. B. Sonography shows anechoic fluid lesion in the osteotomy defect. C. Blood was aspirated under the sono-guidance, indicating hematoma. D. Sonography 2 weeks after aspiration shows considerable regression of hematoma.

VI. 사지 절단

사지절단 후 절단단(잘린끝, stump) 동통이 있는 환자에서도 초음파검사가 유용하다. 연부조직 액체저류가 있으면 초음파에서 무에코 병변과 함께 후방음향증강(posterior acoustic enhancement)이 보인다. 절단신경종(amputation neuroma)이 절단된 말초 신경 끝에서 형성될 수 있는데, 진성 종양이 아니라 축삭(axon)이 비정상적인 재생과정으로 인해 과도하게 증식된 것이다. 절단신경종은 초음파에서 경계가 좋은 저에코로 보이며,[20] 신경종과 말초신경 사이의 연결이 보이면 정확한 진단을 내릴 수 있다 (Fig. 16-16). 초음파검사 도중 신경종을 압박하여 환자의 증상이 유발되는 것을 확인하면, 다른 원인에 의한 동통과 감별하거나 신경종이 여러 개 있을 때에 증상을 유발하는 신경종을 찾을 수 있다.[21] 사지절단 후 나타날 수 있는 또 다른 합병증으로는 정맥 혈전증(thrombosis)이나 동맥류가 생길 수 있는데 Doppler검사

로 진단이 가능하다.

VII. 요약

근골격계 수술 후 환자의 골과 연부조직의 이상을 평가하기 위한 검사로서 초음파는 매우 중요하고 유용한 역할을 한다. 특히 재건 수술을 한 힘줄, 정형외과 금속장치에 인접한 연부조직, 관절성형술 후 합병증을 알아보고, 연부조직 종양의 재발, 골치유 평가, 사지절단 후 잘린끝 동통이 있을 때 유용한 검사방법이다. 근골격계 수술 후 초음파검사는 매우 빠르고 효과적인 진단방법이며, 방사선 유해가 없는 안전한 검사법이고, 금속고정물에 인해 CT나 MRI에서 야기될 수 있는 허상에 영향을 받지 않는다는 것이 큰 장점이다.

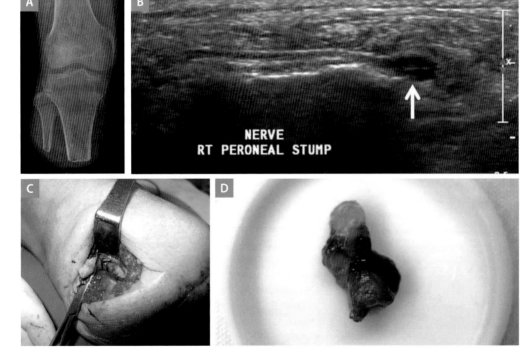

Figure 16-16 **A 47-year-old man with tingling pain in the amputation stump**. **A.** AP radiograph shows status of amputation below knee. **B.** Sonography shows hypoechoic neuroma (arrow) in continuity with peroneal nerve. **C.** Resection specimen of neuroma.

참고문헌

1. Chun KA, Cho KH. Postoperative ultrasonogoraphy of the musculoskeletal system. Ultrasonography 2015;34:195-205.

2. Jacobson JA. Musculoskeletal sonography and MR imaging. A role of both imaging methods. Radiol Clin North Am 1999;37:713-735.

3. Guillin R, Botchu R, Bianchi S. Sonography of orthopedic hardware impingement of the extremities. J Ultrasound Med 2012;31:1457-1463.

4. Sofka CM, Adler RS. Sonnography evaluation of shoulder arthroplasty. AJR Am J Roentgenol 2003;180:1117-1120.

5. von Holsbeeck MR, Eyler WR, Sherman LS, Lombardi TJ, Mezger E, Verner JJ, et al. Detection of infection in loosened hip prostheses: efficacy of sonography. AJR Am J Roentgenol 1994;163:381-384.

6. Craig JG. Ultrasound of the postoperative hip. Semin Musculoskelet Radiol 2013;17:49-55.

7. Jacobson JA, Lax MJ. Musculoskeletal sonography of the postoperative orthopedic patient. Semin Musculoskelet Radiol 2002;6:67-77.

8. Miller TT. Sonography of joint replacements. Semin Musculoskelet Radiol 2006;10:79-85.

9. Mack LA, Nyberg DA, Matsen III FR, Kilcoyne RF, Harvey D. Sonography of the postoperative shoulder. AJR Am J Roentgenol 1988;150:1089-1093.

10. Crass JR, Craig EV, Feinberg SB. Sonography of the postoperative rotator cuff. AJR Am J Roentgenol 1086;146:561-564.

11. Shih KA, Huang YP, Wang TG, Wu CS, Jian CC. Sonographic appearance of surgically repaired Achilles tendons. Tw J phys Med Rehabil 2008;36:23-30.

12. Rupp S, Tempelhof S, Fritsch E. Ultrasound of the Achilles tendon after surgical repair: morphology and function. Br J Radiol 1995;68:454-458.

13. Adler RS. Postoperative rotator cuff. Semin Musculoskelet Radiol 2013;17:12-19.

14. Morrison WB. Imaging of the postoperative patient. Semin Musculoskelet Radiol 2011;15:307-308.

15. Pino G, Conzi GF, Murolo C, Schenone F, Magliani L, Imperiale A, et al. Sonographic evaluation of local recurrences of soft tissue sarcomas. J Ultrasound Med 1993;12:23-26.

16. Arya S, Nagarkatti DG, Dudhat SB, Nadkarni KS, Joshi MS, Shinde SR. Soft tissue sarcomas: ultrasonographic evaluation of local recurrences. Clin Radiol 2000;55:193-197.

17. Jacobson JA. Musculoskeletal ultrasound and MRI: which do I choose? Semin Musculoskelet Radiol 2005;9:135-149.

18. Choi H, Varma DG, Fornage BD, Kim EE, Johnston DA. Soft-tissue sarcoma: MR imaging vs sonography for detection of local recurrence after surgery. AJR Am J Roentgenol 1991;157:353-358.

19. Craig JG, Jacobson JA, Moed BR. Ultrasound of fracture and bone healing. Radiol Clin North Am 1999;37:737-751.

20. Provost N, Bonaldi VM, Sarazin L, Cho KH, Chhem RK. Amputation stump neuroma: ultrasound features. J Clin Ultrasound 1997;25:85-89.

21. Ernberg LA, Adler RS, Lane J. Ultrasound in the detection and treatment of a painful stump neuroma. Skeletal Radiol 2003;32:306-309.

CHAPTER

16

소아: 고관절 및 척추
Pediatrics: Hip Joint and Spine

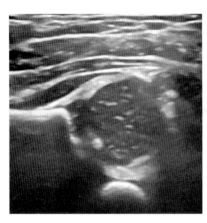
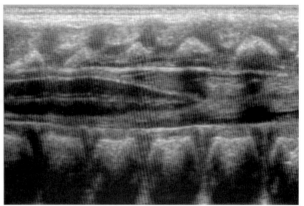

17 CHAPTER

■ 천정은, 김지혜

소아: 고관절 및 척추
Pediatrics: Hip Joint and Spine

소아 고관절 Pediatric hip

I. 서론

초음파는 골화(ossification)가 진행되지 않은 미성숙 골을 평가할 수 있다는 장점과 함께, 방사선피폭의 위험이 없고, 이동 검사가 가능한 장점을 가지고 있다. 이 장에서는 발달성 고관절이형성증(developmental dysplasia of the hip, DDH)과 고관절 통증을 가진 소아의 초음파검사에 대해 설명한다.

II. 발달성 고관절 이형성증의 초음파검사

1. 적응증

영유아기 고관절은 연골 조직이 많은 부분을 차지하고 있으므로, 연골 부분을 직접 볼 수 있는 초음파검사가 유용하다. DDH의 진단뿐 아니라 치료 후 추적검사에서 사용되며, DDH의 위험인자가 있는 경우에는 선별검사로도 이용된다 (Table 17-1).[1]

DDH의 선별검사는 신생아기 고관절의 생리적 미성숙 (physiologic immaturity)을 고려하여 출생 직후보다는 생후 4~6주 이후에 초음파를 시행하는 것이 바람직하다. 대퇴골두 골화중심(ossification center)이 나타나는 시기(생후 2~8개월)를 고려할 때, 6개월 이전에 DDH의 진단을 위해서는 초음파검사가 가장 적합하다. 반면, 만 1세 이상에서는 대퇴골두의 골화가 진행되어 초음파로 고관절을 평가하는 데 제한이 있으므로, 단순촬영이 더 적합하다.[2]

2. 장비

소아 고관절 초음파검사는 5~12 MHz의 선형탐촉자를 주로 이용한다.

3. 검사방법

DDH의 초음파검사는 바로 누운 자세(supine) 또는 옆누운 자세(lateral decubitus)에서 실시하며, 관상면(coronal plane)과 횡단면(transverse plane) 두 방향 모두에서 시행한다. 부하를 가하지 않은 안정상태(resting state)에서 형태적 검사

751

Table 17-1 Developmental Dysplasia of the Hip (DDH): Ultrasound indications

Abnormal or equivocal findings on physical or imaging examination of the hip
Any family history of DDH
Breech presentation regardless of sex
Oligohydroamnios and other intrauterine causes of postural molding
Neuromuscular conditions
Monitoring patients with DDH being treated with a Pavlik harness or other splint device

를 실시한 후, 부하를 가한 상태에서 관절의 안정성을 검사한다. 고관절의 중립위(고관절 15~20° 굴곡) 안정상태에서의 관상영상, 고관절 굴곡(고관절 90° 굴곡) 안정상태에서의 횡단영상, 고관절 굴곡 부하(stress)상태에서의 횡단영상을 포함하여야 한다. 고관절 굴곡 부하상태에서의 관상영상을 추가할 수 있다.[3]

1) 기본영상의 구성

양측 고관절에서 동일하게 시행
① 안정상태에서 중립위(고관절 15~20° 굴곡) 관상면
② 안정상태에서 중립위 고관절 횡단면
③ 고관절과 슬관절을 직각으로 굴곡시킨 상태에서 관상면
④ 고관절과 슬관절을 직각으로 굴곡시킨 상태에서 횡단면
⑤ 4의 상태에서 고관절을 내전시키면서 후방으로 압력 부하 횡단면

2) 정상 소견

(1) 관상면

골화되지 않은 연골상태의 대퇴골두는 공모양의 저에코로 보이며 내부에 점상의 고에코가 흩어져 보인다. 골화중심은 대퇴골두의 중심부에 고에코의 결절로 보인다. 대퇴골두 보다 위쪽(환자의 머리방향)으로 고에코의 장골날개(iliac wing)가

화면에 수평하게 보이도록 한다. 장골날개가 화면에 사선으로 놓이면 탐촉자를 움직여 수평이 되게 조절한다. 장골날개에 연결되어 아래로 꺾인 고에코의 선 또는 원호(arc)는 관골구천장(acetabular roof)이며, 장골날개와 관골구천장이 만나는 부위를 곶(promontory)이라 한다. 대퇴골두보다 위쪽(환자의 머리쪽)에 섬유연골성 관절순(labrum)이 새부리 모양의 고에코의 구조물로 보인다. 대퇴골두 보다 깊은쪽에 장골(ilium)-삼방연골(triradiate cartilage) 이행부위와 좌골(ischium)이 보인다. 표준 관상면에는 화면에 수평으로 놓인 장골날개, 관절순, 장골-삼방연골 이행부가 포함되어야 한다 (Fig. 17-1A, B).[3,4]

(2) 횡단면

고관절을 90° 구부린 상태에서 탐촉자를 대퇴골에 평행하게 놓고 고관절의 횡단면영상을 얻는다. 횡단면영상에서 대퇴골두는 좌골과 대퇴골간단(femoral metaphysis)의 고에코가 이루는 'U'자 모양의 틀 내에 위치한다 (Fig. 17-2A). 고관절 부하검사는 고관절을 구부린 상태에서 환자의 무릎을 잡고 고관절을 내전시키면서 뒤로 미는 동작을 반복하는 것으로, 관절에 불안정성이 있는 경우 대퇴골두가 뒤쪽으로 전위되어 좌골과 대퇴골두 사이의 간격이 벌어지는 것을 볼 수 있다 (Fig. 17-2B). 단, 2주 미만의 신생아에서는 정상적으로도 약간의 불안정성이 있을 수 있으므로 주의해야 한다.[4,5]

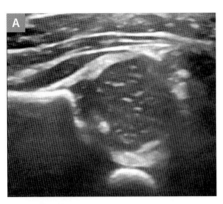
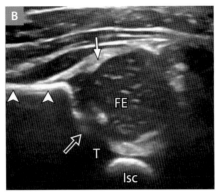
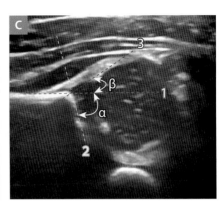
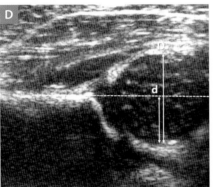

Figure 17-1 **Hip ultrasonography: coronal view. A, B.** Coronal view of hip joint in the standard plane shows round, low echoic femoral head (FE), a straight iliac line (arrowheads), the fibrocartilaginous tip (arrow) of labrum, and junction of os ilium (open arrow) and triradiate cartilage (T). **C.** α angle and β angle. Acetabular morphology is accessed on coronal view and validated by measuring the acetabular α angle. Three lines are drawn to enable measurement of the α angle and β angle. Firstly, the base line runs along the lateral straight iliac line (1). Secondly the bony roof line is drawn tangentially from the lower limb of the os ilium to the lateral edge of acetabulum (2). Lastly, the cartilage roof line is drawn from the lateral edge of the bony acetabulum to the center of the acetabular labrum (3). α angle is defined by an angle between a straight iliac line (1) and bony roof line (2). β angle is defined by an angle between a straight iliac line (1) and cartilage roof line (3). Normally α angle is above 60° and β angle is less than 55°. **D.** Femoral head coverage index. Femoral head coverage index is validated by measuring percent coverage of the femoral head by bony acetabular roof (d/D x 100). Normally it is more than 50%.

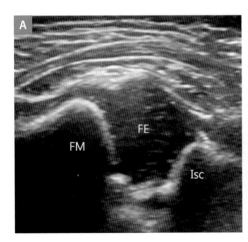
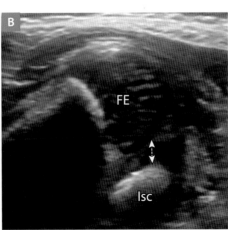

Figure 17-2 **Hip ultrasonography: transverse view. A.** Transverse US of the hip with 90° hip and knee flexion shows low echoic femoral head (FE) between metaphysis (FM) and ischium (Isc). **B.** Instability of the hip in a newborn baby. With hip adduction and posterior push stress maneuver, unstable hip is displaced laterally and posteriorly. The displaced femoral head has no contact with the ischium. Note the widening of space between femoral head and ischium (arrows).

3) 고관절 초음파의 해석

(1) 형태의 평가

관골구의 성숙정도를 평가하는 지표로 Graf의 α각(α angle)을 주로 사용한다. 표준 관상면에서 장골날개에 나란하게 그은 선을 기준선(baseline)이라 한다. 관골구의 가장 깊은 골극(bony edge)과 곳을 잇는 선(관골구천장선, acetabular roof line)과 기준선이 만드는 각을 α각이라 하며, 60° 이상이 정상이다. 곳에서 관절순의 중간을 지나는 선(관절순선, labral line)과 기준선이 만드는 각을 β각(β angle)이라 하며, 55° 미만이 정상이다. β각은 대퇴골두의 상측방 전위 정도를 나타내는 것으로 상측방으로 전위될수록 β각은 커진다 (Fig. 17-1C).[4,6] Graf는 관골구의 성숙도에 따라 DDH를 4가지로 분류하였다 (Graf classification, Table 17-2) (Fig. 17-3).[7,8]

대퇴골두는 장골날개와 관골구천장 및 관절순이 그리는 'Y'자 형태 속에 위치하며, 대퇴골두 직경의 50% 이상이 관골구 안에 위치해야 한다. 대퇴골두가 관골구에 의해 덮여 있는 정도를 측정(femoral head coverage index)할 수 있으며, 정상에서는 50% 이상이다 (Fig. 17-1D).

(2) 안정성의 평가

관절의 불안정성이 있으면 횡단면영상에서 부하검사를 시행할 때 대퇴골두가 뒤쪽으로 전위되어 좌골과 대퇴골두 사이의 공간이 벌어진다 (Fig. 17-2B).[5,9]

(3) 치료 후의 추적 관찰

Pavlik보장구 착용 후 대퇴골두의 위치와 관골구 성숙도의 변화를 초음파검사로 관찰한다. 이때 부하검사는 시행하지 않는다 (Fig. 17-4). 고수상석고붕대(hip spica cast)를 착용하고 있으면 앞에서 설명한 기본영상을 얻을 수 없으므로 치골결합(symphysis pubis)부위의 앞쪽에 탐촉자를 두고 횡단면영상을 얻어 대퇴골두의 후방전위 여부를 평가한다 (Fig. 17-5).[10]

Table 17-2 Graf Classification of US findings in Developmental Dysplasia of the Hip according to acetabular maturity

Type	Bony roof	Bony promontory	Cartilage roof	Age
I : mature hip	Good, α ≥60°	Angular/slightly rounded	Cover femoral head Ia β < 55° Ib β > 55°	At any age
IIa : physiologically immature	Adequate,α=50-59 °	Rounded	Covers femoral head	0-12 weeks
IIb : delayed ossification	Deficient, α=50-59 °	Rounded	Covers femoral head	> 12 weeks
IIc : critical zone	Severely deficient, α=43-49 °	Rounded to flattened	Covers femoral head	At any age
IId : subluxation decentering hip	Decentering ,α=43-49 °	Rounded to flattened	β > 77 °	
III ; decenteration	Poor, α <43 °	flattened	Pressed upward	At any age
IV : eccentric hip	Poor, α <43 °	flattened	Pressed downward	At any age

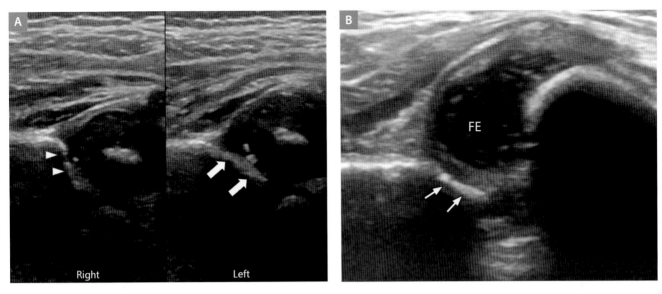

Figure 17-3 **Ultrasonography of developmental dysplasia of the hip**. **A.** Coronal view of a 5-month-old girl with left DDH shows shallow bony acetabulum suggesting bony acetabular dysplasia (arrows). Alpha angle was 45° and femoral head coverage index was less than 40% (Graf type IIc). Note the normal bony acetabular rim which shows sharp, rectabular shape (arrowheads). **B.** Coronal view of hip ultrasound in a 3-month-old girl shows superior and lateral displacement of the left femoral head (FE) from the shallow acetabulum (arrows) (Graf type III).

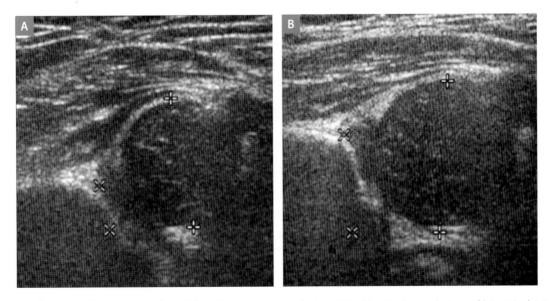

Figure 17-4 **Follow-up ultrasonography of developmental dysplasia of the hip**. **A.** Coronal view of hip US obtained at the age of two months shows round edge of the bony acetabulum and incomplete femoral head coverage (femoral head coverage index: 40%) (Graf type IIb). **B.** Follow-up US obtained 2 months later with Pavlik harness demonstrates improved both of bony acetabular configuration and femoral head coverage.

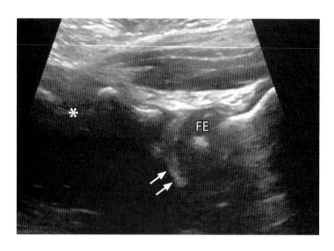

Figure 17-5 Anterior transverse scan of the hip: normal findings. Axially oriented transducer, just lateral to the pubic symphysis, depicts anterior transverse scan of the hip. Note the symphysis pubis (*), femoral head (FE) and posterior margin of the bony acetabulum (arrows). In a patient with hip spica cast, anterior transverse scan is useful for the evaluation of recurrent hip dislocation. In a case of recurrent hip dislocation, femoral head usually displaced posteriorly over the posterior margin of the bony acetabulum.

III. 고관절 통증의 초음파검사

1. 적응증

고관절 통증과 보행장애가 있는 소아에서 초음파검사의 역할은 고관절 삼출액(effusion) 유무를 확인하고, 필요할 경우 초음파유도하 흡인술을 시행하는 것이다. 흔히 통증성 고관절(painful hip 혹은 irritable hip)이라고 불리는 질환군에는 일과성활액막염(transient synovitis), 패혈성관절염(septic arthritis), Legg-Calve-Perthes병, 대퇴골두골단분리증(slipped capital femoral epiphysis), 류마티스성 질환, 골절 등의 다양한 원인이 포함된다. 서혜부와 근위 대퇴부의 통증, 그리고 연관통(referred pain)에 의한 무릎통증 등을 호소하며, 위의 여러 질환들에서 유사한 증상을 보인다. 이중 일과성활액막염이 가장 흔하며, 상기도감염이 선행하기도 하지만, 대개 급성 감염을 시사하는 이학적 소견을 동반하지 않는다. 그러나 임상소견과 초음파소견만으로 패혈성관절염과 감별이 어려운 경우가 많으며, 감염의 확진을 위해서는 관절천자술이 필요하다.[11~13]

2. 장비

탐촉자는 유아의 경우 선형 탐촉자를 사용하지만, 아동기나 청소년기 환자의 경우에서는 낮은 주파수 영역을 사용하는 곡면(curved) 탐촉자를 이용하기도 한다.

3. 검사방법

고관절의 종축영상(sagittal image)에서 관절 삼출액을 평가한다. 대퇴경부에 나란히 탐촉자를 종축으로 놓으면 요근(psoas muscle) 깊은쪽에 고에코의 관절막이 보인다. 관절막이 대퇴경부에 부착할 때 안쪽으로 접히면서 전방와(anterior recess)가 형성되는데(Chapter 12 고관절 및 허벅지 참조 바람), 이곳에 삼출액이 고인다 (Fig. 17-6). 따라서 고관절 삼출액을 관찰하려면 대퇴골두가 아닌 대퇴골경부를 중심으로 검사한다.

정상적인 관절막은 대퇴골 경부의 주행을 따라 납작한 모양을 하고 있는데, 관절액이 증가하면 전방와에 관절액이 고이면서 관절막이 볼록한 형태로 보인다. 고관절의 종축영상에서 대퇴골두와 골간단 사이의 성장판이 저에코로 보인다.[14]

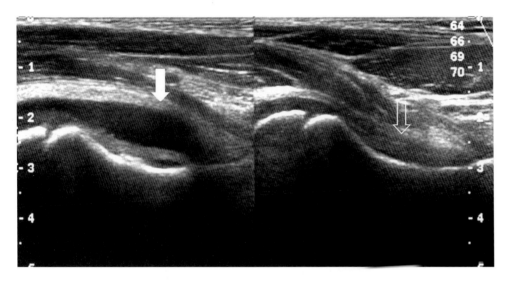

Figure 17-6 Longitudinal hip ultrasonography for joint effusion. Longitudinal view of the hip shows a widened anechoic joint space with a convex anterior margin (arrow). Note the normal concave anterior margin of the hip (open arrow).

4. 기본 사진 구성

양측 고관절에서 동일하게 시행하여 관절낭의 모양을 비교한다. 정상에서는 대퇴경부에서 측정한 총 활액막의 두께(대퇴경부에서 장요근까지의 거리)가 5 mm 미만이고, 좌우 양측에서 측정한 전방오목의 두께 차이가 1 mm 이하이다.[13,14]

5. 관절삼출을 동반하는 질환들의 초음파소견

1) 일과성 활액막염과 패혈성 관절염

일과성 활액막염은 3~8세 소아의 고관절 통증을 일으키는 가장 흔한 질환이며, 원인은 알려져 있지 않다. 고관절 삼출을 동반하는 다른 질환, 특히 패혈성 관절염이나 골수염을 배제한 후에 진단이 가능하다. 패혈성 관절염은 보다 어린 연령, 주로 3세 미만에서 발병하며, 신생아에서는 대퇴골수염을 동반하는 경우가 흔하다.

　일과성 활액막염과 패혈성 관절염 모두에서 관절삼출과 활액막 비후 등의 초음파소견이 거의 동일하게 보이므로, 패혈성 관절염의 가능성을 배제하려면 반드시 관절천자를 시행

하여야 한다.[13,15,16]

2) Legg-Calve-Perthes병
　　Legg-Calve-Perthes disease, LCP

Legg-Calve-Perthes병의 고관절 초음파검사에서 대퇴골단과 관절연골의 변화와 동반된 관절삼출을 관찰할 수 있다. 대퇴골단은 납작해지고, 조각나 보이며, 인접한 관절연골의 비후를 보인다. 80% 이상에서 편측성으로 생기므로, 대퇴골단 및 관절연골의 변화를 반대쪽과 비교하여 관찰한다 (Fig. 17-7).[17]

3) 대퇴골두골단분리증
　　Slipped capital femoral epiphysis, SCFE

대퇴골두골단분리증(이하 SCFE)은 청소년기에 발생하며, 일종의 Salter-Harris 1형 골성장판손상이다. 환자들은 보통 고관절 통증을 호소하지만, 서혜부, 대퇴, 무릎부위에 연관통을 동반하기도 하여 초기 진단이 어려울 수 있다. SCFE가 의심되면 고관절의 전후면 및 개구리다리자세 (frog-leg view) 단순촬영을 시행한다. 초음파검사에서 관절

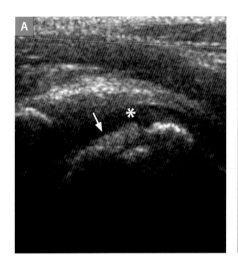
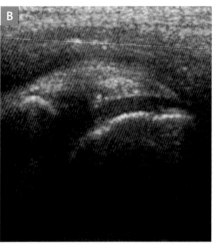

Figure 17-7 **Legg-Calve-Perthes disease. A, B.** Longitudinal US of the left hip demonstrate irregular flattening of the left femoral epiphysis (**A**, arrow) and asymmetric thickening of the articular cartilage (**A**, *) compared to the normal side (**B**).

삼출 유무를 확인할 수 있고, 대퇴골단의 전위와 성장판 간격의 증가를 볼 수 있다.[18]

6. 관절액 천자 Aspiration of joint effusion

관절액 증가가 있는 환자에서 발열, 적혈구침강속도(ESR)의 증가, C-반응성단백(C-reactive protein, CRP)의 증가를

동반하면 관절액 천자를 시행한다. 환자를 반듯하게 눕히고 다리를 편 상태에서 고관절을 약간 외회전(external rotation) 시킨다. 탐촉자를 대퇴경부에 나란하게 놓고, 탐촉자의 원위부에서 대퇴경부 전방오목을 향해 바늘을 삽입한다. 20~22G 척추천자바늘(spinal needle) 혹은 정맥삽입용 바늘을 사용하며, 내측에 위치한 혈관 및 신경을 피하도록 주의한다 (Fig. 17-8).[11,19]

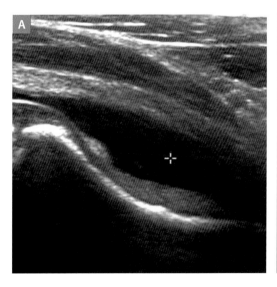
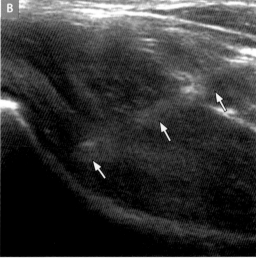

Figure 17-8 **Ultrasonography guided joint fluid aspiration. A-B.** On longitudinal scan of the hip, joint fluid aspiration is performed using 20~22 gaze long needle. Before (**A**) and during (**B**) joint fluid aspiration. Note the needle (arrows) in **B**.

신생아 척추 Neonatal spine

I. 서론

일반적으로 척추의 병변을 평가하는 가장 정확한 방법은 MRI지만, 신생아 시기의 척추는 골화되지 않은 연골을 통하여 초음파검사가 가능하므로 선별검사로 널리 사용된다.(20,21) 초음파검사의 적응증(indication)은 대부분 척추기형을 의심하는 경우인데, 천골(sacrum) 부위 정중앙 피부함몰, 모발, 혈관종을 시사하는 피부색, 피부 결함, 종괴 등이다. 항문직장 또는 비뇨생식기계의 기형이 진단된 환아에서 동반된 척추기형을 찾기 위해서도 시행한다.(20,22) 그러나 단순한 함몰이 있는 환아에서 척추기형이 동반되는 비율은 매우 낮은 것으로 알려져 있다.(23)

II. 검사방법 Scan technique 과 정상 척추 Normal spine 초음파소견

작은 베개 위에 환아를 엎드리게 하여 극돌기(가시돌기, spi-nous process) 사이가 벌어져서 음창(sonic window)이 넓어지도록 자세를 취하고(Fig. 17-9) 고주파수(5~15 MHz) 선형 탐촉자를 이용하여 종축과 횡축검사를 시행한다. 생후 3개월이 지나면 연골의 골화가 진행되어 초음파검사가 어려워지는데, 척추후궁절제술(laminectomy)을 시행 받거나 이분척추(spina bifida)와 같이 선천성 결함이 있는 경우에는 부분적으로 검사가 가능하다. 정상 척추의 종축영상에서 연골은 저에코로, 골화된 부분은 고에코로 보이며, 척추강 내의 경막(dura)은 선형의 고에코로 보인다. 척수(spinal cord)는 저에코로 보이고, 주위에 척수액으로 둘러싸여 있으며, 척수와 척수액의 경계(interface)는 고에코의 선으로 보인다 (Fig. 17-10). 척수의 중앙관(central canal)은 고에코로 보이는데, 중앙관이 늘어나면 두 줄의 고에코 선으로 보인다 (Fig. 17-11). 원위부로 갈수록 척수는 점차 가늘어져 척수원추(conus medullaris)가 되는데, 정상적으로 척수원추의 끝이 L2-3 추간판 부위보다 아래로 내려오지 않는다. 척수원추의 끝은 종사(filum terminale)로 이어지며, 종사가 두껍게 (1~2 mm 이상) 보이면 지방종사(fatty filum)를 의심할 수 있다.(20) 종사와 함께 여러 갈래 신경근(nerve roots)과 말총(cauda equina)도 고에코로 보인다.

횡축영상에서 척수는 원형 혹은 난원형의 저에코 구조물로 보이며, 척수원추로 이행하면서 크기가 점차 작아지고 신

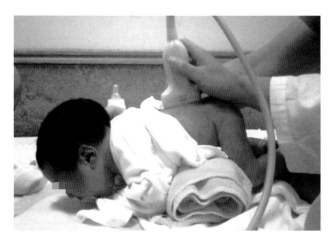

Figure 17-9 **Position of the neonate undergoing spinal US examination.** The neonate is positioned in prone decubitus with the spine in flexion so that the spinous processes are splayed to allow more sonic transmission. Scanning can also be performed with the patients in a lateral decubitus position, which is more challenging than prone position. High MHz linear array transducer is usually used for greater spatial resolution for the near field, although sector transducer may be used for older infants with small acoustic window.

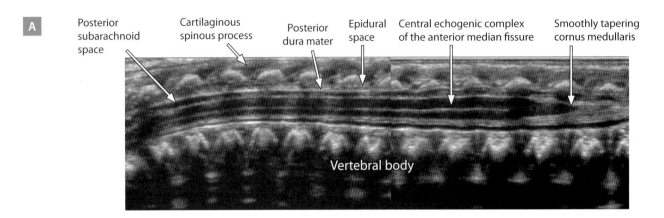

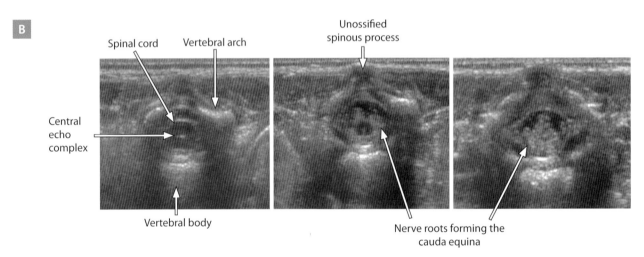

Figure 17-10 **Normal anatomy of the neonatal spine.** A. Longitudinal scan shows hypoechoic cartilaginous spinous process, echogenic dura, hypoechoic cord, central echo complex of the anterior median fissure (central canal), conus medullaris, and echogenic vertebral bodies. B. Transverse scans at the lower thoracic cord, conus, and cauda equina level each (from the left to the right) shows hypoechoic cord and conus with central echo complex, and paired echogenic anterior and posterior nerve roots. They are surrounded by anechoic cerebrospinal fluid (CSF). Vertebral body and arches are echogenic, while the cartilaginous spine is hypoechoic.

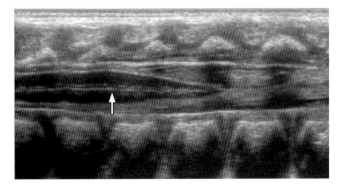

Figure 17-11 **Minimal dilatation of central canal and terminal ventricle.** Longitudinal scan shows minimal dilatation of central canal and terminal ventricle (arrow), which seems to be an incidental finding in healthy newborns and disappears mostly during the first weeks of postnatal life.

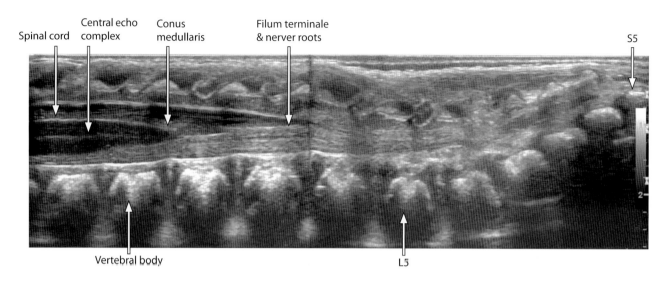

Spinal cord · Central echo complex · Conus medullaris · Filum terminale & nerver roots · S5 · Vertebral body · L5

Figure 17-12 **Localization of conus medullaris.** Longitudinal scan shows S5 as the most caudal ossified vertebra, while the coccyx is not ossified. The conus level is at L1-2. Note the filum terminale and nerve roots are echogenic. The most ventral vertebra is L5, and S1 is slightly dorsal-positioned.

경근들에 의해 둘러싸인다 (Fig. 17-10B).[24]

척수원추의 위치를 확인하는 방법은 여러 가지가 있는데, 골화된 천추 중 가장 원위부에 해당하는 다섯 번째 천추(S5)를 확인하고 세어 올라가는 방법이 정확하다 (Fig. 17-12). 이 외에 열두 번째 늑골을 확인하고 아래로 세는 방법, 장골능선(엉덩이뼈능선, iliac crest)이 L4-5에 위치하므로 이로부터 세어 올라가는 방법, 그리고 종축영상에서 척추체 전면에서 약간 뒤로 굽어지는 지점(L5-S1)이나 경막강(dural sac)이 끝나는 지점(S1-2)을 기준으로 세는 방법도 있다. 또 다른 방법은 신장문(renal hilum)이 L1-2에 해당하므로 척추원추 끝에서 탐촉자를 옆으로 이동하여 신장문이 보이면 정상으로 간주한다 (Table 17-3).[22]

종축영상에서 척수의 크기는 흉부보다 경부와 요부에서 상대적으로 크다. 만일 척추의 형태가 비정상적이라면 정확한 레벨을 찾는 데 어려움이 있을 수 있는데, 이런 경우 초음파검사에서 척수원추 끝 레벨에 작은 금속물질로 표시를 한 후 단순촬영에서 확인하는 방법도 있다.[25]

Table 17-3 **Anatomic landmarks helpful for counting the spinal level**

Landmark	Level
Last rib	T12
Renal hilum	L1-2
Iliac crest	L4
Most ventral vertebra	L5
Distal thecal sac	S1-2
Last ossified vertebra	S5

혈관의 박동에 따라 정상 신생아 척수표면은 미세한 움직임을 보이는데, 척수가 고정된 경우(척수계류, 척수고정, cord tethering) 이러한 움직임의 정도가 감소하므로 척수의 움직임도 잘 살펴야 하며, M-방식(M-mode) 검사로 객관적으로 영상화 할 수 있다 (Fig. 17-13D).[21,22]

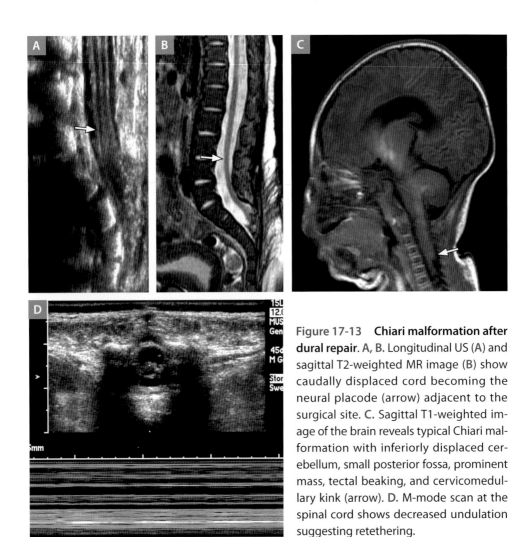

Figure 17-13 **Chiari malformation after dural repair. A, B.** Longitudinal US (A) and sagittal T2-weighted MR image (B) show caudally displaced cord becoming the neural placode (arrow) adjacent to the surgical site. **C.** Sagittal T1-weighted image of the brain reveals typical Chiari malformation with inferiorly displaced cerebellum, small posterior fossa, prominent mass, tectal beaking, and cervicomedullary kink (arrow). **D.** M-mode scan at the spinal cord shows decreased undulation suggesting retethering.

III. 발생학적 고찰 Embryology

척추의 형성은 일차 및 이차 신경관(neural tube) 형성과정을 거쳐 이루어진다. 태생 2주경 배아는 두 개의 판과 같은 형태를 가지고 있는데, 그 표면에 외배엽(ectoderm)이 증식하여 형성된 척색(notochord)이 배측(dorsal side) 외배엽을 신경외배엽(neuroectoderm)으로 분화시키고, 이들이 증식하여 신경판(neural plate)이 만들어진다. 신경판의 중앙이 함입(invagination)되어 신경구(neural groove)가 되고, 신경구 양쪽이 두꺼워진 신경 추벽(neural fold)이 중앙에서 만나 닫히면 신경관(neural tube)이 형성된다 (primary neurulation) (Fig. 17-14). 신경관의 근위 2/3가 뇌가 되고, 나머지 원위부는 척수가 되며, 신경관의 안쪽은 뇌실과 척수의 중심관이 된다. 신경관의 폐쇄는 마름뇌(능형뇌, hind brain)부위에서 시작하여 배아의 양끝을 향하여 지퍼(zipper)처럼 닫히는데, 최근에는 세 군데 정도에서 다발적으로 닫히기 시작한

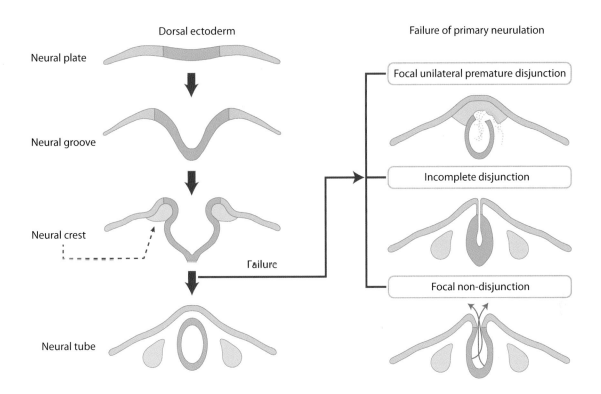

Figure 17-14 **Primary neurulation and spinal anomalies.** The neural plate is composed of cutaneous ectoderm (yellow areas) and neural ectoderm (khaki areas), and the junction between the two ectoderm differentiates to form neural crest cells (gray areas). At about 17 weeks of gestation, the neural folds are formed by thickening of the lateral ends of the neural plate, and dorsal bending of the neural folds results in formation of the neural groove. Eventually, neural folds meet together in the midline, and midline fusion of the neural folds results in closure of the neural tube. At the same time, the cutaneous ectoderm separates from the neural tissue. The neural crest cells migrate to form dorsal root ganglia. Premature disjunction of the cutaneous ectoderm and neural ectoderm before the neural tube closure results in entrapment of the mesodermal structure (fat) between the neural tissues (lipomyelomeningocele). Incomplete disjunction results in dorsal dermal sinus, and focal non-disjunction may results in exposure of the neural tissue and meninges through the defect of posterior spine to the skin (myelomeningocele).

다고 알려져 있다.[26] 신경관의 근위부인 전신경공(anterior neuropore)과 꼬리쪽의 후신경공(posterior neuropore)이 닫히면 신경관 폐쇄가 마무리되는데, 이 단계에 이상이 생기면 무뇌증(anencephaly), 두류(cephalocele), Chiari 기형(Chiari malformation) 등이 발생한다. 신경관이 닫히면서 피부외배엽과 신경외배엽(neuroectoderm)이 분리된다. 수막

(meninges), 신경궁(neural arch), 척추 주위 근육 등은 신경외배엽과 피부외배엽의 사이에 있는 중배엽(mesoderm)으로부터 형성된다. 이와 함께 신경제세포조직(neural crest tissue)이 양쪽으로 이동하여 척추신경, 교감신경절, Schwann 세포, 부신수질(adrenal medulla) 등을 형성한다. 외배엽의 분리과정에 문제가 생기면 여러 가지 척추분리증(spinal dys-

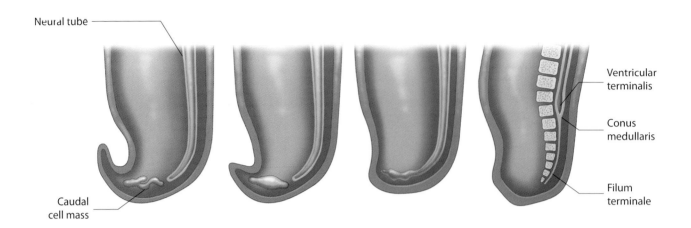

Figure 17-15 **Secondary neurulation.** The caudal cell mass forms at the caudal end of the embryo, caudal to the posterior neuropore. At about 30 days of gestation, multiple cysts appear in the caudal cell mass and coalesce to form tubular structure that unites with the neural tube. The cell mass becomes smaller by necrosis, a process called retrogressive differentiation, eventually forming the conus medullaris, terminal ventricle, and the filum terminale.

raphism)이 발생하게 된다. 한편 일차 신경관의 후신경공 원위부는 꼬리세포괴(caudal cell mass)의 관형성(canalization)으로 이루어지는데 이 과정을 이차 신경관형성(secondary neurulation)이라고 한다 (Fig. 17-15). [26]

꼬리세포괴는 신경외배엽이 축색(notochord)과 융합되어 발생하는데 후향적 탈분화(retrograde dedifferentiation) 과정을 거쳐 크기가 줄고 내부에 여러 개의 낭종이 형성된 후 이들이 융합하여 뇌실막(ependymal)으로 둘러싸인 관, 즉 이차 신경관(secondary neural tube)이 형성되고 근위부의 일차 신경관(primary neural tube)과 연결된다. 꼬리세포괴에서 발생되는 부분은 원추체, 척수뇌실(종말뇌실, terminal ventricle), 그리고 종사(filum terminale)이다.

IV. 정상변이 Normal variation

1. 종말뇌실 Ventriculus terminalis

정상 신생아에서 척수 중심관이 미세하게 확장되는 것을 볼 수 있고, 척수원추 부위의 중심관 역시 비슷한 소견을 보일 수 있는데, 이는 발생 과정에서 종말뇌실이 퇴화하지 않고 남은 것이며 시간이 지나면서 소실된다 (Fig. 17-11). [27] 그러나 종말뇌실이 상당히 커서 낭종으로 보이면서 지방종사와 연결되면 척수고정(cord tethering)의 가능성이 있으므로 추적검사가 필요하다 (Fig. 17-16).

2. 종사낭종 Filar cyst

척수원추가 종사로 이행하는 부위에 보이는 난원형의 무에코 구조물이 종사낭종이며, MRI 보다 초음파에서 더 잘 보인다. 우연히 발견되며 임상적 문제를 일으키지 않으므로 추가 검사는 필요하지 않다 (Fig. 17-17). [22]

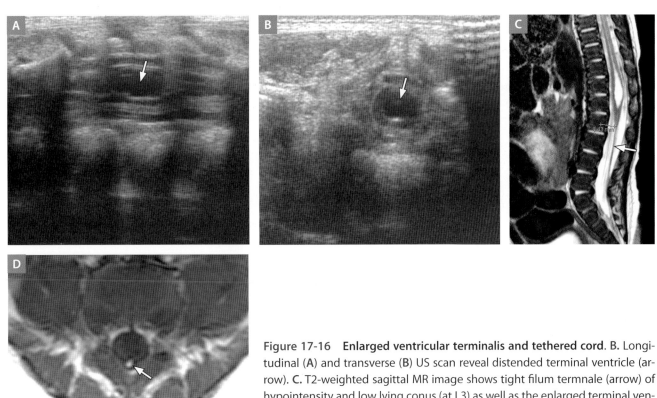

Figure 17-16 Enlarged ventricular terminalis and tethered cord. B. Longitudinal (**A**) and transverse (**B**) US scan reveal distended terminal ventricle (arrow). **C.** T2-weighted sagittal MR image shows tight filum termnale (arrow) of hypointensity and low lying conus (at L3) as well as the enlarged terminal ventricle and hydromyelia. **D.** T1-weighted axial MR image shows a small lipoma at the filum (arrow).

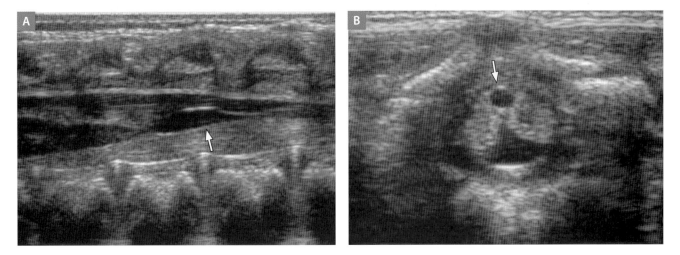

Figure 17-17 Filar cyst. Longitudinal US scan shows elongated ovoid anechoic lesion (arrow), just distal to the end of conus. B. Transverse scan reveals round cyst (arrow) at the location of the filum, surrounded by echogenic nerve roots.

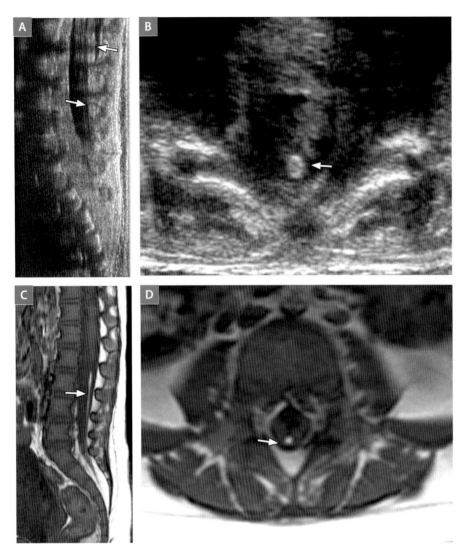

Figure 17-18 **Fibrolipoma of the filum terminale. A, B.** Longitudinal (A) and transverse (B) US scan shows echogenic thick filum terminale(arrow). **C, D.** T1-weighted sagittal (C) and axial (D) MR images reveal fatty filum (arrow) of high signal intensity, similar to the subcutaneous fat.

3. 두꺼운 종사 Thick filum terminale

종사의 두께가 2 mm 이상으로 주위 신경보다 두꺼워지면 지방종사를 의심한다 (Fig. 17-18). 최근 MRI와 초음파를 함께 시행한 연구에 의하면 종사의 두께가 1~2 mm 사이이면 정상변이와 지방종사가 모두 포함되므로 주의를 요한다.[20] 그러나 종사에 소량의 지방이 있어도 척수고정을 유발하지 않고, 무증상으로 우연히 발견되는 경우도 많으므로, 초음파에서 발견되는 약간 두꺼운(1~2 mm) 종사의 임상적 의미는 추가 연구가 필요하다.

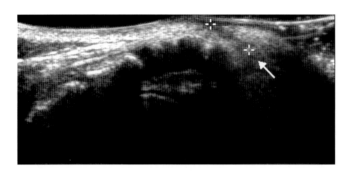

Figure 17-19　Pilonidal sinus. Longitudinal US scan shows linear hypoechoic sinus (arrow) approaching the coccyx.

4. 가성동로 Pseudosinus tract

피부 힘줄부위에서 미추(꼬리뼈, coccyx)로 향하는 심유성 끈(cord) 구조물이 보일 수 있다 (Fig. 17-19). 이는 섬유화된 가성 병변일 가능성이 많으며, 반면에 후부진피동로(dorsal dermal sinus tract)는 미추 끝에서는 거의 발생하지 않고 좀 더 근위부에 생긴다. 만일 이 부위에서 뇌척수액이 분비되면, 이 부위에 드물게 발생하는 후부진피동로를 배제하기 위하여 추가적으로 MRI를 시행하는 것이 좋다.[25]

V. 선천성 척추기형 Congenital spinal anomaly

척추 중앙 구조물의 발생과정에 문제가 있으면 여러 가지 기형이 생긴다. 피부로 덮여 있지 않은 열린신경관결손(open neural tube defect)과 피부로 덮여 있어 겉으로 드러나지 않는 잠재분리증(occult dysraphism)으로 나누고, 후자는 다시 종괴를 형성하는 기형과 그렇지 않은 기형으로 나눈다.[26]

이들 기형은 발생단계에 따라 세가지로 분류할 수 있다. 제1형은 피부외배엽이 신경관에서 너무 일찍 분리되어 중배엽조직, 특히 지방이 신경 조직 사이에 끼어드는 기형(예, 지방척수수막류), 제2형은 신경관이 불완전하게 닫혀 결손이 있는 척추분리증(척수수막류), 제3형은 꼬리세포괴(caudal cell mass)에서 발생하는 조직의 기형(종사의 섬유지방종)이

다. 1형은 대부분 잠재분리증이고, 2형은 열린신경관결손에 해당한다 (Fig. 17-14).[25]

1. 열린신경관결손

1) 척수수막류 Myelomeningocele

척수수막류는 일차 신경관 분리 결손에 의해 발생한다. 신경판이 닫히지 않고 피부 표면에 신경외배엽이 노출되는데 이를 신경기원판(neural placode)이라고 한다.[26] 중앙으로 이동해야 하는 중간엽 조직도 신경기원판 가장자리에 붙어 있고 척추의 뒷부분이 열려 있다. 신경기원판 복측(ventral side) 뇌척수액 공간이 넓어지고 신경기원판이 피부 밖으로 튀어나오면 척수수막류라고 하고, 피부 밖으로 나오지 않고 평편하면 척수류(myelocele)라고 한다. 척수수막류는 밖으로 노출된 신경조직이 감염될 위험이 있으므로 대부분 바로 수술을 시행하고, 영상검사는 수술 이후에 시행한다. 수술 전에 기형의 해부학적 평가와 동반기형을 진단하기 위해 영상검사를 하기도 하는데,[26] 척수수막류를 덮고 있는 이형성 피부를 통해서 하거나 결손부위를 무균성 테이프로 덮고 검사한다. 영상소견은 낮게 위치한(lower-lying) 척수, 척추 결손 부위를 통해 나온 수막류와 내부에 포함된 신경기원판과 신경근 등을 볼 수 있고, Chiari기형, 수척수증(hydromyelia), 척수분리 등이 동반될 수 있다 (Fig. 17-13, 17-20). 척

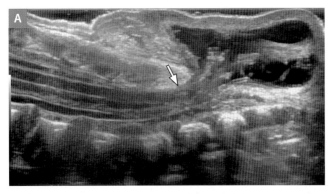
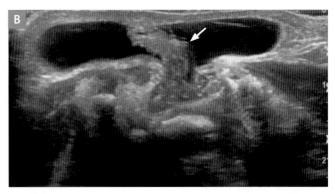
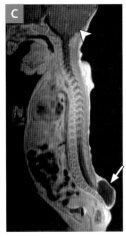
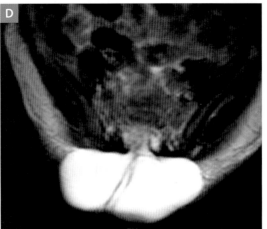

Figure 17-20 **Myelomeningocele. A.** Longitudinal US scan shows the spinal cord is traced down to the posterior defect of the spine becoming the neural placode (arrow) that protrudes into the meningeal sac. **B.** Transverse scan shows meningeal sac containing neural tissue (arrow). The meningeal sac was completely covered by dysplastic skin. **C.** T1-weighted sagittal MR image demonstrates lumbosacral myelomeningocele (arrow) as well as distal herniation of the cerebellum (arrowhead) suggesting type 2 Chiari malformation. Internal content of the meningocele is better delineated on US. **D.** T2-weighted axial image shows the same findings to those of US scan.

수수막류를 수술한 뒤 남아있는 척추결손을 통해 초음파 추적검사가 가능한데, 척수의 고정 여부를 실시간 움직임으로 판단할 수 있고, M-방식 검사로 척수의 움직임을 객관적으로 기록할 수 있다 (Fig. 17-13).[20]

2) 수막류 Meningocele

척추의 뒷부분 결손부를 통해 뇌척수액을 포함한 낭종이 튀어나오는 기형으로 내부에 신경기원판을 포함하지 않는다 (Fig. 17-21).

2. 종괴가 동반된 잠재분리증

1) 지방척수류/지방척수수막류
Lipomyelocele/lipomyelomeningocele

신경관이 폐쇄되기 전에 신경관과 피부 외배엽이 분리되면, 중배엽세포가 신경외배엽과 만나 지방조직이 형성되고 이로 인해 척수가 고정되는 기형이다. 따라서 지방조직이 신경기원판에 붙어있고 경막과 척추 결손을 통해 피하지방까지 연결되지만, 피부는 결손 없이 덮여있다. 신경기원판 앞의 넓

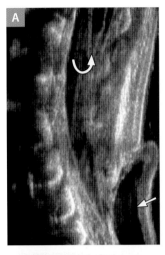
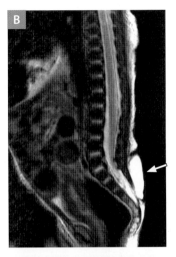
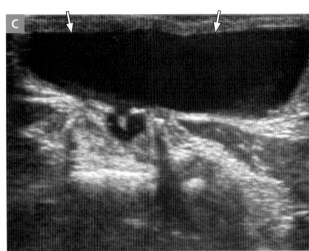

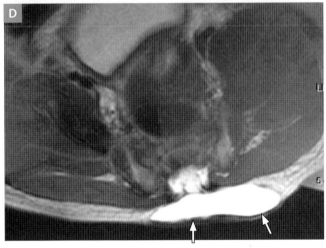

Figure 17-21 **Simple meningocele. A.** Longitudinal US scan shows dorsal protrusion of skin-covered meningeal sac(arrow) through the posterior defect of the spine. The conus (curved arrow) is formed at the low level (L3). **B.** T2-weighted sagittal image also shows low lying conus and meningeal sac (arrow). **C.** Transvers US scan shows meningeal sac without neural tissue (arrows). **D.** T2-weighted axial image also shows meningeal sac (arrows).

어진 뇌척수액 공간이 신경기원판과 함께 밖으로 튀어 나오면 '지방척수수막류', 튀어 나오지 않고 편평하면 '지방척수류'라고 한다. 척수가 지방조직에 고정되어 있으므로 키가 크면서 신경학적 증상을 유발한다.[28]

초음파에서 척추강 내부의 고에코 조직이 척추 결손부를 통해 피하지방과 연결되는 소견을 볼 수 있고, 뇌척수액과 지방조직 사이의 신경조직을 확인하는 것도 가능하다 (Fig. 17-22).[25]

3. 종괴가 없는 잠재분리증

1) 척수분리기형 척수이분증, Split cord malformation, diastematomyelia

척수분리기형은 외배엽과 내배엽 사이의 유착 부분에서 척색(notochord)이 시상면(sagittal plane)으로 분리되어 발생하는 기형이다. 척수가 두 개로 갈라져 각각의 중심관과 연막(pia), 후각(dorsal horn)과 전각(anterior horn) 세포를 형성하게 된다. 제1형은 골조직이나 연골, 혹은 섬유질로 이루어

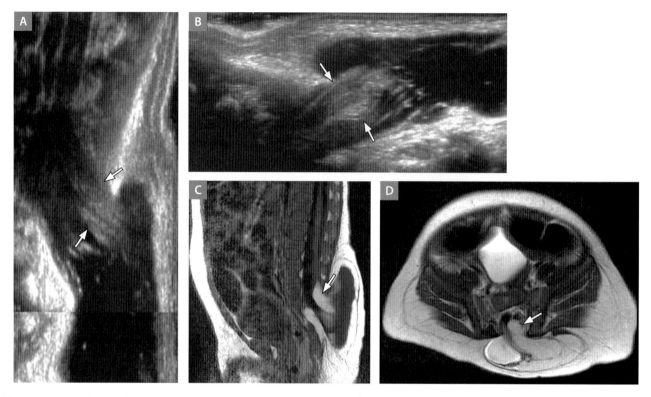

Figure 17-22 **Lipomyelomeningocele. A, B.** US scans show low positioned spinal cord and echogenic lipoma (arrows) extending into the dorsal CSF filled sac. Because both lipoma and neural tissue are echogenic, they are not clearly differentiated on US. **C.** T1-weighted sagittal MR image clearly demonstrates hyperintense lipoma (arrow) attached to the neural placode. Note that dorsally protruded CSF filled sac is covered by the intact skin and subcutaneous fat. **D.** T2-weighted axial image shows intradural lipoma (arrows) and cutaneous fat are connected via the dural defect.

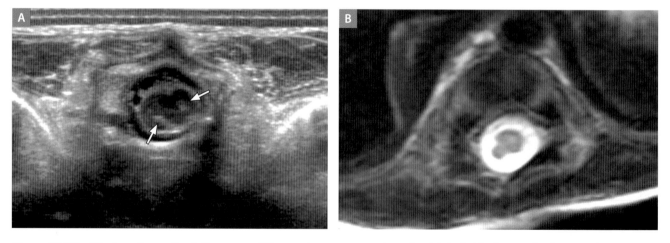

Figure 17-23 **Diastematomyelia. A.** Transverse US scan shows separated cords with individual central echo complex (arrows), covered by common dural sac. **B.** T2-weighted axial MR image shows similar findings. Note that sonography was obtained with prone position and MRI was performed with supine position.

진 격막을 가운데 두고 갈라진 척수가 각각의 경막과 지주막으로 둘러싸인 유형이고, 제2형은 격막 없이 하나의 경막 내부에 두 개의 척수가 있는 유형이다 (Fig. 17-23).[26]

척수분리기형은 원위부 흉추 혹은 요추 부위에 호발하는데, 여아에서 더 많이 발생하고, 절반 정도에서는 척수가 고정되어 있다. 제1형에서 증상이 더 심하며, 척추만곡증이 동반되는 경우가 많고, 피부에 털이 많거나 지방종, 피부함몰, 혈관종, 진피동로 등과 함께 여러 가지 척추기형이 흔히 동반된다. 장(bowel)과 척추를 연결하는 통로가 발생할 수도 있는데, 병변이 누공(fistula) 형태로 피부까지 연결되거나 양쪽이 모두 막힌 후부장낭종(dorsal enteric cyst)을 형성하기도 한다.[25]

2) 후부진피동로 Dorsal dermal sinus

피부외배엽이 신경외배엽으로부터 불완전하게 분리되어 발생하는 기형으로 척수, 말총(cauda equina), 지주막하 공간 등으로부터 피부까지 이어지는 누공이 형성되며 상피세포로 둘러싸여 있다. 요천추부와 후두부에 호발하지만 척추 어느 부위에서나 발생할 수 있고, 척추 내 지방종, 표피양낭(epidermoid cyst), 유피낭종(dermoid cyst) 등이 동반된다.

뇌척수액이 흐르는 정중앙 결손부위가 있거나 털을 동반한 반점, 혈관종, 종괴 등이 보일 수 있다. 후부진피동로가 뇌척수액 공간과 연결되면 감염의 위험이 있으므로 조기진단이 중요하다. 초음파에서 후부진피동로는 피하지방층에서는 저에코로, 뇌척수액이 둘러싼 부위에서는 상대적으로 고에코 병변으로 보이는데, 낮은 위치의 척수원추가 함께 보이면 후부진피동로의 가능성이 높아진다 (Fig. 17-24). 동반된 지방종, 유피낭, 표피양낭 등이 척수 내부까지 들어가 신경조직과 유착될 수 있다.[25]

3) 모소루 Pilonidal sinus

모소루는 털붕치라는 뜻인데 전주함몰(sacral dimple)이라고도 한다. 외배엽의 결합부전 혹은 퇴행이 덜된 꼬리로 추정되고, 미추 근처에서 발생하며 통증을 유발할 수 있다. 모소루는 5 mm 이하의 작은 구멍으로 항문 근처에 있고 척추강 내부 신경조직까지는 도달하지 않으므로 척수고정을 일으키지는 않는다 (Fig. 17-19). 간혹 부분적으로 늘어난 부위가 낭종 형태로 피하지방층에 보이기도 하는데, 감염이 생기면 내부 에코가 증가할 수 있다.[25]

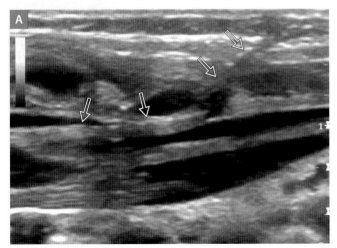
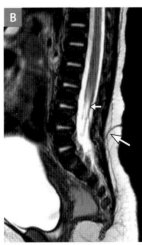

Figure 17-24 **Dorsal dermal sinus.** A. Longitudinal US scan shows hypoechoic cutaneous fistula (open arrows), which is continuous with linear echogenic structure in the CSF space. B. T2-weighted sagittal MR image shows linear subcutaneous tract (arrow) reaching to the dura. The conus level is low and linear dark signal intensity (short arrow) is continuous with the sinus tract.

4) 경막강내 지방종 Intradural lipoma

경막강 내부에 위치하는 지방종은 신경외배엽이 피부외배엽으로부터 너무 일찍 분리되어 형성된 조직으로, 요천추부위에 호발하고 척수를 고정시켜 신경학적 증상을 유발할 수 있다. 경막강 내 지방종과 피하지방과의 연결이 없다는 것이 지방척수수막류와 다른 점이다.

초음파에서 고에코의 종괴를 볼 수 있으며 MRI로 좀더 정확한 진단을 할 수 있다.[25]

4. 꼬리세포괴 Caudal cell mass 이상에 의한 기형

1) 고정 종사증후군 Tight filum terminale syndrome

후향적 탈분화과정의 문제로 발생한 기형으로 척수원추 끝이 정상보다 낮게 위치하고, 종사는 짧고 고정되어 여러 가지 신경학적 증상을 초래한다. 키가 빠르게 자라는 시기에 척수가 당겨져서 신경학적 증상이 나타나는데, 대개 배뇨/배변

장애와 여러 정형외과적 문제가 발생하며 척추측만증이 동반되기도 한다.[26] 종사를 수술로 분리해 주어야 한다(detethering).

초음파에서 종사가 1~2 mm 이상으로 두꺼워지고 척수나 신경근의 움직임이 보이지 않는다. 섬유지방종(fibrolipoma of filum terminale)이 동반되면, 종사와 지방조직의 에코가 비슷하여 초음파로 구분이 어려울 수 있으며, MRI가 확진에 도움이 된다 (Fig. 17-18).[28]

2) 종말척수낭류/척수막탈출증
Terminal myelocystocele

꼬리세포괴나 후신경관 폐쇄 이상에 의해 발생하며, 종말 척수관이 낭종 형태로 되어 척추 결손부위를 통해 척추 밖으로 돌출되는 기형으로 피부 결손은 없다. 척수가 고정되어 척수원추 끝이 정상보다 낮게 위치하고, 낭종 주위에 지주막하 척수액도 증가하지만, 이 부분이 늘어난 중심관과 통하지는 않는다 (Fig. 17-25).[29] 지방조직이 동반되면 지방척수낭류(lipomyelocystocele)라고 한다. 종말척수낭류는 여아

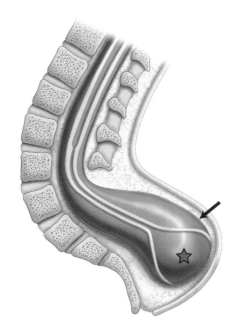

Figure 17-25 Terminal myelocystocele. Enlarged central canal and terminal ventricle is forming a dorsal cyst (open star) that is surrounded by expanded CSF space. The dorsal cyst is herniated through the dysraphic spine and it is covered by dura matter (arrow), subcutaneous fat (yellow area), and skin (brown line).

에서 호발하고, OEIS complex (Omphalocele, Extrophy of bladder, Imperforate anus, and Sacral agenesis)와 동반되기도 한다.[25]

3) 미부 퇴행증후군 Caudal regression syndrome

꼬리중배엽(caudal mesoderm), 꼬리세포괴, 그리고 배설강(cloaca)의 손상에 의해 척추 원위부, 직장항문, 비뇨기계의 기형이 발생한다. 주로 천추와 요추 및 척수가 다양한 정도로 저형성(hypoplasia)되고 방광외번(bladder extrophy), 인어 모양의 하체융합(인어체증, sirenomelia), 항문폐쇄, 척수수막류 등이 동반된다. 초음파에서 척수의 끝은 뭉툭하거나 경사진 모양으로 L1 상부에 위치하고, 두꺼운 종사 혹은 지방종에 고정된 척수가 보이기도 한다 (Fig. 17-26).

4) 천미추 기형종 Sacrococcygeal teratoma

꼬리세포괴의 다능성세포(multipotential cell)에서 기원하는

종양으로 미추 부위에서 발생한다. 여아에서 더 흔하며, 위치에 따라 네 가지 유형으로 나눈다. 제1형은 종양이 골반강 밖에 위치하고, 제2형은 종양의 대부분이 골반강 밖에 있으나 일부가 골반강 내로 들어오며, 제3형은 종양의 대부분이 골반강 내에 있고 일부가 밖에 있으며, 제4형은 종양 전체가 골반강 내, 천추 앞에 위치한다.

재발과 악성화의 위험이 있기 때문에 외과적으로 미추를 같이 제거해야 한다. 신생아 천미추 기형종의 10%가 악성이며, 2개월 이후에 발생한 종양은 남아의 경우 66%, 여아의 경우 47%가 악성이고, 3세 이후 이후에 발생한 종양은 거의 다 악성으로 알려져 있다. 초음파에서 비균질한 연부조직과 낭성 부분이 혼재하며, 악성일수록 고형부분이 많고 양성일수록 낭성 종괴로 보이는 경향이 있다 (Fig. 17-27).[30]

Currarino증후군은 천추외 결손, 천추 앞 종괴, 직장항문 협착의 세가지 기형을 동반하며, 상염색체 우성으로 유전된다. 천추 앞 종괴로는 기형종, 유피낭종, 지방척수수막류, 수막류 등이 있다 (Fig. 17-28).[31]

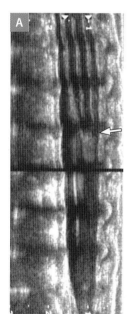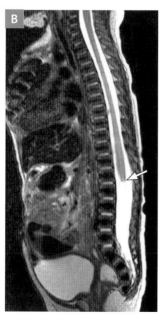

Figure 17-26 **Caudal regression syndrome. A.** Longitudinal scan of the distal cord shows abruptly blunted end (arrow) instead of the normal tapered appearance of the conus. **B.** Sagittal T2 weighted MR image reveals similar finding.

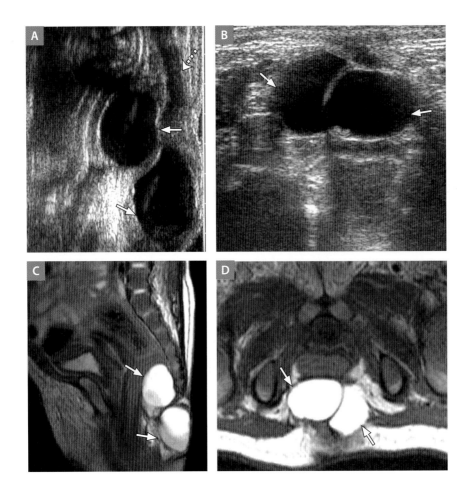

Figure 17-27 **Sacrococcygeal teratoma. A, B.** Longitudinal (**A**) and transverse (**B**) US scan show multiple cysts (arrows) anterior and distal to the coccyx. Dashed arrow in A indicates cartilaginous coccyx. **C, D.** T2-weighted MR images demonstrate mainly cystic masses (arrows) attached to the coccyx.

VI. 요약

척추 초음파검사는 아기를 재울 필요없이 간단하고 안전하게 시행할 수 있고, 신생아에서 비교적 좋은 영상을 얻을 수 있으며, 특히 낭종이나 수척수증을 진단하는 데 용이하다. 뿐만 아니라 척수의 고정여부를 실시간 검사로 알 수 있으므로 신생아 척추 이상의 선별검사(screening)로 매우 적합하다. 그러나 초음파는 연골부위만 투과할 수 있고, 그 외에 선천적 혹은 수술로 인한 척추 결손 부위를 통해서 검사할 수 있으므로, 이러한 음창(sonic window)이 존재하지 않으면 검사가 어렵다.

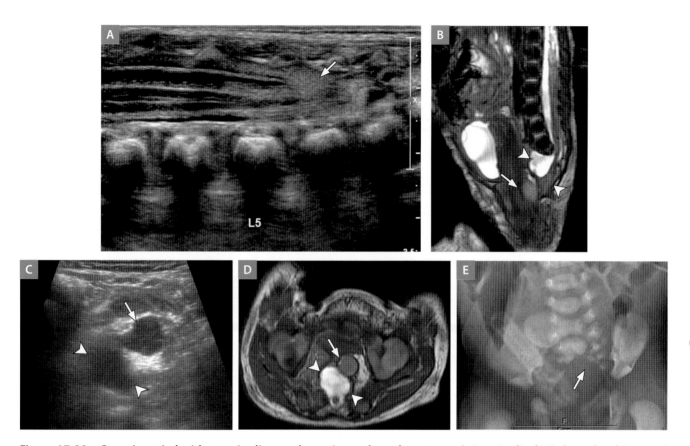

Figure 17-28   Currarino triad with anterior lipomyelomeningocele and teratoma. A. Longitudinal US shows low-lying cord attached to the echogenic mass (lipoma, arrow), which is continuous with the epidural fat via the dural defect. The central canal is minimally dilated. **B.** T2-weighted sagittal MR image reveals anteriorly protruded CSF filled sac (arrowheads) through the sacral defect, containing neural placode and lipoma, suggesting lipomyelomeningocele. There is another cystic mass (inferior long arrow) adjacent to the meningeal sac, which was pathologically confirmed as teratoma. **C, D.** Transverse US (**C**) and axial T2-weighted image (**D**) show anterior meningeal sac (arrows) and cystic mass (arrowheads). **E.** Plain radiography shows typical scimitar shaped sacral defect (arrow).

참고문헌

1. Eastwood DM. Neonatal hip screening. Lancet 2003;361:595–597.

2. Keller MS, Nijs EL. The role of radiographs and US in developmental dysplasia of the hip: how good are they? Pediatr Radiol 2009;39 Suppl 2:S211–S215.

3. American Institute of Ultrasound in Medicine. AIUM practice guideline for the performance of an ultrasound examination for detection and assessment of developmental dysplasia of the hip. J Ultrasound Med 2013;32:1307–1317.

4. Bracken J, Ditchfield M. Ultrasonography in developmental dysplasia of the hip: what have we learned? Pediatr Radiol 2012;42:1418–1431.

5. Rosendahl K, Toma P. Ultrasound in the diagnosis of developmental dysplasia of the hip in newborns. The European approach. A review of methods, accuracy and clinical validity. Eur Radiol 2007;17:1960–1967.

6. Rosendahl K. Ultrasound in the diagnosis of developmental dysplasia of the hip (DDH). Acta Radiol 2004;45:118.

7. Graf R. Classification of hip joint dysplasia by means of sonography. Arch Orthop Trauma Surg 1984;102:248–255.

8. Graf R. Hip sonography: Diagnosis and management of infant hip dysplasia, 2nd ed. 2006, Springer, Berlin.

9. Harcke HT. Screening newborns for developmental dysplasia of the hip: the role of sonography. Am J Roentgenol 1994;162:395-397.

10. Kaijser M, Larsson J, Rosenberg L, Josephson T. Anterior dynamic ultrasound of the infant hip: evaluation of investigator dependence. Acta Radiol 2009;50:690-695.

11. Tsung JW, Blaivas M. Emergency department diagnosis of pediatric hip effusion and guided arthrocentesis using point-of-care ultrasound. J Emerg Med 2008;35:393-399.

12. Strouse PJ, DiPietro MA, Adler RS. Pediatric hip effusions: evaluation with power Doppler sonography. Radiology 1998;206:731-735.

13. 여수현, 이성문, 조길호. 고관절 통증에서의 초음파검사의 유용성. 대한초음파의학회지 2013;32:1-15.

14. Robben SG, Lequin MH, Diepstraten AF, den Hollander JC, Entius CA, Meradji M. Anterior joint capsule of the normal hip and in children with transient synovitis: US study with anatomic and histologic correlation. Radiology 1999;210:499-507.

15. Kocher MS, Zurakowski D, Kasser JR. Differentiating between septic arthritis and transient synovitis of the hip in children: an evidence-based clinical prediction algorithm. J Bone Joint Surg Am 1999;81:1662-1670.

16. Eich GF, Superti-Furga A, Umbricht FS, Willi UV. The painful hip: evaluation of criteria for clinical decision-making. Eur J Pediatr 1999;158:923-928.

17. Robben SG, Meradji M, Diepstraten AF, Hop WC. US of the painful hip in childhood: diagnostic value of cartilage thickening and muscle atrophy in the detection of Perthes disease. Radiology 1998;208:35-42.

18. Kallio PE, Paterson DC, Foster BK, Lequesne GW. Classification in slipped capital femoral epiphysis. Sonographic assessment of stability and remodeling. Clin Orthop Relat Res 1993:196-203.

19. Liberman B, Herman A, Schindler A, Sherr-Lurie N, Ganel A, Givon U. The value of hip aspiration in pediatric transient synovitis. J Pediatr Orthop 2013;33:124-127.

20. Schenk JP, Herweh C, Gunther P, Rohrschneider W, Zieger B, Troger J. Imaging of congenital anomalies and variations of the caudal spine and back in neonates and small infants. Eur J Radiol 2006;58:3-14.

21. Hughes JA, De Bruyn R, Patel K, Thompson D. Evaluation of spinal ultrasound in spinal dysraphism. Clin Radiol 2003;58:227-233.

22. Lowe LH, Johanek AJ, Moore CW. Sonography of the neonatal spine: part 1, Normal anatomy, imaging pitfalls, and variations that may simulate disorders. AJR Am J Roentgenol 2007;188:733-738.

23. Robinson AJ, Russell S, Rimmer S. The value of ultrasonic examination of the lumbar spine in infants with specific reference to cutaneous markers of occult spinal dysraphism. Clin Radiol 2005;60:72-77.

24. Azzoni R, Gerevini S, Cabitza P. Spinal cord sonography in newborns: anatomy and diseases. J Pediatr Orthop B 2005;14:185-188.

25. MJ CBS. Spinal Ultrasonography, In MJ Segel ED. Pediatric Sonography. 4th ed. New York: Raven Press.

26. Rossi A, Biancheri R, Cama A, Piatelli G, Ravegnani M, Tortori-Donati P. Imaging in spine and spinal cord malformations. Eur J Radiol 2004;50:177-200.

27. Kriss VM, Kriss TC, Coleman RC. Sonographic appearance of the ventriculus terminalis cyst in the neonatal spinal cord. J Ultrasound Med 2000;19:207-209.

28. Lowe LH, Johanek AJ, Moore CW. Sonography of the neonatal spine: part 2, Spinal disorders. AJR Am J Roentgenol 2007;188:739-744.

29. Byrd SE, Harvey C, Darling CF. MR of terminal myelocystoceles. Eur J Radiol 1995;20:215-220.

30. Feldman M, Byrne P, Johnson MA, Fischer J, Lees G. Neonatal sacrococcygeal teratoma: multiimaging modality assessment. J Pediatr Surg 1990;25:675-678.

31. Lee SC, Chun YS, Jung SE, Park KW, Kim WK. Currarino triad: anorectal malformation, sacral bony abnormality, and presacral mass: a review of 11 cases. J Pediatr Surg 1997;32:58-61.

CHAPTER 18

영상 판독문(또는 소견서)의 작성

How to write radiology report

Characteristics of a Good Radiology Report (8C + 1T)

Components	Significance (in meanings)
Clarity	Not vague, semantic and logical description
Correctness	Accurate usage of terms, and precise diagnosis whenever possible
Concision	Brevity of description for readability by referred doctors
Completeness	Composed of all components
Consistency	No paradoxical description
Confidence	Level of certainty: *definite, highly likely, probable, possible, suspected, questionable, equivocal, unlikely, undetermined, no idea, etc (numeric expression, if possible)* Severe, moderate, mild, minimal, slight (with providing normal measure) Numeric expression (refer to Table 18-4)
Communication & Consultation	Direct communication enhances delivery of informational content, especially when there are positive red flag signs. More professional and ready to answer to consultation
Timeliness	Delay might be harmful to medical decision-making, especially in urgent clinical situation

18 CHAPTER

■ 조길호, 윤영철

영상 판독문(또는 소견서)의 작성
How to write radiology report

I. 서론

영상 검사나 시술(procedure)에 대한 '영상 판독문(또는 소견서) 작성은 진료 행위로서 영상의학 의사의 의무이다. 영상 판독자는 전문지식, 경험, 적절한 참고자료 등을 바탕으로 영상 소견을 해석하고, 자신의 의견을 반영하여 영상 소견서를 작성한다. 이렇게 작성된 문서는 '검사를 의뢰한 의사'와 '소견서 작성 의사' 사이의 의사소통(communication) 수단이며, 판독 내용은 해당 환자의 치료 방침과 치료계획에 반영되며, 의료분쟁에서는 법률적 효력을 가지는 중요 문서이다. 그럼에도 불구하고, 영상의학 의사의 약 25%가 전공의 수련과정 중에 판독문 작성에 대한 교육을 받지 않았고, 약 85%가 교육을 받았다 해도 1년에 1시간 이하이다. 영상의학 의사의 94.7%, 검사를 의뢰하는 의사의 92.4%는 '영상소견서 작성이 영상의학 전공의 과정에 의무적으로 포함되어야 한다'는 설문조사가 있다.(1~4)

1. 판독문 양식과 형태의 다양성

전통적인 판독문은 산문형(free-text prose or narrative style)으로, 판독자가 영상을 보면서 작성하거나, 음성 녹음한 것을 타자수(typist)가 문서로 기록한다. 영상저장전송시스템(PACS; Picture Archiving and Communication Systems), 전자의무기록(EMR; Electronic Medical Records), 인터넷 웹 포탈(Internet web portal) 도입 등 달라진 요즘의 의료 환경에서, '구조화 형태(tabulated or structured format)'의 판독 양식이 있는데, 항목별로 분류된 점검사항(checklist)과 해당 소견의 빈칸에 표시를 하는 형태이다. 다음 페이지(780~781쪽)의 네모상자에 제시한 예를 보기 바란다.

산문형 판독문의 예; 어깨 초음파

- **임상정보**   6개월 째 지속되는 우측 어깨 운동제한 및 통증
- **이전검사**   없음
- **검사방법**   회색조 초음파, 역동적 초음파
- **검사의 질**   특이사항 없음
- **영상소견**
  - ✓ 회전근개
    - – 극상근; 상완골 부착부에 2 cm 크기의 저에코 부위가 있으며 전반적으로 두꺼움
    - – 극하근/ 소원근/ 견갑하근; 정상
  - ✓ 이두박근 장두건; 정상
  - ✓ 관절활액막; 정상
  - ✓ 윤활낭; 견봉하 윤활낭에 액체저류 있으며 활액막이 두껍고 혈류가 증가됨
  - ✓ 후상부 관절순; 정상
  - ✓ 근육, 기타 연부조직; 정상
  - ✓ 역동적 검사; 견봉하 충돌소견 있음
- **결론**   견봉하 충돌증후군과 관련된 극상근의 퇴행성 변화 및 견봉하 윤활낭염

'구조화 판독문'은 '산문형 판독문'과 비교하여 정보전달, 완결성, 정확도에서 장점이 있고, 의료정보화와 통계처리 등이 용이하다.[4~8] 그렇지만, 용어의 분류체계가 복잡하여 해당 항목을 찾는 데 시간이 걸리거나, 서술하고자 하는 용어가 없을 때는 불편하다. 구조화 판독문에서 해당 항목과 용어를 찾는 데 시간과 노력을 쓰는 것보다, 전통적인 방식으로 영상 소견을 관찰-분석하는 데 치중하면서 산문 형태로 판독문을 작성하는 것이 더 인간적이라는 의견도 있다.[6,8] 한편, 판독문 작성과 읽는 데 걸리는 시간, 내용 전달, 정확도 등에서 '산문형'과 '구조화' 판독문 양자간에 차이가 없다는 보고도 있다.[7,9] 특별한 부위의 희귀 질환, 특히, 단순촬영, 초음파, CT, MR 등의 다양한 영상진단 장치를 연계하여 해부학 구조물, 병적 영상 소견을 복합적으로 표현하는 데는 산문형이 아직까지는 더 편리하고 유용하다. '구조화 판독문' 형태에 산문형으로 내용을 추가 가능한 '절충형(semi-structured hybrid type) 판독문'이 좋다는 보고가 있다.[4,7] 최근에는, 산문형으로 소견서를 작성하고, 동영상을 포함한 핵심 영상(key image)을 자료연결(multimedia-hyperlink)하는 HTML (HyperText Markup Language) 형태의 판독문이 시도되고 있다.[9,10]

구조화 형태 판독문의 예; 어깨 초음파

의뢰 사유	6개월 째 지속되는 우측 어깨 운동 제한 및 통증
이전 검사	☐ 있음　　　　　　　✔ 없음
검사방법	✔ 회색조 초음파　　　✔ 역동적 초음파　　　☐ 도플러 초음파
검사의 질	✔ 특이사항 없음　　　☐ 특이사항　　　☐ 기타 　　　　　　　　　　　내용:
영상소견	

회전근개	견갑하근	✔ 정상	☐ 비정상
	극상근	☐ 정상	✔ 비정상 상완골 부착부에 2 cm 크기의 저에코 부위가 있으며 전반적으로 두꺼움 역동적 검사에서 견봉하 충돌소견 있음
	극하근	✔ 정상	☐ 비정상
	소원근	✔ 정상	☐ 비정상

윤활낭	견봉하 윤활낭	액체저류 있으며 활액막이 두껍고 혈류가 증가됨

이두박근 장두건	✔ 정상	☐ 비정상	
관절	A-C joint	✔ 정상	☐ 비정상
	G-H joint	✔ 정상　✔ 관절순 정상　✔ 관절활액막 정상	
근육	✔ 정상	☐ 비정상	
연부조직	✔ 정상	☐ 비정상	
기타 조직	✔ 정상	☐ 비정상	

결론	
진단	1. 극상근의 퇴행성 변화　　　　　　　　　　기타: 2. 견봉하 윤활낭염 3. 견봉하 충돌증후군
감별진단	
권고사항	
작성자 연락처	사무실 전화:　　　　　e-mail:　　　　　휴대전화: Fax:

2. 환자중심 영상의학 Patient-centered radiology

인터넷, 스마트폰 보급 등 전자 정보 분야의 발달에 따라, 사회정보전달체계(SNS, Social Network Service)를 통한 사회-개인간, 개인-개인간에 정보나 의견을 표현-교환-공유-전달하는 데 시간-공간적 제약이 없어지고 있다. 환자나 보호자는 질병, 진단, 치료 등에 관한 궁금증이나 의문점에 대해 쉽게 의견을 내고, 정보를 얻기도 한다. 제한적이긴 하지만, 환자가 인터넷 웹포탈(internet web portal)에 접속하여 자신의 의료정보를 볼 수 있는 병원도 있다.[11] 또, 의학-의료 영역은 증거의학(evidence-based medicine)을 넘어, 개인맞춤의학(personalized or individualized medicine)으로 발전하고 있다. 영상의학에서도 증거 및 환자중심 영상의학(evidence-based and patient-centered radiology)이 대두되었다.[12~14] 이러한 사회-문화-의료 환경의 변화에 따라, 영상검사 소견과 결과를 '영상의학 의사가 환자(또는 보호자)에게 직접 설명하거나, 우편이나 전자정보 매체를 통해 전달해야 한다'는 의견도 있다.[11,14~18] 더 나아가, 유전공학 및 전산화 생물학(computerized biology), 인공지능(artificial intelligence), 의학의 디지털화(digitization of medicine), 사회-환경 인자 등을 망라한 정보에 기초한 개인맞춤의학의 발전이 의료영상정보학(medical imaging informatics)과 결합하여, 영상의학 의사의 인식과 체계의 틀(paradigm)이 변화하고, 새로운 영역과 역할을 담당하는 미래가 될 것이다.[19]

3. 근골격 초음파 검사의 판독문

근골격 초음파 검사에 특화된 판독문 작성에 관한 논문은 많지 않다.[20~23] 저자들은 영상의학 및 초음파 관련 학회의 기준, 제안, 권고사항, 보고서 등의 자료[1,2,5~8,20~39]를 참고하여, 근골격 초음파 판독 소견서 작성의 원칙, 서술 방법, 주의사항 등을 제시하고자 한다.

판독문의 형식이나 내용은 (1) 환자의 증상과 진료 상황, 검사 목적 등에 따라 다를 수 있고, (2) 영상검사자의 경험, 선호도, 병적 소견의 복잡성 등에 따라 다를 수 있고, 또 (3) 검사의뢰자의 전문과목이나 선호도에 따라 다를 수 있다.[1]

II. 영상소견서 구성의 기본 항목
Basic composition

어떤 양식과 형태(산문, 구조화, 절충형, HTML)이든 간에 영상소견서는 기본적으로 크게 세 부분 – 행정사무 부분, 소견서, 기타 사항 – 으로 구성된다. 이를 좀 더 세분하면, (1) 의료기관 명칭, 환자의 인적 사항과 등록번호 등의 사무-행정 정보, (2) 검사의뢰자의 소속, 이름, 의뢰 날짜 등, (3) 환자의 병력/진료 정보, (4) 의뢰된 검사나 시술의 부위/방법, (5) 영상 소견 서술 및 결론, (6) 권고나 제안, (7) 기타 추가 사항, (8) 판독자의 서명과 연락처 등이다 (Table 18-1). [1,2,23~30,36,37]

1. 환자의 병력/임상정보

검사를 의뢰하는 의사는 검사에 필요한 환자의 병력, 증상, 검사목적, 적응증(indication) 등의 정보를 영상의학 의사에게 제공하여야 하며, 이런 정보가 검사 및 시술과 소견서 내용에 영향을 미친다.[1,2,4,22,25,26,40,41] 이에 대한 정보가 없거나 불분명하면, 영상의학 의사는 환자의 의무기록을 열람하여 필요한 정보를 얻을 수 있고, 영상소견서에 그 내용을 서술할 수 있다.[1,2] 초음파 검사 과정에서 환자나 보호자로부터 얻은 정보나 다른 경로로 얻어진 정보의 출처를 판독 소견서에 포함할 수 있다. 단, 정보 공개의 범위를 벗어나지 않아야 한다.

Table 18-1 Basic Composition of a Radiology Report

Section		Components
Demographics	Administrative Information	Referring date/time of the examination Referring doctor's name (including phone number/e-mail), institution and department
	Patient identification	Name, Sex/Age, Hospital registration number (Body Weight/Height, if necessary)
Relevant clinical Information		Reason(s) for referral (clinical problems and medical necessity) Symptoms and signs, physical examination findings; Risk factors (including general condition, underlying diseases, bleeding tendency, allergy, pregnancy, immobility, previous surgery, and so on)
Imaging technique/Procedure		Date/Time of examination Body part to be examined, Transducer frequency, type & scan directions, Color &/or power Doppler, Dynamic examination, 3-D imaging, Elastography Contrast material (name, dose, route, time of administration, if used) Interventional procedure(s)
Main Part	Findings (observations)	
	Diagnosis (conclusion, summary, Impression, judgment, reading, interpretation)	
Recommendations		
Addendum		
Reporting doctor's name and signature (including phone number/e-mail address), institution and department, date/time of reporting		

2. 검사/시술의 종류 및 방법

해당 장기/시술(관절, 연부조직, 신경, 혈관, 중재적 시술 등)과 부위(좌-우; 앞-뒤; 내측-외측)를 구체적으로 기록한다. 초음파 장비 명칭, 탐촉자의 주파수, 스캔방향(횡축-종축 등)에 대한 정보가 영상에 표시되어 있지 않다면, 이를 판독 내용에 서술한다. 역동적 검사, 색 및 강화 도플러(color and power Doppler), 삼차원 영상, 탄성초음파검사(elastography), 초음파 조영제 사용 유무(사용량, 주입 방법, 시간) 등을 기록한다. 중재적 시술에서, 시술 중 및 시술 후의 특이점과 합병증 유무 등을 기록한다. 시행한 검사가 기대했던 결과를 얻기에 부적합했거나 실패한 검사라면, 검사의 제한점과 그 이유를 본문이나 추가 사항에 서술한다.

III. 초음파소견서 본문의 작성

1. 소견서 본문 작성의 원칙

소견서는 작성자가 이를 읽는 의사에게 검사결과를 정확하게 전달하는 의사소통의 수단이다. 초음파 검사뿐만 아니라, 물리적 특성이 서로 다른 영상 검사 - 단순촬영, CT, MR, PET 등 - 에서 얻어진 정보를 아우르는 복합성이 필요할 때도 있으므로 영상의학과 의사로서의 전문성이 요구된다. 그렇지만, 지나친 영상의학적 표현은 의사 전달에 방해가 될 수 있다.[34] 따라서 작성자는 영상 소견 및 해부학적 위치 등을 표준 용어로 묘사하고, 소견서를 읽는 의사가 이해하기 쉬운 용어를 사용하여 작성자가 의도한 의미가 제대로 전달되도록 작성한다. 검사 의뢰자 뿐만 아니라 전문과목이 서로 다른 의사, 환자 또는 보호자에게 판독 내용이 전달될 수도 있고, 변호사, 판사 등의 법률 관계자가 읽을 수 있다는 점을 고려한다.

검사의 결과가 정상일 때는 검사 영역에 포함된 각 해당 장기나 항목별로 "정상"이라고 간단히 표현하는 것으로 충분할 수 있다. 검사 결과가 정상일지라도 병기 결정, 질병의 진행, 수술 등의 치료 방침 결정에 영향을 미칠 수 있는 경우에는, 중요 장기, 혈관-신경-림프절 등에 대한 내용을 기술한다.

검사 목적(수술 전, 치료 후 관찰 등), 질환의 특성, 병변의 해부 및 병리학적 복잡성 등에 따라, 영상 소견의 서술내용과 분량이 길어질 수 있다.[1,2,4,26,30] 그렇지만, 지나치게 긴 서술은 시간낭비이고, 소견서를 읽는 검사의뢰자를 포함한 다른 의사도 부담스러워한다. 가능한 한, 중요하고 필요한 내용이 잘 드러나게 논리적으로 함축성 있게 서술하기를 권장한다. 이때, 검사 의뢰자가 제공한 정보(환자의 증상, 검사 목적 등)에 대한 답변을 반드시 포함하여야 한다.

2. 용어의 분류 위계 Taxonomy of terms

언어의 자연발생 계통(natural hierarchy of language)에 비유하여, 소견서 작성에 사용하는 용어의 의미(semantics of terms)를 네 단계로 나눌 수 있다.[33] 저자는 근골격계 초음파를 기준으로 용어의 등급을 설명하고자 한다.

(1) 제1단계(기본 등급): 초음파 영상의 밝음-어두움 정도를 서술
(2) 제2단계: 해부학 용어를 사용한 서술
(3) 제3단계: 병태생리적 용어를 사용한 서술
(4) 제4단계(가장 높은 등급): 병명을 서술

서술의 내용이 각 단계별로 나누어지는 것은 아니며, 제1~4단계가 서로 융합되어 서술된다. 가능한 한, 정확한 표준 용어를 사용하여 해부학, 병리학 및 영상 소견을 논리적으로 서술하면, 의미 전달이 명확하여 불필요한 중복 서술과 혼란을 피할 수 있다 (Table 18-2).

초음파검사가 진단에 결정적 역할을 하는 질환에서는 해부학적 용어를 사용한 서술과 더불어 추정 진단명을 제시할 수 있다. 예를 들면, 초음파검사에서 보이는 극상근 석회화의 크기, 모양, 위치 등으로 극상근 석회화 힘줄염을 진단하고, 동반된 삼각근하 윤활낭염을 진단할 수 있다. 그러나, 초음파에서 보이는 석회화가 생성기 또는 흡수기(formative or resorptive stage)인지는 알 수 없다.

Table 18-2 Hierarchy (Four Principal levels) of Terms in Musculoskeletal Ultrasound Reporting

Level & Grade of Description	Example
The basic (or lowest) level: Shadows pattern of light and dark; lesion size; vascularity	An anechoic (or mixed hypo-/hyper-echoic) mass in soft tissues, with 3 cm in the longest diameter; with peripheral hyperechoic rim and hyperemia on color Doppler examination
The second level: Anatomic explanation	The mass is located at the subcutaneous fat layer close to the underlying muscle fascia
The third level: Pathophysiologic description	The mass shows changeable (or unchangeable) shape on compression with transducer, and some mobility, moved away from the superficial skin and the underlying muscle fascia
The highest or fourth level: Diagnosis, (if possible) &/or Differential Diagnoses	Epidermoid cyst with foreign body reaction in the subcutaneous fat layer, without abutment to the skin and myofascia Differential diagnoses: Other cystic mass with foreign body reaction; Foreign body granuloma; unusual pattern of lipoid tumor; fat necrosis (with trauma history?); possibility of malignancy is quite low

3. 소견서 본문 서술 요령

여러 참고문헌(1, 2, 20, 26~29, 31, 32, 34, 36)에 나와 있는 본문 서술에 대한 일반적 기준과 요령을 정리하면 아래와 같다 (Table 18-3).

(1) 소견의 서술은 현재 시제로, 시술이나 행위는 과거 시제로 한다.

(2) 중요한 소견부터 순서대로 서술하고, 판독자의 의견을 뒤에 서술한다.

(3) 초음파 영상의학적 표현을 지나치게 사용하지 않는다.

(4) 약자 사용을 하지 말되, 꼭 필요하면 처음 나올 때 괄호 안에 표시한다.

(5) 병적 수견에 대해 구체적으로 서술한다
  ① 크기, 범위, 수, 모양, 위치(깊이 포함) 등
  ② 에코 정도(anechoic, hypoechoic, isoechoic, hyper-echoic)
  ③ 낭성 또는 고형(cystic or solid), 석회화 유무

  ④ 역동적 검사에서 병변의 특성
  ⑤ 사용한 장비, 탐촉자 주파수 및 검사 방향(영상에 표기된 경우에는 생략 가능)
  ⑥ 도움이 되는 적절한 영상(key image)의 번호를 지정
  ⑦ 정상의 범위나 크기에 관한 정보를 참고하도록 포함
  ⑧ 중요 장기, 병변 주변의 혈관, 신경 등과의 관계
  ⑨ 혈관 검사에서는 혈류(blood flow)의 특징

(6) 비교 가능한 이전의 검사가 있다면, 검사방법(CT/MR 등)과 시행 날짜를 표기하고, 비교 설명한다.

(7) 소견이 많고 복잡한 병변일 때, 내용에 따라 여러 단락으로 나누어 설명을 추가한다

(8) 위험회피 용어(hedge terms)나 애매한 표현을 피하고, 확실성의 정도를 표기한다.

(9) 검사의뢰자가 제공한 환자의 증상, 검사 목적 등에 대한 답변을 반드시 포함한다

(10) 시술 또는 검사 중 및 시술 후의 특이점과 합병증 유무 등을 기록한다.

Table 18-3 Guidelines How to Describe the Main Part (findings and conclusion) of a Report

1. Describe findings in present tense and active form as possible
2. Use past tense for describing the procedures and what was done
3. Organize the description in a logical manner in order of importance
4. Use correct medical terminology, with avoiding pure ultrasonographic (& radiological) terms as possible
5. Do not use abbreviation
6. Describe in complete phrases or sentences
7. Describe all positive findings & a few pertinent negatives
8. Paragraphs as many as necessary to cover successive thought; Separate between the pathologic and normal findings, and to mention different organs
9. Complex findings can be described with additional explanation
10. Do not use hedging words as much as you can
11. Answer the clinical question or information given, and address you have read the requisition according to the motivation for the examination
12. Indicate adequate key images related to findings described in the text
13. Quantify the pathological findings using scoring methods or appropriate measurements where possible (with/or without providing data of normal range)
14. Mention important incidental findings, additional procedures/doings, and information obtained during the exam (ex, comparison with opposite contralateral side)
15. Disclosure. Avoid a tale of woe. If a study fails for any reason, state the fact in one sentence and go on to the next report

4. 위험회피 용어 Hedging words, 애매하거나 불필요한 표현

증거중심 의학(evidence-based medicine)을 위해 노력하지만, 의학은 근본적으로 피할 수 없는 불확실성을 가진 학문이다. 의사는 환자의 증상과 질환에 따라 적절한 이학적 검사, 혈액검사, 영상 검사, 환자의 경과 관찰, 수술 소견, 조직병리 소견 등을 종합하여 학문적 지식과 경험을 바탕으로 진단을 추정-도출하고, 치료방침을 정한다. 이런 과정에서 영상 검사는 의사가 이용하는 도구의 일부분이다. 전문과목이 다른 비영상의학 분야의 의사는 '영상검사의 시행, 판독에 관해서는 영상의학 의사가 가장 전문가'라고 본다.[4] 따라서, 불확실성이나 위험을 회피하는 용어나 책임을 미루는 표현 – 진료 소견을 참조 바람 등 – 을 가급적 피해야 한다.[1,2,29,34~37] 모든 의사는 영상 검사 소견의 한계(limitation)를 인식하고, 영상의학의사는 감별이 필요한 질환에 대한 정보를 제공하고, 필요한 추가 검사를 권고할 수 있다.

5. 확실성과 진단 신뢰성 Diagnostic confidence

영상 소견서 작성자가 소견과 진단의 확실성-불확실성의 정도(degree of certainty and uncertainty)를 표현할 때 사용하는 다양한 수식적 용어를 검사 의뢰자의 15~53%는 다른 정도로 받아들인다.[39] 소견서 작성자는 (불)확실성 정도를 수식어(Graduated modifiers as mild, moderate, severe, extreme)로 표현하기 보다는 가능하다면 수치로 나타내는 것이 좋다.[39] 검사의뢰자가 선호하는 가장 적절하고 혼란이 적은 수식어는 표와 같다 (Table 18-4).

6. 소견서의 결론 부분 Impression/conclusion/diagnosis

소견서 결론 부분은 본문에서 서술한 내용의 종합적 간추림이다.[1,2,29] 설문 조사에 의하면, 많은 의사들이 결론을 먼저 보거나, 결론만 읽는 경향이 있고, 영상소견서 내용 전체를 읽지 않을 수 있다.[1,4,9,42] 영상 소견이 뚜렷하게 시사하는 질환이 있다면, 그 진단명을 기술하고, 필요할 때는 가능성이 높은 순서로 몇 가지의 감별이 필요한 적절한 진단명을 제시한다.

환자의 병력, 이학적 소견, 그리고 다양한 검사결과 등을 종합하여 판단해야 할 질환에 대해, 영상소견만으로 지나친 추정이나 단정적 결론에 이르는 잘못을 범하지 않아야 한다. 예를 들면, 류마티스관절염의 초음파소견은 이 질환의 진단 요소와 기준(criteria)의 일부인데, 초음파소견만으로 류마티스관절염을 유일한 진단명으로 확정하여 주장하는 것은 바람직하지 않으며, 가능한 감별진단명을 제시하는 것이 좋다. 또 다른 예를 들면, 초음파 검사에서 위치, 크기 등이 확인된 저에코 낭성 종괴는 혈종, 농양, 장액낭(때로는 림프종이

Table 18-4 Expressions Preferred by Clinicians for Varying Levels of Diagnostic Confidence

Diagnostic confidence	Most favored expression	Second most favored expression
10%	Unlikely	Cannot exclude
25%	Possibly	
50%		Suggestive of
75%	Likely	Suspicious for
90%	Most likely	Compatible with

(modified the table 2 in the reference 39)

나 신경종) 등의 다양한 가능성이 있고, 특정 진단을 제시하기가 어려울 수 있다. 이럴 때, 담당의사와 상의하고, 환자(또는 보호자)의 동의를 얻은 후, 초음파유도하 경피적 흡인이나 조직생검을 시행하는 것이 바람직하다.

7. 권고 Recommendation

진단, 치료, 혹은 예후(prognosis) 판정을 위해 도움이 될 추가 검사, 관찰 등을 제안할 수 있다. 영상의학 의사가 권고한 추가 검사에 대해서, 검사의뢰자가 '하지 않았다가 의료소송 등의 법적 문제의 발생 소지'를 걱정하는 불편함을 유도하지 않아야 한다.[29] 또, 치료에 관한 지나친 언급을 피한다.

8. 검사자와 판독자의 연락처

연락처(전화번호, e-mail 주소 등)를 제공하여 의사전달이 미진한 점이나 궁금증에 대해 검사 의뢰자와 영상의학의사 사이에 의견을 직접 구두로 교환한다.

9. 추가 사항

검사과정에서 환자나 보호자로부터 얻은 정보 등을 기록할 수 있다. 단, 정보 공개의 범위를 벗어나지 않아야 한다. 검사 의뢰자와 직접 구두로 의사교환을 원한다면 의견을 적는다.

마지막으로, 소견서 작성자는 그 내용이 소견서를 읽는 의사에게 작성자가 의도한대로 전달될 것인지를 검토한다.

IV. 좋은 영상소견서의 특징

앞에서 설명한 내용으로 작성한 좋은 판독문의 일반적 특징을 '6C'로 간추릴 수 있다.[31,32] 명쾌성(clarity: 뚜렷한 논리), 정확성(correctness: 정확한 용어 사용과 정밀한 진단), 함축-간결성(concision-brevity), 완전성(completeness: 필요한 요소를 고루 갖춘 묘사), 일관성(consistency: 내용의 모순

Table 18-5 **Characteristics of a Good Radiology Report (8C + 1T)**

Components	Significance (in meanings)
Clarity	Not vague, semantic and logical description
Correctness	Accurate usage of terms, and precise diagnosis whenever possible
Concision	Brevity of description for readability by referred doctors
Completeness	Composed of all components
Consistency	No paradoxical description
Confidence	Level of certainty: *definite, highly likely, probable, possible, suspected, questionable, equivocal, unlikely, undetermined, no idea, etc (numeric expression, if possible)* Severe, moderate, mild, minimal, slight (with providing normal measure) Numeric expression (refer to Table 18-4)
Communication & Consultation	Direct communication enhances delivery of informational content, especially when there are positive red flag signs. More professional and ready to answer to consultation
Timeliness	Delay might be harmful to medical decision-making, especially in urgent clinical situation

이 없는 일치-조화), 신뢰성(confidence)이다. 여기에, 2C와 1T를 추가할 수 있는데, 의사전달(communication), 내용의 전문성(consultation), 그리고 적시성(timeliness)이다 (Table 18-5). [33,35]

V. 기타

1. 직접 전달해야 할 상황

판독문 작성 만으로 영상의사의 의무가 끝나는 것이 아니다. 검사 의뢰자 또는 해당 의사에게 직접 구두로 판독 결과나 의견을 전달해야 할 상황이 있다. 특히, (1) 응급 사항일 때 (red and/or yellow flag signs), (2) 이전의 검사와 이번 검사의 내용이나 결과가 다를 때, (3) 환자에게 심각한 영향이나 결과를 초래할 수 있는, 예상치 않은 중요 사항이 있을 때, (4) 검사결과가 불충분하여 추적검사나 추가 검사가 꼭 필요하다고 여겨질 때 등이다. [21, 23~26] 가능한 모든 통신수단을 이용하며, 팩스, 전화 녹음, e-mailing, 팩스 등의 직접적 의사 전달의 증거자료(날짜, 시간, 장소, 통화한 당사자, 통화 내용 등)를 남기는 것이 좋다. 스마트폰을 이용하여 문자메시지를 보내고 그 기록을 보관하는 것도 한 방법이다.

2. 우연히 발견된 소견

우연히 발견된 소견에 대해 언급할지 말지를 결정하는 것은 매우 곤혹스럽다. [42] 그렇지만, 언급하는 것이 좋을 듯하며, 특히 의미있는 중요 소견으로 생각되면 소견서에 기술한다. 그밖에, 검사 과정에서 얻은 추가 정보, 시행한 추가 검사(반대편 비교 등)에 대해 기술한다.

3. 실패한 검사나 검사의 질이 부적절한 검사

그 이유를 설명하고, 너무 비관적인 표현을 히지 않는 것이 좋다. 필요하면 추가 검사, 재검사, 추적검사 등에 대한 의견을 제시한다.

4. 오류, 잘못이 있을 때

소견서 작성에서 가능한 오류의 종류는 크게 세 가지로 나눌 수 있다. (1) 검사과정에서의 오류(observational or perceptual error), (2) 영상 해석의 오류(cognitive or interpretative error), (3) 소견서 작성에서의 오류 등이다. 초음파 검사의뢰서에 왼쪽-오른쪽, 팔-다리의 표기가 바뀌어 있을 때, 판독문에서 그 내용을 밝히고 수정된 부위에 대한 검사임을 밝힌다. 검사자 자신의 잘못이나 오류가 있을 때의 대처 방법은 서로 다를 수 있다. 법정에서도 자신에게 불리한 내용에 대한 진술거부권(또는 묵비권; 헌법 제12조2항, 형사소송법 제244조, 283조)을 인정한다. 하지만, 진술거부에 따른 이익과 불이익은 스스로 감수해야 한다. 따라서, 심각한 오류에 대하여 검사의뢰자에게 솔직하게 설명하여 더 이상의 혼란이나 심각한 결과가 생기지 않도록 예방하는 것이 좋다. [43]

참고문헌

1. Wallis A, McCoubrie P. The radiology report-Are we getting the message across? Clin Radiol 2011;66:1015-1022.
2. Stolberg HO. Radiology reporting handbook. Can Assoc Radiol J 2002;53:63-72.
3. Sistrom C, Lanier L, Mancuso A. Reporting instruction for radiology residents. Acad Radiol 2004;11:76-84.
4. Bosmans JML, Weyler JJ, De Schepper AD, Parizel PM. The radiology report as seen by radiologists and referring clinicians: results of the COVER and ROVER surveys. Radiology 2011;259:184-195.
5. Marcovici PA, Taylor GA. Structured radiology reports are more complete and more effective than unstructured reports. Am J Roentgenol 2014; 203:1265-1271.

6. Tublin ME, Deible CR, Shrestha RB. The Radiology Report Version 2.0. J Am Coll Radiol 2015;12:217–219.

7. Johnson AJ, Chen MYM, Swan JS, Applegate KE, Littenberg B. Cohort study of structured reporting compared with conventional dictation. Radiology 2009;253:74–80.

8. Riggs WW. Making a case for concise narrative radiology reports. Applied Radiol 2015;44;4–6.

9. Krupinski EA, Hall ET, Jaw S, Reiner B, Siegel E. Influence of radiology report format on reading time and comprehension. J Digit Imaging 2012;25:63–69.

10. Nayak L, Beaulieu CF, Rubin DL, Lipson JA. A picture is worth a thousand words: needs assessment for multimedia radiology report in a large tertiary care medical center. Acad Radiol 2013;20:1577–1583.

11. Bruno MA, Petscavage-Thomas JM, Mohr MJ, JD, Bell SK, Brown SD. Radiologists' reports in the era of patient web portals. J Am Coll Radiol 2014;11:863–867.

12. Miles RC, Hippe DS, Elmore JG, Wang CL, Payne TH, Lee CI. Patient access to online radiology reports: frequency and sociodemographic characteristics associated with use. Acad Radiol 2016;23:1162–1169.

13. US FDA. "Paving the way for personalized medicine". FDA's Role in a New Era of Medical Product Development US FDA. Oct 2013. (www.fda.gov/.../PersonalizedMedicine. Accessed on Jul 16, 2016).

14. Itri NJ. Patient-centered radiology. Radiographics 2015;35:1835–1848.

15. Gunn AJ, Mangano MD, Choy G, Sahani DV. Rethinking the role of the radiologist: enhancing visibility through both traditional and nontraditional reporting practices. RadioGraphics 2015;35:416–423.

16. Berlin L. Communicating Results of all outpatient radiologic examinations directly to patients: the Time has come. Am J Roentgenol 2009;192:571–573.

17. Hall FM. The radiology report of future. Radiology 2009;251:313–316.

18. Kuhlman M, Meyer M, Krupinski EA. Direct Reporting of Results to Patients: The Future of Radiology? Acad Radiol 2012;19:646–650.

19. Li KC, Marcivici P, Phelps A, Potter C, Tillack A, Tomich J, Tridandapani S. Digitization of medicine: how radiology can take advantage of the digital revolution. Acad Radiol 2013;20:1479–1494.

20. Iagnocco A, Porta F, Cuomo G, et al. The Italian MSUS study group recommendations for the format and content of the report and documentation in musculoskeletal ultrasonography in rheumatology. Rheumatology 2014;53:367–373.

21. The Royal College of Radiologists. Standards for the provision of an ultrasound service (www.rcr.ac.uk), 2014 (accessed on Jul, 2016).

22. Hobson-Webb LD, Boon AJ. Reporting the results of diagnostic neuromuscular ultrasound: an educational report. Muscle Nerve 2013;47:608–610.

23. American College of Radiology. ACR practice parameter for communication of diagnostic imaging findings. Revised 2014 (resolution 11) (www.acr.org). Accessed on Jun 16, 2016

24. AIUM practice guideline for documentation of an ultrasound examination (www.aium.org). 2014 revised (accessed Jul, 2016).

25. Royal College of Radiologists. Standards for the reporting and interpretation of imaging investigations (www.rcr.ac.uk/clinical-radiology/publications-and-standards). (accessed on Jun-15-2015).

26. Good practice for radiological reporting. Guidelines from the European Society of Radiology (ESR). Insights Imaging 2011;2:93–96.

27. Goergen SK, Pool FJ, Turner TJ, et al. Evidence-based guideline for the written radiology report. Journal of Medical Imaging and Radiation Oncology 2013;57:1–7.

28. Kahn CE, Langlotz CP, Burside ES, et al. Toward best practices in radiology reporting. Radiology 2009;252:852–856.

29. Hall FM. Language of the radiology report: primer for residents and wayward radiologists. AJR Am J Roentgenol 2000;175:1239–1242.

30. Mcloughlin RF, So CB, Gray RR, Brandt R. Radiology reports: how much descriptive detail is enough? AJR Am J Roentgenol 1995;165:803–806.

31. Armas RR. Qualities of a good radiology report (letter). AJR Am J Roentgenol 1998;170:1110.

32. Coakley FV, Liberman L, Panicek DM. Style guidelines for radiology reporting: a manner of speaking. AJR Am J Roentgenol 2003;180:327–328.

33. Friedman PJ. Radiologic reporting: the hierarchy of terms. AJR Am J Roentgenol 1983;140:402–403.

34. Revak CS. Dictation of radiologic reports (letter). AJR Am J Roentgenol 1983;141:210

35. Reiner BI, Knight N, Siegel EL. Radiology reporting, past, present, and future: the radiologist's perspective. J Am Coll Radiol 2007;4:313–319.

36. Flanders AE, Lakhani P. Radiology reporting and communications: a look forward. Neuroimag Clin N Am. 2012;22:477–496.

37. Friedman PJ. Radiologic reporting: structure (Editorial). AJR Am J Roentgenol 1983;140:171–172.

38. Baker SR. The dictated report and the radiologist's ethos. An inextricable relationship: Pitfalls to avoid. Euro J Radiol

CHAPTER

18

2014;83:236-238.

39. Rosenkrantz AB, Kiritsy M, Kim S. How "consistent" is "consistent"? A clinician-based assessment of the reliability of expressions used by radiologists to communicate diagnostic Confidence. Clin Radiol 2014;69:745-749.

40. Griscom NT. A suggestion: look at the images first, before you read the history. Radiology 2002;223:9-10.

41. Loy CT, Irwig L. Accuracy of diagnostic tests read with and without clinical information. JAMA 2004;292:1602-1609.

42. Berlin L. The incidentaloma: a medicolegal dilemma. Radiol Clin N Am 2011;49:245-255.

43. Mankad K, Hoey ETD, Jones JB, Tirukonda P, Smith JT. Radiology errors: are we learning from our mistakes? Clin Radiol 2009;64:988-993.

찾아보기

D

818

U